suhrkamp taschenbuch 5288

Nach dem Putsch 1971 hält das Militär nicht nur das Leben, sondern auch die Träume der Menschen in der Türkei gefangen. Künstlerinnen und Künstler, Linke, Intellektuelle fürchten um ihre Existenz; auch die Erzählerin, die aus Istanbul übers Meer nach Europa flieht. Im Gepäck: der Wunsch, Schauspielerin zu werden, und das unbedingte Verlangen, den so jäh gekappten kulturellen Reichtum ihres Landes andernorts bekannt zu machen und lebendig zu halten, ohne sich im »Tiergarten der Sprachen« auf die bloße Herkunft beschränken zu lassen. Und dort, inmitten des geteilten Berlin, auf den Boulevards von Paris, im Zwiegespräch mit bewunderten Dichtern und Denkern, findet sie sich schließlich wieder in der »Pause der Hölle«, in der Kunst, Politik und Leben uneingeschränkt vereinbar scheinen.
Emine Sevgi Özdamars Bestseller ist ein vielstimmiges Loblied auf ein Nachkriegseuropa, in dem es für kurze Zeit möglich schien, mit den Mitteln der Poesie Grenzen einzureißen, und ein sehnsuchtsvoller Nachruf auf die Freunde, Künstler, Bekanntschaften, die sie auf ihrem Weg begleiteten.

Emine Sevgi Özdamar, geboren in Malatya, Türkei, aufgewachsen in Istanbul, ist Schriftstellerin, Schauspielerin und Regisseurin. Mitte der siebziger Jahre ging sie nach Berlin und Paris und arbeitete mit den Regisseuren Benno Besson, Matthias Langhoff und Claus Peymann. Sie übernahm zahlreiche Bühnen- und Filmrollen und schreibt seit 1982 Theaterstücke, Romane und Erzählungen. Für ihr Werk wurde sie vielfach ausgezeichnet, u. a. mit dem Ingeborg-Bachmann-Preis, dem Adelbert-von-Chamisso-Preis, dem Kleist-Preis, dem Düsseldorfer Literaturpreis und dem Georg-Büchner-Preis 2022. Bei Suhrkamp erschien zuletzt die Neuausgabe ihres Prosadebüts *Mutterzunge*. Emine Sevgi Özdamar lebt in Berlin.

Emine Sevgi Özdamar

EIN VON SCHATTEN BEGRENZTER RAUM

Roman

Suhrkamp

Erste Auflage 2023
suhrkamp taschenbuch 5288

Umschlaggestaltung: Rothfos & Gabler, Hamburg
Umschlagfoto: Ara Güler/Magnum Photos/Agentur Focus
Druck und Bindung: CPI books GmbH, Leck
Printed in Germany
ISBN 978-3-518-47288-0

www.suhrkamp.de

EIN VON SCHATTEN BEGRENZTER RAUM

PROLOG

Plötzlich war ich wach. Geräusche hinter der Wand, als würde ein Lastwagen immer wieder versuchen, durch die Wände durchzukommen. Tiere rannten oben im Dachboden, auch nebenan klopften Tiere mit ihren Füßen an die Wand. Jemand weinte, wahrscheinlich die blinde Frau, die jeden Morgen gegen vier Uhr vor ihrer offenen Haustür steht und dem Wind zuhört. In diesem Moment sieht sie aus, als ob sie sehen kann. Jede Nacht brennt die Lampe in ihrem Zimmer. Sie sitzt auf ihrem Bett, manchmal schläft sie im Sitzen, mit offenen Augen, und sieht, wenn sie so schläft, wieder aus, als ob sie sehen kann. Wenn sie träumt, sieht sie wieder, weil sie erst mit zwölf blind geworden ist. Die Bilder, die sie zwölf Jahre gesehen hat, sind nicht mit ihr blind geworden. Sie haben sich jetzt nur von den zu schwarzer Leere gewordenen Gassen und Zimmern in die Träume der blinden Frau zurückgezogen. Jetzt kamen wieder die Geräusche, als ob ein Lastwagen hinter der Wand stünde und sich immer wieder vorwärtsbewegte, um durch die Wand zu fahren. Nach jedem Geräusch rieselten Staub und verfaultes Reisig von der alten Zimmerdecke, wo die Deckenbalken mit der Zeit morsch geworden und auseinandergegangen waren.

Ich ging hinunter in die Küche.

Das Morgenlicht draußen, das mit einem Bein noch in der Nacht stand, hatte sich durch die Fenster über den Tisch und die Stühle schon hingesetzt und mit seinem traurigen Schatten die Küche aus dieser Welt getrennt, um diesen Ort wieder den Toten zu geben, die einmal hier gewohnt hatten.

Jetzt rieselten auch aus dem Kamin kleine Steine und

Sand herunter und stießen mit dem Deckel des großen Blechtopfes zusammen und sprangen mit mechanischen Geräuschen in alle Richtungen in der Küche auseinander. Oben im Kamin gurrten ein paar Tauben und schlugen vielleicht mit den Flügeln gegen die engen Kaminmauern.

Das traurige Licht wuchs jetzt von den Stühlen über den Boden, über den aus dem Kamin herabgeregneten und in der Küche in alle Richtungen auseinandergegangenen Sand und über die kleinen Steine, um die Hände der Toten, die einmal diesen Kamin gemauert hatten, in dieser Halb-Nacht-halb-Tag-Stunde wiederzusehen, als jetzt die ganze Insel noch schlief und nur die blinde Frau wach vor ihrer offenen Tür stand und dem Wind zuhörte.

Ich lief Richtung Haustür, wo die Geräusche herkamen, als ob ein Lastwagen immer wieder versuchte, durch die Wand durchzukommen. Ich öffnete die Tür, die enge Gasse, durch die nicht einmal ein Auto fahren kann, stand leer, nur von der gegenüberliegenden niedrigen, kaputten Mauer fielen ein paar schwere Steine herunter. Ein Esel stand da mit einem langen Seil um seinen Hals, das an dem einzigen Baum in dem verwilderten Garten festgebunden war. Der Esel wollte sich von diesem Seil befreien, lief immer wieder vorwärts, so weit das Seil reichte, und haute mit seinem ganzen Körper und den Hufen gegen die niedrige Mauer. Hinter dem Esel stand die Ruine einer griechischen Kapelle und dahinter die griechisch-orthodoxe Kirche.

Als ich mit hochgerecktem Kopf zu der Orthodoxkirche hinschaute, drehte der Esel auch seinen Kopf nach hinten Richtung Kirche und blieb ruhig da so stehen. Hatte die Kirche, als ich noch schlief, dem Esel etwas erzählt, dass er dann so unruhig wurde, oder hatte die Kirche mit sich selbst gesprochen, und der Esel hatte sie gehört? Sprach die Orthodoxkirche schon immer mit sich selbst, oder sprach sie nur diese Nacht mit dem Esel, beide verlassen von ihren Menschen, beide festgebunden an einen Platz, von dem sie nicht weglaufen konnten. Alle Füße der Menschen, die diese Gassen runter zum Hafen laufen, dann wieder hoch zu ihren Häusern, waren schon vor Stunden verschwunden. Diese Füße lagen jetzt hinter den Haustüren als Schuhe und mussten auf den Morgen warten. Erst in einer Stunde werden die Schuhe von den Fischern, die aufs Meer fahren, wieder Richtung Tür gedreht, um sie anzuziehen, einige Fischerfrauen werden sich in ihren Nachthemden fremd fühlen, wenn sie von ihrem Bett aus auf ihren weggehenden Mann schauen. Fangen diese Männer an, durch die dunklen, steilen, engen Steinpflastergassen mit eiligen Schritten Richtung Hafen zu laufen, werden einige sogar, ohne ihren Lauf zu unterbrechen, beim Vorbeigehen an manches Fenster klopfen: »Memet, Memet, steh auf, es ist fünf Uhr – kayık kalkıyor –, das Boot fährt ab.« Das Wasser, mit dem sie ihre Gesichter schnell gewaschen haben, wird zuerst in ihren Gesichtsfurchen stehen bleiben und erst auf halbem Weg zum Hafen auf die Erde fallen.

Wenn diese Fischer in ihren kleinen Booten aufs Meer fahren, werden sie schweigen, weil es noch Nacht ist. Aber die Motoren ihrer Boote, die nicht für Boote gebaut wurden, sondern für Ackerbewässerungsanlagen, werden laut und lauter, bis der ganze Bootsboden zu zittern anfängt, und manchem Fischer wird durch das Zittern des Holzbodens die Nase jucken. Takatakatakatakatakatakatakatakatakataka. Diese Geräusche werden wie himmelgroße Messer die Nacht in Stücke zerreißen. Wenn die Nachtstücke anfangen, ins Meer zu fallen, werden Tausende von Krähen sich auf die Hausdächer oder Telegrafenmasten der Insel hinsetzen und im Chor krächzen, bis in der weit entfernten Moschee der Imam anfängt, das Morgengebet zu singen. An der Kuppel der Orthodoxkirche sind zwei Lautsprecher befestigt. Von der Kuppel der Kirche wird die Stimme des Imams durch die geschlossenen Fenster in die Häuser schleichen und in den Zimmern anfangen, herumzulaufen. Die Stimme wird die Handtücher, die im Dunkeln in sich ruhend hängen, anfassen, die Lichtschalter an- und ausdrehen, die Bettlaken unruhig machen und alle Hunde mit nur halb offenen Augen zum Bellen bringen. Dann wird nebenan der Hahn krähen, üüürürürü. Dann wird es wieder still sein, bis das von Schatten verfolgte Licht anfängt, zuerst die Bäume zu beleuchten. In dem Moment werden ein paar Pfirsiche aus dem Baum herunterfallen.

Aber es ist noch Zeit.

Jetzt sind der Esel, die Orthodoxkirche, die blinde Frau, die vor ihrer offenen Haustür steht, und ich allein.

Über uns die Nacht hat aus den dunkelsten Ecken ihrer Erinnerungen etwas herausgeholt und hat dieses Etwas zwischen der Orthodoxkirche, dem Esel, der blinden Frau und mir in der Luft leise verteilt.

DIE ORTHODOXKIRCHE SPRICHT

INSEL

Auf dieser Insel waren alle Häuser miteinander verwandt. Auch die Menschen sahen sich ähnlich. Man konnte sogar denken, dass sie hinter ihren Haustüren an den Nägeln ähnliche Masken hängen hatten, die sie, bevor sie aus dem Haus gingen, aufsetzten, auch die Hände sahen so aus, als ob sie die gleichen Händemasken angezogen hätten. Einige waren Fischer, andere Olivenpflücker.

Diese türkische Insel liegt genau gegenüber der griechischen Insel Lesbos.

Die Inselmenschen hier hatten drei Winde, Imbat, Poyraz, Lodos. Auch den Yıldızwind, aber der kam hier nicht so oft vorbei. Imbat kam dagegen sehr oft, Imbat wehte genau von gegenüber, aus Richtung Lesbos, setzte zuerst die Häuser von Lesbos in Nebel und Dunst, kam dann auf dem Rücken der fliegenden Pferde über das Ägäische Meer, das diese beiden Inseln verband, galoppierend hierher, wehte alle Wäsche, die auf den Balkonen oder in den Gärten hing, nach hinten, boxte ununterbrochen in die Bäuche der Bettwäsche, der Hosen, Unterhosen, Kissenbezüge, Unterröcke, Nylonstrümpfe, flapflapflap. Alles wurde vom Imbat nach hinten gefegt, die Haare der Fischer, die Haare der Fischerfrauen, die Haare der Kinder, die Haare der Pferde und die Ohren der Esel. Die Papiere, die auf den steilen Steinpflastergassen lagen, flogen bei Imbat rückwärts vom Meer weg die Gassen hoch. Imbat klebte die Kleider der Frauen an ihre Körper, stellte die Brüste, Bäuche und Schenkel und Schenkelzentren der Frauen zur Schau. Früher, im Osmanischen Reich, gingen die Mütter in die türkischen Bäder, um ein gut gebautes Mädchen für ihre Söhne als Frau zu suchen. Brautschau im türkischen Bad. Das machte Imbat auch.

Wenn an manchen Tagen der Imbatwind aufhörte, zu wehen, und Poyrazwind an seine Stelle trat, machte er das Gegenteil. Poyraz wehte aus den Bergen und fegte alles nach vorne Richtung Meer. Die Haare der Fischer flogen von hinten nach vorne, und die Kleider der Fischerfrauen klebten sich an ihre Körper, sodass ihre Popos und Beine von hinten – wie von Bildhauern modelliert – auf den Gassen zu sehen waren. So verwandelten beide Winde, Imbat und Poyraz, wenn sie kamen, diese Insel sofort in einen Salon de Louvre, in dem man die Venusstatuen einmal von vorne, einmal von hinten betrachten konnte. Der Poyrazwind, der aus den türkischen Kazbergen in Richtung Lesbos wehte, setzte Lesbos nicht wie Imbat in Dunst und Nebel, sondern machte die Lesboshäuser von Weitem einzeln sichtbar.

Der dritte wichtige Wind, Lodos, weil er ein warmer Wind war, wenn er kam, haute als Erstes jedem auf der Insel eins ins Gesicht. An den Lodostagen liefen die Frauen, Männer, Kinder, Esel und Ziegen, bekümmert auf die Erde schauend wie die Trollfiguren aus *Peer Gynt*, auf den engen, steilen Gassen oder am Hafen, mit langsamen Schritten wie in einem Slow-Motion-Film, herum. Sogar die Fliegen flogen langsam und sprachen nicht WIZVIZWIZVIZ, sondern WI WI WI. Und das Meer sah bei Lodos wie ein ohnmächtig auf die Erde gefallener Himmel aus. Durch die Hitze schienen die Fensterscheiben der Häuser, als ob sie sich schweratmend ausdehnen und zerplatzen würden. Einer der älteren Fischer hatte erzählt, dass, als Hitler Lesbos bombardierte, hier auf dieser türkischen Insel alle Fensterscheiben zerplatzt waren, und die vielen Glasscheiben auf den sonnigen Gassen hätten scharf wie Messer ins Auge gestochen, und die Griechen aus Lesbos flüchteten damals vor Hitler mit den Booten hierher.

Wie die Winde Imbat, Poyraz, Lodos, die behaupten, dass sie hier auf dieser Insel wohnen und nicht die Menschen, genauso denken auch die Tiere. Lassen wir jetzt die unzähligen Möwen, die auf den fünfundzwanzig unbewohnten Inseln um diese Insel herum leben und wann und wie es ihnen beliebt ihren Möwenbabys das Fliegen beibringen und, um ihre Jungen zum Fliegen zu animieren, als erwachsener Möwenchor mit lauten Möwenstimmen, der sich wie ein ständiges Lachen anhört, schreien und als Chor stundenlang die Möwenbabys vom Felsen in den Himmel hoch, vom Himmel hinunter ans Meer, dann wieder hoch in den Himmel treiben, lassen wir sie auf den niedrigen oder hohen Felsen alle Steine als ihre Möwentoilette benutzen und hinter den Fischerbooten als Schwanz eines Drachen in Gruppen hinterherfliegen und im Himmel warten, bis die Fischer kleine, zum Verkauf untaugliche Fische aus ihren Netzen wieder ins Meer schmeißen. Kaum schwimmen die kleinen, halb toten Fische im Meer, rufen die Möwen, bevor sie die Fische in ihren schnell auf- und zuschnappenden Schnäbeln aus dem Meer in den Himmel entführen, wieder als Chor laut, so laut wie nur Möwen schreien können, ohne den Himmel in Stücke zu zerschneiden, um alle Möwen von den fünfundzwanzig unbewohnten Inseln zum Essen einzuladen. Und die kommen tatsächlich. Aber lassen wir die Möwen, die auf ihren von Menschen noch unbewohnten fünfundzwanzig Inseln leben, essen, scheißen, den Kindern Fliegen beibringen. Hier, auf unseren von Menschen bewohnten Inseln, konnte man sagen: Neben den Winden Imbat, Poyraz und Lodos waren es die Katzen und Grillen, die alle Bäume und Gärten und die Dächer und die Gassen besetzt hielten. zızızızızızızızızızızızızızızızı-zızızızızızızızızızızızızızı.

Wenn die Fischerfrauen, sich in ihren Kleidern fremd fühlend, die engen, steilen Gassen in Richtung Hafen hinunterliefen, tönte über ihren Köpfen das zızızızızızı von den Grillen und unten zwischen ihren Füßen das miau, miau, miau, miau. Wenn es die Frauen satthatten, diese Stimmen, die die Bäume und die Erde besetzt hielten, zu hören, drohten sie mit hochgereckten Hälsen den Grillen mit einem »sus yeter geber – genug, schweig, stirb«, und den Katzen drohten sie, mit gesenkten Köpfen, sie zu einer der fünfundzwanzig unbewohnten Inseln zu bringen, dorthin zu verbannen.

Ich bringe dich zur Nackten Insel.

Ich bringe dich zur Melinainsel.

Ich bringe dich zur Feigeninsel.

Die Feigeninsel, eine dieser fünfundzwanzig unbewohnten Inseln, hatte einmal vier Feigenbäume, an denen wirklich sehr gute Feigen wuchsen. Aber einer der Fischer hatte vor sechs Jahren die vier Feigenbäume zerhackt, um sie im Winter im Ofen zu verbrennen, und alle anderen Fischer schimpften seit sechs Jahren auf den Holzhacker, weil sie keinen Schatten mehr fanden, wenn sie in der Bucht der Feigeninsel die Netze auswarfen und eine Zigarette unter einem Baum rauchen wollten. Die Fischer liebten den Baum, sie waren immer auf dem wackelnden Boot, und oben, wenn sie ihre Köpfe hochhoben, sahen sie einen Himmel, der auch wie das Wasser beweglich war, mit irgendwohin ziehenden Wolken, die zuerst wie ein Tier aussahen, dann wie sich vom Tier in körperlose Watte auflösende Himmelsgassen. Und aus diesen Himmelsgassen plötzlich und gezielt direkt zu den Fischernetzen fliegende Möwen. An die Möwen wurden Schimpfwörter ausgeteilt, die Möwen nahmen aber nur die

Fische mit zum Himmel, die Schimpfwörter der Fischer fielen ins Wasser. Die Fischer hatten immer Möwengeschichten, sie gaben den Möwen einen Frauennamen: Aziza. »Aziza geldi, Aziza geldi, Aziza gitti. Ich zog gerade das Netz raus, was sah ich, Aziza ist gekommen.«

Die Fischerfrauen hatten keine Azizageschichten zu erzählen, sie schimpften nicht auf die Azizas, sie sahen sie fast nie. Dafür hatten sie Ziegen oder Pferde und Katzen.

Die Frau Ayşe zum Beispiel. Die wohnte oben auf der Hügelspitze dieser Insel. Sie sagte, seit dreißig Jahren gehe ich nicht mehr zum Hafen hinunter. Da war Ayşe frisch verheiratet, sie kam aus einem Bergdorf. Ihr Mann wollte sie hinunter zum Hafen ausführen, dort tranken sie Tee in einem Teehaus, der Ehemann hatte ein Pferd oben zu Hause, er sagte zu Ayşe: »Warte hier, ich werde zu dem Restaurant gehen und altes Brot für das Pferd abholen.«

Ayşe wartete ein paar Stunden, dann lief sie alleine die steile Gasse hoch, wollte nach Hause, da aber die Häuser so ähnlich aussahen, fand sie zuerst ihr Haus nicht. Als sie es doch fand, sah sie ihren Mann das Pferd füttern und mit ihm sprechen. Sie schwor, nie wieder zum Hafen zu gehen. »Geh mit deinem Pferd zum Hafen Tee trinken«, sagte sie, und seit dreißig Jahren hält sie sich an ihren Schwur und schimpft auf das Pferd.

Eine der Nachbarinnen, die nie geheiratet hat, hatte eine Schwester, die, so wie sie, ein unverheiratetes Mädchen war. Sie stach Löcher in die Katzenohren und hängte ihnen aus Silberfäden Ohrringe daran. Das machte sie, wenn die Katzen anfingen, nach den Katern zu schreien. Und sie zog den Katzen Walnussschalen über die Pfoten, die sie beim Betreten des Hauses als Hausschuhe anziehen sollten.

Eine andere Fischerfrau hatte zu Hause eine Ziege, aber

die Ziege ließ sie nicht an sich ran, weil, laut der Frau, die Ziege in ihren Mann verliebt war. Wenn er zur Ziege ging, leckte sie ihm die Hand. Wenn die Frau dabei war, trat die Ziege der Frau gegen die Beine und umarmte mit ihren Vorderbeinen den Fischer an den Schultern. Eine andere Fischerfrau haute mit einem Hirten und seiner Ziegenherde ab, ihr Ehemann klaute aus der Herde den Ziegenbock und versteckte ihn, der Hirte drehte durch: »Wo ist der Bock!« Es war Herbst, Paarungszeit. Der Ehemann sagte zum Hirten: »Gib mir meine Frau zurück, und ich geb dir deinen Ziegenbock«, nach drei Wochen tauschten sie Frau gegen Ziegenbock.

Alle haben hier irgendwelche Tiergeschichten. Ob sie wahr sind, weiß man nicht. Die Männer reden nicht über ihre Frauen, aber über Azizas, und die Frauen reden nicht über ihre Männer, aber über Ziegen und Pferde.

Die Stimmen der Nachbarn hört man bis 21 Uhr. Zwischen ihren Stimmen reden auch Katzen, Schafe, Vögel. Wenn zwei ältere Nachbarn miteinander reden, hört es sich an, als ob zwei Papageien sprächen. Halb griechisch, halb türkisch. Ela bre Hasan. Kala bre pedakimu. Um 21 Uhr ziehen die Menschen sich gut an, Ela Hasan, Ela Sevim, und gehen zum Hafen zu den Kaffeehäusern. Ab 21 Uhr hört man keine Menschenstimmen aus den Häusern. Nur nebenan klopfen die Tiere mit ihren Füßen an die Wand. Alle Füße, die zum Hafen hinuntergehen, müssen an der Orthodoxkirche vorbeilaufen.

Als ich zum ersten Mal vom Hafen zur Orthodoxkirche lief, es ist lange her, sah der Himmel noch nach dem starken Regen unentschlossen aus: Soll er den Mond hergeben oder ihn mit den Sternen zusammen vor den Augen der Welt verstecken? Der Weg zu der Kirche war dunkel, ein paar Straßenlampen hatten sehr schwache Lichter, einige brannten nicht. Der Wind schob die halb zugezogenen Vorhänge an den Fenstern der Häuser mal in die Zimmer hinein, dann holte er sie wieder heraus zur Straße und zeigte mir die Zimmer. In einem Zimmer stand eine kleine alte Frau, die sich nicht bewegte, sie hatte ein Tuch in der Hand. Im nächsten Haus saß ein Mann im Pyjama auf einem Sessel, dann setzte sich ein kleines Kind zu ihm. Im nächsten war der Raum beleuchtet, aber keiner war drin. Ich sah ein großes gerahmtes Foto an der Wand hängen, ein Mann und eine Frau. Ab und zu liefen Leute zu zweit den Steinpflasterweg hoch, oder ein Mann mit einer Frau lief den Weg hinunter Richtung Hafen. Alle ihre Körper, ihre Füße, ihre Haare kannten die Wege, die sie gingen. Es waren ihre Kindheitsgassen, hoch, runter, runter zum Hafen, dann wieder hoch nach Hause.

»Mama, ich bin da.«

»Sohn, geh Salz kaufen. Vergiss das Petroleum nicht.«

»Mama, ich hab das Geld verloren. Ich hatte es in der Hand, aber der Wind Poyraz hat es mir weggenommen.«

»Wenn dein Vater kommt, wird er dir den Wind zeigen.«

»Mama, ich will vor dir sterben.«

»Was sagst du, Tochter?«

»Ja, ich liebe dich sehr, ich kann ohne dich nicht leben, lass mich sterben, vor dir.«

»Und ich, Tochter?«

»Mama, ich habe im Garten eine weiße Schlange gesehen.«

»Hier haben Schlangen nichts zu suchen. Du hast etwas anderes gesehen.«

»Mama, ich schwöre, es war eine Schlange, wenn ich lüge, soll ich blind werden.«

All diese Sätze waren sicher in den Häusern, die ich auf dem Weg zur Orthodoxkirche sah, gefallen. Und als Kindheitssätze wohnten sie seit Jahren mit den jetzt groß gewordenen Menschen unter den Kissen oder den Betten oder hinter den Bilderrahmen, einige Sätze wohnten sicher auch in den Brunnen, die in den Gärten dieser Häuser im Dunkeln mit Würde ihre Einsamkeit aushielten und den Menschen erlaubten, mit einem heruntergelassenen Eimer aus ihnen Wasser zu holen, und sicher lagen in dem aus diesem Brunnen gezogenen Wasser auch jedes Mal die Sätze ihrer Kindheit.

»Mama, der Eimer ist in den Brunnen gefallen.«

»Du Malaka.«

»Mama, der Regen kommt unter der Tür durch ins Haus rein.«

»Mama, ich kriege meine Tage.«

Und in diesen Häusern lagen sicher nicht nur diese türkischen Sätze, sondern in der Tiefe des Brunnens oder in den unteren Schichten der Hausmauern oder in den Zimmerdecken oder unter den Holztreppen, weit unten, lagen auch griechische Sätze, Stimmen von damals, denn bis 1922 und seit Homer hatten hier auf dieser Insel die türkischen Griechen gelebt. Das Osmanische Reich war nach dem Ersten Weltkrieg zerfallen, die Deutschen und Osmanen verloren als Verbündete den Krieg gegen die Engländer, Italiener, Griechen und Franzosen, die das Osmanische Reich untereinander aufteilten. Atatürk und seine Leute kämpften weiter gegen die Besatzer, gewannen den Krieg, und die neue Republik hieß Türkische Republik. Wer war denn damals Türke? Der Türke war eine Zukunftsidee. Das Zugrundegehen des Osmanischen Reiches hatte Angst, Trauma, Unsicherheit hinterlassen. Alle Türken sollten sich unter einem

Nationendach einfinden, damit sie keine Angst mehr hatten, und wer nicht Türke war, war ein Problem für die neue Nation. Und so mussten die türkischen Griechen die Türkei verlassen, und der Rest, die da als Türken standen, sollten sich unter diesem Nationendach sammeln und mussten immer wieder ihr Eine-Nation-Werden beschwören, um diese Nation zu nationalisieren.

1923 wurden die türkischen Griechen von hier nach Lesbos und Kreta transportiert und die griechischen Türken, die jahrhundertelang in Griechenland auf Lesbos und Kreta gelebt hatten, hierher auf diese Insel geholt. Das nannten sie Austausch der Völker. Aber die Toten in den Gräbern konnte man nicht austauschen, die Friedhöfe blieben, und die Sprachen konnte man auch nicht austauschen. Die griechischen Türken, die von Lesbos und Kreta hierhergeholt wurden, sprechen hier seit Generationen neben Türkisch auch Griechisch, und die türkischen Griechen, die von hier nach Griechenland gejagt wurden, sprechen auf Lesbos und Kreta seit Generationen untereinander weiter neben Griechisch auch Türkisch.

Und von beiden Küsten aus sehen die Menschen jeden Abend die Lichter der anderen Küste, an der ihre Großeltern gelebt haben, und wenn ein Grieche vor Lesbos ertrinkt, taucht seine Leiche hier an dieser türkischen Insel auf, und wenn ein Türke hier ertrinkt, taucht seine Leiche vor Lesbos auf. Die Winde und das Meer tauschen die Toten und bringen sie zu ihren Ursprungsorten. Die Orthodoxkirche, die auf dieser Insel bleiben musste, ist seit 1923 ein Waisenkind, keine Kerzen, keine Messe, keine Griechen, die die Tür auf- und zumachen. Was hat die Kirche damals gesehen, als die Menschen weggingen: einen Korbstuhl, vom Wind umgekippt, zurückgelassene Klammern auf den Wäscheleinen, Essensreste in den Kochtöpfen; einen Weggehenden, der einen Ast mit reifen Zitronen bis zum Schiff hinter sich herzieht; einen Menschen, der es bereut, nicht alle Ecken der Insel gesehen zu haben, die er verlassen muss; sich, bevor sie weggehen, bei ihren Toten entschuldigende Menschen auf den Friedhöfen; Haare aus den Fellen der geschlachteten Tiere, die mitgenommen werden, fliegen auf das Meer; Jasminduft in der Luft; Tausende von ungepflückten Tomaten auf den Feldern; in einem verlassenen Haus drei zerbrochene Brillen; auf den Gassen Kissen, Matratzen, Sessel, auf denen die zurückgelassenen Hunde und Katzen sitzen; eine Taube mit hängendem Kopf; Zigarettenrauch über dem Ägäischen Meer; an der Tür eines Hauses, in das nie zurückgekehrt wird, ein Vorhängeschloss; die Olivenbäume voller Staub bewegen sich im Wind, das Warten nicht gepflückter irritierter Oliven; aus einem offen gelassenen Wasserhahn fließt noch Wasser; auf einem Tisch ein volles Teeglas, im Wind zittert der Tisch, Tee rinnt in die Untertasse; die ungepflückten, zerplatzten oder von den Vögeln halb gefressenen Feigen an den Bäumen; aufgeplatzte Granatäpfel an den Bäumen; ein verlassener Lastwagen, voll mit gepflückter Baumwolle, Baumwollfetzen vom Wind an das Geländer der Ladefläche geweht und dort hängen geblieben; an eine Gartenmauer gelehnt eine Leiter; ein von einem Fuß verlorener, auf der Straße liegender linker Schuh; die Angelausrüstung des Popen, vergessen in der Kirche; an der Hauptstraße Telegrafenmasten, aus den Telegrafen unaufhörliches Ticken; in die Erde eingelassene Tonkrüge für das Olivenöl, ohne Deckel; nicht geerntete Weintrauben, von Mücken umschwirrt; Blut von den geschlachteten Tieren; zwei herrenlose Pferde schwimmen hinter den Schiffen her, auf denen ihre Besitzer fahren.

Sie gehen auf eine lange Reise
Schauen auf die zurück, die bleiben
Vom Oberdeck eines Schiffes
Sie werden nicht wiederkommen
Sie werden nicht zurückkehren
Sie stehen wie verwurzelt
Wie verwurzelt stehen sie nebeneinander
Schauen mit altbekanntem Blick
Auf jeden Einzelnen, der unten blieb
Du kannst sie nicht zurückhalten
Auch wenn du auf Knien gehst
Bleib, bleib hier
Bleibt jemals einer zurück
Das Schiff fährt ab
Die Reise fängt an
Einmal dorthin, zu dem sich nie irrenden Schiff
Und dann, irgendwann in dich, tief in dich hinein
Dein Herz öffnet sich blutend
Dort werden diese Toten eintreten
In einen Ort, den sie kennen
Ab jetzt bist du Lastenträger für
die Toten

Die Griechen, die die Kerzen angezündet haben, gehen auf das Schiff, die Kerzen in der Orthodoxkirche brennen noch; die Hunde irren auf dem Friedhof herum; flatternde Tischdecken in einem Kaffeehaus am Meer; abgeschnittene Köpfe im Brunnen, der einsame Hund sieht den Kopf seines Besitzers und heult. In welcher Mondphase und bei welchem Wind, Poyraz, Imbat, Lodos, Meltem, sind sie weggefahren? Wenn Schiffe am selben Tag die türkischen Griechen von hier nach Lesbos und, umgekehrt, die griechischen Türken von Lesbos hierher trugen, müssten die Haare der einen nach hinten und die der anderen nach vorne geflattert sein. Sprachbrunnen. Flüsternde Häuser ohne Menschen.

DIE ORTHODOXKIRCHE SPRICHT

Als ich vor der geschlossenen Tür der Orthodoxkirche stand, sprangen zwei Katzen aus einer der Fensterhöhlen, und im Haus nebenan bellte ein Hund. An die alte Tür der Orthodoxkirche war ein langes Seil geknotet, und das andere Ende vom Seil war an das Bein eines Schafes gebunden. Das Schaf lief, so weit das Seil reichte, nach vorne, dort fiel das Licht aus dem Nebenhaus auf sein Fell, da lief das Schaf wieder bis zu der Tür der Kirche und blieb im Dunkeln stehen. Jemand suchte im Haus nebenan im Radio einen Sender. Erst türkische Radiostimmen, dann ein griechisches Lied. Der Hund bellte wieder. Dann kam aus dem Haus eine Frau mit einer Taschenlampe.

»Wollen Sie die Kirche sehen?«

Bevor ich ja sagte, sagte sie: »Schau in den Himmel, schau, schau, wie der Mond rauskommt, morgen gibt es keinen Regen.«

Sie löste das Seil von der Tür, behielt es aber in der Hand, damit das Schaf nicht weglief. Das Lied aus dem Radio wurde im Haus lauter gedreht. Die Frau rief: »Mach leise, Tochter.« Das Radio wurde aber noch lauter. »Kennen Sie ihn, das ist Giorgos Katsaros. Ein sehr altes Rembetikolied: ›Mana mou eimai fthisikos‹. Das bedeutet, Mutter, ich bin schwindsüchtig«, sagte sie und übersetzte mir das Lied in dem dunklen Kircheneingang:

»Ich habe schwere Schwindsucht, behüte meinen anderen Bruder,

Mutter, damit er sich nicht ansteckt, Mutter, schicke die Ärzte weg, dass sie mich nicht martern, weil sie nicht fähig sind, mich zu heilen, ich weine, meine Augen brennen, meine Seele altert leidend, mit Qualen verbringe ich mein Leben in der Fremde.

Ein sehr trauriges Lied, als Kind hat es mich schon zum Weinen gebracht. Übrigens, mich nennt man Zehra Teyze.«

Die Frau wurde plötzlich leise, flüsterte: »Diese schöne Kirche haben sie zu dem dunkelsten Ort der Welt gemacht. Seit Jahren versuchen wir, zuerst meine Großmutter, jetzt ich, die Kirche zu schützen. Ich schließe die Tür immer ab, aber diese Diebe kommen durch die Kirchenfenster. Sie sagen: ›Als die türkischen Griechen vor Jahren hier wegmussten, haben sie bestimmt ihr Gold in der Kirche versteckt.‹ Malakas. Glauben Sie mir, ich schäme mich vor den Griechen, die von Lesbos hierherkommen, um die Kirche ihrer Großeltern zu sehen.«

»Sie sprechen sicher sehr gut Griechisch.«

»Als Kind habe ich es gelernt. Mein Großvater kam damals im Völkeraustausch mit meiner Großmutter von Lesbos hierher, sie sprachen miteinander griechisch, so sprachen meine Eltern auch, alle hier auf der Insel können Griechisch. Als meine Großeltern hierherkamen, waren die türkischen Griechen schon weggeschickt worden, ihre Häuser standen leer. Man sagte den Angekommenen: ›Geht, sucht euch ein Haus.‹ Mein Großvater ging damals ins Haus neben der Kirche. Die vertriebenen türkischen Griechen wussten, wie man Häuser baut, alle Häuser der Insel sind ihre Arbeit. Kommen Sie.«

Wir gingen zu dritt, zuerst das Schaf, dann die Frau und ich, in die Kirche hinein. Als die Frau die Wände mit der Taschenlampe anleuchtete, flogen vier Fledermäuse aus den Fensterhöhlen. Dann sah ich einen Esel und eine Ziege auf dem umgegrabenen, kaputten, staubigen Kirchenboden stehen. Die Frau sprach mit beiden Tieren halb griechisch, halb türkisch, begrüßte sie, sagte: »Der Esel ist artig, aber die Ziege schlägt mich, sie liebt mich nicht, sie liebt meinen Mann. Wenn sie könnte, würde sie bei meinem Mann im Bett schlafen, aber ich lasse sie hier.«

Dann lachte sie. Der Kirchenboden war so voller Staub, dass die Beine der Tiere aussahen, als hätten sie Staubstrümpfe angezogen. Die Frau leuchtete auf eine Wand, auf ein abgeblättertes, zerkratztes Fresko, auf dem man nichts erkennen konnte. Die Frau aber sagte: »Das ist die heilige Meryem, Maria, wie sie Isa, Jesus, in ihren Armen hält. Als ich Kind war, waren Meryems und Isas Bild noch da. Später wurde es zerkratzt. Und hier ist der heilige Yunus, Jonas, als er im Fischbauch war und ihn der Fisch aufs Land gespuckt hat.«

Ich sah nur weißblaue Wellen. Die Wellen waren nicht zerkratzt, aber vom Fisch war nur ein einziges Auge und der Schwanz in den Wellen zu sehen. Die Frau sagte wieder: »Als ich Kind war, konnte man den Fisch und den heiligen Yunus noch erkennen.«

Unter dem Jonasfresko lagen auf dem staubigen Boden ein paar Möwenfedern und eine kleine tote Schlange. Plötzlich kamen die Fledermäuse, vielleicht die, die vorhin hinausgeflogen waren, durch die Fensterhöhlen wieder herein und flogen im Taschenlampenlicht zwischen den Kirchenwänden mit schnellen, unruhigen Schatten hin und her. Ich gab der Frau Geld. Sie schaltete die Taschenlampe aus. Das Schaf rannte hinaus und zog die Frau hinter sich her. Die Frau gab mir die Taschenlampe, sagte: »Ich schließe die Tür später ab, zuerst muss ich das Schaf wegbringen. Wenn Sie wollen, bleiben Sie noch. Ich ziehe die Tür nur zu, sonst läuft die Ziege raus.«

Ich blieb in der dunklen Kirche zwischen den hin und her fliegenden Fledermäusen und dem ruhig dastehenden Esel und der Ziege und dachte im Dunkeln an den Film von Elia Kazan, *America, America.* In einer der Szenen, im Jahr 1915, sieht man türkische Armenier, die vor nationalistischen Türken in Anatolien in ihrer Kirche Zuflucht gesucht haben. Der letzte Ort, ein Ort, in den sie noch lebendig reingingen und als Tote blieben. Der Ort, wo sie früher immer Hilfe gesucht hatten wegen Liebeskummer oder der Krankheiten ihrer Kinder oder wegen ihrer kranken Mütter, wurde der Ort, wo sie ohne Hilfe starben, die Kirche wurde von draußen angezündet.

Ich knipste die Taschenlampe an. Ziellos lief ich in der Kirche zwischen den genauso ziellos fliegenden Fledermäusen hin und her. Irgendwann dachte ich: Ich höre Stimmen, die aus den Kirchenmauern oder der Kuppel kamen. Griechische Stimmen, deutsche Stimmen, armenische Stimmen, türkische Stimmen. Dann entfernten sich diese Stimmen, und ich sah plötzlich Kaiser Wilhelm und einen osmanischen Sultan und Enver Pascha, der die Armenier in den Tod geschickt hatte, an der Kirchenwand, an der Stelle, wo Maria und Jesus nicht mehr zu erkennen waren, als neues Fresko entstehen. Aber dieses Fresko bewegte sich. Was machte der Sultan? Er bückte sich, damit Kaiser Wilhelm den Rücken des Sultans als Tisch benutzen konnte, um ein Papier zu unterschreiben. Das Papier war eine Verbündetenerklärung für den Ersten Weltkrieg. Kaiser Wilhelm unterschrieb, der Sultan räusperte sich und richtete sich wieder auf, Kaiser Wilhelm faltete das Papier zusammen und steckte es in die Innentasche seiner Uniformjacke und schenkte Enver Pascha ein Gewehr namens »Mauser«. Der Sultan massierte seine schmerzende Hüfte, und Enver Pascha schoss mit der

Mauser in die Kirchenkuppel. Durch den Schuss regnete aus der Kuppel Staub herunter und hörte nicht auf, bis der Sultan, Enver Pascha und Kaiser Wilhelm unter diesem Staub verschwunden waren. Es drängten sich plötzlich so viele türkische Griechen und türkische Armenier aus der Zeit des Ersten Weltkriegs an der Wand in das Fresko. Ein türkischer Grieche lief nach vorne mit zwei Armenierinnen, die anderen blieben hinter ihnen stehen. Der türkische Grieche hielt seinen Hut in der Hand und sprach aus dem Fresko, er sagte: »Nero – Wasser.« Dann sagte er: »Als ich und die Töchter von Meimari, mein Bruder und die anderen Christen nach Ulukışla kamen, sind wir in den Zug gestiegen bis nach Mersin, in Mersin haben uns die Türken außerhalb der Stadt in ein Lager gebracht. Es war dort nicht auszuhalten. Schmutz, Krankheiten, Tote. Dort traf ich meine Schwestern. Die erzählten mir, dass meine Mutter, meine Frau und meine zwei Kinder nicht mehr leben würden. In Mersin blieb ich zwanzig Tage. In der Nacht ging ich in eine Kirche und schlief dort. Dann kam ein griechisches Schiff, Arhipelagos, und brachte uns nach Griechenland. Ich lief tagelang in Piräus im Hafen herum, suchte nach einer Arbeit. Die fragten mich: ›Kannst du als Lastenträger arbeiten?‹ Ich schaffte es nicht, meine Beine zitterten.«

Neben dem Griechen standen die zwei armenischen Mädchen mit Schürzen über ihren Kleidern. Sie sagten:

Wir dürfen nicht. Wir dürfen nicht sprechen.
Schon ewig lange dürfen wir nicht sprechen.
Das Letzte, was wir sahen.
Es schneite,
es war kein Tag, keine Sonne,
plötzlich die nackten Feigenbäume,
unter denen wir liefen, fingen an zu schreien:

O weh uns, ihr Verlorenen.
Ihr werdet nie wieder sehen eine
Herdflamme in eurem Haus.
Beraubt eurer Leben, schon eurer Schatten beraubt.
Nichts wird von euch, so melden wir euch,
zu eurem Herd wiederkehren.
Jungfrauen, flehend fallen wir vor euch auf die Knie.
Wir sehen mit diesen Augen, die blind sein wollen,
euren jammervollen Totenmarsch,
von dem ihr nie wieder zurückkehrt und
nie wieder
unter unsren Schatten ewige Treue
eurem Schönsten versprecht.
Ja, Feigenbäume sind wir
und strömen unser Gefühl in Tränen aus,
ein unsagbares Unrecht wird euch geschehen,
wo ihr sogar als Tote nicht mehr sprechen könnt.
Ihr werdet dulden, lange, zu lange,
euren Tod ohne Gräber, ohne die Totenmusik,
die sich auf euren toten Haaren kurz niedersetzt.
Oh, in welch Unglück stürzt ihr?
Ein Unrecht wird geschehen, so schnell,
nicht mal Tränen werden herabfallen
über eure hellen Wangen,
in den Flüssen, in waldigen Tälern,
über euch ein Mond, der selbst
seinen eigenen Tod treffen wollte,
anstatt euren Tod zu beleuchten.

Als die zwei armenischen Mädchen aus dem Wandbild sprachen, kam ein türkischer Soldat aus dem Ersten Weltkrieg, der seinen Kopf unter dem Arm trug, dazu, stellte sich neben die zwei armenischen Mädchen und sagte: »Ich starb, kurz nachdem ich meine brennende Zigarette mit acht Männern geteilt hatte. Damals hatte keiner verstanden, warum ein deutscher Kaiser sich zum Beschützer des Osmanischen Reiches aufspielte. Goltz, Falkenhayn, Sanders, Enver Pascha, Talât Pascha, all diese Narzissten, gefährliche Kriegsmaschinen, spielten Hand in Hand mit dem Leben von Soldaten, die von ihren Müttern Henning oder Ahmed gerufen wurden. Am Ende ist dort ein toter Henning, da ein toter Esel, hier ein toter Ahmed. Gestorben sind wir auf den Schlachtfeldern. Das Leben ist kurz, der Tod ist lang im Höllenhimmel.«

Als der Soldat ohne Kopf zu Ende gesprochen hatte, sah ich unter den Menschen plötzlich meine tote Großmutter. Die zwei Armenierinnen aus dem Fresko liefen zu ihr und nahmen meine Großmutter in die Arme.

Meine Großmutter kam aus Kappadokien, wo damals viele türkische Armenier und türkische Griechen lebten. Als junge Frau hatte sie den Ersten Weltkrieg gesehen. In meiner Kindheit in Istanbul stand sie plötzlich von ihrem Stuhl oder Sessel auf, hob ihre Arme, streckte ihre Finger in die Luft und fing an zu schreien: »Aboo aboo, wie die armenischen Bräute sich von den Brücken hinuntergestürzt haben.«

Jetzt stand sie im Fresko neben zwei Armenierinnen, ihren Jugendfreundinnen, und schrie genau wie in meiner Kindheit von der Kirchenwand herunter: »Aboo aboo, wie die armenischen Bräute sich von den Brücken hinuntergestürzt haben, gesehen haben sie mit ihren jungen Augen, die blind sein wollten, die Hölle und das Feuer auf dieser Erde, die Schürze noch über ihren Kleidern, barfuß, die Augen groß, die Hände groß, die Füße groß vom Totenmarsch, ihre Kinder als Skelette vor ihren Füßen, das Feuer, in dem sie lange liefen, liefen und liefen, war siebenmal heißer als das Höllenfeuer. Aber wohin gingen sie, die Schürze noch über ihren Kleidern? Aber wohin sollten sie gehen? Zu welcher Hoffnung? Getrieben von den Bösen, die auf den Pferden saßen. Diese Bräute konnten lesen und schreiben. Sie lasen im Dorf unsere Briefe, schrieben auch für uns Briefe mit zartem Charakter an unsere Männer, die weit weg waren, noch weiter als die Orte in den Träumen, dort mit Gewehren, still in ihren Mantel gehüllt, mit den Kriegsläusen saßen. Sie saßen unter dem Sternenhimmel, den Sternen, die ihren kommenden Tod vor ihnen von oben aus sahen, aber nicht mit Sternenhänden diese jungen Männer, noch unschuldig, aufsammeln konnten vor dem Tod. Wir waren gute Nachbarn dieser armenischen Bräute. Als sie noch lebten, kamen armenische Zeitungen aus Istanbul ins Dorf. Als sie starben, kamen keine Zeitungen mehr. Wohin sind alle diese Menschen gegangen, wohin?«

Als meine Großmutter »Wohin sind all diese Menschen gegangen, wohin?« sagte, ging die Kirchentür, die die Frau vorhin hinter sich zugezogen hatte, mit einem starken Windstoß auf. Der Wind trug alte Zeitungen und Papierfetzen von draußen vor sich her in die Kirche. Die Papierstücke flogen hoch und aus dem Fenster hinaus, aber der Wind blieb in der Kirche und zischte zwischen den Wänden so laut, so laut, dass die Fledermäuse, die oben unter der Kirchenkuppel hin und her flogen, in der Luft stehen blieben, als ob der Wind sie bewegungslos gemacht hätte und sie ihm jetzt zuhören würden. Der Wind blies den Staub über den Kirchenboden, schob mich auch vor sich her und drückte mich an die Wand, wo meine Großmutter mit ihren zwei armenischen Freundinnen, dem türkischen Griechen und dem türkischen Soldaten ohne Kopf zusammenstand. Mein Kopf erreichte an der Wand, wohin ich durch den Wind gepresst wurde, gerade die Füße dieser fünf Menschen. Als ich all diese Füße anfasste und meine Hände zuletzt auf Großmutters Füßen und ihren Fersenknochen liegen blieben, fing ich an, laut zu weinen, sodass mein Heulen und die laute Stimme des Windes in der Orthodoxkirche sich ineinandermischten und sich so anhörten, als würden sie gerade von diesen Menschen auf dem Wandbild geboren werden.

Ich liebte meine Großmutter sehr. Sie konnte weder schreiben noch lesen. Wenn sie eine Zeitung sah, zeigte sie mir die Fotos der Menschen in der Zeitung und fragte mich jedes Mal: »Ist er tot oder lebt er noch?« Ich antwortete dann: »Ja, er ist tot, Großmutter«, »nein, er lebt, Großmutter.« Sie war dreimal verheiratet. Ihren ersten und ihren zweiten Mann hatte sie im Ersten Weltkrieg verloren. Wir Kinder scherzten mit ihr, fragten: »Großmutter, mit welchem Mann wirst du im Paradies zusammenleben, Großmutter?« Dann lachten wir.

Als ich mich jetzt in der Kirche an diese Sätze aus der Kindheit erinnerte, hörte ich auf zu weinen, weil sich in die laute Stimme des Windes jetzt Kinderlachen mischte, und meine Großmutter sprach von der Kirchenwand herab, auch lachend, als ob ich sie gerade gefragt hätte: »Mit welchem Mann wirst du im Paradies zusammenleben, Großmutter?«, und sie antwortete genau wie in meiner Kindheit:

»Welcher Mann, was weiß ich«, sagte sie, »der erste hatte so eine schöne Stimme. Er ging in den Krieg. Bismarck-Krieg nannten es die Großen – oder sagten sie Willem-Krieg? Täglich scharten sich die Witwen in den Gassen. Sie schrien: ›Das wenige Licht in unseren Augen wurde trüber, Fluch sei dem Manne, der uns verbrannte in Höllenglut.

Fluch sei dem deutschen Kaiser und dem Enver Pascha, dem blutigsten, dessen Schlangenzähne alle armenischen und türkischen Mutterbrüste gebissen haben.‹ Die Gasse vor unseren Häusern, die Wände unserer Häuser, die Türen, die Fenster sahen so aus, als ob nimmermüde Würmer da lauschten, mit zitterndem, verzerrtem Munde sich an jetzigem, zukünftigem Witwenunglück berauschten, Krieg, klirrende Waffen in den Lagern, Krieg, eine Waffe namens Mauser.«

Als Großmutter »eine Waffe namens Mauser« sagte, hörte ich draußen vor der Kirche ein Auto anhalten. Der Fahrer stieg aus, ließ den Motor laufen und sprach mit jemandem. Die Scheinwerfer streiften über die Fensterhöhlen der Kirche und beleuchteten an der Kirchenwand genau das Fresko, wo der Sultan mit Kaiser Wilhelm und Enver Pascha staubbedeckt dicht beieinanderstand. Der Wind, der vorhin die Kirchentür aufgedrückt und in der Kirche laut geheult hatte, war weg. Jetzt war es in der Kirche still, nur der Motor von dem Auto war zu hören. Der türkische Soldat aus dem Ersten Weltkrieg, der seinen Kopf unter seinem Arm trug, lief zu den drei Staubbedeckten und sagte: »Krieg, ein großes Festmahl für Würmer, Krieg, ein den Würmern treuer Würmervater, Würmer zeigten sich ohne Scham auf den Schlachtfeldern. He, Tote, wir wagen uns an euch heran und plündern euch. Armer Kriegstoter, sein letzter, sein treuester Freund, ein Wurm. Schlachtfeld, eine herrschaftlich gedeckte Würmertafel.«

Das Auto fuhr jetzt weiter, seine Lichter zogen sich von den Kirchenwänden zurück. Es war jetzt dunkel in der Kirche, die Stimmen im Dunkeln sagten: »Wir verloren alle unsere Kinder, wir, von Mücken umschwirrt, gesehen haben wir mit diesen Augen, die blind sein wollten, unsere Engel unter die Erde kriechen. Eselschrei. Der weinte um unser schwarzes Schicksal.«

Die Stimme meiner Großmutter sagte:

»Als die Großen meinen ersten Mann in diesen Bismarck-Krieg, oder hieß es Willem-Krieg, holten, schaute mein erster Mann am Ende der Gasse sich noch mal um, sah stumm sein entferntes Haus, hörte die tiefe Unruhe, die in meiner Brust atmete. Eines Tages, es regnete in Strömen, die Dächer flogen, die Tiere ertranken in den Bächen, an diesem öden Abend kam er zurück, zitternd spürte ich, er war nicht mehr der, den ich gekannt hatte. Ein verdunkelter Schatten bewachte seinen zu Trümmern geschlagenen Jünglingskörper. Er hatte eine offene Wunde, die Würmer gingen dort hin und her. Er nahm sich die Nacht als Freundin, schlief mit ihr. Als er starb, konnte man ihn nicht aus den Händen der Nacht nehmen. Er ist mit der Nacht begraben. Jedes Stück Nacht, das mit Toten geht, nimmt uns von unserem Schlaf etwas weg. Mich gaben sie dann seinem Bruder als Frau. Ein Dorfgelehrter. Er setzte sich mit seiner schwarzen Tafel und der weißen Kreide täglich auf seinen Esel, der ihn sehr liebte, ging in die anderen Dörfer, lehrte die Menschen lesen und schreiben. Er sagte, unter den Menschen, die er trifft, versteht keiner, warum sich ein deutscher Kaiser zum Beschützer des Osmanischen Reiches erklärt hat. Er sagte mir: ›Zu früh bist du geboren, gutes Herz, es kommen noch schwere Zeiten.‹ Dann fasste er meinen Bauch und sagte: ›Unser Kind wird in eine brennende Welt kommen.‹ Eines Morgens holten ihn zwei Gendarmen, aus ihren Mündern nach Müdigkeit stinkend, gaben ihm ein Gewehr namens Mauser. Er wollte nicht gehen, sie zogen ihn an seinen Haaren auf den steinigen Weg. Zu dieser Stund' wurde sein Esel verrückt, zitterte gewaltig hinter langen Wimpern, blickte verstohlen, wartete Jahr um Jahr auf seinen Besitzer, doch der kam nicht. Nicht mal sein Schatten blieb ihm übrig. Ich blieb mit deinem Vater allein.«

Als sie »ich blieb mit deinem Vater allein« sagte, zeigte sie in meine Richtung. Ich leuchtete mit der Taschenlampe auf das Wandbild. Alle schauten jetzt auf mich. Der Grieche, die zwei armenischen Freundinnen meiner Großmutter, der türkische Soldat ohne Kopf. Sie alle zeigten mir mit ihren gestreckten Armen die Richtung, wo Kaiser Wilhelm, der Sultan und Enver Pascha staubbedeckt standen. Der Sultan, Kaiser Wilhelm und Enver Pascha hoben ihre Köpfe aus dem Staub etwas heraus, wie drei Statisten ohne Dialoge oder Monologe, die unterm Staub bleiben mussten. Alle anderen gingen nebeneinander Arm in Arm in Richtung der drei Staubbedeckten. Sie sagten im Chor: »Diebe. Diebe. Es ging für euch nur um Diebstahl. Wo sind unsere Kinder, unsere Mütter, unsere Männer, und wo sind unsere Gräber, wo sind unsere Häuser und Felder, unser Silber und unsere Ikonen, wo ist unser Leben, wo ist unser freier Atem unter dem Himmel. Beraubt unserer Leben, sogar unserer Schatten beraubt. Ein unsagbares Unrecht ist uns allen geschehen.«

Die letzten Sätze der Menschen im Fresko waren: »Es ging nur um Diebstahl. Diebe.«

Plötzlich fing der Esel, der in der Kirche bis jetzt sehr ruhig gestanden hatte, mit seinem ganzen Körper an zu schreien, wie nur die Esel schreien können. Die Menschen im Fresko, die Arm in Arm standen und auf Kaiser Wilhelm und Enver Pascha spuckten, drehten sich zu dem Eselgeschrei, sprachen wieder im Chor: »Kala bre pedakimo, sakin ol kocakulak – ruhig, mein Großohr.« Der Esel wurde ruhig, und die Ziege lief in Richtung der drei Staubbedeckten, Wilhelm,

Enver und der Sultan, drehte ihren Hintern Richtung Kirchenwand, schiss auf ihre Gesichter.

Die Frau, die mir die Orthodoxkirche aufgemacht hatte, rief von draußen: »Sind Sie noch drin? Sind zwei Katzen in die Kirche gekommen?« »Nein!« Ich knipste die Taschenlampe aus und wieder an. An den Wänden der Kirche waren jetzt nur die zerkratzten Bilder von Maria, Jesus und Jonas zu sehen. Ich machte die Lampe wieder aus und ging aus der Kirche, die jetzt ganz still war. Aus dem Radio nebenan kam wieder ein altes griechisches Lied, die Frau stand draußen allein im Dunkeln, ohne das Schaf, aus dem Haus nebenan rief die Mädchenstimme:

»Mama, wo ist mein Schulatlas?«

Die Frau rief: »Er ist da, wo du ihn hingetan hast, Malaka.«

Die Frau fragte mich: »Sind Sie aus Istanbul?«

»Ja.«

»Wann sind Sie gekommen?«

»Gestern.«

»Da hat es geschneit«, sagte die Frau.

»Ja, es hat geschneit.«

»Bis jetzt kamen nur Griechen aus Lesbos, um die Kirche zu besuchen. Ich schäme mich für die Kirche, keiner kümmert sich. Die türkischen Beamten in der Stadt auf der Insel gegenüber, zu der unsere Insel gehört, lieben uns nicht. Ich kann Ihnen den Grund sagen. Als meine Großeltern und die anderen Türken aus Lesbos und Kreta hierherkamen, gab es hier nur türkische Soldaten. Sie verteilten den Neuangekommenen etwas Essen und Trinken und zeigten ihnen von Griechen verlassene Häuser, in die sie reingehen sollten. Da hat sich ein Soldat in eines der Mädchen verliebt, eine aus Kreta, immer nach ihr gepfiffen, gegenüber dem Haus, wo sie wohnte, gestanden, und eines Abends sei er durch das Fenster in ihr Zimmer reingegangen, sagte man. Der Vater dieses Mädchens und ein paar andere aus Kreta haben den Soldaten getötet. Lange her, fünfzig Jahre. Seitdem sind die Offiziere in der Stadt gegen unsere Insel. Sie reparieren unsere Straßen nie. Das Abwasser rinnt durch die Gassen hinunter. Sie nennen uns die Griechensaat. Das Mädchen ist inzwischen Greisin, sie lebt noch, da oben rechts am Hügel.«

Der Hund der Frau war inzwischen aus dem Haus herausgekommen, lief auf dem Vorplatz zwischen der Kirchentür und den Beinen der Frau hin und her.

Als ich die steile Steinpflastergasse zurück zum Hafen lief, schob der Wind wieder die halb aufgezogenen Vorhänge an den gleichen Fenstern, die ich, als ich zur Kirche gegangen war, gesehen hatte, in die Zimmer hinein, dann holte er sie wieder heraus zur Straße und zeigte mir dieselben Zimmer. Ich sah wieder den beleuchteten Raum, in dem jetzt auch niemand war, und sah wieder nur das große gerahmte Foto an der Wand, einen Mann und eine Frau. Im nächsten Haus saß der Mann im Pyjama weiter auf dem Sessel, und das kleine Kind kam gerade wieder ins Zimmer. Und im nächsten Haus stand wieder die kleine alte Frau, die sich nicht bewegte, mit dem Tuch in der Hand.

Damals, als ich aus Istanbul hierherkam, hatte ich mich gefragt: Warum bin ich hier? Oder vielleicht hatte ich mich nicht gefragt, ich weiß es nicht mehr, es ist so lange her. Damals, Anfang der Siebzigerjahre, hatte das türkische Militär geputscht und war in alle Träume der jungen oder nicht jungen Menschen mit seinen großen, schweren Flügeln aus Eisen geflogen, um sie in Stücke zu brechen. Unsere Generation und die zwei Generationen nach uns waren als Verlierer auf die Welt gekommen. Déjà perdu. Bevor sie auf die Welt gekommen sind, hatten sie das Leben, das sie leben sollten, von Anfang an verloren. Jetzt hatten uns die, die mit Eisenflügeln und in gut geschnittenen Uniformen herumliefen, gezeigt, was Macht heißt. Wir waren die Chöre der Ohnmächtigen, der Machtlosen. Die Uniformierten standen jeden Morgen am Himmel mit ihren Eisenflügeln, flogen über die fahrenden Busse, Schiffe, Menschen, über die die Straßen kehrenden Straßenfeger, über die in die Schule gehenden Kinder, über alle Dächer der Häuser, über die Störche, die gerade mit ihren Jungen neben den Schornsteinen saßen, und die mit den eisernen Flügeln oben im Himmel dirigierten alle Tiere und Menschen unten zu einem Satz: »Euch zeigen wir, wie der Tod lang wird im Höllenhimmel, ihr Aleviten, ihr heimlichen Marxisten, ihr Kurden, ihr Professoren, ihr Gewerkschafter, ihr Journalisten.«

Damals stürzte ein türkisches Passagierflugzeug in der Nähe von Paris in einen Wald. Eine der Flugzeugtüren ging auf, und die Menschen fielen aus Tausenden Metern Höhe durch die offene Tür zur Erde. In einer Istanbuler Zeitung gab es eine Zeichnung, wie die Menschen vom Himmel fielen, und ein Foto vom Wald, wo das Flugzeug abgestürzt war: ein Menschenfuß ohne Strümpfe, ohne Schuh stand auf der Erde, senkrecht, als ob er gerade einen Schritt nach vorne machen wollte, ohne sein Bein, den Körper und den Kopf. Ich schaute mir damals diese Zeitungsbilder an, sagte: »Das ist das, was hier in der Türkei mit den Menschen passiert.« So liefen die Menschen damals auf den Istanbuler Straßen, ohne Kopf, ohne Körper, wie von dem Himmel auf die Erde gefallen, herum. Die da oben fliegen in den Hubschraubern, die da unten rennen, beim Rennen verlieren sie ihre Schuhe, noch bevor sie ihr Leben, nicht weit entfernt von ihren Schuhen, verlieren. Ein Schuss fällt, alle werfen sich auf den Boden, liegen wie mit Nadeln aneinandergesteckte Kleider auf der Erde: Und diese Kleider bewegen sich vorsichtig, falten sich mal so, mal so auf der Erde, aber manche stehen nicht mehr auf. Die Angst damals in den Gesichtern der Menschen in den Istanbuler Straßen erinnerte mich an die Gesichter der Irren in einem Irrenhaus, die vor dem Wächter Angst hatten.

Ich spielte damals in Istanbul in dem Peter-Weiss-Stück *Marat/Sade* die weibliche Hauptrolle Charlotte Corday. In dem Stück ist sie eine Irre. Wegen meiner Rolle ging ich zu einer Istanbuler Irrenanstalt, um die Verhaltensweisen der Irren und ihre Körperhaltungen zu studieren. Der Wächter schloss die Tür auf zu einem großen Gemeinschaftssaal, wo sich die kranken Frauen aufhielten. Ich sah zuerst nur Licht, es wuchs von draußen herein, durch mehrere hohe, vergitterte Fenster an den drei Wänden, wie Tausende durchsichtige Pfeile fiel es von oben herunter Richtung Mitte des Saals. Dort trafen sich die Lichter und standen da wie ein glänzender, übergroßer Buchstabe »V«, der vom Boden bis zur Decke reichte. Alle Frauen hatten sich genau in dieser Mitte gesammelt, dort standen sie, als ob sie unter diesem Licht von draußen sich gerade waschen wollten oder das Licht in die Hand nehmen, mit ihm reden, ihm ein paar Fragen stellen, das Licht in die Unterwäsche stecken, das Licht nicht mehr loslassen, bis es draußen dunkel wird. Das Licht wird hier, nur hier und nur mit ihnen wohnen. Draußen ist die Welt blind. Aber als die Frauen den Wächter bemerkten, fingen sie an zu schreien. Sie schrien so, als ob ein Flugzeug, an dem eine sehr große Rasierklinge montiert war, gezielt auf sie losfliegen würde. Sie schrien, ihre Gesichtsfalten schrien, ihre Haare schrien unter diesem in die Mitte zum V gerammten Licht. Ihre Gesichter bewegten sich im Licht wie in einem welligen Spiegel, der die Gesichter mal in die Länge zieht, mal in die Breite vergrößert, deformiert, ihnen kurz wieder ihre ursprünglichen Gesichter zurückgibt, sie ihnen dann wieder wegnimmt. Ein Auge rechts oben, das andere rechts unten, mal die Nase auf der Stirn, mal ist das ganze Gesicht ein Mund, so bewegten sich die Frauen in diesem Irrenlicht, in diesem Wellenspiegel und umfassten ihren eigenen Körper, die Arme über der Brust gekreuzt – die linke Hand will die rechte Rückenseite fassen, die rechte Hand die linke Rückenseite. So als ob ihre Hände den eigenen Körper zu einem Paket schnüren wollten, zweimal knoten, dreimal knoten, die Knoten so knoten, dass keine Wächterhände diese Knoten lösen konnten. So verschnürt liefen sie vom Licht weg in die dunklen Ecken des Raums. Dort in diesen Ecken sah die Dunkelheit so aus, als ob sie sich wieder in einen dunklen Raum öffnen würde, zu dem aber nur diese Frauen einen Schlüssel hätten und nicht der Wächter.

»Wir müssen gehen«, sagte ich leise zu dem Wächter. Der Wächter stand neben mir, sagte: »Die Welt soll sich von Neuem erziehen lassen. Es wird früher dunkel, als man denkt.«

Die Tür wurde zweimal, dreimal abgeschlossen. Wir liefen durch den Korridor, der seine Zunge gerade geschluckt hatte und nicht mehr sprechen konnte, raus in den Irrengarten. Der Wächter gab mir die Hand, drehte meine in seiner, schaute meine Handfläche und dann den Handrücken an und ließ sie dann los. Ich bedankte mich.

Der Gehweg vom Irrengarten war aus kleinen Steinen gemacht, die sich jetzt unter meinen Schuhen bewegten.

»Ich muss mich hinsetzen«, sagte ich. Aber wer sollte sich

hinsetzen? Wie die heißt, die sich hinsetzen wollte, wusste ich nicht. Ich wusste auch nicht, warum sie sich hinsetzen sollte. Sie setzte sich auf eine Bank, die vor einer Gartenmauer stand. Da saß ein Mann, ein Irrer. Ein anderer Irrer stand vor ihm, kratzte mit einem scharfen Stein den Umriss des sitzenden Mannes in den Putz der Mauer dahinter. Der Umzeichnete bewegte sich nicht. Ich bewegte mich auch nicht, nur mein rechter Fuß versuchte, die kleinen Steine auf dem Boden, die sich von ihren Plätzen gelöst hatten, leise wieder zu ordnen. Es war alles still im Garten der Irren, sogar die Steine. Während ich versuchte, meine Arbeit mit dem Fuß ordentlich zu machen, liefen zwei Füße in weißen Arztschuhen vorbei. Ich hatte inzwischen kapiert, dass ich es gewesen war, die vorhin gesagt hatte, ich will mich hinsetzen, aber ich wusste nicht mehr, wie ich hieß. Komischerweise wusste ich aber, dass ich Schauspielerin bin und die Rolle der Charlotte Corday spielen würde. Aber wie heiße ich, wie?

So etwas war mir auch als Kind geschehen. Ich war elf Jahre alt, wir waren in eine neue Stadt umgezogen, nach Ankara, die Möbelträger trugen die Sachen in die neue Wohnung. Auf der Straße sah ich drei Mädchen in meinem Alter, wir fingen sofort an, Seksek zu spielen. Ich hüpfte über die mit Kreide auf die Erde gezeichneten Quadrate, irgendwann schaute ich hoch und sah plötzlich, am Ende der Straße auf einem Hügel, das Atatürk Mausoleum, sehr gerade stehende, höher und höher ragende Säulen, die in Richtung Himmel wuchsen. So ein Gebäude hatte ich in meinem ganzen Leben noch nicht gesehen. In dem Moment passierte mir etwas Komisches. Ich spielte weiter auf der Straße, die Bewegungen der Mädchen und die vorbeifahrenden Autos wurden langsamer, wenn ein Auto oder ein Militärjeep an uns vorbeifuhr, sah ich nur seine sich langsam drehenden Räder und wollte mich unter diese Räder legen. Zu Hause konnte ich nicht auf dem Stuhl sitzen, ich musste mich auf den Boden legen, ich erkannte meine Mutter, aber nicht mich, ich fragte meine Mutter: »Mutter, wer bin ich?«

»Du bist meine Tochter.«

»Mutter, wie heiße ich?«

Sie sagte mir, wie ich heiße. Ich fragte wieder: »Wie heiße ich, wer bin ich? Wie alt bin ich?«

Meine Mutter und mein Bruder saßen um mich herum, beantworteten mir immer die drei gleichen, sich wiederholenden Fragen: »Wer bin ich, wie heiße ich? Wie alt bin ich?«

Weil ich aber mit ihren Antworten den Weg zu mir nicht fand, kamen auch mein Großvater, mein Vater, meine Großmutter, mein jüngerer Bruder Orhan und meine Schwester Schwarze Rose dazu. Meine Mutter und mein Bruder erzählten den anderen, was ich sie bis jetzt gefragt hatte. Die anderen fingen auch an, mir meine drei Fragen zu beantworten. Eine nackte Glühbirne hing über mir und über ihnen, die ungeöffneten Umzugspakete lagen auf dem Boden, die Jüngeren gingen und brachten den Älteren ein Glas Wasser, weil ihre Münder vom vielen Antworten trocken geworden waren. Irgendwann fragte ich nicht mehr, denn diese Fragen verloren ihre fragenden Stimmen und klangen in meinen Ohren wie die Antworten der anderen, die für mich keine Antworten waren, weil sie mir nicht die Augen über mein Leben öffneten. Alle setzten sich zu Tisch und aßen irgendetwas, ein Stuhl am Tisch war leer, und alle schauten, während sie sehr langsam aßen, zu diesem leeren Stuhl, nicht mehr zu mir. Mein Vater sprach zu dem Stuhl:

»Wenn du wieder gesund bist, bringe ich dir Pokern bei.«

Ich hielt mich an dem Wort »Poker« fest, als wäre es ein

über mir hängendes dickes Seil, und ich zog mich an diesem Seil hoch und setzte mich auf eine ungeöffnete Umzugskiste und schlief dort ein.

Am nächsten Tag wusste ich wieder, wer ich war, meine Mutter fragte mich: »Meine Tochter, was ist mit dir passiert?«

»Ich weiß es nicht.«

Jetzt, im Garten der Irren, fragte ich wie damals:

»Wie heiße ich, wie ist mein Name?«

Der Irre, der gezeichnet wurde, stand auf, schaute nicht zur Mauer, wo seine Umrisse eingeritzt waren. Er hielt seine rechte Hand hoch wie ein Tablett, auf dem er etwas balancierte. Ich fragte den Irren: »Was halten Sie in Ihrer Hand?«

Er sagte: »Eine Wolke. Wenn die Bombe herunterkommt, kann ich sie mit der Wolke abhalten.«

Armer Irrer. Guter Irrer. Dich sollte man zum amerikanischen Präsidenten machen. Man wird dich im Fernsehen fragen: »Herr Präsident, was denken Sie, wie viele Eimer brauchten wir, um das ganze Öl aus den arabischen Ländern nach Hause zu schleppen, Herr Präsident?« Hinter dir fahren Lastwagen voller Eimer vorbei, du sagst: »Ich halte die Wolke hoch, damit, wenn die Bombe runterkommt, ich sie mit der Wolke aufhalten kann.«

Ach, dieser Irre im Garten, dieser Irrengarten.

DA IST EUROPA

Wer hatte mir von dieser Insel erzählt, damals in Istanbul? Ich weiß, ein Fotograf, Teoman Madra, der mich in einer *Marat/Sade*-Vorstellung sehr gemocht, fotografiert und das Foto auf bearbeitetes Olivenholz geklebt und mir geschenkt hatte. Er sagte, das Olivenholz stamme von einem der Olivenbäume auf dieser Insel, wohin Teomans Familie aus Kreta emigriert war. Teoman sagte: »Man sagt, Apollo ist auf dieser Insel geboren. Es ist eine Zauberinsel, die Menschen sind Türken, aber auch Griechen. Die Frauen dort ziehen sich schwarz an wie die Griechinnen, das machen türkische Bäuerinnen nicht. Von Weitem wirst du Lesbos sehen. Da ist Europa. Frag dort nach Ali Kaptan.«

Damals hatte ich zwei Freundinnen, Mari und Diana. Mari war Istanbuler Armenierin, Diana halb jüdische, halb griechische Istanbulerin, beide wollten nach dem Militärputsch die Türkei schnell verlassen.

Mari warf, bevor sie abfuhr, eine ihrer Lieblingsschallplatten von Bob Dylan ins Marmarameer, damit das Meer an sie denkt. Die Geschichte wiederholte sich. Auch im Jahre 1955 hatten viele Istanbuler Griechen und Juden und Armenier, als in einer Septembernacht nationalistische Türken ihre Läden, orthodoxen Kirchen und Friedhöfe zerstörten, sie töteten und vergewaltigten, aus Angst Istanbul verlassen. Bevor sie Istanbul verließen, warf eine Familie, die auf einer Istanbuler Insel wohnte, alle ihre alten Stimme-seines-Herrn-Schallplatten ins Meer, und die alten, schönen griechischen Lieder auf den Schallplatten schwammen tagelang auf dem Marmarameer. Jeder Tote kann noch singen.

Mari, Diana und ich waren, bevor sie gingen, immer zusammen. Wir waren alle Künstlerinnen, liebten unsere Eltern und Freunde und die Männer, die der türkischen oder armenischen Bohème angehörten, liefen in den Nächten hin und her zwischen Istanbuler Greek-Tavernas und Nachtclubs, zwischen steilen Gassen von Istanbul und Istanbuler Betten, der Geruch der Lindenbäume machte uns in den heißen Nächten schwindlig, und wenn wir spätnachts zum Elternhaus zurückkamen, fielen die Kastanien aus den Bäumen auf unsere Köpfe. Patapatapat.

Keiner sprach über Griechisch-, Armenisch- oder Türkischsein. Wir sprachen von Pasolini, Fellini, Antonioni, Gramsci, Godard, Sartre, Camus, Buñuel, Nâzım Hikmet, über die Surrealisten oder über die komischen Sätze unserer Großmütter. »Sie kommen, sie kommen, uns abzuholen.«

In der Türkei war das Fernsehen gerade im Kommen. Meine Großmutter, die auf dem Balkon mit ihrem in Richtung des Meers gedrehten Gesicht immer gerne gesessen hatte, saß jetzt vor dem Fernseher, schaute sich Cowboyfilme an, ab und zu bedeckte sie mit den Händen ihr Gesicht, schrie: »Sie kommen, sie kommen, uns abzuholen.« Ich erzählte das Diana und Mari, Diana schrieb es auf. Diana wollte nicht nur Schauspielerin, sondern auch Schriftstellerin werden, sie liebte Virginia Woolf. Schon während wir alle noch in der Schauspielschule waren, tippte sie nach der Schule in ihrem Schlafzimmer auf der Schreibmaschine, machte vorher die Tür zum Salon zu. Einmal probierten Dianas Geliebter und ich eine Szene aus dem Stück *Endstation Sehnsucht* von Tennessee Williams. Wir waren beide nackt, weil unser Lehrer, der Marlon Brandos Schüler war, in der Schauspielschule Nacktproben für die Schauspielerei wichtig und richtig fand, und wir waren gerne nackt. In meiner Rolle als Blanche streichelte ich mit meinen langen Haaren das Gesicht und die Schultern von Dianas Geliebtem, der den Stanley Kowalski spielte. Er sprach zuerst in seiner Rolle. Irgendwann aber stieg er aus der Rolle aus, sagte: »Ich hab einen Ständer bekommen. Lass uns zu Diana gehen und ihr das zeigen, mal sehen, ob sie aufhört, zu schreiben.« Er klopfte mit seinem Ständer, ich mit meiner Hand an Dianas Tür. Sie tippte drinnen weiter. Ich machte die Tür auf,

Diana schaute auf ihren nackten, mit Ständer sie anlächelnden Freund, ohne mit dem Tippen aufzuhören, lachte, drehte ihren Kopf zur Schreibmaschine, tippte weiter.

Als die Militärhubschrauber in Istanbul anfingen, immer wieder tief über die Menschen zu fliegen und wir unter diesem kranken Himmel unsere alte Gesichtsfarbe nicht mehr finden konnten, gingen Diana und Mari nach Europa. Diana nach Wien und Mari nach Paris. Und in Europa wurden sie bald jüdisch und armenisch, erzählten mir Diana und Mari am Telefon.

Ich war traurig in Istanbul. Diana und Mari fehlten mir. Die Geschichte wiederholte sich. Istanbul hatte sie verloren. Dann wurde mein Theater geschlossen. Der Direktor musste wegen seiner Inszenierungen ins Gefängnis. Als Mari und Diana weg waren, fuhr ich von Istanbul zu dieser Insel, wo die Griechen seit Homer gelebt hatten und die sie 1923 verlassen mussten und wo der Gott Apollo geboren worden war.

Es war ein kalter November. Der Bus aus Istanbul fuhr auf einem schmalen, unbefestigten Weg zwischen den dicht gewachsenen Bäumen, deren Äste die Busfenster ununterbrochen streiften. Ich hörte die Geräusche der Äste, saß still im Bus, schaute in den tiefen Wald, durch den der Bus es schwer hatte, vorwärtszukommen. Ich saß still, so still, als ob mein Körper aus Glas wäre. Wenn ich spräche, würde das Glas in tausend Stücke zerbrechen.

Als ich auf die Insel kam, sah ich am Hafen die Fischer in den Himmel schauen. Es schneite: »Schnee fällt hier alle dreißig Jahre«, sagte einer der Fischer, während er die Schneeflocken auf seine Wangen rieb. Auf der Insel gab es kein Hotel.

Einer der Fischer sagte: »Der Bäcker Osman vermietet Zimmer.«

Der Bäcker Osman, ein ganz kleiner, dünner Mann, zog mich in einen Raum, in dem es einen großen Steinofen gab. An den Wänden des Zimmers sah ich die Schatten der Flammen des Ofens, in den die Brote gerade auf einem langen Brett aus Holz geschoben wurden. »Draußen ist es kalt«, sagte Bäcker Osman. Ich saß eine Weile vor dem Steinofen. Einer von Osmans Söhnen, der kleinste, schob mit nacktem Oberkörper und in kurzen Hosen weiter Brote in den Ofen, eines seiner Beine war dünner als das andere, er hinkte, er hatte einen großen Kopf und Mehl auf seinen Wimpern und dicken Augenbrauen. Wenn er lief, staubte von seinem Körper und seinen Haaren Mehl ins Zimmer. Später lief ich im Schnee, der nur alle dreißig Jahre mal hier vorbeikommt, an der einsamen Küste entlang, zwischen Olivenbäumen, die alt waren, so alt, dass sich die Stämme mehrfach umeinandergedreht hatten, so wie sich drei dicke Schlangen umeinanderdrehen konnten. Ich setzte mich auf einen großen, nassen Stein. Der Schnee kam aus der Nacht über mich.

Ach, Leben, wie solltest du in solchen Tagen zwischen Radionachrichten, Zeitungsblättern, in denen jeden Tag nur das Töten der pünktlichste Beamte ist, dich noch an dich erinnern, dass du Leben bist, dass es dich noch gibt.

Eine einsame Ziege beobachtete, wie ich still dasaß. Die Ziege schaute mich lange an, bis die Lichter in der Ferne auf der Insel Lesbos angingen. Als die Ziege nach Hause zurückkehrte, zog sie mich auch vom nassen Stein hoch, ich lief hinter ihr her, zum Hafen zurück. Gerade war auf der Insel der Strom ausgefallen, nur ein, vielleicht das einzige Fischerrestaurant war mit Gaslampen beleuchtet. Ich ging hinein, um nach Ali Kaptan zu fragen. Ein älterer türkischer Fischer saß mit zwei Jungen am Tisch, lachte laut, redete laut auf Griechisch und lud mich auf Türkisch ein, mich zu ihm zu setzen. Ich fragte ihn, wo Ali Kaptan zu finden sei. Er nahm von einem Teller eine kleine Sardelle, so klein wie die Hälfte eines kleinen Fingers, sagte: »Die hier heißt Papalina, und ich bin Ali Kaptan Zorba.« Er hielt die Papalina am Schwanz hoch über seinen Kopf, machte seinen Mund weit auf, schaute, wieder laut lachend, auf mich, aß den Fisch wie Anthony Quinn in dem Film *Alexis Sorbas.* Ali Kaptan liebte diesen Film. Seitdem er ihn gesehen hatte, war er der Anthony Quinn der Insel. Als Ali Kaptan zur Toilette ging, sagte mir einer der Fischer, der Adem hieß: »Fragen Sie ihn nicht, ob er Kinder hat, seine Tochter ist vor zwei Jahren in den Flammen umgekommen.«

Der Strom kam die ganze Nacht nicht. Als der Restaurantbesitzer seine Gaslampen auslöschte und uns sagte, wir könnten noch bleiben, sagte Ali Kaptan: »Kinder, kommt, wir schauen mal, was der Schuster macht. Die Schauspielerin muss mitkommen.« Und zu mir sagte er: »Du bist so schön wie Irene Papas in dem Film *Alexis Sorbas.*«

Wir gingen hinaus, der Schnee war schon weg. Hier am Hafen war es dunkel, und auf der gegenüberliegenden Insel Lesbos waren viele Lichter an. Ali Kaptan sagte lachend: »Da fällt der Strom nie aus. Da ist Europa.«

In dem dunklen Café nebenan hatten ein paar Männer sich um einen glühenden Ofen versammelt. Alle hörten einem Mann zu, der griechisch sprach. Wenn er etwas sagte, nickten sie, wenn er schwieg, schwiegen die anderen auch.

»Dieser Mann ist der Schuster«, sagte Ali Kaptan. Als der Schuster mich sah, fiel ihm seine Zigarette aus der Hand.

Er fragte mich: »Darf ich meine Zigarette aufheben?«

»Ja.«

Als er mir die Hand gab, sagte er: »Ich hoffe, dass es Ihnen gut geht.«

»Ja«, sagte ich.

»Verzeihen Sie, verzeihen Sie«, sagte er.

Wir setzten uns zu den anderen und schauten genau wie sie auf den Schuster. Er sagte nichts, bewegte nur sein Gesicht.

Als wir gingen, sagte er mir: »Auf Lesbos in der Bibliothek gibt es sehr wertvolle Bücher.«

Draußen erzählte Ali Kaptan, dass der Schuster nicht wirklich Schuster war, sondern ein sehr belesener Buchhändler aus Istanbul, ein Linker, er wurde vor vielen Jahren verhaftet und hierher verbannt, durfte Istanbul nie wieder betreten, musste im Exil leben. Er lernte hier Schuster von einem Meister, der in seinem Laden ein Klavier stehen hatte, saß immer in diesem Café, die Fischer brachten ihre Schuhe zu ihm, die er in dem Café reparierte, und abends versammelten sie sich um ihn.

Ali Kaptan schaute hoch zum Mond, sagte: »Morgen gibt es den Poyrazwind. Wenn der Mond ein mattes, nebliges Gesicht macht, gibt es Poyraz. Auf dem offenen Meer ist Poyraz der Totengräber der Fischer, dass du das weißt, Irene Papas.«

»Sind welche gestorben?«

»Ja, drei Fischer, vorige Woche, die hatten sich in der Kajüte aus Angst umarmt, so hat man sie gefunden. Aber vergiss es, vergiss den Tod, du bist so jung. Kalinichta, Irene Papas.«

Ich ließ die tiefe Nacht und das schlaflose Meer unten am Hafen, ging zu Bäcker Osmans Haus. Alles schlief. Vor dem Zimmer, in dem ich schlafen sollte, hatte Bäcker Osman einen Eisenkasten mit glühenden Kohlen und einen Teller Oliven mit Brot auf den Boden gestellt. Ich saß auf der Bettkante, meine beiden Hände über den glühenden Kohlen, schaute, wie die Flammen, rote, grüne, weiße Flammen, sich zusammenfanden, sich ineinandermischten, sich dann wieder trennten. Die Lichter von Lesbos waren in der Nacht sehr nah, und sie mischten sich dort, in Lesbos, sicher mit dem Meeresleuchten.

»Da ist Europa«, hatte auch der Fotograf Teoman gesagt.

Es klopfte an meine Tür. Osmans kleiner Sohn. »Kommen Sie«, sagte er, ging hinkend vor mir her, öffnete die Tür eines Zimmers, in dem ein Grammophon auf einem Tisch stand. Er legte eine Stimme-seines-Herrn-Platte auf, das Grammophon war aber kaputt, deswegen drehte er die Schallplatte schneller und schneller mit seinem Finger. Wir lachten. Dann führte er mich durch den Flur nach vorne, machte das Fenster auf, legte seine rechte Hand auf seine Hüfte, streckte die linke aus und zeigte in eine Richtung. Da stand die Orthodoxkirche.

Er sagte: »Da wohnt ein Esel. Der gehörte früher meinem Vater.«

»Wie heißt du?«

»Saadettin.«

»Kann man in die Kirche rein, Saadettin?«

»Da ist Zehra Teyze, die zeigt Ihnen die Kirche. Gehen Sie morgen hin.«

Am nächsten Abend fragte mich Saadettin, nachdem ich zur Orthodoxkirche gegangen und in Bäcker Osmans Haus zurückgekehrt war: »Haben Sie in der Kirche den Esel gesehen?«

Dann drehte er an einem elektrischen Schalter. Die Glühbirne knisterte und ging mit einer kleinen Verzögerung an, und als die Glühbirne brannte, sagte Saadettin: »Edison.«

WÄNDE, MOSQUITO UND KRÄHEN SPRECHEN

In dieser Nacht blieb ich wach, bis die große Wanduhr von Bäcker Osman auf dem Flur sechsmal schlug.

Der Mond stand ganz nah. Mit seinem großen Gesicht sah er aus, als ob er das Licht der Schlaflosen sei, das mit der Stimme eines Gedichts die unruhigen Nachtwände zu beruhigen versuchte. Er wuchs in das dunkle Zimmer, wanderte über die Bettdecke und über den einzigen Stuhl, ging durch meine Kleider durch und fiel über meinen Koffer, der offen auf dem Holzboden stand. Das letzte Stück Mond blieb dann auf einem meiner Schuhe stehen. Der andere Schuh lag im Dunkeln. Die unruhigen Zimmerwände schauten eine Weile auf diesen Mond, der alle Gassen und Straßen und Ecken der Städte und Dörfer und Berge mit seinen nie alt werdenden Schuhen einsam durchwanderte. Die Zimmerwände fingen miteinander zu reden an. Aus jeder Wand kam meine Stimme.

Eine Wand sagte: »Ich werde das Land verlassen. Wie Mari und Diana nach Europa wandern.«

Die andere Wand sagte: »Gut, zieh nur hin. Wohlan, hetz dich ab, wohlan, wie ein schneller Hund, renn hin zu diesem Europa.«

Die dritte Wand, vor der ich im Bett lag, sagte: »Ach mein Kind, wie jung ist dein Blut, so gastfreundlich für verrückte Taten. Ich möchte nur, du atmest gern und frei unterm Himmelslicht und schläfst mit dem Mond, den du kennst, in deinem Bett und lebst mit dem Mond, den du kennst, und lachst mit dem Mond, den du kennst.«

Die erste Wand sagte: »Ich werde gehn, still wandern auf den fremden Gassen.«

Die zweite Wand sagte: »Von dort werden alle deine gutherzigen Kindheitsvögel raus aus deinem Mund hierher zurückfliegen. In jedem Schnabel die Liebe, die Liebesquellen deiner Kindheit. So werden sie dich verlassen. Dich in der Fremde mit schwarzen Gefühlen zurücklassen.«

Die Wand hinter mir sagte: »Leb hier mit deiner großen Kindheit, mit deinen Toten, und stirb später bei deinen Toten.«

Als die Bäcker-Osman-Wanduhr zweimal in der Nacht schlug, sagte ich laut im Zimmer: »Ich werde gehen.« Die Wände schwiegen. Ein Mosquito surrte mit einer Düsenjägerstimme, kreiste über meinem Kopf, näherte sich meiner Wange, ich schlug mir ins Gesicht, er surrte weiter. Die Wände blieben stumm.

Draußen auf dem Flur lief jemand hin und her mit hinkenden Schritten. Saadettin rief leise: »Schlafen Sie?« Ich sagte nichts. Draußen ging die Glühbirne an und aus und wieder an. Das Licht draußen und das Surren des Mosquitos waren wie ein Vorwurf für meine Gedanken: »Dich zieht es also nach Europa.«

»Mosquito, schweig! Mich zieht gar nichts nach Europa. Ich war schon mal da. Vor zehn Jahren, in Berlin.«

»Ei, was hast du da zu suchen gehabt?«

»Ich weiß nicht, ich war zu jung, siebzehn, achtzehn. Die Deutschlandtür ging auf, ich warf mich in einen Zug, ich liebte Abenteuer.«

»Und haben sie, als du ankamst, dich als türkische Sultanin mit tausendundeiner Querflöte empfangen, weil du aus tausendundeiner Nacht kommst? War die Straße aus Gold, oder ging es durch Dornen und Steine?«

»Berlin war damals müde, das Jahr 1966. Es sah manchmal wie ein zahnloser Mund aus. Es hatte Gedächtnislücken. Die Hände konnten noch die Einschusslöcher aus dem Krieg an den Hauswänden tasten.«

»Also dort wurde dein Verstand ungesund. In Draculas Grabmal Berlin, ist das nicht von Godard?«

»Ich dachte damals, ich sehe keine lebende Stadt, sondern ständig die Fotografien des Gestern einer Stadt, und rutschte durch diese Bilder in eine andere Zeit.«

»Über Gräber gingest du, du in Wahnsinn Ertrunkene.«

»Da war ein Kanal, in den sie Rosa Luxemburg hineingeschmissen hatten. Er sah wie ein Grabmal aus dunklem Wasser aus. Manchmal fiel ein Blatt von einem Baum, drehte sich kurz auf dem Wasser, dann erstarrte der Kanal wieder zu einem Foto.«

»Und über welche Täler und Höh'n gingest du noch in diese letzte Gasse der Hölle?«

»Da war ein Straßenschild, ›Sie verlassen den amerikanischen Sektor‹, und die geschlossene Tür des Jüdischen Friedhofs, der ängstliche Nacken eines alten Mannes, wenn jemand hinter ihm stand, ein einsamer Ostpolizist auf dem Bahnsteig, an dem die Westberliner U-Bahn, ohne anzuhalten, vorbeifuhr.«

»Die Stadt hatte also die dunkle Macht des Satans?«

»In den kalten Nächten schob der Wind die einsamen Zeitungsblätter vor sich her, und plötzlich flogen in den Ruinen helle Zeitungsblätter in die Luft, stießen zusammen, machten Geräusche, wirbelten gemeinsam weiter und sahen so aus, als ob sie die Geister dieser Stadt wären.«

»Gut, zieh wieder hin, wohlan. Jetzt steche ich dir ins Auge, blindes Schlampelchen.«

»Schweig, Mosquito. Die Abende waren schön dort. Tanzlokale, Brechttheater, Bachkonzerte, der Satz von Hölderlin ›Komm! Ins Offene, Freund!‹. Ich lernte Deutsch und las als Erstes Kafka. Hier ist die Zeit zu dunkel. Ich kann ja hingehen und wieder nach Istanbul zurückkehren.«

»Es gibt keine Rückkehr. Wenn du auch zurückkehrst in einer düsteren Nacht, dein Gewissen wird vor dir in deiner Stadt Istanbul heimlich in eine Bucht fahren, ein aus bösen Schuldgefühlen gebautes Piratenschiff, und listig auf dich warten.«

»Meinst du, Mosquito, es wird früher dunkel, als ich denke?«

»Schlampelchen, du wirst in der Fremde zu einem Niemand schrumpfen. Im eigenen Land stirbt man einmal, in der Fremde tausendmal. Die Deutschen trieben das Osmanische Reich im Ersten Weltkrieg in den Ruin. Sie wollten die Osmanen aus dem Mittleren Osten rausschmeißen, dort selbst die Herrschaft übernehmen und die Türkei kolonialisieren. Sie haben deine Großväter auf dem Gewissen, die drehen sich in ihren Gräbern, und du hetzt dich zu den Kolonialisten. Jedes Land, das Kolonialist war, holt sich jetzt aus seinen Kolonien Arbeiter, Franzosen die Afrikaner, Briten die Inder, und wen haben die Deutschen geholt? Die Türken aus ihren ehemaligen Kolonien. Geh hin. Für die Kolonialisten haben alle schwarzen Mädchen die gleichen Gesichter. Hör zu, Schlampe, meine letzte Warnung für dich: Für Deutschland ist der beste Türke in Wahrheit der als Türke verkleidete Deutsche.«

»Ich hasse dich, Mosquito.«

»Ick dir ooch.«

Der Mosquito surrte nicht mehr, aber ich schlug mir wieder ins Gesicht. Hatte ich all das geträumt? Aber ging, während er mit mir sprach, draußen die Glühbirne nicht öfter an und aus und an? Ich war doch wach. Ich stand auf und ging raus auf den Korridor. Er war leer. Ich knipste die Glühbirne aus und erschreckte mich im Dunkeln. Die Wanduhr schlug viermal neben meinem Ohr, und aus dem Fenster sah ich die Silhouette der Orthodoxkirche und die Lichter von Lesbos. Auf dem Platz liefen zwei Fischer mit schnellen Schritten Richtung Hafen, klopften beim Vorbeirennen an zwei Fenster, riefen: »Ela Yusuf, ela Mesut, kalk, kalk – steht auf, es ist vier Uhr – saat dört.« Als noch ein paar andere Fischer, brennende Zigaretten in ihren Mündern, Richtung Hafen rannten und nicht mehr zu sehen waren, sah ich Tausende von Krähen, eine nach der anderen, sich auf die Telegrafenmasten und auf die Dächer setzen und anfangen, mit lauten Schreien zu krächzen, und es kam mir so vor, als ob diese Krähen sich nur für mich und für diese Nacht, in der ich die Frage gestellt hatte, »soll ich nach Europa gehen?«, gesammelt hätten. Alle Krähen waren sich so sicher in ihrer Antwort, und die Krähen waren nicht so streng wie der Mosquito. Sie sagten im Chor: »Ach, mein Kind. Du mit deiner unschuldigen Jugend, unüberlegt, Körper ohne Wunde, denkst: Wenn du in Europa Sehnsucht nach deinem Land hast, können die Wörter deiner Landsleute, die da leben, dir eine Salbe werden. Die Liebesquellen ihrer Sprache sind aber schon längst ausgetrocknet in der Fremde, weil der Alltag dort fehlt, der ihre Sprache einmal ernährt hat: Stimmen der Mütter – Ausrufe von einem Straßenverkäufer – Stimmen der Tiere. Sie haben sich von ihren Toten entfernt. Hier konnten sie früher mit ihren Toten sprechen. Weil sie mit ihren Toten sprechen konnten, waren sie nicht gehetzt. Jetzt, wo ihre Liebesquellen trocken sind, grüßen sie nur das Geld. Sie sind Goldgräber. Sie wollen in diesem fremden Land möglichst viel Gold graben. Ihre alten Fotografien, die sie mitgenommen hatten, sagen nichts mehr über diese Menschen. In der Fremde wird der Mensch auf sich selbst zurückgeworfen, weil er andauernd daran erinnert wird, dass er fremd ist.«

Die Wanduhr hinter mir tickte. Ich legte meinen Kopf an die Wand, sagte leise: »Ich muss aber gehen.«

Die Krähen schrien draußen auf den Dächern: »Wenn du gehst, werden die Liebesquellen austrocknen. Dort wirst du nur deine eigenen Schritte hören wie das Schaf seine Glocke am Hals, tchang-tchang-tchang-tchang. Du wirst dich schämen. In den fremden Gassen, vor den fremden Wörtern ohne Kindheit wirst du dich schämen, denn in einer fremden Sprache haben Wörter keine Kindheit. Und die Scham ist ein tüchtiger Beamter, in seinen Händen die labyrinthische Zeit, aus der es keine Wiederkehr gibt.«

»Sind denn die Gegangenen alle krank vor Scham, schamkrank, mit blassen Wangen, werden sie sich schämen bis ins Grab?«, fragte ich mich mit noch an die Wand gelehntem Kopf.

Die Krähen sagten: »Ja, die Gegangenen werden sich schämen bis ins Grab. Sogar die Hiergebliebenen schämen sich für die, die nach Europa gegangen sind. Die Leute hier sagen, diese Menschen, die von hier fort sind, geben in Europa ein schlechtes Bild von uns, wir sind modern hier, wir haben unsere Geschichte, unsere Reichtümer, unsere Kultur. Die, die weggegangen sind, sind die Armen, die Kulturlosen, die Sklaven. Durch sie wird in Europa unsere wahre Identität, unsere reiche Geschichte klein gemacht. Plötzlich schreibt Europa unsere reduzierte Geschichte.«

Ich sagte: »Ich mach die Geschichte wieder groß, ich werde dort Schauspielerin.«

Die Krähen sagten: »Stell dir vor, als Gegangene stehst du auf den fremden Straßen. Ja! Die Straße ist dir fremd, aber du bist auch der Straße fremd. Die Straße ist aber denen, die du als Fremde siehst, nicht fremd. Auf dieser Straße laufen die, denen die Straße nicht fremd ist, und wenn diese Menschen dich, die Fremde, sehen und wollen, dass du dich nicht fremd fühlst, lächeln sie dich an. Aber manche andere wollen, dass du dich fremd fühlst, und geben dir auch das Gefühl. Die armen europäischen Leute, die tun uns leid, ob sie lächeln oder böse schauen. Ausländer machen die Einheimischen zu Pförtnern. Die Fremden werden das Land, in dem sie ankommen, immer zweiteilen. Das bedeutet Wörterkrieg unter den zweigeteilten Einheimischen.«

»Aber was meint ihr, Krähen? Ausländer machen die Einheimischen zu Pförtnern?«

»Ja«, schrien die Krähen, »entweder ein guter Pförtner, der von seinem festen Platz aus entscheidet, ob ein Fremder durch das Drehkreuz gehen darf, oder ein böser Pförtner, der dich nicht durchlässt. Du wirst dich schämen, weil du dauernd ein Thema bist. Kein Mensch mehr, ein Thema. Morgen wirst du nicht mehr wie hier in deinem Bett aufwachen, sondern in den Zeitungen. Willst du zu ein paar Zeilen werden in den muffigen Blättern, die gefaltet in den Taschen stecken oder in den Zügen vergessen werden? Wir warnen dich noch einmal: In der Fremde wird der Mensch auf sich selbst zurückgeworfen, weil er andauernd daran erinnert wird, dass er fremd ist.«

Ich war inzwischen ins Zimmer zurückgekehrt, und weil das Surren vom Mosquito nicht mehr da war, konnte ich meine eigene Stimme hören, die den Krähen eine Antwort gab:

»Ja, aber ich werde dort auch Schauspielerin. Warum sollte es mir in Europa anders gehen als hier? Ich spiele hier Rollen, dort auch Rollen. Charlotte Corday hier, Charlotte Corday dort. Ophelia hier, Ophelia dort.«

Die Krähen verloren keine Zeit, mir zu antworten. Sie sagten: »Wenn du gehst, gehst du als Charlotte Corday oder als Ophelia von hier fort und kommst dort in Berlin als Putzfrau an.«

Ich sagte: »Krähen, ihr spottet meiner, meine Tränen zu locken. Dieser Gedanke, ich als Putzfrau, ich glaube, eine Schlange beißt mein Herz.«

»Ja«, sagten alle Krähen. Und dieses Ja sagten sie mit ganz sanften Stimmen. »Schau, die Frauen unserer Landsleute sind in Berlin Putzfrauen. Und auf einer deutschen Bühne ist eine türkische Frau eine türkische Frau, und eine türkische Frau ist eine Putzfrau. Das ist die tägliche Realität. Und am Theater wird es eine nächtliche Realität. Du kannst in Deutschland am Theater nur als Putzfrau Karriere machen. Im ersten Stück bist du eine Putzfrau, bückst du dich und putzt mit dem Eimer. Im nächsten Stück kriegst du vielleicht eine Bohnermaschine, da hast du schon die hohe Karriere, vom Eimer zur Bohnermaschine. Bleib hier bei uns, bei deinem Mond, den du kennst. Du kannst in Europa vielleicht auch berühmt werden, vielleicht Schauspielerin oder Schriftstellerin, aber du wirst keine Ruhe finden. Sie werden dich loben und schreiben, dass du Pionierin der türkischen Künstler bist, dass du Aufklärerin der unterdrückten türkischen Mädchen bist, dass du eine Brücke zwischen der Türkei und Deutschland bist, dass du die einzige emanzipierte Türkin bist, dass du das beste Beispiel der Integration bist.«

All die Krähenstimmen nervten mich so sehr, ich öffnete das Fenster, während die Uhr fünfmal schlug, und schrie raus: »Seid ihr die Hellseher, seid ihr Teiresias?«

Die Krähen ließen sich von mir nicht irritieren. Im gleichen Rhythmus wie ihr Krächzen sprachen sie weiter, sagten: »Nehmen wir an, du schreibst dort einen Roman, mit all deiner Fantasie, mit eigenen Bildern, deinen empfindsamen Gefühlen, du schreibst zum Beispiel AB JETZT IST ALLEINSEIN MEIN PFERD. Oder DIE WOHNUNGSLOSE SCHNECKE. Weil du mit der Schnecke Mitleid hast. Diese Schöpfungen, die du aus deinem eigenen Körper ausgraben wirst, werden als Türkisch registriert. Sie werden sagen, schauen Sie, wie schön die türkische Sprache ist. Keiner kann Türkisch, aber plötzlich wissen sie, dass es Türkisch ist. Du landest in der türkischen Schublade. Europa, Berlin, Tiergarten der Sprachen, hier sind die türkischen Tiere, als wäre die Türkei ein Dorf, in dem alle Einwohner die gleichen Geschichten haben und mit gleichen Sätzen sprechen. So werden sie versuchen, dir dein Gedächtnis auszulöschen. Weil sie keines haben. Weil sie keines haben, darfst du auch keines haben. Weil es ihnen auch schnuppe ist.«

»Was meint ihr«, schrie ich, »dass es ihnen schnuppe ist?«

Meine Frage blieb offen. Aus unerklärlichen Gründen waren die Krähen plötzlich ganz still.

Ganz still.

Ganz still.

Ganz still.

Ganz still.

Ganz still.

Ganz still.

Ganz still.

Ganz still.

Ganz still.

Ganz still.
Ganz still.
Ganz still.
Ganz still.
Ganz still.
Ganz still.
Ganz still.
Ganz still.
Ganz still.

Als ich mit meinen schlaflosen Kleidern und meinem Koffer hinunter zur Backstube ging und Bäcker Osman mir eine Ecke eines heißen Brotes zu essen gab und ich ihm das Zimmer bezahlte und die Uhr sieben schlug, fragte Saadettin mich: »Werden Sie wieder auf unsere Insel kommen?«

Ich sagte: »Ja, ich werde wiederkommen.«

Ich wusste damals nicht, dass zwischen meinem Versprechen an Saadettin und meiner Wiederkehr auf diese Insel dreizehn Jahre vergehen würden.

Draußen vor Bäcker Osmans Haus rauften zwei Kinder. Ein Kind hatte in seiner Hand ein Stück Butterbrot. Als das andere es leicht schlug, nahm es das Brot zwischen seine Zähne, damit seine Hände zum Zurückschlagen frei waren. Das andere Kind schlug aber schneller und jetzt härter, sodass das erste anfing, mit offenem Mund laut zu weinen, und das Brot fiel aus seinem Mund auf die Erde. Aus einer Mülltonne sprangen drei Katzen heraus. Der dicksten Katze gelang es, das Brot zu entführen. Der Junge, der das Brot verloren hatte und dazu noch geschlagen wurde, drohte dem anderen mit seinem Vater.

»Mein Vater ist sehr stark.«

»Er ist nicht stark.«

»Doch, sehr stark. Er kann seine Zähne rausnehmen, wer kann das schon. Er holt seine Zähne heraus und kann sie wieder einsetzen.«

Unten am Hafen hatten einige Fischer ihre langen Netze auf die Erde gelegt, die kaputten Stellen kontrolliert, geflickt und trugen die Netze in die Boote und fuhren los. Ihre Fahnen, die auf dem Dach ihrer Boote festgemacht waren, flatterten an den Stangen Richtung Lesbos. Also wehte der Poyrazwind aus den Kazbergen. Die Fischer, die in ihren Booten standen, sahen wie Filmstars aus, aber ein Maskenbildner hatte ihnen viel zu viele Falten geschminkt. Ali Kaptan sagte mir:

»Irene Papas, du gehst, ohne Meereskastanien gegessen zu haben? Komm, ich fahr dich zur Melinainsel, das ist die letzte Insel, von da aus kannst du Lesbos noch mehr aus der Nähe sehen.«

Ali Kaptan fuhr zwischen der Nackteninsel, der Feigeninsel und der Schwarzen Insel Richtung Melina. All diese Inseln sahen aus, als ob dort nur Schlangen und Eidechsen wohnen würden. An ihren Küsten hatten sich Hunderte von Möwen gesammelt, die das Meer kontrollierten: »Wann werden die Fischer ihre Netze rausziehen?«

Ali Kaptans Schiff hieß Zeliha, ein Frauenname. Ich fragte ihn nicht, wer Zeliha war, vielleicht seine Tochter, die vor zwei Jahren in den Flammen umgekommen war. Ali Kaptan rauchte nicht. Ich fragte ihn nicht, ob er früher geraucht hatte, und rauchte selbst keine Zigarette während unserer Fahrt, die Stimme des Streichholzes, das zu einer Flamme wird, sollte er nicht hören. Ali Kaptan hielt an der Melinainsel an, sagte: »Siehst du, wie nah Lesbos ist? Ab jetzt ist das Meer zwischen Griechenland und der Türkei geteilt.«

»Wie aber wissen die Fischer, wo die Grenze ist, das Meer kann man nicht halbieren wie einen Apfel? Was passiert, wenn die Fischer die Grenze überschreiten?«

Ali Kaptan sagte: »Die Grenze wird hier immer dann wichtig, wenn es um die Politik zwischen der Türkei und Griechenland schlecht steht. Früher haben wir an der Seegrenze mit den griechischen Fischern Rakı, Ouzo, Zigaretten und Brot von Boot zu Boot ausgetauscht, die griechischen Fischer riefen: ›Maymouni – Affe, hast du 'ne Flasche Rakı?‹ Wir riefen: ›Wenn du eine Flasche Ouzo bei dir hast, ja, Malaka.‹ Einmal luden mich die griechischen Fischer auf ihr Schiff zu einer Hochzeit von zwei Deutschen. Die beiden Deutschen wollten zuerst auf Karpathos heiraten, aber der Inselpope hatte die Eheschließung abgelehnt, weil er es nicht ernst genug fand, wenn zwei Deutsche in Griechenland heiraten. Der deutsche Bräutigam flog daraufhin nach Lesbos und holte einen anderen Popen, der allerdings nicht auf der Insel Lesbos, sondern auf See die Trauung vollziehen durfte. So fuhren die Fischer den Popen und die zwei Deutschen aufs Meer. Der Pope hatte keinen Bart, trug einen Adidas-Anzug und hatte eine große Plastiktüte in der Hand. Auf dem Schiff nahm er nacheinander Oblaten, eine Flasche Retsina als Messwein, ein vergoldetes Kreuz, einen Talar und zwei Kerzen aus der Plastiktüte. Er lehnte es ab, Coca-Cola-Flaschen als Kerzenhalterersatz zu verwenden, es mussten griechische Limonadenflaschen sein. Die Trauung dauerte für die Fischer und Musiker zu lange. Zwischendurch stimmte der Bouzoukispieler sein Instrument, um dem Popen klarzumachen, er möge langsam zum Ende kommen. Einige türkische Fischerboote überschritten die Seegrenze und sammelten sich neben dem Hochzeitsboot und machten sich lustig, die kirchliche Trauung in griechischen

Gewässern gelte nicht in der Türkei. Alle lachten, sogar der Pope. Hast du schlecht geschlafen, Irene Papas?«

»Ja, Ali Kaptan, ich habe die ganze Nacht überlegt, ob ich nach Europa gehe.«

»Geh nicht«, sagte Ali Kaptan.

»Ich möchte, nur bis der Militärputsch vorbei ist, in Berlin leben. Dort am Theater arbeiten.«

»Geh nicht, Irene Papas, bleib hier auf unserer Insel, sei meine Tochter.«

»Ich komme ja wieder, Ali Kaptan.«

»Wieso gehst du?«, fragte Ali Kaptan, »die kommen ja bald hierher.«

»Wer kommt?«

»Ja, die Deutschen, die Engländer, die reichen Türken. Glaubst du, sie lassen diese Zauberinsel uns? Niemals! Eines Tages werden die Reichen alles besetzen. Egal, Türke, Deutscher, du wirst sehen, wir Fischer werden hier kein Haus mehr haben. Geh nicht, Irene Papas«, sagte Ali Kaptan. »Dort bist du fremd. Ich kenne es von Möwen, was Fremdsein ist. Wenn es auf einem Felsen kleine Erdbeben gibt, fallen als Erstes die Eier von den fremden Möwen ins Meer und gehen kaputt.«

Ali Kaptan band sein Boot mit einem Seil an einen Felsen, stieg ins Meer und sammelte im flachen Wasser zwischen zwei Felsen Meereskastanien ein, legte sie in das Boot und sammelte weiter. Ich fasste die Meereskastanien an, die wie ein dunkelbraunes Nadelkissen voller Nadeln aussahen und jetzt auf dem Bootsboden gegen den Tod ihre Nadeln hin und her bewegten. Kann man den Tod mit einer Nadel stechen? Ali Kaptans Hände holten weiter Meereskastanien aus dem Wasser in den Tod. Die neuen drehten auch ihre Nadeln in der Luft blind hin und her. Zwischen Felsen, Meer,

Sonne und den Meereskastanien entstand jetzt eine doppelte Stille. Ich warf einen der kleinsten dieser Seeigel leise wieder ins Meer, das Meer zog ihn nicht hinunter, sondern ließ ihn mit den Wellen und mit dem Poyrazwind, der aus den türkischen Kazbergen wehte, Richtung Lesbos treiben. Ich nahm meinen Koffer, stieg aus Ali Kaptans Boot und lief über das Meer hinter diesem Seeigel her, der nach Europa getrieben wurde, und drehte mich nicht nach hinten, wo Ali Kaptan, vielleicht noch die Hände im Wasser, nach neuen Meereskastanien suchte und sein Boot sich im Meer mit den Wellen hoch und runter bewegte. Meine Füße wackelten mit den Wellen auf dem Wasser, aber ich schaute nur auf den Seeigel, der sich vor mir mit dem Poyrazwind in Richtung Lesbos treiben ließ.

Ein dünner Dunst lag über dem Meer, langsam verschwand die Trennungslinie zwischen dem Himmel und dem Meer, ich konnte nicht sehen, ob das Meer jetzt den Himmel in sich hineinzog oder der Himmel das Meer. Hinter mir, aus der Ferne, hörte ich Ali Kaptans Stimme. Er rief: »Geh, geh, aber komm eines Tages zurück, Irene Papas.« Um mich nicht zu seiner Stimme zurückzudrehen, sagte ich mir ein Gedicht auf, das ich einmal als Kind in einem Zimmer, in dem Melonen lagen, geschrieben hatte:

Mit unseren Händen schöpften wir Wasser aus Wildbächen
klatschten das Wasser ununterbrochen in unsere Gesichter
liefen über Stock und Stein, ob Berg, ob Tal
ärgerten uns, wenn die Brennnesseln an
unseren Beinen brannten
ein Tritt, und teilnahmslose Brennnesseln
hinter uns gelassen
überquerten wir Brücken
wie viele Mädchen hat es wohl gegeben

gerade so groß auf Augenhöhe
mit den Hoden vom Gaul des Milchmanns
die auf steinigem Wege ihre Schuhe kaputt liefen

Ich lief und lief über das Meer. Die kleine Meereskastanie hielt an der Küste von Lesbos an und verschwand im Wasser. Ich lief auf Lesbos einen steilen Hügel hoch und sah in der Entfernung ein Dorf und einen Tisch, an dem drei dünne, ältere Griechen saßen, und zwei Kinder, die hinter ein paar Kühen hergingen. Die Glocken an den Hälsen der Kühe machten erst laut tchang-tchang-tchang, dann wurden sie leise in der dunklen Nacht, dann war alles still. Nach dem Bergabhang fing wieder das Meer an. Ich lief über das Meer, lief und lief über Griechenland, und in der Ferne sah ich Jugoslawien. Ich kam in Jugoslawien an. Die Lichter der Straßenlampen waren schwach, aber die schwachen Lichter waren schön. Ich lief über eine Brücke, die Tür eines Lokals ging auf, ein junges Mädchen und ein Junge kamen heraus und eine traurige Zigeunermusik, dann ging die Tür wieder zu. Das Mädchen und der Junge lachten. In einem Laden sah ich das Foto von Tito an der Wand hängen. Tito lebte, es war kein Krieg in Jugoslawien. Es gab noch kein Bosnien, kein Serbien, kein Kroatien. Kroatien war noch nicht von den Deutschen anerkannt. Es war kein Krieg da. Ich sah an einem Fenster zwei fünfjährige Kinder in Nachthemden rausschauen und am Fensterbrett eine Katze streicheln. Das Mädchen hatte einen langen Zopf, mit dem sie die Katze streichelte. Zwanzig Jahre später war das Bild wieder da, als in Berlin eine Frau, Safiye, ehemalige Lehrerin in Sarajevo und nach dem Jugoslawienkrieg Putzfrau in Berlin, mir ihre Geschichte erzählte. Safiye lebte, als es Jugoslawien noch gab, in Sarajevo und arbeitete als Lehrerin. Eines Morgens saß sie mit ihrem Mann und ihrem Bruder am Tisch. Als sie frühstückten, kamen plötzlich serbische Männer ins Haus herein, töteten vor Safiyes Augen ihren Mann und ihren Bruder, schleppten Safiye mit anderen Frauen zu einem Camion, brachten sie zu einem Depot und vergewaltigten sie zwei Tage lang. Safiye fiel in Ohnmacht. Als sie wieder zu sich kam, suchte sie nach ihrem Zopf, der bis zu ihrer Hüfte reichte. Ihr Zopf war abgeschnitten. Der erste Gedanke von Safiye war: Wo sind meine Haare. Sie fragte nicht, wo ist mein Mann, wo ist mein Bruder, sie fragte, wo sind meine Haare. Das Deutsche Rote Kreuz brachte Safiye von Jugoslawien nach Berlin. Wahrscheinlich war die Nacht, als Safiyes Zopf von serbischen Männern abgeschnitten wurde, milder als jetzt, zwanzig Jahre zuvor, wo ich Richtung Europa lief.

Allmählich wurde es kalt. Ich war in Berlin angekommen.

IN DRACULAS GRABMAL

Die Kriegsruinen, die ich in den Sechzigerjahren in Berlin noch sehen konnte, waren jetzt mit neuen Häusern ausgefüllt, als ob die Stadt ein neues Gebiss bekommen hätte. Trotz dem Gebiss und den neu gebauten Häusern fing ich an, mir alle Straßen und Ecken mit ihren Kriegsmomenten vorzustellen. Ah, hier die zwei Häuser haben keine Bomben abgekriegt, die fünf daneben aber haben Bomben abgekriegt, boom, boom, boom, boom, boom. An ihrer Stelle wurden fünf neue Häuser gebaut. Das eine da gegenüber ist heil davongekommen, also kein Boom-Haus, die vier daneben nicht, boom, boom, boom, boom, kriegsgeschädigt. Das da nicht-boom, nicht kriegsgeschädigt, stehen geblieben. Das hier boom, nicht stehen geblieben, boom, boom, nicht-boom, boom, nicht-boom, nicht-boom, boom, boom, boom, boom, nicht-boom, nicht-boom, boom, boom, boom, boom, boom, nicht-boom, nicht-boom. Nach der Insel, auf der Apollo geboren wurde, sah Berlin aus wie eine Kaserne, große graue Häuser, in deren Räumen jetzt auch Türken wohnten und jetzt alle schliefen. Wenn die Stadt eine Kaserne ist, sind dann die Menschen, die morgen um fünf Uhr aufstehen werden, Soldaten?

Ich lief und lief. Irgendwann sah ich eine Säule, auf der oben ein goldener Engel stand. Ich bekam Angst vor diesem goldenen Engel, vor der SS-Straße, und kletterte über eine Mauer, die die Stadt in zwei teilte. Ich kam in dem viel dunkleren Teil der geteilten Stadt an, legte meinen Koffer auf den Boden, dachte: Jetzt schlafen alle Menschen, Anna Seghers, Ernst Busch, und nahm meinen Koffer, lief und lief und kam bei einem Friedhof an. Da ging ich rein, sah viele Gräber, Koffer in der Hand, las laut die Namen der Toten: Emma Barella, Johannes Schulze, Eulalie Etienne, Sophie Sommer-Dankberg, Georg Wilhelm Friedrich Hegel, Arno Friedemann, Herrmann Heinrich, Rudolf Schade, Inga Stuttmeister, Carl Bohm, Nicolaus Bohm, Johanna Marie Fichte, Alexander Wentzel, Eduard von Haber, Franz Zietlow. Vor dem Grab von John Heartfield blieb ich stehen, dann suchte ich nach dem Grab von Bertolt Brecht, setzte mich neben seinen Stein, hinter dem eine Zigarre lag. Was war für mich Europa? Die Toten, die ich in Istanbul geliebt hatte? Brecht, Marx, Heinrich Heine, Heartfield, Bach, Tucholsky, Büchner, Hölderlin, Kleist ...? Dank dir, Meer, dank dir, Meereskastanie, und dank dir, kalte Nacht, dass ihr mich zu meinem Europa und meinen Toten gebracht habt. Der europäische Himmel ist von Toten, die ich geliebt habe, geschaffen. Ich werde heute Nacht auf diesem Friedhof neben Brechts Grab sitzen, ab und zu zu Heartfield laufen und dann wieder zu Brechts Grab, und die Toten, meine Toten, werden mir meinen Weg in Europa leuchten. Ich schlief in dieser Nacht einen kurzen Moment auf dem Friedhof im Sitzen neben Brechts Grabstein und hatte einen Traum:

Ich bin auf einem türkischen Schiff. Hinter mir singen die türkischen Männer, sie sollen Faschisten sein. Ich bin die einzige Frau, ich habe furchtbar Angst. Ich rette mich im Traum von diesem Schiff in ein Zimmer, ein schräger Raum, da ist ein Bett. Im Bett liegt Brecht, neben dem Bett ein Stuhl, auf dem sitzt Helene Weigel. Ich gehe zu ihr, sage: »Wecken Sie Brecht, ich will mit ihm reden.« Helene Weigel sagt mir: »Er ist tot, siehst du nicht, er ist tot.« Ich sage zu ihr: »Nein, er lebt, wecken Sie ihn bitte.« Brecht wird wach. Ich sage zu ihm: »Bitte, gib mir etwas von dir, deine Krawatte oder deinen Kopfkissenbezug.« Er gibt mir seinen Kopfkissenbezug – oder war es die Krawatte?

Wie in meinem Traum hatte ich mich vor türkischen Nationalisten nach Berlin gerettet. Aber ich traf hier in Berlin die Schuldgefühle der deutschen Nazivergangenheit. Nicht nur die Straßen sprachen davon oder die Berliner Häuser, an deren Gesichtern man noch die Einschusslöcher anfassen konnte, Menschen sprachen von Schuld, besonders die jungen Menschen in Westberlin. Westberlin ist eine Insel, sagte man, weil es drum rum die DDR gab. Viele junge Leute hatten ihre westdeutschen Städte verlassen, waren nach Westberlin gezogen, lebten in Wohngemeinschaften, in billigen, riesigen Wohnungen oder in den verlassenen Fabriketagen mit großen, hohen Fenstern. Die Mauer war noch nicht gefallen.

Ich fing an, an der Volksbühne in Ostberlin mit dem Brechtschüler Benno Besson zu arbeiten. Wenn ich in Ostberlin tagsüber in den Theaterproben mit Benno Besson, Matthias Langhoff, Heiner Müller und Christoph Hein saß oder abends in den Theatervorstellungen, vergaß ich Berlin und seine Schuldgefühle. Wenn ich mich aber ohne Theater in Westberlin mit Freunden traf, saß ich nicht nur mit Claus oder Renate oder Michael am Tisch, auch mit ihren Schuldgefühlen wegen ihren Nazivätern.

Claus sagte: »Wenn ich als Kind nicht schlafen konnte, musste ich Schäfchen zählen, mein Vater holte mich zum Korridor, da gab es Tapeten mit Schäfchenbildern, ich musste sie zählen, bis ich weinte, dann musste ich weiterzählen. Mein Vater ist ein Scheißnazi, meine Füße waren so kalt.«

Michael, der ein Altachtundsechziger war, trank viel zu viel Alkohol, sprach mit seinen Eltern nicht und hatte zwei Katzen, die Marlies und Gerda hießen. Michael wohnte in Charlottenburg in der fünften Etage. Wenn sein Vater ihn anrief und er das Telefon sofort auflegte, schmiss er Marlies und Gerda aus dem Küchenfenster der fünften Etage in den Hof. Dann ging er die Treppen hinunter, suchte nach ihnen. Beim dritten Mal Ausdemfensterfünfetagenhinunterindenhof überlebten Marlies und Gerda nicht. Michael lernte eine Amerikanerin kennen, und mit ihr ging er in die USA. Arme Marlies, arme Gerda.

Lotringer sagte einmal in einem Gespräch mit Heiner Müller: »*Mit [der Unterdrückung des Todes] muss man sich befassen, besonders in Deutschland, wo der Unterschied zwischen Tod und Geschichte so verwischt ist, dass die Geschichte nur als Terror wiederkehren konnte, als Bringer von Terror und Tod. Was Sie mit dem Theater tun, [Heiner Müller,] ist also vielleicht der Versuch, den Tod wieder zu einem Teil des Lebens zu machen, damit die verwesende Leiche der Geschichte aufhört, das deutsche Leben zu verpesten.«* Lotringer erzählte: »*Meine Eltern sind aus Warschau. Als ich nach Berlin zurück kam, [...] war ich überrascht, sogar etwas besorgt, weil ich den Deutschen gegenüber überhaupt keine Feindseligkeit empfand. Was mich anging, war es so, als seien die Toten nun begraben. Ich fühlte aber, dass sie für die Deutschen nicht begraben sind, besonders nicht für einige der Schriftsteller [...]. Ich fand, das sind die Unschuldigen. Und das war mir sehr unbehaglich, denn ich fand, dass die Art von humanistischem Diskurs, den sie halten, immer noch ein Produkt von Schuld ist. Und weil ich selbst Jude bin, möchte ich mich einfach nicht mehr mit Schuld befassen müssen. Ich fühlte mich im Gegenteil der neuen Generation von Deutschen nahe, [...] ich möchte nicht mit der Schuld leben müssen – nicht aus Angst vor dem Tod, sondern weil ich meine, dass die Schuld irgendwo überwunden werden muss.«*[1]

Heiner Müller sagte: »*Ja, denn Schuld produziert Verbrechen.«*

Diese Sätze gefielen mir, befreiten mich von den Schuldgefühlen der Berliner Straßen, aber sprachen dann wieder meine Freunde oft von ihren Nazivätern als Scheißnazis, fing ich, um sie zu trösten, an, komische Sätze zu sagen wie: »Man kann nicht bestimmen, in welchem Bauch man in die Welt kommt. Das war eben ihre Jugend. Jedes Land hat seinen Faschismus entweder vor sich oder hinter sich.«

Auch ich war um die Finger der Nazivergangenheitschuldgefühle gewickelt.

In manchen Nächten wachte ich auf und schaute heimlich auf die Straße. In den Häusern flimmerten Fernseher. Ich sah nicht, was gerade lief. Wenn Berliner Bäume draußen im Wind rauschten oder ein dem Hausfenster zu nahe stehender Baum mit dem Wind seine Äste an die Fenster schlug, dachte ich im Dunkeln: Jetzt gehen die Schuldgefühle als Giganten dicht vor manchen gesichtslosen Berliner Häusern vorbei zu den stillgelegten Bahngleisen, aus denen Gras gewachsen ist. Auf den Schienen stehen Tausende Fernseher, in denen die gleichen Filme laufen. Filme über Judenermordung oder Russenerhängung. Ein Bild wiederholt sich ständig: immer wieder in die Grube rutschende, vielleicht noch halb lebendige oder halb tote nackte, dünne Menschenkörper aus den Konzentrationslagern. Und die Schuldgefühle laufen als Giganten über die Schienen und sprechen als Schuldgefühlchor und erwürgen die Nacht mit ihren Wörtern:

Wir sind die Schuldgefühle des Zweiten Weltkriegs.
Wir hassen unseren Vater,
Unsere Mutter, gesündigt haben
Sie, gesündigt. Wir leben hier in Sünde,
Die Sünde ist groß, viel zu groß,
Unsre Geschichte ein bittres Los.
Unser Wald ist verbrannt, nicht zu retten,
Von bösen Vaterfüßen zertreten,
Unsere Köpfe sind leer;
Von tausend Fragen schwer.
Was geschah in unserem Wald?
Nun ist die Sonne so rot und so kalt,
Ein Lappen, der nichts verhüllt,
Uns nur mit Grauen erfüllt.
Unser Gedächtnis gelöscht, zersplittert.
Unsere Kinderherzen verbittert;
Unser Geruch ist der schlimmste auf Erden.
Was soll aus uns allen werden?
Wir bohren Löcher in unsere Köpfe
Hinein, tiefer, noch tiefer.
Wir wollen nur noch Kopflöcher bohren,
Alle unsere Erinnerungen löschen, begraben,

Das Gedächtnis auslöschen.
So verblutet vielleicht nicht unsere Seele,
schwillt nur noch eine leere Qual in unsere Kehle.

Hannah Arendt hatte in etwa gesagt, die Vernichtungsmaschine der Nazis, die Fabrikation der Leichen, das hätte nicht geschehen dürfen. Sie sagte: »Da ist irgendetwas passiert, womit wir alle nicht fertig werden.«

Wenn ich in Berlin ein fünfjähriges Kind sah, dachte ich immer: Wenn es in die Schule geht, erfährt es plötzlich, was in diesem Land geschehen ist, dann fragt es sich: »Und mein Großvater?«

Ein alter deutscher Linker, der im KZ gesessen hatte, sagte mir: »Die Sünde ist sehr groß, was helfen die Filme, in denen abgeschnittene Haare, ausgezogene Schuhe als Berge gezeigt werden oder die toten Körper.« Er sagte auch: »Für mich sind die, die im Krieg kleine Kinder waren, die interessanteste Generation in Deutschland, sie haben gesehen, was Krieg ist. Sie haben gesehen, was Befreiung war, was Amerikaner, Russen waren. Sie haben ihre kaputten Städte gesehen und ihre kaputte Mutter und, wenn welche zurückkamen, ihre kaputten Väter. Diese Kinder haben viel gesehen, weil auf ihre kleinen Körper die Geschichte einen großen Kopf gesetzt hat. Manche von ihnen haben reflektiert und aus der erlebten Geschichte gelernt. Aber manche haben aus der erlebten Geschichte nichts gelernt, haben ihre faschistischen Väter kennengelernt und nichts anderes. Der Holocaust ist nicht in unserem Bewusstsein.«

Fünfunddreißig Jahre später, als ich den Film *Unsere Mütter, unsere Väter* zusammen mit einer jüdischen Freundin sah, musste ich noch mal an die Sätze dieses alten deutschen Linken, der im KZ gesessen hatte, denken. »Manche haben nur ihre faschistischen Väter kennengelernt«, hatte er gesagt, »und sonst nichts. Sie sind Kinder aus guten Nazihäusern. Weil sie aus der Geschichte, dass Hitler Deutschland in eine Nation von Mördern verwandelt hat, nichts gelernt haben, werden sie wie ihre Väter und Mütter weiterlügen. Dann werden ihre Söhne, Töchter, Enkel auch weiterlügen.«

Meine jüdische Freundin sagte: »Schau dir an, wie all diese deutschen Soldaten im Zweiten Weltkrieg unschuldig dargestellt werden. In dem nächsten Film werden die Enkel der Zweiten-Weltkrieg-Deutschen zeigen, dass die Juden sich selbst vergast haben. Weil sie es aber mit den Juden nicht wagen, werden sie sagen, das waren die Russen. Die Enkel schreiben neue deutsche Geschichte.«

Aber jetzt, Ende der Siebziger, waren diese Neu-Geschichtsschreiber-Enkel noch nicht geboren. Man hörte entweder die Stimmen der Schuldgefühle oder die Stimmen des Schweigens. Die Jüngeren waren die Stimmen der Schuldgefühle, die Älteren waren die Stimmen des Schweigens. Man sah tagsüber einen alten Mann, der auf einem Fahrrad saß mit zu ernstem Gesicht, der fuhr über die Straße, ohne jemandem ins Auge zu gucken, als ob er aus einem Grab rausgekommen wäre. Wenn es Abend wird, wird er wieder zu seinem Grab zurückkehren. Oder die Kriegswitwen, die gingen immer zu zweit zur Siebzehn-Uhr-Vorstellung ins Cinema Paris am Kurfürstendamm. Plötzlich versammelten sich viele, viele Kriegswitwen im Kinowartesaal. Die reicheren Kriegswitwen hatten eine Schwester oder Freundin mit sich, die aber ärmere Kriegswitwen waren, ihre Kleider erzählten es. Alle hatten beleidigte Gesichter, alle schwiegen. Wenn sie im Kinosaal saßen und dann alle Lichter ausgingen, damit der Film anfing, würden vielleicht all diese Kriegswitwen im Dunkeln sich als Geister in Luft auflösen, und wenn der Film zu Ende wäre und die Lichter angingen, würde der Raum ganz leer sein. Ich ging niemals um siebzehn Uhr zum Cinema Paris.

Wenn ich meine Mutter und meinen Vater in Istanbul anrief, sagte mir meine Mutter: »Bleib da, hier fliegen die Hubschrauber ständig über uns.« Im Berliner Himmel flogen die Hubschrauber nicht so nah zu den unten gehenden Menschen wie in Chile oder der Türkei, aber durch die Konzentrationslagerfilme im Fernsehen murmelte der Himmel hindurch, als ob dauernd Hubschrauber fliegen würden. Ich bekam vor zu langen Lastwagen Angst.

Oder wenn meine Freunde in Westberlin in den Keller gingen, um etwas zu holen oder Kohlen in den Eimer zu schaufeln, blieb ich auf dem Kellerkorridor stehen, vor den alten, kalten Wänden, sah vor mir die verfolgten Juden, Linken, den Sozialdemokraten, der lebendigen Leibes viergeteilt wurde, oder die jüdischen Mädchen, die sich damals vielleicht in dem Keller vor der Gestapo versteckt hatten. Ich hörte die Stimmen meiner Freunde, die über ihre Fahrräder sprachen, mit einem Ohr, mit dem anderen hörte ich die Stimmen von damals. Die zugeschlagene Autotür eines Oldtimers, eines schwarzen Mercedes, sechs Männerbeine, drei lange Mäntel, angehendes Kellerlicht, draußen fallen die Kastanien mit dem sich auf die Erde klappenden Himmel herunter.

In einer Frühlingsnacht, als ich wieder lange, lange in Berlin rumlief und all die von den Zweite-Weltkriegs-Bomben getöteten Häuser, ohne stehen zu bleiben, laut zählte, boom, boom, boom, boom, boom, boom, boom, boom, boom, boom, boom, boom, boom, boom, boom, boom, boom,

boom, und die Kellerfenster hinter fettigen, staubigen Gittern von den im Krieg stehen gebliebenen Nicht-Boom-Häusern, deren Fassaden aber auch wie die kaputten Kellerwände der Boom-Häuser aussahen, sah und vor diesen Kellerfenstern meine Augen ungewöhnlich fest zuschloss und an ihnen schneller vorbeiging und lange, lange mit zugeschlossenen Augen nur den Wind, der die Bäume zum Frühling wachrüttelte, und den plötzlich gekommenen Regen, der erst ein bisschen Wasser in die Dunkelheit tropfte, aber dann stärker und stärker wurde, der den ganzen Himmel und die Berliner Straßen und die Boom- und die Nicht-Boom-Häuser mit seinem Wasser, das wie Tausende leuchtende herunterregnende schwarze Nadeln aussah, schlug und schlug und alle Berliner Häuser unsichtbar machte, als Stadt wahrnahm, da öffnete ich meine Augen und sah, dass ich am Checkpoint Charlie angekommen war.

Der amerikanische Grenzpolizist stand im Regenmantel vor seinem Grenzhäuschen und warf gerade seine nass gewordene Zigarette auf die Straße. Die Fahne war vom Regen bis zum Äußersten nass geworden und das Schild »Sie verlassen den amerikanischen Sektor« war unter dem starken Regen unlesbar. Und genau gegenüber starrte der DDR-

Grenzpolizist durch sein Fernglas in Richtung Westberlin. Ich zeigte meinen Pass den DDR-Grenzbeamten und war nach ein paar Minuten auf der Ostberliner Seite an der Friedrichstraße. Die mehligen Ostlichter machten die zu beiden Seiten stehenden, wie aus den Schatten geborenen, stillen, unbewohnten Gebäude mit dem Regen zusammen noch dunkler. Auf der langen Friedrichstraße waren keine Autos, kein Taxi, keine Menschen zu sehen. Durch den lauter und lauter werdenden Regen hörte ich auch meine Schritte nicht mehr. Die unbewohnten Gebäude waren groß, mit vielen Fenstern, nur die Dunkelheit wohnte in ihnen. Ich bog nach links in die Reinhold-Huhn-Straße, wo die Gebäude noch einsamer standen als an der langen Friedrichstraße. Ich liebte sie, diese mehr als alle anderen in sich schweigende Straße. Der starke Regen schlug alle Fenster, Türen, Hausfassaden ununterbrochen, als ob er diese unbewohnten Häuser zum Sprechen bringen wollte. Was wird der Regen aber machen, wenn ein Haus ihm plötzlich seine Tür öffnet? Wird er da reingehen, wird er da vorbeigehen? Plötzlich fühlte ich etwas auf meiner linken Schulter. Eine Krähe? Sie saß still da und lief auf der dunklen, allereinsamsten Straße der Nacht mit mir. Um wieder auf die Friedrichstraße zu kommen, bog ich von der Reinhold-Huhn-Straße in die Mauerstraße, dann nach rechts in die Leipziger Straße und fasste meine linke Schulter an. Doch ich hatte mich geirrt, da war keine Krähe. Nur der Regen schlug weiter meinen Kopf und meine Schultern, von denen das Regenwasser ununterbrochen hinunterfiel. Als ich wieder auf der Friedrichstraße war, stand ich plötzlich vor einem Friedhof. Es regnete weiter, aber dieser Friedhof war trocken, dort regnete es nicht. Ich ging da rein. Der starke Regen schlug weiter meinen Kopf und meine Schultern, von denen Wasser hinunterfiel, aber die Friedhofserde, über die ich lief, blieb trocken. Plötzlich erkannte ich diesen Friedhof. Es war der armenische Friedhof von Istanbul, in dessen Nähe in einer steilen Gasse meine Eltern seit Jahren wohnten. Dort hatte mir, als ich fünf Jahre alt war, der Friedhofsnarr Musa seinen Penis gezeigt und mich gefragt, ob er schön ist. Und meine Großmutter, mit der ich dort war, hatte ihm gesagt: »Musa, was belehrst du das Kind so früh, schäm dich.« Der verrückte Musa ging dann weg, und als Großmutter mit mir damals zwischen den Grabsteinen lief, sah ich hinter der Friedhofsmauer einen Ball hochgehen und wieder lautlos herunterkommen. Plötzlich ging auch jetzt hinter der Mauer des Istanbuler armenischen Friedhofs, der an der Friedrichstraße, ohne vom starken Berliner Regen zu wissen, lag, ein Ball hoch und wieder herunter, und hinter einem vom Altsein schief stehenden Grabstein kam meine Großmutter mir entgegen. Es regnete auf mich, aber nicht auf meine Großmutter und auch nicht auf die Friedhofssteine oder Bäume. Großmutter fragte mich: »Hast du die Ayten gesehen?«

»Ayten burda mı? – Ist Ayten hier?«

Großmutter sagte nichts, ging aber etwas zur Seite. Die Häuser der Friedrichstraße standen still, einsam unterm Regen, und alle ihre dunklen Fenster schauten auf diesen Istanbuler armenischen Friedhof. Großmutter nahm ein Blatt von der trockenen Friedhofserde, brachte es zu ihrer Nase, roch daran und sagte: »Ooch.« Da sie vorhin etwas zur Seite gegangen war, sah ich hinter ihr jetzt, am Ende des Friedhofs, viele Menschen, die ich als Kind in Istanbul kennengelernt und geliebt hatte. Die verrückte Wäscherin Naciye, Tante Semiha, Herrn Yaşar, Bıçakçı Hüsnü, die verrückte Ayten, die hinter unsere Haustür gepinkelt hatte, Sıdıka hanım, Frau Muazzez, die Braut vom Fabrikanten Koç, Tante Müzeyyen, Nejat, den furzenden Onkel, Osman Bey, den blinden Schuster, Selahattin, meine Freundinnen Jale, Inci, Gönül, die schöne Schneiderin Neyire, die zwei armenischen Freundinnen meiner Mutter, den buckligen Rıfat, der mit meinem Vater und meiner Mutter abends Rakı trank und sang, Baumwolltante, den Maulbeerbaum, meinen ersten Geliebten Mustafa, das Holzhaus am Ende des Flusses, die Stimme des Flusses, das Hurenviertel, mangalı yelpazeliyor kanbur orospu, die bucklige Hure fächelte auf der Straße die Glut an, die Katzen, die auf unserer Holztreppe ihre Kinder geboren hatten, merdivenler de doğuran kedilerimiz. – Istanbul git başımdan, Istanbul, geh aus meinem Kopf, lass mich.

Ich ging aus dem Friedhof raus. Der Regen schlug Friedrichstraßes einsame, unbewohnte Grenzhäuser und mich weiter. Der Istanbuler armenische Friedhof folgte mir, kam mit all diesen Menschen meiner Kindheit bis zu dem stillgelegten U-Bahnhof Französische Straße. Ich lief weiter und weiter unterm Regen, drehte mich nicht mehr nach hinten. Was hatten mir die Zimmerwände oder die Krähen in Bäcker Osmans Haus auf der Insel gesagt, als ich gesagt hatte, ich werde gehen, still wandern auf den fremden Gassen? Die eine Wand hatte gesagt: »Von dort werden alle deine gutherzigen Kindheitsvögel raus aus deinem Mund hierher zurückfliegen. In jedem Schnabel die Liebe, die Liebesquellen deiner Kindheit. So werden sie dich verlassen. Dich in der Fremde mit schwarzen Gefühlen zurücklassen.«

Und die Wand hinter mir hatte gesagt: »Leb hier mit deiner großen Kindheit, mit deinen Toten, und stirb später bei deinen Toten.«

Als ich am S-Bahnhof Friedrichstraße war, wollte ich nicht in die S-Bahn, lief weiter bis zur Museumsinsel in Richtung

Pergamonmuseum. Der Regen schlug diese Gebäude, wie er mich schlug, und als ich vom Nassgewordensein nicht mehr an Trockensein denken konnte, sah ich den Pergamonzeusaltar hinter den Mauern dieses Gebäudes, der auch so einsam aussah ohne sein Zuhause, ohne seinen Berg, von dem man ihn nach Berlin geschleppt hatte, dachte an die Sätze der Toten auf den Fresken der Orthodoxkirche: »Diebe. Es ging nur um Diebstahl.«

Wie hatten die Deutschen damals all diese Säulen und den Altar von Pergamon aus der Türkei bis nach Berlin geschleppt? Der Mosquito in Bäcker Osmans Haus auf der Insel hatte gesagt: »Die Deutschen wollten im Ersten Weltkrieg die Osmanen in den Ruin treiben.« Nein, er hatte gesagt: »Die Deutschen trieben das Osmanische Reich im Ersten Weltkrieg in den Ruin. Sie wollten die Osmanen aus dem Mittleren Osten rausschmeißen, dort selbst die Herrschaft übernehmen.«

Vom Pergamonmuseum lief ich zurück zum Grenzübergang Checkpoint Charlie. Als ich über die Friedrichstraße lief, stand der Istanbuler armenische Friedhof immer noch da, ohne Regen, meine Großmutter und die anderen Menschen meiner Kindheit waren weg. Ich dachte an nichts anderes, als nach Westberlin einzureisen und ein Telefongespräch nach Istanbul zu verlangen, um mit meinen Eltern und Geschwistern zu sprechen. Als ich auf der Westberliner Seite war, scherzte der amerikanische Grenzsoldat mit mir, der in seinem Regenmantel vor dem Grenzkontrollhäuschen stand, sagte: »Hello, Butterfly.«

Der Regen regnete so laut, dass ich zu Hause am Telefon mit Istanbul schreiend sprechen musste. Mein Vater sagte: »Meine Tochter, bist du noch in Berlin, wann kommst du zurück? Ich dachte gerade, dass du mal anrufst und ich mal deine Stimme höre, ich werde sterben, ohne die Stimme meiner Tochter zu hören, dachte ich.«

Meine Mutter sagte: »Komm noch nicht zurück, die töten, die töten, die Generäle, Ultranationalisten, manchmal die fanatischen Muslime, die töten weiter die Linken, die töten die Demokraten, die Gewerkschafter, die Professoren. Viele Straßenverkäufer sind extrem rechte Graue Wölfe, haben unter ihren Obstwagen Waffen. Die jungen Leute werden aus den Bussen rausgeholt und auf dem nächsten Friedhof getötet, und keiner im Bus sagt: ›Wohin bringt ihr diese Jungen?‹ Wenn ich im Bus wäre, würde ich auf diese Bewaffneten losgehen, vielleicht sterben, aber Angst und Schweigen ist auch sterben. Du würdest auch auf diese Mörder losgehen. Komm noch nicht zurück, hörst du, wie die Hubschrauber fliegen gerade über unseren Häusern, hörst du?«

Dann schwieg meine Mutter und ließ mich die Hubschrauber über den Istanbuler Häusern hören. Dann schrie meine Mutter in den Hörer, sagte: »Meine Tochter, wenn du wüsstest, wie ich dich liebe!« Dann sagte sie leise: »Wohnst du gut, hast du es warm?«

»Ja, ich wohne bei guten Freunden, bei Gila und Reiner in Westberlin. Oder in Ostberlin bei Gabi.«

Dann fragte meine Mutter: »Deine Stimme klingt nicht schlecht. Arbeitest du weiter am Theater?«

»Ja, ich arbeite als Assistentin von Besson. Er inszeniert *Hamlet.* In einem anderen Stück hat ein Regisseur mir eine Rolle gegeben.«

»Was spielst du? Iphigenie?«

»Nein, eine Frau, die in der Nacht durch den Wald geht. Eine stumme Rolle.«

Meine Mutter sagte zu meinem Vater. »Sie hat eine stumme Rolle – sessiz bir rol.«

Als sie in Istanbul miteinander sprachen, hörte ich aus dem Hörer wieder die Hubschrauberstimmen, die über den Häusern flogen.

»Mutter, es gibt in Berlin an den Theatern keine ausländische Schauspielerin, die Ophelia oder Penthesilea spielt. An der Oper ja. Aber nicht am Theater. So was gibt es nur in Paris im Theater von Peter Brook. Bei ihm spielen afrikanische Schauspielerinnen auch französische Figuren. Weißt du, Mutter, hier in Berlin arbeiten alle türkischen Frauen als Putzfrauen. Neulich habe ich in Hamburg in zwei Filmen gespielt, in beiden hatte ich die Rolle der türkischen Putzfrau, mit Kopftuch.« Meine Mutter lachte.

»*Freddie Türkenkönig* mit Vadim Glowna, den mochte ich. Nach dem Drehschluss sind wir zum Bauernhof Schinken essen gegangen. Die Schinken hingen von der Decke herunter. Es war schön, der Bauer schnitt den Schinken ganz fein.«

Meine Mutter fragte: »Hat es gut geschmeckt?«

»Ja, sehr.«

Sie sagte: »Ich will auch ein bisschen Schinken, ich will auch kosten, wie das Schweinefleisch schmeckt.«

Mein Bruder nahm das Telefon, fragte mich, ob ich Geld brauche. Dann schimpfte er auf die Putsch-Generäle und fragte: »Wie ist die Stadt Berlin?«

»Wie das gut geputzte Grabmal Draculas.«

»Hast du einen Geliebten?«

»Nein.«

Er lachte: »Ah, warum?«

»Ich weiß nicht, Besson sagt mir, die Deutschen sind gerne unter sich. Wir sind mit dem Bus von Ostberlin nach Frankfurt/Oder gefahren, um ein Stück anzuschauen. Als wir wieder in den Bus stiegen, fragte Besson mich: ›Wie geht's dir hier?‹ ›In der Arbeit mit dir geht's mir gut, aber ich versteh die Männer nicht‹, habe ich geantwortet. Er sagte dann: ›Scheißkerle, haben sie dich allein gelassen, nicht.‹«

Als mein Bruder das Telefon auflegte, kamen als letztes Stück Istanbul wieder Hubschraubergeräusche aus dem Hörer.

Ich machte alle Lichter im Zimmer an, saß gegenüber dem Fenster, draußen zu sehen war nur der Regen.

Hangi cebi karıştırsan yalnızlık, sagte der Dichter Turgut Uyar, egal, in welcher Hosentasche du suchst, Einsamkeit.

Die Uhr im Zimmer wurde plötzlich so laut, als ob sie mit der Lautstärke des schwarzen Regens draußen mit zusammengebissenen Zähnen um die Wette sprechen würde. Tık, tık, tık, tık. Was tut man in einem Zimmer mit einer lauten Uhr und einem Regen, der noch lauter als sie, mit noch schnelleren Schritten als Sekunden die Häuserfassaden samt ihren Einschusslöchern, die wie die Medaillen an den Kriegsinvalidenhäusern hängen, schlägt und schlägt, und was tut man mit einem Telefon, aus dem die rausgekommenen Geräusche der Militärhubschrauber aus Istanbul in diesem Berlinzimmer die Wände hochklettern? Uhr, Regen, Hubschrauber, Einschusslöcher, Kriegskeller, die Kriegsschuldgefühle gingen unten auf den Straßen mit Regenschirmen nach rechts, nach links. Alle Westberliner Secondhandkleiderläden, alle Kleider der vielen Toten: das Kilo zwanzig D-Mark. Wenn ich jetzt alle Taschen von meinen Sachen, Hosen, Kleidern nach außen drehe, was würde aus denen herausfallen?

Jemand hatte draußen im Hausflur auf den Knopf vom Lift gedrückt, und als der Lift von unten nach oben zu rumpeln begann und genau auf der Etage, wo ich wohnte, stehen blieb und keiner die Lifttür auf- und zuschlug, wartete ich etwas, dann ging ich hinaus. Das Licht auf dem Hauskorridor war an, aber kein Mensch war vor dem Lift, in dem Lift. Keine Schritte auf den müden Treppen. Der Lift stand vor mir, erwartungsvoll, dass ich einstiege. Da er aber nicht nur bis zum Erdgeschoss, sondern auch bis zum Keller – Knopf K – fahren konnte, lief ich, aus Angst vor diesem K, durch das Treppenhaus hinunter. Der starke Regen schlug die Stadt mit dem Wind zusammen weiter und hatte jetzt die große Straße unter Wasser gesetzt. Die Schuhe der Menschen und die Hosenbeine liefen darin wie in einem seichten Fluss. Da man durch den Regen nicht geradeaus, sondern nur zur Erde schauen konnte, sah ich in den aus den Straßenlampen herabfallenden Lichtern in kleinen Wasserwellen laufende Schuhe wie in einem Traum sich kurz zeigende, dann an dunklen Straßenstellen sich ausblendende Bilder.

Ich lief in Richtung Kreuzberg. Die Krähen hatten gesagt: »Ach, mein Kind. Du mit deiner unschuldigen Jugend, unüberlegt, Körper ohne Wunde, denkst: Wenn du in Europa Sehnsucht nach deinem Land hast, können die Wörter deiner Landsleute, die da leben, dir eine Salbe werden. Die Liebesquellen ihrer Sprache sind aber schon längst ausgetrocknet in der Fremde.«

Alle Schuhe im Wasser bogen plötzlich nach rechts zum U-Bahnhof Kochstraße ab, und ich hörte die Stimme der Stationsvorsteherin, die unten ins Mikrofon sprach: »Zurückbleiben!« Weil einer wahrscheinlich in der letzten Sekunde doch die schon geschlossene U-Bahn-Tür aufreißen wollte, sagte die Stimme ins Mikrofon, diesmal streng: »Zurrrückbleiben!!« Jetzt werden alle nassen Menschen mit den seit heute früh auf den Sitzplätzen liegen gelassenen, am Abend schon alt gewordenen, tagsüber aber die Stadt in Angst und Scham versetzenden Tageszeitungen nach Hause fahren.

Ich lief weiter. Der Regen schlug mich, der Wind schob mich nach hinten, ich schob den Wind nach vorne. Die Straße war sehr lang, die Häuser hatten mehlige Lichter, aber ich sah keine Menschen oder ihre Schatten an den Wänden der Zimmer. Ich sah nur einen alten kleinen Mann an einem Fenster stehen und geradeaus auf das auf der anderen Straßenseite stehende Haus schauen. Ich schaute kurz in die Richtung, in die er schaute, und sah genau so einen kleinen alten Mann an einem Fenster stehen und in Richtung des ersten alten kleinen Mannes schauen. Der Regen schlug meine Augen, dann schaute ich wieder hinunter, wo meine beiden Schuhe im Wasser weiterliefen, und sah plötzlich neben meinen Schuhen mein Gesicht, aber nicht so jung wie jetzt, sondern fünfundzwanzig Jahre älter, im Wasser lächelnd auf mich schauen. Die Stadt Berlin spiegelte sich auch im Wasser neben meinem fünfundzwanzig Jahre älteren Gesicht, aber es war ein anderes Berlin. Ich las im Wasser den Namen »U-Bahnhof Potsdamer Platz«, und es zeigten sich neben meinem fünfundzwanzig Jahre älteren Gesicht stark beleuchtete Hochhäuser, so hoch wie in Chicago, und mein fünfundzwanzig Jahre älteres Gesicht im Wasser sagte: »Du wirst sechs Putzfrauenrollen spielen und viele Bücher schreiben und wirst am Ende geschlachtet von einem Verleger aus dem ›*Guten* …‹« Aus dem ›Guten …‹, das letzte Wort hörte ich nicht. Dann wiederholte das Gesicht diese Sätze. Wieder hörte ich das letzte Wort nicht. »Du irrst dich«, schrie ich, »ich bin Schauspielerin, keine Schriftstellerin.« Das Gesicht unten im Wasser lachte. Ich trat mit meinem linken Schuh auf mein fünfundzwanzig Jahre älteres Gesicht, aber das Gesicht spürte meine Schuhe nicht, blieb lächelnd im Wasser liegen. Der 129er-Bus fuhr gerade vorbei und spritzte mit seinen Rädern das Wasser der Straße zur Seite und nahm mein

Gesichtsbild beim Vorbeifahren mit sich mit. Ich wartete, bis das Wasser rasch wieder zurückgekehrt war, in der Hoffnung, mein älteres Gesicht wiederzusehen, um es zu fragen, was es gemeint hatte mit »du wirst am Ende geschlachtet von einem Verleger aus dem ›*Guten* ...‹«. Doch mein Gesicht kam nicht mehr. Ich lief nach rechts, nach hinten, nach vorne, sah aber nichts anderes, als einen durch den Wind sich nach hinten gedrehten, kaputten Regenschirm auf der Straße im Wasser liegen.

Dann stand ich genau an der Oranien- Ecke Adalbertstraße, sah in einem schon geschlossenen, dunklen türkischen Laden an der Tür eine Notiz hängen. Ich bückte mich, um sie zu lesen, aber der Regen hatte die Buchstaben verwischt. Nebenan, an einer Baustelle, hatte sich eine Nylonplane durch den Regen und Wind an einigen Stellen gelöst und flog mit dem Wind mal nach rechts, mal nach links und machte flapp, flapp, flapp. An einem besetzten Haus war ein weißes Laken zwischen zwei Balkone gehängt, auf dem war mit schwarzer Farbe geschrieben: »WIR BLEIBEN DRIN!«, und an der Hauswand gab es einen mit weißer Farbe geschriebenen Satz: »TÜRKEN, BLEIBT HIER. LASST UNS MIT DIESEN DEUTSCHEN NICHT ALLEIN!« Auf der Oranien- oder Adalbertstraße waren nicht so viele Türken zu sehen. Es gab an der Ecke nur ein einziges Restaurant, das war beleuchtet. Ich ging da rein. Der Wirt, ein kleiner Mann mit zwei schielenden Augen, schaute auf mich, vielleicht aber auch nicht auf mich. Sein weißes Kellnerjackett war kurz geschnitten, mit zu großen Knöpfen. An den Wänden dieses Ladens hingen Pistolen, alte Modelle, und zwischen den Antikwaffen hing, genau in der Ecke, ein übergroßes Foto dieses Ladenbesitzers. Ein retuschiertes und koloriertes Foto, auf dem seine schielenden Augen nicht schielten. Ich setzte mich an einen Tisch, bestellte Tee und rote Linsensuppe. Als die Suppe vor mir stand, schaute ich als Erstes, ob mein fünfundzwanzig Jahre älteres Gesicht von der überschwemmten Straße, das mir gesagt hatte: »Du wirst geschlachtet ...«, sich auch jetzt in der Suppe zeigte. Nein. Ich wurde heiter und löffelte in der Mercimek çorbası. Der kleine Wirt, der sein unschielendes Foto übergroß in der Ecke zweier Wände aufgehängt hatte, schaute schielend und ruhig, seine Ellenbogen auf der Ladentheke, in seinen leeren Laden und ging ab und zu mit dem großen Lappen, der über seiner rechten Schulter hing, über seine Theke. Dann drehte er seinen Rücken zu mir und fragte mich, ob die Suppe gut sei. Ich schaute auf sein nichtschielendes Foto, sagte zum Foto: »Ja«, und lächelte es an. Genau gegenüber, wo ich saß, hing ein übergroßer Spiegel. Ich sah mich darin so jung, wie ich jetzt war, atmete tief. In dem Moment ging die Ladentür auf. Es kamen ein paar türkische Männer rein, im Vorbeilaufen bestellten sie auch Linsensuppe, setzten sich an den Nebentisch gegenüber dem übergroßen Spiegel. Die Suppen kamen sofort. Ich sah sie rechts, wie sie in der Suppe löffelten, und sah sie auch im übergroßen Spiegel sitzen und essen.

Der Regen draußen zeigte sich, wenn ein Auto vorbeifuhr, kurz im Scheinwerferlicht wieder wie herunterregnende leuchtend silberne Nadeln, die dann von der Dunkelheit geschluckt wurden. Der Wirt schaute auch auf die Straße, grüßte von seinem Laden aus jemanden, der mit eiligen Schritten in Richtung U-Bahnhof Kottbusser Tor lief. Der Mann drehte beim Gehen kurz sein Gesicht in Richtung des Wirts, durch das Licht im Ladenfenster sah ich den Regen, der wegen dem Wind dem Mann schräg ins Gesicht schlug. Mit halb geschlossenen Augen grüßte er kurz den Ladenbesitzer, dann lief er weiter, das Lächeln des Wirts in seinem Gesicht blieb gefroren, aber seine schielenden Augen sprachen dem Mann hinterher. Das eine Auge sagte: »Er hat keine Frau.« Das andere Auge sagte: »Dazu noch macht der Regen ihn nass.« Dann ging der Wirt mit seinem großen Küchenlappen, der über seine rechte Schulter hing, noch einmal über seine Theke, dann schaute der Wirt auf die drei Männer, die ihre Suppen aßen, die drei schauten auf ihre Tassen, ich schaute auf meine nassen Schuhe, meine nassen Schuhe schauten unter dem Tisch auf die nassen Schuhe und die nassen Hosenbeine der drei Männer. Wenn der Kühlschrank des Wirtes sich mit einem Knacken an- und ausschaltete, schaute ich auf den Kühlschrank. Die leeren Stühle des Ladens schauten auf die gegenüberliegenden leeren Stühle, die Tische, auf denen nur rote Pfeffer- und Salzbehälter standen, schauten zur Decke, wo eine lange Neonröhre festgemacht war. Einer der drei Männer hatte einen Bart, den er beim Essen mit einem Taschentuch in der linken Hand etwas festhielt, damit dieser die Suppe nicht mitaß. Als der Kühlschrank wieder still wurde, schaute ich auf diesen Bart.

Es wird lange bleiben, in den Fotos, die Erinnerung unserer Bärte
Dass wir im Stadtinneren gefroren haben
Wird bleiben verbrannter Ölgeruch in den Städten
Wenn man nicht in einen langen Fluss einsteigt und sich entfernt
Bleiben fremd die Betten jener Hotels
Die Plätze, Statuen, alle Orte, wo ihr nicht seid
Bleiben lange Mauern und deren Sockeln
Wird bleiben das Sattsein der Männer, weil sie immer JA gesagt hatten
Wir froren sehr, wir froren immer

Es war Frieren, was wir lebten
Unsere Hände froren, unsere Liebe
Unsere unendlich langen Bärte
Wird eines Tages nicht mehr können, die chaotische Lebendigkeit unseres Juckens
Wird bleiben die Erinnerung lange, lange in den Büchern
Dass wir sehr gefroren haben[2]

Der Regen draußen hatte die mit dem Wind hin- und herfliegende Baustellennylonplane vom Dach herunter auf die Straße geholt, jetzt schwamm die Plane auf der Adalbertstraße. Der Regen, der auf die Plane fiel, machte so laute Geräusche, dass die drei Männer kurz auf die Straße schauten, dann aßen sie weiter. Der erste Mann rechts von mir sagte: »Nach einem Jahr sieht mich hier keiner mehr.« Der zweite sagte: »Ein Jahr, ein Jahr, dann bin ich weg.« Im großen Spiegel aber, wo ich sie sah, sah ich sie als siebzig-, achtzigjährige Männer am Oranienplatz im Park auf einer grünen Fläche, die Hände auf ihren Rücken, hin und her gehen, so als ob sie neben ihrem Dorfacker hin und her laufen würden. Plötzlich kamen so viele Türken rein, aber nicht in den Suppenladen, wo der schielende Wirt, ruhig, hinter der Theke mit seinem großen Küchentuch über seiner rechten Schulter stand, sondern in den übergroßen Spiegel. Die drei Männer im Laden aßen ruhig weiter ihre Linsensuppe, schauten aber nicht in den großen Spiegel, wo sie als alte Männer am Oranienplatzpark hin und her liefen und ab und zu auf den dort hingestellten Parkbänken saßen, sich mit den anderen alt gewordenen Türken von ihrer Sitzbank aus in Richtung gegenüberstehender Parkbank unterhielten.

Yorgun Gemiler
öğle sonraları ne zor geçer

Müde Schiffe

Schwer gehen vorbei die Nachmittage

War der Satz nicht von Turgut Uyar? Als der Wirt drei Tee an den Tisch der drei Männer brachte, lief er am großen Spiegel vorbei und warf beim Vorbeigehen einen Blick hinein. Sein Blick blieb kurz auf seinen schielenden Augen hängen. Einer der drei Männer, der mit dem Rücken zur Straße saß, drehte sich zum Wirt, fragte ihn: »Ismail, yağmur dindi mi ne? – Ismail, hat der Regen sich beruhigt?« Der Wirt sagte Ja, stellte die Teegläser vor ihnen ab, sammelte die Suppenteller ein. Als er wieder vor dem Spiegel vorbei zu seiner Theke lief, sah ich im Spiegel nur den Wirt und die drei Männer, die jetzt ihren Tee tranken.

Der Bus 129 kam, ich stieg ein. Ein Mann, der vorne saß, nieste gerade dreimal hintereinander, die Hände vor seiner Nase. Sein Regenschirm, den er an den vorderen Sitz gelehnt hatte, fiel hinunter, der Griff schlug auf den Boden, ich hob ihn hoch. Der Mann wollte Danke sagen, aber sagte nur »Dan-« und nieste wieder zweimal hintereinander, hapschi. Es gab nur den Niesenden, sonst war der Bus leer. Wie viele Briefkästen gibt es auf den Straßen bis zu meiner Wohnung? Zwei, drei, vier, vielleicht fünf, sechs, sieben. Die Menschen auf den alten Fotos sind alle tot.

In den alten Briefen die Wörter, sind sie auch alle tot?

Ich kenne einen Seemann
Hat gelassen sein Herz in einem Hafen
Wenn es aber verloren geht
Weint er wie in seiner Kindheit
Will noch hingehen und holen sein Herz[3]

Ich stieg an der Haltestelle Gedenkstätte Deutscher Widerstand aus dem Bus aus, lief neben dem Kanal, in den sie Rosa Luxemburg hineingeschmissen hatten. Der Kanal sah dort wie ein Grabmal aus dunklem Wasser aus. Mein Schatten fiel hinein. Der Schatten ist nass, friert. Ich glaubte, unter meinem linken Schuh klebt ein Kaugummi, den jemand weggeworfen hat. Als ich die Haustreppen hochlief, klebte mein linker Schuh bei jedem Schritt etwas auf dem Boden, ich dachte: O weh, dieses Land will meinen Fuß nicht loslassen. Auf jeder Treppe sagte ich gegen das Kleben meines linken Schuhs einen Satz: »Gut, morgen ist Montag, ich bin am Theater, gut, morgen ist Montag.« Ich schloss die Wohnungstür auf, blieb dann an meiner Zimmertür stehen, hörte hinein. Dann schämte ich mich vor meiner Zimmertür und davor, dass ich meiner eigenen Stille zuhörte.

Ich sehe mich drin, den Kopf ein bisschen schief, leicht auf die rechte Schulter gelehnt, am Tisch sitzend, am Fensterbrett stehen ein paar dicke Bände, Caravaggio, Buñuel, Marx Brothers, Pasolini und Francis Bacon, ähnlich wie auf den Bildern von Francis Bacon wachsen aus dem Körper der Frau, die ich bin, aus ihren Armen, Beinen, aus dem Kopf und vom Tisch, vom Stuhl, aus den Blättern vor ihr, vom Telefon, aus den paar Büchern, die auf dem Fensterbrett stehen, Schatten. Sie wachsen ineinander bis zu einem großen Schattenklumpen, der sich vom Tisch bis zu ihren Füßen verlängert und um ihre Füße herum sich mit dem Schatten der Stuhlbeine verbindet. Der Rest des Raumes ist ohne Schatten. Deswegen sieht es nur dort, wo der Schatten gewachsen ist, wie ein Raum aus, ein von Schatten begrenzter Raum. Dadurch tritt nur dieser Teil des Zimmers in Erscheinung, der Schatten beschränkt sich darauf, der Frau, die am Tisch sitzt, die dieses Bild belebt, eine Daseinsmöglichkeit zu geben. Die Frau soll das Bild mit Leben erfüllen.

RAUS AUS DRACULAS GRABMAL

Mein Regisseur Benno Besson war nach Paris gegangen, und bevor er ging, hatte er mich auf dem Korridor der Volksbühne in Berlin gefragt: »Sag mal Min«, so nannte er mich, »wie alt bist du?«

»27.«

»Du bist noch sehr jung, du kannst in ein anderes Land, in eine andere Kultur kommen. Man darf nicht zu lange in Deutschland bleiben. Das ist nicht gut. Rette dich vor Deutschland. Ich werde in Paris und Avignon von Brecht den *Kaukasischen Kreidekreis* inszenieren. Komm, arbeite mit mir. Deutschland erholt sich nicht so schnell von Hitler.«

Seine Stimme hallte auf dem leeren Korridor. Deswegen kam mir Bennos letzter Satz so vor, als ob er ihn in Großbuchstaben gesprochen hätte: DEUTSCHLAND ERHOLT SICH NICHT SO SCHNELL VON HITLER.

Ich trat in den Zug nach Paris. Er war so voll, dass man nur auf dem Korridor stehen konnte. In den Toiletten lag rosa, klein geschnittenes französisches Toilettenpapier auf dem Boden, das sich an manche Schuhe klebte. So liefen einige Menschen mit rosa Toilettenpapier an ihren Schuhen herum. Als der Zug in Belgien an den nah an den Schienen gebauten Häusern vorbeifuhr, sah ich einen Mann im Morgenmantel in seinem Garten stehen. Der Mantel war offen und aus gestreiftem Stoff genäht, und der Mann darunter war nackt, hatte seinen übergroßen Penis in der Hand und schaute direkt auf den vorbeifahrenden Zug und masturbierte. Ich hatte die ganze Nacht auf dem Zugkorridor gestanden, lehnte mich an eine der Schlafwagentüren und versuchte, im Stehen ein bisschen zu schlafen. Ein schöner kleiner Mann kam mit einem Handtuch über seiner Schulter aus Richtung der Toilette, wo rosafarbene, klein geschnittene Toilettenpapiere auf dem Boden lagen, und blieb an der Nebentür stehen, schaute mich an, ging dann in seine Schlafkabine hinein, kam raus mit einer Flasche Sekt, nahm einen Schluck, fragte mich höflich: »Haben Sie Lust, mit mir zu feiern?« Dann sagte er: »Meine Rückkehr aus Moskau.«

Er war aus Jugoslawien und hatte in der Sowjetunion als Ingenieur zwei Jahre gearbeitet und kehrte jetzt nach Belgien zu seiner Familie zurück. Er sagte mir: »Sie sind mir vorhin sofort aufgefallen, weil Sie mit so einem sicheren Gang auf dem Zugkorridor gelaufen sind.«

Ich nahm die Flasche aus seiner Hand, trank und sah mein Gesicht neben seinem im halbdunklen Zugfenster. Manchmal drangen von draußen Lichter herein und streiften unsere Gesichter. Er gab mir immer wieder die Flasche. Dann streichelte er sein Handtuch, das er um seinen Hals gelegt hatte. Wenn er mich gefragt hätte, ob ich in seine Schlafkabine kommen würde, wäre ich da reingegangen und hätte mit ihm geschlafen. Dieser halb beleuchtete, halb dunkle Zugkorridor, der mich von Draculas Grabmal Berlin, Berlin West, Berlin Ost, nach Paris brachte, war wie ein Versprechen, obwohl ich nicht wusste, wie das Versprechen eines Zugkorridors mich vor einem Himmel retten konnte, unter dem Ost- und Westberlin dicht nebeneinanderstanden und beide Teile der Stadt sich ständig miteinander im Krieg befanden, in einem verlängerten Krieg Hitlers, und der Krieg saß jeden Tag im Fernseher, wo man dachte: Ohne Ostberlin gibt es kein Westberlin, ohne Westberlin kein Ostberlin. Auch wenn ich in beiden Teilen der Stadt die Zeitungen aufschlug, dachte ich, die können ohne sich nicht leben. Ich war ein paar Jahre lang täglich von Westen nach Osten, von Osten nach Westen in Berlin gereist. Es gab in beiden Teilen Häuser, Läden, Menschen und Züge, und die Türen der Bäckereien gingen mit einem Klingeln auf und zu. Ich hatte mein Gesicht, meinen Pass und das Geld von der Theaterarbeit, was es mir ermöglichte, in beiden Stadtteilen zu leben. Ich hatte aber immer das Gefühl gehabt, ich verstecke etwas, dabei versteckte ich nichts. Wenn ich in einem kleinen Laden einkaufte, hielt ich das Geld offen in meiner Hand. Wahrscheinlich, um zu beweisen, dass ich bezahlen würde. Einmal sah eine Verkäuferin in Ostberlin das Geld, sagte: »Passen Sie auf, nicht dass Sie Ihr Geld verlieren.« Dann ging sie nach hinten, brachte mir zwei Bananen, die in Ostberlin selten zu finden waren. Die Menschen taten mir nichts, ich liebte meine Freunde, aber die Angst vor einer im Krieg bis auf ihre Knochen zertrümmerte, dann wieder kopflos aufgestandene Stadt blieb in meinem Körper kleben. Diese Angst war irgendwo in meinem Körper, ich wusste nicht wo. Aber als der jugoslawische Ingenieur, der zwei Jahre lang in Moskau gearbeitet hatte, mir die Sektflasche reichte, schaute ich in sein Gesicht im halbdunklen Zugfenster und wollte nur mit ihm schlafen, das Handtuch an seinem Hals mit beiden Händen anfassen, ihn leise zu mir ziehen, rückwärts zu seiner Schlafkabine laufen – der Zug wird uns sagen, wie man sich liebt. Es ist gut so, diese dunkle, dunkle Nacht –, dann mit einem süßen Gefühl unter meiner Achselhöhle wach werden und Draculas Grabmal, das mehr und mehr hinter mir bleibt, Tschüss sagen, Tschüss und Nimmerwiedersehen.

Einmal ging ich mit meiner Freundin Gila in eine Westberliner Wohnung. Gila half dort einer alten Frau, brachte ihr etwas Warmes zu essen. Gila erzählte mir, wenn sie mit der Suppe in die Wohnung tritt, fängt die einsame alte Frau mit sich selbst zu sprechen an und hört nicht auf, bis sie wieder geht. »Dann erst schweigt die alte Frau.« Gila hatte öfter vor ihrer Tür gestanden und hineingehört, ob sie weitersprach. Es war aber still. Als die Frau starb und Gila auf eine Ärztin, die den Totenschein ausstellen sollte, warten musste, nahm sie mich mit in diese Wohnung. In der Einzimmerwohnung hingen zwei Glühbirnen, die Stromkabel waren an manchen Stellen offen, und an den Glühbirnen waren viele Insekten gestorben. Das schmutzige Licht der Glühbirnen gab kaum Licht, sondern beleuchtete schwach den Insektentod. Auf dem Herd stand eine Pfanne, in der hartes, altes Fett und alter Tee klebten. Wahrscheinlich hatte die alte Frau in der fettigen Pfanne Tee gekocht. Im Waschbecken tippte das Wasser herunter, tipp, tipp, tipp. Wir standen am Bett der toten Frau und hörten dem Tipp, Tipp, Tipp, Tipp zu und der alten Uhr, die laut tick, tick, tick, tick machte. An dem kleinen Tisch am Bett stand ein gerahmtes Foto von einem Soldaten. Er lächelte. Gila hatte die tote Frau mit der alten Decke zugedeckt. Ihr Gesicht sah ich nicht, schaute auf die leere Hälfte des Bettes. Sie war eine dieser Frauen, die in ihren Wohnungen gerahmte Bilder ihrer im Krieg gefallenen Männer hatten und von deren Betten seit dem Krieg nur eine Hälfte benutzt war. Wenn diese tote Frau die Bettwäsche wusch, wusch sie nur ihre Hälfte? Die Hälfte ihres toten Mannes, mit der sie schlief, blieb sie immer sauber? Wenn sie einen Apfel aß, hatte sie ihrem Kauen zugehört, als ob der Apfel ihre einzige Freundin wäre und ihr etwas erzählen würde? Gila sagte mir: »Die Nazis waren eine Diebesbande, sie klauten den Ländern das Gold, die Gemälde, das Leben, und um weiter zu stehlen, brauchten sie die Männer von solchen Frauen. Ja, ja, Diebe und Tötungsmaschinen.«

In dieser Nacht träumte ich: Ich bin in einer Wohnung, in der ich übernachten muss, da sagt mir ein Mädchen, das die Hausbesitzerin sein soll: »Wir haben keinen Platz, schlaf bei meiner Tante im gleichen Zimmer, ein Zimmer, zu dem man drei Treppen hochgeht.« Im Dunkeln ziehe ich mich aus und lege mich in ein Bett. In der Nacht gehen Türen auf und zu. Ich will Licht machen. Neben dem Bett steht eine Grafikerlampe. Ich kann aber den Stecker nicht in die Steckdose stecken. In dem Moment gehen alle Straßenlampen draußen aus. Aus der Grafikerlampe kommt Gelächter. Und der da so lacht, soll ein Geist sein. Ich will aufstehen. Unter der Zimmertür drängt mit dem Wind eine Mädchenstimme rein, die sagt: »Tante, lass sie nicht los, Tante, lass sie nicht los.« Das ist die Stimme der Hausbesitzerin. Hier soll das Haus der Geister sein. Plötzlich ist ein Körper unter meinem Körper. Von unten packt er meine Hände. Die Hand, die meine linke Hand festhält, soll von einem gerade gestorbenen Kind sein. Sie ist noch warm und weich. Aber bald wird sie hart wie ein Knochen. Die Hand, die meine rechte Hand festhält, ist eine große knochige Hand eines alten Menschen. Ich versuche, meine Hände zu retten. Der Kopf der Grafikerlampe macht sich weiter lustig über mich. Im Zimmer wechseln die Wände und der Boden ihre Plätze. Die Wand wird zum Boden, der Boden wird zur Wand, und dann wechseln sie wieder ihre Plätze. Draußen schließt jemand die Zimmertür dreimal zu. Am Ende rette ich mich, indem ich die Geister anbettle und sage: »Ich glaube euch, ich glaube euch.«

Dieser Traum zwang mich, wach zu werden. In meinem Zimmer gab es durch den Mondschein beleuchtete und schattige Stellen. Ich stand auf und ging mit der Zahnbürste nicht über meine Zähne, sondern über das Zahnfleisch, damit ich wach blieb, und schrieb diesen Traum in mein Tagebuch. Dann band ich das Tagebuch mit einem Gürtel fest, damit dieser Traum, wenn ich jetzt wieder schlief, nicht aus dem Heft herauskäme.

Ich hatte schon einmal mein Tagebuch mit dem Gürtel festgeschnallt. Nach einem Theaterstück hatte ich in der Nacht in mein Tagebuch geschrieben:

Heute Abend habe ich eine Inszenierung von Karge / Langhoff gesehen, Die Schlacht *von Heiner Müller. Bilder aus der faschistischen Zeit Deutschlands. Vier deutsche Soldaten in Russland. Mäntel voller Schnee, Hunger, die Nacht, kalt, drei deutsche Soldaten töten den vierten und fressen ihn auf. Auf der Bühne liegt ein Pferdeskelett. Während sie den vierten Soldaten essen, geht das Licht aus. Die Szene verwandelt sich in das Letzte Abendmahl. Auf dem Tisch liegt ein nackter Soldat. Der Tisch verschwindet langsam mit Musik unter die Bühne. Dann die Szene Kleinbürgerhochzeit: Hitler hat sich umgebracht. Ein Kleinbürger am Tisch, das Bild Hitlers an der Wand. Die Tochter spielt Klavier, die Frau räumt den Tisch ab, er nimmt die Pistole, tötet die Tochter und seine Frau, aber er schafft es nicht, sich selbst zu töten. Er will sich jetzt in der Großstadt verstecken und neu anfangen. Später: Hitler im Frauenkorsett auf dem Trapez. Auf dem Boden sitzen Affen. Eine Frau sitzt am Klavier. Bevor sie zu spielen beginnt, zieht sie an ihren Fingern, einer wird sehr lang, sie reißt ihn aus und wirft ihn den Affen zu, die ihn fressen. Sie beginnt zu spielen, die Affen schieben das Klavier weg, und sie spielt weiter in der Luft. Auf Hitlers Befehl reißt sie den Affen die Köpfe ab. Hitler reibt seine Hände mit weißem Pulver ein und zeigt eine akrobatische Nummer. Die letzte Szene heißt »Das Laken oder die Unbefleckte Empfängnis: 1945«. Die Russen sind in Berlin. Ein deutscher Soldat zieht seine Uniform aus, die Nazis töten ihn und fliehen, er liegt tot in einem Kellerbunker. Ein russischer Soldat kommt und fragt eine Frau: »Sohn?« Sie lügt, nickt. Der russische Soldat bricht sein Brot und verteilt es: »Chleb.« Das heißt Brot. Im Zuschauerraum wurde einer älteren Frau schlecht. Ihr Mann half ihr, und sie gingen hinaus.*

Nachdem ich das geschrieben hatte, schnallte ich mein Tagebuch mit dem Gürtel fest, damit die Bilder aus der deutschen Kriegszeit nicht aus dem Heft ins Zimmer drängten.

In dieser Nacht fror ich. Im Traum sah ich meine Großmutter. Ein Istanbuler Holzhaus, halb Ruine. Ein Militärlastwagen holt meine Großmutter mit anderen Frauen ab.

»Es wird schon hell. Ich muss bald aussteigen«, sagte der jugoslawische Ingenieur auf dem Korridor, ging in seine Kabine, kam im Mantel und mit Koffern raus. Wir schauten weiter aus dem Zugfenster, ein einsamer Baum in der Ferne schimmerte. Als der Baum zu einem Fleck wurde, berührte er vorsichtig mein Amulett am Collier, sagte: »Es ist sehr schön. Beinahe hebräisch.« Wir schauten beide lange auf das Amulett. In dem Moment ging seine Kabinentür auf, ein Mann kam heraus. »Habe ich dich geweckt, Werner?«, fragte der jugoslawische Ingenieur. »Nein, nein«, sagte der Mann, der Werner hieß, und schaute auf die Hand des jugoslawischen Ingenieurs, der noch mein Collier hielt. »In zwanzig Minuten bist du zu Hause«, sagte der Mann, »und ich brauche noch zwei Stunden.« Dann schwieg er und wartete. Auch der jugoslawische Ingenieur schwieg, ohne ihn anzusehen, und ließ das Amulett los und rieb seinen linken Zeigefinger kurz an seiner Nase. Ich beugte mich zu meiner Tasche, sagte zu ihm: »Auf Wiedersehen.« »Auf Wiedersehen.«

Werner nahm einen der Koffer des jugoslawischen Ingenieurs vom Boden, lief weg, nach links, und der Ingenieur hinter ihm her mit seinem zweiten Koffer, und sie verschwanden hinter der Zwischentür. Jetzt war der Korridor so allein, so allein. Nur die leere Sektflasche stand auf dem Boden. Draußen zeigten sich die Vorstadthäuser, in manchen Fenstern brannte Licht. Jetzt in einer dieser Wohnungen sein, ein Bett bekommen, schlafen. Wenn ich aber wach bin, wieder im Zug sein. Ich war sehr müde. Als ich drei Jahre alt war, nahm meine Großmutter mich auf ihre Schulter – ich schlief schon –, trug mich ins Bett. Aus einem anderen Zimmer kam aus dem Grammofon eine Frauenstimme. Sie sang:

Falle in eine Liebe wie ich
seh, was Treue heißt.

Mein Vater sang mit und seufzte, ah, oh, wegen der Schönheit dieses Liedes.

Istanbul, lass mich, ich muss schlafen. Ich lief auf dem Korridor in die entgegengesetzte Richtung, in die der jugoslawische Ingenieur mit dem anderen Mann gegangen war, und sah durch das Fenster eines Abteils, dass da Sitzplätze leer waren. Vielleicht waren die Menschen in Liège schon ausgestiegen und der Schlafwagenschaffner hatte die Betten wieder zu Sitzplätzen gemacht. Kaum im Zugabteil, schlief ich ein und träumte. Der Zug fuhr mit mir und mit meinem Traum. Am Anfang des Traums bin ich in Los Angeles in einem Hotel. Zwei Mädchen in Nachthemden springen Hand in Hand vom zwanzigsten Stockwerk hinunter auf die Straße. Ich schaue von einem Fenster hinter ihnen her. Dann bin ich auf einem Platz. Ein unsichtbarer Jemand erpresst mich. Ich schaue mir alle Leute an, versuche, diesen Erpresser zu entdecken. Dann bin ich in einem Motorboot mit meinem Bruder, das Meer ist blau, der Tag wunderschön, ich schaue in eine Ecke und sehe, dass die Tasche meines Bruders ins Meer fällt. Er springt hinter der Tasche her ins Wasser. Ich schreie und will mich auch ins Meer werfen, aber das Motorboot fährt unheimlich schnell weiter. Wir sind in eine Falle des unsichtbaren Erpressers geraten.

Ich wachte auf, der Zug ratterte genauso schnell wie die ganze Fahrt über. Ich lag auf dem Sitzplatz, jemand zwickte an meinen beiden Brüsten, jemand saß neben meiner Hüfte und zwickte. Es war der Mann, der Werner hieß.

Ich sagte: »Machen Sie das nicht.«

Er sagte: »Warum, why, warum?«

»Ich will es nicht, nehmen Sie bitte Ihre Hände weg!«

Er sagte wieder: »Warum?«

»Ich will es nicht.«

Er sagte: »Sie können in diesem Abteil bleiben und weiterschlafen, weil ich dem Schlafwagenschaffner gesagt habe, dass Sie hier schlafen dürfen.«

Ich setzte mich, sagte: »Ich gehe.«

»Warum?«

»Nehmen Sie Ihre Hände weg.«

»Warum? Lassen Sie uns eine halbe Stunde sprechen. Dann können Sie weiterschlafen. Tony ist ausgestiegen.«

»Wer ist denn Tony?«

»Tomaçek, der Jugoslawe. Ich bin auch Ingenieur. Wir arbeiten bei Moskau als Ingenieure im Flughafenbau.«

Ich sagte: »Bitte, lassen Sie mich gehen.«

»Nein, hören Sie, ich will nur reden. Dort in der Kleinstadt gab es kein Lokal oder Kaffeehaus.« Dann sagte er: »Um uns zu waschen, fuhren sie uns zwanzig Kilometer weiter zu einem Bad.«

»Wenn Sie mich nicht loslassen, werde ich HILFE schreien und den Schaffner holen.«

»Meine Frau ist Ärztin«, sagte er. Er stand auf, knöpfte seinen langen hellen Regenmantel zu. Ich sah, dass dem Mantel ein Knopf fehlte. In dem Moment hatte ich weniger Angst vor ihm. Er ging weg, zog die Tür zu.

Wenigstens ist er gegangen, dachte ich. Meine Brüste kamen mir so fremd vor. Ich zog meine Bluse aus, zog eine andere an, machte das Fenster auf und ließ die ausgezogene Bluse in die Landschaft fliegen. Der Zug ratterte. Tschuh, tschuh, tschuh, tschuh, tschuh, tschuh, tschuh.

LIEBE EDITH PIAF

8 Uhr 37, eine schöne Zahl. Die Uhr des Bahnhofs Gare du Nord zwinkerte mir mit ihren Augen zu. Ich setzte mich vor ein Café und suchte als Erstes in den Gesichtern der Männer Jean Gabins Gesicht: Alles kommt und geht. Vorhin war ein kleiner Regen kurz vorbeigekommen, hat die Straße nicht nass gemacht. Der Regen regnet umgekehrt. Dann ist er gegangen. Kleine Kaffeetassen kommen und gehen, der Kellner braucht keinen Kaffee bringen, die Tassen kommen von selbst, gehen dann, kommen wieder, die Kaffeerechnungen fliegen nicht weg, bleiben auf den runden kleinen Marmortischen liegen, und sie sagen: »Wir brauchen so wenig Platz – laisse-moi te regarder une dernière fois, Paris mon amour, lass mich dich ein letztes Mal sehen, Paris mon amour, laisse-moi te regarder une dernière fois, lalala, lalala, lalala

Je vous aime … pour tous les temps, hahaha.«

Drei afrikanische schwarze Frauen liefen an dem Café vorbei. Ihre Ärsche bewegten sich wie die von drei kräftigen Pferden. Ihre Finger aus Seide und Sand. Um ihren Stimmen zuzuhören, fragte ich sie nach der Uhrzeit, indem ich auf mein Handgelenk zeigte. Die eine hob ihre Arme halb hoch, bewegte ihre Hände in der Luft, als ob sie zwei Glühbirnen einschrauben würde, und zeigte mir mit ihren nackten Handgelenken, dass sie keine Uhr trug. Ich schaute lange hinter ihnen her. Ihre Hintern, die sich wie die von drei Pferden bewegten, sagten:

Je suis d'un autre pays que le vôtre,
d'un autre quartier,
d'une autre solitude.[4]
Ich bin aus einem anderen Land als eures
von einem anderen Viertel
von einer anderen Verlassenheit.

In der Metro fasste ich durch die offene Tür die Hand eines blinden, sehr schönen Mannes und zog ihn in die Metro rein. Die Türen gingen sehr schnell zu. Der blinde Mann stand mit seinem Stock und dunkler Sonnenbrille neben mir, lächelte vor sich hin, brachte seine linke Hand, die ich vorhin angefasst hatte, vor seine Nase, roch daran, lächelte wieder. Ich schaute auf meine Hand. Der blinde, schöne Mann stieg in der Metrostation Saint-Sulpice aus. Ich stieg mit ihm aus. Er wusste, wohin er gehen musste, ich noch nicht, also ging ich hinter ihm her. Ich schaute auf den Treppen auf seinen Rücken. Er trug eine helle Wildlederjacke. Da der blinde, schöne Mann vorsichtig lief, sah seine Jacke so aus, als ob sie auf den Mann aufpasste. Draußen auf der Straße wartete ein Mann am Ausgang der Metro. Er rief dem Blinden zu: »Gaspard!« Der Blinde rief: »Maurice!« Maurice sagte: »Je t'attendais au bout du boulevard – ich wartete auf dich am Ende des Boulevards.«

Ich verstand nur das Wort *Boulevard,* weil wir das französische Wort *Boulevard* in der türkischen Sprache hatten: *Bulvar.* Es gab Hunderte von französischen Wörtern in der türkischen Sprache. Ich konnte nicht Französisch, ich wollte es jetzt in Paris lernen. Ich hatte in Berlin Lieder von Edith Piaf und ein Lied von Léo Ferré ständig gehört. Meine Freunde Reiner und Gila, die Französisch konnten, hatten mir die Lieder ins Deutsche übersetzt.

Maurice und Gaspard schauten sich keine Schaufenster und Kinoplakate an, liefen geradeaus die Straße hinunter. Man kann mit einem Blinden nur geradeaus laufen.

Meine Reisetasche hing an meiner rechten Schulter. Ich nahm sie auf meine linke und folgte weiter den beiden. Manchmal machte ich meine Augen zu. Was hörte der blinde Gaspard auf den Straßen? Als ich am Boulevard Saint-Michel an einer Telefonzelle vorbeikam, ging ich da rein. Gaspard und Maurice liefen weiter geradeaus. Ich wählte rasch die Nummer von meinem Regisseur Benno Besson und hoffte, bevor Gaspard und Maurice am Ende der Straße verschwanden, bevor ich sie verlor, Bessons Stimme zu hören. Vor der Telefonzelle blieb ein Mann in Seidenhemd und Krawatte stehen. Dem Hemd fehlte ein Knopf, warum fehlte ihm ein Knopf?

TELEFONZELLE

Benno sagte: »Hallo, oui.« »Ich bin da, Herr Besson.« »Willkommen, ich freue mich. Komm um drei Uhr zu mir.« Ich notierte seine Adresse. Dann rief ich meine armenische Freundin Mari aus der Schauspielschule an, die Istanbul mit meiner anderen Freundin Diana nach dem Militärputsch verlassen hatte. Ein Mann sagte: »Alo oui.« »Mari?« Der Mann fing an, türkisch zu sprechen, sagte: »Mari lebt nicht mehr in Paris.« »A, a.« »Sie hat vor zwei Monaten jemanden kennengelernt, sie ist mit ihm nach Kanada. Ich wohne jetzt hier.« »Ach«, sagte ich, »sie war in Istanbul meine beste Freundin. O, o, bin ich zu spät gekommen, o, o, o, o, o?« Dann schwieg ich. Der Mann am Telefon schwieg auch. Und irgendwann sagte ich: »Ach, ach, ach.«

Der Mann draußen vor der Telefonzelle wartete. Er wackelte mit seinem Kopf vor der Scheibe, lächelte und zeigte mir seinen Telefon-Jeton. »Ich muss auflegen.« Der Mann am Telefon sagte: »Ich heiße Sinan, wohne am Boulevard Raspail, kommen Sie irgendwann vorbei, dann sehen Sie, wo Mari gewohnt hat.«

Ich ging aus der Telefonzelle, aber blieb davor stehen.

Dich zog es also nach Kanada, Mari. Nein, falsch. Jemand, ein Mensch, zog sie nach Kanada. Sie war in Paris, also in einer Stadt, in Frankreich, in einem Land, aber dann ist sie hinter einem Menschen hergegangen, so wie ich zuerst nach Berlin ging, nach Deutschland, zu Besson, zu einem großen Theatermann. Besson ging weg von Berlin, sagte, komm mit mir, arbeite mit mir in Paris, und ich ging von Berlin weg. Also, Mari und ich hatten kein Land mehr, sondern einen Menschen. Die Menschen, hinter denen wir hergingen, waren unsere Länder.

Und was wäre, wenn Besson heute stirbt? Dann wäre das Land weg, die Stadt wäre weg, Gare du Nord wäre nicht mehr dein Bahnhof. Wenn man von seinem eigenen Land einmal weggegangen ist, dann kommt man in keinem neuen Land mehr an. Dann werden nur manche besonderen Menschen dein Land. Dann müsste unsereins auf die Frage, die man öfter hört, »wo leben Sie, leben Sie in Deutschland, leben Sie in Frankreich?«, nicht so antworten: »Ja, ich lebe in Frankreich, ja, ich lebe in Deutschland.« Die richtige Antwort wäre: »Ich lebe in Besson, ich wohne in Besson.« Aber man kann so nicht antworten, weil keiner die richtige Frage stellen wird: »Leben Sie in Besson, wohnen Sie in Besson?«

Was ist aber, wenn es Besson nicht mehr gibt? Wo lebe ich dann, wo ist mein Land?

Der Mann, dem am Seidenhemd ein Knopf fehlte, kam aus der Telefonzelle heraus, sprach auf Französisch, sagte ein paar Mal: »Occupé, occupé.« Wahrscheinlich meinte er, es sei besetzt, ich könne jetzt telefonieren, und er lächelte wieder.

Ich wohne in einem Lächeln.

Gut, mein Land ist sein Lächeln.

Merci, Monsieur.

Er ging weg, ging in die Richtung, in die Gaspard und Maurice gegangen waren. Ich übte mein erstes französisches Wort, *occupé*, und notierte in der Telefonzelle *oküpe* in mein Heft und die Adresse, wo Mari gewohnt hatte. Dann ging ich raus, blieb aber vor der Telefonzelle stehen. Eine Frau kam, stand vor mir, schaute mich fragend an. Ich sagte: »Nümero oküpe.« Sie ging in die Zelle, telefonierte, kam heraus, sagte im Vorbeilaufen: »Madame!« Ich ging wieder in die Telefonzelle hinein, und ohne einen Jeton einzuwerfen, nahm ich den Hörer ab, lehnte mich an das Fenster und sprach mit mir.

»Madamm weiß nicht, wo sie heute Nacht schlafen wird. Madamm hat kein Geld, Madamm hat kein Land, sondern nur einen Menschen, dafür braucht Madamm keine Aufenthaltserlaubnis, aber wenn ein Polizist ihren Pass verlangt und ihn anschaut, wird er fragen: ›Aber Madamm, wo ist ihre Aufenthaltserlaubnis? Sie leben in Europa schwarz, Sie befinden sich hier schwarz, Sie müssen zurück in Ihr Land. Seit drei Jahren leben Sie schwarz in Europa, Sie dürfen aber als Tourist nur drei Monate bleiben. Wo haben Sie drei

Jahre lang gelebt, Madamm?‹ ›In Berlin.‹ ›Was haben Sie da gemacht?‹ ›Am Theater gearbeitet.‹ ›Und wo ist Ihre Arbeitserlaubnis?‹ ›Ich habe in Ostberlin gearbeitet, das Internationale Theaterinstitut hat mir für die Zeit ein Papier, eine Art Visum, eine Art Arbeitserlaubnis, gegeben.‹ ›Und wo ist es, dieses Papier?‹ ›Als ich von Ostberlin wegging, haben sie es mir an der Grenze wieder abgenommen.‹ ›Können Sie es beweisen?‹ ›Ich weiß es nicht.‹ ›Wo wohnen Sie hier in Paris?‹ ›Ich weiß es nicht. In der Telefonzelle?‹ ›Kommen Sie mit!‹ ›Nein, ich muss hier in der Telefonzelle bleiben.‹ ›Warum, Madamm?‹ ›Ja, weil die Ausländer telefonieren gerne, und wenn sie mit ihren Ländern telefonieren, schreien sie in den Hörer. Istanbul ist weit weg von hier.‹ ›Sie sind aus Istanbul, Madamm?‹ ›Ja, aus Istanbul.‹ ›Madamm, als ihr eure Revolution mit Atatürk gegen eure Sultane machtet, habt ihr eure Sultane geköpft?‹ ›Nein, wir haben sie nicht geköpft.‹ ›Nicht mal sie ins Gefängnis gesteckt, Madamm?‹ ›Nein, nicht mal ins Gefängnis. Sie stiegen in ein Schiff und verließen Istanbul.‹ ›Das ist gut, Madamm. Sie haben es gut gemacht. Wir Franzosen haben unsere Könige und Königinnen geköpft. Wir haben ein Trauma, Madamm. Auf Wiedersehen, Madamm.‹«

Ich glaube, ich hatte den Hörer zu fest angefasst, mein Handgelenk tat mir weh und meine Reisetasche war müde, sie hing schief an meiner Schulter herunter. Ich schlug das Pariser Telefonbuch auf, suchte die Adresse von Efterpi und Charis und fand sie: Rue de la Glacière, 13. Arrondissement, Paris.

EFTERPI DE LA GLACIÈRE

An der Rue de la Glacière ging ich in ein neueres Hochhaus rein. Die spanische Portiersfrau zeigte mir den Weg durch einen dunklen Korridor in den Garten. Der Garten war groß, und auf der linken Seite standen vier gleich aussehende Studios nebeneinander. Die Wände zum Garten aus dickem schwerem Glas, die man zur Seite schieben konnte, waren gleichzeitig die Türen, durch die man in die Räume hineinsehen konnte. Die Portiersfrau blieb vor dem dritten Studio stehen, sagte: »Voilà, Madame.«

Als ich vor der Glastür von Efterpi stand und in den Raum hineinschauen wollte, sah ich im Glas zuerst nur meinen Schatten, und durch meinen sich bewegenden Schatten sah ich nicht, was hinter dem Glas war. Ich ging näher an den Schatten heran, bis meine Nase an dem Glas klebte, sodass ich meinen Schatten nicht mehr sah, erst dann sah ich den hohen großen Raum. Ganz vorne standen ein langer Tisch und Stühle, auf dem Tisch lagen ein Baguette und Baguettekrümel und ein Buch, Georges Sadoul, *Dictionnaire des films*, eine Zigarettenschachtel, hinter dem Tisch stand ein querstehendes Sofa und auf dem Boden zwei grüne Halbschuhe mit hohen Absätzen, in der Mitte des Zimmers noch mal zwei kleine Tische, auf denen Papiere, Bücher und eine Schreibmaschine lagen. Hinten war ein großes Bett auf dem Boden, mit Teppichen und Kissen bedeckt, neben einem Kamin. Nach links ging eine Treppe hoch, und an der ganzen rechten Wand war ein hohes Regal, aus dem unzählige Bücher und Schallplatten von ihren Plätzen aus auf das schattige Zimmer in eine lebendige Ruhe hineinschauten. Wie man am Baguette und den Krümeln die Hände der Menschen, die das gegessen hatten, sehen konnte, sah man auch an den Büchern die Hände, die sie aufgeschlagen, gelesen, zugemacht, hingestellt, dann wieder heruntergenommen, hineingeschaut, benutzt, wieder zugemacht hatten, sie standen auf ihren Plätzen weiter hinten, weiter vorne, etwas krumm gestellt, so als ob sie mit ihren Stimmen in diesem Raum ein ständiges Echo auslösten. Das Licht wuchs vom Garten in diesen großen Raum auf den Steinboden. Die Bilder an den Wänden, die Bücher, die Beine von Stühlen, Tischen spiegelten sich in diesem wachsenden Licht, und auf dem langen Tisch hinter der Glaswand spiegelte sich neben dem Baguette und den Krümeln der Birkenbaum aus dem Garten. Sein Schattenbild zitterte auf dem Tisch, weil seine Blätter sich draußen mit dem leichten Wind bewegten. Ich fasste den Birkenbaum, rüttelte etwas, sein Schattenbild zitterte auf dem Tisch jetzt noch schneller.

Plötzlich kam eine Katze, die krumme Beine hatte, die Treppe herunter, lief über den Schatten auf dem Boden, kam bis nach vorne, sprang hoch auf einen Stuhl, der in den Garten schaute, setzte sich auf das dicke Kissen, von dem ein paar Katzenhaare in die Luft flogen, und guckte in meine Richtung. Das war Badi. Efterpi hatte mir damals ein Foto von ihr nach Istanbul geschickt.

Efterpi und ich kannten uns aus Istanbul. Das war Ende der Sechziger, vor dem zweiten Militärputsch. Mein Freund, der in Italien bei Pasolini und Fellini Film studiert hatte, gründete damals in Istanbul eine Cinemabewegung. Wir gaben eine Zeitschrift heraus wie *Cahiers du cinéma*, in der wir Filme von Godard, Buñuel, Pasolini, Glauber Rocha, Brecht, Ousmane Sembène, Dziga Vertov, Jean-Marie Straub, Eisenstein analysierten. Und als mein Freund seinen ersten Film über einen Widerständler namens Blindensohn aus dem Osmanischen Reich drehen wollte und das bisschen Geld, das er hatte, nur für das Filmmaterial ausgeben konnte, brauchte er Menschen, die gratis für diesen Film arbeiteten. Bald hatte er diese Gruppe. Sie bestand aus vier türkischen Griechen, einem türkischen Juden und sechs Türken, darunter große Theaterstars. Efterpi und Dido aus der Gruppe waren Istanbuler Griechen. Efterpi war verheiratet mit Didos Bruder Charis, der in Paris an der Uni als Dokumentarfilmprofessor arbeitete. Dido war Skriptgirl. Wir brauchten für unseren Film jemanden, der eine Blindenmaske herstellen konnte, weil der Widerständler Blindensohn, um den es in dem Film ging, einen Vater hatte, den der böse Feudalherr mit heißen Spießen blenden ließ. Efterpi lernte in Paris monatelang Maskenbildnerin und kam nach Istanbul und hatte eine sehr gute Maske für den Schauspieler, der den Blinden spielte.

Ich wohnte mit meinem Freund in einem Wald. Als Efterpi nach Istanbul kam, gingen wir alle im Wald spazieren. Efterpi war so schön, sogar die Schäferhunde, die vor unserem Waldhaus jeden Fremden, der vorbeikam, kräftig anbellten, vergaßen zu bellen. Als wir in der Gruppe spazierten, ging Efterpi irgendwann im Wald verloren. Wir riefen nach ihr, suchten nach ihr. Mein Freund lachte und sagte: »Pariser Frauen gehen gerne verloren, damit man nach ihnen sucht.« Dass Pariserinnen sich gerne suchen ließen, gefiel mir.

Mein Freund hatte ähnlich wie Eisenstein sein gesamtes Szenario gezeichnet. Bild für Bild. Am ersten Drehtag, alle glücklich, auch die Sonne oben, drehten wir auf einem Grundstück, auf dem es einen Pferdestall gab. Der Widerständler Blindensohn hatte ein legendäres Pferd. Meine Aufgabe bei dem Film war Kameraassistentin, und ich hatte die schönste Frauenrolle: Ich war die Geliebte des Widerständlers Blindensohn, und man würde mich in der Mitte des Films an meinen Haaren an die Äste hängen und töten. Ich hatte Haare bis zur Hüfte.

Wir drehten zuerst die Waffenhändlerszene, Waffenhändler aus Europa, die dem bösen Feudalherrn Waffen lieferten, um den Blindensohn zu töten. Dann drehten wir im Pferdestall. Ein Zigeuner hatte uns sein weißes Pferd als begabten Pferdedarsteller gebracht. Das Pferd spielte Blindensohns Pferd. Mein Freund zeigte die Zeichnung dieser Szene dem Beleuchter. Das Licht in der Szene sollte nur auf dem Rücken dieses Pferdes eine lange Linie zeichnen. Sonst musste alles dunkel sein. Das klappte nicht. Der Beleuchter holte den berühmtesten Beleuchter der Istanbuler Filmindustrie, ein älterer Herr mit einer dunklen Brille. Das Pferd wartete artig im Stall. Aber dieses Licht, das nur auf dem Rücken dieses Pferdes eine lange Linie zeichnen sollte, klappte auch mit ihm nicht. Es gingen ein paar Stunden vorbei. Draußen wurde es langsam dunkel, und der Zigeuner sagte, er muss mit dem Pferd jetzt nach Hause. Er und das Pferd gingen. Der jüdische Mitarbeiter Jakob fuhr den Starbeleuchter in die Stadt, mein Freund, Efterpi, Dido und Yorgo fuhren mit dem Filmmaterial, das wir schon gedreht hatten, in einem Taxi nach Hause zu Yorgo und vergaßen alle Filmkassetten im Kofferraum des Taxis. Ich fuhr mit dem Kameramann zu seinem Büro im Hurenviertel von Istanbul, um dort die Arriflex-35-mm-Kamera im Schrank einzuschließen. Einige Huren begrüßten uns und fragten den Kameramann, was wir heute gedreht hätten, wie der Film heiße. Er sagte lachend: »*Pferdelicht – AT IŞIĞI.*«

Der Film kam nie zustande. Das Geld fehlte, und bald kam der Militärputsch 1971, und der griechische Partner meines Freundes, Yorgo, haute nach Athen ab, weil er ein Marxist war und vor dem türkischen Militär Angst hatte. Efterpi kehrte nach Paris zurück. In Istanbul traf sie auf einer steilen Gasse eine Katze, die krumme Beine hatte, nahm sie mit nach Paris und gab ihr den Namen Badi – die Krumme.

Ich klopfte an das Glas, rief: »Efterpi, Efterpi!«, schaute in Richtung der Treppe, als ob sie, wie die Katze Badi, plötzlich dastehen könnte. Nichts bewegte sich.

Im Glas irgendwo hinter mir spiegelte sich vor einer hohen Gartenmauer eine Sitzbank. Ich lief zwischen den Pflanzen und Bäumen durch den Garten zu dieser Bank, setzte mich hin. Von der Sitzbank aus sah ich durch die Glaswände in alle vier Studios. In dem Studio neben Efterpis sah ich auch eine Katze. Sie stand auf einem hohen Podest wie eine Statue und schaute wie Badi in Richtung Garten. Der Garten war ruhig, nur in der Ferne hörte ich Schreibmaschinengeräusche. Sie kamen aus dem Fenster einer der Wohnungen in dem Hochhaus, deren Rückfenster in den Garten schauten.

Ich legte mich auf die Gartenbank, schloss die Augen, dachte an den Zugkorridor zwischen Berlin und Paris. Das Café am Gare du Nord. Gaspard und Maurice. Telefonzelle. Den Mann, dem ein Hemdknopf fehlte. Gartenbank.

Ich beschäftigte mich, Augen zu, mit dem fehlenden Hemdknopf des Mannes in der Telefonzelle, und der schwarze Hörer in der Kabine war durch das viele Benutzen etwas abgestumpft, und in dem Telefonbuch, das ich aufgeschlagen hatte, fehlten manche Seiten, und die gelbe Wildlederjacke des blinden Gaspard hatte einen Wollkragen.

Als ich auf der Bank, Augen zu, lag, flog ab und zu ein Vogel über mich, machte tcik, setzte sich sicher auf einen Baum oder ein Gebüsch, machte auch dort ein Tcik.

Tcik
Tcik
Tcik
Tcik.

Zwischen den Tciks hörte ich das mechanische Geräusch einer schwer aufgehenden Tür. Efterpi schob gerade ihre Glaswand von rechts nach links, die schwere Glaswand fuhr quietschend auf einer Schiene. Efterpi ging ins Haus hinein, schob die Glaswand, diesmal von innen, von rechts nach links, stellte ihre Tasche auf den Tisch. In diesem Moment sah sie mich auf der Gartenbank hinter den Bäumen, hob ihre Arme hoch, sprang hinter dem Glas hoch und runter, schrie, aber ich hörte ihre Stimme nicht. Dann schob sie ihre Glaswand wieder von links nach rechts, das Glas quietschte, und bevor die Glastür ganz aufging, sprang ihre Katze Badi schnell von ihrem Stuhl und kam zur Tür. Als Efterpi und ich uns umarmten, stand Badi zwischen unseren Füßen. Ich legte meine Reisetasche auf den Boden. Badi legte sich sofort über sie. Efterpi sagte: »Badi nimmt dich in Besitz.«

Im Stehen erzählte ich Efterpi von Besson und dass ich mit ihm für den *Kaukasischen Kreidekreis* für das Festival d'Avignon arbeiten würde, dass ich Französisch lernen müsse. Efterpi sagte: »Ich helfe dir.«

Hinter Efterpi hing an der Wand ein Tuch, so eines, wie die alten Straßenfotografen von Istanbul als Hintergrund an eine Mauer hängten, um die Menschen davor zu fotografieren. Auf diesem Tuch war der Satz gestickt: »Istanbul Hatırası – Istanbuler Erinnerung.«

»Hast du das Tuch aus Istanbul?«

»Ja, ich habe es von einem Straßenfotografen gekauft. Zavallı adam – armer Mann, wollte mir auch seine dreibeinige Stativkamera verkaufen. Er sagte: ›Polaroid ist gekommen, hat mir meine Dreibeinige getötet, hanım.‹ Er trug eine gelbe Stoffjacke, die ihm zu klein war, ich habe ihn noch vor seinem Tuch fotografiert, schau her.«

Sie zeigte mir ein Schwarz-Weiß-Foto, die gelbe Stoffjacke des Fotografen war dort schwarz. Efterpi sagte: »Ich hol schnell ein frisches Baguette.« Sie schob die Glastür wieder zur Seite, das Glas fuhr durch die Schiene aus Stahl. Zuerst ging Badi hinaus, dann Efterpi. Vom Garten aus schob Efterpi die Glastür wieder zurück, das Glas fuhr durch die Schiene aus Stahl und quietschte.

Ich blieb mit dem Schwarz-Weiß-Foto des Istanbuler Straßenfotografen in der Mitte vom Raum stehen, schaute mir anstatt seines Gesichts nur seine Jacke an. Diese Jacke hatte drei Taschen. Wenn man die umdrehen würde, fiele aus jeder Tasche Einsamkeit. Oder vielleicht ein gefaltetes Papier, auf dem geschrieben steht:

Der Weg war einsam, Tiere und auch wir
wir schauten – unglaublich
jede Seite um uns, Nacht[5]

Der Straßenfotograf stand vor einer Mauer, hielt mit seiner linken Hand die langen drei Beine seiner Stativkamera. Das bestickte Istanbuler Erinnerungstuch hing noch hinter ihm, neben dem Tuch hatte jemand mit Kreide drei Sätze an die Mauer geschrieben:

Ey, alter Sonnenvogel
Gib mir meine Erinnerungen
Ich kann mich dann erkennen, vielleicht[6]

Diese Mauer, vor der Efterpi den Straßenfotografen fotografiert hatte, kannte ich. Es war die Mauer des Istanbuler britischen Konsulats. Fünfundzwanzig Jahre später werden die Al-Qaida-Anhänger mit einem Auto da reinfahren, sich selbst, den britischen Konsul, der Türkisch konnte und Istanbul sehr liebte und nur noch da leben wollte, den Teemann und andere Menschen, die im Konsulat arbeiteten, mit Bomben töten. Der Vater eines Getöteten wird ein Stück seines Kindes zwischen den Glassplittern mit seinen Händen finden wollen, suchen, suchen, aber nur Glassplitter anfassen.

Badi kratzte draußen im Garten an die Glastür, wollte herein. Ich schob die Glastür nach rechts, die Schienen quietschten, Badi kam rein, setzte sich wieder auf meine Reisetasche. Ich schob die Glastür wieder nach links, sie quietschte. An einer der Wände hingen zwei von kleinen Bildern vergrößerte Fotos. Eine Frau und ein Mann. Es waren Efterpis Mutter und Vater. Efterpi hatte mir die kleinen Bilder in Istanbul gezeigt. Ihre Mutter und ihr Vater waren in den Vierzigerjahren in Thessaloniki, als die Nazis in Griechenland waren, von denen getötet worden. Efterpis Mutter war eine sephardische Jüdin, ihr Vater Grieche. Efterpi war zwei Jahre alt, als ihr Vater und ihre Mutter mit einem Tag Unterschied getötet wurden. Efterpi wurde dann nach Istanbul zu der Schwester ihres Vaters gebracht, die mit einem Istanbuler Griechen verheiratet war. Efterpi wuchs in Istanbul auf. Der Ehemann ihrer Tante hatte in seiner Bibliothek Bücher von Marx. Als in einer Nacht 1955 nationalistische Türken die Läden, die Kirchen, die Friedhöfe der Istanbuler Griechen und Juden zertrümmerten, emigrierten Efterpis Tante und Onkel mit ihr nach Griechenland. Mit 18 ging Efterpi nach Istanbul zurück, heiratete einen Istanbuler Griechen, Charis, kam mit ihm dann nach Paris.

Efterpi hatte mir in Istanbul erzählt, dass es von ihren Eltern nur die zwei kleinen Fotos gab. Sie holte jedes Jahr diese zwei Fotos aus einem Briefumschlag, der in den Vierzigerjahren an ihren Vater geschickt worden war. Obwohl sie wusste, dass sie tot waren, hoffte oder wollte sie Jahr um Jahr das allmähliche Älterwerden ihres toten Vaters und ihrer toten Mutter auf diesen Fotos entdecken und denken, sie leben weiter, sie leben weiter.

Wir sprachen damals in Istanbul darüber, dass sie diese zwei kleinen Fotos vergrößern und an die Wand hängen sollte, um sie dort vergilben zu lassen, um wenigstens das Älterwerden dieser Fotos zu sehen.

Auf dem einen Foto stand Efterpis Vater, die Hände auf seiner Hüfte, mit einem weißen Hemd, das in die Hose gesteckt war, auf einem steinigen Boden. Seine Krawatte, schräg gestreift, flog durch den Wind, der gerade wehte, nach links. In seinem rechten Mundwinkel eine schwarze Zigarre. Er musste die Unterlippe ein bisschen vorschieben, um sie festzuhalten. Das Foto von Efterpis Mutter war ein Passbild. Sie schaute, Mund zu, Augen auf, zu dem Fotografen, der wahrscheinlich gerade das schwarze Tuch hochhob, um unter das Tuch zu gehen und die Einstellung vorzunehmen: Gleich wird er wieder rauskommen und den Objektivdeckel von der Kamera mit einer rhythmischen, eleganten Bewegung abnehmen und die Gelatineplatte während dieser rhythmischen Bewegung belichten.

Efterpi hatte mir in Istanbul gesagt, dass sie kein Kind haben will, weil, wenn ihr was passierte, wollte sie nicht, dass ihr Kind unter Mutterlosigkeit genauso leidet wie sie.

Draußen im Garten flog der kleine Vogel auf den niedrigsten Ast von dem jungen Birkenbaum, dessen Schatten sich auf dem Tisch spiegelte. Der Vogel blieb auf dem Ast stehen, drehte seinen Kopf links-rechts, links-rechts, dann flog er wieder weg. Alles war ruhig im Raum: die Tische, das Bett, die Bücher, die Stühle, das alte Baguette auf dem Tisch; aber nicht die beiden Fotos von Efterpis Mutter und Vater, dort hörte man Stimmen aus einer anderen Zeit, sah Hunde bellen, die Haustür, die mit den Stiefeln der Gestapo geöffnet wird, das halb ausgetrunkene Wasser- oder Weinglas auf einem Tisch, draußen auf der Straße wartet ein Auto, der Fahrer raucht nicht, er wartet, er dreht das Fenster auch nicht herunter, er wartet, der Platz neben ihm ist leer, aber dort wird die Mutter von Efterpi nicht hingesetzt. War der Fahrer aus Berlin oder Köln? In dem Moment, wo sie Efterpis Mutter und Vater abholten, waren die Städte der Abholer noch nicht Draculas Grabmale. In Godards Film *Weekend*, bevor die zwei Protagonisten Emily Brontë, die sie im Wald trafen, in Flammen setzten und verbrannten, sagte ihr Dichterfreund, den Emily »Dickerchen« nannte:

»Verfolgt die wahren, die großen Diebe.
Rottet sie alle aus ab heute.
Von ihnen kommt die Kälte,
von ihnen kommt die Nacht,
die die Erde zu einer Welt
des Grauens macht.«

Der kleine Vogel draußen flog sehr dicht an der Glastür vorbei und verschwand nach links. Ich ging die Treppe zur ersten Etage zum Badezimmer hoch. Neben dem Bad gab es ein Zimmer. Ich schaute durch die offene Tür hinein, es war voll mit hoch gestapelten französischen und türkischen Zeitungen, *Le Monde*, *Cumhuriyet*, Filmschneidetischen, Filmrollen, auf dem Boden abgeschnittene Filmstreifen, zwei Arriflex-35-mm-Filmkameras. Alles war voll bis zur Decke, und an die Decke war ein großes Plakat von Murnaus Film *Nosferatu* geklebt. Der Raum hatte auch eine Glastür, die sich zu einer Terrasse öffnete. Die Glastür war halb offen gelassen. Ein Regal war voll mit Büchern über Film, zwischen denen sah ich Bücher über Fritz Lang, Marlene Dietrich, Peter Lorre, Josef von Sternberg, Ernst Lubitsch. Alle fünf hatten mit den Fotos von Efterpis Eltern etwas gemeinsam, nur hatten sie es geschafft, von den Nazis nicht getötet zu werden – Efterpis Eltern nicht.

Als ich im Bad mein Gesicht mit kaltem Wasser wusch, sah ich unten in der Wand ein Loch. Dort war eine große Wandkachel entfernt. Ich schaute in das Loch hinein und sah sich etwas bewegen. Etwas bewegte sich in diesem Loch wie eine Schlange. Ich ging raus, machte die Badezimmertür zu und hörte unten die Glastür mit Quietschen aufgehen. Ich ging hinunter: »Efterpi, ich habe oben in dem Wandloch etwas gesehen.« Efterpi sagte: »Clochard, eine Katze, sie ist Psychopath.« Clochard hatten Menschen, als sie noch ein Kind war, ihre beiden Vorderbeine mit Stöcken kaputtgeschlagen. Efterpi hatte sie im Garten gefunden, Clochard ließ sich aber nicht anfassen. Efterpi musste zwei Männer holen, die ein Netz über Clochard warfen und sie so fangen konnten. Efterpi brachte Clochard zum Arzt. Sie wurde geheilt, aber hatte eine ungeheure Angst vor sich bewegenden Menschenbeinen. Deswegen ließ Efterpi oben die Terrassentür immer etwas offen und entfernte aus der Badezimmerwand eine große Kachel. Clochard kam durch die Terrassentür ins Haus rein, und wenn Efterpi unten in der Küche in seinen Teller Katzenfutter tat, kam Clochard bis zum Teller, aber während sie aß, durfte Efterpi sich nicht bewegen. Sie musste in der Küche neben ihm stehen bleiben. Wenn sie fertig gegessen hatte, flüchtete Clochard sofort nach oben ins Badezimmer in ihr Loch. Nur in der Nacht, sagte Efterpi, wenn sie und ihr Mann Charis schon schliefen, kam Clochard die Treppen herunter, setzte sich auf Badis Stuhl neben Badi, umarmte sie fast und blieb bei ihr bis zum Morgen, dann, wenn am Morgen Charis wieder aus dem Bett aufstand und Clochard seine laufenden Beine sah, verschwand sie wieder hoch ins Loch.

Efterpi sagte: »Wenn Clochard oben im Bad in das Wandloch verschwindet, denke ich, da bewegt sich eine Schlange. Léo Ferré sagt: ›La tristesse, c'est un chat étendu comme un drap sur la route – die Traurigkeit ist eine Katze, ausgebreitet wie ein Tuch auf der Straße.‹«

Wir aßen frisches Baguette mit Butter, tranken Tee, schauten in den Garten. Ein kleiner Vogel setzte sich vor uns auf den jungen Birkenbaum, sagte tcik, Badi stieg von meiner Reisetasche herunter, schaute durch das Glas auf den Baum, wo der kleine Vogel saß und tcik machte, und wollte, dass Efterpi ihr die Tür aufschob. Sie kratzte an der Glastür, Efterpi sagte ihr: »Sauvage, non – nein, du Wilde!«

Ich schrieb das Wort auf: »Sauvage«.

Auf der Gartenbank im Garten, auf die ich mich hingelegt hatte, saß jetzt ein älterer Mann und schaute in unsere Richtung. »Monsieur Umberto«, sagte Efterpi. »Monsieur Umberto war ein Maschinenbauingenieur, lebte in Algerien, solche Leute nennt man in Frankreich pieds-noirs – Schwarzfüße, ein algerischer Franzose wie Albert Camus. Monsieur Umberto wurde eines Tages Erfinder. Er erfand eine Maschine, ich glaube für die Eisenbahn oder so was, aber seine Erfindung wurde ihm von jemand anderem gestohlen. Danach soll Monsieur Umberto verrückt geworden sein. Seine Familie hat ihn nach Paris geholt. Er wohnt in einem der kleinen Appartements in dem Neubauhaus. Er kommt jeden Tag viermal zu uns, fragt immer, ›Wie geht es Ihrer Katze, Madame? – Comment va votre chat, Madame?‹

›Il dort maintenant – sie schläft jetzt.‹

›Mais il est onze heures du matin – aber es ist elf Uhr.‹

›Oui, mais il dort – ja, aber sie schläft.‹

›Est-ce que vous allez bien, Madame? – Geht es Ihnen gut, Madame?‹

›Ja, Monsieur, ich glaube, Sie wollen gerne einen Kaffee – oui, Monsieur, je pense que vous voulez boire un petit café.‹

›Oui, mais tout petit. Parce que le café ça fait mal – aber einen sehr kleinen, weil Kaffee ist nicht gesund.‹

›Le café ça ne fait pas mal – nein, der Kaffee schadet nicht. – Mais moi, j'ai peur de vous en donner – aber ich habe Angst, Ihnen welchen zu geben.‹

›Qu'est-ce que vous avez mangé aujourd'hui, Madame? – Was haben Sie heute gegessen, Madame?‹

Dann kommt Umberto rein, setzt sich immer dahin, wo du jetzt sitzt, am Kopf des Tisches, trinkt den Kaffee, dann steht er auf, wartet wie Badi, dass ich ihm die Tür aufmache, und geht. Nach drei Stunden kommt er wieder, und jeden Tag wiederholen wir die gleichen Sätze.«

Efterpi sagte: »Er isoliert sich im Garten, aber auch hier, wenn er seinen Kaffee trinkt, dann schweigt er und wird abwesend. Das zwingt mich, ihn zu beobachten. Ein denkender Mensch, ein Erfinder, durch den Diebstahl seiner Erfindung zu einem denkunfähigen Gespenst geworden, er weiß wahrscheinlich nicht, wie ihm geschehen ist, das macht mich betroffen. Ach, lassen wir das – laissons tomber Monsieur Umberto. Wie ist Berlin?«

Plötzlich fühlte ich mich wie Monsieur Umberto isoliert. Ich warf einen Blick auf die zwei vergrößerten Fotos an der Wand, Efterpis Mutter und Vater, die von deutschen Nazis getötet worden waren, und entdeckte, dass Efterpis Mutter neben dem linken Auge ein Muttermal hatte. Wenn ein Mensch getötet wird, kann das Muttermal weiterleben?

»Wie ist Berlin«, wiederholte Efterpi. Ich sagte: »Meine Freunde hatten Fahrräder.« Efterpi sagte: »Sing mir ein deutsches Lied.« Ich sang: »Ein Jäger aus Kurpfalz, der reitet durch den grünen Wald, halli, hallo, gar lustig ist die Jägerei.« »Schön«, sagte Efterpi, »und jetzt ein deutsches Gedicht.«

»*Ich, Bertolt Brecht, bin aus den schwarzen Wäldern.*
Meine Mutter trug mich in die Städte hinein,
als ich in ihrem Leibe lag. Und die Kälte der Wälder
wird in mir bis zu meinem Absterben sein.[7]
Ben, Bertolt Brecht. Kara orman lardan, geliyorum,
Annem beni şehirlere taşıdı,
ben karnındayken, ormanların soğuğu
ölünceye kadar içimde kalacak.«

»Sehr schön«, sagte Efterpi. Ich stand auf, Efterpi zündete eine Zigarette an, lief um mich herum, sagte: »Wieso ziehst du dich wie eine verlassene Frau an? Paris liebt es, wenn du dich schön machst.« »In Westberlin ziehen sich viele Frauen wie Verlassene an. Weite Pullis, ohne BH, labbrige Hosen.« »Du bist nicht Berlinerin, du bist Istanbulerin, du hast dich in Istanbul sehr schön angezogen.« »Meinst du, ich habe mich vom kriegsinvaliden Berlin umerziehen lassen?« »Wir gehen jetzt. Zuerst Schuhe.«

Als Efterpi die schwere Glastür aufmachte, sprang Badi von ihrem Stuhl in den Garten, lief zwischen den Bäumen durch, setzte sich auf Monsieur Umbertos Beine, der auf der Gartenbank saß. Monsieur Umberto rief: »Vous allez bien, Mesdames? – Geht es Ihnen gut, meine Damen?« Ich übte: »Vous allez bien, Mesdames?«

Wir gingen an den Studios vorbei. In dem Studio neben Efterpis sah ich hinter der Glastür einen Mann, der an einem Tisch saß. Er tippte mit der rechten Hand auf einer kleinen

Schreibmaschine, mit der linken streichelte er eine Katze, die auf dem Tisch saß. Hinten im Raum stand eine Frau, die wie eine der schönen, toten Frauen auf den Mumienportraits von Fayum aussah, mit sehr schönen, großen Augen, und putzte gerade mit einem Lappen eine Longplayschallplatte. Beide grüßten uns. Efterpi sagte: »Stefanos Yerasimos und seine Frau. Und die Katze ist auch aus Istanbul.«

Die Yerasimos waren Istanbuler Griechen. Er arbeitete in Paris an der Uni als Urbanistikprofessor, und dazu war er Spezialist für Balkanländerfragen und das Osmanische Reich und hatte darüber Bücher geschrieben. Man liebte ihn in Istanbul sehr – ein ganz spezieller Mensch. Ich hatte von Yerasimos ein Buch gelesen.

Ein Vogel flog von einem Ast auf den nächsten, wir ließen langsam den Garten hinter uns, in dem hinter Glastüren Istanbul und Istanbuler Katzen wohnten. Von Draculas Grabmal Berlin war ich mit einem Nachtzug in diesem Garten angekommen, nur eine Nacht zwischen Draculas Grabmal und diesem Garten. Wir gingen durch den dunklen Korridor in das Neubauhaus, die spanische Portiersfrau wischte gerade, gebückt, mit einem Lappen den Hausflur. Sie sagte, ohne ihren Kopf zu recken: »Bonne journée, Mesdames.«

»Bonne journée, Madame.«

Im Bus 21 schrieb ich in mein Heft meine französischen Wörter, die ich heute gehört hatte: *Je t'ai attendu au bout du boulevard. Occupé. La tristesse, c'est un chat étendu comme un drap sur la route. Sauvage. Clochard. Vous allez bien, Mesdames, bonne journée, Mesdames? – Ich habe auf dich am Ende des Boulevards gewartet. Besetzt. Die Traurigkeit ist eine Katze, ausgebreitet wie ein Tuch auf der Straße. Wild. Clochard. Wie geht es Ihnen, meine Damen, einen schönen Tag?*

Efterpi sagte: »Du hattest doch in Istanbul im Peter-Weiss-Stück *Marat/Sade* die Rolle der Charlotte Corday gespielt, nicht?«

»Ja.«

»Dann gehen wir zuerst ins Musée Grévin, das Wachsfigurenmuseum. Da wirst du die Charlotte Corday sehen.«

Im Museum zeigte mir Efterpi Charlotte Corday, wie sie den Revolutionär Marat gerade in seiner Badewanne tötet.

Als wir rausgingen, kaufte ich bei der Verkäuferin eine Karte mit Charlotte Corday. Die Verkäuferin fragte: »Madame, wissen Sie, wer Charlotte Corday war?« Efterpi antwortete: »Madame, sie ist die, die in Istanbul am Theater die Charlotte Corday gespielt hat.« Die Verkäuferin lachte und schaute mich mit Freude an. Ich lachte auch, und das Lachen blieb bis zur Metro in meinem Mund. Die Metrostation war sehr voll, die Menschen traten sehr schnell in den Zug, wie hintereinander anrollende Wellen. Zwischen all den Menschen schaute ich mir ab und zu die Karte von Charlotte Corday an. Mein Mund lachte weiter.

An der Metro Luxembourg stiegen wir aus und liefen die Straße hinunter Richtung Metro Saint-Michel. Auf dieser großen, langen Straße standen viele Telefonzellen. Ich lächelte sie an. Ein schwarzer Mann aß in der Telefonzelle, von der ich heute früh Besson und Marie angerufen hatte, Nüsse und sprach laut und lachte laut, warf eine Nuss in die Luft und schnappte sie mit dem Mund, ohne mit dem Lachen aufzuhören.

»Efterpi, wohnt vielleicht Catherine Deneuve hier in diesem Viertel?« Efterpi sagte: »Ja, ich glaube, warum?«

»Ich liebe Catherine Deneuve.«

Die im 19. Jahrhundert gebauten Häuser hier hatten etwas Kaltes, Unbarmherziges. Die Steine ähnelten den Steinen der Luxusgräber. Aber hier unten, auf der Straße, lebte die Stadt ihr Leben mit Geräuschen, Halstüchern, Hinsetzen, Zeitungaufschlagen, Aufstehen in den Cafés, vor den Cafés, ständigen Geräuschen der Kaffeemaschinen, auf- und zugehenden Cafétüren, Asche und Zigarettenkippen, die auf den Boden fallen, bei dem kleinsten Regen sich sofort öffnende Regenschirme.

In einem Café, dessen Innenwände aus Spiegel waren, war es voller Frauenlachen. Eine Frau fasste, als wir daran vorbeiliefen, gerade die Hand ihres Freundes an, mit der anderen Hand tunkte sie in ihr Weinglas, machte zwei Finger nass, kämmte damit ihre Augenbrauen hoch, sah uns auf sie schauen und zwinkerte uns mit ihrem linken Auge zu. Ich zwinkerte ihr mit dem rechten zu. Efterpi sagte: »In Paris darf man nicht zu Hause sitzen, man muss ständig in der Stadt spazieren gehen.«

Ich sagte: »In Berlin nahm ich, um die Hässlichkeit der Stadt nicht zu sehen, öfter Taxis.«

Wenn Berlin ein Kriegsbuch ist, in dem es Fotos von Soldaten nach dem Zweiten Weltkrieg ohne Kiefer, ohne Nase, ohne Mund gab, war Paris ein Chansonbuch. Immer diese Orte aus den Chansons.

Au bout du boulevard — *Am Ende des Boulevards*
à côté du cinéma — *neben dem Kino*
devant le café — *vor dem Café*
je buvais dans tous les bars — *ich trank in allen Bars*
devant la porte du Grand Hôtel — *vor der Tür vom Grand Hôtel*
de l'autre côté de la rue — *auf der anderen Straßenseite*

In einem Laden kauften wir mir ein dünnes schwarzes Wollkleid und Stöckelschuhe mit hohen Absätzen. Die Kriegsinvalidenberlinklamotten ließ ich in der Kabine liegen. Als ich aus der Kabine herauskam, sagte Efterpi: »Silvana Mangano, *Bitterer Reis.*«

In einem anderen Laden, in dem alte Postkarten verkauft wurden, schenkte mir Efterpi eine Postkarte, eine Fotografie von Man Ray: ›Kiki de Montparnasse‹.

Kiki de Montparnasse saß nackt, beide Arme und den Kopf nach hinten geneigt, ihre langen Haare fielen bis zum Boden. Efterpi sagte: »Schau, du bist das Mädchen. Im Namen von Montparnasse nenne ich dich ›Kiki de Montparnasse‹.« Ich wusste, dass Efterpi die Filme und die Kinos sehr liebte, und sie hatte nur die Figuren aus Filmen und Fotos im Kopf. Es tat mir gut. Auf den Straßen merkte ich, dass Paris keine Türkenprobleme hatte wie Deutschland oder Berlin, aber Paris hatte sicher andere Probleme, mit Algeriern oder Afrikanern. Es war schön, in dieser schönen Stadt in den Spie-

geln der Cafés als Silvana Mangano oder Kiki de Montparnasse zu sitzen, nicht als türkische Putzfrau.

Als wir die Straße Richtung Metro Luxembourg zurückliefen, gingen wir an den gleichen Cafés vorbei. Die Frau, die vor einer halben Stunde die Hand ihres Freundes angefasst und mit der anderen in das Weinglas getunkt und ihre Augenbrauen mit ihren weinnassen Fingern hochgekämmt und uns zugezwinkert hatte, saß noch vor dem Spiegel, sah uns und zwinkerte diesmal mit dem rechten Auge, und ich zwinkerte mit dem linken. Wir nahmen keine Metro, keinen Bus, liefen weiter. Bald taten mir meine neuen Schuhe mit den hohen Absätzen ohne Strümpfe weh. Efterpi sagte: »Kiki de Montparnasse, du hinkst.«

Wir gingen in eine Apotheke, um Pflaster zu kaufen. Der Apotheker, der wie aus einem Chabrol-Film aussah, gab mir ein Pflaster, ich setzte mich auf einen Stuhl, klebte es über die Wunde. Der Apotheker kam, kniete sich vor mich hin, nahm meine Füße, stellte sie auf seine Knie, nahm das Pflaster ab, rieb die Wunde zuerst mit Alkohol ein und tat das Pflaster wieder drauf. Die Kunden warteten. Ich wollte das Pflaster bezahlen, der Apotheker sagte: »Sie haben es schon bezahlt, Madame.« Ich sagte, »Ich habe nicht bezahlt.« Er sagte, »Sie haben bezahlt, Madame«, lächelte unter seinem Schnurrbart und wurde rot.

Als wir aus der Apotheke kamen, regnete es sehr stark. Der plötzliche Regen hatte die Schirmlosen unter den Ladendächern gesammelt, und die schauten auf die, die Schirme hatten, wie die Wartenden auf einem Metrobahnsteig auf die Wartenden auf dem Bahnsteig gegenüber. Die, die Schirme hatten, liefen inmitten der Straße, der starke Regen schlug auf die Schirme. Efterpi hielt ihren Daumen wie beim Autostopp hoch, ein junger Mann mit einem großen Regenschirm hielt an, nahm uns unter seinen Schirm, brachte uns bis zu einer überdachten Bushaltestelle, dann lief er weiter.

Der 21er-Bus kam. Alle Kleider der Menschen, die drinnen saßen oder standen, rochen nach Nässe. Alle nassen Schuhe standen neben den anderen nassen Schuhen, der Regen gehörte Paris. Es wird regnen, Busse und Metros werden die Nassen in sich aufnehmen, und die Nassen werden weiter aus den Busfenstern ihre regnende Stadt sehen.

Ganz hinten im Bus saß ein schwarzer junger Mann. Augen zu redete er laut, sagte:

»De Barbès jusqu'à La Chapelle
nous disons toujours les choses comme ça
oui, n'oublie pas, nous étions les colonies.
Eh bien, tant pis pour vous, qu'est-ce que ça vous apporte?
Métro, boulot, dodo.«

Die Menschen im Bus lachten.

Efterpi übersetzte:

»Von Barbès bis La Chapelle
sagen wir täglich solche Sachen.
Ja, vergiss nicht, wir waren eure Kolonien.
Schade für euch, was habt ihr heute davon?
Metro, Arbeit, Schlaf.«

Ich schrieb in mein Heft: métro, boulot, dodo.

Der Schwarze stieg aus, wir auch. Er ging links, wir gingen nach rechts zur Metro, stiegen in Montparnasse aus, bogen in den Boulevard Raspail, liefen Richtung Denfert-Rochereau. »Kiki de Montparnasse, das ist dein Viertel!« Efterpi blieb vor einem Café stehen, sagte: »Das ist das Café von Jean-Paul Sartre.« Wir schauten eine Weile hinein, besonders auf die Männer, die mit dem Rücken zur Straße saßen, in der Hoffnung, einer davon könnte Sartre sein. Efterpi kaufte mir einen Regenschirm, brachte mich mit der Metro bis zur Place d'Italie. Dort wohnte Benno Besson. Sie sagte: »Kiki de Montparnasse, komm zu uns, wann du willst, ab zwanzig Uhr ist der Türcode 8351.«

Als Besson mich mit Regenschirm und hohen Stöckelschuhen kommen sah, sagte er: »Min, du hast dich für Paris gemacht.« Er nahm meine Reisetasche, trug sie und stellte sie auf einen Stuhl. Wir saßen in der Küche, tunkten trockene Brotstücke in Rotwein, aßen. Besson fragte mich, was ich über das Stück *Der kaukasische Kreidekreis* denke. Besson sagte: »Min, du musst mich kontrollieren. Du musst mir physisch folgen. Hier ist Paris, man lässt sich gehen. Ich war am Berliner Ensemble Brechts Assistent, als er das Stück inszenierte. Du musst mich aus den Bildern, die es in der Brecht-Inszenierung gab, herausholen, entführen. Du musst kontrollieren, dass diese Bilder in unserer Arbeit nie auftauchen. Du und ich müssen uns lange vorbereiten. Sei mein Schatten, kontrolliere mich als mein Schatten.«

Wir lasen eine Szene aus dem *Kaukasischen Kreidekreis*:

In alter Zeit, in blutiger Zeit
Herrschte in dieser Stadt, »die Verdammte« genannt
Ein Gouverneur mit Namen Georgi Abaschwili.
Er war reich wie der Krösus.
Er hatte eine schöne Frau.
Er hatte ein gesundes Kind.[8]

Die Stadt brennt und schreit.

Der Gouverneur wird geköpft, seine Frau haut ab. Die Protagonistin, ein Küchenmädchen des Palastes, Grusche, die das Gouverneurskind, das seine Mutter vergessen hat, aus dem brennenden Palast mit sich nimmt.

Wir redeten weiter über das Stück:

– Es ist Ostersonntagmorgen.

– Quellen aus dem Torbogen des Palastes erst mal Bettler und Bittsteller?
– Vielleicht magere Kinder, mit Krücken, Bittschriften haltend?
– Ostersonntagmorgen, das ist der Tag, an dem sie bitten dürfen.
– Der Gouverneur verteilt Geld. Gibt es Soldaten zwischen Nehmer und Geber?
– Peitschen die Soldaten sie?
– Das hieße also, da sind viel größere Bedürfnisse, als dass das Geld dafür reichen würde?
– Die Antwort darauf, warum die Stadt später brennt?
– Das müsste man zeigen, diese Widersprüche zwischen den schönen Ostern und dieser verdammten Stadt.
– Der schöne Tag spielt auch eine Rolle.
– Warum wollen die Leute das Kind sehen?
– Es ist das Erbe. Es ist die Zukunft.
– Der Witz ist: Man sieht nicht zuerst das Kind.
– Man sieht erst die mageren Kinder, Bettler. Sie zeigen, dass sie Wunden haben.
– Besondere Wunden. Das ist eine Bevölkerung, die die Wunden des Krieges zeigt.
– Diese Leute sehen ein Bild des Glücks, und sie kriegen dafür etwas Geld und Peitschenhiebe.
– Das Bild des Glücks: Der Gouverneur, reich, hat eine schöne Frau, ein Traumkind, mit einem Wort, die armen Leute identifizieren sich mit dem schönen, gesunden Kind. Und mit dem Traumpaar, wie bei dem persischen Schah und Soraya.
– Ein fetter Fürst tritt hinzu und begrüßt die Familie.
– Man muss sehen, dass der Kazbeki ein mächtiger Fürst ist.

– Erstens kommt er alleine. Er ist kein Untergebener, obwohl er sich unterwürfig bewegt.
– Er kommt, um die Macht zu ergreifen.
– Der Kazbeki ist ein Kriegsherr, ein Großgrundbesitzer, ein Faschist.
– Dessen Eigentum Krieg ist.
– Später, als Kazbeki die Macht übernimmt: Wie wird die Festung zur Falle?
– Wie wird die Stille zum Tumult?
– Wie wird der Frieden zu Mord und Totschlag, zu Gewalt und Kindermord?

Ich liebte die Figur Grusche, sie war wie Breughels ›Tolle Grete‹, die sich durch die gefährlichsten Orte auf den Weg machte.

Als Besson und ich zum Théâtre de l'Est parisien, das uns unterstützte, fuhren, fing es wieder an zu regnen. Ich hielt den Regenschirm über uns. Besson sagte: »Min, du musst mich duzen. Am Theater hier duzen sich alle. Wenn du Sie zu mir sagst, wird's komisch.« Ich sagte: »Ja, Benno«, und hustete. Auf dem Weg zum Theater zeigte mir Besson ein Kino, in dem der Film *Pourquoi pas!* lief. Coline Serreau, die diesen Film gedreht hatte, war Bessons Geliebte und würde die Grusche spielen.

Besson fragte mich auf dem Theaterkorridor: »Min, wo wirst du wohnen?« »Ich weiß es nicht. Vielleicht bei Freunden aus Istanbul.« Er sagte: »Nein, nicht bei Türken, die werden dich kassieren, du lernst nicht Französisch.«

Besson gab mir 500 Francs, sagte dem Intendanten, sie sollten für mich ein Hotel für eine Woche finden und man müsse die Schauspieler fragen, ob sie eine Wohnung für mich wüssten. Ich fragte den Intendanten, ob ich aus dem Theaterfundus alte Stoffe, Knöpfe, Watte, Nylonstrümpfe,

Nadel und Faden, Wollstücke, Scheren bekommen könnte. Im Fundus stopfte ich alle Sachen in eine große Plastiktüte, nahm die Adresse.

Das Hotel war in der Nähe vom Theater an der Metro Gambetta. Ich stellte die Taschen und den Regenschirm in das Hotelzimmer, ging in das Café-Restaurant, das neben dem Hotel lag. Dort saß Besson mit Coline Serreau und dem Bühnenbildner Ezio Toffolutti. Die ganze Wand hinter ihnen war durchgehend ein Spiegel. Die Austern auf dem Tisch lagen auf Eis.

Seit ich aus Istanbul weggegangen war, hatte ich keine Austern gesehen. Und jetzt, hier, sah ich uns und die Austern auf dem Tisch und gleichzeitig im Spiegel, ich dachte: Ich bin mit meinen Freunden in Istanbul. Die Kellner lachten mit uns, wie die Kellner in Istanbul. Am Tisch waren wir in Paris, im Spiegel in Istanbul. Im Spiegel sah ich die Tür des Cafés, die auf- und zuging, ständig kamen Leute ins Café und gleichzeitig in den Spiegel. Ihr Lachen war an den Tischen und noch mal im Spiegel. Ihre Jacketts hingen im Café und im Spiegel. Jetzt müsste im Spiegel ein Zug vorbeifahren, mein Ebenbild müsste am Zugfenster stehen und mich mit Besson, Coline und Ezio am Tisch sehen. Dann müsste der Zug aus dem Spiegel rausfahren, und die Frau, mein Ebenbild, die an dem Zugfenster gestanden hatte, müsste plötzlich in diesem Café-Restaurant neben uns am Tisch stehen und uns hier, also neben sich und auch im Spiegel, sehen. Dann müsste der Zug wieder im Spiegel, diesmal in die andere Richtung, fahren. Diese Frau, die ich sein sollte, die im Pariser Restaurant neben unserem Tisch stand, müsste sich im Spiegel und gleichzeitig im Fenster des vorbeifahrenden Zuges sehen. Dann müsste sich der Zug entfernen, und ich müsste nur noch mich am Tisch zwischen Besson und

Coline sitzend mit einer Auster in der Hand im Spiegel sehen, dann nur die Frau, die neben dem Tisch steht, die ich sein sollte, im Spiegel sehen, dann wieder mich zwischen Besson und Coline, Austern in der Hand, im Spiegel, dann wieder nur die Frau neben mir im Spiegel und dann diese Frau gleichzeitig im Zugfenster im Spiegel. Als ich über die Zahl der Frauen, die ich sein sollte, nachdachte, vier oder fünf Frauen, die *ich* waren, sah ich Coline Serreau tief in meine Augen schauen.

Besson, Coline und Ezio gingen, ich setzte mich mit dem Rücken zum Spiegel. Die zwei Kellner räumten den Tisch ab. Ich fragte die beiden auf Englisch, wie sie hießen. Einer sagte Marc, der andere Frank. »Und ich heiße Dollar«, sagte ich. Einer lachte, der andere auch. Ich lachte und fragte sie, ob sie mir leere Weinflaschen geben könnten. Wie viele? Neunzehn. Sie fragten nicht warum. Frank brachte mir sechs leere Weinflaschen, sagte: »Demain – morgen, gebe ich dir mehr.« Ich fragte, ob der Friedhof Père Lachaise in der Nähe sei. Marc fragte mich: »Willst du jetzt hingehen?« »Non, demain«, sagte ich. »Wen willst du da besuchen?« »Edith Piaf und die Kommunarden.« Er nannte mir die Metrostation, Père Lachaise.

IM HOTELZIMMER

Im Hotelzimmer zog ich über die leeren Flaschen Nylonstrümpfe, und mit den Sachen, die ich aus dem Fundus mitgenommen hatte, baute ich Gesichter und Körper der Figuren des Stückes. Staubbedeckte Reiter, Holzkopf, Richter Azdak, die schöne Frau des Gouverneurs, Grusche. Zwischen den Stofffetzen, Knöpfen, farbigen oder weißen Watten, Fotos und Gegenständen verlor ich ab und zu die Nadel, mit der ich Gesichter auf die Strümpfe nähte, suchte sie, fand sie, steckte sie in den Mund, las laut das Stück *Der kaukasische Kreidekreis*, Nadel im Mund, dann verlor ich die Nadel wieder.

Das war meine erste Nacht in Paris – im Hotel mit einer Nadel.

Ich wohne in einer Nadel.

Plötzlich in der Nacht wachte ich auf. Das Hotelzimmer lag halb im Dunkel, halb im grauen Licht, das Zimmer war klein, das Bett zu groß, das Fenster still. Aus den Rohren im Bad kamen keine Geräusche. Was hatte mich geweckt? Kein Lärm, nichts. Es war die Stille. Die Stille hatte mich geweckt: Alle Cafétüren in Paris sind geschlossen. Die Vorhänge der Häuser zugezogen. Im Gare du Nord stehen die Züge still. Die Mülltonnen stehen still. Alle Fahrstühle stehen still. Alle Metros, Autos stehen still. Alle Postkarten stehen still. Alle Weinflaschen warten auf ein anderes Licht, das sie wieder sichtbar macht. Die vergrößerten Fotos der Eltern von Efterpi hängen still an der Wand und werden noch einen Tag älter, nicht sie selbst, aber die Fotos. Alles schläft, auch die türkischen Generäle in Istanbul, die die jungen Menschen aufhängen. Als ich an die Getöteten dachte, verschwand die Stille im Raum, die mich geweckt hatte. Das Pariser Hotelzimmer wurde unruhig, als ob es sich plötzlich erinnert hätte, wie einsam es war. Sogar seine Schatten – einsam. Die schmutzige weiße Farbe der Wände schluckte den halben Zimmerboden und die Hälfte der Bettdecke. Ich bewegte meine Hände vom dunklen in den helleren Teil, schaute auf den Boden, sah dort meine Schuhe im halbhellen Licht stehen. Die Schuhe eines Jungen, der aufgehängt wird. Wer zieht ihm die Schuhe an, bevor man ihn zum Galgen bringt? Zieht er sie selber an oder ein Wächter? Wenn sein Körper in der Luft stirbt und es aussieht, als ob er fliegen würde, bleiben die Schuhe noch an seinen Füßen, oder fallen sie durch den Todeskampf von seinen Füßen? Kurz vorher, wenn er in seiner Zelle einen Spiegel gehabt hätte und davorgestanden wäre: Hätte er seinen Hals angefasst, der dann wie ein junger Ast am Galgen zerbricht?

Ich knipste die Tischlampe an, der Raum, der Tisch, der Stuhl, der Vorhang, alle standen still, artig auf ihren Plätzen. Auf dem Tisch sah ich die Weinflaschen, an denen ich, bevor ich schlief, gearbeitet hatte. Ich nahm eine davon und wollte an Holzkopf weitermachen, dem gefährlichen Panzerreiter Holzkopf, der die Protagonistin, das Küchenmädchen Grusche, auf ihrer Flucht auf der Landstraße trifft, der Grusche vergewaltigen, sie und das Gouverneurskind, das Grusche aus dem brennenden Palast mit sich genommen hat, töten will. Zwischen den Requisiten, die ich aus dem Theaterfundus mitgenommen hatte, war eine kleine Nagelschere. Ich nähte die geöffnete Schere senkrecht auf den Strumpf als Gesicht des gefährlichen Panzerreiters Holzkopf. Die Löcher, wo man die Schere anfasst, wurden seine Augen, die offene Schere seine Nase und die Scherenspitze der Mund. Ich färbte eines seiner Augen rot. Seinem Helfer, der auch ein gefährlicher Gefreiter war, nähte ich als Augen und Mund Rasierklingen an. Mit Nadel- und Fadenbewegungen, die zwischen dem Holzkopfgesicht und der Luft hin- und hergingen und einen ruhigen, begrenzten Raum schufen, kam der Morgen. Das schwarze Zimmermädchen klopfte an die Tür, rief laut: »Votre petit-déjeuner, Madame«, schloss auf, stellte das Frühstückstablett mit einem Schwung auf meinen Schoß im Bett und ging hinaus.

Man darf in Paris nicht zu Hause bleiben.

Ich ging zum Friedhof Père Lachaise, fand das Grab von Edith Piaf, öffnete das Heft, in das ich meine ersten französischen Wörter geschrieben hatte, sagte: »Bonjour Edith Piaf, ich lerne deine Sprache, ich liebe dich, ich kann auf Französisch sagen:

Non, rien de rien,
Non, je ne regrette rien.«

Ich lachte und las weiter:

Au bout du boulevard
occupé
sauvage
la tristesse, c'est un chat étendu comme un drap sur la route.
Bonne journée, Madame.

»Edith, ich komme morgen wieder.«

Von Edith Piafs Grab lief ich zur Mur des Fédérés – Mauer der Commune. Jemand hatte mir erzählt, die Kommunarden, die letzten Kämpfer der Pariser Kommune, wurden 1871 vor dieser Mauer erschossen und dort alle zusammen

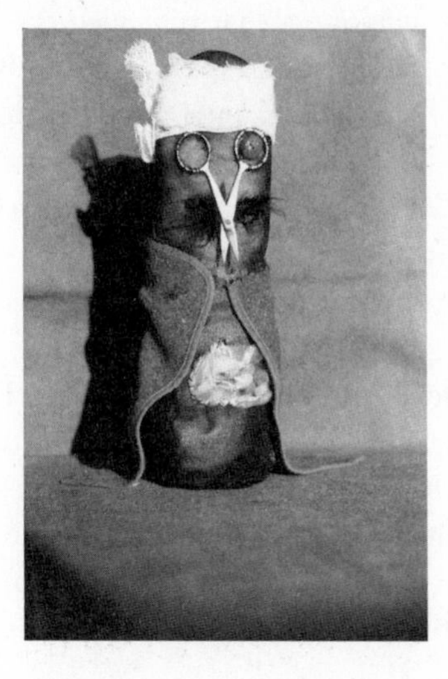

verscharrt. Das war diese Mauer. Warum konnte man in Paris die toten Kommunarden finden, und warum konnte man in Draculas Grab Berlin oder in Deutschland das Grab der jüdisch-deutschen Dichterin Else Lasker-Schüler nicht finden, oder das von Carl Zuckmayer oder das von Walter Benjamin? Paris hatte seine Toten oder Getöteten nicht verloren, Berlin hatte seine Toten verloren.

An der Rue de la Glacière tat die spanische Portiersfrau gerade die Briefe in die Briefkästen, sagte, ohne sich zu mir umzudrehen: »Madamm.« Ich lief wieder durch den dunklen Korridor in den Garten. Beim Vorbeigehen schaute ich durch die Glastüren in die ersten zwei Studios hinein. In dem ersten Studio stand eine Frau mit dem Rücken zum Garten, zog gerade ihren Mantel aus und hängte ihn an einen Porte-Manteau. Aus dem zweiten Studio kamen Radiostimmen, der Istanbuler Grieche, der Historiker und Urbanist Stefanos Yerasimos, las am Tisch gerade die Zeitung *Le Monde*, die er vor sein Gesicht hielt. Efterpis Glastür war halb offen. Sie entfernte gerade mit einer Bürste die Katzenhaare von Badis Kissen, und Badi stand im Garten unter dem kleinen Birkenbaum, schaute hoch zu einem Vogel. Wieder hörte ich aus einem offenen Fenster des Hochhauses Schreibmaschinengeräusche.

Efterpi sagte: »Prenez place, Madame – setzen Sie sich, Madame.«

Ich setzte mich der Wand gegenüber, an der die vergrößerten Bilder von Efterpis getöteter Mutter und getötetem Vater hingen. Ich schaute auf die schwarze Zigarre im Mundwinkel des Vaters von Efterpi, der die Unterlippe ein bisschen vorgeschoben hatte, um sie festzuhalten.

»Je vous présente ce livre – ich präsentiere Ihnen dieses

Buch.« Efterpi legte ein französisches Grammatikbuch auf den Tisch, übte mit mir zwei Stunden Französisch. Irgendwann flog ein Vogel durch die halb offene Glastür in den Raum herein und pickte die Baguettekrümel auf dem Tisch. »Un oiseau – ein Vogel«, sagte Efterpi. Oiseau flog wieder hinaus. Efterpi zog ihre Glastür von rechts nach links. Die schwere Glastür fuhr durch die Metallschiene und quietschte.

Über die Treppe kam ein Mann herunter.

Efterpi sagte: »Mon mari, Charis – mein Mann, Charis.«

Charis lächelte, gab mir die Hand, setzte sich sofort an einen Tisch, knipste die Tischlampe an, fing an zu arbeiten. Gegen Mittag kam Yerasimos von nebenan, sagte, dass ein türkischer Freund aus Istanbul zum Essen kommen werde. »Wollt ihr auch kommen?« Wir alle gingen zu ihm, auch Katze Badi kam mit. Bei Yerasimos gab es auch eine Katze, Pambuh. Badi sprang auf den Sessel von Pambuh, setzte sich zu ihr. Katze Clochard lief draußen zwischen den Bäumen rum und schaute auf uns. Die Frau von Yerasimos erzählte mir, dass sie auch oben ihre Terrassentür, wie Efterpi, offen lässt. Clochard kam in manchen Nächten, wenn alle schliefen, suchte nach Pambuh, blieb ein paar Stunden bei ihr, dann verschwand sie über die Treppe hoch in die erste Etage durch die Terrassentür wieder. Yerasimos und Efterpi sprachen mal griechisch, mal türkisch, mal französisch über die japanischen Filme von Ozu, Mizoguchi oder Naruse, die gerade in Paris liefen, oder über die ohnmächtigen türkischen Zeitungen, über Militärputschisten, über unfähige Politiker, über den Krieg mit den Kurden oder über den Zypernkonflikt.

Yerasimos sagte: »Den Zypernkonflikt kann man mit UNO-Soldaten usw. lösen, aber für den Krieg mit den Kurden, da wird es keine Lösung geben.«

»Felaket, felaket – Katastrophe, Katastrophe«, sagte er.

Yerasimos holte die türkischen Zeitungen aus dem Papierkorb, sagte: »Ich hab's satt, täglich den Atatürk in den Papierkorb zu werfen.« Damals, Ende der Siebzigerjahre, gab es in den türkischen Zeitungen fast täglich Atatürk-Bilder, alle suchten in ihm die Hoffnung. Ich sagte: »Stéphane, der DDR-Schriftsteller Heiner Müller sagt in etwa: In einem Land, in dem es keine Hoffnung gibt, sucht man die Hoffnung bei den Mumien.«

Der Besuch kam, ein junger Philosoph, ein Historiker aus Istanbul, der im Gefängnis gesessen hatte und von den Putschisten gefoltert worden war. Nach dem Essen erzählte er uns, wie man ihn gefoltert hatte. Als er fertig war und schwieg, dachte ich an das Foto von Efterpis Vater, dachte an den Mundwinkel mit der schwarzen Zigarre. Efterpi stand langsam auf, lief langsam die Treppe in die erste Etage hoch. Dann machte sie schnell die Toilettentür auf, kotzte, lief die Treppe wieder langsam herunter, hielt ihre Hand auf ihren Magen, sagte langsam: »Entschuldigung.« Dann sagte sie mir: »Ich muss von dir lernen, zu den Geschichten Distanz zu halten, das ist die brechtsche Lehre, oder?«

»Was heißt Distanzhalten auf Französisch, Efterpi?«

»Avoir distance.«

Yerasimos kam mit einem dicken Buch in der Hand an den Tisch, sagte: »Das ist die Doktorarbeit eines meiner Urbanistikschülers. Er hat in Paris viele Leute gebeten, ihren persönlichen Parisstadtplan auf ein weißes Blatt zu zeichnen. Alle haben sehr, sehr unterschiedliche Stadtpläne von ihrem Paris gezeichnet.«

Er fragte uns, ob auch wir unseren persönlichen Stadtplan auf ein Blatt Papier zeichnen würden. Alle bekamen Papier und Stift. Auch unsere persönlichen Parisstadtpläne waren ganz unterschiedlich. Jeder hat in einer Stadt seine persönliche Stadt. In meinem Zwei-Tage-alten-Parisstadtplan gab es eine Telefonzelle, den blinden Gaspard, die Metro Glacière, eine Parkbank, Efterpis Tür, Katze Badi, Katze Clochard, den Boulevard Raspail, das Café von Jean-Paul Sartre, die Metro Place d'Italie, wo Bessons und Colines Haus war, die Metro Gambetta, das Théâtre de l'Est parisien, ein Hotel, Edith Piafs Grab und Gräber der Kommunarden auf dem Friedhof Père Lachaise. Efterpi zeichnete in meinen Stadtplan die Metrostation Vavin ein und den Namen einer französischen Sprachschule, Alliance Française, sagte dann: »Wir gehen dich jetzt einschreiben.«

Yerasimos machte seine Glastür auf, das schwere Glas fuhr durch die Stahlschiene und quietschte. Wir gingen, Katze Badi blieb bei ihrer Freundin Pambuh. Von der Metro Vavin liefen wir den Boulevard Raspail zur Alliance Française hoch. An der Ecke sah ich plötzlich Balzac. Ich freute mich, dass ich auf dem Weg zum Französischunterricht jeden Tag Rodins »Balzac« sehen konnte. Er wird immer dort stehen. »Bonjour Balzac.« In der Alliance Française nahmen wir gemeinsam mit zwei Frauen den Fahrstuhl, in dem nur vier Leute fahren durften, in die Etage, in der der Sprachkurs war. Wir fuhren los, auf der ersten Etage hielt der Aufzug, eine Frau draußen machte die Tür auf, schaute herein, aufgeregt sagte sie: »Vier Leute sind zu viel, eine muss raus, der Fahrstuhl trägt es nicht!« Eine der Frauen stieg mit Panik aus, die Frau, die draußen stand, kam schnell herein, drückte die dritte Etage, Efterpi lachte, fragte sie: »Aber der Fahrstuhl ist doch für vier Personen, warum haben Sie das gesagt?« Die Frau sagte: »Ich habe es eilig.«

Mit Besson ging ich abends ins Bouffes du Nord, das Theater von Peter Brook, um von ihm eine Inszenierung zu sehen und für unser Stück Schauspieler zu suchen. In der Pause ging ich an die Bar, dort sah ich Peter Brook. Er schaute in die Gesichter der Zuschauer. Als wir aus dem Théâtre des Bouffes du Nord herauskamen, lagen die Straßen unterm Nebel. Die Autos fuhren sehr langsam. Menschen liefen langsam, der Nebel schluckte auch die Straßenlampen. Er schluckte die Nacht. Als wir vorsichtig durch den Nebel liefen, fragte ich Besson: »Benno, was heißt Nebel?«

»Brouillard.«

Ich wiederholte es, aber es war ein schweres Wort. »Buhiard.«

Besson lachte. Sagte: »Brouillard.« Ich artikulierte es wieder falsch. Besson lachte, und alles war im Nebel, sogar Besson neben mir, und nur sein Lachen war zu hören. Ich dachte: Der Nebel, der die ganze Stadt unsichtbar gemacht hat, lacht.

»Benno, weißt du, wo Yves Montand wohnt?«

»Ja, warum?«

»Ich liebe Yves Montand. Er hat sogar ein Gedicht von unserem Dichter Nâzım Hikmet gesungen. *Du bist wie ein Skorpion, Bruder.*«

Besson sagte: »Yves ist ein Freund von mir. Bei unserer Premiere kannst du ihn kennenlernen.«

Jetzt lief ich noch langsamer. Mein Leben im Nebel noch mehr verlangsamen, und noch mehr, und noch mehr. Dieser Moment im Nebel mit Besson, der mein Land ist, in dem ich wohne, mein Land, mit dem ich im Nebel laufe, mein Land, der ein Freund Yves Montands ist, der von dem türkischen Dichter Nâzım Hikmet ein Gedicht gesungen hat. Nâzım Hikmet, der nur wegen seiner Gedichte dreizehn Jahre im

Gefängnis gesessen hat und von dem die ganze 68er-Generation in der Türkei wenigstens zehn Gedichte auswendig kann. In Draculas Grab Berlin hatte ich nur in Ostberlin Leute getroffen, die Nâzım Hikmet kannten, nicht aber in Westberlin, und in Paris kannten ihn viele. Im Nebel gingen wir sehr langsam weiter. Dann sagte Besson: »Vorsicht, Metrotreppen.«

Der Nebel blieb oben. Auf dem Bahnsteig unten ging ein Clochard hin und her, der ein kaputtes Auge hatte. Wie einen Umhang hatte er seine Bettdecke über seine Schulter geworfen und wiederholte die Sätze:

»La nuit qui fait gris tous les chats.

La putain qui vend ses serments.

L'oiseau qui trouve son manger

À la barbe du boulanger.

C'est la vie.«[9]

Besson sagte: »Die Nacht, die alle Katzen grau macht, die Nutte, die ihren Schwur verkauft, der Vogel, der sein Futter am Bart des Bäckers findet. Das ist das Leben – c'est la vie.«

Die Metro war voll. Wir saßen zwei schwarzen Frauen gegenüber. Die, die gegenüber Besson saß, war sehr schön, hatte sehr lange Beine, sodass Besson, um ihren Beinen Platz zu machen, seine Beine fest zusammenhalten musste. Die schwarzen Frauen stiegen aus, Besson sagte: »Sie hatte so lange Beine, ich wusste nicht, wie ich sitzen sollte.« Ich sagte: »C'est la vie.« Besson lachte.

Als ich in der Metro Gambetta ausstieg, war der Nebel schon verschwunden. Die Nacht macht alle Katzen grau. Der Nebel hatte die Nacht grau gemacht, und jetzt war er weg. Die Nachtportiersfrau des Hotels stand hinter der Theke gegenüber einem Hotelgast. Ich setzte mich auf einen Sessel, blieb fast eine halbe Stunde da sitzen. Während dieser halben Stunde sprach nur der Gast mit der Hotelière. Sie hörte nur zu, und ab und zu, wenn draußen ein Auto laut vorbeifuhr, hörte sie dem Auto zu. Der Gast setzte sich manchmal auf den Sessel neben mir, von dort aus sprach er weiter mit der Hotelfrau, dann stand er auf, ging wieder zu der Theke, sprach dort weiter, die Frau hörte ihm zu, dann fuhr wieder ein Auto vorbei, die Hotelfrau hörte wieder dem Auto zu. *Die Traurigkeit ist eine Katze, ausgebreitet wie ein Tuch auf der Straße.* Als ich die Treppe hochlief, hörte die Hotelfrau, ohne ihren Kopf zu bewegen, meinen Schritten zu. Der Gast redete weiter.

In meinem persönlichen Parisstadtplan kam ein neuer Ort dazu: Metro Opéra. Das Festival d'Avignon, für das wir das Stück vorbereiteten, hatte uns dort einen Büroraum zum Arbeiten gegeben. Dort traf ich mich mit Besson und dem Bühnenbildner Ezio, und wir redeten über unser Stück: Männerwelt, Krieg, Blut, Putsch, Bürgerkrieg, die absolut verkehrte Welt. Wir redeten über die männliche Hauptrolle, Dorfrichter Azdak, der am Ende des Stücks das Gouverneurskind nicht seiner richtigen Mutter, sondern Grusche zuspricht:

»Man muss in dem Flüchtling gleich den Großfürsten erkennen. Er muss ein besonderer Bettler sein.« »Der Großfürst rennt vor der Polizei weg.« »Azdak ist kein Lump, er spielt es nur, als Dorfschreiber in diesem Dorf hat er wenig zu schreiben.« »Er hat eine Hütte, niemand kleidet ihn ein, ein richtiger Säufer, die Flasche ist seine Mama.« »Er hat studiert, er hätte auch eine Karriere machen können, er ist ein Künstler.« »Er ist verkommen, verworfen.« »Da die Putschpolizei hinter dem Großfürsten her ist, identifiziert sich Azdak vielleicht mit ihm, weil er selber ein Flüchtling ist.« »Nein, er hat kein gutes Herz.« »Die Art, wie Azdak redet, hält seinen Geist fit. Er trainiert seinen Geist.« »Der als Bettler verkleidete Großfürst ist ihm ein Rätsel. Azdak nimmt ihn auf, weil der Kerl ihm eine Frage ist. Wenn eine Frage gestellt wird, geht Azdak hinterher. Das ist seine Krankheit.« »Denn er ist auch sinnlich, er kann fühlen und schmecken. Die Fragen wecken bei ihm echte Bedürfnisse.« »Was kann verführerischer sein als eine Frage?« »Er ist ein enttäuschter Revolutionär, der einen Lumpen spielt.« »Er ist überneugierig, sein Geist ist absolut gewachsen.«

Am nächsten Tag nahm ich die neunzehn Weinflaschen, die ich mit den übergezogenen Strümpfen zu neunzehn Figuren des Stücks gemacht hatte, mit in unseren Arbeitsraum bei der Metro Opéra. Besson stellte alle Figuren nebeneinander auf einen langen Tisch, setzte sich wieder zu uns. Dann stand er auf, ging wieder zu den Figuren, kam zurück, setzte sich wieder zu uns, ging wieder zu den Figuren. Ich war sehr glücklich, weil mein Meister Besson, in dem ich wohnte, sehr glücklich war. Einer der Mitarbeiter des Festivals d'Avignon sah die Figuren und sagte: »Diese Puppen müssen ins Theatermuseum, in die Maison Jean Vilar in Avignon. Dort kann man den Besuchern zeigen, mit welchen Mitteln, mit welchen Ausdrucksmitteln, mit welcher Kreativität man über Theaterstücke nachdenkt.«

Als ich in der Nacht in mein Hotel zurückkam, sah ich die Nachtportiersfrau wieder hinter ihrer Theke stehen. Sie gab mir meinen Zimmerschlüssel, schaute auf mein Gesicht, aber hörte dem Auto zu, das gerade an dem Hotel vorbeifuhr. Ich blieb auf der Treppe in einer dunklen Ecke stehen, schaute auf sie. Als zwei Menschen am Hotel vorbeiliefen, hörte sie ihren Stimmen zu. Auf der anderen Seite der Gasse ging eine Cafétür auf, die Nachtportiersfrau hörte diesen

Türgeräuschen zu. Wohnte diese Frau in den Geräuschen der Nacht?

Ich knipste in meinem Zimmer das Licht an. Das Licht, die Glühbirne, das Bett, der Tisch, der Stuhl, die Vorhänge, alle waren an ihren Plätzen, die Schere, die Nadel, der Faden, die vielen Stoffstücke, Watten, der Farbkasten, die Pinsel, Korken, Knöpfe, Rasierklingen, Zwiebeln, der Theaterschmuck, verschiedene Wolle, Haarwickler, Telefonjetons, ein paar leere Weinflaschen, Fotos, Lederstücke und andere kleine Gegenstände, alles, was ich vom Theater mitgenommen hatte, um meine Figuren zu bauen, stand auf dem Tisch, nur die neunzehn Figuren waren nicht mehr da. Sie wohnten nicht mehr in diesem Hotel. Sie hatten vor mir das Hotel verlassen. Und ich musste am nächsten Tag das Hotel verlassen, das Theater hatte für mich eine Bleibe gefunden. Ein Schauspieler, der auf Tournee ging, hatte gesagt, dass ich in seiner Wohnung ein paar Wochen wohnen könne.

Am nächsten Morgen nahm ich die Schlüssel, schrieb die Adresse auf: Metro Cardinal Lemoine, küsste den Verwaltungsmann dreimal auf seine Wangen, packte meine Taschen, zahlte das Hotel – der Hoteltagportier sagte: »Madame« –, ging zu dem Café, in dem Marc und Frank als Kellner arbeiteten, nur Marc war da, er schenkte mir ein kleines Liederbuch mit einem Foto von Piaf darauf, sagte: »Ta copine – deine Freundin.« Ich umarmte ihn und sah uns im Spiegel. Das Café war noch ganz leer. Im Wandspiegel waren nur die leeren Tische, die leeren Caféstühle und zwei Menschen zu sehen, die sich im leeren Raum umarmten. Dann ging Marc im Spiegel nach rechts, ich im Spiegel nach links zur Tür und lief dann zum Friedhof Père Lachaise, auf dem Edith Piafs Grab lag. Als ich am Grab von Edith Piaf stand, um ihr meine neu gelernten französischen Wörter zu sagen, fing ein Regen an, zuerst fein und mit einer stillen Stimme, dann aber laut und schnell alle Gräber und mich nass zu machen. Ein Regen, unter dem alle Gräber noch mehr Gräber wurden, der Friedhof ein Garten, ein Steingarten unter dem starken Regen, ein Garten der Elegie, der sich um diese Morgenzeit mit Regen wusch. Der Regen schlug auch die Blätter, die Blumen, die an manchen Gräbern lagen, die Blätter lösten sich von ihren Stielen, fielen hinunter. Als der Regen noch schneller schlug, sah ich Edith Piafs Grab und die Gräber der anderen wie in einem zitternden, alten Schwarz-Weiß-Film. Wie viele Wörter haben die Toten mit sich genommen? Wie viele Wörter liegen da jetzt unten? Der Regen, unter dem dieser Friedhof wie ein kaputter Schwarz-Weiß-Film zittert, wird von den Grabsteinen, und von der Erde runter, tiefer in die Gräber fließen und dort Wörter finden. Gesagte und nicht gesagte Wörter der Toten. Die Toten nahmen alle ihre Wörter mit ins Grab, auch die nicht gesagten Wörter. Wie schön wäre es, wenn ich all ihre Wörter, die sie gesagt haben, so wie sie auf Französisch sagen könnte, sagen könnte wie Edith Piaf diese Wörter: *Les amants de Paris couchent sur ma chanson – die Liebenden von Paris schlafen in meinen Liedern; à Paris, les amants s'aiment à leur façon – in Paris lieben sich die Liebenden auf ihre Art.*

Die Toten erinnerten mich an meine Sprachlosigkeit mehr als die Lebenden. Ich hatte als Lebende nur eine Hand voller französischer Wörter, nicht ein Leben voller Wörter wie die Toten. Trotzdem versuchte ich, Piaf etwas zu erzählen:

Edith Piaf, bonjour ma copine.
Au bout du boulevard
deux amis
Gaspard et Maurice
et une cabine téléphonique

téléphone est occupé
avoir distance, clochard, brouillard, la nuit qui
fait gris tous les chats, un oiseau qui trouve son manger
à la barbe du boulanger
Pourquoi pas métro Boulot Dodo
C'est la vie
Am Ende des Boulevards
zwei Freunde
Gaspard und Maurice
und eine Telefonzelle
das Telefon ist besetzt
Distanz halten, Clochard, Nebel, die Nacht, die
alle Katzen grau macht, ein Vogel, der sein Futter
im Bart des Bäckers findet
Warum nicht Metro Arbeit Schlaf
Das ist das Leben.

Der Regen machte mich und meine paar französischen Wörter nasser und nasser. Als ich aus dem Friedhof Père Lachaise herauskam und auf den Straßen die Menschen sah, die durch den lauten Regen mit ihren noch lauter gewordenen Wörtern vor sich herliefen, sprachen oder lachten, kamen diese Menschen mir wie große Musiknoten vor. Nicht nur die Toten, auch diese Menschen auf den Straßen, die wie große Musiknoten miteinander sprachen, erinnerten mich an meine Sprachlosigkeit. Ich stieg in die Metro, die nach Nässe roch, in einer leeren Ecke des Abteils pinkelte ein Clochard lange, seinen Penis in der Hand, sein Urin lief an den Sitzplätzen vorbei, und plötzlich roch die Metro nach saurem Wein. Wie viele gesagte und nicht gesagte Wörter wird dieser Clochard mit sich nehmen, wenn er stirbt? Als ich am Saint-Michel aus der Metro herauskam, lief ich den Boulevard hoch, wo der blinde Gaspard und Maurice gelaufen waren, in Richtung Luxembourg, sah auf dem Weg die Telefonkabine, von der aus ich am ersten Tag in Paris Besson angerufen hatte, ging hinein, nahm den Hörer in die Hand, lehnte mich ans Telefon, schaute auf die Menschen, die auf dieser oder auf der anderen Seite des Boulevards liefen, dachte bei jedem, der vorbeiging: Wenn dieser Mensch stirbt, wie viele gesagte und nicht gesagte Wörter wird er mit sich nehmen? Und diese Frau, die wie Picassos Mädchen mit Pferdeschwanz aussieht – wenn sie stirbt, wie viele gesagte und nicht gesagte Wörter wird sie mit sich nehmen? Und die beiden jungen Männer mit ihren Halstüchern und Regenschirmen, die gerade eine Cafétür aufmachen – wie viele gesagte und nicht gesagte Wörter werden sie mit sich nehmen, wenn sie sterben? Und die dicke schwarze Frau, deren Hintern sich wie der von einem Pferd, das gerade von einem ihm bekannten Dorf zu dem anderen ihm bekannten Dorf lief, bewegt – wie viele gesagte und nicht gesagte Wörter wird sie mit sich nehmen, wenn sie stirbt? Zwei Frauen warteten vor der Telefonzelle. Diese zwei Frauen, eine Juliette Gréco ähnelnd – wie viele gesagte und nicht gesagte Wörter werden sie mit sich nehmen, wenn sie sterben? Ich lief vom Luxembourg in Richtung Boulevard Arago, sah links, rechts in ihren kleinen Läden die Boutiquebesitzer, die sich in Ruhe in ihren Räumen bewegten, oder einen Kellner, seine beiden Hände an der Theke, mit einem Kunden reden. Wie viele gesagte und nicht gesagte Wörter werden sie alle mit sich nehmen, wenn sie sterben? Der 21er-Bus fuhr vorbei, voll mit Menschen, ich dachte wieder: Und die, die alle im Bus – wie viele Wörter werden die mit sich nehmen, wenn sie sterben? Durch den starken Regen hatte sich an manchen Stellen der Straße Wasser gesammelt. Ein Auto fuhr vorbei, ich sah den Fahrer, dachte wieder: Wie viele Wörter wird dieser Mann mit sich nehmen, wenn er stirbt? In diesem Moment spritzten die Räder das Straßenwasser auf mein Kleid und meine Beine. Ich fragte nicht mehr, lief still bis zu Efterpis Haus an der Rue de la Glacière. An Efterpis Glastür hing ein Zettel: »Die Tür ist offen, ich komme gleich.« Ich setzte mich an den Tisch, machte meine Augen zu, versuchte, dem Vogelgezwitscher zuzuhören. Dann dachte ich: Wie viele Wörter wird dieser Vogel mit sich nehmen, wenn er stirbt? Ich saß auf dem Stuhl gegenüber der Wand, an der die Fotos von Efterpis Eltern, die in Thessaloniki von Nazis ermordet worden waren, hingen. Obwohl ich nicht mehr denken wollte, fragte ich mich wieder: Wie viele gesagte und nicht gesagte Wörter haben Efterpis Mutter, Efterpis Vater mit sich genommen, als sie starben? Um nicht mehr ihre Bilder zu sehen, setzte ich mich auf den Stuhl gegenüber dem Garten. Hinten im Garten, vor der Mauer, saß Monsieur Umberto auf der Parkbank. Obwohl ich mir Mühe gab, um nicht mehr an die in den Tod mitgenommenen Wörter zu denken, dachte ich trotzdem: Wie viele Wörter, wie viele gesagte und nicht gesagte Wörter wird Monsieur Umberto, dem man seine Erfindung gestohlen hat und der durch den Diebstahl seiner Erfindung zu einem denkunfähigen Gespenst geworden ist und nicht weiß, wie ihm geschah, mit sich nehmen, wenn er stirbt? Um nicht mehr an Umberto zu denken, stand ich auf und setzte mich mit dem Rücken zum Garten. Ich sah Monsieur Umberto nicht mehr, aber jetzt sah ich die Katze Clochard, der man ihre Vorderbeine kaputtgeschlagen hatte und die seitdem vor Menschenbeinen Angst hatte, auf der Treppe sitzen und in meine Richtung schauen. Sofort dachte ich: Wie viele gesagte und nicht gesagte Wörter wird Clochard mit sich nehmen, wenn sie stirbt? Ich setzte mich wieder auf einen anderen Stuhl am Tisch, um Clochard nicht mehr zu sehen. Auf einer Zeitschrift sah ich ein großes Bild von François Mitterrand und dachte: Wie viele Wörter wird Monsieur Mitterrand mit sich nehmen, wenn er stirbt? Hinter mir ging die schwere Glastür auf, die Tür fuhr durch die schwere Stahlschiene und quietschte. Efterpi legte das Baguette auf den Tisch. Um mir nicht die Frage, *wie viele Wörter wird Efterpi mit sich nehmen, wenn sie stirbt*, zu stellen, erzählte ich ihr sofort, dass ich seit heute früh an die gesagten und nicht gesagten Wörter, die man mit sich nimmt, wenn man stirbt, denke, aber nicht denken will. »Was soll ich machen?«

Efterpi lächelte, dachte ein bisschen nach, sagte dann langsam: »Vielleicht hast du Sehnsucht nach deiner Mutter, deinem Vater, deinen Geschwistern. Du musst sie anrufen, Kiki de Montparnasse.«

Sie meldete einen Anruf nach Istanbul an, es werde drei, vier Stunden dauern, bis die Verbindung hergestellt sei, sagte die Telefonistin.

Efterpi sagte: »Jetzt lernen wir weiter Französisch, assieds-toi – setz dich!«

Als es nach ein paar Stunden klingelte, rannte ich, meine Teetasse in der Hand, zum Telefon. Mein Vater sagte wie bei jedem Telefonat: »Meine Tochter, wann kommst du, ich will dich sehen, bevor ich sterbe.«

Meine Mutter lachte im Hintergrund, sagte: »Du wirst nicht sterben, mach das Mädchen nicht traurig.«

Als ich mit meiner Mutter sprach und zu ihr immer wieder »Anne, Anne – Mutter, Mutter« sagte, sah ich Efterpi an, die dieses Wort »Anne« nie sagen konnte, weil sie erst zwei Jahre alt gewesen war, als ihre Mutter von den Nazis getötet wurde. Sie saß am Tisch mit einem kleinen Lächeln um den Mund und hörte das Wort »Anne, Anne«, als ob sie dem

Rauschen eines Meeres zuhören würde. Die Wellen steigen, steigen, werden laut, dann ziehen sie sich zurück, atmen ein, dann steigen die Wellen mit lauten Geräuschen wieder hoch.

»Efterpi, meine Mutter möchte mit dir reden.«

Efterpi kam schnell zum Telefon, stieß an die Teetasse, die ich auf den Boden gestellt hatte, die Tasse zerbrach in zwei Teile. Efterpi merkte es nicht, sprach mit meiner Mutter. Erst als sie fertig war, sah sie die zweigeteilte Tasse, nahm sie in die Hand, blieb weiter neben mir, neben dem Hörer. Ich fragte meine Mutter, ob die Hubschrauber in Istanbul weiter so nah über den Menschen fliegen würden. Meine Mutter sagte: »Ja, sie wollen nicht zulassen, dass die Menschen hier denken, Fragen stellen, sich entwickeln. Weißt du, was mich böse macht? Die Menschen hier kommen in die Welt, wissen, wer sie sind, aber erfahren nie, was sie noch sein könnten. Wir sitzen hier wie Kriegsgefangene in unserem eigenen Land.«

Ich sagte: »Ai, ai, ai, ai, ai, ai, ai.«

Meine Mutter sagte: »Bevor ich sterbe, möchte ich Paris sehen.«

»Ja, Anne.«

Ich hörte durchs Telefon wieder Hubschraubergeräusche, die über die Istanbuler Dächer flogen.

Efterpi und ich setzten uns an den Tisch, klebten gemeinsam die in zwei Teile gesprungene Teetasse wieder zusammen, ich schaute dabei auf das Foto von Efterpis Mutter. Sie hatte ein schwarzes Jackett an. Der Tag, als sie sich fotografieren ließ – wonach roch die Luft? Nach Salz, nach Fisch, nach Südwestwind? Einmal am Himmel riechen, dann geht die Welt auf. Ein andermal am Henkersmantel riechen, dann geht die Welt zu. Wo blieben dann die geblickten Blicke von gestern? In einer Straßenecke, die friert? Efterpi versuchte, von meinen Fingern die Uhuklebereste abzumachen. Draußen kratzte Badi an der Glastür. Hinter Badi stand Monsieur Umberto. Efterpi zog die schwere Glastür nach rechts. Badi und Umberto kamen herein.

Monsieur Umberto sagte: »Est-ce que vous allez bien, Madame?« »Ja, Monsieur. Ich glaube, Sie wollen gerne einen Kaffee.«

»Oui, aber einen sehr kleinen. Kaffee ist nicht gesund.«

Efterpi sagte: »Der Kaffee schadet nicht.«

Monsieur Umbertro trank seinen Kaffee, dann schwieg er.

Efterpi hatte mir gesagt: »Er trinkt Kaffee, danach wird er abwesend. Das zwingt mich, ihn zu beobachten. Ein denkender Mensch, ein Erfinder, durch den Diebstahl seiner Erfindung zu einem denkunfähigen Gespenst geworden. Das macht mich betroffen.«

Die kaputtgegangene Tasse, die Hubschrauber über Istanbul im Hörer, Monsieur Umberto und oben im Wandloch, in der Tiefe der Wand, Katze Clochard, die Fotos von Efterpis Eltern, sie waren alle da. Und alle schwiegen. Versteckte sich Monsieur Umbertos Schweigen besser im Tag als in der Nacht? Ich schob meinen Stuhl mit einem lauten Geräusch näher zum Tisch, um von Monsieur Umberto irgendeine Reaktion zu sehen, er blieb aber weiter unbeweglich, mit hochgestrecktem Kopf da sitzen.

Wie viel Elegie, die an der Welt vorbeigegangen ist, wie viel Schmerz, alles werden wir fühlen.[10]

Ich ging zur Sprachschule. Im Fahrstuhl traf ich die Frau, die gesagt hatte: »Eine muss aus dem Fahrstuhl raus«, dann aber selber eingestiegen war. Sie stieg wieder in der dritten Etage aus. Die Lehrerin, eine sehr dünne Frau, eine Nonne, ließ uns das Verb *wohnen* beugen: j'habite, tu habites, il habite –

ich wohne, du wohnst, er wohnt. Dann fragte sie uns, wo wir wohnten. Ich sagte: »J'habite chez Cardinal Lemoine.« Die dünne Lehrerin lachte, sagte: »Chic, sie wohnt bei Cardinal Lemoine.«

»Non, j'habite dans métro Cardinal Lemoine – nein, ich wohne in der Metro Cardinal Lemoine.«

»Elle habite dans le métro Cardinal Lemoine. Avec les clochards? – Sie wohnt in der Metro Cardinal Lemoine. Mit den Clochards?«

Dann fragte sie uns, was ein Clochard sei. Ich zitierte den Satz von dem Clochard, den ich mit Besson getroffen hatte. Ich sagte: »Un clochard est un oiseau qui trouve son manger

à la barbe du boulanger.

Ein Clochard ist ein Vogel, der sein Futter

an dem Bart des Bäckers findet.«

Später, als ich zu Besson ins Büro des Festivals d'Avignon fuhr, fragte mich an der Metro Opéra ein Clochard: »Est-ce que tu as trois, quatre francs? – Hast du drei, vier Francs?« Drei, vier Francs war der kleine Brotkrümel, der an dem Bart des Bäckers hing. Den der Vogel finden konnte.

Mit Besson sprachen wir über die Szene mit der Protagonistin, dem Küchenmädchen Grusche, und ihrem Soldaten Simon:

»Das Gespräch zwischen beiden soll sich entwickeln.«

»Simon schäkert mit ihr, aber er schäkert im Sinne von: ›Man muss vorsichtig sein mit den Frauenzimmern.‹«

»Simon prüft viel feiner, als man es sich vorstellt, ob sie ehrlich ist oder ob sie lügt. Das ist sehr dialektisch, wie er sich benimmt.«

»Die Beine in den Fluss halten. Das ist sinnlich, was sie am Fluss macht. Sie ist naiv, sie gesteht ihre Bedürfnisse.«

»Sie reden ganz direkt vom Vögeln.«

Ich fragte das Festival-d'Avignon-Büro, ob ich alle alten Zeitschriften, die im Büro lagen, als Material mitnehmen dürfe, um für unser Stück Collagen zu machen. Ich nahm sie, fuhr zur Metro Cardinal Lemoine, stieg aus. Auf dem Weg zu meiner Wohnung ging ich in eine Boulangerie. Menschen kamen zu dieser Abendzeit mit leeren Händen herein, »une baguette, s'il vous plaît«, »merci, Madame«, gingen mit dem Baguette in ihren Händen oder unter ihren Armen wieder hinaus. Dann kamen die nächsten, »une baguette, s'il vous plaît – ein Baguette, bitte«, »merci, Madame«, »une baguette, s'il vous plaît«, »merci, Monsieur«.

Hinter der Theke standen zwei Frauen, eine sehr alte, schöne Dame mit Lippenstift und eine andere, ihre Tochter vielleicht. Im Laden spielte die Musik von Mozart. Die warmen Baguettes, die schöne alte Frau mit dem Lippenstift auf ihren alten Lippen, die jedem in die Augen schaute, wenn sie die Baguettes übergab, und Mozart und die Türklingel, kling, kling. Jetzt müsste nur noch Jean Gabin draußen vor der Boulangerie vorbeigehen oder Balzac, und dann, wenn Balzac wieder, diesmal von links, an der Boulangerie vorbeiliefe, könnte ich sagen: Ich wohne in Balzac

ich wohne in Balzac

j'habite dans Balzac.

Meine neue Wohnung war in einem sehr schönen Haus mit einem alten, engen Fahrstuhl: Zuerst die Glastürflügel zusammenklappen, dann das Gitter ziehen, dann den Knopf drücken. Dann holperte der Fahrstuhl, und schwer atmend fuhr er in die fünfte Etage. Die Wohnung hatte zwei Etagen, unten einen großen Raum und eine Küche, und über eine Treppe ging man in die zweite Etage. Da war ein Schlafzimmer mit einer Badewanne, in der man sich nicht hinlegen konnte, sondern sitzend waschen musste. Alles sah ordentlich und sauber aus. Aber ich merkte, dass ich mit dem Baguette und meiner Tasche in der Hand lieber vor einer Wand stehen blieb und mich nicht auf einen der Sessel oder Stühle hinsetzen wollte. Die Möbel, Tische, Sessel, eine Couch, Stühle, Bücher, eine Kaffeemaschine, Weinflaschen, Schränke, die Treppe, oben das Bett, die halbe Badewanne sahen so aus, als ob sie nicht fest an ihren Plätzen stünden, sondern sehr leise im Raum schwimmen würden, als ob sie, etwas vom Boden hochgehoben, in der Luft stehen würden.

Draußen am Korridor bewegte sich der Fahrstuhl in die unteren Etagen. Ich hörte ihm zu, lief dann zum Tisch, um das Baguette dort hinzulegen, schaute beim Gehen auf meine Füße, ob sie fest den Boden berührten oder in der Luft liefen, und setzte mich dann an den Tisch. Die Vorhänge an den Fenstern waren aus schwerem Stoff und ganz zugezogen. Der schwere Stoff hing bis zum Boden. Ich brauchte nur hingehen, die Vorhänge zur Seite ziehen, durch das Fenster die Stadt sehen, den Raum und die Stadt zu einem einzigen Bild machen, das klare Bild und die Lichter der Stadt von draußen hierher ins Dunkle locken, das Dunkle hier in diese Lichter locken und beleben. Saß aber weiter am Tisch. Als ob dieser Raum fensterlos wäre, bewegte ich mich nicht, saß da und aß einen Bissen von dem Baguette, denn während ich es aß oder während ich es zerbrach oder hineinbiss, belebten die Geräusche den Raum etwas. Nicht das ganze Zimmer, aber den kleinen runden Tisch und mich. Ich atmete laut ein und aus, damit der kleine Tisch, das Baguette und ich gegen den leblosen, geräuschlosen Raum einen kleinen Raum schufen, der atmete, der ein Eigenleben hatte.

Ich holte aus meiner Tasche Schere, Klebstoff und die

Zeitschriften, blätterte in ihnen, schnitt Bilder, Köpfe aus, um Collagen zu machen. Ich las unsere Arbeitsgespräche:

»Das ganze Stück ist wie ein wacher Traum.

Die Protagonistin, Küchenmädchen Grusche, rettet das Gouverneurskind, das seine Mutter zurückgelassen hat, aus dem brennenden Palast und flieht aus der brennenden Stadt.

Erst ist sie an der Heerstraße, dann an der Bauernhütte, dann in einer Karawanserei. Am Fluss Sirra wird Grusche die Flucht zu viel. Sie ist unheimlich müde. Sie denkt an sich. Sie möchte sich auf jemand verlassen, ›mein Liebster, der Soldat, mag bald zurück sein‹. Auf einem Bauernhof tauchen die beiden Panzerreiter auf, die nach dem Kind suchen, um es zu töten.

Die Szene ist ein Albtraum. Es gelingt Grusche, einen der Panzerreiter zu schlagen, dann haut sie mit dem Kind ab. Am Ende dieser Szene Flussgeräusche.

Nach 22 Tagen zu Fuß ist Grusche mit dem Kind am Janga-Tau-Gletscher. Hinter Grusche der Tod durch die Panzerreiter, vor Grusche der Tod durch den Gletscher.

Die großen Berge, das Eis, die Kälte, Alleinsein, sie ist furchtbar allein. Vollkommene Einsamkeit, vollkommene Stille. Sie ist in Ohnmacht. Dann macht sie was ganz Verrücktes: Sie zieht dem Kind die reichen Linnen aus, wäscht das Kind mit eiskaltem Wasser. Die Taufe. Sie prüft das Leben und den Tod, wenn sie ihm das Linnen auszieht und es mit eiskaltem Wasser wäscht.

Ein tödlicher Moment, aber auch eine Behauptung des Lebens von dem Kind.

Sie packt es in Lumpen. Eine neue Geburt, das Gouverneurskind wird neu geboren. Als armes Kind.

Grusche identifiziert sich mit dem Kind. Sie war selbst ein lumpiges Kind. Jetzt ist das Kind wie sie.

Die Taufe muss etwas Opernhaftes haben, melodramatisch sein. Man muss hier bei Brecht das Große nicht klein machen, das ist nicht kleiner als Sophokles oder Shakespeare.«

Während ich für diese Wiedergeburtsszene die Collage machte, stellte ich fest, dass aus dem Fahrstuhl draußen bis jetzt kein einziges Geräusch gekommen war. Keiner hatte ihn gerufen. Der Flur war so still, dass man die Glühbirne in der Stehlampe knistern hörte.

Ich knipste die Lampe ein paar Mal an und aus, damit dieses Knistern aufhörte. Es hörte nicht auf. »Macht nichts, macht nichts, eine gesprächige Lampe eben, die mit sich selbst redet.« Ich malte auf ein weißes Papier ein Gesicht mit offenem Mund und klebte es an den Lampenschirm. Jetzt hatte die Lampe, die mit sich selbst redete, ein Gesicht. Beim Arbeiten schaute ich ab und an zu diesem Gesicht, lächelte es an, nannte es Williams.

»Williams, bist du nicht müde vom vielen Reden?«

»Williams, wieso redest du im Dunkeln nicht weiter, sondern nur im Licht? Möchtest du, dass man deine Wörter sieht?«

»Williams, lass mich für diese Szene eine Collage machen, dann werde ich nur dir zuhören.«

»Williams, ich hab dich gern.«

»Williams, wem willst du was sagen?«

»Williams, du bringst mich zum Lachen.«

»Williams, wer war der Cardinal Lemoine?«

So verging eine Stunde, in der jetzt nicht nur Williams, sondern auch ich beim Arbeiten Selbstgespräche führte, die sich wie ein Dialog anhörten.

»Williams, du bist Schatten des Exils.«

»Bist du Schatten des Exils?«

»Du murmelst eine fremde Sprache.«

»Hast du deine Erinnerungen in ein Vagabundenmeer geworfen, und es gibt sie dir nicht mehr zurück?«

»Ich werde mit diesem Meer sprechen. Alles wird wiederkommen, Williams. Sind wir wie zwei aufgezogene Sprachpuppen?«

»Williams, wenn du mich küsst, was für einen Geschmack hast du auf der Zunge?«

Plötzlich klingelte es kurz an der Tür, dann drehte sich ein Schlüssel im Schloss, die Tür ging auf, ein junger Mann stand vor der offenen Tür, blieb da stehen, sagte: »Bonsoir.«

»Bonsoir, Monsieur.«

Er kam nicht ins Zimmer herein, blieb weiter vor der Tür stehen, sagte in einem bruchstückhaften Deutsch, er ist der Freund von dem, der hier wohnt, und wenn er in Paris ist, wohnt er hier. Als er *wohnen* sagte, deutete er mit seinem Kopf in Richtung der Couch. Er nannte meinen Namen, sagte: »Sie sind die Mitarbeiterin von Benno Besson, n'est-ce pas, enchanté, Madame.«

Er sagte seinen Namen, aber ich vergaß ihn sofort. Lenoir oder Lenart, oder hatte er Laurent gesagt?

»Enchanté, Monsieur.«

Er hatte kein Gepäck. Nur eine kleine Tasche, die hing an seiner linken Schulter herab.

»Monsieur.« Er kam herein. Ich machte die Tür zu, er setzte sich an den Tisch. Die Tasche stellte er nicht auf den Boden, sie blieb weiter an seiner Schulter hängen, er hielt seine linke Hand darauf, ein bisschen zu fest. Das irritierte mich, aber in dem Moment bewegte sich draußen der Fahrstuhl mit lauten Geräuschen in eine der unteren Etagen. Ich drehte mich zu den Geräuschen, dann setzte ich mich an den Tisch. Der Mann schaute auf die Collagen, die ich gemacht hatte, lächelte leise, schweigend saßen wir am Tisch, wegen der Stille hörte ich Williams hinter mir weiter Selbstgespräche führen.

Ich fragte: »Sind Sie auch Schauspieler, Monsieur?«

»Ja«, antwortete er. Dann schwieg er. Nur seine linke Hand bewegte sich über seine Tasche. Ich fing an zu husten. Hatte ich das Atmen vergessen? Ich stand auf, räumte meine Papierstücke, die Schere, den Uhu auf dem Tisch zur Seite, legte alles in meine Tasche, dann setzte ich mich wieder hin, hörte eine Weile den Selbstgesprächen von Williams zu. Das Baguette lag noch auf dem Tisch, ich sagte: »Das Baguette habe ich von der Boulangerie der alten Dame mit der Mozartmusik.«

Der Mann, der vielleicht Laurent hieß, lächelte wieder, schaute tief in meine Augen. Nach einer Weile fragte er: »Ihre Kindheit ist eine Istanbuler?«

»Oui, Istanbul.«

»Quelle beauté«, sagte er, »welche Schönheit.«

Dann schwieg er wieder und hielt noch immer seine linke Hand auf seine Tasche gedrückt.

Das Wort *beauté – Schönheit* passte zu ihm. Er war ein sehr schöner Mann. Deswegen fiel mir das Schweigen zwischen uns noch schwerer.

Der Stuhl, auf dem er sitzt, kriegt er eine Gänsehaut?

Wieder hörte ich hinter mir die Selbstgespräche von Williams.

Was denkt Williams über das Schweigen?

Ich schaute in Richtung der Lampe, sah den offenen Mund von Williams, lachte kurz. Laurent drehte auch seinen Kopf zu Williams.

Ich sagte: »Die Glühbirne knistert.«

Laurent sagte: »Vielleicht wird sie kaputtgehen.«

Wir hörten eine Weile dem Knistern der Glühbirne zu. Er nahm seine linke Hand von der Tasche, legte sie auf den Tisch.

Wieso stehe ich nicht auf, Williams? Wenn nur draußen sich der Fahrstuhl bewegen würde, Williams. Nichts bewegt sich, Williams. Es kommt mir vor, als ob die geschlossenen Vorhänge aus schwerem Stoff jetzt noch schwerer zu Boden hingen, Williams. Wieso hat dieser Mann, der vielleicht Laurent heißt, solch traurige Augen? Hast du gesehen, sogar sein Jackettkragen hat etwas Trauriges. Auch die Hose von diesem schönen Mann sieht sehr traurig aus, Williams. Hast du gehört, Williams, wie er vorhin gesagt hat, die Glühbirne wird vielleicht kaputtgehen? Dieser dicke Satz aus seinem dünnen Körper! Williams, mein Körper ist an meinem Stuhl festgeklebt. Wenn ich aufstehe, kann ich nur mit dem Stuhl aufstehen, mit dem Stuhl die Treppen hochgehen, Williams, ich glaube, der Stuhl klebt fest am Boden. Der Boden lässt uns nicht los. Nein, der Boden klebt an seiner Traurigkeit. Die Traurigkeit lässt uns nicht los.

Plötzlich fragte mich Laurent: »Welches Stück von Brecht lieben Sie?«

»*Baal*« vielleicht?

Ich zitierte:

»*Als im weißen Mutterschoße aufwuchs Baal*
war der Himmel schon so groß und weit und fahl«.[11]

Die Worte *Brecht*, *Baal*, *Himmel* halfen mir, vom Tisch aufzustehen.

Ich fasste diese Wörter an, zog mich daran hoch, nahm das Papier mit Williams' Gesicht und meine Tasche, sagte: »Ich gehe nach oben, ich muss noch eine Collage machen.«

»Ja, gut«, sagte er.

Oben legte ich die Collage-Papiere und Williams auf das Bett, setzte mich auf einen Stuhl, schaute sie an, schrieb einige Dialoge oder Situationen vom Stück unter die Collagen und hörte, wie unten ein Streichholz angezündet wurde.

Grusche, auf dem anderen Ufer, lacht und zeigt den Panzerreitern das Kind. Sie geht weiter, der Steg bleibt zurück. WIND. Mit ihm große Schatten, der Wind läuft mit großen Schatten, sie mit dem Kind.

Ich hörte, wie Laurent eine Schublade in der Küche herauszog und wieder hineinschob.

Ich schrieb weiter.

Grusche singt:

Tief der Abgrund, Sohn
Brüchig der Steg
Aber wir wählen, Sohn
Nicht unsern Weg.[12]

»Ein grausames Lied, nicht, Williams? Sie hat den Weg nicht gewählt. So ist sie in die Welt gekommen, das ist ihr Leben.«

Ich hörte unten etwas auf den Boden fallen und ein kurzes Zischen. Dann ein anderes Geräusch, der Stuhl wurde gerückt. Irgendwann hörte ich von unten keine Geräusche mehr.

»Der Mann, der vielleicht Laurent heißt, hat so wenig geredet, Williams, was denkst du, wie viele nicht gesagte Wörter wird er mit sich nehmen, wenn er stirbt?«

Lass das, sagte ich mir, lass das, fang nicht wieder an! Dann aber stand ich auf, ging leise zur Treppe, ging ein paar Stufen hinunter, von da aus sah ich Laurent. Er saß auf dem gleichen Stuhl wie vorher, nur näher am Tisch. Seine beiden Arme hingen zu Boden, nichts bewegte sich. Ich lief weiter die Treppe hinunter, rief: »Hallo, hallo.« Er drehte sich nicht zu mir. Ich ging zu ihm, stand vor ihm, er hatte seine Augen offen, seinen Mund offen, aber er sah mich nicht.

Ich rief: »Was ist los, was haben Sie?« Schüttelte ihn, schüttelte ihn noch mal und noch mal. Er bewegte sich nicht. Aber er lebte. Sein Herz klopfte. Aber der Mund offen, die Augen auch weit aufgerissen. Ich schüttelte ihn noch mal und noch mal, dann lief ich rückwärts bis zu den geschlossenen Vorhängen, blieb vor denen – auch Mund offen – stehen, schrie: »Williams, Williams!« Dann lief ich wieder zu ihm, noch mal schütteln, noch mal ihm Fragen stellen. Nichts bewegte sich. Er sagte kein Wort. Nur das Knistern in der Glühbirne war zu hören.

Ich rief Efterpi an. Keiner war da. Es klingelte und klingelte. Ich legte den Hörer auf den Tisch. Er klingelte dort weiter. Neben dem Hörer und dem Baguette sah ich eine Streichholzschachtel, ein Feuerzeug und einen Teelöffel. Als ich nach oben gegangen war, waren sie nicht da gewesen. Ich fragte leise: »Hören Sie mich?« Dann blieb ich ratlos vor ihm sitzen. Der Hörer auf dem Tisch hatte aufgehört zu klingeln. Dann hörte ich wieder das Knistern in der Glühbirne. Ich stand auf, lief die Treppe hoch, sah die auf dem Bett liegenden Blätter und Williams, setzte mich zuerst aufs Bett, dann stand ich auf und ging zu der Badewanne, in der man nicht liegen, sondern nur sitzen konnte. Ich setzte mich mit Kleidern hinein, zog den Nylonvorhang zu, blieb da sitzen, fühlte meine Stirnfalten, die sich tiefer gruben, sah dann meine Füße, meine Strümpfe. Der Strumpf von meinem linken Fuß hatte ein Loch. Ich dachte: Ich muss das Loch nähen, aber womit, mit weißem oder grauem Faden, soll ich die Strümpfe umdrehen, wenn ich sie nähe, oder soll ich sie nicht umdrehen? Er gab mir keine Ruhe, der Gedanke: Soll ich die Strümpfe umdrehen oder nicht, wenn ich sie nähe? Ich bekam plötzlich Schluckauf. Im Takt meines Schluckaufs beschäftigte ich mich weiter mit diesen zwei Möglichkeiten:

Soll ich die Strümpfe umdrehen, wenn ich sie nähe, oder soll ich sie nicht umdrehen? Mein Schluckauf ging weiter im Takt. Soll ich sie am Fuß nähen, oder soll ich sie ausziehen und nähen? Soll ich sie überhaupt nähen? Ich hörte von unten ein Geräusch: das Auf- und Zugehen der Tür. Mein Schluckauf verschwand. Ich zog den Vorhang zur Seite, ging die Treppe hinunter. Der Mann, der vielleicht Laurent hieß, war nicht mehr da. Der Stuhl war leer, und auf dem Tisch lag nur das Baguette, ein paar Krümel und der Telefonhörer, Streichholzschachtel, Feuerzeug und Teelöffel waren nicht mehr da. Ich hörte draußen den Fahrstuhl hinunterfahren. Dann war das Geräusch weg. Ich hörte wieder nur die Glühbirne knistern. Ich lief rückwärts die Treppe hoch, sah die Blätter und Williams' Gesicht auf dem Bett. Ich sammelte alles ein, tat es in meine Tasche, und dann hörte ich den Fahrstuhl hochfahren und auf dieser Etage stehen bleiben. Ich lief wieder zur Badewanne, setzte mich hinein, machte den Nylonvorhang zu, horchte: Dreht sich ein Schlüssel in der Wohnungstür? Es drehte sich nichts. Ich blieb aber in der Wanne sitzen. Irgendwann schlief ich ein, wachte ich auf, ging aber nicht mehr raus aus der Badewanne, schlief wieder im Sitzen ein.

Am Morgen ging ich hinunter. Der Raum unten war leer, das Baguette lag noch auf dem Tisch. Ich rief Efterpi an, erzählte ihr von dem Abend. Efterpi schwieg. Dann sagte sie leise: »Er ist drogensüchtig. Du gehst sofort mit deinen Sachen auf die Straße, ich komme gleich. Du kannst da nicht wohnen! Sois tranquille – keine Sorge«, sagte sie. Ich legte das Telefon auf und hörte wieder die Glühbirne in der Lampe knistern. Sie war die ganze Nacht über angeblieben. Ich knipste sie aus, sagte: »Sois tranquille«, holte meine Tasche, ging aus der Wohnung, hatte Angst, den Fahrstuhl zu nehmen. Wenn ich einsteige, komme ich vielleicht nicht mehr raus. Sagte wieder: »Sois tranquille«, und lief die Treppen hinunter. Unten auf der Straße stand ein Müllabfuhrwagen. Ein arabischer Mann und ein Schwarzer schoben Mülltonnen auf die Straße. Der Schwarze sagte zu seinem Kollegen: »J'ai laissé quelque chose dans le train.« Während ich wartete, wiederholte ich andauernd diesen Satz, verstand sogar, was diese Phrase meinte: »J'ai – ich habe – laissé – gelassen – quelque chose – etwas – dans le train – im Zug.« Ich sagte mir: »Et j'ai laissé quelque chose dans la maison – und ich habe etwas in der Wohnung gelassen.« Ich hatte das alte Baguette auf dem Tisch liegen lassen. Ich lief ins Haus, aber als ich vor dem Fahrstuhl stand, wagte ich es nicht, einzusteigen. Efterpi kam, wir suchten nach einem Taxi. Alle Taxis waren leer. Sie streikten. Später hielt ein älterer Taxifahrer an, fragte: »Wohin?«

»Ich kann euch mitnehmen, weil ich in eure Richtung fahre.« Wir stiegen ein. Aus dem Taxifenster versuchte ich, hoch zur fünften Etage zu schauen, um die geschlossenen Vorhänge von gestern zu sehen. Ich sah nichts.

Bei Efterpi ging ich hoch ins Bad. Während ich mein Gesicht wusch, lief die Katze Clochard in ihrem Wandloch, in dem sie wohnte, hin und her. Ich fragte mich im Spiegel, wo ich wohnen sollte. Bei Efterpi war es unmöglich, das Zimmer oben war mit Filmschneidetischen und anderen Sachen bis zur Decke voll.

»Efterpi, Efterpi, meine Freundin Gila in Berlin, die hatte mir von einem Pariser Freund, Jean, erzählt. Sie sagte, dass ich vielleicht bei ihm wohnen könnte.«

Efterpi bestellte eine Telefonverbindung nach Berlin, dann ging sie zur Bäckerei. Als ich auf den Anruf wartete, dachte ich mit Sehnsucht an die Häuser in Berlin. Wie leicht war es in Berlin, eine Bleibe zu finden. Die Wohnungen waren groß, es gab viele Wohngemeinschaften, und meine deutschen Freunde ließen mich gerne bei sich wohnen. Ich fühlte mich wie Grusche im *Kaukasischen Kreidekreis* plötzlich ganz müde, wollte lieber jetzt in Berlin bei Gila, Reiner oder Gabi sein, mit ihnen Pfefferminztee trinken, laut Heinrich Heine lesen, Wein trinken, ins Kino gehen und alles, was im Film gesagt wird, verstehen, wollte im ganzen Heinebuch alle seine Wörter verstehen.

Es treibt dich fort von Ort zu Ort,
Du weißt nicht mal warum;
Im Winde klingt ein sanftes Wort,
Schaust dich verwundert um.

Du bist ja heut so grambefangen,
Wie ich dich lange nicht geschaut!
Es perlet still von deinen Wangen,
Und deine Seufzer werden laut.[13]

Efterpi kam mit einem Baguette, legte es auf den Tisch. Als ich das Baguette sah, fing ich an, laut zu weinen. Es perlte nicht still von meinen Wangen. Ich sagte immer wieder: »Laurent, armer Laurent, armer Junge, schöner, trauriger Mann, wenn er heute Abend nach Hause kommt, wird er mit einem trockenen Baguette am Tisch sitzen, dann wird er seine Spritze nehmen, und dann wird er wie ein Toter dasitzen. Armer Laurent. Und die Glühbirne wird knistern.«

Efterpi schwieg. Ich weinte und weinte. Erst als das Telefon klingelte, hörte mein Weinen auf. Gila gab mir Jeans Nummer. »Mädel, er heißt Jean Irigaray, ein baskischer Franzose. Er lässt Leute immer bei sich wohnen. Seine Frau ist die berühmte Feministin und Psychoanalytikerin Luce Irigaray, aber sie leben nicht zusammen. Jean ist ein sehr lieber Mensch. Ruf ihn jetzt an, sag, dass ich ihm einen Brief schreibe.«

Ich rief Jean an. Er sagte: »Komm vorbei.«

Die Straße an der Metro Plaisance, in der Jean wohnte, war eine sehr ruhige Straße. Jean öffnete die Tür, neben seinen Füßen stand eine Katze.

»Die Katze heißt Maskeline«, sagte Jean Irigaray. Er hatte ein großes, schönes Gesicht.

Ich blieb zwei Stunden bei ihm. Wir sprachen auf Englisch. Er sagte, wenn ich möchte, könnte ich ein bis zwei Monate bei ihm wohnen. Ich sagte: »Das passt mir. Passt es aber dir, wenn ich hier lebe? Ich lebe nämlich sowieso überall so, weil ich als Türkin in Europa immer unterwegs bin.« Dann blieb ich stumm. Was hatte ich denn gerade geplappert? Ich als Türkin in Europa und so weiter. Ich schämte mich für meine Sätze. Jean schaute mich an mit seinen großen Augen. Dann sagte er: »Du kannst ruhig hier wohnen.« Ich könnte am nächsten Tag gleich zu ihm ziehen.

Alles an ihm war groß. Seine Augen, seine Wimpern, sein Mund, seine Hände, sogar seine Katze. Er hatte einen großen Salon und ein großes Schlafzimmer. Ich könnte im Salon auf dem Sofa schlafen. Jean sagte, ich kann, wenn er auf Reisen ist, in seinem Zimmer schlafen. Während wir sprachen, schlief seine Katze Maskeline und schnarchte leise. Als Jean mich zur Tür brachte, wachte Maskeline auf und lief mit Jean zusammen zur Wohnungstür. Jean sagte an der Tür: »Je suis sûr qu'on s'entendra bien – ich bin mir sicher, wir werden uns gut verstehen.«

Von der Metro Plaisance fuhr ich zur Metro Gambetta, gab den Schlüssel der Metro-Cardinal-Lemoine-Wohnung dem Verwaltungsmann vom Theater zurück, sagte: »Ich habe eine Wohnung gefunden.« Dann lief ich zum Friedhof Père Lachaise zu Edith Piafs Grab. Vor ihrem Grab standen drei Menschen, drei Deutsche, ein Mann, zwei Frauen, der Mann sagte: »Und jetzt zu Chopin.« Eine Weile lief ich hinter ihnen her, ihre Wörter, die ich verstand, zogen mich. Sie gingen von Chopins Grab zu einem anderen, zur Schauspielerin Sarah Bernhardt, dann wieder zu einem anderen, von jemandem, den ich nicht kannte, sprachen dabei leise miteinander, ihre Wörter klangen sanft. Ich hatte Sehnsucht nach der deutschen Sprache.

Es treibt dich fort von Ort zu Ort,
Du weißt nicht mal warum;
Im Winde klingt ein sanftes Wort,
Schaust dich verwundert um.

Als die drei Deutschen in Richtung Friedhofseingang liefen, kehrte ich zu Edith Piafs Grab zurück. Plötzlich zwischen den Gräbern klopfte mein Herz. Ich hatte, durch die drei Deutschen und ihre leise Sprache, mich an Heinrich Heines Wörter erinnert. Aber Heinrich Heine war doch in Paris, er war in Paris begraben. Also hatte er alle seine gesagten und nicht gesagten Wörter hier in Paris mit sich in sein Grab genommen. Sein Grab musste voll mit Wörtern sein.

Einsam wandl ich an dem Strand,
Wo die weißen Wellen brechen,
Und ich hör viel süßes Wort
Süßes Wort im Wasser sprechen.[14]

Als ich an Edith Piafs Grab stand, sagte ich laut auf Deutsch: »Edith, Heinrich Heine ist auch hier. Nicht hier in Père Lachaise, aber in Montmartre.« Ein junger Mann kam von links und blieb vor Edith Piafs Grab stehen, lächelte vor sich hin. Dann ging er zwischen den Gräbern wieder nach links. Ich schaute eine Weile hinter ihm her. Er war vielleicht so groß wie Laurent. Ich fing wieder an zu weinen.

Edith Piaf
J'ai oublié aujourd'hui ma baguette là-bas
Dans la maison chez métro Cardinal Lemoine
Laurent un petit monsieur triste
Comme un jour sans lumière
Comme une nuit avec brouillard.
Ich habe heute mein Baguette da vergessen,
in dem Haus an der Metro Cardinal Lemoine,
Laurent, ein kleiner Mann, traurig
wie ein Tag ohne Licht,
wie eine Nacht im Nebel.

Ich fuhr zur Metro Opéra. Als ich aus der Metro kam, sah ich ein paar Polizisten. Sie fragten manche Leute nach ihren Ausweisen. Ich dachte: Oh, jetzt bin ich gebrannt, jetzt werden sie sehen, dass mein Pass ein Touristenpass ist und dass ich zu lange ohne Erlaubnis in Europa gewesen bin. Die Polizisten fragten mich nicht.

Besson saß mit dem Bühnenbildner Ezio am Tisch. Er sagte mir, dass er morgen mit Ezio nach Belgien fahre. Unser Stück war eine französisch-belgische Koproduktion mit französischen und belgischen Schauspielern und französisch-belgischen Theatern als Geldgeber. Das Stück sollte in der belgischen Stadt Louvain-la-Neuve drei Monate lang in einem großen Zelt geprobt werden, beim Festival in Avignon Premiere haben und später in Paris im Palais de Chaillot Pariser Premiere haben.

Besson sagte: »Du brauchst erst in anderthalb Monaten nach Belgien kommen. Bis dahin lernst du in Paris weiter Französisch, und du brauchst Geld.« Ich sollte jetzt sofort mit dem belgischen Theaterproduzenten, der nebenan im Büro saß, meinen Vertrag machen und Geld kriegen. Als ich in das andere Zimmer ging, in dem der Geldgeber saß, dachte ich an den Zug, den ich in anderthalb Monaten nach Belgien nehmen musste. Da würden auch Polizisten sein, die einen nach dem Pass fragten, aber vielleicht hätte ich Glück.

Besson sah die Collagen, die ich gemacht hatte, hob seine Augenbrauen, sagte: »Sie ist genial, weil sie naiv ist.« Der Mann vom Festival d'Avignon sagte mir, ich kann das Büro zum Weiterarbeiten benutzen, wann ich will. Er gab mir ein paar Fotobücher für weitere Collagen, sagte, dass meine neunzehn Figuren, die ich aus Weinflaschen gebaut hatte, in Avignon im Jean-Vilar-Haus ausgestellt würden. Besson sagte mir: »Min, pass auf dich auf, hier ist Paris.« Er ging.

Ich legte die Fotobücher, die Schere, leere Papiere, Klebstoff, Zeitschriften ordentlich nebeneinander auf den Tisch, spitzte ein paar Stifte an, legte sie daneben, setzte mich, schaute auf die Gesichter der Papiere, sie schauten auf mich, schaute auf die Stifte, die schauten auf mich, schaute dann zu dem leeren Stuhl von Besson, der Stuhl schaute zurück. Besson hatte seine Zigarettenschachtel, blaue Gauloises ohne Filter, zusammengeknüllt und auf den Tisch gelegt. Ich nahm das zerquetschte Päckchen, glättete es, legte es neben die Stifte, dann schaute ich lange auf die blaue Farbe, sie schaute auf mich. Ich sagte zu dem Gauloisespäckchen: »Gauloisespäckchen, wenn du mich fragst, in welchem Land ich wohne, werde ich antworten, ich wohne in Besson, Besson ist mein Land. Aber Besson, das Land, in dem ich wohne, ist weg. Er wird morgen in einem Zug oder Auto sitzen und in ein anderes Land fahren. Ich habe kein Land, in dem ich wohne. Die Sonne ist ein schwarzer Lappen.«

Die blaue Gauloisespackung sagte: »Non, non, non. Denk

an den Oiseau – Vogel, der sein Futter am Bart vom Bäcker – barbe du boulanger – findet. Un oiseau qui trouve son manger à la barbe du boulanger. Oder denk an ›Die Traurigkeit ist eine Katze, ausgebreitet wie ein Tuch auf der Straße – la tristesse, c'est un chat étendu comme un drap sur la route‹. Oder denk an das Lied deiner copine Piaf, ›non, rien de rien, non, je ne regrette rien – nein, ich bereue nichts‹.« Dann fragte mich Gauloises: »Musst du heute in die Sprachschule?« »Nein.« »Du kannst heute in Metros rumfahren, Wörter sammeln, Stimmen hören, im Bauch von Paris, ne pleure pas – weine nicht, denk an Vagabundenmeere.«

»Oui, la métro«, sagte ich zum Gauloisespäckchen, stand auf, ging zur Metro.

METRO CHEMIN VERT

Ich fuhr zuerst von Opéra nach Süden direction Balard über Madeleine, Concorde, Gare des Invalides, La Tour-Maubourg, École Militaire, La Motte-Picquet – Grenelle, Commerce, Félix Faure, Boucicaut, Lourmel. Von Balard zurück bis La Motte-Picquet – Grenelle, von Grenelle nach Charles de Gaulle – Étoile über Bir-Hakeim, Passy, Trocadéro. An der Metrostation Trocadéro hielt ich meinen Atem an. Hier ist das Palais de Chaillot. Hier wird unser Stück *Der kaukasische Kreidekreis* seine Pariser Premiere haben, zu der auch Yves Montand kommen wird. Als die Metro weiterfuhr, lächelte ich die Metrostation an. Mein Lächeln blieb in meinem Gesicht bis zur Metro Charles de Gaulle – Étoile. Am Charles de Gaulle – Étoile stieg ich um Richtung Nation über Courcelles, Monceau, Villiers, Rome, Place de Clichy, Pigalle, Barbès-Rochechouart, La Chapelle. Ich lächelte die

Metrostation La Chapelle an. Da oben ist das Theater von Peter Brook, in dem ich mit Besson mir ein Stück angeschaut habe. Nach dem Theater bin ich mit Besson im Nebel gelaufen und habe das Wort Brouillard gelernt und von einem Clochard den Satz »der Vogel findet sein Futter am Bart des Bäckers« gehört. Die Metro fuhr weiter über Stalingrad, Jaurès, Belleville, Ménilmontant, Père Lachaise. Ich lächelte auch die Metrostation Père Lachaise an. Hier oben wohnen Edith Piaf und die getöteten Kommunarden auf dem Friedhof. Un cimetière plein de lumière – ein Friedhof voller Licht, padam, padam, padam. In Nation stieg ich um. Die Metro fuhr über Picpus, Bel-Air, Dugommier, Quai de la Gare, Place d'Italie. Ich lächelte die Metrostation Place d'Italie an, dachte: Da wohnt Besson, mein Land, in dem ich lebe. Vom Place d'Italie fuhr ich bis Jussieu, über Les Gobelins, Censier – Daubenton, Place Monge. Von Jussieu fuhr ich Richtung Boulogne Pont de St-Cloud. Eine Haltestelle nach Jussieu kam die Metrostation Cardinal Lemoine. »Da wohnt Laurent«, sagte ich laut. Die Frau, die neben mir saß, hob ihren Kopf aus ihrem Buch. Bevor die Metrotüren sich schlossen, warf ich mich auf den Bahnsteig in Cardinal Lemoine, ging zur Straße hinauf, fand das Haus, stellte mich auf die gegenüberliegende Seite der Straße, schaute hoch zur fünften Etage, dachte an das Knistern der Glühbirne, an das trockene Baguette, an Williams, meinen Freund aus Papier, an die halbe Badewanne, an die geschlossenen Vorhänge, an die Wohnungstür, an das Telefon. Als all das in meinen Gedanken als Bild lebendig wurde, wollte ich zuletzt Laurent zwischen all diesen Sachen sehen: wie er am Tisch saß, wie er schwieg, wie er seine Tasche mit seiner linken Hand festhielt. Ich schaffte es aber nicht, Laurent als Ganzes zu sehen. Ich sah nur sein trauriges Jackett oder den Kragen seines Jacketts oder nur seine Hand oder nur den Lederriemen seiner Tasche oder einen seiner Hemdknöpfe. Immer wieder fing ich von Neuem an, mir Laurent als einen ganzen Menschen vorzustellen, ihn zwischen all diesen Möbeln unter dem Knistern der Glühbirne am Tisch sitzen zu sehen. Es ging nicht. Die Laurent-Details kamen immer wieder hoch wie formlose Flecke, die meine Aufmerksamkeit auf sich zogen und darum kämpften, meinen Blick in ihre Richtung zu weisen wie Richtungspfeile. Das Zimmer mit all seinen Möbeln, Vorhängen, der Glühbirne, bis zu den Baguettekrümeln auf dem Tisch, sah ich weiter als perfekte Abbildung des Raumes wie ein gerahmtes Bild, aber die Details von Laurent zwangen mich, nur an seine Figur zu denken, die sich nicht so leicht malen ließ wie der Tisch oder das Baguette. Dadurch aber dachte ich viel kräftiger an ihn.

Ach, Laurent,
wie viel Elegie, die an der Welt
vorbeigegangen ist, wie viel Schmerz,
alles werden wir fühlen.

Ich lief die Straße hinunter, fand die Boulangerie. Die beiden Frauen standen wie gestern hinter der Ladentheke, und es spielte wieder Mozartmusik. Die alte, schöne Dame mit dem Lippenstift um ihren alten Mund sagte: »Madame?« »Une baguette, s'il vous plaît.« Ich nahm das Baguette, fuhr von der Metro Cardinal Lemoine über Maubert – Mutualité, Cluny – La Sorbonne bis Odéon. In Odéon stieg ich aus, ging zu Fuß zum Boulevard Saint-Michel, lief den Boulevard hoch, fand meine Telefonzelle, von der aus ich am ersten Tag, als ich in Paris angekommen war, Besson angerufen hatte und zu der ich hinter dem blinden Gaspard und seinem Freund Maurice gelaufen war. Ich ging in die Telefonzelle rein, biss ein kleines Stück Baguette ab, kaute sehr langsam, hörte den Geräuschen zu, das Baguette fragte mich: »Wo wohnen Sie denn, wenn Besson morgen wegfährt?« Ich sagte: »In den Geräuschen eines Baguettes.«

Ich lief dann in Richtung Châtelet, sah an der Seine ein Theatergebäude, Théâtre de la Ville, das Theater der berühmten Schauspielerin Sarah Bernhardt. Als ich an dem Théâtre de la Ville wie im Traum vorbeilief, wusste ich nicht, dass ich nach vielen Jahren in diesem Theater in einer sehr schönen Inszenierung von Anton Tschechows Stück *Drei Schwestern* mitspielen würde. Von Châtelet fuhr ich bis zur Metro République, von dort bis Bastille über Filles du Calvaire, Saint-Sébastien Froissart, Chemin Vert. Siebenunddreißig Jahre später wird Chemin Vert die Metrostation der Getöteten sein, nur eine Haltestelle entfernt von Bastille. Zwei Dschihadisten werden in das Gebäude der Karikatur-Zeitschrift *Charlie Hebdo* eindringen, die Künstler, einen Mitherausgeber, einen Lektor, einen Veranstalter, eine Psychiaterin und einen Personenschützer mit Sturmgewehren töten, vorher ihre Namen rufen, Charbonnier, Cabut, Verlhac, Honoré, Wolinski, Maris, Cayat, Ourrad, Renaud, dann, bevor sie in ein Auto steigen, noch einen Polizisten töten. In diesen Tagen wird ein türkischer Journalist, der in Istanbul selbst in Angst vor Islamisten lebt, schreiben: »IST DIE WELT EINE HÖLLE?«

Aber jetzt, siebenunddreißig Jahre früher, sah das Leben in Paris so aus, als ob die Hölle hier eine Pause gemacht hätte.

IN DER PAUSE DER HÖLLE

DIE GROSSE ILLUSION

Die Metro fuhr in der Pause der Hölle ruhig und ohne Angst durch die Stationen. In der Pause der Hölle stieg ich in der Metro Glacière mit anderen Menschen aus, lief mit ihnen die Treppen hinunter. Gegenüber der Metro sah ich eine Apotheke. Ihre Lichter waren an, die Menschen standen mit dem Rücken zur Tür vor der Apothekentheke. Ihre Rücken hatten noch keine Angst in der Pause der Hölle. Ich lief in der Pause der Hölle in Richtung Efterpis Haus. Efterpi zog ihre schwere Tür in der Pause der Hölle zur Seite, die Katze Badi ging in den Garten. Efterpi nahm das Baguette und legte es auf den Tisch. Sie wollte gerade zur Nachmittagsvorstellung in ein Kino, einen Film von Jean Renoir anschauen: *Boudu sauvé des eaux – Boudu – Aus den Wassern gerettet.* »Viens avec moi, Kiki de Montparnasse – Komm mit, Kiki de Montparnasse.«

Boudu ist ein Clochard. Er verliert seinen Hund. Er ist sehr traurig, stürzt sich ins Wasser, in die Seine. Ein Pariser Buchhändler sieht das aus seinem Fenster, schmeißt sich ins Wasser und rettet Boudu. Der Buchhändler nimmt Boudu bei sich auf, er kriegt Essen, Kleider, ein Bad und langweilt sich. Er bringt alle Geheimnisse des Hauses ans Licht, schläft mit dem Dienstmädchen, wäscht ab, macht die Teller kaputt, auf Befehl putzt er seine Schuhe. Um die schwarze Schuhcreme von seinen Fingern zu putzen, benutzt Boudu alle Tücher, auch die Betttücher aus dem Schlafzimmer des Buchhändlers. Draußen marschiert die Garde. Boudu schubst die Ehefrau des Buchhändlers über die Bettkante, schläft mit ihr. Er gewinnt viel Geld im Lotto, heiratet das Dienstmädchen. Während der Hochzeitsfeier sitzen der Buchhändler, seine Frau, die Braut und Boudu in einem Boot, rudern. Plötzlich fällt Boudu wieder ins Wasser und verschwindet. Später taucht er irgendwo aus dem Wasser, findet seinen Hund, den er verloren hatte, und zieht mit ihm weiter. Und am Ende des Films singen viele Clochards.

Das ganze Kino lachte über den anarchistischen Clochard Boudu. Ich lachte so viel, dass mir mein Bauch und meine Wangen wehtaten. Als wir aus dem Film herauskamen, lachten wir auf den Straßen und im Bus 21 weiter. Und wegen uns lachten auch die Leute im Bus, die uns gegenübersaßen, ohne zu wissen, warum wir lachten.

Renoir hatte gesagt: »Ich weiß, dass ich Franzose bin und dass ich in einem absolut nationalen Sinn arbeiten muss. Und ich weiß ebenso, indem ich das tue, und nur so, kann ich die Menschen anderer Nationen berühren und ein internationales Werk schaffen.«

»Efterpi, erinnerst du dich an den Renoir-Film *La Grande Illusion*, in dem Erich von Stroheim einen deutschen Major im Ersten Weltkrieg spielt.«

»Er war genial.«

»Ja. Ich staunte, nachdem ich ihn in Renoirs *Die große Illusion* gesehen hatte, dass es im Ersten Weltkrieg eine andere Art deutscher Offiziere gegeben hatte als Nazioffiziere. Weißt du, die Nazis haben eins geschafft: Man denkt, die deutsche Geschichte hat mit Nazis angefangen. Man vergisst plötzlich alles, als ob es Hölderlin oder Büchner oder eine andere Art Deutsche nie gegeben hätte.«

Efterpi sagte: »Vielleicht wegen dem Fernsehen in Deutschland, das zu viele Hitlerfilme zeigt.«

»Jean-Luc Godard hat gesagt: ›Das Fernsehen funktioniert wie die Diktatoren: [...] es kann die Königin von England oder ein Fußballspiel in Argentinien zeigen.‹ Und während anderthalb Stunden hat es ›anderthalb Milliarden Zuschauer, die alle dasselbe anschauen. Welcher Diktator hätte nicht von einem solchen Publikum geträumt.‹«[15]

Efterpi sagte: »Hitler und Nazis als Fernsehstars.«

»Ein komischer Frieden, wenn der Krieg auf eine andere Weise von Neuem losgeht.«

Efterpi steckte sich eine Zigarette in den Mund, zündete sie nicht an. Schweigend liefen wir von Denfert-Rochereau in Richtung Boulevard Raspail. Efterpi sprach, Zigarette im Mund: »Achtung, wir kommen gerade an dem Café von Jean-Paul Sartre vorbei.«

»Ich glaube, der sitzt da, mit dem Rücken zu uns.«

Efterpi zündete ihre Zigarette an. Während sie rauchte, schaute ich auf den Rücken von Sartre, lächelte den Rücken an. Ich wohne in Sartres Rücken.

»Efterpi, wir müssen für diese Nacht ein Hotel für mich finden. Ich kann erst ab morgen bei Jean Irigaray wohnen.«

Efterpi sagte: »Du kannst diese Nacht bei uns auf dem Sofa schlafen.«

Am Boulevard du Montparnasse blieb Efterpi vor dem Café Le Select stehen, sagte: »Kiki de Montparnasse, lass uns hier etwas trinken. Café Le Select nennen die Türken Café Salak, Café Dumm. Hier treffen sich türkische, armenische Istanbuler Intellektuelle, Künstler. Der Sohn vom Dichter Nâzım Hikmet, Mehmet, kommt auch oft her. Er sieht aus wie das Phantom seines Vaters. Er ist lustig.«

Nâzım Hikmets Sohn Mehmet kannte ich nicht. Ich kannte nur den Stiefsohn von Nâzım Hikmet. Er hieß auch Mehmet. Er war ein großer Verleger und Schriftsteller in Istanbul. Als ich Schülerin war und kein Geld hatte, hatte er mir viele Bücher geschenkt.

Ich freute mich darüber, in diesem Café jetzt vielleicht den Sohn, Mehmet, unseres großen Dichters Nâzım Hikmet sehen zu können.

»Wahrscheinlich hat Mehmet seinen Vater kaum gesehen, Efterpi.«

Efterpi sagte: »Ich glaube, einmal hat er ihn gesehen.« Efterpi und ich rechneten zusammen, wie oft Mehmet seinen Vater gesehen haben könnte.

Also: »Nâzım Hikmet wurde wegen seiner Ideen zu 28 Jahren Gefängnis verurteilt.«

»Nâzım Hikmet saß dreizehn Jahre im Gefängnis.«

»Erst 1950 wurde er nach internationalen Protesten begnadigt.«

»Im gleichen Jahr heiratete er Mehmets Mutter Münevver.«

»Mehmet wurde 1951 geboren. Aber Nâzım Hikmet musste fliehen. Wenn er in Istanbul geblieben wäre, hätten sie ihn irgendwann ermordet. Er haute nach Moskau ab, und Münevver ging mit dem Sohn Mehmet nach Polen.«

»1961 besuchte Nâzım Hikmet die beiden kurz in Warschau. Dann kam Münevver mit Mehmet nach Paris. Sie wurde die Übersetzerin von Nâzım Hikmets Gedichten ins Französische.«

»1963 starb Nâzım Hikmet in Moskau im Exil.«

Efterpi und ich sagten gleichzeitig: »Also, Mehmet sah seinen Vater nur ein- bis zweimal.«

»Efterpi, weißt du, ob Mehmets Mutter Münevver das Gedicht von Nâzım Hikmet ins Französische übersetzt hat, aus dem Yves Montand das Chanson ›Comme le scorpion, mon frère‹ gemacht hat?«

»Ich weiß es nicht«, sagte Efterpi, »wir können Mehmet fragen, oder noch besser Münevver.«

»Kommt sie auch hierher?«

Efterpi lachte: »Nein. Aber wenn ein türkischer Armenier oder Grieche oder ein Türke aus Istanbul, der hier lebt, stirbt, sieht man beim Begräbnis auf dem Friedhof Montparnasse alle Istanbuler Eliteintellektuellen, die hier im Exil leben. Auch Münevver.«

»Efterpi, ob Anna Seghers auch mal in diesem Café Le Select gewesen ist, als sie vor den Nazis nach Paris flüchten musste?«

Efterpi sagte nichts.

Wir setzten uns an einen Tisch. Ich bestellte eine Flasche Mineralwasser. »Un Perrier, bitte.« Als ich beim zweiten Mal wieder Perrier bestellte, sagte der Kellner: »Madame, trinken Sie Ihr Wasser zu Hause.«

Ich fragte: »Pourquoi? – Warum?«

Er antwortete: »Wasser ist teuer im Café.«

Ich bestellte ein Glas Bier – un demi. Der Kellner lachte und stellte kurz darauf das Bier vor mir auf den Tisch und lachte wieder. Efterpi ging telefonieren.

Alles bewegte sich.

Draußen liefen die Menschen, im Café liefen die Menschen, immer wieder wurde un demi oder un ballon rouge – ein Rotwein bestellt. Zigaretten wurden unter die Theke auf den Boden geworfen, die Lichter der Straße waren jetzt alle an, die Türen der Cafés, Restaurants auf der anderen Seite gingen dauernd auf und zu. Alles lebte, und die Spiegel in den Cafés verdoppelten das Leben, verdoppelten die Kellner. Ich dachte an all die Metrostationen, durch die ich heute gefahren war. Da unten lebte die Stadt auch. Die Blinden, die Clochards, die Nichtblinden, die Nichtclochards, die Menschen, die sitzen, die Menschen, die stehen, die Menschen, die ein Buch aufschlagen, die fahren alle in den Metros, steigen ein, steigen um, steigen aus, Sehnsucht steigt ein, steigt aus, Sehnsucht steigt um, Sehnsucht läuft auf Metrotreppen hoch, Sehnsucht sitzt in den Cafés, Sehnsucht trinkt, Sehnsucht ruft, wo schläft die Sehnsucht. Vielleicht im Caféspiegel? Nein, nein. Auch nicht im Spiegel schläft Sehnsucht. In dieser Stadt rennt Sehnsucht. Man kann sie mit bloßen Händen nicht fangen, mit ihr nicht am gleichen Tisch sitzen. Zum Beispiel in Istanbul konnte man mit Sehnsucht zusammen stundenlang am gleichen Tisch sitzen. Einmal saß mein Vater im Dunkeln in seinem Sessel, durch die halb geschlossenen Vorhänge zeigte sich draußen der Mond. Ich stand in einer dunklen Ecke und schaute auf meinen Vater. Sehnsucht saß mit ihm, artig, ruhig, im Dunkeln, und man konnte sie mit bloßen Händen fassen.

Wie war es denn in Berlin, in Draculas Grabmal? Rannte die Sehnsucht, wie in Paris, auf den Straßen, in den U-Bahnen, auf den U-Bahn-Treppen? Ich suchte in meinem Kopf, wo ich in Berlin Sehnsucht getroffen, gesehen hatte. Auf den Straßen, wo Boom- und Nicht-Boom-Kriegsinvalidenhäuser stehen, Häuser der Gehorsamen, Fenster der Gehorsamen, die den totalen Krieg ›gehorsamt‹ hatten? Wo hatte ich in Berlin die Sehnsucht getroffen? In den U-Bahn-Stationen oder den stillgelegten U-Bahn-, S-Bahn-Haltestellen? Vor den abends beleuchteten Theatern? Nein, nein, ich glaube, Draculas Grabmal Berlin war eine Stadt, die der Sehnsucht ständig eins ins Gesicht haute. Du gingst mit Sehnsucht raus, dann, an der ersten Straßenecke, kriegte die Sehnsucht eins über die Rübe, dann löschte sich die Sehnsucht aus, die weder rennen noch stehen bleiben konnte. Aber vielleicht hatte ich ab und zu mit der Sehnsucht in einem Berliner Kino gesessen, vielleicht im Kino Arsenal, in einem Film von Luis Buñuel, *Das Gespenst der Freiheit*, oder von Pasolini, vielleicht *Edipo Re* oder *Teorema – Geometrie der Liebe*? Ich hatte auch bei meinen Freunden Reiner und Gila, wenn wir zusammen lachten, mit Sehnsucht gesessen. Die Sehnsucht versteckte sich in Berlin vor den Straßen. Sie lief oder rannte nicht wie hier, auf den Pariser Straßen oder vor den Cafétüren.

Der Kellner vom Café Le Select fragte mich laut: »Madame, encore – noch eins?« »Oui, Monsieur.« Er lachte, dann ging er zu zwei neuen Kunden, zwei Männern, die sich an den Nebentisch gesetzt hatten. Der Größere von beiden, der reicher aussah als sein Freund, bestellte drei Cognacs. Als die Cognacs kamen, gab er einen dem anderen Mann, trank seine beiden auf einen Zug, bestellte wieder zwei Cognacs. Beide sprachen Deutsch. Nachdem er fünfmal zwei Cognacs bestellt und getrunken hatte, streichelte er den Kopf des anderen Mannes, der kleiner war als er. Der Kleine saß mit seinem Cognacglas, schwieg. Der Große sagte ihm: »Dieter, du bist in Paris!« »Ja, Paul.« Paul streichelte ihm wieder über seinen Kopf.

Efterpi kam vom Telefonieren zurück. Ich sagte: »Die beiden erinnern mich an Brechts *Herr Puntila und sein Knecht Matti*. Puntila ist ein Gutsbesitzer. Wenn er nüchtern ist, ist er ein unmöglicher Typ, ein Ausbeuter. Wenn er aber besoffen ist, ist er lustig, freundlich, macht den Damen Heiratsanträge. Er behandelt seinen Knecht Matti gut, kumpelhaft.«

Paul, der Herr Puntila, der Größere, der Reichere, fragte uns auf Französisch, welche Sprache wir sprächen. »Türkisch«, antwortete ich auf Deutsch. Paul nahm seinen Stuhl, setzte sich ganz schnell an unseren Tisch und sagte: »Ich kenne Istanbul, hab viel Haschisch da gekauft.« Dann schlang er seinen linken Arm um meine Taille, sagte: »Nur die südländischen Frauen können uns sanft lieben, denn wir sind sehr harte Männer.« Ich nahm seine Hand und legte sie leise auf den Tisch. Paul bestellte wieder Cognac, trank ihn, lachte, sagte zu seinem Freund Dieter alias Matti: »Dieter, du musst zeigen, was ein deutscher Mann ist.«

Dieter machte seine Augen zu, als ob er schlafen würde. Paul erzählte sehr schnell, dass er fünfzehn Jahre in Frankreich gelebt habe. Er sei verheiratet gewesen mit einer Französin. Sie hatte eine Boutique, er hatte einen Pferdehof. Seine Frau verließ ihn, sie hatten drei Kinder. Paul kehrte nach Hamburg zurück, hatte dort eine Kneipe und auch einen Pferdehof. Und sein Freund Dieter, der am Nebentisch, Augen zu, saß, war wirklich sein Pferdeknecht, wie in *Herr Puntila und sein Knecht Matti*. Paul sagte: »Dieter ist ein toller Typ. Dieter versteht nichts von Pferden, aber versteht sich gut mit meinen Kindern.« Paul gab mir seine Visitenkarte, sagte: »Willst du nicht ein Kind von mir? Nur die Pferde verstehen mich«, und bestellte wieder Cognac. »Ich bin nicht traurig, dass ich geschieden bin, meine Frau hat mich nicht geliebt, sie hat mich getötet. Nur die Pferde verstehen mich. Ich spiele immer den Lustigen, aber kann mich niemandem öffnen.«

Als ich seine Sätze für Efterpi ins Türkische übersetzte, fing Paul an zu weinen, sagte ganz leise: »Ich bin ein bisschen Hitlerist.«

»Ach, warum?«, sagte ich.

»Meine Eltern waren gegen Hitler. Mein Onkel ist von der SS totgeschlagen worden, meine Mutter ist sehr traurig, dass ihr Sohn den Hitler liebt.«

»Aber warum lieben Sie den Hitler?«

»Ich weiß es nicht«, sagte Paul und weinte weiter. »Ich habe Hitler nicht erlebt, aber dieser Mann steckt wie ein Teufel in meinem Körper. Wenn irgendwo irgendein Krach losgeht, befinde ich mich sofort mittendrin. Ich weiß nicht, warum, ich schlage, schlage drauf auf die Leute.«

Paul nahm meine Hand, ließ mich die Wunde auf seinem Kopf fühlen, sagte: »Schau, auch wenn man mich mit einem Messer vom Kopf bis zur Brust aufschneidet, wird mir nichts passieren. Weil sie mein Inneres verletzt haben. Nur die Pferde verstehen mich.«

Als Paul auf die Toilette ging, machte der Pferdeknecht Dieter seine Augen auf, lächelte vor sich hin. Efterpi und ich bezahlten, sagten zu Dieter: »Wir gehen.«

In diesem Moment kamen zwei junge Männer und eine junge Frau in das Café Le Select herein. Kamen an unseren Tisch, umarmten Efterpi, setzten sich zu uns. Einer der jungen Männer sagte zu mir: »Mädchen, was trinkst du?« Ohne meine Antwort abzuwarten, bestellte er eine Flasche Champagner. Es war Mehmet, der Sohn unseres großen Dichters Nâzım Hikmet, und er sah Nâzım ähnlich – wie Efterpi gesagt hatte: »Er ist das Phantom seines Vaters.« Das Mädchen, das mit ihm in das Café gekommen war, war eine türkische Armenierin. Sie war sehr schön, und ihre Großeltern hatten sich 1915 vor den türkischen Nationalisten nach Frankreich gerettet. Die Großeltern stammten aus Anatolien, aus Kappadokien, und sie sprachen Türkisch mit starkem anatolischem Dialekt. Das Mädchen, ihr Enkelkind, war in Paris geboren, hatte aber Türkisch von ihren Eltern gelernt, die es wiederum von ihren Eltern gelernt hatten. Deswegen sprach auch sie mit starkem anatolischem Dialekt. Es war sehr lustig: eine wunderschöne Pariserin mit einem anatolischen Mund. Mehmet konnte keine fünf Minuten auf dem gleichen Platz sitzen. Wir sollten schnell austrinken und auf die andere Seite der Straße ins Restaurant La Coupole gehen, um dort weiterzutrinken. Als wir aufstanden, merkte ich, dass Dieter und Paul schon gegangen waren. Herr Puntila und sein Knecht Matti waren weg.

Im La Coupole aßen und tranken wir, es kamen andere türkische und französische Künstler an unseren Tisch, und alle nannten Mehmet den »schönen Mehmet« oder den »gentilen Mehmet«. La Coupole war ein sehr großes Restaurant. Alles bewegte sich. Kommen, dabei reden. Gehen, dabei reden. Essen, dabei reden. Lachen, dabei reden. Ständig laut reden. Alle Wörter in mehreren Sprachen flogen hoch, hörten in der Luft den Gesprächen an den Tischen zu. Mehmet konnte wieder nicht still sitzen bleiben, er sagte, er komme in zehn Minuten wieder, und ging. An unserem Tisch redeten sie laut über den forschenden Charakter des Surrealismus. Darüber, dass für die Surrealisten und ihre Texte die Natur kein Thema sei. Ihre Landschaft war die Stadt, besonders die Stadt Paris; die schäbigen Hotels, heruntergekommenen Theater, die Boulevards, der Untergrund als Körper der Stadt und ihre Liebe zum Zufall, dass sie poetisch leben wollten, damit von der Zivilisation unterdrückte Bedürfnisse die Freiheit kennenlernten; Liebe, Libido, Sexualität, die Emanzipation der Erotik; ihre Ablehnung der Institution der Ehe, die die Liebe domestizierte, die erotische Emanzipation der Fantasie domestizierte.

Einer der türkischen Künstler holte aus seiner Jackentasche ein Papier, sein Freund, ein Franzose, der Pasqual hieß und der neben ihm saß, holte aus seiner Jackentasche auch ein Papier. Sie schauten sich ins Gesicht, sagten: »Eins, zwei, drei – un, deux, trois«, und fingen an, synchron aus den Papieren zu lesen. Einer auf Türkisch, der andere auf Französisch. André Breton, »Erstes Manifest des Surrealismus«: *So lange wendet sich der Glaube dem Leben zu, dem Zerbrechlichsten im Leben, im realen Leben, versteht sich, bis dieser Glaube am Ende verloren geht. Der Mensch, dieser entschiedene Träumer, von Tag zu Tag unzufriedener mit seinem Los, vermag kaum alle die Dinge ganz zu begreifen, die er zu gebrauchen gelernt hat und die ihn zu seiner Gleichgültigkeit geführt haben oder zu seiner Anstrengung, fast immer zu seiner Anstrengung, denn er hat eingewilligt, zu arbeiten, zumindest hat er sich nicht gesträubt, sein Glück zu versuchen (das, was er sein Glück nennt!).*[16]

Keiner am Tisch hörte ihnen zu. Sie holten aus ihren Taschen Papiere, redeten durcheinander, einer sagte: »Lies doch ›Der Träumer – von Mauern umgeben‹.« Ein anderer sagte: »Lies ›Der Schatten des Erfinders‹, Aragon, Aragon.« Ein anderer sagte: »Lasst uns ›Unbewusste Gründe des Selbstmords‹ hören.« »Nein, von Fourrier ›Polizei, Hände hoch!‹«

Ich hörte mal ihnen, mal den beiden zu, die immer noch den Breton-Text synchron sprachen: *Ist für den Geist die Möglichkeit, sich zu irren, nicht vielmehr die Zufälligkeit, richtig zu denken?*

Einer der türkischen Jungen sagte: »Ja, der Begriff *irren*. Könnte ich sagen, das reale Leben irrt sich im Traum? Deswegen sind Träume wachsam. Der Traum korrigiert den Wachzustand, stellt das Unbewusste ins Licht. Wir alle sollten jetzt sofort unseren letzten Traum erzählen. Wer fängt an?« Keiner erzählte seinen Traum, alle redeten weiter durcheinander, schrien: »Lies Éluard, lies Éluard: ›Zunächst und immer Revolution!‹«

Ich fragte mich, wann ich zuletzt geträumt hatte. Es war im Hotel bei der Metro Gambetta. Korridore. Ich gehe zwischen den Räumen entlang. All diese Räume befinden sich auf einem langen Korridor. Die Farbe an den Wänden, weißer Kalk. Ich bin allein. Dann bin ich bei meinem Lehrer. Er sieht aus wie Don Quichotte, er hat einen Diener oder einen Löwen als Diener. Mein Lehrer lässt meine Stimme von einem Tonband kommen. Die Stimme sagt: »Ich küsse gern auf einem Bett mit einem Mann.« Dann Straße, Sonne, dann ein langer Tisch, hinter mir eine Frau, sie zählt heimlich die Maschen von meiner Strickjacke.

Ich kam nicht dazu, den Traum zu erzählen, Mehmet war zurückgekommen, sagte: »Man darf in Paris nicht nur an einem Platz sitzen bleiben. Wir gehen. Ich habe schon bezahlt.«

Alle standen auf. Laut sprechend, lachend gingen sie zur Tür. Efterpi sagte: »Mehmet, wir gehen nach Hause.« Mehmet sagte zu mir: »Komm, wann du willst, vorbei.«

Wir liefen über den Boulevard Raspail in Richtung Denfert-Rochereau, gingen an der Löwenstatue vorbei in Richtung Metro Glacière den steilen Boulevard Saint-Jacques hinunter. Irgendwann liefen zwei Blinde vor uns, ein Mann und eine Frau, Arm in Arm, mit weißen Stöcken in ihren Händen. Die Blinden liefen sehr schnell, ihre Stöcke schlugen auf den Straßensteinen ständig den Takt. So liefen auch wir schnell hinter ihnen her. An der Metro Glacière bogen die beiden nach rechts in eine Straße. Die Geräusche ihrer Blindenstöcke entfernten sich. Wir blieben stehen.

Efterpi sagte: »Hier in der Nähe gibt es ein Blindenheim, da wohnen sie. Und hier ist mein Café. Der Besitzer Roland ist ein echter Anhänger von Buñuel-Filmen. Lass uns reingehen.«

Roland saß hinter der Theke auf einem hohen Hocker, alle anderen standen davor. Efterpi erzählte mir leise, wer sie waren. Sie kannte sie seit Jahren.

Der erste Mann, Jacques, war der Postmann des Quartiers. Der zweite Mann war René, ein Bombensuchspezialist. Er arbeitete am Flughafen. Wenn man einen verdächtigen Koffer in einem Schließfach entdeckte, musste René diesen Koffer öffnen. Neben René stand Kambuz. Er war Medizinstudent, er war Linker. Er kam jeden Abend in das Café von Roland. Am Anfang hatte er erzählt, er sei aus dem Senegal. In Wahrheit war er aus Persien, hatte Angst vor der iranischen Schah-Regierung, weil er ein Linker war. Er wollte aber im Café in Ruhe mit anderen über Sozialismus reden, deswegen hatte er sich am Anfang hinter dem Wort Senegal versteckt. Neben Kambuz saß auf einem Hocker ein dicker Mann in einem lila Jackett, Samuel, er arbeitete im Irrenhaus, das von hier ein paar Gassen entfernt war, liebte Godard-Filme, war schwul und hatte seit zwei Monaten Liebeskummer. Der Mann, der an einem Flipper spielte, hieß Branco. Er war der Kellner von Rolands Café. Efterpi sagte: »Seine Frau hat lange Fingernägel. Wenn sie sich lieben, kratzt sie Branco an seinem Hals. Branco läuft oft mit Kratzspuren am Hals im Café herum. Manchmal zeigt er die Nagelspuren den Kunden, während er Cassis oder Pernod in das Glas gießt. Alle kommen jeden Abend zu Roland.«

Alle standen an der Theke still. Nur der Flipper, an dem Branco spielte, machte ab und zu Geräusche. Branco hörte auch bald auf, ging nach hinten in die Küche. Die Küchentür öffnete sich leise, Kambuz und die anderen schauten hinter Branco her, dann drehten sie sich wieder zur Theke, tranken still ihre Getränke. Ab und zu gab Kambuz Geräusche von sich wie hım, hım, hım, hım. Dann schwieg er. Die Cafétür ging auf, alle drehten ihre Köpfe zur Tür. Krankenpfleger in weißen Hemden kamen aus dem nahe gelegenen Irrenhaus, suchten im Café nach einem Irren, der abgehauen war. Sie schauten schnell alle unsere Gesichter an, dann gingen sie weiter ins nächste Café, um dort weiterzusuchen. Als sie weggegangen waren, kam ein langer, schöner Mann mit einer sehr schönen Frau ins Café, die Frau war klein, sie bestellten zwei Rotweine. Der Mann hatte zu schnelle Bewegungen. Plötzlich ging er aus dem Café raus, dann tauchte er an der Theke wieder auf. Die Frau sprach sehr vorsichtig mit ihm, sehr langsam, er sprach sehr schnell, mit heftigen Kopfbewegungen, trank seinen Wein nicht, die Frau zahlte, sie gingen. Roland, der Cafébesitzer, sagte: »Er ist ein sehr guter Journalist, er ist zurzeit im Irrenhaus.« René, der Bombensucher, stand auf, sagte an der Tür kurz bonsoir, ging auch. Die Leute drehten ihre Köpfe kurz zu René, dann schwiegen sie weiter. Als alle weiterschwiegen, sagte Roland zu Efterpi: »Weißt du, was Buñuel auf die Frage ›Glaubst du, die Menschen sind für Gut und Böse verantwortlich?‹ geantwortet hat? Er hat geantwortet: ›Ich habe dir schon gesagt, dass der vom Menschen geschaffene Gott der Geist des Bösen ist.‹«

Das gefiel mir sehr, ich lachte laut. Roland schaute mich an, schenkte mir aus der Rotweinflasche etwas ein, fragte Efterpi, ob ich Buñuel liebe. »Elle aime Buñuel, mais oui, mais oui, aber wie, aber wie«, antwortete Efterpi. »Einmal hat sie sogar Buñuel in ihrem Traum gesehen. Wann hast du das geträumt?« »Vor einem Jahr in Berlin. Buñuel kam und schenkte mir einen Weihnachtskalender. Ich öffnete eines der Türchen – da war eine kleine Uhr, die tickte. Buñuel sagte mir, dass er diese Uhr als Kind selbst gebastelt habe. Ich hängte die Uhr an meine Wand. Sie tickte dort weiter.«

Ich notierte den Buñuelsatz auf einem Papier: DER VOM MENSCHEN GESCHAFFENE GOTT IST DER GEIST DES BÖSEN.

Roland saß weiter auf seinem hohen Hocker, sagte: »Buñuel sagt: ›Der erste Atheist, der erste große Atheist, den es gab, war de Sade.‹ Die Bücher von de Sade müssen ihm, dem Buñuel, als er ein junger Mann gewesen ist, eine vollkommen unvermutete Welt zugänglich gemacht haben. Wie geht man heute mit de Sade um? Sie reduzieren ihn auf das als Sadismus Bezeichnete, also nur auf das Pornografische, obwohl de Sade das Gegenteil davon ist.«

Der iranische Sozialist Kambuz zog aus dem Erdnussautomaten Erdnüsse, gab uns auch welche. Ich sagte: »Auf Türkisch heißt Erdnuss Fıstık.«

Plötzlich kamen aus Kambuz' Augen Tränen. Er sagte: »Im Iran sagen wir Fıstık-ı zemin.« Es perlten weitere Tränen aus seinen Augen.

Efterpi sagte: »Er darf nicht in den Iran. Wenn er hinfährt, werden sie aus ihm Hackfleisch machen.«

Ich schaute in das Gesicht von Kambuz, aus dem die iranische Regierung Hackfleisch machen würde. Neben mir ein iranischer Hackfleisch-Kambuz, gegenüber von mir der Atheist und Liebhaber von Buñuel-Filmen Roland, auf der rechten Seite meine Freundin Efterpi, deren Eltern die Nazis in Thessaloniki nacheinander umgebracht hatten. Als der Quartierspostmann Jacques hörte, dass ich aus Istanbul sei, lachte er, sagte: »In Istanbul hat man für die Toiletten die Zeichen null-null, oo, zero-zero.«

Als er auf die Toilette ging, sagte er laut: »Zero, zero.« Alle wollten, dass ich ein deutsches Lied singe. Samuel, der seit zwei Monaten Liebeskummer hatte, sagte: »Ein Volkslied.« Ich sang: »Ein Jäger aus Kurpfalz, der reitet durch den grünen Wald, halli, hallo, gar lustig ist die Jägerei.«

Alle fanden das Lied schön.

Jacques kam von der Toilette nicht mehr zurück. Roland

stieg zum ersten Mal von seinem Hocker, ging auf die Toilette, um nachzusehen, wo Jacques blieb. Er kam zurück mit Jacques, der sehr schwer ging, sagte: »Jacques muss nach Hause.« Kambuz und Samuel fassten Jacques unter seinen Armen, Efterpi zog ihm im Gehen seine Jacke an. So gingen wir alle, um Jacques nach Hause zu bringen. Er wohnte in der Richtung, in die die zwei Blinden vor zwei Stunden gelaufen waren. Als wir vor Jacques' Wohnungstür im Parterre standen, schloss Samuel mit Jacques' Schlüssel die Tür auf. Wir alle gingen rein. Die Wohnung hatte einen einzigen Raum – er war sehr arm. So ein armes Zimmer hatte ich in Berlin nicht gesehen. Das Bett war zerwühlt. Alte Laken, Bettdecken ineinandergewühlt, überall lagen Sachen durcheinander, in einer Plastikschüssel lag Unterwäsche im Wasser, die schon lange drin war. Aus einem Rohr in der Wand kamen ständig Geräusche. Der Raum hatte kein Fenster, an der Decke hing eine Lampe schief.

Als wir Jacques ausgezogen, auf das Bett gelegt und seine Kleider eins nach dem anderen über die Stuhllehne gehängt hatten, drehte er seinen Kopf von einem unserer Gesichter zum anderen, wie ein Kind, das zu hohes Fieber hat. Mit halbwachem Verstand schaute er die Menschen an, die sich über ihn gebeugt hatten. Wir deckten ihn zu, machten das schmutzige Licht aus. Als wir gingen, hörten wir nur das Rohr, das in der Wand im Dunkeln weiterbrummte. Kambuz und Samuel liefen in Richtung Metro Saint-Jacques.

Als ich in Efterpis Hauseingang die vielen Postkästen sah, dachte ich an Jacques, den Postmann. Er lag da in seinem alten, armen, schmutzigen Bett wie in Brechts Gedicht von der Freundlichkeit der Welt:

Auf der Erde voller kaltem Wind
Kamt ihr alle als ein nacktes Kind.

Frierend lagt ihr ohne alle Hab
Als ein Weib euch eine Windel gab.[17]

Wir gingen durch den Korridor in den Garten, wo die vier Studios nebeneinanderlagen. Im ersten und zweiten Studio waren die Lichter an, aber wir sahen keine Menschen drinnen, nur bei Efterpis Nachbarn Yerasimos saß seine Katze Pambuh auf einem Tisch. Efterpi zog ihre schwere Tür nach links. Ihre Katze Badi stieg von ihrem Sessel runter und ging raus zum Garten. Efterpis Mann Charis las gerade die Doktorarbeit eines seiner Studenten, fragte uns, was wir gegessen hätten. Dann las er weiter. Efterpi fragte mich: »Du hast doch das Liederbuch von Edith Piaf, oder?«

»Ja.« Das kleine Liederbuch hatte mir der Kellner Marc in dem Café gegenüber meinem Hotel an der Metro Gambetta geschenkt und zu mir gesagt: »Hier, deine Freundin – ta copine.«

Efterpi legte eine Langspielplatte von Edith Piaf auf, sagte: »Kiki de Montparnasse, du hörst jetzt die Lieder, dann sagst du mir, welche Lieder du gerne singen würdest. Dann finden wir die in deinem Liederbuch. Dann übersetzte ich sie dir ins Türkische. Das kannst du neben die französischen Wörter in dein Buch notieren, du weißt dann, was im Lied gesagt wird. Dann lernst du das französische Piaf-Lied auswendig und gleichzeitig lernst du Französisch.«

Von der Schallplatte wählte ich drei Lieder.

»La vie en rose – Das rosige Leben«

Quand il me prend dans ses bras
Il me parle tout bas
Wenn er mich in seinen Arm nimmt
spricht er mit mir ganz leise

»Non, je ne regrette rien – Nein, ich bereue nichts«

Non, rien de rien, non, je ne regrette rien
Nein, nichts nichts, nein, ich bereue nichts
»Mon Dieu – Mein Gott«
Mon Dieu! Mon dieu! Mon dieu!
Laissez-le-moi
Encore un peu
Mon amoureux
Un jour, deux jours, huit jours …
Mein Gott, mein Gott, mein Gott
Lass ihn mir
noch ein bisschen
Meinen Geliebten
Einen Tag, zwei Tage, acht Tage …

Ich wollte das Lied »Mon Dieu« deswegen lernen, weil Edith Piaf bei einem Konzert in Versailles gesagt hatte, sie würde es nur für ihren Geliebten Marcel Cerdan, der bei einem Flugzeugabsturz gestorben war, singen. Sie sang es mit so großen Gefühlen.

Efterpi nahm jedes der drei Lieder sechsmal hintereinander auf eine Kassette auf, damit ich jedes Lied sechsmal hintereinander hören und auswendig lernen konnte. Dann gab sie mir die Kassette, einen Kassettenrekorder und Kopfhörer. Ich legte mich damit auf die Couch, zog mir die Bettdecke über den Kopf. »Mon Dieu! Mon dieu! Mon dieu!«

Wo wohnen Sie, Madame?

Ich wohne in Edith Piafs Lied.

Irgendwann machte Efterpi das Licht aus, legte im Dunkeln eine Schallplatte mit den Liedern der griechischen Sängerin Sofia Vembo auf. Dann legten auch Efterpi und Charis sich ins Bett. Ich kannte diese Lieder aus Istanbul. Meine Mutter liebte Sofia Vembo. Eines ihrer Lieder hieß »Nani Nani«.

Eine Frau will in dem Lied ihrem Geliebten ein Wiegenlied singen, »Nani Nani«, und ihn an einem regnerischen Nachmittag in ihren Armen wiegen. Im dunklen Raum sah ich nur das kleine Licht vom Plattenspieler. Als Sofia Vembo anfing, das Lied »Nani Nani« zu singen, sagte ich leise: »Mama, Mama. Ich höre hier in Paris bei Efterpi Sofia Vembo, die du liebst. Und du hörst in Istanbul wahrscheinlich die Militärhubschrauber über die Dächer fliegen. Im Schlafe der Völker stehen die Generäle auf. Und vor den Vätern sterben die Söhne, wie der Dichter Thomas Brasch geschrieben hat.«

Ich schlief ein und träumte: Ein Hund beißt mich in meine Wange. Ich bringe Bücher ins Gefängnis, habe ein Kostüm von Medea an, ich laufe im Medea-Kostüm die Treppe hoch, denke, die Leute im Bus, die werden mir applaudieren. Dann gehe ich im Gefängnis in die Zelle des Dichters Nâzım Hikmet. Nâzım fragt mich, was wir heute kochen könnten. Ich schaue ihn an, denke, er ist älter als ich, ich muss den ersten Schritt tun, um mit ihm Liebe zu machen.

Ich wurde wach und wollte die Traumbilder – ich als Medea und wie Nâzım Hikmet in seiner Gefängniszelle mit mir sprach, meine Lust, mit ihm zu schlafen – noch mal sehen, sie mir vorstellen, sie festhalten. Aber diese Bilder lösten sich auf, so schnell wie eine schöne Wolke im Himmel. Wie in alle Richtungen fliegende Wattestücke. Wie kann man einen Traum festhalten?

Als meine Wolke, die zuerst wie ein seltenes Tier aussah, sich dann aber in durcheinanderwirbelnde Teile dieses Tieres auflöste, hörte ich aus dem Wasserhahn in der Küche, den Efterpi nicht fest zugedreht hatte, Wasser auf das Geschirr, das im Spülbecken stand, hinuntertippen. Tip. Pause. Tip. Pause. Tip. Pause. Tip. Ich wollte leise aufstehen, um den Hahn zuzudrehen, aber bei meiner ersten Bewegung hörte ich aus der Richtung des Sessels, auf dem die Katze Badi schlief, ein Geräusch. Es war die Katze Clochard, die immer in der tiefen Nacht herunterkam und sich neben Badi hinlegte. Jetzt stand sie neben Badi auf dem Sessel und horchte und schaute in meine Richtung. Ich blieb ganz still. Erst als Clochard sich sicher war, dass keiner sich bewegte, legte sie sich neben Badi und umarmte sie fast. Das Tip, Tip, Tip ging in der Küche weiter. Wenn ich mich mit jemand im Raum identifizieren sollte, wäre es wahrscheinlich die Katze Clochard. Wir beide hatten Efterpi und Charis, und die vergrößerten Fotos von Efterpis Eltern an der Wand würden uns vor dem Abgrund schützen.

In der Sprachschule fragte uns unsere Lehrerin, die Nonne, was wir gestern gemacht hätten. Ich sagte: »Ich habe den Film von Jean Renoir *Boudu – Aus den Wassern gerettet* gesehen, mit Michel Simon.« Die Nonne fragte: »Wer kennt Michel Simon?« Ein japanischer Schüler sagte: »Michel Simon war Dadaist und hatte eine große Sammlung von erotischen Bildern.« Die Nonne sagte: »Dans le film il y a un très bon décor de l'appartement de la libraire et une excellente description de Paris et ses quais – In dem Film gibt es sehr gelungene Einrichtungen des Appartements der Buchhändlerin und ausgezeichnete Aufnahmen von Paris und seinen Quais.« Sie fragte mich, ob ich Michel Simon gut fände. Ich sagte, ich sei in ihn verliebt: »Je suis amoureuse de lui.«

Plötzlich lachte die Nonne, sagte: »Ach, Sie sind verliebt in Michel Simon.« Dann ließ sie uns das Verb *être amoureux* konjugieren: »Ich bin verliebt, du bist verliebt – je suis amoureux, tu es amoureux.«

Nach der Schule fuhr ich zur Metro Opéra und ging zum

Büro des Festival d'Avignon. Auf dem Tisch neben meinem Arbeitsmaterial lag das leere Zigarettenpäckchen blaue Gauloises von Besson. Ich blätterte in meinen Papieren, fand meine Williams-Zeichnung, meinen Freund aus Papier, mit dem ich sprechen konnte, aus der Wohnung an der Metro Cardinal Lemoine, wohin auch Laurent gekommen war. Ich nahm Williams, lehnte ihn an eine Wasserflasche, neben ihn stellte ich das Gauloisespäckchen von Besson und fing an, für eine neue Collage Bilder zu suchen, sie auszuschneiden, zusammenzukleben für die Szenen von unserem Stück. Beim Arbeiten schaute ich ab und zu zu Williams und dem leeren Gauloisespäckchen. Wo wohnen Sie, Madame? – Vous habitez où, Madame? Ich wohne in Williams und blauen Gauloises – j'habite dans Williams et Gauloises bleues.

Ich ging gegen Abend mit Stefanos Yerasimos und seiner Frau zu Sertels, türkischen Exilanten. Zekeriya Sertel und seine Tochter Yıldız. Zekeriya Sertel war ein Freund von Nâzım Hikmet und musste wie Nâzım damals die Türkei verlassen. Die Frau von Yerasimos ging mit Yıldız in die Küche, Yerasimos und ich gingen ins Arbeitszimmer von Sertel. Das Zimmer war voll mit Büchern, man konnte sagen, in diesem Zimmer wohnten Bücher. Sertel, ein kleiner Mann, saß in seinem Sessel, das Licht im Raum war gedämpft. Sertel und Yerasimos sprachen miteinander, leise. Ich schaute auf diesen achtundachtzig Jahre alten Sertel. Er hatte im Jahr 1911 als Zwanzigjähriger eine Zeitschrift herausgegeben, *Yeni felsefe – Neue Philosophie*, und auch darüber geschrieben, wie die Frauen in der Türkei mehr und mehr frei werden könnten. 1913 ging er nach Paris, studierte an der Sorbonne Soziologie, war Schüler des berühmten Soziologen Durkheim. Als der Erste Weltkrieg anfing, kehrte er nach Istanbul zurück, schrieb für Zeitungen und gab eine Zeitschrift heraus, musste immer wieder ins Gefängnis. Während er im Gefängnis saß, führte seine Frau Sabiha die Zeitschrift weiter, und Sabiha wurde 1927 die erste Journalistin der Türkei. Sertel gab ab dem Jahr 1939 die Zeitung *Tan* heraus. Man sagte, *Tan* sei während des Zweiten Weltkriegs für ihre antifaschistische Haltung berühmt gewesen. 1945 wurde *Tan* geschlossen. Man hatte versucht, Sertel und seine Frau zu lynchen. Danach flüchtete er mit seiner Familie nach Paris.

Sertel schaute ab und zu zu mir aus seiner halbdunklen Ecke. Dann stand er auf, holte aus seiner Bibliothek ein Buch, kam damit zu mir, sagte: »Ich schenke es dir«, und ging aus dem Zimmer hinaus Richtung Küche. Das Buch, das er mir gegeben hatte, war ein Gedichtband von Arthur Rimbaud. Ich schlug zufällig eine Seite auf, »Stefanos, kannst du mir das Gedicht übersetzen?« Stefanos las:

Mein grenzenloses Herz!
Leb deinen Traum,
trotz einsamer Nacht
und brennender Tage.[18]

Ich notierte die türkische Übersetzung neben den französischen Text.

Wir saßen in Sertels Zimmer, sein Sessel war leer, das Licht im Raum wurde mit dem Abend noch gedämpfter, noch dunkler. Es war so schön, in diesem gedämpften Licht im Zimmer dieses alten Mannes zu sitzen, der sich vor dreiunddreißig Jahren vor dem Lynchen nach Paris gerettet und hier weitergelebt hatte in diesem Licht. Paris war schon seit dem ottomanischen Reich eine Exilstadt für türkische Eliteintellektuelle. Alle hauten sie nach Frankreich ab, warum ging keiner nach Deutschland? Sertel kam 1945 nach Paris.

Wie sollte er 1945 nach Berlin emigrieren? Gab es denn 1945 ein Berlin? Es gab kein Berlin, keinen Walter Benjamin. Erst jetzt, viel später, lebten in Berlin politische Emigranten, türkische Linke, Aleviten, die vor den Massakern der Grauen Wölfe oder vor Fanatikern aus Angst geflohen waren.

Sertel kam wieder ins Zimmer, stand an der Tür, das Korridorlicht belichtete ihn stark. Er stand da, selbst wie aus Licht, ruhig, und wartete, als ob er sagen würde:

Ich sag dir, schau auf diese Plätze
Auf die Gassen, Brücken, Dächer ohne Ziegel
Auf die Steine, Stöcke, furchtbaren Waffen
Auf den Stadtplan, auf die Verkehrsampel
Und auf die Männer im Blut
Männer im Blut
Blut ist Hoffnungslosigkeit
Bereite dich darauf vor
Wie einsam wir sind, erinnere dich immer
Der Hunger, die Massaker
Oder zum Beispiel ohne dich sein an einem Abend meines Lebens
Erinnere dich an die Heere, die von einem Ort
an den anderen ziehen mit Flugzeugen
Die Lügen, der Verrat, die chaotischen Häfen
in der Welt, wo zwei Sachen plötzlich sich gegenüberstehen.[19]

Als wir uns nach dem Essen von den Sertels verabschiedeten, umarmte mich seine Tochter Yıldız, sagte: »Komm wieder.« Dann gingen wir schweigend zur Metro. Yerasimos und seine Frau stiegen in Glacière aus, ich fuhr weiter nach Plaisance zu Jean Irigarays Haus.

Es war spät. Ab zwanzig Uhr musste man den Türcode kennen. 4458. Ich tippte ihn ein, ging in den Hauseingang, suchte das automatische Licht, stolperte im Dunkeln über Beine. Jemand schimpfte: »Merde – scheiße, mais dis donc. Qu'est-ce que c'est que ça? – Was ist das denn?« Ich fand das Licht. Im Eingang lagen drei Clochards auf drei Schlafsäcken auf dem Boden. Sie hatten wahrscheinlich versucht zu schlafen, und ich war im Dunkeln auf ihre Beine getreten. Sie sagten wieder: »Merde – scheiße, Mensch.« Ich sagte: »Entschuldigen Sie mich – pardonnez-moi, pardonnez-moi«, ging auf den Zehenspitzen die Treppe zu Jean Irigarays Wohnung hoch.

Die Wohnung war still. Alles schläft, dachte ich. Ich fand im Salon mein Klappbett, legte mich hin und schlief ein. Irgendwann lief die Katze Maskeline über meine Beine, ich sagte im Schlaf: »La tristesse, c'est un chat …« Plötzlich wachte ich auf. Alle Lichter waren an. Der Salon war voll mit Menschen, alle tanzten, lachten, tranken. Wenn einer vom Tanzen müde war, setzte er sich auf mein Bett. Ich hielt meine Augen halb zu. Als Kind hatte ich es sehr geliebt: Ich liege im Bett, und alle sind da, bewegen sich um mich. Die Leute tanzten fast über mir, ich sah vom Bett aus viele Beine, Popos, Oberschenkel. Eine schwarze dicke Frau hatte ein kurzes Kleid an. Von unten sah ich ihre Schenkel. Sie lachte beim Tanzen, ihr ganzer Körper lachte mit. Ich sah über mir ihre glücklichen Schenkel, die mitlachten. Jemand nannte sie Matilde. Matilde setzte sich irgendwann auf mein Bett. Fröhlich lachend, sprach sie mit Jean, der vor ihr tanzte. Ich hielt weiter meine Augen zu, Matilde sprach weiter mit Jean und streichelte mit ihrer Hand sehr ruhig meinen Kopf. Dann stand sie energisch auf, tanzte weiter. In dem Moment sprang die Katze Maskeline auf das Bett, lief hin und her, setzte sich kurz auf meine Beine, stand wieder auf, ging weg. Als Maskeline weg war, setzte sich ein junger französischer Mann auf mein Bett. Er sprach vom Bett aus mit einem anderen Mann, der vor ihm tanzte. Dann setzte sich auch der auf mein Bett. Wegen ihren Rücken sah ich nicht mehr, wer vor ihnen tanzte. Irgendwann standen sie beide auf, gingen in die Mitte des Salons, dann sah ich wieder die Schenkel Matildes nahe meinem Gesicht tanzen. Wenn Jean mit ihr tanzte und ihr etwas erzählte, lachten ihre Schenkel besonders lange.

Wo wohnen Sie, Madame? – Où habitez-vous, Madame? Ich wohne in Matildes lachenden Schenkeln.

Am nächsten Morgen wachte ich mit einem Lachen auf meinem Mund auf. Der Salon lag im Halbdunkel. Alle waren weg. Aber das Lachen von Jeans Freunden hörte ich weiter. Ihr gelachtes Lachen hatten sie hiergelassen, und all diese Lachen lachten weiter im leeren Salon. Maskeline lag auf meinem Bett. Ich stand auf und versuchte, wie Matilde zu tanzen, meine Schenkel lachend über Maskelines Kopf zu bewegen. Maskeline schaute ruhig auf mich vom Bett aus. Dann stand sie auf, lief in Richtung Jeans Zimmertür, setzte sich vor die geschlossene Tür und schaute von Weitem auf mich. Ich ging zum Fenster. Die Straße schlief, nichts bewegte sich, kein Auto, kein Mensch, kein Hund. Genau gegenüber stand ein Haus, es war lila gefärbt, in der ersten Etage war Licht. Eine Frau saß am Fenster auf einem Stuhl, schaute mal links, mal rechts auf die ruhige Straße, dann schaute sie zum Himmel, dann wieder links, rechts auf die Straße, dann wieder zum Himmel, dann wieder auf die Straße. Ich merkte, dass ich sie nachmachte, als ob ich ihr Bild im Spiegel wäre. Sie blieb lange vor dem Fenster sitzen. Weil sie nicht wegging, blieb ich auch am Fenster. Dann stand sie plötzlich auf, ging weg. Ich sah sie wieder ins Zimmer kommen, neben ihr lief ein Mann im Regenmantel, den er dann in der Mitte des Zimmers auszog. Dann gingen sie wieder nach hinten, und ich sah sie nicht mehr. So ging ich auch weg vom Fenster, setzte mich aufs Bett.

Es war jetzt still im Salon. Maskeline hatte sich wieder auf mein Bett gelegt. Ich zog mich an, trank Kaffee, fragte mich, was Sonntag auf Französisch heißt. »He Maskeline, was heißt Sonntag auf Französisch?« »Dimanche« »Merci. Maskeline, kennst du das Lied von Edith Piaf:

Maskeline, als er mich in seine Arme nahm
sprach er mit mir sehr leise
Maskeline, ich sah das Leben rosig
Maskeline, er sagte mir die Wörter der Liebe
Er ist in mein Herz gekommen.«

Maskeline sprang wieder aus meinem Bett, ging in die Küche, bewegte mit einer Pfote ihren leeren Essteller. Ich gab ihr etwas zu essen. Während sie aß, sagte ich:

»Maskeline, nein, nicht, ich bereue nichts.

Maskeline, nicht das Gute, das man mir angetan hat, nicht das Schlimme.

Maskeline, es ist mir alles egal.

Non, nichts.

Ich bereue nichts.

Maskeline, es ist bezahlt, gefegt, vergessen.

Maskeline, mir ist sie egal, die Vergangenheit.«

Maskeline hatte alles aufgegessen, ging wieder in Richtung Jeans Zimmertür, die weit weg, am Ende des langen Salons, lag. Ich ging wieder zum Fenster. Im lila Haus war das Licht in der ersten Etage ausgemacht worden. Kein Mensch war zu sehen. Ich setzte mich auf das Bett, hörte mir die Piaf-Lieder, die Efterpi für mich aufgenommen hatte, an und versuchte, sie auswendig zu lernen.

»Mein Gott, mein Gott, mein Gott
lass ihn mir
noch ein bisschen
meinen Geliebten
einen Tag, zwei Tage, acht Tage …
Mon Dieu! Mon dieu! Mon dieu!
Laissez-le-moi
Encore un peu
Mon amoureux
Un jour, deux jours, huit jours …«

Draußen hielt ein Auto. Ich ging wieder zum Fenster, schaute auf die Straße, kam zurück. Es klingelte. Ich wartete darauf, dass Jean aus seinem Zimmer kam und die Tür aufmachte. Als es zum fünften Mal klingelte, machte ich die Tür auf. Ein Mann kam herein. »Ist Jean da? – Est-ce que Jean est là?«, fragte er und lief in Richtung Jeans Zimmer. »O là là«, sagte er, »er ist nicht da – il n'est pas là, tant pis, tant pis – schade.« Dann lächelte er, ging in die Küche, nahm Kaffee, kam zurück, zog seinen Schal aus, sagte: »Ich bin Leonard«, ging wieder in die Küche, nahm irgendwas zum Essen, brachte mir auch einen Kaffee, schmierte Butter auf ein paar Biskuits, aß, lachte, gab mir auch welche, fragte mich, wo Jean ist. »Ich weiß es nicht, ich hab Jean gestern Abend gesehen – je n'ai pas vu Jean, j'ai vu Jean hier soir.«

»Quel chouette accent – was für ein schöner Akzent. Woher kommen Sie?«

»Aus Istanbul.«

»Une Méditerranéenne – eine Mediterrane. On est méditerranéen – wir sind mediterran.«

»Il pleut – es regnet«, sagte er, ging zum Radio, machte

Musik an, kam zurück, setzte sich auf mein Bett, nahm die Katze Maskeline auf seinen Schoß, streichelte sie mit der rechten Hand, mit der linken trank er seinen Kaffee.

»Monsieur Leonard, können Sie Deutsch?«

»Ja«, sagte er, »ja, ein bisschen.«

Er war aus der Normandie. Lachend sagte ich: »Ich kenne nur einen Menschen aus der Normandie, Gilles de Rais, der um 1430 Hunderte von Kindern entführte, folterte und tötete.«

Leonard lachte, sagte: »Und ich kenne einen Türken – Atatürk.«

Als Leonard erfuhr, dass ich in Berlin gelebt hatte, erzählte er mir von einem deutschen Soldaten, den Leonards Vater im Zweiten Weltkrieg in der Normandie kennengelernt hatte. Leonard sagte: »Ich glaube, dieser deutsche Soldat hieß Freddy – oder war es Ferdinand? Egal, Freddy. Er war in unserer Stadt stationiert. Mein Vater hörte sich jede Nacht Radio Londres an, das Programm von Franzosen für Franzosen. Und dieser deutsche Soldat kam drei Monate lang jeden Abend zu uns und hörte mit meinem Vater heimlich Radio Londres. Er wollte wissen, wie es mit dem Krieg, mit den Alliierten, mit de Gaulle weiterging. Er war gegen Hitler, hatte mein Vater gesagt. Ich war damals ein Kind. Als mein Vater mir später von diesem Freddy erzählte, war ich sehr berührt. Pauvre Freddy – armer Freddy.«

Jean kam, umarmte seinen Freund, küsste meine Wangen, lachte mich an: »Ça va, ça roule, ça gaze? – Geht's, rollt's, gibt es Gas?« Dann lachte er wieder. Leonard und er gingen in sein Zimmer, übten ungefähr vier Stunden lang Klarinette. Ich saß am Fenster, schaute wieder auf das lila Haus. Alles war ruhig in der ersten Etage, wo ich die Frau am Fenster gesehen hatte, kein Licht, kein Mensch im Raum, nur ein junger Mann hielt unten auf der Straße, stieg von einem sehr alten Fahrrad und ging in das lila Haus hinein.

Ich sagte leise: »Freddy, armer Soldat Freddy.« Damals war er wahrscheinlich so jung wie dieser Mann mit dem Fahrrad. Er hatte keinen Halt außer Leonards Vater und Radio Londres. Außer zugezogene Vorhänge, ein leises Radio. Ein Franzose, ein Deutscher. De Gaulles Stimme. Jeden Abend ging Freddy mit einer Hoffnung zu einem Radio. Das Jahr 1944.

Und wir in der Türkei, Anfang der Siebziger, als das Militär geputscht hatte, hörten in Istanbul im BBC-Radio aus London, was mit der Türkei weiter passieren wird. Wir sammelten uns bei dem Dichter Can Yücel, aßen Suppe, hörten das Londoner Radio BBC, und wie Freddy suchten wir Hoffnung. Abend für Abend vor einem Radio. Freddy, wie einsam du warst.

Weine nicht, Freddy, deine Stirn kriegt Falten.

Weine nicht, Freddy, deine Wange kriegt Falten.

Der junge Mann, der vorhin in das lila Haus hineingegangen war, kam wieder heraus, lief nach rechts, sein Fahrrad blieb vor dem Haus stehen. Dann kam wieder ein junger Mann aus dem Haus. Er schaute zum Himmel, machte seinen Regenschirm auf, lief weg.

Ich ging hinaus und lief im kleinen Regen. Lief und lief, fand irgendwann den Bus 21, mit dem ich zu Efterpi fahren konnte, lief aber weiter, folgte den Haltestellen. Die Haltestellen des 21er brachten mich zu Efterpis Haus. Ich war sehr nass geworden. Monsieur Umberto, dem man seine Erfindung geklaut hatte und der dann verrückt geworden war, saß bei Efterpi und trank Kaffee. Ich setzte mich an den Tisch. Monsieur Umberto fragte mich: »Geht es Ihnen gut, Madame? – Vous allez bien, Madame?«

Efterpi und Charis saßen auch am Tisch, sie tranken keinen Kaffee. Monsieur Umberto trank seinen Kaffee und war danach, wie Efterpi gesagt hatte, abwesend. Aber nicht nur er, auch Charis und Efterpi waren abwesend, sie sprachen nicht, saßen einfach da. Ich war es gewohnt, wenn ich in das Haus kam, Charis an seinem Schreibtisch in seine Maschine tippen oder eine Doktorarbeit seiner Studenten lesen zu sehen. Jetzt saß er, Hände auf dem Tisch, schaute auf Monsieur Umberto. Ich blieb auch still, schaute durch die Glastür in den Garten. Charis hatte einen roten Pullover an, die Glastür spiegelte diese rote Farbe. Eine Biene lief über das Glas, genau über diese rote Farbe. Weil am Tisch alles weiter schwieg, schaute ich auf diese Biene. Die Biene lief mal nach rechts, mal nach oben, dann wieder nach unten, dann blieb sie stehen. Auf dem Glas, wo die Biene saß, sah ich den gespiegelten Schatten von Efterpis Händen und Kopf. In der Hand hielt sie ein Stofftaschentuch. Ich drehte meinen Kopf vom Glas zum Tisch zu diesem Taschentuch, es war nass. Wahrscheinlich weil keiner sprach, fing Monsieur Umberto an, mit sich selbst zu reden, schaute hoch zur Decke, sagte Sätze wie: »Tu te rappelles? Je te laisse au garage. Serviette comme un sourire. Enfants les tracteurs. Le sang dans la rue chaude. D'accord sur un béton bouteilles bouchon. Le bras long.« Er wiederholte diese Sätze immer wieder und wurde schneller und schneller, lauter, fast schrie er. Ich notierte Monsieur Umbertos Wörter und suchte sie in meinem Wörterbuch:

Sourire … sourire … lachen
le bras long … langer Arm
rue chaude … warme Gasse

Ich hörte irgendwann zwischen Monsieur Umbertos lauter Stimme die ruhige Stimme von Charis. Er fragte Efterpi:

»Quand sont-elles, les funérailles?« Ich suchte im Wörterbuch das Wort *funérailles*.

Funérailles – Begräbnis – wann ist das Begräbnis? Ich klappte das Wörterbuch zu, schaute auf das nasse Taschentuch von Efterpi.

»Efterpi, wer ist gestorben?«

Efterpi holte die türkische Zeitung *Cumhuriyet*, öffnete eine Seite. Da war ein Artikel von Kosta Daponte. Über dem Artikel stand: »Unser Korrespondent Kosta Daponte berichtet.«

Ich kannte Kosta Daponte. Er war ein türkischer Grieche, der in Paris lebte. In Istanbul hatte ich seine Berichte immer in der *Cumhuriyet* gelesen. Ich liebte ihn als Journalisten.

Efterpi sagte: »Kosta ist gestorben, am Herz gestorben, jung, Kosta war unser Freund, morgen ist seine Beerdigung auf dem Friedhof von Montparnasse.«

Als wir beide in die Zeitung schauten und schwiegen, stand Monsieur Umberto auf, ging mit gesenktem Kopf durch die halb offene Tür, Katze Badi folgte ihm. Charis holte sein Jackett, schnäuzte sich in sein Tuch, drehte sich zu uns, sagte: »Lasst uns auch gehen.«

Er ging zur Metro, wir folgten ihm wie die Katze Badi Monsieur Umberto, stiegen in Montparnasse – Bienvenüe um Richtung Porte de Clignancourt. Charis stieg an der Metrostation Barbès-Rochechouart aus, wir hinterher. Wir schauten auf den Boden und liefen die Treppen hoch, langsam, so langsam, dass ich dachte, ich müsste die Luft vor mir mit meinen Händen weiter nach vorne schieben. Plötzlich, nach der letzten Stufe, befand ich mich zwischen Hunderten von schwarzen Menschen, die auf der Straße links, rechts oder die Straße runter-, hochliefen. Sie trieben uns auch sofort vor sich her, in die Richtung, in die sie liefen, dann kam eine andere schwarze Gruppe, die fegte uns vor sich her. Alle redeten laut. Die Menschen liefen zwischen ihren Wörtern, die vor ihnen hergingen und diese Menschen hinter sich her, nach links, nach rechts, nach unten zogen. Man musste, um stehen bleiben zu können, in einen Laden hineingehen, und von dort aus konnte man wieder raus zur Straße schauen und sich noch mal auf den Weg machen. Auf einer steilen Straße gab es Juwelierläden, einen nach dem anderen, aus deren Schaufenstern Gold über Gold die an ihm vorbeilaufenden schwarzen Frauen anlächelte, sie beobachtete und immer wieder den Frauen zuzwinkerte. Die beleuchteten Spiegel in den Schaufenstern vermehrten das strahlende Gold, und das Gold in den Spiegeln zwinkerte den Männern zu. Wir standen an der Tür eines Goldladens, schauten auf die Straße, an uns liefen die Menschen weiter in Gruppen vorbei, die schwarzen Frauen trugen Kleider, aus denen Tierbilder herausschauten. Die Lichter des Golds in den Juwelierläden, die Tiere auf den Kleidern der Frauen oder auf den Hemden der schwarzen Männer mischten sich ineinander. Ihre französische Sprache, die sie sprachen, klang wie eine andere französische Sprache, eine, unter der ihre eigene Sprache sich immer wieder hochhob, das französische Französisch bog, zerbrach und zu einem anderen Französisch machte, das aus einer anderen Verlassenheit kam. Die weißen Männer, die ihnen die französische Sprache gegeben und aus ihren Ländern, ihren Seen, ihrem Sand, ihren Bergen ihr Gold mitgenommen und ihnen dort nur die französische Sprache übrig gelassen hatten, waren weggegangen, und die Schwarzen waren eines Nachts aufgestanden und zu Fuß von Afrika bis nach Paris gelaufen, um die französische Sprache, die man dagelassen hatte, nach Hause zu bringen. Und jetzt liefen sie vor den Gold-, Gold-, Gold-, Goldläden, nach dem Gold kamen Getreideläden, vor deren Türen Säcke voller Getreide standen. Die Frauen fassten das Getreide an, ihre Finger tasteten das Mehl, die Hirse, den Mais mit schnellen Bewegungen, erst wenn die Finger einverstanden waren, gingen die Frauen in den Laden hinein.

Die Menschen zogen uns hinter sich her. Mit jedem ihrer Schritte bewegten sich auch die Tiere auf den Kleidern der Frauen, auf ihren Brüsten, auf ihren Hintern. Wir gingen unter einem anderen Himmel mit schwarzen Menschen und ihren Tieren zusammen die Straße hoch, dann bogen zwei ihre Hüften wiegende Frauen mit ihren Löwen und Vögeln nach rechts. Wir bogen auch, hinter ihren Löwen und Vögeln, nach rechts ab. Die Frauen gingen in einen Laden hinein, ich drehte mich zu Efterpi und Charis. Efterpi sagte: »Metro Barbès ist Paris' afrikanisch-arabischer Kiez. Auf dieser Straße sind die afrikanischen Stoffläden.« Wir gingen in einen Stoffladen hinein. Efterpi kaufte mir einen Stoff, auf dem Pumas in einer Nachtlandschaft direkt in unsere Augen schauten. In dieser Straße gab es auch Schneidereien, in denen saßen schwarze Männer an Nähmaschinen, nähten ununterbrochen, hrrrrr, hrrrrr, hrrrrr, hrrrrr, ohne Pause die Stoffe, drehten die Stoffe, hrrrrr, hrrrrr, hrrrrr, das linke Hosenbein schon fertig, hrrrrr, hrrrrr, hrrrrr, die Taille schon fertig. Efterpi sprach mit einem der Schneider, ob er mir jetzt sofort einen kurzen Kimono nähen könnte. Der Schneider nahm den Stoff Efterpi ab, zog mich hinter einen Vorhang, nahm Maß – Brust, Schulter, Taille –, bekam einen Ständer, hängte sein Maßband um seinen Hals, öffnete den Vorhang, setzte sich an seine Maschine, schnitt sofort den Stoff, fing an zu nähen. Hrrrr, hrrrr. Zwischen den hrrrr, hrrrr, hrrrr fragte er mich, wie ich heiße. Ich sagte meinen Namen, er sagte: »Silvie, Silvie, hrrr, hrrr, hrrr, hast du heute Nacht, hrrr, hrrr, hrrr, Zeit, hrrrr, willst du mit mir, hrrrrr, tanzen, hrrrrrrrr, gehen?« Ich verstand seine ganzen französischen Wörter, lachte, fragte ihn, wie er heiße: »Votre nom, Monsieur?« »Danton«, antwortete er, und mein Kimono war schon fertig. Wir bezahlten, und Danton schnitt schon einen anderen Stoff. Wir liefen jetzt durch die Nebengassen. Die Häuser sahen sehr kaputt aus. Charis erzählte mir, dass man in diesen Häusern nicht wohnen dürfe, weil sie baufällig seien, aber in jedem Appartement wohnten zwanzig, fünfundzwanzig schwarze Menschen, und neue Verwandte, Freunde kämen immer wieder dazu. Charis hatte in diesem Viertel einen Dokumentarfilm gedreht, war in mehrere Häuser hineingegangen, um mit den Menschen zu drehen. Er zeigte mit den Händen, in welchen Häusern er gewesen war, und wusste, wer da wohnte, und kannte die Geschichten der Häuser. Als Charis all das erzählte, schaute ich in sein und Efterpis Gesicht. Sie hatten ihren toten Freund Kosta Daponte vielleicht hier in diesem Schwarzenviertel für einen Moment vergessen, oder sie waren hier Kosta näher. Wir liefen langsam zum arabischen Kiez, wo die Metzgereien anfingen. Der Kiez fing an der Metro Barbès mit Gold, Gold, Gold an und endete hier mit Fleisch, Messer, Fleisch, Fleisch, Messer. Nach ein paar Metzgerläden, in denen ununterbrochen Fleisch geschnitten, gewogen, verpackt und den vor den Theken Stehenden übergeben wurde, blieben Charis und Efterpi stehen. Charis lehnte sich an eine Mauer, schaute in den Himmel, dann, Augen zu, sagte er:

»*Wann stirbt ein Dichter?*
Nachdem er alle Gedichte geschrieben
alle Lächeln gelacht hat.«[20]

Efterpi nahm Charis' Hand, lief eine steile Straße hinunter, winkte dort einem Taxi. »Zum Centre Pompidou.« Der Fahrer war ein Algerier. Er erzählte von einem neu eröffneten Restaurant im Quartier, in dem er gegessen habe und dass es »süper, süper« sei. Er fragte uns nicht, woher wir sind – ob wir Türken sind, Muslime sind oder was wir sind. Aber zehn Jahre später, Anfang der Neunzigerjahre, fragten mich die Taxifahrer, wenn sie Araber waren, immer, woher ich komme. »Türkei.« »Also, Sie sind Moslem.« Und dann fingen sie an, darüber zu reden, wie wichtig es sei, Moslem zu sein, der große Mohammed, Allah, elhamdülillah, vallah billah. Einmal war Stau, der Taxifahrer redete fünfzig Minuten lang nur Muslim, Mohammed, Allah, sodass ich, wenn ich wieder ein Taxi nahm und die Fahrer danach fragten, ob ich Moslem sei, antwortete: »Ich bin Griechin, bin Orthodoxe.« Dann waren sie still, aber ich sah, wie sie mich in dem Spiegel beobachteten. Manchmal log ich, sagte, dass meine Mutter türkisch und mein Vater deutsch sei.

»Und welche Religion?«

»Natürlich Vaters Religion, katholisch, der Vater ist wichtig, nicht wahr, Monsieur?«

»Aber hat Ihre Mutter Ihnen nicht etwas beigebracht?«

»Meine Mutter ist tot, ich war zwei Jahre alt. Ich bin bei meinem deutschen Vater aufgewachsen.«

Dann wurde ich wieder im Spiegel beobachtet.

In den Neunzigern fingen manche französischen Taxifahrer auch an, sich über Muslime zu beschweren. Taxifahren wurde so anstrengend, dass ich öfter schon vorher ausstieg. Ich sagte zu mir: »Die kommenden Kriege sind Religionskriege.«

Aber jetzt, Ende der Siebziger, war Taxifahren ruhig, weil die Hölle in Europa gerade eine Pause machte, und der Taxifahrer sprach über ein wunderbares Restaurant.

Wir stiegen am Centre Pompidou aus. Vor dem Gebäude saßen marokkanische Musiker, trommelten wunderbare Rhythmen, viele Leute gingen ins Centre hinein, viele kamen heraus, ein Feuerschlucker pustete ein langes Feuer aus seinem Mund in den Himmel. Überall applaudierten Menschen. Der Feuerschlucker putzte mit seinem Lappen schnell die Petroleumtropfen von seinem nackten Oberkörper ab. Das Centre Pompidou sah aus, als ob man den übergroßen Maschinenraum von einem Schiff von innen nach außen gedreht hätte. Wir gingen in das Gebäude hinein, fuhren mit der Rolltreppe zur Bibliothek. Die Menschen auf der Rolltreppe nebenan, die nach unten fuhren, schauten auf die, die nach oben fuhren. Charis suchte im Bibliotheksregal nach einem Malereibuch, kam zurück mit dem Buch des italienischen Malers Giotto, setzte sich zwischen Efterpi und mich, legte das dicke Buch auf seine Knie, blätterte langsam. Zu dritt schauten wir uns die Bilder, die Fresken von Giotto in der Kapelle Scrovegni in Padua an. Bilder aus dem Leben von Maria und Christus. Die getöteten Kinder, die Engel, die Schafe, die Frauen, die Männer, die Esel, die Bösen, die Guten, die Kinder, das Leiden, der Tod, der Himmel, die Bäume, die Umarmungen, die Massen, der Teufel, die Rinder, die nackten Füße des Christus, das Letzte Abendmahl, der Wein, das Jüngste Gericht. Während Charis sehr langsam von einem Giotto-Bild zum nächsten blätterte, bekam ich jedes Mal Sehnsucht nach Giottos Menschen, den Gesichtern des vorigen Bildes, wollte wieder zu ihnen zurück, mit ihnen sein, neben dem Rind, das zu dem neu geborenen Christus schaut, sitzen, mein Gesicht an die Wange des Rindes lehnen, auf das Kind schauen. Oder mit den Frauen, die sich um Maria gesammelt haben, zusammenstehen, mir die Stoffe ihrer Kleider anschauen, die Falten der

Kleider zählen, oder mit all den Menschen vor dem Esel, auf dem Christus sitzt, stehen, auf den gerade hochgehobenen Huf des Christusesels schauen, dann auf die drei Finger Christi rechter Hand und alle Gesichter auswendig lernen, die vor Christus, hinter Christus stehen. Als Charis weiterblätterte, blendete die vorige Szene aus und ein anderes Bild kam, und wenn das Blatt auch umgedreht wurde, bekam ich wieder nach dem vorigen Bild und nach Giottos Menschen Sehnsucht. Bei dem Bild, auf dem Christus nach der Kreuzigung als Toter in den Armen seiner Mutter und Freunde liegt, auf dem die Menschen seine Füße und Hände, die Nagellöcher haben, in ihren Händen halten, seinen Kopf anfassen und oben im Himmel die Engel in unterschiedlichen Haltungen herunter zur Erde schauen, hielt Charis lange inne, ohne das Blatt umzublättern. Efterpi und Charis schauten still auf das Bild, ich schaute in ihre Gesichter, dann wieder auf das Bild, dann wieder in ihre Gesichter. Irgendwann sah ich ihre Gesichter auch auf Giottos Bild unter den Menschen, die sich um den toten Christus gesammelt hatten. Dann sprach Efterpi leise von ihrem toten Freund Kosta Daponte, der am nächsten Morgen auf dem Friedhof Montparnasse begraben würde, sagte: »Wie wird Kostas Frau das aushalten?« Dann fing sie an, leise zu weinen, Charis weinte auch. Ich sah, wie Efterpis Tränen auf das Giotto-Bild hinunterfielen. Efterpi hatte mir mal gesagt, wenn sie im Kino sitzt und die Lichter ausgehen und der Film anfängt, vergisst sie immer ihren Kummer. »Efterpi, lass uns ins Kino gehen.« Charis stand mit dem Buch auf.

Als wir von der Bibliothek mit der Rolltreppe hinunterfuhren, schauten wir uns die Gesichter an, die nebenan jetzt hochfuhren. Ich sah einen Jungen, der Alain Delon ähnlich sah, der fuhr ohne jemanden anzuschauen hoch.

An diesem Abend lief der Film von dem japanischen Regisseur Yasujirō Ozu. »Das Kino zeigt täglich Filme von Ozu oder von Mikio Naruse und Kenji Mizoguchi«, sagte Efterpi, »kennst du sie?« »Nein.« »Oh, das geht nicht. Die Genauigkeit des Spiels, die Gefühle werden dich hinreißen.«

Der Film von Ozu hieß *Die Reise nach Tokio*. Eine alte Mutter, ein alter Vater fahren mit dem Zug nach Tokio, um ihre Kinder zu besuchen – eine lange Reise für sie. Doch der Sohn und die Tochter haben nicht richtig Zeit für sie, haben immer etwas anderes vor, als sich um sie zu kümmern. Die Alten fühlen, dass sie zu viel für ihre Kinder sind. Nur die Schwiegertochter, die Frau von ihrem im Krieg gefallenen Sohn, zeigt Wärme. Die Alten kehren zurück in ihre Kleinstadt, kurz darauf liegt die Mutter im Sterben, diesmal fahren die Kinder aus Tokio mit dem Zug in diese Stadt. Ich fing an zu weinen und schwor mir, dass ich mit meinem Vater und meiner Mutter nie so umgehen würde. Efterpi sagte: »Weine, weine.«

Ich wusste noch nicht, als ich in Ozus Film weinte, dass ich mich in Ozus oder Mizoguchis Filme so verlieben würde, dass ich viele Jahre später, trotz meiner Flugangst, nach Japan fliegen würde, um ihre Gräber zu besuchen. Dort, an Ozus Grab, weinte ich auch, wie ich jetzt in seinem Film *Die Reise nach Tokio* weinte. An seinem Grab lagen, wie an Brechts Grab, kleine Alkoholflaschen, Zigaretten, die die Leute für Ozu hingelegt hatten, und die Gräber sahen aus wie schöne, große japanische Buchstaben.

Als wir aus dem Kino rauskamen, waren in der ganzen Stadt die Nachtlichter an. Wir liefen den Boulevard Saint-Michel hoch. Vor der Telefonzelle, von der aus ich, als ich am ersten Tag in Paris angekommen war, Besson angerufen hatte, blieb ich stehen. Ein Mann, der gerade hineingehen wollte, sah mich vor der Zelle, blieb auch stehen, schaute mich an. Schnell lief ich weg. Efterpi sagte: »In allen Filmen von Ozu fährt immer ein Zug, immer fährt ein Zug. Du wirst immer einen Zug sehen, wenn du dir seine Filme anschaust.« »Efterpi, ich komme morgen zum Begräbnis von Kosta.«

Efterpi und Charis nahmen den 21er-Bus, ich lief ziellos auf dem Boulevard Saint-Michel rum, wiederholte die Namen der Schauspieler vom Ozu-Film *Die Reise nach Tokio* – Ryū Chishū, Chieko Higashiyama, Setsuko Hara, Ryū Chishū, Chieko Higashiyama, Setsuko Hara –, lief wieder zurück zur Telefonzelle. Sie war leer, ich ging hinein, schaute mir das Programmheft der Filme von Ozu an. Er hatte 1962, kurz nach dem Tod von seiner Mutter, seinen Film *Le Goût du Saké* gedreht, ein Gedicht geschrieben und war genau am Tag seines sechzigsten Geburtstags gestorben. Ich versuchte, das Gedicht zu verstehen.

Sous le ciel, le printemps est tout en fleurs.
Les cerisiers sont merveilleux.
Ici, je me sens distrait et songe au goût du »samma«.
Les fleurs des cerisiers sont fripées comme des chiffons.
Le saké est amer comme un insecte.[21]

Es klopfte ein junger Mann an das Telefonzellenfenster, lächelte. Ich ging hinaus.

Als ich in Jean Irigarays Haus ankam, ging ich im Dunkeln vorsichtig, um die drei Clochards, falls sie auch heute Nacht auf dem Boden des Hauseingangs schliefen, nicht zu stören. Das Treppenlicht ging an, der Eingang war leer.

Jeans Wohnung war still. Die Katze Maskeline lag auf meinem Bett. Ich machte das Licht aus, setzte mich auf einen Stuhl vor dem Fenster, schaute auf das lila Haus auf der anderen Straßenseite in die erste Etage, um dort die Frau, die heute früh immer auf die Straße geschaut hatte, zu sehen. Ihre Wohnung war aber dunkel. Irgendwann kam der junge Mann mit dem Fahrrad, stellte sein Fahrrad genau auf den gleichen Platz wie heute früh, ging ins Haus, das Licht im Hauseingang ging an, dann das Licht in der Parterrewohnung. Ich sagte mir: »Solange sein Licht an ist, musst du alle Wörter im Gedicht von Ozu lernen.« Ich suchte alle Wörter, die ich nicht kannte, im Wörterbuch, schaute ab und zu, ob in der Parterrewohnung das Licht noch an war – es war an. Als sein Licht ausging, ging ich auch ins Bett – mit dem Gedicht:

Unter dem Himmel, der Frühling voll Blüten.
Die Kirschblüten hinreißend.
Hier fühle ich mich zerstreut und träume vom Geschmack von »Samma«.
Die Kirschblüten gerippt wie Chiffon.
Sake ist bitter wie ein Insekt.
»Wo wohnen Sie, Madame?«
»Ich wohne in Yasujirō Ozus Gedicht.«

Am nächsten Morgen auf dem Friedhof Montparnasse steckte Efterpi mit einer Stecknadel ein kleines Foto an meinen Kragen, auf dem Kosta Daponte zu sehen war. Auf dem Foto stand auf Türkisch und Französisch:

KALBIMIZDESIN
TU RESTES DANS NOTRE CŒUR
Du bist in unserem Herzen

Auf diesem Foto saß Kosta Daponte in Krawatte und Jackett an einem Tisch vor einem Mikrofon. Sein Jackettärmel hatte zwei helle Knöpfe, seine Haare glänzten, und unter seinen Händen lagen Papiere. Er lächelte.

Alle, die zum Begräbnis gekommen waren, hatten sein Foto an ihre Kragen gesteckt, griechische, armenische, türkische Türken standen um das offene Grab, und eine junge Frau weinte – seine Frau, eine dünne Frau. Als Kosta in das Grab getan wurde, weinte sie nicht, sondern guckte nur auf die Erde. Die anderen schauten auf sie.

Nach dem Begräbnis ging ich in die Sprachschule. Unsere Lehrerin, die Nonne, schaute in mein Gesicht, sagte: »Vous êtes très pâle, qu'est-ce qui s'est passé? – Sie sind sehr blass, was ist passiert?« »Un ami est mort – ein Freund ist tot.« Die Nonne sagte plötzlich: »Merde! – Scheiße!« Dann schaute sie sich um, ob die anderen das Wort *merde* verstanden hatten, und ließ uns am Anfang des Unterrichts das Verb *mort* konjugieren – je suis mort, tu es mort, il est mort – ich bin tot, du bist tot, er ist tot. Nach der Schule nahm ich die Metro und fuhr zu Edith Piaf auf den Friedhof Père Lachaise. Es waren viele Leute an ihrem Grab. Ich wartete, bis sie weggegangen waren, dann setzte ich mich zum ersten Mal an ihr Grab, machte die Augen zu, die Vögel zwitscherten, sagte: »Edith, ma copine, ein Freund ist tot – un ami est mort, Kosta, heute haben wir ihn begraben – aujourd'hui on le mit sous la terre. Edith, kennst du den japanischen Filmregisseur Ozu? Er schrieb mit neunundfünfzig sein letztes Gedicht. Sous le ciel, le printemps est tout en fleurs. Les cerisiers sont merveilleux. Ici, je me sens distrait et songe … Edith.«

Bevor ich nach Belgien zu Besson und unserer Arbeit fuhr, schaute ich mir alle Filme von Ozu an, in jedem Film fuhr wirklich ein Zug, und eines Morgens verabschiedete ich mich von der Katze Maskeline und von Jean Irigaray, um von Paris nach Belgien selbst den Zug zu nehmen. Jean sagte: »Wenn du vom Festival d'Avignon zurückkommst und nicht weißt, wo du wohnen sollst, kannst du wieder hier wohnen.« Als ich auf die Straße ging, schaute ich zum lila Haus in die erste Etage und ins Parterre, um jemanden darin zu sehen. Ich sah aber niemanden, nur das Fahrrad vor dem Haus, lief zur Metro und fuhr zum Bahnhof.

Im Zug nach Belgien saß ein älterer Herr im Abteil. Wir redeten miteinander, und als die Polizei ins Abteil hereinkam, sagte er rasch: »Ich kenne die junge Dame, sie ist eine wunderbare Künstlerin.« Die Polizisten nahmen meinen Pass, schauten nicht hinein, blätterten nur, sagten »Mademoiselle«, gingen weiter. Der ältere Herr lächelte, zwinkerte mir zu.

Hier ist Belgien.

Ottignies-Louvain-la-Neuve

Meine liebe Schwester Efterpi,

ich lief hinter einer Frau, die einen weißen, dünnen Mantel anhatte, aus dem kleinen Bahnhof hinaus auf die Straße. Vor dem Bahnhof stieg die Frau in ein Taxi. Der Fahrer, ein schwarzer Mann, sprach gerade vor seinem Taxi mit einem anderen Schwarzen. Als er mit der Frau im weißen Mantel wegfuhr, kamen andere schwarze Männer zu dem Schwarzen, der gerade mit dem schwarzen Taxifahrer geredet hatte, gaben ihm die Hände, fingen an zu lachen und laut zu reden. Dann hielt ein anderes Taxi vor dem Bahnhof, der Fahrer war auch ein Schwarzer, aus dem Taxi stiegen drei Schwarze, zwei Männer, eine Frau, sie liefen in den Bahnhof hinein. Ich stieg in dieses Taxi. Auf dem Weg zu dem Ort, wo wir in einem großen Zirkuszelt unser Brechtstück *Der kaukasische Kreidekreis* proben würden, sah ich auf den Straßen keinen Bus. Gäbe es Busse, hätten wahrscheinlich auch nur schwarze Menschen aus ihren Fenstern geschaut. Auf einem großen Platz fuhren schwarze Kinder mit Rollerskates, drum rum standen schwarze Frauen, eine schwarze Frau stillte gerade ihr Baby, zwei schwarze Kinder standen neben ihr. Der schwarze Taxifahrer sagte zu mir: »Ottignies gibt es seit sieben Jahren, Studentenstadt, speziell Medizin. Afrikaner, und heute ist Samstag.«

Ich wusste nicht, wo ich bin – in Belgien in einer Kleinstadt oder in Afrika in einer Kleinstadt. Der Fahrer sagte: »Là, voilà. Wir sind da.« Ich sah, als ich ihm Geld gab, unsere Hände. Schwarz-Weiß. Auf dem großen Platz, auf dem ich ausstieg, gab es nur ein paar Häuser, die wie Dorfvillen aussahen, und das Büro und die Ateliers des Theaters. Eine weiße Sekretärin gab mir ihre Hand. Ich sah unsere Hände. Sie zeigte mir in der gegenüberstehenden Dorfvilla mein Zimmer, in dem ich während der Proben drei Monate lang wohnen würde. Sie sagte: »Benno Besson ist nicht da, er kommt in einer Woche.« Dann ging sie. Ich legte meine Tasche auf den Boden, blieb im Zimmer stehen. Dann ging ich zum Waschbecken, trank ein Glas Wasser, blieb vor dem Waschbecken stehen, dann ging ich zum Tisch, blieb vor dem Tisch stehen, dann ging ich wieder zum Waschbecken, schaute mich in dem Spiegel, der über dem Waschbecken hing, an. Im Spiegel sah ich in der Ferne die Hügel, auf denen Häuser wie aus Pappe standen. Ich ging zum Fenster und sah in der Ferne wieder die Hügel. Die Häuser auf den Hügeln sahen nicht wie echte Häuser aus. Die Häuser hatten keine Fragen.

Efterpi, das Haus, in dem ich wohne, liegt auch auf einem Hügel, unten führen kleine Wege zwischen den Bäumen in ein Tal. Weil ich hier, hoch oben, auf der Spitze des Hügels wohne, höre ich die Stimme des Windes in meinem Zimmer, und was sich draußen bewegt, seh ich sofort.

An dem Tag, als ich angekommen war, liefen hinter den Bäumen zwei Igel, und der, der vorne ging, blieb immer stehen und wartete auf den anderen. Dann liefen sie weiter. Eine blinde, blonde junge Frau spazierte ohne Blindenstock, ohne Hund, ohne Mann, zusammen mit einem Lächeln auf dem Pfad den Berg herauf. Auf der rechten Seite des Pfads, der zum Tal hinunterführt, stehen alte, verlassene Häuser. Ich wollte hinlaufen und sehen, ob ihre Türen knarren. Ich lief hin, vor mir der leere Weg, hinter mir der leere Weg. Zu meiner Rechten war ein Wald, auf der linken Seite standen dünne Bäume. Auf dem Weg habe ich ein sehr altes, sehr großes Bauernhaus gesehen und durch seine Tür hineingeschaut. Da lebten zwei schwarze Studenten, es gab Lämmer, Hühner, Enten, Kühe im Garten. Sie sagten, sie studierten Biologie. Dann lief ich nach rechts und wollte über diesen dünnen Pfad, der auch zum Tal führt, laufen. In der Nähe fließt ein kleiner Bach, der auf dem Pfad eine sumpfige Stelle gebildet hatte. Das Wasser hatte viel Schlamm gebracht. Neben dieser Stelle lagen alte tote Bäume auf dem Boden. Ich versuchte, über den Schlamm auf die andere Seite des Wegs, die trocken war, zu springen. Eine sehr alte Frau half mir, sie stand auf der anderen Seite vom Schlamm, sie streckte ihren Regenschirm über den Schlamm, ich hängte zuerst meine Tasche an ihren Regenschirm, sie zog den Schirm zu sich, nahm meine Tasche auf ihren linken Arm, dann streckte sie ihren Regenschirm wieder zu mir. Ich hielt den Schirm fest und sprang auf die andere Seite. Die alte Frau und ich liefen auf dem Weg in Richtung Tal. Wir sahen zwei Frauen, die saßen vor einem verlassenen Auto, aus dem Gras wuchs, und schauten auf ein Trümmerhaus. Das Haus war verbrannt, da arbeitete ein Mann mit einem Bagger. Eine der Frauen war dick, trug eine Brille und kratzte sich an ihren Beinen. Die Beine waren voller Wunden. Mit der alten Frau lief ich weiter, sie sagte: »Quelle rue! Was für ein Weg.«

Efterpi, ich bin jeden Tag diesen Weg gegangen, um die alte Frau wiederzusehen, bin auch bei dem Trümmerhaus vorbeigegangen, um die beiden Frauen, die vor einem Auto saßen, zu sehen, aber sie waren nicht da, nur das alte Auto und das verbrannte Haus waren da.

Gegenüber der Dorfvilla, in der ich in der zweiten Etage wohne, gibt es eine Kneipe. Abends kommen schwarze Männer, manchmal ein paar weiße Frauen dorthin, es gibt Musik und Bier. Ich sehe jede Nacht aus meinem Fenster ihr Bier im Stehen trinkende Schwarze. Manchmal tanzen sie in dieser kleinen Kneipe. Weil sie zu viele sind und weil der Raum zu eng ist, stehen sie Körper an Körper und sehen aus wie ein einziger großer schwarzer Körper, der sich hin und her bewegt.

In manchen Nächten kann ich nicht schlafen. Die Stadt steht still, sie hat nicht viel zu sagen, nicht so viele Fragen stehen in der Luft. Aber was könnte so verführerisch sein wie eine Frage? Das kleine Radio, das du mir gegeben hast, damit ich Französisch lerne, nehme ich mit in mein Bett. Ich höre, egal welche Sprache, alle Sender, mal polnische, mal französische, mal flämische. Benno Besson wohnt auch hier ganz in der Nähe mit seiner Frau Coline Serreau und mit ihrem Kind Samuell. Samuell kommt an Sonntagen, ruft von unten: »Min, Min«, ich gehe hinunter, er nimmt meine Hand und spaziert mit mir in Richtung Tal. Er spielt das Kind in unserem Stück. Als ich während der Proben zeichnete, was auf der Bühne los ist, setzte Samuell sich einmal neben mich an den Tisch und zeichnete auch eine Szene. Benno sah es, sagte: »Samuell macht nicht nur deinen Zeichenstil

nach, er macht auch deine enorme Konzentration bei der Arbeit nach.«

Das Zelt, in dem wir proben, ist sehr groß. In der Mitte ist die Bühne, an den Rändern des Zelts sind niedrige Tribünenelemente, Tische, Stühle, da sitzen die Schauspieler, warten auf ihre Auftritte, üben ihre Texte oder schauen der Probe zu. Sie haben alle Masken aus Strümpfen im Gesicht, wie meine Puppen, die ich in Paris im Hotelzimmer gemacht habe. Efterpi, Besson hat meine Puppen im Zelt auf einem langen

Tisch aufgestellt. Ab und zu gehen Schauspieler zu den Puppen und den Collagen und schauen sich ihre Figuren an, lachen. Wenn ich mit ihnen spreche, lachen sie auch. Einer der Schauspieler, Alan, der Jüngste von allen, kann etwas Deutsch und hat rote Haare. Wir sitzen in der Pause öfter zusammen und lachen. Einmal kam er nicht zur Probe. Alle drehten ihre Köpfe zu mir, fragten mich: »Wo ist Alan?« Ich sagte: »Non sais – weiß nicht.« Am Wochenende fahren die französischen Schauspieler zu ihren Familien nach Frankreich, die belgischen zu ihren Familien in Belgien nach Hause. Nur Philippe Avron, der männliche Hauptdarsteller, der den Volksrichter Azdak spielt, bleibt hier. Montags sind sie wieder alle da. Da siehst du kurz ihre Gesichter, dann ziehen sie ihre Masken an, und den ganzen Tag über bleiben sie in ihren Masken. Ich kenne ihre Masken als ihre Gesichter. Im Zelt proben ist manchmal schwer. Wenn es stark regnet, läuft Wasser zu unserer Bühne, wir frieren. Wenn man den Ofen, der heiße Luft herausbläst, anmacht, dann hören sich die Schauspieler nicht. Deswegen haben sie den Heißluftofen nach draußen gebracht. Nur ein langes Rohr geht durch das Zelt. Ich liebe alle Schauspieler, aber bin mehr und mehr sprachlos, Efterpi. Sie reden in den Pausen Alltagsfranzösisch. Aber auf der Bühne reden sie Brechtdialoge auf Französisch. Ich renne, um sie zu verstehen, aber bleibe sehr schnell stehen, schaue immer in mein deutsches Textbuch *Der kaukasischer Kreidekreis*, um wieder hinter den französischen Texten herzurennen. Die Wörter der Schauspieler, die ich nicht sofort verstehe, sondern erst nachdem ich die Stellen bei Brecht auf Deutsch gefunden habe und dann verstehe, machen mich müde. Mein Kopf hat gerade verstanden, was auf der Bühne gesagt wurde, aber die Körpersprache der Schauspieler zeigt mir, dass sie schon die nächsten Dialoge sprechen, andere Wörter, die ich wieder nicht verstehe und im deutschen Text finden muss. Ich fühle mich klein wie ein Kind. Vielleicht bin ich deswegen so ruhig mit dem sechsjährigen Samuell, wenn er meine Hand nimmt und wir langsam in Richtung Tal spazieren.

An den Sonntagen macht Besson Käsefondue. Wir sechs Leute sitzen zusammen, essen, trinken Weißwein, lachen, und wenn sie dann ein Französisch reden, das ich nicht verstehe, auch wenn ich hinter den Wörtern herrenne, komme ich mir wieder sehr klein vor, so als ob ich von unterm Tisch aus zu ihnen hochschauen würde. Am Ende der Fondueessen, bevor Ezio, unser Bühnenbildner, Philippe Avron und ich nach Hause gehen, singen wir. Besson lässt mich ein altes türkisches Lied singen. Sie lieben meine Stimme. Ich singe und fühle mich nicht mehr so klein, nicht unterm Tisch. Manchmal nimmt mich Coline Serreau mit in eine Kirche. Sie setzt sich an eine kleine Orgel und singt.

Je crois à toi, mon Dieu. Je crois à toi, mon Dieu – ich glaube an dich, mein Gott.

Coline sagt, dass sie mir die Lieder auch beibringen wird. Ich singe manche ihrer Sätze mit. Da fühle ich mich auch nicht klein. Ich habe für Coline ein Gedicht geschrieben. Aber auf Türkisch. Ich kann es ihr nicht ins Französische übersetzen. Es fängt so an:

atlarımız yoktu
dünya haritalarına bakmıyorduk gezmek icin
oturmuş sıkılıyorduk
kimsenin bilmediği bu kız nerden geldi
renkleriyle sevdiğimiz kişilerin
bir mor goğe dönüştü yalnızlık
yağmurun rüzgarin oyuncularin halatlarin
ve trapezlerin buluştuğu bir manto içinde

Wir hatten keine Pferde.
Schauten nicht in den Weltatlas, um zu fahren.
Wir saßen da und sprachen vor uns her.
Woher kam das Mädchen, das keiner kannte,
Mit den Farben der Menschen, die wir liebten.
Die Einsamkeit wurde zu einem Himmellila,
Ein Manteau, in dem Regen, Wind, Wolken sich trafen.

Das Stück von Brecht erinnert mich sehr an mein Land.

Der Boden genügt nicht.

Die Arbeitskräfte sind arbeitslos.

Alle sind Soldaten im Palast, um die Macht zu verstärken.

Der Gouverneur hat Militärmacht.

Der dicke Prinz hat durch Erbschaft Macht.

Der Kazbeki ist ein Kriegsherr, ein Ritter, ein adliger General, ein Großgrundbesitzer, dessen Eigentum Krieg ist.

Auf jeden Fall sind sie auf derselben Stufe, Gouverneur und Kazbeki, sie sind gleichgestellt. Kazbeki ist ein Faschist.

Die Gouverneursfrau ist gierig nach Macht. Wie alle Herrscher kann sie Elend nicht sehen.

Und in der Stille bewegen sich die Waffen.

Die Proben sind wunderschön. Ich zeichne und zeichne die Szenen. Abends zeichne ich sie wieder. Aber an die Dialoge kann ich mich nicht erinnern, wenn ich sie auch jeden Tag höre. Du siehst, Efterpi, meine französische Sprache ist eine blinde Sprache. Ich höre ständig französisches Radio. Dann bin ich wieder klein, nehme mein Tagebuch, fange an, auf Türkisch mir meine Kindheitsmomente zu erzählen. Ich führe in diesen Schriften mit meiner toten Großmutter, die ich sehr geliebt habe, eine direkte Rede. Nicht dass ich mich an meine Kindheit erinnern will, aber die Erinnerungen kommen von selbst hier in dieser belgischen Kleinstadt und wollen unbedingt in die Schrift, in das Geschriebene. Wenn sie geschrieben sind, werden sie erst mal ruhig. Wenn ich sie zu Ende niedergeschrieben habe, schaue ich aus dem Fenster zu dem dunklen Tal und höre dem Wind, der hier besonders laut ist, zu – ich kann nicht schlafen.

Bin schlaflos.

Sprachlos.

Los, los, los, los bin ich in die Kneipe gegenüber gegangen, habe dort Bier getrunken. Wenn die Schwarzen dort Französisch reden, fühle ich mich nicht klein. Weil ich ihr Französisch nicht als Französisch verstehe. Ihre eigene Sprache und ihre Akzente sind

aus einem anderen Viertel
aus einem anderen Land
von einer anderen Verlassenheit.

Ich erinnere mich so gerne an meinen letzten Abend bei euch, wie wir uns im gleichen Raum in der Nacht, im Dunkeln, Sofia Vembos Lieder anhörten, wie ich von dir aus mit meiner Mutter telefoniert habe, wie die Teetasse kaputtging und wie wir sie wieder geklebt haben. Jetzt müsste nur noch Monsieur Umberto kommen und fragen: »Wie geht es Ihrer Katze, Madame?« »Gut, wollen Sie eine Tasse Kaffee, Monsieur?«

Efterpi, ich bin gestern Abend wieder ins Schwarze Café gegangen, also in die Kneipe gegenüber, zu diesem anderen Land von einer anderen Verlassenheit. Das Café war leer. Ich saß da mit dem Barmann allein. Der Barmann schaute immer wieder auf seine Uhr. Er schaute so oft auf die Uhr, ich fing auch an, auf mein linkes Handgelenk zu schauen. Der Barmann sagte: »Unser König ist da. Ich mache das Café zu«, nahm mein Bierglas, wusch es, knipste das Licht aus, wir gingen im Dunkeln hinaus. Er schloss das Café zu, ging links einen steilen Weg zu den Häusern hinunter, in denen schwarze Studenten wohnen. Die Nacht war warm und voller Mond. Unter einer Straßenlampe sah ich den Barmann in eines der Häuser hineingehen. Ich lief hinter ihm her, ging still um das Haus herum, in das der Barmann hineingegangen war. Im Parterre gab es Licht, die Vorhänge waren nicht zugezogen. Dort, in einem Salon, saßen die Schwarzen um einen großen runden Tisch. Auf dem Tisch lag ein großes Blech, das voll mit Essen war, vielleicht Reis und Fleischstücke. Ich hörte ihre Gabelgeräusche und bekam Sehnsucht nach meiner Mutter und atmete tief die Nacht ein. Die Nacht war schön, die Nacht und dieses Zimmer. Die Schwarzen aßen gemeinsam, lachten, schauten ständig zu einem Mann, der auch am Tisch saß, ein merkwürdig schöner Mann mit einer Blumenkrone saß ruhig da, die anderen aßen, tranken, glücklich, laut. Plötzlich stand der schöne Mann auf, kam zum Fenster. Ich rannte in eine dunkle Ecke, ich war mir sicher, dass er mich nicht gesehen hatte. Ich lief dann auf den Platz zurück, blieb vor dem Haus, in dem ich wohne, stehen, schaute hoch zu meinem Fenster. Ich sah mich drin im Zimmer, den Kopf ein bisschen schief, leicht auf die rechte Schulter gelehnt, am Tisch sitzen und Probenskizzen machen: Auf dem Tisch steht das kleine Radio, und daneben liegt das Buch von Brecht. Ähnlich wie auf den Bildern von Francis Bacon wachsen aus dem Körper der Frau, die ich bin, aus ihren Armen, Beinen, aus dem Kopf und aus dem Tisch, dem Stuhl, aus den Blättern vor ihr, aus dem Radio, dem Buch Schatten. Sie wachsen ineinander, wachsen zu einem großen Schattenklumpen, der sich vom Tisch bis zu ihren Füßen verlängert und um ihre Füße herum sich mit dem Schatten der Stuhlbeine verbindet. Der Rest des Raumes ist ohne Schatten. Deswegen sieht es nur dort, wo der Schatten gewachsen ist, wie ein Raum aus, ein von Schatten begrenzter Raum. Dadurch tritt nur dieser Teil des Zimmers in Erscheinung, der Schatten beschränkt sich darauf, der Frau, die am Tisch sitzt, die dieses Bild belebt, eine Daseinsmöglichkeit zu geben. Die Frau soll das Bild mit Leben erfüllen.

Ich ging nicht hoch zu mir. Ich lief vor dem Haus hin und her, ging vor dem Zirkuszelt, in dem wir proben, auf und ab, kam wieder zum Haus zurück, sah mein Licht oben, ging wieder zum Zelt, ging hinein, machte die Lichter an, stand im leeren Raum mit Stühlen und Dekorstücken, über denen die Kleider und Masken der Schauspieler hingen, ging zum Tisch, zu meinen Puppen, die ich in Paris im Hotelzimmer gemacht hatte, und plötzlich dachte ich an die Nachtportiersfrau, die, wenn sie einem den Schlüssel reichte, nichts sagte, nicht aufschaute, nur den Stimmen der Nacht und der Straße zuhörte. Ich machte das Licht aus, lief im Halbdunkeln den kleinen Pfad in die Richtung, wo ich am ersten Tag, als ich hierhergekommen war, die alte Frau getroffen hatte. Der Schlamm, über den zu springen sie mir mit ihrem Regenschirm geholfen hatte, war jetzt getrocknet. Dann lief ich zu dem alten Auto, aus dem Gras gewachsen war, setzte mich auf den kaputten Sitz des Autos, starrte, wie die beiden Frauen, auf das unterm Vollmond noch zertrümmerter aussehende Haus. Wie einsam ist dieses Auto, das Haus. Dann bekam ich Angst und sang laut »Sosso Robakidze parti pour l'Iran«, das Lied, das Coline Serreau in ihrer Rolle der Grusche auf der Flucht mit dem Kind vor zwei Mördern, zwei Panzerreitern, laut singt, um sich vor der Angst zu retten. Das ganze Stück wie ein wacher Traum. Sie flüchtet mit dem Gouverneurskind aus der brennenden Stadt. Hinter ihr

Tod, vor ihr Tod. Die Kälte, dieses ungeheure Alleinsein, hinter ihr die Panzerreiter, Leute, die köpfen, vor ihr sind Gletscher, Eis, eine tödliche Stille. Eine Ohnmacht. Wind. Vollkommene Einsamkeit, vollkommene Stille. Da singt sie »Sosso Robakidze parti pour l'Iran«.

Ich sang das Lied noch lauter, dann schwieg ich. Dann bekam ich Angst vor meinem Schweigen und wollte meine Angst vor dem Schweigen zum Schweigen bringen. Fing an, einige französische und deutsche Sätze von unserem Stück zu wiederholen:

Jeune femme, je veux un enfant de toi.
C'est pour ça que je boite maintenant.
Ta gueule.
In alter Zeit, in blutiger Zeit.
Herrschte in dieser Stadt, »die Verdammte« genannt
Ein Gouverneur mit Namen Georgi Abaschwili.

Ich wiederholte sie ein paar Mal, jedes Mal noch lauter, und mischte sie mit den auswendig gelernten Piaf-Liedern und dem, was ich im Französisch-Kursus von unserer Lehrerin, der Nonne, gelernt hatte, und dem Rimbaud-Gedicht:

Je suis mort, tu es mort, il est mort.
Mon Dieu, mon dieu, mon dieu, laissez-le-moi encore un peu, mon amoureux.
Un jour, deux jours, huit jours.
Quand il me prend dans ses bras
Il me parle tout bas.
Mein grenzenloses Herz!
Leb deinen Traum,
trotz einsamer Nacht
und brennender Tage.

Dann ein türkisches Gedicht:

Ne kadar hüzün geçmişse dünyadan
Ne kadar acı geçmişsse yaşayacağız[22]
Wie viel Elegie, die an der Welt vorbeigegangen ist
Wie viel Schmerz, alles werden wir fühlen.

Dann wieder Grusches Sätze:

Tief der Abgrund, Sohn
Brüchig der Steg
Aber wir wählen, Sohn
Nicht unsern Weg.
La nuit qui fait gris tous les chats
L'oiseau qui trouve son manger à la barbe du boulanger.
Au bout du boulevard.

Efterpi, wenn du mich gesehen hättest, hättest du wahrscheinlich sehr gelacht. Auf dem kaputten Sitz eines Autos, mir gegenüber eine Hausruine. Ich schrie laut Wörter, als ob ich mich der französischen Sprache bekanntmachen wollte, damit sie mir sagt: »Du kannst in mir wohnen, hier ist deine Aufenthaltserlaubnis, votre carte de séjour.« Dann würde die französische Sprache mich fragen: »Où habitez-vous, Madame?« »J'habite dans une langue aveugle.« – »Wo wohnen Sie, Madam?« »Ich wohne in einer blinden Sprache.«

Als ich den Pfad hochlief, sah ich neben meinen Füßen die zwei Igel den Pfad hinunterlaufen.

Oben auf dem Platz hatte das Schwarze Café wieder aufgemacht. Ich sah viele Menschen darin, die standen, redeten, laut lachten, eine weiße Frau tanzte mit einem schwarzen Jungen, er hauchte ihr seinen Atem ins Gesicht, damit ihr vom Tanzen verschwitztes Gesicht sich wieder trocknete. Ich setzte mich auf den hohen Barhocker, schaute nach links durch die offene Tür zu der Dorfvilla, in der ich in der zweiten Etage wohnte. Mein Licht zwinkerte mir zu, ich drehte meinen Kopf wieder zurück. Jemand setzte sich auf den Hocker neben mir, blätterte in einem Buch, das er auf die Theke gelegt hatte. Auf der Seite, wo er stehenblieb, war ein aus der Zeitung ausgeschnittenes Bild, ein Bild von Lumumba. Plötzlich kamen aus meinen Augen Tränen heraus. Weißt du, Efterpi, wie alt Lumumba war, als er von dem Putschisten Mobutu im Kongo unter belgischer Mithilfe verhaftet, gefoltert, getötet wurde? 36 Jahre alt. Als er ermordet wurde, war ich noch ein junges Mädchen in Istanbul. Mein Bruder hielt damals eine Zeitung in der Hand, schimpfte auf die belgischen Kolonialisten, die amerikanische CIA und erzählte mir von Lumumba. In der Zeitung hatten sie ein Bild von seiner Frau oder Geliebten abgedruckt, eine wunderschöne Frau, die auf dem Foto schon wusste, dass ihr Mann ermordet worden war. Ich habe ihr Gesicht nie wieder vergessen. Damals hatte ich das Bild aus der Zeitung ausgeschnitten und zwischen meine Schulbuchseiten gelegt. Ich fragte den Mann, der neben mir saß, ohne ihn anzuschauen: »Darf ich?«, nahm Lumumbas Bild, schaute es lange an, dann schob ich still das Bild wieder zurück an seinen Platz. Ich saß, er las, die anderen tanzten. Irgendwann sagte er: »Vous avez de très belles boucles d'oreilles.« »Boucles d'oreilles?« Er fasste leicht meinen Ohrring an. »C'est une boucle d'oreille.« »Ah, Ohrring.« Ich versuchte, meinem Nachbarn von García Lorcas Gedicht zu erzählen – Huye luna, luna, luna, si vinieran los gitanos, Zigeuner nahmen den Mond, zerschnitten ihn und machten daraus Ohrringe. »García Lorca Poesie, luna-lune. Gitanes coupent lune font boucles d'oreilles.« Er lachte, er verstand, gab mir die Hand, sagte: »André.« Ich drehte mich zu ihm, erst jetzt erkannte ich ihn. Er war der schöne Mann, den ich vom Fenster aus mit ein paar anderen beim Essen beobachtet hatte. Er hatte seine Blumenkrone jetzt nicht mehr auf seinem Kopf. Der Barmann hinter der Theke schenkte uns nach, sagte: »André, c'est notre roi – André, unser König.« André lachte, sagte: »Ich bin kein König, ich bin nur Arzt, ich arbeite im Kongo in einem Dorf als Arzt, sie nennen mich König. Mais c'est égal – das ist egal.« Der Barmann sagte: »Unser König ist zu einer medizinischen Konferenz hier.« André nahm Lumumbas Bild in seine Hand, sagte: »Lumumbas Name war Tasumbu Tawosa.« Ich wiederholte: »Tasumbu Tawosa, Tasumbu Tawosa.« André versuchte mir zu erklären, dass Tasumbu Tawosa dem belgischen König Baudouin gegenüber offen gegen die belgische Kolonialausbeutung, Gewalt, die Massaker an den Schwarzen gesprochen und Baudouin dadurch sehr böse gemacht hatte. André öffnete seine Mappe, holte Papier heraus, fing an, die Geschichte des Kongos unter belgischer Kolonialherrschaft wie in einem Comic zu zeichnen. Auf dem ersten Bild stand der belgische König Baudouin im Kongo mit übergroßen Koffern, die er aus Belgien mitgebracht hatte. Im zweiten Bild schaufelten viele schwarze Arbeiter in diese Königskoffer Gold, Zinn, Diamanten, Kautschuk, Palmöl und andere Schätze. Im dritten Bild saß der König Baudouin auf den übervollen Koffern, sprang auf die Koffer und versuchte, sie zuzuschließen. Auf das vierte Blatt zeichnete André tote Schwarze, einige lebten noch und rannten, ein übergroßer Säbel verfolgte die Flüchtenden. Auf das fünfte Blatt zeichnete André einen schwarzen Mann mit Brille und Buch in der Hand, in seiner linken Brusttasche steckte ein weißes Taschentuch, André schrieb darunter: *Patrice Lumumba.* Im sechsten Bild nahm Lumumba die Koffer von König Baudouin, die mit Kongos Bodenschätzen gefüllt waren, und gab sie den Schwarzen.

Lumumba wollte die Bodenschätze verstaatlichen. Auf das siebte Blatt zeichnete André König Baudouin, diesmal als ein Kind. Dieses Kind weinte und wurde getröstet von weißen Männern, belgischen Offizieren und drei amerikanischen CIA-Männern. Im achten Bild setzte André Richterhüte auf die weißen Offiziere und CIA-Männer. Einer der CIA-Männer trug den König Baudouin in seinen Armen. Auf das neunte Blatt zeichnete André einen schwarzen Offizier mit Waffen in den Händen und in seinen Taschen, schrieb darunter: General Mobutu. Im zehnten Bild standen die weißen Offiziere und CIA-Männer mit Richterhüten mit diesem schwarzen Offizier Mobutu Hand in Hand, ihnen gegenüber stand Lumumba mit halb nackten, dünnen Schwarzen mit den Koffern, die sie König Baudouin weggenommen hatten. Im elften Bild lagen die Schwarzen und Lumumba tot auf der Erde, die Weißen schossen weiter auf die Toten. Im zwölften Bild hielt König Baudouin die Koffer in der Hand, stieg in ein Flugzeug nach Belgien. Auf das dreizehnte Blatt zeichnete André wieder die Weißen mit Richterhüten und CIA-Männer mit dem schwarzen General Mobutu, die mit Säbeln und Messern Lumumbas Leiche in Stücke teilten. Auf das vierzehnte Blatt zeichnete André eine Lesebrille, die einsam auf der Erde lag. Darunter schrieb er: *Lunettes de Lumumba.*

Der Barmann hinter der Theke drehte die Blätter zu sich, schaute sie sich an. André schaute vor sich hin. Ich nahm mir ein leeres Blatt von André und schrieb: *Istanbul 1961*, zeichnete mich als junges Mädchen mit Kniestrümpfen und meinen Bruder, einen jungen Mann mit Brille und mit einer Zeitung in der Hand. Auf die Zeitung zeichnete ich Lumumba mit Brille, Schnurrbart und Buch, schrieb darunter: *Lumumba öldürüldü – Lumumba wurde ermordet.* Dann zeichnete ich wieder meinen Bruder und mich, mit Tränen im Gesicht. Ich gab das Blatt André. Er schaute hin und zeigte es dem Barmann. Der Barmann schaute mich an, dann goss er uns nach, sagte: »À Tasumbu Tawosa Patrice Lumumba.« Wir tranken, ich sah uns in dem Spiegel, der hinter der Bartheke an der Wand befestigt war. Im Spiegel sah ich auch die schwarzen Studenten, die hinter uns im Stehen tanzten, tranken, laut redeten, alles schwarz, nur mein Gesicht hell, wie ein weißer Fleck zwischen den Menschen aus einem anderen Land von einer anderen Verlassenheit.

Der Barmann lief raus, schaute in den Himmel, kam zurück, ging hinter die Theke, sagte zu André: »Demain, il va pleuvoir – morgen gibt's Regen.«

Deine Kikiriki

Avignon
Festival d'Avignon
Juli 1978
Efterpi

Ich bin seit einem Monat in Avignon. Gestern ging meine Arbeit zu Ende. Nach unserer Premiere vom *Kaukasischen Kreidekreis* klatschten die Leute sehr, sehr lange im Stehen, die Schauspieler nahmen beim Verbeugen ihre Masken ab, lachten, sogar der Schweiß auf ihren Gesichtern lachte, rannten hinter die Bühne, dann rannten sie wieder zusammen auf die Bühne, dann verbeugten sie sich wieder, dann rannten sie wieder hinter die Bühne. Ich wusste, als ich ihre Gesichter ohne Masken sah, dass meine Arbeit jetzt zu Ende ist. Sie sind ab jetzt mit ihren Zuschauern, die von ihnen begeistert sind, allein. Nach der Premiere feierten alle, alles im Glanz – in den Kulissen viele Filmgesichter aus Paris, weiße

Schuhe, rosa Hüte, geduschte Gesichter, Haare der Schauspieler.

Als alle zur Premierenfeier ins Foyer gingen, blieb ich in der leeren Garderobe. Die Masken standen auf den Holzköpfen, die Kostüme hingen, die Requisiten lagen schon auf ihren Plätzen für den nächsten Abend. Da war ein Stuhl. Ich setzte mich hin, schaute all die Masken, Kostüme, Requisiten unseres Stücks an, es war halb dunkel in der Gemeinschaftsgarderobe. Ich wollte aufstehen, jedem Kostüm die Hand geben, jede Maske anlächeln, Au-Revoir sagen, aber blieb sitzen. Dann sang ich aus Brechts *Baal* die Ballade vom ertrunkenen Mädchen:

Als sie ertrunken war und hinunterschwamm
Von den Bächen in die größeren Flüsse
Schien der Opal des Himmels sehr wundersam
Als ob er die Leiche begütigen müsse …[23]

Dann schaute ich zur Maske der Hauptfigur Grusche, des Küchenmädchens, das das Gouverneurskind aus dem brennenden Palast mitnimmt und auf eine gefährliche Reise geht. Hinter ihr Tod, vor ihr Tod. Das Land im Bürgerkrieg, brutale Soldaten der Putschisten. Diese Nähe des Todes. Vollkommene Einsamkeit, vollkommene Stille. Wenn sie zurückgeht, ist sie tot. Aus der Dämmerung ragt der Gletschersteg, die Gletscher sind wie ein würdiger Gott, aber kalt, den Steg muss sie überqueren zur anderen Seite. Da singt Grusche: *Tief ist der Abgrund, Sohn, brüchig der Steg, aber wir wählen, Sohn, nicht unsern Weg.*

Efterpi, plötzlich ging die Tür ganz hinten zwischen dem Foyer und den Garderoben auf, ich hörte Hunderte von Menschen reden, lachen. Dann ging die Tür zu, ich hörte nichts mehr. Ich blieb still da sitzen, alle Masken waren auch still, alle schauten mich an. »Ihr fragt mich, warum ich nicht draußen bei der Premierenfeier bin? Ich kann es euch sagen: Weil meine Arbeit zu Ende ist. Ich schäme mich, hier zu sein. Ja, ich weiß, im Programmheft sind meine Probenzeichnungen abgedruckt, aus meinen Zeichnungen sind Plakate gemacht worden, die Puppen, eure Figuren, die ich im Hotelzimmer in Paris gebaut habe, stehen im Jean-Vilar-Museum als Beispiele dafür, mit welchen Mitteln man sich einem Theaterstück annähern kann. Leute schauen sie sich an, aber versteht ihr denn nicht, meine Arbeit mit euch ist zu Ende. Und Besson wird nicht sofort, sondern erst wieder in zwei Jahren ein Stück inszenieren. Ich kann nicht Französisch, ich habe keine Aufenthaltserlaubnis, ich bin als Schwarzarbeiterin in Europa, versteht ihr das? Ein schwarzer Passagier auf einem fahrenden Schiff. Bis jetzt war Besson mein Land, in dem ich wohne, weil ich mit ihm arbeitete, weil er mich brauchte – wo wohnen Sie, in welchem Land wohnen Sie, Madame? Ich wohne in Besson, er ist das Land, in dem ich wohne. Aber ab jetzt habe ich kein Land. Masken, ihr geht nach Italien, spielt dort, dann kommt ihr nach Paris. Wenn ihr in Paris, im Palais de Chaillot, spielt, kann ich euch nur wie eine Zuschauerin besuchen, euch auf der Bühne wieder spielen sehen, aber nicht, wie in der belgischen Kleinstadt, mit euch auf der Bühne sitzen, die Probe zeichnen oder für die Probe hin und her rennen, euch mit meinem blinden Französisch zum Lachen bringen. Erinnert ihr euch, wie der Regen auf unser Zelt schlug und ihr in der Nacht im dunklen Zelt dem Regen zuhörtet und ich in der Dorfvilla, in der ich in der zweiten Etage wohnte, sehr nah bei euch, in meinem Zimmer auch dem Regen oder dem Wind zuhörte. Dort in Belgien brauchte nur der Morgen kommen, schon waren wir alle im Zelt bei der Probe, und der Regen konnte weiter auf das Zelt schlagen, ihr musstet eure Texte nur lauter sprechen. Diese belgische Kleinstadt, Ottignies-Louvain-la-Neuve, die alte Frau, die mir ihren Regenschirm zur Hilfe entgegenstreckte, damit ich über einen dicken Schlamm auf die andere Seite springen konnte, die zwei Frauen, die vor dem kaputten Auto saßen, aus dem Gras herausgewachsen war, die junge Frau kratzte sich an ihren Beinen, sie hatte Wunden, dann das Schwarze Café, der Barmann, der gerne vor der Tür stand und in den Himmel schaute, der Dorfarzt André, König der Bauern, Lumumbas Bild auf der Bartheke, der Spaziergang auf dem dünnen Pfad in Richtung Tal mit dem sechsjährigen Samuell, das Singen mit Coline Serreau in der Kirche, die zwei Igel, Besson machte an Sonntagen Käsefondue, ich sang am Ende.

Ich habe manche Sätze von euch während der Proben auswendig gelernt. *Jeune femme, je veux un enfant de toi. Tête de mur, une vache, une vache. Vache* heißt auf Türkisch *İnek*, auf Deutsch *Kuh.*

Wenn der Regen zu viele Tage nicht aufhörte, rochen eure Kostüme nach Nässe. Ich roch heimlich daran. Masken, am Wochenende gingt ihr zu euren Familien. Ich lief Richtung Tal, dann ging ich zum Schwarzen Café. Kurz bevor wir alle Belgien verließen, um nach Avignon zu fahren, ein paar Tage vorher, in der Nacht, fing plötzlich mein Zahn, dieser vordere Zahn hier, an zu wackeln. Als wir Generalprobe hatten, kontrollierte ich dauernd, ob mein Zahn noch da war. Wenn ihr auf der Bühne eure Texte spracht, schaute ich immer auf eure Münder.

Masken, erinnert ihr euch, Anfang der Siebzigerjahre in der Türkei hatten wir einen faschistischen Militärputsch. Damals starben, wie Thomas Brasch sagt, vor den Vätern die Söhne. Aufhängen, töten, die jungen Menschen, Gefängnisse, das schwache Licht der Glühbirnen in den Gefängnissen, um null Uhr vier die Hälse in den Stricken. Ich lief auf den getöteten Istanbuler Straßen. An diesem Tag tat mir mein vorderer Zahn sehr weh. Dann sah ich ein Zahnarztschild. Der Arzt wollte die Nerven vom Zahn rausziehen, machte dabei meinen Zahn kaputt, später schraubte er eine Krone, die eine fast grüne Farbe hatte, zwischen meine Zähne. Später ging ich wieder zu ihm, wollte, dass er diese grüne Krone herausnimmt und eine weiße einsetzt. Er war aber als Arzt gar nicht mehr zugelassen. Er hatte bei der Behandlung einer schönen Frau ihren weit geöffneten Mund fixiert, sodass sie nicht mehr sprechen konnte. Der Arzt hatte dann versucht, diese Frau zu küssen. Die Frau aber war mit weit offen stehendem, fixiertem Mund auf die Straße gelaufen.

Gestern fiel mir diese Zahnkrone im Hotelzimmer aus. Ich habe sie tagsüber in ein Wasserglas getan, damit ich sie nicht verliere. Und in der Premiere habe ich sie mit den Fingern festgehalten. Ich zeige sie euch, ich nehme sie raus.«

Efterpi, ich stand auf mit meinem Zahn in der Hand, lief zu den Masken, zeigte ihn der Maske des Panzerreiters, der Grusche und das Kind töten will. Efterpi, in dem Moment sah ich mich im Spiegel. Du hättest es sehen müssen, Efterpi, zwischen all diesen Masken sah ich auch aus wie eine Maske aus einem Carlo-Gozzi-Stück oder aus der Commedia dell'arte – da habe ich gelacht. Dann setzte ich mich wieder auf den Stuhl, die Masken schwiegen, ich schwieg. Ich stand auf, machte das Licht aus, steckte meinen Zahn in die Lücke, hielt ihn mit der Zunge fest, ging ins Foyer, in den Glanz und das Lachen, zu den Hüten und Wörtern in der Luft, *magnifique, formidable.* Besson sah mich, sagte: »Min, da bist du ja, ich habe nach dir gesucht, komm, kennst du Ariane

Mnouchkine vom Théâtre du Soleil, komm, wir wollen zusammen essen.«

Deine Kiki de Montparnasse

MONAT AUGUST, SCHAUEN WIR BEIDE IN DEN HIMMEL

Als ich in Paris ankam, regnete es. Es war sechs Uhr morgens. Ich sagte: »Paris, ich liebe dich«, wollte schreien. So war es, wenn ich mit einem Bus in Istanbul ankam und plötzlich das Meer sah, da wollte ich auch schreien. Ich trug meine Tasche auf der linken Schulter, fuhr zur Metro Saint-Michel, lief den Boulevard Saint-Michel hoch, sah mich im Spiegel des Café Le Petit Cluny zwischen den wartenden Tischen, Stühlen, einsamen Flaschen an der Bar, begrüßte alle Gläser, Kaffeetassen, lachte und zeigte ihnen meinen neuen Zahn. Ich war, bevor ich von Avignon nach Paris fuhr, zu einer Zahnärztin gegangen. Sie war hochschwanger. Als sie mir meinen neuen Zahn in den Mund einpasste und mit Kraft den Zahn an seinen Platz drückte, damit er gut klebte, stand sie dicht bei mir, ihr hochschwangerer Bauch lehnte sich auf meinen Körper. Ich fühlte, dass ihr Kind sich im Bauch bewegte.

Ich ging dann am Boulevard Saint-Michel in Richtung der Telefonzelle, von der aus ich am ersten Tag, als ich in Paris angekommen war, Besson angerufen hatte. Der Boulevard war fast leer. Nur ein Straßenfeger aß sein Pausenbaguette, und nach jedem Bissen schaute er sein Baguette an, rückte den Schinken darin zurecht. Ich ging in die Telefonzelle, lehnte mich an die Wand. Augen zu sagte ich: »*Unser Herz wird erneuern seine Unendlichkeit.*[24] Heute ist August, alles hat hier angefangen und jetzt erst mal hier geendet. Aber die Straßen werden erneuern ihre Unendlichkeit.« Jemand klopfte an das Telefonzellenfenster, ging dann aber weiter. Ich lief hinter ihm her. Er klingelte an einem Haus, sagte in das Klingelmikrofon: »Je t'attends chez le concierge, bon bon j'arrive – ich warte auf dich beim Hausmeister«, jemand öffnete, er trat in das Haus, ich lief weiter, wiederholte: »Je t'attends chez le concierge, je t'attends devant la grande gare, tu m'attends devant le café, il m'attend à la maison – ich warte, du wartest, er wartet.« Ich lief vom Boulevard Saint-Michel in Richtung Efterpis Haus in der Rue de la Glacière und bildete französische Sätze mit *warten*. Ich warte auf dich in Istanbul im Dunkeln, du wartest auf mich auf dem Friedhof am Grab der Piaf. Auf dem Weg zu Efterpi traf ich andere Passanten. Wenn einer zu dem anderen etwas sagte oder den anderen fragte, fing ich leise an, Antworten zu geben. Einer sagte zu seinem Freund: »Fais attention, la rue est en mauvais état – gib acht, die Straße ist kaputt.« »Oui, je fais attention«, antwortete ich leise, »ich geb acht.« Jemand sagte: »Est-ce qu'il y a un chauffeur? – Gibt es einen Chauffeur?« Ich antwortete: »Non, il n'y a pas de chauffeur – nein, es gibt keinen Chauffeur.« Jemand fragte seinen Freund: »Tu n'as pas trouvé ta clé? – Hast du deinen Schlüssel nicht gefunden?« Ich antwortete leise: »Non, je ne l'ai pas trouvée – nein, ich habe ihn nicht gefunden.« »Tu viens au cinéma ce soir? – Kommst du heute Abend ins Kino?« »Oui, oui, je viens«, antwortete ich in mich hinein, »ja, ich komme.«

Ein Mann stand an der Tür seines kleinen Ladens, schaute auf den Regen, sagte direkt zu mir: »Il pleuvra toute la journée – den ganzen Tag wird es regnen.« »Oui, oui, il pleuvra toute la journée«, antwortete ich, »ja, ja, es wird den ganzen Tag regnen.« Er sagte: »Vous parlez bien français, quel chouette accent – Sie sprechen gut Französisch, was für ein fabelhafter Akzent.« Ich antwortete: »Monsieur, vous parlez bien français, quel chouette accent – Sie sprechen gut Französisch, was für ein fabelhafter Akzent.« Er stockte kurz, dann fragte er mich: »Haben Sie keinen Regenschirm?«, holte einen aus seinem Laden. »Là, voilà.« Ich öffnete den Schirm, sagte: »Là, voilà«, wir lachten.

Die Straßen werden erneuern ihre Unendlichkeit.

Ich hatte den Brief, den ich in Avignon an Efterpi geschrieben hatte, nicht abgeschickt, wollte ihn jetzt in ihren Briefkasten werfen, dann zu Jean Irigaray fahren. Jean hatte gesagt: »Wenn du nicht weißt, wo du wohnen wirst, kannst du bei mir wohnen.« Efterpis spanische Portiersfrau putzte gerade mit einem Eimer Wasser den Flur vor den Briefkästen. Sie sagte: »Attendez – warten Sie«, ging in ihr Portiershaus, brachte einen Zettel und einen Schlüssel, sagte: »Madame et Monsieur sont en voyage.« Efterpi und Charis waren in Griechenland und hatten ihre Schlüssel für mich hinterlegt. Ich liebte Efterpis Wohnung, dachte: Zu Jean kann ich nächste Woche. Ich warf meinen Brief an Efterpi in den Briefkasten, lief durch den dunklen Korridor in den Garten, ging zuerst zur Gartenbank, setzte mich, wie am ersten Tag in Paris vor acht Monaten, darauf, schaute auf das Studio von Efterpi. Irgendwann kam die Katze Clochard, blieb stehen, schaute mich aus der Ferne an. Ich ging ins Haus, Katze Clochard kam mit, lief aber über die Treppe hoch ins Bad in ihr Wandloch. Efterpi hatte in der Küche Katzenfutterbüchsen gestapelt. Ich schaute zu den Fotos von Efterpis Mutter und Vater. Alle waren da. Die Katze, die Mutter, der Vater, meine Tasche auf dem Boden, auch Katze Badi. Sie stand von ihrem Kissen auf, legte sich auf meine Tasche. Während ich Tee trank, klopfte Monsieur Umberto an die Glastür. Ich öffnete. Er fragte: »Wie geht es Ihrer Katze, Madame?« »Gut, wollen Sie eine Tasse Kaffee, Monsieur?« »Oui«, sagte er, kam herein und trank seinen Kaffee, führte dann Selbstgespräche. Dann klopfte der Nachbar Yerasimos, der Istanbuler Grieche von nebenan, von dem ich in Istanbul ein Buch gelesen hatte, an die Glastür, sagte: »Ich wollte die Katzen füttern.« »Ich kann es machen, ich wohne, bis Efterpi wiederkommt, hier, die Arbeit mit Besson ist zu Ende.« Dann fragte mich Yerasimos: »Was willst du jetzt machen?« »Ich muss einen Job finden. Schwer. Ich habe keine Arbeits- und Aufenthaltserlaubnis.« Yerasimos sagte: »Melde dich an der Universität Paris VIII. Berühmte 68er-Professoren unterrichten dort. Wenn du beweisen kannst, dass du drei Jahre professionell in einem Beruf gearbeitet hast, kannst du dich dort einschreiben, eine Kommission entscheidet, ob man dich nimmt, und wenn sie dich nehmen, kriegst du als Student eine Aufenthaltserlaubnis. Das kann dir helfen. Warte mal«, sagte Yerasimos, ging ans Telefon, telefonierte mit der Unisekretärin, legte auf, sagte: »Schade, alle Aufnahmekommissionen sind geschlossen. Nur die Doktorandenkommission trifft sich nächste Woche.« Ich sagte: »Ich war an der Schauspielschule, ich habe kein Uni-Diplom, habe nie an einer Uni studiert, die geben mir doch kein Recht, eine Doktorarbeit zu schreiben. Aber ich probiere es.« Yerasimos sagte: »Probiere es, schick dein Material an die Uni, oder bring es hin.« Dann ging Yerasimos. Mein Herz klopfte. Ich fing an, wie Monsieur Umberto Selbstgespräche zu führen. »Ich muss alle meine Probenzeichnungen, Collagen, Shakespeare, Goethe, Müller, Brasch, alles, was ich an der Volksbühne in Ostberlin gemacht habe, hinschicken. Dann die Zeichnungen vom

Kaukasischen Kreidekreis, meine Collagen von allen Stücken, die Fotos von meinen Puppen, die in Avignon in der Maison Jean Vilar stehen, meine Theaterfotos aus Istanbul, das Diplom von der Istanbuler Schauspielschule und meine Theaterarbeiten in der Türkei, alles sammeln, alles, alles sammeln. Ich fing an, aus meiner Tasche und aus der Tasche, die ich bei Efterpi gelassen hatte, alle meine Theaterarbeiten zu holen und auf dem Tisch zu stapeln. Monsieur Umberto sprach weiter mit sich selbst, ich auch, Katze Clochard stand auf der Treppe, schaute in unsere Richtung. Bald war der Tisch voll mit Mappen, Heften, Fotos.« Dann überlegte ich, was für eine Doktorarbeit ich schreiben wollte, schrieb es auf Türkisch: *Piscator dan Brecht ve Besson'a Berlin Halksahnesi hareketi – die Berliner Volksbühnenbewegung von Piscator zu Brecht und Besson.* Dann klopfte ich nebenan bei Yerasimos. Er übersetzte meinen türkischen Brief ins Französische und sagte: »Schick heute alles an die Universität.« Als ich wieder in Efterpis Haus war, fragte mich Monsieur Umberto: »Qu'est-ce que vous avez mangé aujourd'hui, Madame? – Was haben Sie heute gegessen, Madame?« Dann ging er. Ich setzte mich hin, mein Herz klopfte. Das Herz wird erneuern seine Unendlichkeit.

Bin müde, bin jung, bin gesund, füttere die Katzen, von einem Dorf in das andere gehe ich ohne Angst.

Ich nahm den Regenschirm, den der Ladenbesitzer mir heute früh geschenkt hatte, fuhr zuerst zur Universität Paris VIII, gab der Sekretärin den Brief und die große Tasche mit meinem Theatermaterial für die Doktorandenkommission. Sie sagte: »In zehn Tagen bekommen Sie Bescheid. Bonne chance.« Dann fuhr ich zur Metro Raspail, lief auf dem Boulevard Raspail an dem Café von Sartre vorbei, schaute hinein, er war nicht da. Dann ging ich zu dem Haus, in dem der Sohn unseres Dichters Nâzım Hikmet, Mehmet Hikmet, wohnte. Ich las seinen Namen an der Klingel, in dem Moment ging die Haustür auf, ich schrie: »Komet!« Komet umarmte mich. Wir liefen, so umarmt, bei Rot über die Straße. Komet kannte ich aus Istanbul, er war ein wunderbarer Maler und ein sehr lustiger Freund. Komet sagte: »Ich gehe zum Café La Palette, komm mit. Mehmet kommt nächste Woche.« Wir fuhren mit der Metro nach Saint-Michel, liefen im Regen durch die Gassen bis zur Rue de Seine. An einer Ecke war das Café La Palette. Im Café hingen hinter der Bar an der Wand die Malpaletten berühmter Maler. Komet sagte: »Du kannst hier Topor kennenlernen. Polanski hat seinen Roman verfilmt, *Der Mieter*. Hast du vielleicht gesehen.« »Ja, ich mochte ihn sehr.« »Topor liebt seine türkischen Freunde.« Komet hatte sich im La Palette mit einem Maler verabredet. Komet sagte: »Ein sehr guter Maler, eine seiner Malereien, glaube ich, ist gerade in New York in einem Museum aufgenommen worden. Hier in Paris läuft gerade eine Ausstellung von ihm, du kannst sie dir anschauen.« Er nannte mir den Namen der Galerie.

Wir saßen trotz des Regens draußen unter meinem Regenschirm. Als der berühmte Maler kam, setzte er sich auch unter meinen Regenschirm. Komet erzählte ihm von meiner Theaterarbeit, sagte: »Magnifique, non? – Ist das nicht toll?« »Oui«, sagte der Maler. Wir tranken Wein. Es war schön, zwischen zwei Männern zu sitzen und den Regen zu lieben. Irgendwann kam Topor, begrüßte uns alle, ging in die Bar, schickte uns neuen Wein heraus. Als der Regen uns richtig nass schlug, gingen wir auch in die Bar. Alles roch nach Nässe. An die Bar gelehnt, hörte ich den Regen draußen noch stärker und stärker werden. Alles war laut, draußen der Regen, hier an der Bar tranken wir und redeten laut, hinten im Restaurant tranken und aßen die anderen, redeten auch laut, die Kellner liefen hin und her, sprachen auch hinter der Theke laut, nur der berühmte Maler schwieg. Irgendwann fasste er leicht meine nassen Haare an, streifte sie von oben nach unten ab, sammelte in seiner Hand die Regentropfennässe, öffnete seine Hand, schaute hinein. Als mein Istanbuler Freund Komet ging, hörte der Regen kurz auf. Als der Regen wieder anfing, ging der Maler auch raus auf die Straße, kam zurück, nahm mich an der Hand, sagte nichts. Als wir draußen standen, nahm er meinen Regenschirm, vergaß aber, ihn zu öffnen, wir liefen im Regen in Richtung Metro Odéon. An der Metrostation Raspail stiegen wir aus, liefen auf dem Boulevard Raspail an dem Café von Sartre vorbei. Der Maler bog nach links ab und klingelte an einem Haus. Das Haus war außen wie bestickt mit Ornamenten. Der Maler sagte mir im Fahrstuhl, aus welchem Jahrhundert dieses Haus war. Das Pärchen, das wir dort besuchten, war ein amerikanisches Ehepaar. Der Mann war sehr schön, das Haus war reich, der Mann hatte einen Bestseller geschrieben, das Buch war in England herausgekommen, es hieß *Die Betten*. Wir aßen Austern, und sie redeten über Amerika. Als wir gingen, hatte der Regen aufgehört. Der Maler öffnete meinen Regenschirm, ich lachte, er lief mit mir über den Platz Denfert-Rochereau bis zu Efterpis Haus. Als ich Efterpis Glastür zur Seite schob, fuhr das Glas über die Schiene und quietschte. Der Maler kam mit offenem Regenschirm herein, blieb mit dem Schirm inmitten des Raums stehen, sah im Regal die Schallplatten, sagte: »Hast du klassische türkische Musik?« Ich legte die Schallplatte mit den Liedern von Tatyos Efendi auf, einem Istanbuler Armenier. Der Maler machte das Licht aus, nahm meine Hand, setzte sich, ohne es zu merken, mit mir und dem offenen Regenschirm auf das Bett. Wir saßen unterm Regenschirm, ich sang im Dunklen leise die Lieder mit. Der Maler legte den Regenschirm auf den Boden, drehte sich zu mir. »Diese Lieder sind sehr schön.« Er sprach so, als ob er gerade in einen Traum rutschen würde, »très belle, très belle«, fasste meine Haare an, »très belle, très belle«, fasste an meine Wimpern, »très belle, très belle«, fasste an meine Wangen, fasste an meinen Mund, fasste an meine Brüste. Als wir uns liebten, fing es draußen wieder zu regnen an. Ich hörte kurz die ersten Regenstimmen, und obwohl es die ganze Nacht regnete, hörte ich dann den Regen nicht mehr. Der Raum verschwand, die Tische, Stühle, Bücher, alles verschwand. Ich sah unsere Schatten an der Wand, die aus unseren Körpern, Armen, Beinen, Köpfen, Haaren, von unseren Schultern wuchsen. Sie wuchsen ineinander zu einem großen Schattenklumpen, der sich von der Wand bis zu unseren Füßen verlängerte und sich um unsere Füße herum mit dem Schatten des neben dem Bett liegenden Regenschirms verband. Der Rest des Raumes war ohne Schatten. Deswegen sah es nur dort, wo unsere Schatten gewachsen waren, wie ein Raum aus, ein von Schatten begrenzter Raum, der sich mit Leben erfüllte.

Als der Maler am Morgen ging, sah ich, dass auch mein Körper, hinter ihm her, aus dem Bett aufstand und mit ihm ging. Die Glastür wurde zur Seite geschoben, die beiden, er und ich, gingen, und ich lag im Bett, ohne meinen Körper. Ich hatte vielleicht nur zwei Finger und ein halbes Auge und einen Mund, ich strich mit diesen Fingern über meine Lippen, fasste mit meinen zwei Fingern an die Wand, an der unsere Schatten die ganze Nacht zu einem einzigen Schatten geworden waren. Diese Schatten waren noch da, meine Finger tasteten, fühlten sie, manche Teile dieser Schatten waren leicht verwischt, dort waren die Schatten geheimnisvoller. Wenn ich im Bett ohne meinen Körper atmete, atmeten diese Schatten an der Wand auch. Ich strich mit den zwei Fingern wieder über meine Lippen. Es regnete weiter und schlug leicht an die Glastür. Draußen bewegten sich die jungen Birkenbaumblätter. Der Baum war ganz nass und schaute in meine Richtung. Als der Maler vorhin mit meinem Körper gegangen war, hatte er den Regenschirm mitgenommen und seine Armbanduhr neben dem Bett liegen gelassen. Auf einem Stuhl lag sein heller Sommerpulli, den er gestern über seine Schultern geworfen hatte. Ich nahm die Uhr und zog sie mit zwei Fingern auf, damit sie nicht stehenblieb. »Ich wohne in seiner Uhr.« Den ganzen Tag blieb ich körperlos in Efterpis Raum, las eine Weile in Arthur Rimbauds Buch. Ich sah meine zwei Finger, die im Buch blätterten, mein Mund brannte.

Sie hat uns wieder.
Wer? – Die Unendlichkeit.
Das Meer, das mit
der Sonne kreist.

Mein grenzenloses Herz!
Leb deinen Traum,
trotz einsamer Nacht
und brennender Tage.
[…]
Deine Gluten
heuern mich an […][25]

Die Katze Clochard kam öfter die Treppe herunter, stand auf der dritten Stufe, schaute in meine Richtung, dann ging sie, aber kurze Zeit später kam sie wieder die Treppe herunter, schaute wieder von der dritten Stufe auf mich. Ich legte das Buch weg, nahm mit meinen zwei Fingern einen Bleistift, fing an, Clochard zu zeichnen, sagte: »Clochard, Freund, bist du berührt von meiner Körperlosigkeit?« Clochard kam noch eine Stufe herunter, diesmal schaute sie von der zweiten Stufe der Treppe auf mich. Ich sah ihre Augen, fragte sie: »Clochard, könntest du die Liebe zum Fenster hinauswerfen?« Clochard drehte sich um, ging die Treppe hoch, kam nicht mehr. Nachdem Clochard gegangen war, wurde der Raum ganz leer, stumm, als ob alle Bücher, Tische, Stühle, das Wandtuch des Istanbuler Straßenfotografen, das Bett, die Bilder in einen tiefen Schlaf gefallen wären. Nur der Regen draußen sprach mit sich selbst. Jede Regentropfenstimme färbte die Gegenstände, die in tiefen Schlaf gefallen waren, ins Graue, die dann von diesem Grau zu Schatten wurden. Ich saß mit diesen vielen Schatten. Dann sah ich den weißen Sommerpulli des Malers, den er auf dem Stuhl liegen gelassen hatte. Der hatte sich nicht zum Schatten verwandeln lassen, er leuchtete. Ich nahm ihn, zog ihn an, strich immer wieder über die Stelle, wo mein Herz ist. Mit jedem Strich wachten die Gegenstände, Tische, Stühle, das Bett, die Bücher auf den Regalen, das Tuch des Istanbuler Straßenfotografen, die Fotos von Efterpis Mutter und Vater, auf. Die schattigen Stellen zogen sich zurück, die Farben kamen wieder, das Bett leuchtete wie der weiße Sommerpulli des Malers. Ich sah, nachdem der ganze Raum wieder atmete, meinen Körper, der heute früh mit dem Maler weggegangen war, langsam wieder zu mir zurückkommen, zog mich an, machte den Katzenteller voll mit dem Futter, nahm die Uhr des Malers, ging in den Regen, fuhr mit nassen Haaren und Kleidern zu der Galerie, um mir die Ausstellung des

Malers anzuschauen. Die blaue Farbe in seinen Bildern, die Kinder, der Tod in den Bildern, die starken Gefühle in den Bildern. Als ich hinausging, sah ich alles, was ich sah, die Treppen, die Menschen, die Fenster, alles blau, auch meine Hände, auch sein weißer Pulli blau. Ich setzte mich gegenüber dem Centre Pompidou in ein Café. Auf dem Platz nahm ein Feuerschlucker einen Schluck Petroleum, pustete ein blaues Feuer in den Himmel. Hunderte von Menschen bewegten sich am Platz, alle waren blau gefärbt. Ich nahm ein Blatt und einen Stift aus meiner Tasche, sie waren auch blau. Ich schrieb etwas, die Buchstaben waren auch blau. Ich schrieb für den Maler:

Er überquert den Oceanus, seine Hand hält einen Stift, färbt die Kinder, die schreien, ins Blaue. Warum sind die Augen eines siebenjährigen Kindes offen, während es schläft? »Er hat sich nicht an die Todesanzeigen der Kinder gewöhnen können«, sagte jemand, »das ist es, was Wasser auf sein Blau gibt.« Man hatte die Dörfer und Bienen getötet, vor den Hauseingängen saßen und weinten die Kinder. Ein totes Meer kam hoch und wusch ihre Gesichter.

Ich trank zwei Gläser Rotwein. Dann stand ich auf und ging, der Regen schlug mich, er war so stark, ich sah manchmal nicht die Lichter, nicht die Autos, blieb stehen, dann suchte ich Schutz hinter jemandem, der einen Regenschirm hatte, ging hinter ihm bis zur Metro Les Halles, lief zur Metro Châtelet, lief an dem Théâtre de la Ville vorbei, ging über den Pont Neuf, dann nach rechts entlang der Seine, ging in die Rue Guénégaud bis zum Café La Palette, blieb stehen. Dann rannte ich weg, kam zu einer sehr lebendigen Straße, sah dort zwischen den Cafés vor einem Restaurant einen Fischstand. Die Fische, die Austern lagen auf dem Eis unter starker Beleuchtung. Der Verkäufer lief in langen Gummistiefeln vor den Fischen hin und her, spritzte aus einem Kübel Wasser über sie, alles war im Wasser, die Menschen unterm Regen, die Fische. Die Cafés dort waren voll mit Menschen, alles lebte, glänzte. Die Spiegel an den Wänden der Cafés verdoppelten die Menschen, verdoppelten das Lachen, das Küssen, die Hände, die Gläser. Ich kaufte einen Fisch, der Verkäufer wickelte ihn in ein Papier und tat ihn in eine Tüte. »Bon appétit, Madame.« Ich lief mit dem Fisch die Rue de Buci in Richtung Metro. An der Biegung der Straße blieb ich vor einem Café stehen, sah meine nassen Haare und den weißen Pulli des Malers, den ich anhatte, im Spiegel. Der Pulli und meine nassen Haare zwinkerten mir zu. Ich zog den weißen Sommerpulli aus, wollte weitergehen, aber der Pulli in meiner Hand zwang mich, links in eine Straße wieder in Richtung Café La Palette zu laufen. Ich ging ins Café La Palette hinein, Komet stand an der Bar. Irgendwann fragte ich ihn nach dem Maler. Er sagte: »Vor einer halben Stunde ist er gegangen, er wollte auf sein Weingut außerhalb von Paris. Ja, er fragte mich nach deiner Telefonnummer, sagte: ›Wie schön wäre es, wenn wir sie finden könnten.‹« Komet und ich tranken an der Bar Wein, alles war wieder laut, die Menschen, die Gläser, draußen der starke Regen. Komet sagte: »Du hast ihm sehr gefallen.« Wir gingen dann raus auf die Straße. Komet lachte und fragte mich: »Kennst du das Spiel? Als Kinder haben wir es in Istanbul, immer wenn es stark regnete, auf der Straße gespielt. Schau.« Er bückte sich zur Erde, stellte seinen rechten Zeigefinger senkrecht auf den Boden, dann, ohne seinen Finger von der Straße wegzunehmen, drehte er sich gebückt ein paar Mal um den Finger. Dann stand er auf. »Jetzt du«, sagte er. Ich gab ihm die Fischtüte und den Pulli, bückte mich zur Erde, drehte mich ein paar Mal um meinen Zeigefinger, dann stand ich auf, mir war schwindlig, ich fiel auf die Straße in den Regen. Komet oben, ich unten – lachten laut.

Wo wohnen Sie, Madame? Ich wohne in einem Istanbuler Kinderspiel.

Ich liebte Komet sehr. In Istanbul in den Sechzigern trafen sich die besten Maler jeden Abend entweder in den griechischen, armenischen Bohème-Restaurants oder in ihren Häusern. Sie waren klug und schön, ich ging in den Nächten mit ihnen aus. Es ging immer ums Glücklichwerden: das Feuer des Glücks durchs Erzählen nähren, damit das Feuer nie ausgeht. Jeder liebte seine Freunde, wollte, dass die anderen lachten, diese Nächte liebten, Geschichten erzählten, damit das Lachen nie aufhörte. Sie wollten so lieben, so leben, dass das Leben diese Momente auf seine Schultern nahm, Momente, aus denen viele Lichter auch nach vielen Jahren ständig herausblinkten. Komet war aus diesem leuchtenden Leben.

Der Regen hatte aufgehört, Komet begleitete mich zum Boulevard Saint-Michel. Ich nahm den Bus 21, fuhr nach Hause, ging durch den dunklen Korridor in den Garten. Efterpis Nachbar Yerasimos saß in seinem Studio, arbeitete an seinem Tisch, seine Frau las in einem Buch. Sie sahen mich nicht, es war dunkel im Garten. Ich zog Efterpis Glastür zur Seite, die schwere Tür fuhr über die Stahlschiene und quietschte. Als ich die Tür zurückschob und den Fisch auf den Tisch legte, sah ich hinten im Garten jemanden, der auf der Parkbank saß und rauchte. Ich sah im Licht der Glut das Gesicht des Malers, lief hin, blieb vor ihm stehen, gab ihm seinen Pulli und seine Uhr und sagte: »Je te cherchais dans le café La Palette – Ich habe dich im Café La Palette gesucht.« Er nahm meine Hand, zog mich auf die Gartenbank, ich setzte mich neben ihn, er warf sich auf meinen Schoß, lag auf meinen Beinen, sagte: »Tu es amoureuse de moi – du bist verliebt in mich. Tu es heureuse? – Bist du glücklich?« »Oui – ja. Je suis heureuse.« Er rollte meine Bluse hoch, fasste an meine Brüste, strich mit seinen Händen darüber, als ob er sie gerade malen würde, dann biss er in meine Brustwarzen, sprach wieder, als ob er gerade in einen Traum hineinrutschen würde, sagte: »Terrible, terrible, je suis amoureux de toi. Je suis tombé amoureux de toi. Terrible, terrible – ich bin dir verfallen, furchtbar, furchtbar. Tu es heureuse? – Bist du glücklich?« »Oui – ja. Je suis heureuse.« Er hielt meine Haare hoch, biss in meinen Nacken, biss in meine Wangen, dann wieder in meinen Kopf. Er hatte Fieber. Sein Mund, wenn er mich küsste oder sich in mein Gesicht, meinen Hals, meine Brust vergrub, verbrannte mich. Meine Füße verbrannten, meine Achselhöhle, meine Schulter, meine Beine, meine Haare. Als das Feuer von unseren Körpern und Haaren auf die Parkbank fiel, standen wir auf, gingen still, weiter brennend, ins dunkle Haus hinein. Er sagte nichts, lief im Feuer in Richtung Bett. Ich sah an der Wand den Schatten seines hinunterfallenden Körpers, der meinen Schatten dann in seinen Schatten zog.

Gegen fünf Uhr morgens wachte ich durch die Geräusche der Katze Clochard und Badi auf. Sie rannten mal die Treppe hoch, dann wieder herunter, dann wieder hoch. Ich wollte aufstehen und sie beruhigen, konnte aber nicht. Er hatte seinen Penis noch in mir und hielt meine Haare in seinen Händen fest. So schlief er ganz tief, atmete leise, ich sah nur seinen Mund, wartete: dass er mich küsst, dieser Mund. Er atmete ruhig. Während ich nur auf seinen Mund schaute, bekam ich einen Orgasmus nach dem anderen. Ich hob meinen linken Arm hoch, bewegte ihn, um diesen Arm in unserem Schattenklumpen an der Wand zu sehen. Ich sah ihn nicht. Normalerweise müsste ich ihn aber sehen. Wo war der Schatten von meinem Arm? Ich dachte: Ich habe noch meinen linken Arm, aber der Schatten von meinem Arm hat sich wahrscheinlich im Körper des Malers verloren. Wird er ihn mir zurückgeben, wenn er wach ist? Es ist egal, dachte ich, er kann meinen Arm behalten, er kann mir meinen ganzen Körper wegnehmen, dann bin ich ständig in ihm, ich werde verflucht vor Liebe. Ich schloss die Augen. Die Stimme der Liebe wird mich blind machen, die tötende Kraft der Liebe wird mich blind machen. Die Stimme sagt, trenn mich nie einen Moment von der tötenden Kraft der Liebe, hilf mir, hilf mir genügend, mach mich abhängig von den Schmerzen der Liebe, trenne mich nie von dem Fluch der Liebe, ich möchte verflucht sein, denn der Fluch möchte mich. Ich schlief wieder ein, träumte: Ich stehe an einer Grenze, französische Theaterleute sind da, sie werfen Seile hoch, als ob sie ein Zirkuszelt bauen wollten, sie vermessen sehr energisch die Seile, machen Trapeznummern, jemand macht mir Komplimente, der Hauptdarsteller im Stück hat einen großen Mantel an, sein Gesicht sieht aus wie eine zusammengeschrumpfte Rübe, ganz klein. Dann bin ich sehr allein, gehe durch die wunderschönen Gassen, kein Beton, alles aus Erde, Tiere liegen auf den Straßen, rechts sehe ich einen Löwen, unsere Augen finden sich, ich laufe, fühle seine Schritte, seinen Atem in meinem Nacken, er fasst meinen Hals an und redet mit mir, dieser Löwe. Ich habe keine Angst. Ich finde es sehr schön, dass ich ab jetzt einen Löwen umarmen kann.

Als ich wach wurde, war der Maler weg. Er hatte wieder seine Uhr neben dem Bett gelassen. Ich zog sie auf, hörte ihrem Ticken zu. Katze Clochard stand wieder auf der Treppe, schaute in meine Richtung. »Clochard, kennst du das Lied von Edith Piaf: Les amants de Paris couchent sur ma chanson. À Paris, les amants s'aiment à leur façon – die Liebenden von Paris schlafen auf meinem Chanson. In Paris lieben sich die Liebenden nach ihrer eigenen Fasson. Clochard, j'habite dans l'amour – ich wohne in der Liebe.« Als ich Clochards und Badis Essen auf ihre Teller tat, kam Badi und aß. Clochard aber nicht. Ich blieb ganz ruhig stehen, bewegte mich nicht. Dann kam sie, aß, aber mit einer ungeheuren Angst, dass ich mich wieder bewegen könnte. Ich sah sie, fing auch an, Angst zu bekommen, wie mein Leben ohne Arbeit, ohne Wohnung weitergehen sollte. Ich wohne in der Angst, oh, mon Dieu. Besson hatte mir, bevor er von Avignon nach Italien gefahren war, gesagt, er habe mit dem Pariser Theater, das unser Stück unterstützt habe, gesprochen, es darum gebeten, für mich am Theater einen Job zu finden, damit ich bis zu unserer nächsten Arbeit weiter in Paris bleiben könne. »Ruf ab und zu da an, ob sie für dich einen Job haben.«

Als Clochard mit dem Essen fertig war, bewegte ich mich wieder, rief das Theater an. Nein, sie hätten noch nichts, ich solle nächste Woche wieder anrufen. Ich ging hin und her, nahm die Uhr des Malers, hielt sie fest in der Hand, setzte mich wie die Katze Clochard auf die dritte Stufe der Treppe, blieb still da sitzen. Dann ging ich mit Papier, Stiften und Malkasten hoch ins Badezimmer, setzte mich vor das Waschbecken und den Spiegel, neben das Wandloch, wo Clochard wohnte, malte mein Selbstportrait, Clochard bewegte sich im Wandloch hin und her.

Ich ging wieder hinunter, setzte mich neben die Glastür vor die Bilder von Efterpis Mutter und Vater, malte mein Gesicht, das auf der Glastür erschien. Irgendwann klopfte

Monsieur Umberto an der Tür, ich schob die schwere Glastür zur Seite, machte ihm Kaffee. Als er anfing, mit sich selbst Gespräche zu führen, malte ich ihn. Er sah es, wurde stumm. Dann sagte er energisch: »Madame, venez avec moi – Madame, kommen Sie mit mir.« Ich lief mit ihm in den Garten, wir gingen durch den dunklen Korridor in das Hochhaus, gingen an der Portiersfrau vorbei. Monsieur Umberto lief eine Treppe hoch, schloss seine Wohnungstür auf, ich ging hinter ihm in den Raum, er lief zu einem Tisch, da war etwas, das er mit einem Tuch zugedeckt hatte. Er schaute in meine Augen, nahm das Tuch weg, darunter lag eine selbst gebaute, kleine Maschine. »C'est à moi – das ist meine«, sagte er. Ich schaute hin, plötzlich verstand ich, dass diese Maschine seine Erfindung war, die man ihm geklaut hatte, weshalb er verrückt geworden war. Wir standen lange um den Tisch. Monsieur Umberto schaute in meine Augen, ich schaute auf seine Maschine, seine Erfindung. Dann deckte er sie zu, sorgfältig, brachte mich zur Tür, schloss hinter mir zu. Als ich im Garten war, hatte es wieder angefangen zu regnen. Ich blieb lange im Regen. Als ich keine trockene Stelle mehr hatte, ging ich in Efterpis Haus rein, zog mich um, fuhr zum Institut Catholique, dort gab es billige Französisch-Kurse. Eine Sekretärin dort half mir, einen Kursus zu wählen, ich konnte morgen anfangen. Ich sah auf dem Korridor ein paar Nonnen. Sie waren sicher Lehrerinnen. Dass ich wieder in einem Sprachkursus war, beruhigte meine Angst. »Pas peur«, sagte ich, »keine Angst.«

»Wo wohnen Sie, Madame?«

»Du wohnst in der Liebe.«

»Du wohnst in der französischen Sprache.«

Unten auf der Straße hatte der Regen gerade aufgehört.

»Du wohnst in einem Sommerregen.«

Dann fuhr ich zum Friedhof Père Lachaise zu Edith Piaf.

Du wohnst in Piafs Chanson. Edith sagt: »Les amants de Paris couchent sur ma chanson – die Liebenden in Paris schlafen in meinem Chanson.«

Ich versuchte, Piaf mein Leben der letzten vier Monate, in denen ich sie nicht besucht hatte, zu erzählen:

»Mit dem Zug fuhr ich nach Belgien, sah Schwarze dort. Der Dorfarzt André sprach mich an: ›Sie haben schöne Ohrringe.‹ Er saß mit Lumumba an der Bar. ›Il pleuvra demain – morgen wird es regnen‹, sagte der schwarze Barmann. Ils sont tous mes copains et je suis parti un matin sur la grande route – das sind alle meine Freunde, und eines Morgens machte ich mich auf den Weg, da sah ich einen Mann mit einem weißen Sommerpulli.«

Es kamen fünf Menschen zu Piafs Grab, begrüßten mich. Ich verließ das Grab, kaufte am Boulevard Saint-Michel zwei Comichefte von Jacques Tardi, um französische Sätze schnell zu begreifen.

»Les aventures extraordinaires
d'Adèle Blanc-Sec.
Adèle et la Bête.«

Dann lief ich vor die Uni Sorbonne. Da hatten sich Menschen und ein paar Polizisten gesammelt. Sie warteten. Ich fragte einen Polizisten: »Was ist los?« Er antwortete: »Sie warten auf François Mitterrand.« Ich liebte Mitterrand, den Politiker von der Sozialistischen Partei. Ich wartete auch. Dann kam ein Clochard, fragte mich, warum die Leute hier warten. »Die warten auf Mitterrand«, antwortete ich. Der Clochard fragte weiter: »Wird Mitterrand kommen, oder ist er schon in der Sorbonne?« Ich fragte wieder den Polizisten: »Ist Mitterrand schon in der Sorbonne, oder wird er kommen?« Der Polizist antwortete: »Er ist in der Sorbonne.« Ich sagte dem Clochard, »Mitterrand ist schon in der Sorbonne.« Der Clochard lachte, sagte: »Il devrait nous payer un coup – dann soll er für alle eine Runde bestellen.« Der Polizist und ich lachten auch. Ich hatte vom Clochard vor der Sorbonne einen neuen Satz gelernt. Il devrait nous payer un coup.

Der Maler wartete vor Efterpis Haus auf der Straße in seinem Auto. Er zog mich ins Auto, nahm mein Comicheft, legte es auf den hinteren Sitz, fuhr los. Er fuhr ziellos da- und dorthin, durch die Straßen, Gassen, Plätze, Boulevards, er hielt mal vor einem Casino, mal vor einem Café, mal vor einem Restaurant. Wir gingen hinein, tranken an der Bar ein Glas, aßen etwas. Überall begrüßte er Leute, machte mich ihnen bekannt. Dann fuhren wir wieder los, ziellos durch die Straßen, er hielt vor einem Spielcasino. Drinnen war es wie in einer anderen Zeit, sehr reiche alte, junge Männer, sehr stark gepuderte, alte, schöne Frauengesichter, ihre Arme voller Schmuck, Zigaretten in den Händen, sie bliesen Rauch hoch, die Lichter über den Spieltischen vermischten sich mit dem Rauch, ein Nebel gebar sich über den Köpfen der Menschen. Gepuderte, spielende, schwitzende Gesichter, an denen der Schweiß hinunterlief und Wasserstraßen bildete und das gepuderte Gesicht in mehrere Stücke zerteilte, während die Croupiers »rien ne va plus« riefen – »nichts geht mehr«. Dann drehte sich nur die Roulettekugel, alles andere blieb wie gefroren, sogar die Rinnsale auf den gepuderten Gesichtern. Die Stöcke schoben die Jetons zu den Gewinnern oder zur Bank.

Wenn all diese Menschen mit hochschlagenden Herzen an den Spieltischen nach Hause gehen und die Lichter hier aus sind, auch die Croupiers rausgehen, werden die Türen, die Tische, die Stühle, die Lampen, die Croupiersstöcke, die Rouletteteller, stillschweigen, oder werden all diese Möbel mit den dort zurückgelassenen Herzschlägen der Gäste in den Räumen hochfliegen, ihr Plätze wechseln, in der Luft sich hin- und herbewegen und erst gegen Morgen, bevor die Türen aufgehen, wieder an ihre Plätze zurückkehren, lautlos, in die Noch-halb-Tag-halb-Nacht-Stunde? Der Maler stand neben mir, schaute den Spielern zu, ich schaute heimlich auf sein Gesicht. Das Piaf-Lied »La vie en rose«, das ich auswendig gelernt hatte, passte zu ihm.

Des yeux qui font baisser les miens
Un rire qui se perd sur sa bouche
Voilà le portrait sans retouches
De l'homme auquel j'appartiens.
Augen, die machen, dass ich meine senke
Ein Lachen, welches sich auf seinem Mund verliert
Das ist das Portrait ohne Retuschierung
von dem Mann, dem ich gehöre

Der Maler, als ob er gehört hätte, was ich gerade mit dem Piaf-Lied dachte, nahm meine Hand, zog mich aus dem Casino, stieg nicht in sein Auto, lief mit mir kurz in Richtung eines schönen Gebäudes, zu einem Hotel. Er nahm ein Zimmer, sagte: »Je suis perdu, je suis perdu – ich bin verloren.« Als wir uns liebten, hörte ich neben seiner Stimme, von Weitem, ganz, ganz leise, die Stimme von Piaf. Dieses Hotelzimmer war die Verlängerung des Liedes.

Quand il me prend dans ses bras
Il me parle tout bas
Je vois la vie en rose
Il me dit des mots d'amour
Des mots de tous les jours

Et ça me fait quelque chose
Il est entré dans mon cœur
Une part de bonheur
[…]
Des nuits d'amour à plus finir
Un grand bonheur qui prend sa place
Des ennuis, des chagrins s'effacent
Heureux, heureux à en mourir.
Wenn er mich in seine Arme nimmt
wenn er mit mir sehr leise spricht
seh ich das Leben rosa
Er sagt mir Wörter der Liebe
gewöhnliche Wörter
Das macht etwas mit mir
Er ist in mein Herz gekommen
Ein Stück Glück
[…]
Liebesnächte nehmen kein Ende
ein enormes Glück nimmt seinen Platz
Langeweile, Kummer verschwinden
glücklich, zum Sterben glücklich.

Wir gingen zum Sterben glücklich aus dem Hotel, ließen alle Lichter der vorigen Straßen, Gassen, dickhäutigen Häuser, deren Fenster, deren beleuchtete Eingänge hinter uns, fuhren weiter in neue Lichter, neue Türen von Cafés, Restaurants, Bushaltestellen, beleuchtete Metroeingänge, steile Straßen, fuhren in gerade Boulevards, dann in einen halbdunklen Weg an der Seine. In der Nähe des Café La Palette bog der Maler in eine Straße ein, hielt vor einem Haus, schloss die Tür auf, rief: »Asso, Asso«, ging in einen Raum, dort war alles voll mit Keilrahmen und Farben, Malfarben überall, ein Eimer Wasser, in dem verschiedene Farben schwammen, der Boden war uneben durch die verschütteten, angesammelten, getrockneten Farben. Dann lief er in einen anderen Raum. Er und Asso umarmten sich, dann umarmte mich Asso, küsste mich auf meine Wangen. Er war so schön, ich blieb an seinem Gesicht kleben. Er war vielleicht achtzehn Jahre alt. Wir tranken Wein, der Maler sagte: »Asso, schreib ihr deine Telefonnummer auf. Wenn ich nicht da bin, braucht sie dich vielleicht.« Wir tauschten die Telefonnummern, tranken noch ein Glas, küssten uns auf die Wangen, gingen über die trockenen Farben wieder hinaus auf die Straße. Der Maler sagte, Asso sei sein Stiefsohn und wohne hier in seinem Pariser Atelier. Und wenn er selbst in Paris war, wohnte er auch da.

»Was für ein schöner Junge.«

Der Maler sagte: »Du hast ihm auch sehr gefallen. Er sagte mir: ›Quelle chouette femme.‹ Ruf ihn an, wenn ich nicht da bin. Er geht gerne ins Kino, ins Konzert, weiß viel, dichtet heimlich, ihr könntet zusammen essen, du darfst nicht allein sein in Paris, wenn ich nicht da bin.« Er fuhr dann in Richtung Efterpis Haus, sagte: »*Das* Paris musst du auch sehen«, hielt vor einem sehr schwach beleuchteten Gebäude. Ein Stundenhotel für geldlose Liebhaber oder Gelegenheitsnutten und ihre Kunden. Der Zimmerpreis war sehr niedrig, auf dem Korridor viele Türen. 1 – 2 – 3 – 4 – 5 – 6 – 7 – 8. Wir gingen in die 9 hinein, die Türen gingen weiter. Wir setzten uns auf das enge hin- und herrutschende Bett, das in der Mitte ausgebeult war. Das Betttuch, war es sauber oder nicht, man konnte es nicht entscheiden, weil das Tuch so alt war, das Betttuch hatte die gleiche pinkrosa Farbe wie die Wandtapete, neben dem Bett gab es ein Waschbecken, um den Penis zu waschen, und ein Bidet für die Frauen. Die Toilette war draußen auf dem Korridor, die pinkrosa Tapete hatte aristokratische Muster, und der Raum hatte ein rotes Licht. Wir knipsten es aus, lagen im Dunkeln im pinkrosa Bett und hörten den Stimmen des Hotels zu. Irgendwann, ich wusste nicht wann, machte das Bidet plopp, plopp, plopp. Es dauerte eine Weile, wir lachten im Dunkeln, machten die rote Lampe an, rauchten, dachten: Oben oder unten wäscht sich gerade eine Frau, machten das rote Licht aus, fassten uns an, dann machte unser Waschbecken wieder plopp, plopp, plopp. Licht an. Rauchen. Licht aus. Lachen. Dann hörten wir Leute, amerikanische Frauen, auf dem Korridor laut reden, und in einem Zimmer hatte eine Frau zu singen angefangen. Der Maler knipste das rote Licht an. Wir standen auf und verließen das Hotel.

In einem Café nahe diesem Hotel gab es einen Nightclub. Ein schwarzer, wunderschöner Mann spielte dort Trompete. Ein alter buckliger Franzose sang am Mikrofon:

Wenn du lächelst, machst du mich verrückt.
Thutahuha Thutahuhuhu
vorappi vorappi Trlıtrlılıtrlıtrlı

»Le jour se lève – es wird Tag«, sagte der Barmann und machte zehn Minuten später die Clubtür auf. Die frische Luft kam herein, holte allen Rauch aus dem Club raus, auch uns. Als wir in Efterpis Haus angekommen waren, war der Himmel schon hell. Der Maler legte mein Comicbuch von Tardi auf den Tisch, schrieb die Telefonnummer von seinem Haus bei Paris hinein. Er sagte: »Ich muss in einer Stunde fahren, heute werden aus Amerika Galeristen, Museumsleute vom Guggenheim und so weiter, zu mir kommen. Ich werde ein paar Tage zu Hause bleiben, du kannst mich anrufen, es wird wirklich kein Problem sein, für niemanden, das musst du wissen. Kannst du die klassische türkische Musik vom ersten Tag auflegen?« Er wollte die gleichen Lieder von Tatyos Efendi wieder hören, diese Musik machte ihn selig, vielleicht, weil ich Tatyos Efendi sehr liebte. Er sah mein Herz in Tatyos Efendis Liedern. Der Maler drückte mir mit seinem Zeigefinger sanft auf die Brust, ließ mich aufs Bett fallen, nahm meinen Körper in seine Arme, berührte mit seinem Mund meine Lippen und ließ ihn auf meinen Lippen still stehen. Er kam in mich rein, bewegte sich nicht, wir bewegten uns gar nicht. Alles still. Wir blieben lange so, unsere Organe atmeten ineinander. Ich bekam wieder einen Orgasmus nach dem anderen, ich rutschte in einen zum Sterben glücklichen Traum. Als er kam, biss er in meinen Kopf, nahm meine Haare, verteilte sie langsam auf dem Kopfkissen, schaute sich das Bild an, dann ging er weg. Die Glastür quietschte in der Eisenschiene. Ich flüsterte auf Französisch:

Mon Dieu! Mon Dieu! Mon Dieu!
Laissez-le-moi
Encore un peu
Mon amoureux!
Un jour, deux jours, huit jours …

Bevor ich in den Schlaf fiel, hörte ich im Dunkeln die Uhr des Malers neben dem Bett ticken. Ich nahm sie, legte sie neben mich, der Schlaf zog mich und das Ticken der Uhr zu sich.

In den nächsten Tagen, wenn ich die Sprachkurse besuchte oder lange in der Stadt auf den Straßen lief, merkte ich, dass ich keine Angst hatte, die Liebe, die mit mir kam, zu verlieren oder zu verletzen. Die Stadt machte der Liebe Platz, verbeugte sich vor ihr, ließ sie wie die Wörter der Passanten in die Luft hochsteigen, den Wörtern der anderen zuhören, dann wieder herunterkommen, sich mit mir in den Cafés in einen Spiegel setzen, dann wieder mit mir aus den leicht zu öffnenden Cafétüren auf den Boulevard hinausgehen. Die Liebe durfte überall rein, raus, hoch, runter, weil die Stadt der Liebe Platz machte. Wenn ich in Berlin, Draculas Grabmal, einen Liebhaber hatte, hatte ich keine Lust, in der Stadt zu spazieren. Die Löcher des Krieges, die Boom- und Nicht-Boom-Häuser und deren alte Kellerfenster hätten der Liebe Angst eingejagt. Die Kriegsinvalidenhäuser von Berlin hätten die Liebe böse angegrinst. Und ich hätte sie in dem bösen Grinsen eines der Berliner Kriegsinvalidenhäuser verloren. Deswegen ging ich in Berlin nach einer Liebesnacht ins Kino oder ins Theater – dort konnte der Liebe nichts passieren –, dann schnell wieder nach Hause zu meinen Freunden Gila und Reiner, zu ihren Stimmen.

In Paris aber hatte ich keine Angst, dass die Liebe sich vor Bildern der Straße ducken könnte. Diese Stadt war wie die Liebe, wunderschön: Die Stadt findet sich nur in der Liebe. Die Liebe mischt sich in die Stadt, die Stadt, die Stadt gibt sich her durch die Liebe, die Stadt, die Stadt träumt in der Liebe. Die Stadt liebt dich dann. Deswegen gehen die Cafétüren, wenn du sie anfasst, so leicht nach innen auf, deswegen machen alle Spiegel in den Cafés, wenn du hineinkommst, dir Platz, deswegen nimmt dieser junge Mann seine Zeitung runter und schaut dich an, deswegen bleibt ein anderer, der einen Regenschirm hat, stehen und nimmt dich unter seinen Schirm und bringt dich zu einer Haltestelle.

Mon Dieu! Mon Dieu! Mon Dieu!
Laissez-le-moi
Encore un peu
Mon amoureux!
Un jour, deux jours, huit jours …

Die Armbanduhr des Malers auf dem Tisch zeigte 16 Uhr 14, als Efterpi und Charis aus Griechenland zurückkamen. Die Katze Badi sprang auf den Boden und ging zur Glastür. »Bienvenue«, schrie ich. Efterpi und Charis sahen mich mit dem Chansonbuch von Piaf und den französischen Sätzen, die ich gerade zu übersetzen versucht hatte. Sie lachten und sagten: »Oh, Madame parle français.« »Oui«, antwortete ich, »les amants des Paris couchent sur ma chanson – die Liebenden von Paris schlafen auf meinem Chanson.« Efterpi hatte Oliven aus Athen mitgebracht. Wir aßen sie. Efterpi fragte mich: »Hast du mit deiner Mutter telefoniert?« »Nein.« »Warum nicht?« Sie merkte, dass ich mich geniert hatte, ihr Telefon zu benutzen, stand auf, bestellte einen Anruf nach Istanbul. Ich rief Jean Irigaray an, fragte ihn, ob ich von heute Abend an einige Zeit bei ihm wohnen könnte. Jean sagte: »Naturellement, komm. Zwei, drei Wochen kannst du bleiben. Ich bin ab 19 Uhr zu Hause.«

»Efterpi, ich habe mich verliebt.«

»Oh, oh, oh, bravo«, sagte Efterpi.

Efterpi kannte den Maler, sie hatte Kritiken über ihn gelesen. Die Kritiker schrieben über das Zerbrechen in den Bildern, dass seine Kunst surrealistisch geprägt sei, er mit der Irritation von Körper und Landschaft spiele, dass in seinen Bildern alles zu zerbrechen scheine, als ob sie im nächsten Moment auseinanderfielen. Todesromantik. Solche Sätze hatte sie gelesen und behalten.

Als der Anruf kam, redete zuerst Efterpi mit meiner Mutter, ihre Augen glänzten. Meine Mutter war allein zu Hause, ich erzählte ihr von Belgien, vom Schwarzen Café, von Avignon, von Besson, Coline, Samuell. Sie sagte: »Gut, meine Tochter. Du kannst hier nicht existieren, das Töten geht hier weiter, das hältst du nicht aus, bleib da, meine Tochter. Gestern haben sie in einer Wohnung sieben Studenten, die Mitglieder der Partei der Arbeiter gewesen sind, getötet. Diese Kinder saßen nur in einem Raum und sahen fern. Die Faschisten kamen rein, haben sie zuerst gefoltert, dann getötet, mein Kind. Und sie haben wieder aus einem Stadtbus drei junge, siebzehnjährige Männer entführt, dann haben sie sie von hinten auf einem Friedhof erschossen.« Dann sagte sie: »Ich sitze im Dunkeln.« Während meine Mutter mir das sagte, hörte ich in dem Hörer wieder die Hubschrauberstimmen, die über die Istanbuler Häuser und Straßen flogen. »Mutter, mach das Licht an. Sitz nicht im Dunkeln, meine Mutter.« »Ja, mein Kind«, sagte sie. Dann sagte sie leise: »Ich will auch Paris sehen.« Dann legte sie auf.

Ich kam zurück zum Tisch, setzte mich hin, sah die Uhr des Malers, Efterpi war damit beschäftigt, ihre Post, die sich seit Wochen im Briefkasten gesammelt hatte, zu öffnen. Wenn sie einen Briefumschlag aufriss, stieg Staub in die Luft hoch. Die Geräusche der zerrissenen Papiere wurden laut und lauter, das Ticken der Armbanduhr des Malers laut und lauter, die französischen Sätze, Wörter, Buchstaben, die ich als Hausaufgabe geschrieben hatte, wurden größer und größer. Ich drehte meinen Kopf nach hinten zur Wand, zu den vergrößerten Fotos von Efterpis von den Nazis ermordeter Mutter, ermordetem Vater. Ich sah die Krawatte von Efterpis Vater, die, als das Foto gemacht wurde, durch den Wind gerade nach links flog, und den Jackenkragen ihrer Mutter, sagte leise:

»Unglaublich
jede Seite um uns, Nacht.«

Efterpi sagte: »Hä?«

Jean Irigaray war nicht allein. Ein junger Mann, ein kleiner Mann mit lockigen Haaren, saß im Salon. Jean sagte zu mir: »Das ist Caffar. Ich schlafe heute bei meinem Freund, morgen fahre ich von dort aus in den Urlaub, du kannst ab heute Nacht in meinem Zimmer wohnen. Caffar wird auch hier wohnen, wird im Salon in deinem alten Bett schlafen. Er ist aus Algerien und Marxist.« Jean lachte, küsste jedem von uns dreimal die Wangen und ging. Katze Maskeline lag in meinem alten, kleinen Bett im Salon. Irgendwann ging sie in die Küche zu ihrem Teller.

»Bist du Marxist, Caffar?«

»Ja – oui, je suis marxiste.«

»Liebst du Mitterrand?«

»Oui.«

»Moi aussi – ich auch.«

»Tu es une actrice? – Du bist Schauspielerin, hat Jean mir erzählt?«

»Oui.«

Caffar studierte Film.

»Welche Filmregisseure liebst du?«, fragte er.

»Pasolini, Buñuel.«

»*Accattone*. Wann hat Pasolini ihn gedreht?«

»1961.«

»*Teorema*? Wann hat er ihn gedreht?«

»1968.«

»*Mamma Roma*?«

»Ich weiß nicht mehr.«

»1962«, sagte Caffar, »est-ce que tu as un homme? – Hast du einen Mann?«

»Non, un amant – nein, einen Liebhaber.«

»Tu veux te marier avec lui? – Willst du ihn heiraten?«

»Non.«

»Wieso, ist er verheiratet?«

»Ich weiß nicht. Ich denke, ja. Vielleicht.«

»Comment – wie bitte!«

»Ich will ihn nicht heiraten, ich will mit ihm schlafen, ihn lieben.«

»C'est pas possible – unmöglich!«

»Warum, Caffar? Du bist Marxist, Caffar. Hast du nie Engels gelesen, *Der Ursprung der Familie*?«

Caffar lächelte über sein ganzes Gesicht. »Natürlich hab ich es gelesen. Du liebst sicher den Film *Teorema* mehr als *Accattone*. Sag mir, wie heißt der Hauptdarsteller von *Accattone*, der Subprolet in den Slums von Rom.«

»Franco Citti.«

»Erinnerst du dich, wie seine Familie ihn ablehnte, als er sie brauchte? Wie er am Ende sterben musste? Familie ist sehr wichtig. Armer Gauner, armer Vagabund.«

Caffar stand auf, ging in die Küche, holte vom Wasserhahn zwei Gläser Wasser, stellte sie zuerst auf den Tisch, dann trank er sie beide, machte sein Portemonnaie auf, zeigte mir zwei kleine Fotos. Er mit seiner Mutter in Algerien auf einer Couch. Auf dem zweiten Foto saß er mit seiner Schwester auf der gleichen Couch. »Hast du keinen Vater?«

»Schon, aber ich bin für ihn gestorben, so sagt er – je suis mort pour lui –, er will mich nicht sehen.«

»Warum?«

»Weil ich Marxist bin. Ich habe Angst um Algerien. Hast du Angst um die Türkei?«

»Ja, ich hab Angst und Wut. Der Nationalismus ist ganz schlimm. Du wirst sehen, am Ende werden diese Länder in die Hände von Fanatikern fallen.«

»Deswegen bin ich Marxist, auch wenn mein Vater sagt, ich bin tot für ihn.«

»Caffar, ich koch jetzt für uns, ist das okay? Willst du Wein? – Tu prends un vin avec moi, mon ami?«

»Oui, d'accord.«

Ich mochte Caffar.

Als ich am nächsten Morgen aus Jeans Bett aufstand, wartete schon Jeans Katze Maskeline in der Küche. Ich gab ihr Essen. Caffar schlief noch in meinem alten, kleinen Bett im Salon. Ich trank Kaffee und schaute auf Caffar, wie er schlief. Er hatte ein sehr bekümmertes Gesicht und bekümmerte Hände, fast der ganze Körper war kummervoll, jung, aber hatte viele Falten, die über das ganze Gesicht gingen. Er schlief, aber seine Falten waren wach und dachten weiter nach. Seine schlafenden Hände hatten auch Falten, und die waren auch wach und dachten weiter nach. Der Wecker klingelte. Caffar wachte nicht auf. Die Falten auf seiner Stirn und seinen Wangen bewegten sich hoch und runter, links und rechts, die Hände zogen die Decke übers Gesicht. Wenn Caffars Hände so viele Falten haben, wie viele Falten haben die Hände seiner Mutter, seines Vaters, die den algerischen Krieg gesehen haben? Hatte dieser Krieg die Menschen in Falten gelegt? Hatten dann nur die Falten mit Falten sprechen können, aber nicht die Menschen mit den Menschen? Wie oft fuhren die Falten der Hände über die Falten der Stirn oder über die Falten der Wangen an einem Nachmittag? Wie viele Falten schauten auf die Falten im Spiegel am Kleiderschrank am Morgen? Caffars Kleider lagen auf dem Boden auch in Falten. Der Wecker fing wieder an zu klingeln.

»Caffar, Caffar, möchtest du Kaffee?«

»Non, du thé.«

»Ah, tout de suite, mon petit copain – sofort, mein kleiner Freund.«

»Mon rêve, mon rêve – ich habe geträumt, meine Mutter saß auf einem Fahrrad, es war sehr schön.«

»Caffar, dein Traum glänzt aus deinen Augen. Und dein Wecker hat still gewartet bis zum Ende deines Traums. Steh auf, man darf in Paris nicht zu Hause bleiben.«

»Oui, ma sœur, ja, meine Schwester«, sagte Caffar, ging mit seinen Kleidern ins Bad, duschte, kam mit nassen Haaren raus, kämmte sie in der Mitte vom Salon, steckte den Kamm in die Hemdtasche, schob sich ein Stück Keks in den Mund, aß es nicht, hielt es fest mit seinen Zähnen. So ging er aus der Tür, kam wieder herein, nahm den Keks aus dem Mund, sagte »bonne journée, ma sœur – schönen Tag, meine Schwester.«

Ich ging in die Sprachschule, dann lief ich auf den Boulevard Saint-Michel, ging in die Buchhandlung, wo Comicbücher verkauft wurden, blieb zwei Stunden darin, blätterte, las, blätterte wieder, notierte Wörter, die in den Heften öfter vorkamen, die ich noch nicht kannte, ging mit neuen, unbekannten Wörtern hinaus auf die Straße. Als ich am Boulevard Saint-Michel an der Telefonzelle vorbeikam, von der aus ich am ersten Tag in Paris Besson angerufen hatte, blieb ich stehen, ging hinein, nahm den Hörer in die Hand, fragte ihn: »Soll ich den Maler anrufen?«

»Ja, ja – oui, oui«, sagte der Hörer. »Oui, oui, oui.«

»Non, non, mach deine Zunge nicht müde. Ich rufe nicht an. Non, non.«

Der Hörer sagte »Oui, oui, oui.«

»Non, non, non, non! Je veux garder notre dernièr moment comme souvenir – nein, nein, ich will unseren letzten Moment noch als Erinnerung behalten.«

»Oui, oui, oui.«

»Non, non, non. À Paris, les amants s'aiment à leur façon – In Paris lieben sich die Verliebten auf ihre Art.«

Jemand klopfte an das Fenster. Ich ging aus der Telefonkabine heraus. Ich hatte kein Sommerkleid, als Kleid hatte ich eine schwarze Unterwäsche aus Satinstoff an, wie die Unterwäsche der Silvana Mangano in dem Film *Bitterer Reis*. Einer der Träger, der rechte, rutschte ab und zu von meiner Schulter auf meinen Arm, ich rückte ihn zurecht. Als ich einen Schritt aus der Zellentür machte, rutschte mir der Träger wieder von der Schulter. Der Mann, der in die Kabine hineinwollte, rückte meinen Träger beim Reingehen zurecht, sagte: »Le soleil est très fort – die Sonne ist sehr stark.«

Abends rief Caffar an, fragte mich: »Bist du zu Hause?«

»Ja.«

Caffar sagte: »Bleib da, ich komme mit dem algerischen Kulturminister nach Hause. Er ist auch der Chef von der Cinémathèque.« Die beiden kamen.

Caffar sagte mir heimlich: »Der Minister wollte zu den Nutten gehen, aber ich habe ihm gesagt, nein, wir gehen nach Hause, zu Hause ist eine Künstlerin, eine Schauspielerin.«

»Er ist kein Kulturminister, oder, Caffar?«

»Nein«, sagte Caffar, »aber er arbeitet dort, er weiß viel über die Filme, die du liebst. Buñuel liebt er auch, du kannst mit ihm über Filme reden.«

Im Salon gab es eine Couch ohne Armlehnen, gegenüber zwei Stühle. Caffar und der Mann saßen beide auf den Stühlen. Ich setzte mich auf die Couch. Der Mann war schweigsam, etwas dicklich, hatte ein ruhiges, blasses Gesicht. Caffar sagte kein Wort, sie saßen da, schauten mich an. Ich hatte die Armbanduhr des Malers an meinem Handgelenk. Ich fing an, sie aufzuziehen. Als der Knopf sich nicht mehr weiterdrehen ließ, atmete ich tief und fragte den Mann: »Haben Sie in Ihrer Cinémathèque *Der Würgeengel* von Buñuel gezeigt?«

»Ja, ja, *Der Würgeengel* von Buñuel«, sagte der Mann.

»Man sagt, dass *Der Würgeengel* von Buñuel vom französischen Existentialismus beeinflusst ist. Von Camus, Sartre.«

»Ja, ja«, sagte der Mann, »Camus ist auch aus Algerien«, stand auf, setzte sich zu mir auf die Couch. Seine Nähe und Caffars Schweigen machten mir Druck. Ich versuchte, es auf Französisch zu erzählen: »Es gibt keine individuellen Charaktere im Film. Es gibt Charaktere einer Sozialklasse, Aristokratie, Großbourgeoisie, im Film verlieren sie ihre Maske.«

Der Mann rutschte auf der Couch zu mir, während er antwortete: »Ja, verlieren ihre Maske.«

Ich setzte mich weiter nach rechts, fragte: »Ist die Cinémathèque für Algerien sehr wichtig?«

»Ja, sehr wichtig«, sagte der Mann und rutschte wieder zu mir.

Ich setzte mich weiter nach rechts und sagte: »Ja, in Istanbul war die Cinémathèque auch sehr wichtig, Filme von Godard, Pasolini, Eisenstein, Antonioni.«

»Ja, ja, Godard, Eisenstein, Pasolini, très bien«, sagte der Mann, rutschte noch dichter zu mir.

»Und Filme vom italienischen Neorealismus«, sagte ich fast atemlos und setzte mich bis an die Kante der Couch.

»Oui, oui, italienischer Neorealismus«, sagte der Mann, rutschte ganz dicht zu mir.

Ich sagte: »*Ein andalusischer Hund* von Buñuel, Eselkadaver im Piano.«

»Ja, ja, Eselkadaver«, sagte der Mann.

Ich wollte mich wieder von dem Mann absetzen, sagte ganz schnell: »Ein Eselkadaver im Piano ist im *Andalusischen*

Hund eine Opposition gegen den …«, und fiel von der Couch ohne Lehne auf den Boden.

»Ich muss der Katze was geben«, sagte ich, ging in die Küche.

Ich kam langsam zurück, setzte mich auf den leeren Stuhl, dann schwiegen wir zu dritt. Ich verabschiedete mich von Caffar und dem Mann, ging in Jeans Zimmer, las im Bett ein Comicbuch. Vielleicht nach einer halben Stunde öffnete Caffar die Tür, sagte: »Der Minister war sehr müde, habe ihm mein Bett gelassen. Ich muss hier in Jeans Bett schlafen. Das Bett ist groß genug.« Er legte sich ins Bett, in die andere Ecke, weit weg von mir. Irgendwann sagte er fast weinend: »Hilf mir, hilf mir, ich kann so nicht schlafen.«

Caffar deutete auf seinen Ständer, der sich durch die dünne Sommerdecke sehr deutlich zeigte, wie eine Zeltspitze.

Ich sagte: »Non, je ne t'aide pas – nein, ich werde dir nicht helfen. Habe ich dir gesagt, dass du den Kulturminister nach Hause bringen sollst?«

Caffar sagte wieder: »Oh, hilf mir, hilf mir.«

»Nein«, sagte ich, machte das Licht aus. Im Dunkeln jammerte Caffar weiter. Ich hielt meinen Mund fest, damit mein Lachen im Bett nicht platzt. Am Morgen, als ich wach wurde, waren Caffar und der Mann schon weg. Maskeline wartete in der Küche neben ihrem Teller. »Mensch, Maskeline, die tun mir leid, Caffar und der Mann. Die haben mir nichts angetan. Der Mann hat recht gehabt, er wollte zu den Nutten gehen, Caffar sagte zu ihm: ›Nein, nein, wir gehen nach Hause, zu Hause gibt es eine Schauspielerin.‹ Mensch, Caffar, am Ende gab es drei Boxer, die geschlagen sind, drei Knockouts, Mensch, Caffar.«

Als ich auf die Straße ging, kam aus dem gegenüberstehenden lila Haus der junge Mann, den ich vor vier Monaten, bevor ich nach Belgien gefahren war, aus dem Fenster gesehen hatte, mit einem schweren Koffer in der Hand, lief in Richtung Metro. Ich lief hinter ihm her, setzte mich in der Metro neben ihn, zog die Armbanduhr des Malers auf, hörte ihrem Ticken zu, ging zur Schule. Nach dem Unterricht lief ich auf dem Boulevard Saint-Michel zu meiner Telefonzelle, rief das Theater an, ob sie für mich einen Job gefunden hätten. »Leider nicht, aber ruf nächste Woche wieder an«, sagte der Verwaltungsmann. Ich fuhr dann zur Metro Vavin, ging in das Café von Sartre, setzte mich hin. Außer dem Kellner gab es im Café niemanden. Ich stellte die Uhr des Malers neben die Kaffeetasse, schaute auf sie. Vous habitez où, Madame? – Wo wohnen Sie Madame? Ich wohne in Sartres Café, in der Uhr meines *amant* und in einer Pariser Kaffeetasse. Ich lief dann ein paar Häuser weiter, klingelte an der Tür von Mehmet Hikmet, dem Sohn von unserem großen Dichter Nâzım Hikmet. Mehmet war zu Hause, sagte sofort: »Komm rein, ich mach dir einen Kaffee.«

Irgendwann fing ich an zu lachen, erzählte Mehmet von meiner Nacht mit Caffar und dem algerischen Kulturminister und lachte weiter. Mehmet sagte scherzhaft: »Wir lassen dich nicht in arabischen Händen. Meine Mutter Münevver wohnt zwei Etagen unter mir. Sie ist zwei Wochen nicht da. Du kannst so lange da wohnen.« Er brachte mich in die Wohnung, gab mir die Schlüssel, ging wieder hoch in seine Dachwohnung, wo er malte und wohnte. Ich ging zum Fenster, auf dem Boulevard Raspail liefen die Menschen mit uneiligen Schritten, auf der anderen Seite des Boulevards vor einem Restaurant glänzten, blitzten Meeresfrüchte auf dem Eis. Ich sah auf einem Tisch im anderen Zimmer eine Schreibmaschine artig, ruhig, im halbdunklen Raum stehen. Münevver hatte die Gedichte von Nâzım Hikmet ins Französische übersetzt. Hat diese Maschine Nâzım Hikmets Gedichte übersetzt?

Ich ging raus, fuhr zur Metro Plaisance zu Jean Irigarays Wohnung, kaufte auf dem Weg Obst, Brot, Käse, gebratenes Hähnchen. Caffar war nicht da. Ich deckte den Tisch, wartete auf ihn. Irgendwann dachte ich: Vielleicht geniert Caffar sich so sehr, dass er nicht mehr kommt. Caffar tat mir leid, weil ich seine Falten kennengelernt hatte. Als er kam, schlich er sich leise in den Salon, setzte sich auf einen Stuhl, ich biss gerade in einen Apfel in der Küche.

»Caffar, ich habe eine Wohnung in Montparnasse, ich ziehe um.«

»Gehst du wegen mir?«

»Nein.«

»Ja.«

»Nein. J'ai même ri d'hier soir – ich habe sogar über das gelacht, was gestern Abend passierte.«

»Non, tu t'en vas à cause de moi – nein, du gehst wegen mir.«

»Non, Caffar, nein.«

Er war so traurig, ich ließ ihn von meinem Apfel abbeißen, den ich angebissen hatte. Er biss vorsichtig in die Ecke, wo kein Lippenstiftfleck war.

»Caffar, Maskeline musst du füttern, ich bin nicht da.«

»Ja.«

»Bist du in Paris, bis Jean zurückkommt?«

»Ja.«

»Glaubst du mir, dass ich nicht auf dich böse bin?«

»Ja.«

Er biss noch einmal in meinen Apfel, lachte mit seinen ganzen Falten. Ich nahm meine Tasche. In unseren beiden Mündern Apfel umarmte ich Caffar.

»Bonne chance, Caffar.«

Ich ging zu Efterpi. Als sie mich sah, fing sie an zu springen. »Ich hab dich heute bei Jean hundertmal angerufen. Die Universität hat geschrieben. Die Doktorandenkommission hat entschieden. Deine Theaterarbeiten haben sie davon überzeugt, dass du eine Doktorarbeit schreiben kannst. Sie haben dir auch ein *Diplôme d'études approfondies* geschickt, *Diplom der vertieften Studien* heißt das. Hier steht: Der Generalsekretär der Universität Paris VIII bestätigt, dass Frau … geboren … das *Diplom der vertieften Studien, Studienfach Studium der Technik und der Ästhetik des Theaters* erhielt. Diplomarbeit: *Wissenschaftliche Nutzung der Dokumente des Theaters.* Jetzt kannst du von der Uni einen Studentenausweis bekommen. Du bist jetzt legal hier. Verstehst du, wir können dir eine Wohnung suchen.«

Ich fing an, laut zu lachen. »Ha, ha, ha, ha, ha, Efterpi, du weißt ja, ich war nie an einer Uni, wollte mich hier nur als Erstsemester einschreiben lassen, damit ich einen Studentenausweis bekomme. Aber alle Kommissionen, die das entscheiden, waren schon geschlossen, nur die Doktorandenkommission nicht. Da habe ich gedacht, ich probiere es. Ich habe dieses Doktorandenrecht nur bekommen, weil ich mich für die Immatrikulation einen Monat verspätet hatte.«

Efterpi lachte und sagte: »Hättest du dich noch einen Monat verspätet, wärst du jetzt Professorin.«

Ich saß mit dem Uni-Diplom vor mir, schmeckte in meinem Mund noch den Apfel, es schmeckte mir alles, der Apfel, das Diplom, der Wein, den Efterpi mit mir aus dem gleichen Glas trank. Efterpi lachte immer wieder, ihr Lachen schmeckte mir, mein Geliebter in meinem Körper irgendwo, ich leckte seine Armbanduhr, die Uhr schmeckte mir. So viel Glück kann man auf einem Stuhl nicht aushalten. Ich wechselte am Tisch die Stühle, setzte mich von einem auf den nächsten. Die Stühle giirrtschten auf dem Steinboden. Als keine Stühle mehr übrig waren, die ich wechseln konnte, lief ich in den Garten, fasste die Äste vom jungen Birkenbaum an, dann ging ich zur Gartenbank, auf der der Maler sich auf meinen Schoß geworfen hatte, legte mich hin, schaute in den Himmel.

»Ich kenne dich, Himmel, auch im Dunkeln.«

»Wo wohnen Sie, Madame?«

Ich ging zu Efterpis Nachbarn Yerasimos, der mir die Idee zur Doktorandenkommission gegeben hatte. Er schrieb gerade an seiner Schreibmaschine.

Ich sagte: »Yerasimos, die Uni hat akzeptiert. Ich darf eine Doktorarbeit schreiben.«

Er schaute kurz von seiner Maschine hoch. »Bravo.« Dann tippte er weiter.

Ich ging zurück zu Efterpi.

»Efterpi, hat der Maler angerufen?«

»Ja«, sagte Efterpi, »ich habe ihm die Telefonnummer von Jean gegeben.«

»Ich wohne jetzt in der Wohnung von Mehmet Hikmets Mutter Münevver.«

Ich erzählte Efterpi, was gestern in Jeans Salon und Bett passiert war. Wir lachten lange. Dann fühlte ich im Mund wieder den Geschmack des Apfels, den ich mit Caffar zusammen gegessen hatte. Ich fing plötzlich an zu weinen, sagte: »Arme Algerier, arme gefaltete Menschen, armer kleiner Caffar mit Falten und Marxismus.«

Der Vorhang ist gefallen vor dem Ende,
vor dem Ende des dritten Aktes.
Le rideau tombe avant la fin
Avant la fin du troisième acte.

In der späten Nacht fuhr ich zur Metro Raspail. Um von der Metro Raspail zu Hikmets Haus zu laufen, musste ich an dem Café von Sartre vorbeigehen. Es war schon zu. Ich lief zu Mehmet Hikmets Haus. Die Wohnung in der ersten Etage, in der ich wohnen würde, war dunkel. Ich schaute auf die Fenster, die ich für zwei Wochen auf- und zumachen würde, ich versuchte, mich mir drinnen vorzustellen, ich sah aber nicht mich, sondern nur die Schreibmaschine, die ruhig in einer Ecke auf dem Tisch stand. Ich lief an dem Haus vorbei bis zum Ende des Boulevards zu den Lichtern.

An der Ecke stand das berühmte Café du Dôme. Es war voll mit Nachtleuten. Ich setzte mich an einen Tisch am Fenster. Die Straße war voller Leben, nebenan gab es einen Club, da sangen zwei Frauenstimmen im Duett, die Autos fuhren mit großen Lichtern. Das Leben hier unten drehte sich in ihren Lichtern in den Himmel. Ich hatte einen Stuhl, ein Fenster zur lebenden Straße und in meiner Tasche das Liederbuch von Piaf. Wenn ich darin blättere, werden meine Augen an einer Seite kleben bleiben. Das wird mein Chanson sein. Ich werde es heute Nacht auswendig lernen, mit allen unbekannten Wörtern. Der erste Satz, den ich verstehe, wird mich hinter sich herziehen. Ich blätterte, meine Augen blieben auf Seite 140 kleben:

J'm'en fous pas mal
Es ist mir ziemlich schnuppe

Es kann mir passieren, was will
Es ist mir ziemlich schnuppe
Ich hab meinen Geliebten, der ist meiner
…
Mir ist egal
Es ist mir ziemlich schnuppe

Es gibt seine Arme, die mich umarmen
Es gibt seinen Körper, sanft und heiß
Es gibt seinen Mund, der mich küsst
Ha, mein Geliebter, wie schön er ist!
…
Wenn ich in seinen Armen bin, das ist verrückt
…
Ich hab so süße Stunden erlebt
Als er mich in seinen Armen hielt
Ich hätte nie im Leben geglaubt
Dass man so glücklich werden kann wie in diesem Moment
…
An einem Frühlingstag voller Freude
Ist er gegangen, ohne mir etwas zu sagen
Ohne mich ein letztes Mal zu küssen
…
Die Erinnerungen, die mich umarmen
Singen in der Tiefe meines Herzens
Und alle Ecken, an denen ich vorbeigehe
Erinnern mich an mein Glück[26]

Bei zwei Wörtern wusste ich nicht, was sie genau bedeuteten. Ich fragte den Kellner, »Monsieur, pouvez-vous m'aider? – Können Sie mir helfen? Was heißt enlacer und rappeler?«

Der Kellner bückte sich zum Chansonbuch. Plötzlich klopfte mein Herz, ein Licht ging durch meinen Körper durch, der Maler kam durch die Tür ins Café herein.

»Tu es ici, ici – hier bist du. Ich habe dich angerufen, deine Freundin gab mir deine neue Telefonnummer. Da antwortete ein Mann, wusste nicht, wo du wohnst. Dann habe ich wieder deine Freundin angerufen, sie hat mir deine neue Adresse gegeben. Da habe ich geklingelt, keiner war da. Ich wollte hier im Café du Dôme warten, dann wieder klingeln. Tu es heureuse – bist du glücklich?«

»Mais oui, mais oui – ja, aber wie.«

Der Maler nahm mein Weinglas, trank, packte mein Buch und Heft ein, sagte: »Nous rentrons à la maison – komm, wir gehen nach Hause.«

Nach Hause.

Draußen die Sommernachtskühle auf der Straße, es ging kein Mensch vor uns. Kein Mensch im nächsten Café, im kleinen Café Le Gymnase, nur ein Kellner stand mit dem Rücken zur Straße. Ich schloss die Haustür auf. Auf der Treppe sagte der Maler:

»Setz dich. Je dois te dire une chose – ich muss dir was sagen.«

Wir setzten uns auf die Treppe.

»Wir haben nur zwei Tage. Dann fahre ich vielleicht für einen Monat nach Amerika. Die Amerikaner wollen, dass ich ein Jahr bleibe.«

Dann stand er auf. Wir gingen in die Wohnung. Ich zog seine Armbanduhr aus, gab sie ihm: »Du hast sie vergessen.«

Er steckte sie in seine Hosentasche. Ich ging in das Zimmer, in dem die Schreibmaschine stand, die vielleicht Nâzım Hikmets Gedichte übersetzt hatte, fasste einen Buchstaben an, legte mein Buch daneben. Der Maler kam, setzte sich auf den Stuhl vor der Schreibmaschine, nahm meine Hand vom Buchstaben.

»Mir ist kalt«, sagte er, »du musst mich gut zudecken heute Nacht.«

Die Wohnung war mir auch noch fremd. Wir liefen zusammen vom ersten Zimmer in das zweite, dann ins Bad, dann in die Küche, dann wieder zum Schreibmaschinentisch, dann zu dem kleinen Bett, dann zum Fenster. Er zog die Vorhänge zu, dann liefen wir wieder zum kleinen Bett, dann zur Wand, zum Licht. Bevor wir das Licht gemeinsam ausmachten, sagte ich zu ihm:

»Ich darf eine Doktorarbeit schreiben, über meine Theaterarbeit.« Er lachte, sagte: »Doktor, Doktor, das passt zu dir, du bist Doktor, du bist mein Doktor. Ich bin krank nach dir.«

Dann liefen wir im Dunkeln wieder zum Fenster. Er zog den Vorhang etwas zur Seite. Das Straßenlampenlicht kam wie ein stiller Dieb ins Zimmer und wuchs über den Boden und das halbe Bett. Gut, dachte ich, wir sind halb im Licht, halb im Dunkeln, die Beleuchtung unserer Herzen in dieser Nacht und morgen Nacht. Ich schaute auf die Straße. Sie war still. Die Traurigkeit ist eine Katze, ausgebreitet wie ein Tuch auf der Straße.

»Donne-moi tes yeux«, sagte er, »gib mir deine Augen.«

Ich schaute in seine Augen. Übermorgen werden seine Augen sich in dem Schweigen eines fernen Sternes begraben. Heute gehen wir noch über einen verlorenen Hafen, in unseren Augen Lichter.

»Mein Gott, lass ihn mir, meinen Geliebten, lass ihn mir für einen Tag, zwei Tage.«

Als wir im Bett lagen, war es still. Wer war stiller, dieses Zimmer oder wir, oder das Straßenlicht, das halb über den Boden und das Bett wuchs, oder die Vorhänge oder der Tisch oder die beiden Stühle. Wer hatte sich mehr in der Stille versteckt? Wir liebten uns. Die Liebe hatte uns und das Zimmer in eine Stille gepackt, sie ging durch die Landschaften durch, die sich jede Sekunde in die nächsten auflösten, manchmal, leise, schlug sie uns, manchmal kämmte sie unsere Haare zurecht, nahm von der Stirn den Schweiß, manchmal nähte sie unsere Körper ineinander, dann riss sie sie auseinander, dann leckte sie die Wunden, dann schob sie uns in der Luft vom Bett zum Tisch, vom Tisch zur Decke, von der Decke zum Fenster, vom Fenster zum Boden, schob sie uns unter das Bett, dann zog sie uns wieder raus, legte uns ins Bett, deckte uns zu, halb mit Licht, halb mit Dunkel, dann rutschten wir kurz in einen Schlaf, dann weckte sie uns. Zwei Tage blieb die Liebe im Zimmer, ging nicht zur Tür, hörte das Klingeln des Telefons nicht, nicht die Stimme des Tageslichts, manchmal, aus Mitleid, gab sie uns zu essen, zu trinken, manchmal erlaubte sie uns, zu pinkeln, manchmal erlaubte sie uns, laut zu lachen, dann schob sie meine Brust in seinen Mund, dann sah ich meine rechte Zehe in seinem Mund, manchmal löste sie all unsere Organe auf in einzelne Teile, wechselte ständig ihre Plätze, es klebte mein rechtes Auge neben sein rechtes Auge, meinen halben Mund fand ich plötzlich neben seiner halben Wange, dann stellte sie unsere auseinandergegangenen Organe wieder zurück an ihre Plätze, deckte uns wieder zu mit Halbdunkel, Halblicht, ließ uns schlafen. Kurz bevor die zweite Nacht zu Ende ging, träumte ich vom Maler. Er saß nackt auf einem Delfin im Himmel, drehte sich auf seiner Pobacke mit einem Schwung über den Rücken des Delfins auf die eine Seite, dann drehte er sich wieder auf seiner Pobacke mit Schwung auf die andere Seite. Es war sehr schön, er war glücklich mit Delfin und Himmel.

Als ich von meinem Traum wach wurde, saß der Maler am Bett. Er nahm meine Haare, bedeckte damit meine Brüste, sagte: »Jolie, jolie, très, très jolie.« Dann ging er zum Fenster, schaute auf die Straße, fragte mich: »Hast du Lust, mit mir nach New York zu kommen? Ich habe große Lust mit dir, komm mit.«

Ich sagte: »Ich habe einen miserablen Pass, nicht mal verlängert, ich habe auch keine Aufenthaltserlaubnis, ich kriege kein Amerika-Visum.«

»Das ist mein Pech«, sagte er, »tant pis. Dann nächstes Mal.«

Er kam, verteilte meine Haare auf dem Kissen, schaute sich dieses Bild an, sagte: »Ich habe Vertrauen in dich. À tout de suite – bis gleich.«

Ich fragte nicht, was er mit Vertrauen meinte. Er deckte mich zu und ging.

Mein Traum geht auf Weltreise.

Als ich aufstand, fiel die Armbanduhr des Malers von der Bettdecke herunter. Ich lief zur Schreibmaschine, fasste die Buchstaben an, nahm das Piaf-Chansonbuch, blätterte, ein Chanson auf Seite 351 zog mich hinein:

Je suis seul à Londres
Ce dimanche-là
Dans la brume de Londres
Le ciel est lilas
Et j'entends les cloches
Ce dimanche-là
Elles pleurent les cloches
Toi tu n'es plus là
Mon Dieu qu'il est triste
Ce dimanche-là
Mon Dieu que c'est triste
Pourquoi suis-je là[27]
Ich bin allein in London
An dem Sonntag
Im Nebel von London
Der Himmel ist lila
Und ich höre die Glocken
An diesem Sonntag

Die Glocken weinen
Du, du bist nicht mehr da
Mein Gott, wie traurig
An diesem Sonntag
Mein Gott wie traurig
Warum bin ich da

Dann ging ich zur Armbanduhr des Malers. Als ich die Armbanduhr *de mon amant* aufzog, klingelte es an der Tür. Draußen stand ein sehr langer Mann, er sagte auf Türkisch: »Ben Mübin Orhon – ich bin Mübin Orhon.« Er war sehr dünn, seine halb nackten, langen Arme hatten Gänsehaut gekriegt. Ich zählte die Gänsehäute.

»Hast du Streichhölzer?«

Ich gab ihm eine Schachtel Streichhölzer. Mübin Orhon fragte mich: »Kannst du kochen?«

»Was kochen, Kaffee?«

»Gefüllte Paprika, Tomaten.«

Ich stand an der Tür, barfuß, meine Beine bekamen auch Gänsehaut von dem düsteren Licht des Korridors. Mübin Orhon sagte: »Ich wohne über dir«, dann ging er nach oben.

Ich blieb an der Tür stehen. Das gedämpfte Eingangslicht schaltete sich aus. Ich blieb weiter an der Tür stehen, schaute immer noch dorthin, wo er vorhin gestanden hatte. Sah weiter sein Gesicht vor mir, seine wegstehenden langen Haare, wie von Einstein, die schwarz gerahmte Brille, sich hinunterziehende Augenbrauen, die Augen, aus denen Elegien herunterregneten, seine vielen, tiefen Falten auf der Stirn und den Wangen und die Ader an seiner linken Schläfe, die dick vorstand und dort atmete. Ich blieb noch eine Weile vor diesem Bild stehen, dann zog ich mich an und ging die Treppe hoch zu Mübin Orhon.

Er hatte die Tür offen gelassen, saß auf seinem kleinen Bett, die Beine ausgestreckt über eine Wolldecke. Mübin Orhon war Maler. Auf dem kleinen Tisch und auf dem Boden standen seine Arbeiten.

»Setz dich«, sagte er, trank sein Bier, dann blieb er stumm. Dann schaute er auf eine seiner Malereien, die auf dem kleinen Tisch stand, sagte: »Ich sitze hier und versuche, die Lichtstücke, die ich von meinem Fenster aus beobachte, und ihr Wirken auf die Farben zu finden. Ich suche das Licht, das Licht wie bei Mevlânâ, dem großen Mystiker.«

Mübin Orhon sagte, er sei aus einer alten osmanischen Adelsfamilie. Er kam 1948, um an der Sorbonne eine Doktorarbeit zu schreiben, nach Paris, dann malte er und stellte in den Galerien Lucien Durand und Iris Clert seine Bilder aus. Die Sammler Sir Robert und Lady Lisa Sainsbury, die in ihren Kollektionen Bilder von Degas, Giacometti, Picasso hatten, waren auch Mübin-Orhon-Sammler.

»Sie kommen, lassen Geld da, nehmen die Bilder und gehen«, sagte Mübin. »Ich bin sehr krank«, sagte er dann und zeigte eine Tüte voller Medikamente. »Ich suche das Licht, das mystische Licht in mir.«

Ich schaute wieder auf sein Bild. Er hatte im Zimmer den Vorhang nur zur Hälfte aufgezogen, die andere Hälfte war zugezogen. So blieb Mübin im Dunkeln, ich im Licht. Sein Bild blieb auch im Dunkeln, aber im Bild war an einer Stelle ein Licht, das in den Farben etwas suchte.

»Kannst du gefüllte Tomaten, Paprika kochen?«

»Ich kann es versuchen, keine Garantie.«

Mübin war 1964 wegen seinem Militärdienst in die Türkei zurückgegangen, dann kam er wieder nach Paris zurück, ging nie wieder in die Türkei. Er hasste das Militär. Sein Sehnsuchtsweh erstreckte sich auf gefüllte Tomaten und Paprika, dachte ich, ging raus, kaufte ein und kochte gefüllte Paprika und Tomaten, stellte sie auf den Tisch. Mübin aß nicht, schaute nur lange auf die gefüllten Paprika und Tomaten. Aß weiter nicht. Aß gar nicht. Schaute und schaute auf die Gesichter der gefüllten Tomaten und Paprika. Ich blieb stundenlang bei Mübin auf meinem Stuhl, der Teller blieb auf dem Tisch, Mübin blieb halb liegen auf seiner Wolldecke auf seinem Bett.

»Ich hasse Militarismus, das türkische Militär«, sagte er leise, »ich hasse sie.«

»Soll ich dir eine Offiziersgeschichte erzählen?«

»Sofort, ich bitte dich.«

»Mübin, als ich in der Schauspielschule in Istanbul war, hatten wir in der Zeitung gelesen, dass die Bauern an der irakisch-iranischen Grenze in den Dörfern von Hakkâri verhungern würden. Ich fuhr mit einem Freund per Autostopp in Lastwagen nach Hakkâri. Wir wollten mit verhungernden Bauern eine Reportage machen und sie in Istanbul in einer linken demokratischen Zeitung veröffentlichen. Es war genau die Zeit, als die Amerikaner mit Apollo 11 zum Mond flogen. Wir kamen mit Autostopp bis Kappadokien. Dort drehte Pasolini gerade seinen Film *Medea* mit Maria Callas. Wir gingen zum Drehort, sahen Pasolini und Maria Callas, fuhren dann weiter in die Stadt Diyarbakır. In der Stadt warteten wir halb hungrig auf einen Lastwagen, der uns bis in die Stadt Hakkâri mitnehmen würde, fanden aber keinen. Ein Schneider auf dem Markt, der uns aus Mitleid zu Tee und Sesamkringel einlud, sagte uns: ›Geht zum Hohen Offizier von Diyarbakır. Das Militär hat viele Lastwagen, die in Richtung der Stadt Hakkâri fahren. Sprecht mit dem Hohen Offizier, er kann euch hinfahren lassen.‹

Wir klopften an das Militärgebäude. Der Hohe Offizier

war ein kleiner, dicker Mann. Wir konnten ihm die Wahrheit nicht sagen, sonst wären wir sofort als Kommunisten abgestempelt worden. ›Wir sind Schauspielschüler aus Istanbul und wollen die unterschiedlichen Menschen unseres Landes studieren‹, logen wir, ›wir wollen nach Hakkâri.‹

Er sagte: ›Bravo, Kinder, ihr seid die Ehre des Landes, ihr seid Atatürks Kinder. Ich schicke euch mit unserem Lastwagen, wohin ihr wollt.‹ Er lud uns in sein Haus zum Essen ein. Es war heiß, und er trank den schweren Schnaps Rakı, gab uns auch welchen. Zu seiner Frau und seinen beiden schönen Töchtern sagte er: ›Schaut euch diese jungen Menschen gut an. Sie werden die Türkei auf das Niveau der modernen Länder bringen. Vorwärts, Kinder. Was unser Land erleidet, erleidet es wegen der unmodernen Köpfe. Wenn alle modern wären, gäbe es weder Mord noch Totschlag. Zum Beispiel: Wenn ich nicht ein moderner Mensch gewesen wäre, wäre ich jetzt ein Mörder. Meine Frau und ich hatten geheiratet, und in der Hochzeitsnacht kam kein Blut. Wenn ich nicht ein moderner Mann gewesen wäre, hätte ich meine Frau getötet, euch würde jetzt kein Major gegenübersitzen, sondern ein Mörder. Später stellte sich raus, dass die Jungfernhaut meiner Frau eine Jungfernhaut war, die die Wissenschaft eine Sternjungfernhaut nennt.‹

Die Frau des Majors zog eine Augenbraue hoch und sagte: ›Ich bitte dich, Necip, erzähle nicht weiter.‹

Der Major sagte: ›Lass mich doch. Diese Kinder aus Istanbul sind hochmoderne Kinder‹, und er erzählte weiter. ›Die Jungfernhaut meiner Frau hatte die Form eines Sterns. Mein männliches Organ ging durch die Mitte dieses Sterns hindurch, und der Stern muss sehr elastisch gewesen sein, platzte nicht, und es kam kein Blut.‹

Irgendwann schlief er am Tisch ein.«

Mübin sagte: »Yıldız zar, yıldız zar – Sternjungfernhaut«, lachte und trampelte mit seinen langen Beinen auf dem Bett. Ich ließ Mübin mit seinem Lachen und den ungegessenen gefüllten Paprika und Tomaten allein und ging. Auf der Treppe hörte ich sein Lachen weiter.

In der Wohnung war das Bett noch in seiner Nachtgeschichte. Ich machte es, nahm die Armbanduhr des Malers, stellte sie neben das Chansonbuch von Piaf. Mehmet Hikmet klopfte, kam herein, kochte mir einen Kaffee, sagte: »Du hast Mübin zum Lachen gebracht, gut, gut. Sitz nicht zu Hause, in Paris darf man nicht zu Hause sitzen, geh in die Museen.«

Ich ging ins Museum zu den Impressionisten. Ich liebte die Impressionisten. Man konnte jeden Tag zu ihnen gehen, ihre Augen, ihre Lichter, ihre Momente mitnehmen und so in den Straßen von Paris lange laufen. Dann hatte man den Himmel, die Gefühle der toten Maler und die lebenden Augen der toten Maler unter diesem Himmel, die mitliefen.

Ich ging nach dem Museum wieder zu meiner Telefonzelle am Boulevard Saint-Michel, von der aus ich an meinem ersten Tag in Paris Besson angerufen hatte, rief das Theater an, ob sie für mich einen Job gefunden hätten. Nein, aber sie suchten weiter.

»Ist Besson noch in Italien?«

»Ja. Wie geht es dir?«

»Très bien.« Ich legte auf.

Ich hatte bald kein Geld mehr.

»Ich hab bald kein Geld, bald, bald kein Geld«, sang ich in der Telefonzelle, »meine Taschen schweigen, wenn ich sie nach außen drehe.«

Ich rief Efterpi an.

»Efterpi, kennst du jemanden, der jemand kennt, der etwas vermietet. Ich muss in zwei Wochen aus der Wohnung von Mehmets Mutter, weil sie zurückkommt. Ich bin da sehr glücklich. Mehmet ist wunderbar. Und Mübin, herrlich. Komet hinreißend, alle in diesem Haus, aber da muss ich bald raus.«

Efterpi sagte: »Ich frage Maria, sie kennt viele Leute in Paris.«

Maria.

Efterpi sagte: »Erst mal ist dein Studentenausweis wichtig. Lass mal vier Passfotos machen, dann geh zur Uni für deinen Studentenausweis. Wenn dich die Polizei auf den Straßen nach deinem Pass fragt, zeigst du den Studentenausweis. Mach als Erstes das. Ich rufe jetzt Maria an.«

Ich legte auf. In der Metro Châtelet gab es unten einen Fotoautomaten. Davor standen drei Schwarze. Der erste Schwarze ging hinein, zog den Vorhang zu, ich hörte viermal das Klacken der vier Passfotoblitze aus dem Automaten. Wenn es zwölfmal klackt und blitzt, kann ich mich im dunklen Spiegel des Automatens sehen.

Als ich aus dem Automaten herauskam, standen die drei Schwarzen, Fotos in ihren Händen, noch vor dem Automaten. Alle schauten sich die Fotos voneinander an. Auch sie sahen so aus, als ob, wenn sie ihre Hosentaschen nach außen drehten, kein Geld, sondern Einsamkeit auf den Boden fallen würde.

Oder fällt vielleicht Müdigkeit
oder vielleicht
oder vielleicht ein mit Falten geschrumpftes Schiffsticket
oder vielleicht ein hoffnungsloses Taschentuch
oder vielleicht zwei Telefonnummern

oder vielleicht ein abgefallener Jackenknopf
oder vielleicht der Klang von Mädchenschritten.

Ich fing auch an, auf meine Fotos zu schauen. Wir vier blieben lange, wie lange, weiß ich nicht, da allein mit unseren Fotos stehen. Irgendwann ging ein Mann in den Automaten hinein, die Lichter platzten viermal, wir vier gingen erst dann weg.

Ich fuhr zur Universität. Die Sekretärin füllte meinen Studentenausweis aus, einen grünen. Als ich ihn in die Hand nahm, las ich immer wieder die Sätze:

Carte d'étudiant
Université Paris VIII
Vincennes

Die Sekretärin sagte:

»Erst mal nur für ein Jahr. Nächstes Jahr kriegen Sie einen neuen, und ich gratuliere Ihnen zu ihrem Doktorat – mes félicitations.«

Meine Theaterzeichnungen, Collagen, Bilder bekam ich von der Sekretärin zurück. Ich fuhr zur Metro Vavin, ging ins Café du Dôme, bestellte un demi, schaute mir die Menschen an, die auf dem Boulevard du Montparnasse liefen und deren Körper laut sprachen. Die Körper sagten: Hier ist Paris, ich bin gut, ich bin schön, lass uns zusammen die Straßen, die Brücken, die Dächer, die Halstücher anschauen. Die Stadt geht an uns wie ein Licht vorbei, wir gehen an ihr wie ein Licht vorbei.

Ich stellte meine Sachen in der Wohnung 210 Boulevard Raspail ab, fuhr zu Efterpi. Monsieur Umberto saß mit Efterpi am Tisch, trank Kaffee. Efterpi gab mir auch einen und stellte ein Telegramm neben die Kaffeetasse. Mein Herz klopfte. Soll ich es jetzt aufmachen oder nach dem Kaffee? »Jetzt«, sagte mir der kleine Vogel auf dem jungen Birkenbaum draußen. Das Telegramm hatte ein einziges Wort: *Amour*. Wahrscheinlich hatte der Maler das Telegramm noch auf dem Flughafen in Paris abgeschickt. Als Monsieur Umberto anfing, Selbstgespräche zu führen, sagte Efterpi: »Ich habe Maria wegen der Wohnung angerufen. Sie kennt eine Frau, die aus ihrer Wohnung ausziehen wird. Wir fahren jetzt zu Maria, dann mit ihr zu dieser Wohnung.«

Als Monsieur Umberto ging, fuhren wir zur Metro Denfert-Rochereau zu Maria. Maria war eine sehr schöne Griechin. Als sie mit uns sprach, stand ihr irländischer Freund dicht neben ihr. Wenn sie einen Satz sagte, wiederholte er Marias letztes Wort als Echo. Er schaute dauernd in ihr schönes Gesicht, auf ihren Mund. Wenn Maria vom Salon in die Küche lief, ging er mit ihr mit, kam wieder mit ihr zurück, als ob Maria ein Magnet wäre und er eine Nadel, die sich dauernd an diesen Magneten klebte. Der Raum, die Möbel, die vielen Kissen, die überall standen und lagen, atmeten an ihren Plätzen ständig die Lust der beiden. Maria trug einen schwarzen engen Rock. Wenn sie so lief und der irische Mann hinter ihr, sah ich, dass ihr Rock lachte. Wenn die beiden an mir vorbeiliefen, dachte ich: Ein Licht, ein Licht läuft im Raum und klebt sich an meine Haare.

Als wir zur Wohnungsbesichtigung mit Maria weggehen mussten, blieb der irische Mann an der Tür, als ob ihm einige Körperteile zerrissen worden wären. Er schaute von oben herab auf alle Treppenspiralen, die wir hinunterliefen. Von unten schaute ich hoch, sah nur seinen Kopf. Der Kopf blieb da, wir gingen hinaus.

In der Wohnung, die ich vielleicht bekommen konnte, saß eine junge, dünne, blasse, stille Frau. Sie saß auf einem Sessel und blieb auch da sitzen, bis wir gingen. Maria zeigte mir das Bad, die Küche. Die stille Frau sagte, sie werde ihre Vermieterin fragen, ob ich die Wohnung bekommen könne, sie werde in zwei Wochen hier ausziehen. Wir gingen, sie blieb in ihrem Sessel sitzen. Maria sagte auf der Straße: »Ihr Kind ist vor Kurzem gestorben. Sie will zu ihren Eltern zurück nach Marseille.«

»Ist das Kind in der Wohnung gestorben.«

»Nein, nein, bei ihrem geschiedenen Mann.«

Ob sie den Sessel, in dem sie saß, nach Marseille mitnimmt?

Es gab auch nicht viele Möbel im Zimmer, ein schmales Bett, einen Tisch, zwei Stühle und diesen großen Sessel. Wenn diese stille Frau rausging, stand sie wahrscheinlich von diesem Sessel auf, machte das Licht aus, ging raus, und wenn sie zurückkam, stellte sie ihre Einkaufstüte auf den Boden, machte das Licht an, stellte das Baguette auf den Tisch, die anderen Sachen in den Kühlschrank, dann kam sie in den Raum, sah den Sessel, setzte sich hin. Wo weinte sie in diesem Zimmer, am Fenster, im Stehen oder vor dem Waschbecken, oder lehnte sie sich an die Wohnungstür und weinte dort, oder setzte sie sich auf den Toilettendeckel, weinte dort, oder weinte sie nur auf diesem Sessel, während der Raum von einem Schatten in den anderen lief. Als die Todesnachricht kam, wie hatte die stille Frau die Tür aufgemacht? Wie hatte sie sie zugemacht? Wie, wie, und wie einsam sie jetzt ist. Drei Frauen sind gekommen und gegangen. Wir drei haben sie nur daran erinnert, wie einsam sie ist. Egal wie menschenvoll ihr Zimmer mit uns war, hatte ihr Schmerz seinen festen Platz. Er wuchs dort in einer schattigen Ecke, über die wir vielleicht mit unseren Stöckelschuhen gingen. Der Hafen von Marseille, wo sie ankommen möchte, werden dort die Seevögel sie sehen und auf einmal hochfliegen,

Flügel schlagen? Doch ein Vogel wird dort am Hafen bleiben, eine Möwe wird immer in der Stadt neben dem Schmerz bleiben.

Maria sagte: »Ich ruf euch sofort an, wenn ich von ihr was höre.«

Efterpi und ich fuhren zur Metro Vavin, gingen ins Café du Dôme, tranken Bier.

Die Nacht hatte ihre Lichter angemacht. In den gegenüberliegenden Cafés gingen in den Spiegeln Leute hin und her, manche standen an den Bars, mit dem Rücken zur Straße. Alles bewegte sich, Türen, Kellner, die schnell leer, dann wieder voll werdenden Tische, auf der Straße anhaltende, dann wieder ihre Lichter vor sich drehend abfahrende Autos, ein vorbeifahrendes, lautes Motorrad, der Fahrer, ein junger Mann mit langem Halstuch, das Tuch flatterte in der Luft nach hinten – wenn das Tuch wegfliegt, er wird es nicht merken. Efterpi sagte:

»Hier nebenan gibt es ein Musiklokal, dahin kommen nur Männer, Provinzler oder Touristen. Da sind zwei Mädchen, die sehr schlecht singen, die sind sehr sympathisch, willst du hin?«

»Ja.«

Das Lokal war voll mit Männern. Die zwei Mädchen auf der Bühne sangen. Wir saßen in der ersten Reihe, lächelten sie an, mochten sie. Eines der Mädchen zwinkerte uns zu. Als sie Pause machten, gingen wir, lachten eine Weile auf der Straße. Als wir vor Mehmet Hikmets Haus waren, sagte Efterpi:

»Morgen um 17 Uhr kommt der Fotograf Ara Güler aus Istanbul, um unseren Nachbarn Yerasimos zu fotografieren. Willst du auch kommen?«

»Ja, ich liebe Ara Güler.«

Efterpi ging zur Metro. Bevor ich ins Haus ging, schaute ich hoch zu Mübins Wohnung. Sie hatte Licht.

Ich liebte die Fotos des Istanbuler armenischen Fotografen Ara Güler. Seine Istanbulfotos waren mein wahres Istanbul, seine Augen waren die Stadt.

Ich ging in die Wohnung, ging zur Schreibmaschine, die Uhr des Malers lag ruhig daneben. Ich wollte sie aufziehen, aber sie tickte noch, also ließ ich sie dort, ging eine Etage höher.

»Mübin Orhon, Mübin Orhon, bist du da?«

Er öffnete, sein dünner, langer Körper wuchs bis zur Höhe der Türkante.

»Komm«, sagte er. Auf dem Tisch lagen noch immer die gefüllten Paprika und Tomaten ungegessen auf dem Teller. Mübin sagte:

»Erzähl mir doch noch mal von der Sternjungfernhaut der Frau des Majors in der Stadt Diyarbakır.«

Ich erzählte, wir lachten, ich aß eine gefüllte Tomate, ging hinunter.

Jetzt hatte ich die Nacht. Die Nacht, die Uhr meines *amant*, das Buch von Piaf. Ich nahm sie mit ins Bett, zog vorher die Vorhänge wie der Maler gestern halb zu, halb ließ ich sie offen, sagte im Bett Piafs Sätze:

»Mon Dieu! Mon Dieu! Mon Dieu!
Laissez-le-moi
Encore un peu
Mon amoureux!
Six mois, trois mois, deux mois …
Laissez-le-moi
Pour seulement
Un mois …

Oh, mein Geliebter, du wirst morgen auf einem mir

fremden Stern laufen. Hoffentlich gehst du da nicht verloren.

Ich schlief und träumte von dem Maler. Er stand in einem Fahrstuhl, aber konnte die Tür nicht öffnen. Ich stand vor der Tür und konnte nicht helfen. Der Fahrstuhl fuhr dann plötzlich hoch, ich dachte, er wird durch das Dach rausfliegen. Ich schrie und wachte auf, zog die Armbanduhr des Malers an, schlief ein.

Der armenisch-türkische Fotograf Ara Güler war schon bei Efterpis Nachbarn Yerasimos. Yerasimos und Ara Güler redeten miteinander, und währenddessen fotografierte Ara Güler ihn. Das Zimmer war voller Istanbul, Istanbuler Armenier, Istanbuler Griechen. Die Silhouetten auf Ara Gülers Fotos hatten die verlorenen alten Istanbuler Gassen und Menschen und Schatten in unsere Herzen reingedrängt. Wenn man in Istanbul etwas anschaute, betrachtete man es nicht nur direkt, sondern immer auch unter dem Eindruck dessen, was Ara Gülers Fotografien einem schon vorher vermittelt hatten. Man musste nur in das Bild hineinwandern. Seine Istanbul-Fotos hatten unsere Augen sensibilisiert. Seine steilen Gassen; Friedhofstotensteine schauen auf ein altes, schiefes Holzhaus, auf dem Friedhof sitzende Menschen, Kinder zwischen den Friedhofssteinen, der denkende, sehr alte Mann zwischen den Friedhofssteinen; Schatten über der Stadt, ein armer Mann liest einen Brief; Wassermelonen auf der Erde am Hafen; drei Männer stehen an der Galata-Brücke mit dem Rücken zu uns; wie aus dem Traum kommende Schiffe, Kinder vor Fischernetzen, Möwen, Müll; das Warten der Armen in einem alten Kaffeehaus, Brot und Tee über einer Zeitung auf dem Tisch, Falten eines Gesichts und ein Glas Wasser; Nutten im Lokal, eine Pufftür, an die sich eine nackte Hure lehnt; eine Straßenbahn im Schnee, vor ihr ein Pferd und Wagen, Pferd und Kutscher hinterm Schnee; zwei wartende Stühle am Hafen, in der Ferne ein Schiff.

Auf allen seinen Fotos sahen wir nicht nur Istanbul, sondern auch Ara Gülers tiefe Liebe und seinen Respekt vor den Menschen und dem Leben. Sein Warten auf den Moment der Wirklichkeit konnte man auf seinen Fotos sehen. Als ob all diese Menschen, die Schiffe, Friedhofstotensteine, als ob all dies nicht fotografiert worden wäre, sondern sich selbst in das Foto verwandelt hätte, sich selbst zu diesem Moment mit all seinen Gefühlen, Geschichten, Tragödien, zum Foto gemacht hätte.

Als Ara Güler ging, fragte er mich: »Die Luft ist sehr schön, ich lauf mal ein bisschen in der Stadt herum, kommst du mit?«

»Ja.«

Wir liefen zu Fuß bis nach Montparnasse. Istanbul lief neben mir, ich ging neben Istanbul in Richtung Montparnasse. Ara fragte mich: »Warst du mal im Café de Flore?«

»Ich glaube nicht.«

»Dann zeige ich es dir. Den Besitzer vom Café de Flore kenne ich gut. Wenn ich nach Paris komme, gibt er mir immer das gleiche Zimmer oben unterm Dach. Lass uns im Café de Flore etwas trinken.«

Wir liefen gerade am Boulevard du Montparnasse vor dem Café du Dôme vorbei, in dem ich vor vier Nächten mit dem Maler gesessen hatte. Ich schaute von draußen auf den Tisch, sah den Maler, sah mich dort, er trank gerade aus meinem Glas den Wein zu Ende, sagte zu mir: »Lass uns nach Hause gehen.«

»Lass uns nach Hause gehen.«

»Lass uns nach Hause gehen.«

Ich blieb vor dem Café du Dôme stehen. Genau in diesem Moment legte Ara Güler seinen Arm um meine Schultern, sagte: »Lass uns zum Café de Flore ein Taxi nehmen, es fängt an zu regnen.« Als wir aus dem Taxi ausstiegen, legte er seinen Arm wieder um meine Schultern. So gingen wir ins Café de Flore hinein. Ich sagte: »Da sitzt Catherine Deneuve.«

Wir setzten uns an einen kleinen Tisch hinter Catherine Deneuve, sodass von hinten ich ihre hochgesteckten Haare und ihren Hals sah.

Où habitez-vous, Madame? J'habite dans les silhouettes d'Istanbul et dans les cheveux de Catherine Deneuve – wo wohnen Sie, Madame? Ich wohne in Istanbuler Silhouetten und in Catherine Deneuves Haaren.

Die fünfzehn Tage in der Wohnung von Mehmet Hikmets Mutter gingen langsam vorbei. Ich hatte in der Zeit Mübin noch ein paar Mal die Geschichte der Sternjungfernhaut der Frau des Majors erzählt.

Einmal kam Mübin runter, sagte: »Ich habe ein Bild verkauft. Heute kommen Leute zu mir. Wir kochen ein bisschen Reis. Kannst du?«

»Ich habe Angst davor, Reis zu kochen.«

Ich ging gegen Abend zu Mübin. Er hatte ein Paket Reis auf dem Küchentisch stehen, sonst gab es nichts, nur Reis, kein Öl, keine Butter, keine Champignons, keine Pinienkerne, nichts, nichts, nur Reis und zwei große Flaschen Billigwein. Ich fragte: »Kommt Komet auch?« Mübin sagte mir:

»Jedem machen wir die Tür auf, nicht ihm. Ich bin ihm böse.«

Ich kochte den Reis, kochte schlecht, verkochte ihn. Mübins Gäste kamen, der Reis wurde gegessen, schlechter Wein wurde getrunken, es war eine hohe Stimmung. Es klingelte, Mübin ging zur Tür, öffnete, Komet stand vor der Tür, aber er stand nicht, er kniete vor Mübin, und mit großen Gesten sang er ein klassisches altes Lied:

Mâni oluyor halimi takrire hicâbım
Üzme yetişir üzme firâkınla harâbım[28]

Meine Scham hindert mich, dir meine Lage zu erklären
Mach mich nicht mehr traurig, ich bin schon eine Ruine

Mübin sagte: »Ich will dich nicht mehr sehen.«

Komet ging laut lachend die Treppe hoch. Mübin haute die Tür laut zu.

»Es muss zwischen euch eine große Liebe sein, Mübin Orhon.«

Wir lachten alle wie die Kinder.

Es war ein sehr schönes Haus, diese 210 Boulevard Raspail, das schönste Haus in Paris. Freundschaft, Scherze, Spiele, Offenheit, Sehnsüchte, Einsamkeit. Ich liebte die 210 Boulevard Raspail. Sogar mein Geliebter war hier, hatte vor zwei Wochen die Vorhänge halb zugezogen.

Als ich aus Mehmets Haus ausziehen musste, weil seine Mutter Münevver Andaç zurückkam, hatte ich dennoch in meinem Rücken ein Land, bei dem ich in Paris immer vorbeikommen konnte. Wo wohnen Sie, Madame? Ich wohne in meinen schönsten Freunden, in Mehmet, Komet, Mübin, in der 210 Boulevard Raspail.

Mit der Wohnung, wo ich die stille Frau, deren Kind gestorben war, mit Maria und Efterpi besucht hatte, hatte es nicht geklappt. Die stille Frau hatte ihre Wohnungsbesitzerin gefragt, aber die hatte gesagt, ihre Tochter würde da einziehen. Die hatte ihr Abitur gemacht.

Ich fuhr zu Efterpi. Efterpi sagte: »Sei nicht traurig. Du kannst, bis wir etwas finden, bei uns auf der Couch schlafen.«

Als ich keine Antwort gab, sagte Efterpi: »Das stört uns nicht, Kiki de Montparnasse.«

Als ich wieder nichts sagte, fragte Efterpi: »Kennst du Dionysis Savvopoulos, hast du mal seine Lieder gehört? Du liebst ja Bob Dylan, er ist wie Bob Dylan.« Efterpi legte eine Langspielplatte auf und übersetzte mir, was Savvopoulos in den Liedern sagte. Sie lachte dabei, ich fing auch an zu lachen, und als das Telefon klingelte und sie den Hörer abnahm, lachte und übersetzte sie weiter. Dann sagte sie zwischen ihr Lachen: »Telefon für dich.«

Eine Männerstimme, die sehr gut Deutsch sprach, sagte, sie habe meine Nummer von Besson.

»Ich bin Bernard Dort.«

Bernard Dort wollte mich kennenlernen. Er fragte mich: »Wollen Sie bei mir mittagessen?«

Er gab mir seine Adresse. Efterpi sagte: »Das ist in der Nähe, ich bringe dich hin.«

Ich ließ meine Tasche neben der schwarzen Ledercouch, fragte mich: Wo wohnen Sie, Madame? Ich wohne in Istanbuler Griechen.

Ich lief mit Efterpi zur Rue Mouffetard. Wir kamen zu einem wunderschönen Markt, liefen die steile, lange, enge Straße hoch zwischen bratenden Hühnern, lachenden Marktfrauen und -männern, riechenden Käseständen, Birnen und Salaten, Kneipen- und Cafétischen, Kaffeetassen, kleinen Weingläsern, Saucissons. Als wir die Birnen und Äpfel und afrikanischen Pepperonis hinter uns gelassen hatten, sagte Efterpi: »Da wohnt Bernard Dort.«

Dann kehrte Efterpi um. Ich klingelte. Bernard Dort stand an der Tür. »Komm rein, ich hab schon den Tisch gedeckt.«

Dort erzählte mir, dass er erfahren hatte, dass ich wegen meiner Bertolt-Brecht-Liebe von Istanbul nach Ostberlin gegangen war und mit Matthias Langhoff, Heiner Müller und Benno Besson gearbeitet hatte und dass er das so schön fand, dass es ihm so sympathisch war, dass er mich gerne kennenlernen wollte.

Wir aßen Coq au vin und tranken Rotwein, er erzählte, dass er Romanist und Theaterwissenschaftler sei. Er hatte die Zeitschrift *Théâtre populaire* und als er in der Sorbonne am theaterwissenschaftlichen Institut gearbeitet hatte, die Zeitschrift *Travail théâtral* herausgegeben. Bernard Dort war Brechtianer. Er hatte *Lecture de Brecht* herausgegeben und von Lessing *Emilia Galotti*, von Büchner *Woyzeck* ins Französische übersetzt. Und Ibsen.

Ich erzählte Bernard Dort, wie ich als Schauspielschülerin in Istanbul zum ersten Mal vom brechtschen Verfremdungseffekt gehört und überhaupt nicht verstanden hatte, was das ist. Aber ständig dachte ich an ihn, ich beschäftigte mich den ganzen Tag, in jeder meiner Bewegungen damit, wo der Verfremdungseffekt war. Ich stieg zum Beispiel von einem Schiff oder stieg in einen Bus ein oder trat in ein Zimmer und fragte mich: Was ist jetzt in dieser Situation der Verfremdungseffekt? Wir hatten in unserer Schauspielschule einen Lehrer, der Brechtianer war. Einmal erzählte er uns:

»In dem Brechtfilm *Kuhle Wampe* begeht ein arbeitsloser Mann Selbstmord. Er springt aus dem Fenster. Aber bevor er springt, zieht er seine Uhr vom Arm und legt sie vorsichtig auf den Tisch. Dann springt er und stirbt. Wie werdet ihr die Szene spielen? Er denkt noch daran, seine Uhr abzuziehen, damit seine Familie die Uhr verkaufen und sich noch eine Weile davon ernähren kann. Und der Moment, als er seine Uhr hinlegt, erzählt den Zuschauern etwas Genaueres über die Figur und über die Arbeitslosigkeit. Mit einer solchen Genauigkeit könntet ihr die Gefühle der Zuschauer einfangen und sie gleichzeitig zwingen, über die sozialen Umstände der Arbeitslosen nachzudenken. Der V-Effekt, also der Verfremdungseffekt, besteht darin, dass man bei seiner Anwendung etwas ganz Alltägliches, tausendmal Gemachtes, verfremdet. Das Uhrausziehen ist eine gewöhnliche, alltägliche Gewohnheit. Aber in *Kuhle Wampe* wird aus einem gewöhnlichen, bekannten, unmittelbar vorliegenden Ding ein besonderes, auffälliges, unerwartetes Ding gemacht.«

»Bernard Dort, wissen Sie, diese Szene in *Kuhle Wampe*, in der der Arbeitslose, kurz bevor er aus dem Fenster springt, seine Uhr abzieht und sie vorsichtig auf den Tisch legt, berührte mich so sehr, dass ich mit meinem Bruder zusammen das ganze Drehbuch von *Kuhle Wampe* für eine Filmzeitschrift ins Türkische übersetzte.«

Bernard Dort schenkte mir ein Buch, auf dem Brechts Frau Helene Weigel als Mutter Courage abgebildet war. Auf diesem Foto zog Mutter Courage, nachdem alle ihre Kinder im Krieg getötet worden waren, ihren Verkaufswagen allein hinter sich her, wie ein einsames Lasttier.

»Bernard Dort, ich habe Helene Weigel auf der Bühne, aber auch in meinem Traum gesehen.«

Bernard Dort lachte.

»In meinem Traum war ich auf einem großen Schiff. Ich saß, und hinter mir standen viele türkischen Männer, Faschisten, alle sangen faschistische Lieder. Ich war in Gefahr – wenn das Lied zu Ende gesungen ist, werden sie mich töten. Ich will mich retten. Plötzlich war ich in einem Zimmer, ein sehr großer, schräger Holzboden. Es gab dort ein Bett wie das Bett-Bild von van Gogh. Darin lag Brecht, neben dem Bett ein Stuhl. Helene Weigel saß dort. Ich rannte zu Weigel, sagte: ›Weck den Brecht, weck den Brecht, ich muss mit ihm reden.‹ Helene Weigel sagte: ›Aber er ist tot, siehst du nicht, er ist tot.‹ Ich sagte: ›Nein, er ist nicht tot, er schläft, weck ihn.‹ Brecht wurde wach, ich sagte ihm: ›Gib mir etwas von dir, deine Krawatte oder deinen Kopfkissenbezug.‹«

Bernard sagte: »Du hast den toten Brecht geweckt.«

Ich erzählte Bernard Dort von dem Theater in der Türkei, von meinem Theaterregisseur, der Brechtianer war, und davon, wie er nach dem Militärputsch wegen seiner Ideen im Gefängnis landete, wie mir damals in der Türkei die Sätze von Brecht geholfen hatten, der vor uns mit Faschismus eine körperliche Erfahrung gemacht hatte.

Das Große bleibt groß nicht und klein nicht das Kleine.
Die Nacht hat zwölf Stunden, dann kommt schon der Tag.[29]

Bernard Dort sagte mir: »Sie sind mir sehr sympathisch.« Wir umarmten uns und ich ging mit Bernard Dorts Zeitschriften und dem Mutter-Courage-Buch raus auf die Straße. Dann lief ich die steile Rue Mouffetard hinunter, lief wieder an den Birnen, Salaten, concombres, courgettes, fromages, poulets fermiers, vins rouges, Parfümflaschen und Radieschen entlang. Unten angekommen, drehte ich mich nach hinten, schaute die ganze Rue Mouffetard hinauf, mit ihrem Lauch, den Birnen, Äpfeln, Maracujas, mit den afrikanischen Obstständen, Zwiebeln, Auberginen, dem Radicchio und Menschen und Menschen, die wie das frische Obst aussahen, den Cafés, Weingläsern draußen auf den Tischen, und die steile Gasse noch höher, und ganz, ganz am Ende dieser steilen Gasse habe ich einen Freund – Bernard Dort.

Ich wohne in Bernard Dort.

Auf dem Weg zu Efterpi wurden meine Schritte langsamer, so langsam, dass ich stehen blieb. Es ist noch Tag, aber die Nacht, *la nuit, la nuit.* Ich werde meine Freunde Efterpi und Charis, mit denen ich im gleichen Raum auf der Couch schlafen werde, in der Nacht stören. Wie lange kann man die Nächte der anderen stören? *Mon Dieu. Mon Dieu*, gib mir ein Zimmer, nur ein Zimmer, die Toilette kann draußen sein, egal. Ich möchte nur *meine* Nächte stören, nicht die Nächte meiner Freunde. Ich schaute die Häuser an, an denen ich sehr langsam in Richtung Efterpis Haus vorbeilief. Schaute mir alle Etagen an, alle Fenster der Häuser, sagte immer wieder: Wenn ich nur dort, hinter diesem Fenster wohnen könnte, oder hinter diesem Fenster, oder hinter diesem Fenster, oder hinter diesem Fenster, hinter diesem Fenster, hinter diesem Fenster, oder diesem Fenster, diesem Fenster, diesem Fenster, diesem Fenster. Aus dem Haus, an dem ich gerade vorbeilief, kam ein Junge raus auf die Straße. Als er seine Jacke zuknöpfte, öffnete sich ein Fenster in der zweiten Etage, eine Frau rief herunter: »Patrick.« Der Junge, der Patrick hieß, schaute hoch. Die Frau warf ihm in einer Plastiktüte etwas herunter. Die Tüte landete zu Patricks Füßen, es klirrte aus der Tüte, ein Schlüsselbund. Ich blieb stehen und schaute mir diese Szene an. Patrick lief weg, das Fenster wurde geschlossen. Ich schaute hinter Patrick her, bis er am Ende dieser langen Straße nach links in die Rue Mouffetard einbog. Ich ging in eine Bar, setzte mich hin, schaute mir die Fenster von der zweiten Etage, in der Patrick wohnte, an. Die Bar war leer, nur an einem Tisch saßen drei kleine vietnamesische Männer, spielten Karten. Hinter der Theke stand ein vietnamesischer Mann, wusch die Gläser, fragte, ohne mich anzuschauen: »Madame?« »Un ballon rouge.« »Madame.« Er goss mir aus einer halb leeren Flasche Rotwein ein, dann wusch er weiter die Gläser. Die drei Männer saßen still, schauten ab und zu zu dem Wirt, der weiter die Gläser wusch. Dann hörte ich die leisen Geräusche der Spielkarten, die sie auf den Tisch warfen. Ich blieb in dieser Bar, hörte der Stille zu. Der Abend ist hier still, nur das Wasser läuft artig in die Gläser. Ich blieb da, bis der Junge, der Patrick hieß, nach Hause zurückkam. Er schloss die Haustür auf und ging hinein. Oben in der zweiten Etage wurde das Licht in einem Zimmer angemacht. Ich ging aus der Bar, raus in den Abend. Als ich zu Efterpis Haus kam, setzte ich mich im Garten auf die Gartenbank, schaute Efterpis Haus und die anderen drei Studios an, durch deren Glastüren man hineinschauen konnte. Menschen waren in diesen vier Häusern.

Der Abend war gekommen, sie waren nach Hause gekommen. Als Kind sang ich mit anderen Kindern auf unserer Istanbuler Gasse, zur Abendzeit, als alle unsere Mütter aus den Fenstern nach uns riefen, dass wir nach Hause kommen sollten, als Abschied immer laut das gleiche Lied.

Evli evine	*Wer ein Haus hat, nach Hause*
Köylü köyüne	*Die Bauern zu ihrem Dorf*
Evi olmayan	*Wer kein Haus hat*
sıçan deliğine	*in das Mauseloch*

Der Maler, mein Geliebter hatte sich auf dieser Gartenbank auf meinen Schoß geworfen, hatte gesagt: »Du liebst mich, du liebst mich – tu es amoureux de moi. Freust du dich?« »Aber ja – mais oui.« Ich legte mich auf die Gartenbank, schaute zu den Sternen, die mir zuzwinkerten. »Leuchte, mein Stern, leuchte.« So weit weg war der Maler. Die Dunkelheit, gut so. Bravo, Gott. Der Abend hat sich schon in der Nacht verloren.

Die große Glastür von Efterpi stand halb offen. Irgendwann ging Katze Clochard, die oben im Bad in einem Wandloch lebte, vom Garten durch die offene Tür ins Haus. Ich stand auf und ging langsam auch ins Haus. Efterpis Mann Charis saß vor seiner Schreibmaschine, tippte, ein Auge fast zu, das andere auf. Ich setzte mich an den Tisch, fing an, in dem Buch, das Bernard Dort mir geschenkt hatte, zu lesen. Charis sagte irgendwann zu mir, ohne seinen Kopf aus seiner Arbeit zu nehmen: »Du musst dir keinen Kopf machen. Ich sorge für zwei. Ich kann auch für drei sorgen. Denk nur an das Weiter-Französisch-Lernen und an deine Doktorarbeit. Efterpi fühlt sich mit dir sehr gut.«

Efterpi kam mit Baguettes, Radieschen und einer Flasche Wein von draußen herein, ging zum Schallplattenspieler, legte Dionysis Savvopoulos auf. Während sie ihr Jackett auszog und die Weinflasche öffnete, übersetzte sie wieder Savvopoulos' griechische Sätze für mich ins Türkische. In der Nacht, als ich auf der schwarzen Ledercouch lag und alles schlief, kam die Katze Clochard vorsichtig die Treppe herunter und legte sich zur Katze Badi. Am Morgen sah ich sie nicht mehr. Sie verschwand in ihrem Wandloch, bevor jemand im Raum aufstand.

Efterpis Nachbar Yerasimos sagte zu mir, dass er über den Ersten Weltkrieg und die armenische Frage ein Buch schreibt, und fragte mich, ob ich für ihn einige Texte aus dem Deutschen ins Türkische übersetzen würde, als Material für sein Buch. Ich sagte: »Ja, ich möchte.« Auf dem Tisch lagen ein deutsches Buch und daraus fotokopierte Blätter. Der Titel war: *Bericht über die Lage des Armenischen Volkes in der Türkei* von Doktor Johannes Lepsius, die erste Auflage von 1916. Ich blätterte darin. Johannes Lepsius wurde

1858 in Berlin geboren, war evangelischer Theologe und Orientalist.

Ein Freund in Istanbul hatte einmal gesagt: »Was im Jahre 1915 mit den türkischen Armeniern passiert ist, ist zubetoniert. Wir konnten nur von einzelnen, älteren Menschen ein paar Sätze darüber hören, was mit den türkischen Armeniern passiert ist.« Als ich noch ein Kind war, stand meine Großmutter, die Mutter meines Vaters, manchmal plötzlich von ihrem Sessel auf, streckte ihre Hände hoch, schrie laut: »Abo, wie die armenischen jungen Frauen sich von den Brücken in die Flüsse geworfen haben.« Sie wiederholte diesen Satz ein paar Mal, dann setzte sie sich wieder hin, schaute auf den Boden, rauchte eine Zigarette.

Und meine Mutter hatte mir erzählt: »Mein Vater, dein Großvater, hatte mehrere Ehefrauen, und eine davon war Armenierin. Der Vater dieses Mädchens war der Freund meines Vaters, und die beiden sollen öfter leise und heimlich gesprochen haben. Mein Vater soll dann die Tochter dieses Freundes geheiratet haben, damit sie nicht aus der Stadt weggeschickt wurde. Das hat mir die erste Frau meines Vaters erzählt. Damals sollen die Armenier aus ihren Orten weggerissen worden sein.«

Meine Mutter hatte mir das nur erzählt, weil sie gerade über die vielen Ehefrauen meines Großvaters sprach und davon, wie er sie geheiratet hatte.

In der 68er-Bewegung sprachen unsere armenischen Freunde in Istanbul auch nicht viel darüber. Ein alter armenischer Künstler lobte, wenn wir gemeinsam aßen und tranken und über Politik redeten, laut die türkische Republik, sprach nie von 1915. Als er aber erfuhr, dass er Krebs hatte und nur noch kurz zu leben, sagte er zum ersten Mal: »Als man uns Armenier zum Schlachten brachte.«

Ein armenischer Freund hatte während der 68er-Zeit davon gesprochen: »Damals in den osmanischen Heeren dienten Hunderte von deutschen Offizieren, die haben viele Zeitdokumente, die Deutschen wissen über 1915 mehr als jeder andere. Sie hatten vor, die Türkei zu kolonialisieren. Bestimmt empfahlen sie den Osmanen, die Armenier an andere Orte zu deportieren, um sich ihren Boden, ihr Hab und Gut in Anatolien unter die Nägel zu reißen. Es dienten in den osmanischen Heeren die deutschen Offiziere, die für Völkermorde in Afrika verantwortlich gewesen waren. Die Osmanen, die Jungtürken, schickten die Armenier massenweise aus Anatolien zu Fuß in die syrische Wüste. Diese schafften den langen Marsch nicht. Obwohl es klar war, schickten sie die zweite Deportation auch zu Fuß, auch in die syrische Wüste. Die schafften es auch nicht. Dann die dritte, vierte … Als man sie also auf den Totenmarsch schickte, schickte man sie bewusst auf eine Reise, deren Totenende, tötendes Ende sicher war. Die Sache ist zubetoniert, weil das Hab und Gut der Armenier in die Hände von türkischen Politikern, Offizieren und Großgrundbesitzern fiel. Man müsste nur fragen: Wo sind die Häuser, die Äcker, die Gelder, das Silber, die Kinder, die Gräber der Armenier. Wo sind die?«

Der Nachbar Stefanos Yerasimos, der über den Ersten Weltkrieg und die Armenierfrage schrieb, gab mir kurze Texte aus Lepsius' Buch auf kleinen Karteikarten. Ich sollte nur die Sätze von den Karteikarten ins Türkische übersetzen, nicht das ganze Buch. Ich nahm die Karteikarten, deutete auf den Stapel mit den fotokopierten Buchseiten, fragte: »Darf ich das ganze Buch mitnehmen?«

»Wenn du willst.«

Ich fing an, die Texte der einzelnen Karteikarten zu übersetzen. Auf den Karteikarten standen die Orte, Städte und Dörfer in Ostanatolien und Westanatolien, aus denen die vielen Kinder, Männer und Frauen auf den langen Marsch geschickt worden waren, und die Zeiträume und die kurzen Berichte von deutschen Offizieren oder Botschaftern und Missionsschwestern. Nach ein paar Tagen, als ich damit fertig war, gab ich Yerasimos die Karteikarten zurück, behielt aber die fotokopierten Seiten des Lepsiusbuches und las. Lepsius schrieb:[30]

Liebe Missionsfreunde!

Der folgende Bericht, den ich Ihnen streng vertraulich zugehen lasse, ist »als Manuskript gedruckt«. Er darf weder im Ganzen noch in Teilen der Öffentlichkeit zugänglich gemacht oder benutzt werden. Die Zensur kann während des Krieges Veröffentlichungen über die Vorgänge in der Türkei nicht gestatten. Unser politisches und militärisches Interesse zwingt uns gebieterische Rücksichten auf. Die Türkei ist unser Bundesgenosse. Sie hat nächst der Verteidigung ihres eigenen Landes auch uns durch die tapfere Behauptung der Dardanellen Dienste geleistet. Die beherrschende Stellung, die der Vierbund gegenwärtig auf dem Balkan einnimmt, ist nächst den deutsch-österreichischen und bulgarischen Waffentaten auch den territorialen Zugeständnissen der Türkei an Bulgarien zu danken.

Legt uns so die Waffenbrüderschaft mit der Türkei Verpflichtungen auf, so darf sie uns doch nicht hindern, die Gebote der Menschlichkeit zu erfüllen. Müssen wir auch in der Öffentlichkeit schweigen, so hört doch unser Gewissen nicht auf zu reden.

Das älteste Volk der Christenheit ist, so weit es unter türkischer Herrschaft steht, in Gefahr, vernichtet zu werden. Sechs Siebentel des armenischen Volkes wurden ihrer Habe beraubt, von Haus und Hof vertrieben und, soweit sie nicht zum Islam übertraten, entweder getötet oder in die Wüste geschickt. Nur ein Siebentel des Volkes blieb von der Deportation verschont.

Ich blätterte weiter.

Die Art der Behandlung, die die Deportierten auf dem Wege erlitten haben, lässt darauf schließen, dass den Urhebern der Maßregeln und den ausführenden Organen nicht viel daran lag, ob die deportierte Bevölkerung auf irgendeine Weise die Mittel zu ihrem Unterhalt erhielt, ja, dass es nicht unwillkommen zu sein schien, wenn sie schon unterwegs zur Hälfte umkam und am Ziel ihrer Wanderung an Krankheit und Hunger zugrunde ging.

Ich blätterte weiter.

Bericht eines deutschen Beamten von der Bagdad Bahn

[…]

Seit 28 Tagen beobachtet man täglich Leichen im Euphrat, die stromabwärts treiben, zu zweien mit dem Rücken zusammengebunden, zu drei bis acht an den Armen zusammengebunden. […] Leichen, die ans Ufer angeschwemmt waren, fraßen die Hunde. Auf andere, die an den Sandbänken hängen blieben, ließen sich die Geier nieder.

Ich blätterte weiter.

[…] Nach Ostern fanden in Kharput, Mesereh und den Dörfern der Umgegend viele Verhaftungen statt. Die Verhafteten wurden in den Gefängnissen gefoltert. Man schlug sie, riss ihnen Haare und Nägel aus und bearbeitete sie mit glühenden Eisen, nachdem man sie mit Stricken festgebunden hatte. […]

Während ich tagelang Lepsius' Texte las, saß ich am Tisch genau gegenüber der Wand, an der die Bilder von Efterpis Eltern, die in Thessaloniki von den Nazis ermordet worden waren, hingen. Der junge Birkenbaum im Garten spiegelte sich durch das Fenster auf dem Tisch. Manchmal klopfte Monsieur Umberto an das Fenster, kam herein. Die Blätter aus Lepsius' Buch vor mir, die Bilder von Efterpis getöteten Eltern an der Wand, neben mir Monsieur Umbertos Schweigen am Tisch.

Der Weg war einsam, Tiere und auch wir.

Wir schauten, unglaublich
jede Seite um uns. Nacht.
Beraubt eurer Leben, schon eurer Schatten beraubt.

Nach ein paar Wochen Lesen in Lepsius' Buch fing ich an, sehr schlecht zu schlafen. In der Nacht blieb ich manchmal bis zum Morgen schlaflos. Efterpi und Charis schliefen, Katze Badi auch. Alles im Schlaf, nur die Katze Clochard, der man als Baby ihre Beine mit Stöcken kaputtgeschlagen hatte und die seitdem vor den sich bewegenden Beinen der Menschen Angst hatte, schlief nicht. Sie kam in der Nacht herunter, legte sich zu Badi auf den Stuhl, aber schlief nicht, horchte, ob jemand im Raum sich bewegte, um dann schnell nach oben ins Bad in das Loch in der Wand zu verschwinden. Damit ich mit meiner Schlaflosigkeit meine Freunde nicht störte, nahm ich die Lepsiusbuchblätter und Stifte, ging hoch in das Badezimmer, setzte mich dort auf den Hocker genau gegenüber dem großen Wandspiegel, blätterte in den Seiten. Manchmal hörte ich mittendrin in einem Satz auf zu lesen, zeichnete mein Gesicht an den Rand der fotokopierten Buchblätter. Dann las ich die Seite 147:

Während unserer ganzen Reise haben wir von den türkischen Behörden nichts zu essen bekommen. Nur in Diarbekir hat man jedem ein Brot gereicht und ebenso in Mardin während der 8 Tage, die wir dort lagerten, täglich ein steinhartes Brot. Unsere Kleider waren verfault, und wir alle durch die Leiden fast irrsinnig geworden. Viele wussten, als man ihnen neue Kleider reichte, nicht mehr, wie sie dieselben anziehen sollten. Als sie das erste Mal wieder badeten und sich von allem Schmutz reinigten, bemerkten viele, dass sie die Haare verloren hatten.

Ich schaute auf meine Haare im Wandspiegel. Ich sah, wie Haare von meinem Kopf auf meine Strickjacke fielen. Dann blätterte ich wieder, las auf Seite 255:

Verwandte und Freunde von Armeniern der Provinz in Konstantinopel erhielten zur Zeit der Verschickungen aus Trapezunt, Samsun, Unjeh, Ordu, Amasia und anderen Städten Telegramme, die lauteten: »Hak dini kabul etdik. (Wir haben den wahren Glauben angenommen.)« Briefe und Postkarten kamen von der Post zurück mit der Aufforderung, als Adresse statt des früheren christlichen Namens den neuen muhammedanischen Namen zu schreiben. Aus Samsun kamen die folgenden einzelnen Adressäußerungen:

Mihran Dawidjan heißt Da'ud Zia.

Agob Gjidschian heißt Osman Zureija.

Garabed Kilimedschian heißt Hodi Efendi.

Howsep Dawidjan heißt Zia Tutuoglu.

Ich fing an, die Namen zu wiederholen:

Mihran Dawidjan – Agob Gjidschian – Garabed Kilimedschian – Howsep Dawidjan – Mihran Dawidjan – Agob Gjidschian – Garabed Kilimedschian – Howsep Dawidjan

Dann zeichnete ich das Loch in der Wand, in das sich die Katze Clochard, wenn sie vor Menschenbeinen Angst hatte, zurückzog, auf einen Seitenrand.

Eines Nachts als ich wieder im Bad auf dem Hocker mit dem Buch vor dem Wandspiegel saß, kam plötzlich die Katze Clochard hoch, wollte wahrscheinlich in ihr Loch, aber als sie mich sah, blieb sie an der offenen Badezimmertür stehen, bewegte sich nicht, schaute mich an. Ich zeichnete sie ganz leise, ohne mich zu bewegen, auf die Seite 275. Ich blieb auf dem Hocker sitzen, die Katze Clochard blieb an der Tür des Badezimmers, keiner von uns beiden bewegte sich, und ich fühlte, dass meine Beine durch das bewegungslose Sitzen langsam einschliefen.

»Clochard, kennst du das Gedicht:

Verfolgt die wahren, die großen Diebe.

Rottet sie alle aus ab heute.

Von ihnen kommt die Kälte,
von ihnen kommt die Nacht,
die die Erde zu einer Welt
des Grauens macht.«

In den anderen Nächten wiederholte sich diese Szene. Die Katze Clochard blieb an der Badezimmertür stehen, ich blieb bewegungslos auf dem Hocker sitzen, sagte ihr das Gedicht auf, »Verfolgt die wahren, die großen Diebe«, meine Beine schliefen ein. Als ich einmal aufstehen wollte, fiel ich auf den Boden.

Die letzten Lepsiustexte las ich zu Ende, schlief aber weiter sehr schlecht, und immer wieder fielen mir Haare aus, auf meinen Pulli. Als Efterpi sah, dass ich meine Haare von meinem Pulli entfernte, fragte sie mich: »Hast du Haarausfall?«

Ich sagte: »Ich weiß es nicht.«

»Auch hinten an deinem Pulli hast du Haare.«

Efterpi ging einkaufen. Als sie zurückkam, lachte sie, sagte: »Ein Brief aus New York.«

Mein Geliebter, der Maler, hatte mir einen kurzen Brief mit seiner New Yorker Adresse geschickt. Er schrieb, dass er wahrscheinlich ein Jahr in New York bleiben wird. Ob ich nicht kommen kann. »Ich habe Lust, mit dir in dieser Stadt zu sein, komm, ich bitte dich.«

Ich wusste, dass ich mit meinem Pass kein Amerika-Visum bekommen würde, ich fing an, laut zu weinen, und sagte: »Es wäre so schön, wenn ich eine Aufenthaltserlaubnis in Deutschland oder Frankreich hätte. Ich könnte zu ihm gehen.«

Efterpi sagte: »Weine nicht, weine nicht. Lass uns im Bois de Boulogne spazieren gehen.«

Wir liefen im Bois de Boulogne sechs Stunden lang. Es

waren fast keine Menschen in dem Wald. Manchmal ging Efterpi vor mir, ich sah ihre Jacke, ihre bis zum Oberschenkel gehenden Stiefel, folgte ihnen, ging und ging. Manchmal verloren wir unseren Weg, dann sahen wir an den Bäumen Wegweisschilder. Als wir zurückkamen, rief ich den Stiefsohn vom Maler an. Asso. Asso fragte mich, ob ich am Abend mit ihm zu einem Rockkonzert gehen will. »Die Gruppe heißt *The Stranglers*«, sagte er. »Sie waren voriges Jahr in den britischen Top-Ten, wunderschöne Texte über das Leben der Underdogs oder das dekadente Leben der Reichen. Kommst du?«

»Oui, Asso, ich komme.«

Ich fuhr am Abend zu dem Konzertsaal am Boulevard Voltaire, fragte jemanden auf den Metrotreppen, wo der Konzertsaal Bataclan sei. Er zeigte mir, wo das Bataclan war, das Gebäude war farbig, sah aus wie ein chinesischer Tempel. Vor dem Gebäude standen Hunderte von Menschen, alle lachten, tranken, rauchten. Deswegen hatte Asso mir vorher gesagt, wir sollten besser nicht vor dem Gebäude, sondern in der Gasse daneben aufeinander warten. Diese lange, sehr enge Gasse war fast leer. Asso kam, küsste meine Wangen dreimal, dann küsste er sie noch mal.

»Ça gaze ma chérie? – Wie läuft's Süße? Wir haben noch Zeit.«

Wir liefen in der schmalen, langen Gasse hin und her.

Asso sagte: »Kennst du das Spiel? Das hat mir Komet gezeigt.«

Er bückte sich, drückte seinen Zeigefinger auf die Straße, drehte sich ein paar Mal um den Finger, ohne den Finger vom Boden wegzunehmen, stand auf, wackelte, weil ihm schwindlig war, hielt sich an meiner Hand fest.

»Jetzt du!«

»Nein, ich habe es einmal gespielt und bin auf die nasse Straße gefallen.«

Asso lachte, hielt meine Hand in seiner, wir liefen weiter. Ich schaute heimlich auf sein Profil. Er sah aus wie eines der schönen Männerbildnisse aus dem 18. Jahrhundert. Asso sagte: »Weißt du, mein Vater wird vielleicht doch ein Jahr in New York bleiben, etwas zu lang.« Ich nickte ein paar Mal. Asso drückte meine Hand. In dieser engen Gasse rief jemand aus der ersten Etage von einem schmalen Balkon: »Habt ihr eine Zigarette?« Es war ein dünner junger Mann. Asso nahm sein Zigarettenpäckchen aus der Tasche, warf das Paket hoch zum Balkon. Der dünne junge Mann nahm eine Zigarette aus dem Päckchen, warf es wieder runter zu Asso. »Merci, Monsieur.«

Genau 37 Jahre später, genau in dieser engen Gasse wird eine schwangere Frau sich an einem schmalen Fenstersims in der zweiten Etage des Bataclan hängend festhalten und »Hilfe« rufen und sagen: »Ich bin schwanger.« Genau 37 Jahre später, am 13. November 2015, werden Hunderte Konzertbesucher im Bataclan von drei Isis-Terroristen als Geiseln genommen werden. Die drei Isis-Terroristen werden während des Konzerts ins Publikum feuern und in die Menge Handgranaten werfen. 89 Menschen werden getötet. Einige Menschen werden sich in diese enge Gasse retten, und eine schwangere Frau wird sich am Fenstersims der zweiten Etage des Bataclan festhalten, um Hilfe bitten, darum, ins Haus reingezogen zu werden.

Aber heute, 37 Jahre vorher, schrien wir nicht um Hilfe, sondern warfen nur ein Päckchen Zigaretten hoch zu einem Balkon. Weil die Hölle gerade eine Pause machte. In der Pause der Hölle gingen wir, Asso und ich, in den Konzertsaal. In der Pause der Hölle gingen Menschen lachend, sprechend in den Konzertsaal hinein. In der Pause der Hölle standen die Stranglers auf der Bühne, sangen »The Raven«, »Down in the Sewer« und »London Lady«, »Goodbye Toulouse«.

Nach dem Konzert ging Asso mit mir in ein kleines Restaurant, bestellte Lammkoteletts. Ich schnitt von meinem Kotelett Stücke ab, gab sie ihm in den Mund, er schnitt von seinem, gab sie mir in den Mund, er trank aus meinem Glas Rotwein, ich trank aus seinem. Wir lachten, liefen später zum Café La Palette, schauten kurz rein. »Vaters Café«, sagte er. Ich nickte wieder ein paar Mal. Wir liefen zu Assos Wohnung, in der der Maler, wenn er in Paris war, auch wohnte und arbeitete. Wir standen in dem Atelier auf seinen auf dem Boden getrockneten Farben. Da war ein Sessel, auf dem auch Farben getrocknet waren, ich setzte mich hin, der Sessel war sehr alt, schief. Auf den getrockneten Farben stand ein Weinglas. Die rote Farbe vom Wein war am Glasboden getrocknet. Asso setzte sich vor mich auf die getrockneten Farben seines Stiefvaters, las aus einem Buch von Mérimée eine Geschichte vor, »Santas Fortuna«. Ein mexikanischer Vater tötet seinen Sohn, der einen Mann, den die Polizei suchte, bei der Polizei verraten hat. Asso sagte zu mir: »Willst du hierbleiben?«

»Ja.«

»Du kannst in Vaters Bett schlafen. Soll ich neue Wäsche …«

»Nein, nein, ist gut so – non, non, c'est bien comme ça.«

Asso sagte: »Bonne nuit, ma biche – Gute Nacht, mein Reh.«

Er ging. Ich lag im Dunkeln im Bett meines Geliebten. Das Bett war klein und alt, hatte Eisenbeine, wenn ich mich bewegte, knirschten die Eisengestelle. Ab und zu knarrte der Holzboden, auf dem überall die Malfarben meines Geliebten getrocknet waren. Draußen fuhr selten ein Auto vorbei. Es war außer dem Knacken des Bodens alles still. Ich liege hier mit seinen Nächten zusammen in seinem Bett. Ich knipste ab und zu die Lampe an, die nur bis zur Hälfte des Ateliers ihr Licht warf. Wenn er nur plötzlich die Tür öffnen und kommen würde, im Zimmer stehen würde, egal, im Licht oder im Dunkeln, wenn er nur seinen Sommerpulli auf den Sessel legen und zu mir kommen würde, meine Haare auf dem Kissen verteilen würde, wenn er mir an meine Brust fassen würde, meine Augen, die Wangen. Wenn er sagen würde: »Ich bin dir verfallen, terrible, bist du glücklich?« Ja, ich bin glücklich. Wenn er dann sagen würde: »Du bist verliebt in mich, terrible, bist du glücklich?« Wenn er nur in meine Wangen beißen würde, meinen Nacken, wenn er nur, während er meine linke Brust anfasste, so aussehen würde, als ob er in einen Traum rutschen würde. Dann wird hier der Raum verschwinden, der Stuhl, der Sessel, die paar Bücher auf dem Boden, das Weinglas, die am Boden getrocknete Weinfarbe, die Malfarben auf dem Holzboden, alles wird verschwinden. Dann werde ich unsere Schatten an der Wand sehen, die aus unseren Körpern, Armen, Beinen, Köpfen, Haaren, von unseren Schultern wachsen, sie wachsen ineinander zu einem großen Schattenklumpen, der sich von der Wand bis zu unseren Füßen verlängert und sich um unsere Füße herum mit dem Schatten meines neben dem Bett liegenden Kleides verbindet. Der Rest des Raumes ist ohne Schatten. Deswegen sieht es nur dort, wo unsere Schatten ineinandergewachsen sind, wie ein Raum aus, ein von Schatten begrenzter Raum, der sich mit Leben erfüllt. Ich knipste wieder die Lampe an, setzte mich im Bett auf, schaute auf den leeren Raum, fragte mich leise: »Wo wohnen Sie Madame? Ich wohne in den Schatten, die sich mit Leben erfüllen.«

Ich knipste das Licht aus, der Boden knarrte noch mal, dann noch mal. Bei dem vierzehnten Knarren fiel ich im Bett meines Geliebten zum ersten Mal seit Wochen in einen tiefen Schlaf. Bevor ich in den Schlaf fiel, dachte ich zuletzt nicht an meinen Geliebten, sondern kurz an die Katze Clochard, wie sie in der Nacht an der Tür von Efterpis Badezimmer steht und sich nicht bewegt und auf mich schaut.

Am nächsten Tag, in der Nacht, saß ich schlaflos in Efterpis Badezimmer auf dem Hocker, wartete auf die Katze Clochard, aber sie kam nicht. Und am nächsten Abend wartete ich wieder im Bad auf die Katze Clochard. Aber sie kam nicht.

Einmal kam Efterpi nach Hause, schrie: »In allen Metrostationen hängen überall deine *Der kaukasische Kreidekreis*-Zeichnungen als Plakate, komm mit.« Wir fuhren mit der Metro ein paar Stationen. In jeder Metrostation hingen die Plakate mit meinen Zeichnungen als Ankündigung unserer *Der kaukasische Kreidekreis*-Premiere in Paris am Theater im Palais de Chaillot am 7. November.

Als Benno Besson mich in der Premiere sah, umarmte er mich, sagte: »Min, warum hast du dich nie gemeldet. Du musst dich melden. Komm mit mir in die Beleuchtungsloge.« Während unser Stück lief, reichte er mir eine Champagnerflasche. Ich trank, er trank. Und am Ende des Stücks jubelten die Zuschauer, stampften mit den Füßen auf den Boden. Als wir zur Premierenfeier ins Foyer liefen, sagte er: »Bleib in meiner Nähe. Yves Montand ist hier. Willst du ihn kennenlernen.« »Ja.« »Komm, wir gehen zu ihm.«

Am nächsten Morgen rief mich Besson an, sagte: »Min, geh bitte nicht in Paris verloren, melde dich öfter. Wenn

ich wieder arbeite, möchte ich, dass du dabei bist. Melde dich ab und zu.«

Eines Abends kam Yerasimos von nebenan, hielt in der Hand die türkische Zeitung *Cumhuriyet*, die er abonniert hatte, klopfte an das Fenster. Efterpi zog die schwere Tür nach rechts, die Tür fuhr auf den Schienen und quietschte. Yerasimos legte die Zeitung *Cumhuriyet* auf den Tisch, sagte nichts, ging still wieder weg. Das Datum war der 27. Dezember 1978. In der ostanatolischen Stadt Kahramanmaraş war an den Aleviten ein Massaker von den ultranationalistischen Grauen Wölfen und fanatischen Sunniten verübt worden. Inoffiziell sprach man von 500 Toten, offiziell von 111. Hunderte von Häusern, Läden der Aleviten in Brand gesetzt, die vorher markiert worden waren, Hunderte von Verletzten. Zuerst waren zwei demokratische linke alevitische Lehrer getötet worden. Als die Aleviten die Särge zur Moschee gebracht hatten, kamen die fanatischen Islamisten und Grauen Wölfe und wollten die Rituale für die Toten untersagen. Sie schrien: »Auch wenn unser Blut fließt, für Allah in den Krieg, der Sieg gehört dem Islam und der muselmanischen Türkei.« Die Aleviten bekamen Angst, flüchteten, ihre Toten blieben, ohne begraben zu werden, allein in den Särgen. Dann ging die Lüge los: Die Aleviten hätten die Moschee bombardiert. Das Massaker dauerte eine Woche. In der Zeitung war ein Foto von einem zwei Jahre alten toten Kind. Der Sozialdemokrat Ecevit sagte: »Der Geheimdienst hat es geplant, damit das Militär einen Grund hat, um wieder zu putschen. Die wollen über das Land den Ausnahmezustand verhängen.«

Wir blieben vor den aufgeschlagenen Zeitungsblättern sitzen. Ich kannte die Stadt Kahramanmaraş. »Efterpi, als ich Anfang der Siebziger in der Türkei Theater spielte, fuhren wir im Sommer in einem Bus durch anatolische Städte auf Theatertournee. Als wir in der Stadt Kahramanmaraş spielten, warfen die Ultranationalisten und fanatischen Gläubigen mit Steinen die Fenster vom Theater kaputt. Der Theaterdirektor sagte uns nach dem Stück, dass wir besser schon heute Nacht die Stadt Kahramanmaraş verlassen sollten, nicht erst morgen. ›Im Hotel seid ihr nicht sicher.‹ So fuhren wir in der Nacht in die nächste Stadt. Efterpi, wahrscheinlich waren unter den jetzt getöteten Aleviten welche, die vor acht Jahren im Theater waren, um sich unser Stück anzuschauen. Efterpi, sie waren bestimmt da, im Zuschauerraum.«

Ich legte meinen Kopf auf die Zeitung *Cumhuriyet*. Blieb so.

Efterpi sagte: »Weißt du, in der Türkei sind die Aleviten die Rechtlosen, sie stehen sogar noch unter den Minderheiten wie den türkischen Griechen.«

Charis kam am Abend nach Hause, las in der *Cumhuriyet*, sagte: »Ecevit hat Recht, der Geheimdienst hat das sicher inszeniert. Sie wollen wieder einen Militärputsch. Sie wollen den Ausnahmezustand im Land.«

In der Nacht, nachdem ich lange auf der Couch gelegen hatte, ging ich nicht mehr mit den fotokopierten Blättern des Lepsiusbuches hoch ins Badezimmer, sondern diesmal mit der türkischen Zeitung *Cumhuriyet*, setzte mich auf den Hocker, sah mich und die *Cumhuriyet* und die Schlagzeile über das Massaker im Spiegel, las die Schlagzeile im Spiegel, verkehrt, von rechts nach links, sah im Spiegel die Fotos der Toten, der Kinder, der Männer, der Frauen, getötet manche im Schlaf, ein totes Kind hatte die Augen offen, ein toter Mann mit Schnurrbart – schaute er auf seinen Mörder? Ich umarmte die Zeitung *Cumhuriyet*, blieb im Spiegel still wie ein Toter, nur die Augen offen. Ich hörte ein leises Geräusch, die Katze Clochard stand an der offenen Tür des Badezimmers, schaute mich an, bewegte sich nicht, schaute nur. Plötzlich schämte ich mich vor der Katze Clochard, schämte mich vor der Glühbirne in der Lampe an der Badezimmerdecke, schämte mich vor der Zeitung *Cumhuriyet*, schämte mich vor dem blinden Fenster des Badezimmers, schämte mich vor dem Spiegel, schämte mich vor der hellen Melonenfarbe der Kacheln, stand auf, schämte mich vor dem Hocker, ging hinunter, schämte mich vor meinen Freunden, die im Halbdunkel unter ihren Decken schliefen, schämte mich vor der schwarzen Ledercouch mit der aufgewühlten Bettdecke, legte mich auf die Couch, zog die Decke bis zum Hals, schämte mich vor den Bettdeckenknöpfen, schämte mich vor dem Istanbul-Erinnerungstuch an der Wand, das Efterpi von dem Istanbuler Straßenfotografen, der das Tuch immer als Hintergrund für seine Fotografien benutzt hatte, gekauft hatte. Ich schämte mich vor diesem mir unbekannten Straßenfotografen aus Istanbul, vor seiner Armut, vor seinen Jackentaschen, aus denen nur Einsamkeit herausfallen würde, wenn er sie nach außen drehte. Ich schämte mich vor den Fotos von Efterpis von den Nazis getöteten Eltern an der Wand, schämte mich vor der Kaffeetasse, aus der Monsieur Umberto, dem man seine Erfindung geklaut hatte und der verrückt geworden war, jeden Tag bei Efterpi Kaffee trank, schämte mich vor der Schreibmaschine von Efterpis Mann Charis, schämte mich vor meinen halb blinden französischen Wörtern, die irgendwo in meinem Körper herumliefen, schämte mich vor den kopierten Lepsiusbuchblättern, die auf dem Regal von Yerasimos lagen, schämte mich vor Efterpis langem Tisch, auf den der junge Birkenbaum von draußen seinen Schatten warf, schämte mich vor dem Telegramm meines Geliebten, vor dem Wort *AMOUR*, schämte mich vor meiner Geldlosigkeit, Wohnungslosigkeit, Arbeitslosigkeit. Ich schämte mich vor dem Grab von Edith Piaf, das ich in letzter Zeit nicht besucht hatte, schämte mich vor dem Regen, der morgen fallen würde.

Als ich am Morgen aufstand, war der große Raum meiner Freunde Efterpi und Charis voll mit Scham. Die Schamstücke flogen überall in der Luft. Wenn ich mich bewegte, stieß ich mit ihnen zusammen, wenn ich am Tisch Tee trank, flogen sie über den Tisch, ich sah meine Freunde hinter fliegenden Schamstücken, wenn ich hoch zum Badezimmer lief, flogen sie hinter mir auf der Treppe, ich sah die Katze Clochard in ihrem Wandloch sich hin- und herbewegen, die Schamstücke drängten sich auch in das Wandloch. Ich ging wieder über die Treppe hinunter, die Schamstücke liefen hinter mir, vor mir, ich rief das Theater an, ob sie für mich einen Job hätten. »Nein, noch nicht.« Die Schamstücke flogen um den Telefonhörer, manche flogen durch die kleinen Löcher hinein – wenn ich das Telefon auflege, werden sie in dem Hörer bleiben, oder sie kommen in der Nacht heimlich raus, um mir in das Badezimmer zu folgen.

Jeden Tag wurden die Schamstücke mehr und mehr, und ich fing an, mehr Baguette zu essen als vorher. Ich kaute an dem Baguette, hörte meinen Kaugeräuschen zu, entfernte aus meinen Haaren die Schamstücke, aber sie flogen in der Luft und setzten sich wieder auf mein Haar. Die Schamstücke drängelten besonders beim Abendessen, wenn wir zu dritt am Tisch saßen, aßen, tranken. Wenn ich auf dem Teller das Entrecôte schnitt und in den Mund nahm oder aus der Côtes-du-Rhône-Flasche Wein in das Glas goss, wusste ich nicht, ob ich Côtes du Rhône trank oder Scham trank, Entrecôte aß oder Scham aß. Mein Bauch grübelte, oder war es die Stimme der Scham? Die Schamstücke gingen nicht weg, blieben Tag und Nacht. Eines Morgens um kurz vor neun Uhr klingelte das Telefon. Efterpi sagte: »Es ist für dich.«

»Alo!«

Die Stimme sagte: »Alo, ich bin's.«

Ich kannte diese Stimme, es war die Stimme meines Lehrers aus meiner Schauspielschule in Istanbul.

Ich fragte: »Wie hast du mich gefunden?«

»Ich habe deine Mutter angerufen.«

»Bist du in Istanbul?«

»Nein, ich bin in Berlin.«

Ein berühmtes Theater in Berlin hatte ihn eingeladen, ein Stück über Türken in Deutschland zu inszenieren. Mein Lehrer sagte: »Das Theater will den Türken helfen, hier eine eigene Theatergruppe zu entwickeln. Kannst du nach Berlin kommen?«

Ich schwieg.

»Oder arbeitest du gerade mit Besson?«

»Nein, unser Stück hatte schon Premiere. Besson inszeniert erst in ein bis zwei Jahren wieder.«

Mein Lehrer sagte: »Ich wäre glücklich, wenn wir zusammenarbeiteten. Kannst du nach Berlin kommen?«

»Wann soll ich kommen?«

»Wenn du kannst, morgen.«

»Morgen muss ich zu Edith Piaf.«

»Edith Piaf?«

»Ich komme übermorgen.«

Efterpi putzte gerade die Katzenhaare von Badis Kissen auf dem Stuhl. Einige Katzenhaare flogen im Raum hoch, ich versuchte, sie in der Luft anzufassen, sagte: »Efterpi, mein Schauspiellehrer aus Istanbul möchte, dass ich nach Berlin komme.«

Ich setzte mich an den Tisch, nahm ein Stück Baguette in den Mund, kaute langsam. Efterpi sagte: »Wenn du nicht möchtest, bleib hier.«

»Ich muss aber arbeiten. Hier habe ich keine Arbeit. Es ist schwer mit meinem halb blinden Französisch. Besson arbeitet erst wieder in ein bis zwei Jahren, ich schaffe es nicht so lange.«

Efterpi sagte noch mal: »Wenn du nicht willst, bleib hier.«

Dann putzte sie weiter von dem Kissen die Katzenhaare.

»Das Theater, das deinen Lehrer nach Berlin eingeladen hat, ist hier auch sehr berühmt. Denk an das Theatermachen, denk daran, dass über die Türkei der Ausnahmezustand verhängt worden ist. Du brauchst einen sicheren Pass für Europa. Deutschland ist ein kräftiges Land, sie werden für dich sicher eine Arbeitserlaubnis beschaffen. Du kannst dort arbeiten, dann wieder nach Paris zurückkommen, mit einem perfekten Pass, dann bist du auch hier legal. Auch in Amerika! Ich warte auf dich.«

Sie putzte weiter von dem Kissen die Katzenhaare.

»Mir ist aufgefallen, ohne Theater deformierst du dich. Du isst in letzter Zeit dauernd Baguette.«

Monsieur Umberto klopfte an die Glastür. Ich machte ihm auf, er setzte sich an den Tisch, fragte: »Wie geht es Ihnen heute, Madame, wie geht es Ihrer Katze?«

»Gut, Monsieur. Wollen Sie eine Tasse Kaffee?«

Er trank und schwieg. Wir schwiegen auch. Als er ging, ging ich mit ihm hinaus.

Ich nahm den Bus 21, stieg am Jardin du Luxembourg aus, lief den Boulevard Saint-Michel hinunter zu meiner Telefonzelle, von der aus ich, als ich am ersten Tag in Paris angekommen war, Besson angerufen hatte. Ich ging in die Telefonzelle hinein, ziellos blätterte ich in dem Telefonbuch von Paris von der ersten bis zur letzten Seite, las manche Namen laut, die Straßennamen laut. Als ich Efterpis und Charis' Namen sah, schrieb ich neben ihre Namen auch meinen in das Telefonbuch.

Wo wohnen Sie, Madame?

In einem Pariser Telefonbuch.

Dann fuhr ich zum Friedhof Père Lachaise zu Edith Piaf. Als ich auf dem Friedhof zwischen den Grabsteinen herumlief, fing es an, stark zu regnen, ich las laut die Namen auf den Grabsteinen, Lucie, Calvin, Lina, Eva, Simon, Lea, Ferri, Emma, Frank, Henry, Manon, Dorian, Sarah, Damian, Ines, Leon, Gavin, Camille, Cloë, Bennet, Yves, Albert, René, Felix, Dana, Sophie, Célina, Josephine, Jaqueline, Nicole, Philine, Hortensia. Als ich am Grab von Edith Piaf ankam, sah ich viele Menschen um das Grab stehen, alle hatten Regenschirme. Der Leiter, der die Gruppe dorthin geführt hatte, hatte einen Kassettenrekorder in den Händen. Er hielt seinen Regenschirm zwischen seinem Kinn und Hals fest, um seine Hände freizuhaben. In der Linken den Kassettenrekorder, mit dem rechten Zeigefinger drückte er den Play-Knopf. Edith Piafs Lied fing an zu spielen. Ich hörte Piafs Stimme, fing an zu weinen, der Regen wusch aber schnell meine Tränen weg. Der Mann, der das Lied spielen ließ, sah, dass ich ohne Schirm sehr nass geworden war, kam zu mir, hielt seinen Schirm über sich und mich und über die Stimme von Edith Piaf. Nachdem das Lied aufgehört hatte, ging ich weg. À bientôt, Edith – bis bald, Edith.

Als ich zu Hause meine Tasche packte, grillte Efterpi in der Küche Fische für das Abendessen. Ich nahm sehr wenig Sachen mit, einige Sachen ließ ich bei Efterpi im Schrank. Die Katze Badi schaute von ihrem Stuhl aus in den Garten zum Regen, die Katze Clochard lief draußen zwischen den Bäumen, kam aber nicht ins Haus. Alles wird in Paris bleiben, die Teller, die Stühle, die beiden Katzen, die Schallplatten von Savvopoulos, Léo Ferré, Edith Piaf, Sofia Vembo, der Klavierklang von Paul Castanier, dem blinden Freund von Léo Ferré. Die Schatten vom Birkenbaum werden weiter zittern auf dem langen Tisch, nur aus dem Telegramm von meinem Geliebten, dem Maler, das Wort *AMOUR* wird mit mir morgen in den Zug steigen, um nach Draculas Grabmal Berlin zu fahren.

Charis kam in der Nacht um zwei Uhr müde nach Hause, stellte seine Kameras auf den Tisch, setzte sich in seiner Jacke auf den Stuhl. Den ganzen Tag war er am Flughafen von Paris gewesen, um Ayatollah Chomeinis Abflug zu filmen. Der iranische Schah Reza Pahlavi hatte den Iran verlassen, und Chomeini hatte seine Rückkehr aus dem Pariser Exil in den Iran verkündet. Charis sagte: »150 Journalisten der Weltpresse und viele seiner Getreuen sind zu Chomeinis Begleitung mit in den Iran geflogen. Chomeini selbst hat den Journalisten mitgeteilt, man solle sich auf das Schlimmste vorbereiten. Man sprach von einem Entführungsplan der Air France Boeing durch Schah-treue Piloten mit Maschinen der iranischen Luftwaffe.«

Charis hatte gehört, dass die Air France Boeing deswegen höher als 12 000 Meter fliegen würde. Charis sagte: »Der Flughafen war so voll mit seinen Anhängern, Mullahs, Demokraten, linken und bürgerlichen Iranern. Chomeini soll im Exil hier allen eine religiöse, aber demokratische Republik versprochen haben.«

Dann blieb Charis stumm, goss sich aus einer Rotweinflasche ein Glas Wein ein, nahm ein Stück Käse in den Mund, aß ihn sehr langsam, sagte dann den Satz: »ES WIRD SCHNELLER DUNKEL, ALS MAN DENKT.«

Im Zug von Paris nach Berlin hielten meine Zugnachbarn ihre Zeitungen vor das Gesicht. Einer las in *France Soir*, der andere *Le Monde*, er hatte auch die Zeitung *Libération* bei sich, sie lag neben ihm. In allen Zeitungen waren die Schlagzeilen über Chomeinis Abflug in der Nacht aus Paris in den Iran. Auf dem Zugkorridor lagen wieder rosarote Toilettenpapierstücke, die manche Reisende unter ihren Schuhen vom feuchten Toilettenboden in die Korridore trugen. Als der Zug hinter Brüssel vorbei an belgischen Dörfern fuhr, schaute ich zu den braunen Häusern mit ihren kleinen Gärten, in denen ich keine Menschen sah. Dann sah ich in der aufgeschlagenen Zeitung *Libération* von dem Mann, der mir gegenübersaß, das Bild von Chomeini vor dem Flugzeug und dachte an den Satz von Charis: »ES WIRD SCHNELLER DUNKEL, ALS MAN DENKT.«

RAUM 18

Als ich in Westberlin am Bahnhof Zoologischer Garten ankam, lief ich die Treppe hinunter und sah, wie vor einem Jahr, bevor ich nach Paris gegangen war, obdachlose Berliner Männer in der Bahnhofshalle stehen. Sie tranken aus ihren Flaschen, redeten laut, manche sahen wie Künstler oder Cowboys aus. Die sehr heruntergekommenen Obdachlosen standen nicht, sondern saßen in einer Ecke, einer redete laut mit sich selbst, kratzte sich an seinem rechten Unterschenkel. Einer der Obdachlosen, der an einer Wand gelehnt stand, bückte sich, nahm aus seiner alten Ledertasche ein Glas heraus, machte seine Bierflasche auf, kippte Bier in das Glas, steckte die halb volle Flasche in seine Manteltasche, wollte den Reißverschluss seiner Ledertasche wieder zuziehen, bückte sich wieder hinunter, der Reißverschluss klemmte, er zog noch mal und noch mal an dem Reißverschluss, aus der halb vollen Flasche in seiner Manteltasche floss Bier auf den Boden. Er schimpfte auf die Bierflasche, zog weiter an dem Reißverschluss. In der Nähe dieses Mannes gab es einen Laden, vor dem deutsche Zeitungen in einem Gestell standen. Alle Zeitungsschlagzeilen waren über Chomeinis Rückkehr in den Iran: *Ayatollah Chomeini kehrt nach 15 Jahren Exil aus Paris wieder in den Iran zurück. Der Nahost-Experte Scholl-Latour flog mit.*

In einer Wechselstube wechselte ich die französischen Francs in D-Mark. Ich schaute auf dem Geldschein nach, ob ein Mann abgebildet war oder eine Frau, las ein paar Mal die aufgedruckten, langen Nummern. Ich stand eine Weile am Schaufenster der Bahnhofsbuchhandlung, schaute mir die Bücher an. Zwischen den vielen Büchern sah ich das Buch *Wir Kinder vom Bahnhof Zoo.*

Es war herausgekommen, als ich noch in Paris war. Mir hatte Gila am Telefon von diesem Buch erzählt, die Geschichte einer drogenabhängigen, jungen Berliner Frau, die hieß Christiane, und ihr Bahnhof Zoologischer Garten war die Westberliner Drogenszene. Gila hatte erzählt, Christiane probierte zum ersten Mal auf einem Konzert von David Bowie Heroin, als sie dreizehn Jahre alt war und bei ihrer Mutter in Neukölln wohnte. Ich lief wieder in den Bahnhof, ging zur Telefonzelle, rief Gila an, um zu fragen, ob ich ein paar Tage bei ihr und Reiner übernachten könnte. Das Telefon klingelte lange, keiner nahm ab. Ich blieb in der Bahnhofshalle stehen. Wenn ein neuer Zug angekommen war, kamen Menschen von oben mit schnellen Schritten auf den Treppen herunter in die Halle, blieben aber nicht stehen, gingen wieder mit raschen Schritten in Richtung Taxis oder in Richtung Parkplatz zu ihren Autos oder zu den Bushaltestellen. Dann blieben im Bahnhof nur die Obdachlosen und ein paar dünne Mädchen und Jungen. Die Obdachlosen blieben an ihren Plätzen, diese dünnen Mädchen und Jungen liefen hin und her oder liefen in Richtung Bahnhofstoiletten, kamen irgendwann wieder zurück, gingen in eine Ecke zu einem anderen Jungen oder Mädchen, und irgendwann gingen sie wieder durch die Bahnhofshalle in Richtung Toiletten. Ich rief noch mal Gila und Reiner an, keiner war da. Plötzlich kamen ein paar Westberliner Polizisten in den Bahnhof, ich dachte: O weh, sie suchen nach mir, jetzt werden sie mich nach meinem Pass fragen, sie werden dann merken, dass ich keine Aufenthaltserlaubnis habe, dass ich illegal bin, sie werden mich in die Türkei abschieben, ins Land des Ausnahmezustandes, wo die Militärflugzeuge tief über die Häuser fliegen. Die Polizisten liefen aber die Treppe zu den Bahnsteigen hoch.

Ich ging aus dem Bahnhof, lief um den Bahnhof Zoologischer Garten herum, schaute in den grauschwarzen Himmel – es war kalt –, lief wieder in den Bahnhof, rief wieder Gila und Reiner an, sie waren nicht da. Ich fuhr dann mit einem Taxi zum Theater, um dort nach dem türkischen Regisseur, meinem ehemaligen Lehrer, zu fragen, sah aus dem Taxi den Berliner Kanal und die Häuser. Ich fing an, sie zu zählen, wie ich es, bevor ich nach Paris gegangen war, auch gemacht hatte. Dieses Haus ist von Bomben zerstört, an seiner Stelle wurde später ein neues gebaut, also ein Boom-Haus, das nebenan ist kein Boom-Haus, das hat keine Bombe im Krieg abbekommen. Das da auch nicht, also kein Boom-Haus, das aber hat eine Bombe abgekriegt, und an seiner Stelle wurde später ein neues gebaut, Boom-Haus, Boom-Haus, Boom-Haus, Nicht-Boom-Haus, Nicht-Boom-Haus, Nicht-Boom-Haus, boom, boom, boom, boom, nicht-boom, nicht-boom, boom, boom, boom, nicht-boom, nicht-boom, boom, boom, nicht-boom, nicht-boom, nicht-boom, boom, boom, boom, nicht-boom, nicht-boom, nicht-boom, boom, nicht-boom, nicht-boom, boom, boom, boom, boom, nicht-boom, nicht-boom, nicht-boom, boom, boom, nicht-boom …

Der Taxifahrer fragte mich, woher ich käme.

»Ich komme aus Paris.«

»Sind Sie Französin?«

»Nein, aus der Türkei.«

Der Taxifahrer hielt den Atem an, fragte mich: »Haben Sie das Buch *Die vierzig Tage des Musa Dagh* von Franz Werfel gelesen?«

»Nein.«

»Sie müssen es lesen. Der Roman erzählt von der großen Katastrophe der Armenier und dem armenischen Widerstand auf dem Musa-Berg, Sie müssen es unbedingt lesen.«

Im Theatercafé fragte ich ein junges, blondes, sehr schönes Mädchen, ob es hier arbeite.

»Ja«, sagte sie.

»Kennen Sie den türkischen Regisseur?«

»Er war bis vor Kurzem hier. Er ist gerade weggegangen.«

Ich erzählte ihr, dass er mein Lehrer an der Istanbuler Schauspielschule war und dass ich gerade aus Paris gekommen sei und mit ihm im Türkenprojekt mitarbeite.

»Ich muss ihn finden.«

»Du«, sagte sie, »wenn du nicht weißt, wo du pennst, kannst du in meine Wohngemeinschaft kommen.«

Als die Vorstellung zu Ende war, kamen die Zuschauer in das Café, viele hatten schwarze Kleider an. Fast alle.

Als ich mit dem blonden Mädchen in ihrem kleinen Auto zu ihrer Wohngemeinschaft fuhr, fing ich wieder an, aus dem Auto die Berliner Häuser zu zählen. Dieses Haus hatte im Krieg eine Bombe abbekommen, ein Boom-Haus, neben ihm auch ein Boom-Haus, das nebenan hat keine Bombe abbekommen, das auch nicht, boom, boom, boom, ein Nicht-Boom-Haus, ein Nicht-Boom-Haus, ein Nicht-Boom-Haus, Boom-Haus, boom, boom, boom, boom, nicht-boom.

In der Wohngemeinschaft saß eine junge Frau mit einem Mann, oben ohne, an einem großen runden Tisch. Er aß aus einigen kleinen Bechern Obstjoghurt, leckte dann mit seiner langen Zunge mehrmals den Löffel ab. Das blonde Mädchen zeigte mir ein schönes Zimmer. Da könne ich schlafen. Das Haus, in dem die Wohngemeinschaft des blonden Mädchens war, war kein Boom-Haus. Sie sagte:

»Ich heiße Renate, aber für dich bin ich Rinny, gute Nacht.«

Am nächsten Morgen hörte ich Rinny unter der Dusche singen. Als wir mit ihrem Auto wieder zum Theater fuhren, sagte ich: »Rinny, du bist schöner als Marilyn Monroe.«

Das war die Wahrheit. Rinny widersprach nicht, sang ein Lied vor sich hin, ein Pop-Punk-Lied. Im Theatercafé kam ein junger Mann zu Rinny. Rinny fragte, wo der türkische Regisseur sei. Der junge Mann nahm mich mit zu einem großen Raum, an dessen Tür eine Nummer – 18 – stand, darin saß mein Schauspiellehrer. Er stand auf: »Da bist du ja, da bist du ja.« Es kamen ihm Tränen in die Augen. Er wiederholte den Satz: »Da bist du ja.« Ich schaute auf seinen etwas schiefen Mund. Als ob er was Bitteres im Mund hätte und es nicht ausspucken könnte. Sein Mund drückte aus, wie sehr der Militärputsch in der Türkei ihn immer noch quälte. Sein Mund war eine große Traurigkeit. Der Mund erinnerte mich an die türkischen Gefängnisse mit ihren schwachen Glühbirnen, Wanzen, Generälen, verrosteten Betten, hinter den Generälen viele zivile Männer, die alten Tische mit Foltergeräten, den Gefängnishof, die Galgen in der Luft, die sich schließenden Gefängnistüren, in den Ohren dröhnende Fliegerstimmen. Als ich wieder in seine Augen schaute, erinnerte ich mich daran, wie ich ihn zum ersten Mal gesehen hatte. Er war ein sehr berühmter Schauspieler und Regisseur und Lehrer an der Schauspielschule. Er hatte in Amerika am Actors Studio studiert. Marlon Brando war sein Lehrer gewesen. 1967, in der Zeit der Studentenbewegung, als ich, um die Schauspielprüfung zu machen, vor ihm stand, fragte er mich streng: »Warum wollen Sie Schauspielerin werden?«

»Ich will poetisch leben. Ich will das passive Leben meiner Intelligenz aufwecken, wachrütteln.«

»Andere Gründe?«

»Ich liebe Filme, weil man innerhalb von eineinhalb Stunden eine Geschichte ohne Löcher sieht. Es ist sehr schön, in einem dunklen Raum zu sitzen und zu weinen und zu lachen. Ich möchte am Theater die Gefühle der Zuschauer wecken.«

Er hatte mir ein Buch gegeben, *Hamlet* von Shakespeare, und gesagt: »Lesen Sie.« Während ich las, stand er auf, ging hinter meinen Rücken und deckte mit seinen Händen meine Augen zu. »Sagen Sie mir schnell, was ich anhabe. Welche Farbe hat mein Hemd? Und meine Haare? Sind sie nach links, nach rechts oder nach hinten gekämmt? Trage ich eine Uhr? Sagen Sie auch, was auf dem Tisch liegt!«

Mit geschlossenen Augen hatte ich ihm gesagt, was ich gesehen hatte.

»Machen Sie Ihre Mutter oder Ihren Vater nach.«

Ich machte nach, wie mein Vater rauchte. Er sagte: »Erste Bedingung, um Schauspielerin zu werden, ist es, nachahmen zu können. Vater und Mutter kann man gut nachahmen, weil man sie kennt. Aber man muss jeden nachahmen können, und das geht nur, wenn man das Beobachten lernt und das Wesentliche beobachtet. Kommen Sie morgen um neun Uhr zum ersten Unterricht, und lesen Sie bis dahin drei Theaterstücke.«

Er hatte uns öfter von Prometheus erzählt und gesagt: »Ihr müsst wie Prometheus das Feuer von den Göttern stehlen und den Menschen bringen! Wer von euch kennt die Petrolprobleme der Türkei? Wisst ihr, dass wir unsere Bodenschätze nicht nutzen dürfen, damit Amerika uns seine Bodenschätze teuer verkaufen kann? Wenn euch die Schlange auch nicht beißt, beißt sie aber die anderen, die Schwächeren. Und was werdet ihr machen? Der Schlange applaudieren? Oder euch unter die Gebissenen mischen und ihnen wie Prometheus das Feuer bringen?«

An den Wochenenden hatte er uns Fragebögen mit nach Hause gegeben. Einige Fragen waren: Was habe ich diese Woche getan, um mein Bewusstsein zu erweitern? Welche Bücher habe ich gelesen? Welches Buch von Jean-Paul Sartre hat mich besonders beeinflusst? Was sind meine Gefühle zu Georg Büchner? Wie viele Gedichte kann ich auswendig?

Auf dem langen Tisch im Raum 18, auf allen Stühlen und auf dem Boden lagen Hunderte von Zeitungsausschnitten und Zeitschriften über Türken, die in die Fremde arbeiten gegangen waren. Mein Lehrer hatte sie seit Jahren gesammelt. Er nahm meine Hand, räumte zwei Mappen von einem Stuhl, setzte mich hin, sagte: »Es gibt noch kein Stück.« Die Türken waren vor zwanzig Jahren, Anfang der Sechzigerjahre, nach Deutschland gekommen, aber keiner hatte über sie ein Theaterstück geschrieben, weder in der Türkei noch hier in Deutschland. Jetzt hatten wir nur ein Zimmer voller Zeitungsausschnitte, Zeitschriften, Analysen über die Menschen, die nach Europa gegangen waren.

»Wir brauchen ein Stück«, sagte mein Lehrer, »das Theater sucht deutsche Schriftsteller, die vielleicht ein Stück schreiben könnten.«

Als drei deutsche Künstler vom Theater, die mitarbeiten sollten, ins Zimmer kamen, mussten sie zuerst die Zeitungen und Zeitschriften von den Stühlen und vom Boden räumen, um sich hinsetzen zu können. Alle drei freuten sich, dass ihr Theater mit türkischen und deutschen Schauspielern ein Stück für Türken entwickeln würden. Alles war da, die Freude auch, nur das Stück fehlte.

Die drei deutschen Künstler waren der Bühnenbildner, die Kostümbildnerin und der Regieassistent. Sie sagten: »Wir müssen, bevor wir mit den Proben anfangen, eine Reise nach

Istanbul unternehmen. Wir müssen uns an die uns fremde Kultur annähern.«

Ich musste zum Theaterdirektor, um meinen Vertrag zu machen. Er sah meinen Pass, sagte: »Wir dürfen Sie mit diesem Touristenpass nicht arbeiten lassen. Wir müssen für Sie eine Arbeits- und Aufenthaltserlaubnis besorgen. Zunächst geben wir Ihnen einen Brief für das türkische Konsulat in Berlin, dass Sie mit uns einen Vertrag haben und hier Ihren Lebensunterhalt verdienen. Der Konsul muss das in Ihrem Pass vermerken. Dann müssen Sie nach Istanbul fliegen. Wir geben Ihnen einen Brief für das deutsche Konsulat in Istanbul, in dem stehen wird, dass wir Sie unbedingt für dieses Projekt brauchen, ausdrücklich Sie. Das deutsche Konsulat wird es akzeptieren und Ihnen mit dem entsprechenden Stempel eine für die Dauer des Vertrages begrenzte Aufenthaltserlaubnis ausstellen. Mit dem Schreiben und Stempel des deutschen Konsulats gehen Sie in Istanbul zur türkischen Polizei. Die Behörde muss in Ihrem Pass das Wort *Tourist* streichen und *Arbeiterin* eintragen und darauf ihren offiziellen Stempel drücken. Dann fliegen Sie zurück nach Berlin. Die Polizei der Bundesrepublik Deutschland stempelt am Flughafen, dass Sie eine gültige Aufenthalts- und Arbeitserlaubnis für die Bundesrepublik und Westberlin haben.«

»Ich habe Angst vor dem Fliegen.«

»Sie werden nicht allein fliegen. Ihre drei deutschen Kollegen fliegen mit nach Istanbul. Wir hoffen, dass Sie ihnen Istanbul zeigen. Das wird wunderbar.«

Mit dem Brief ging ich zum türkischen Konsulat in Berlin, beim Konsul saß eine berühmte blonde Sängerin aus der Türkei. Der Konsul hätte meinen Pass nehmen und eigenhändig eintragen müssen, dass ich in Berlin eine Tätigkeit hatte und meinen Lebensunterhalt selbst verdiente. Weil er sich aber mit der berühmten Sängerin unterhielt, schrieb er nicht selbst, sondern diktierte mir die Sätze, ohne mich anzuschauen. Ich musste mit meiner eigenen Handschrift alles in meinen Pass eintragen. Er unterschrieb es, während er weiter mit der Sängerin plauderte.

Ich zeigte dem Theaterdirektor den Eintrag im Pass, damit der zweite Schritt gemacht werden konnte. Er sah es, sagte lachend: »Ich wusste nicht, dass Ihr türkischer Pass auch Ihr Tagebuch ist.«

Zwei Tage später saßen wir in einer großen Turkish-Airlines-Maschine. Ich hatte mich sofort angeschnallt, obwohl es noch zwanzig Minuten bis zum Start waren. Die Passagiere öffneten die Gepäckfächer, legten ihr Taschen und Mäntel hinein, das Flugzeug war voller Menschen, ich sah nur ihre Beine und Arme, die sich ständig bewegten, ich machte die Augen zu, hörte nur ihre Stimmen, alle Stimmen vergrößerten sich, bekamen Echos, ich wollte schreien: »Lasst mich raus«, aber ich hatte keine Stimme. Der Regieassistent neben mir, Alf, sagte: »Tief einatmen. Konzentriere dich auf dein Einatmen. Lehn dich nach hinten.«

Die Konstümbildnerin hinter uns reichte mir eine kleine Flasche Gin. »Trink es, trink und vergiss.«

Ich machte alles, was sie sagten, trinken, einatmen, hielt mich am Flugzeugsessel fest. Als das Flugzeug im Himmel war und wie von einer Stange durch den Himmel gezogen schnurgerade flog, hielt ich immer noch die Augen zu. Wenn die Kinder im Gang hin und her rannten, sagte ich: »Setzt euch hin, sonst kann das Flugzeug abstürzen.« Es kam eine Stewardess, sagte: »Kommen Sie bitte mit.« Sie führte mich ins Cockpit. Ich sollte mich hinter den Flugkapitän setzen, er war Türke. Der Copilot aß gerade ein Stück Hähnchenkeule. Der Flugkapitän drehte sich zu mir, fragte mich, wo ich wohne. »In Berlin.« Er fragte: »Können wir Sie in Berlin besuchen?« »Normalerweise lebe ich in Paris.« Der Flugkapitän ließ seinen Steuerknüppel los, drehte sich ganz zu mir, sagte scherzhaft vorwurfsvoll: »Glauben Sie, dass wir Sie in Paris nicht besuchen können?« Ich fing an zu lachen. Es war komisch. Der Flugkapitän ließ seinen Steuerknüppel in 10 000 Metern Höhe los, der Copilot aß eine Hähnchenkeule, und das Flugzeug flog allein. Als ich zu meinem Platz zurückkehrte, lächelte ich alle Passagiere an. Irgendwann kam der Flugkapitän, lehnte sich gegen die Rückenlehne vor mir, fragte, wie mein Vater heiße. Dann sagte er: »Ich will deinen Vater fragen, ob ich dich heiraten kann.« Er lachte und ging wieder nach vorn.

Als wir in Istanbul landeten, sagte mir Alf, dass sie vor dem Flug mit dem Flugkapitän über meine Flugangst gesprochen hätten. Wir warteten auf unsere Koffer. Genau 37 Jahre später werden sich hier in diesem Flughafen Isis-Militante in die Luft jagen und viele Menschen töten.

Istanbul war dunkel. Die Straßen waren leer. Ab und zu fuhr ein Taxi oder Krankenwagen. Dann war wieder alles dunkel, einsam. Das Land war im Ausnahmezustand. Immer wieder sahen wir Polizeiautos. Ich rief vom Hotel meine Eltern an. »Mutter, ich kann erst morgen spätabends zu euch kommen. Vorher muss ich meinen Kollegen Istanbul zeigen.«

Meine Mutter zählte mir die Stadtviertel auf, in die wir nicht gehen sollten. Sie sagte, da seien Ultranationalisten mit Waffen, es seien besetzte Gebiete. Als ich am nächsten Tag mit meinen Kollegen durch die Straßen lief, sahen wir immer wieder die Polizei Autos anhalten, Leute rausholen, an einer Wand aufstellen, ihre Taschen und Autos nach Waffen durchsuchen, manche von ihnen mitnehmen. Im Stadtzentrum stoppte plötzlich ein Privatauto, zwei Männer stiegen rasch aus, zogen einen Mann, der allein auf der Straße lief, in das Auto hinein. Er schrie. Ich wollte mich einmischen, ihm helfen, ein älterer Mann zog mich zurück, hielt mich fest. Erst als das Auto schnell wegfuhr, ließ er meine Jacke los. Dann lief er in der entgegengesetzten Richtung eine steile Straße hinunter. Als Alf mit dem Schiff zur asiatischen Seite ins Stadtviertel Üsküdar fahren wollte, sagte ich: »Nein, Alf, nein, dieser Stadtteil ist gefährlich, die Ultranationalisten der Grauen Wölfe stehen auf den Straßen als Verkäufer mit Obstkarren, aber unter ihren Wagen haben sie ihre Waffen.«

»Woher weißt du das?«, fragte Alf.

»Meine Mutter hat mich gestern am Telefon gewarnt. Die Straßen in Istanbul sind zwischen Linken und den ultranationalistischen Grauen Wölfen aufgeteilt.«

Im Stadtzentrum Beyoğlu sahen wir uns Kinoplakate an. In diesen Kinos spielten Sexfilme. Seit dem Militärputsch 1971 war die Filmindustrie kaputtgegangen. Der wunderbare Filmemacher Yılmaz Güney saß im Gefängnis. Auf den Straßen lief der Tod, in den Kinos liefen Sexfilme. Der Bühnenbildner sagte: »Lasst uns auch mal in so ein Kino gehen.« Wir betraten den dunklen Kinosaal. Der Film lief schon. Der Platzanzeiger leuchtete uns den Weg bis zur letzten Reihe: »Hier ist für euch gut.« Das Kino roch komisch, war voll, und die Zuschauer waren nur Männer. Eine Frau auf der Leinwand sagte zu einem Mann mit Schnurrbart: »Schlachte mich, Schatz, reiß mich auseinander.« Der Film hieß auch *Reiß mich auseinander*. Der Mann mit Schnurrbart fiel über sie her, sie schrie und stöhnte. Einige Männer in der Reihe vor uns fingen an zu masturbieren oder waren schon dabei. Wir vier gingen leise aus dem Saal wieder raus.

Die Kostümbildnerin fragte mich, wer in der Regierung sitzen würde. »Eine sehr schwache Koalitionsregierung, die immer wieder zerbricht. Es gibt zwischen Rechtskonservativen und Sozialdemokraten keinen Dialog. Das Land ist politisch und ökonomisch am Boden. Inflation. In den Universitäten, Kaffeehäusern, auf allen großen Plätzen, dort töten die Rechten täglich die Linken, ab und zu umgekehrt. Die Rechten, Faschos, fanatischen Muslime arbeiten mit der Polizei, mit dem Geheimdienst zusammen. Alle haben Waffen. Meine Mutter sagte: ›Auch zu Hause ist man nicht sicher, die fanatischen Nationalisten schießen durch die Haustüren in die Wohnungen.‹« Ein junger Mann mit Siebzigerjahre-Schlaghosen und langen Haaren lief vor uns. Die Kostümbildnerin sagte: »Schau mal, sie tragen Siebzigerjahre-Mode wie in Berlin.«

»Ich habe in Paris in der Zeitung *Cumhuriyet* gelesen, dass manche Väter ihren Söhnen mit einer Schere hinterherlaufen, um ihnen die langen Haare abzuschneiden.«

Wir fuhren dann mit einem Schiff zum asiatischen Stadtteil Kadıköy. Wir sahen links den Bahnhof Haydarpaşa. Der Bühnenbildnerkollege Heiko sagte: »Ah, deutscher Baustil.«

»Er wurde auch von deutschen Architekten gebaut. 1906 oder 1908. Ein sehr schöner Bahnhof. Von hier kannst du nach Anatolien und, wenn du willst, in den Irak fahren.«

Während wir den Bahnhof betrachteten, hörten wir hinter uns im Schiffssalon einen jungen Mann schimpfen. Er schimpfte laut auf die Leute, spukte, verfluchte sie mit Gott und Hölle. Er hielt in der linken Hand eine Schachtel, in der rechten, die er hochgestreckt hatte, einen kleinen Koran, schrie: »Ihr kauft den heiligen Koran nicht, Allah soll euch verfluchen, Allah wird euch in der Hölle verbrennen, das Höllenfeuer ist euer Richter, zur Hölle mit euch.« Dann verschwand er. Die Kostümbildnerin Inge fragte, was los sei. Ich sagte: »Als ich vor vier Jahren das Land verließ, hat es auf den Schiffen nicht solche Szenen gegeben. Auch keine Koranverkäufer. Das ist neu.«

Wir liefen in Kadıköy eine steile lange Gasse hoch, Yeldeğirmeni. Oben angekommen, zeigte ich ihnen die armenische Kirche und das Haus, in dem wir, als ich vier Jahre alt war, gewohnt hatten. Unser Holzhaus war jetzt alt und bucklig und neigte sich nach rechts wie ein kaputter Zahn. Damals sagte meine Großmutter jeden Abend zu mir: »Komm, lass uns die Schiffe anschauen, wie viele heute ankommen, wie viele heute abfahren.« Dann nahm sie mich an der Hand, wir liefen die steile Gasse zum Hafen hinunter. Während die Menschen am Hafen auf die Schiffe warteten, sah ich ihre Schatten auf dem Meer wachsen. Und wenn ein Schiff ankam, liefen die Schatten der Wartenden auf den weißen Schiffskörper.

Ich sagte: »Jetzt gehen wir zu Ara Güler, dem armenisch-türkischen Fotografen. Ich ruf ihn an.«

Ara Güler sagte: »Ihr könnt kommen.«

In Beyoğlu gingen wir in sein Atelier. Er zeigte uns seine Fotos aus Istanbul, aus Anatolien, wir wählten Fotos als Material für das türkische Theaterprojekt aus. Ara Güler gab uns die Fotos. Ara sagte zu mir: »Bist du noch in Paris? Hast du Catherine Deneuve im Café de Flore wiedergesehen? Komm morgen wieder vorbei.«

»Gut, mach ich.«

Ich erklärte meinen Kollegen, der Name Ara bedeute »aristokratisch, edel«. Wir aßen in einem Restaurant hinter der griechisch-orthodoxen Kirche, besuchten die Kirche. Ich sagte meinen Kollegen: »Jetzt besuchen wir einen großen Maler, Cihat Burak. Er liebt Katzen, er füttert an den Nachmittagen alle Straßenkatzen. Ara Güler und er sind gute Freunde. Ich ruf ihn an.«

Ich klingelte in Cihangir an Cihat Beys Tür. Er öffnete. Wir traten in ein dämmeriges Atelier.

»Cihat Bey, das sind die Freunde, die deutschen Künstler.«

Sie gaben sich die Hand. Cihat Burak sprach fast nicht. Er nickte. Wir standen in dem halb dunklen Raum. In einer Ecke des Raums waren viele Bilder hintereinander an die Wand gelehnt. Cihat Bey zog ein Bild heraus. Wir schauten es an, er fand einen Rhythmus, seine Bilder zu zeigen. Am Ende stellte er das Bildnis einer sehr schönen dunklen Frau hin. Sie saß auf einem Sessel und schaute nach vorn.

Ich sagte: »Eine sehr schöne Frau.«

Cihat Burak sagte: »Sie sind auch so eine dunkle, schöne Frau. Schicken Sie bitte Ihre Freunde weg, bleiben Sie hier.«

Ich sagte: »Ich muss mit ihnen gehen, sie sind hier fremd.«

Cihat Bey sagte: »Lassen Sie sie gehen, bleiben Sie hier.«

Die drei Kollegen schauten uns an, verstanden nichts. Ich lief mit ihnen aus der Wohnungstür. Cihat Burak schrie ein paar Mal: »Bleiben Sie hier, bleiben Sie hier.« Als wir weiterliefen, schrie er: »Ich werde es Ihnen nie verzeihen, nie verzeihen.«

Ich erzählte Inge, er wollte, dass ich bei ihm bleibe.

Inge sagte: »Warum hast du das nicht gemacht, ich wäre geblieben.«

Ich schämte mich, dass ich Cihat Burak so hilflos hinter mir herschreien ließ. »Ich werde es Ihnen nie verzeihen, nie verzeihen, ich werde es nicht vergessen, nicht vergessen.«

Die Straßen waren wieder leer. Ich wollte zu meinen Eltern. Inge und Heiko blieben im Hotel. Alf fragte: »Kann ich mitkommen zu deinen Eltern.«

»Komm.«

Wir liefen von Taksim in Richtung Pangaltı, liefen im Dunkeln am armenischen Friedhof vorbei, bogen in die steile, lange Gasse Bilezikçi sokak ein. Oben bei meinen Eltern waren alle Lichter an, ein Fenster war offen, mit dem Wind vom Meer bewegten sich die Vorhänge. Meine Eltern saßen mit ihren Nachbarn von nebenan an dem langen Esstisch. Alle hatten vor sich Rakı, Melonen, Schafskäse und Fische.

»Alf, das sind unsere Nachbarn, Monsieur Ambartsum und Kleo, und meine Eltern, mein Vater Mıstık, meine Mutter Fatosch.«

Meine Eltern küssten zuerst Alf, dann mich, Monsieur Ambartsum und Kleo küssten auch zuerst Alf, dann mich.

»Alf, Ambartsum bedeutet ›Der im Himmel glänzt‹, Kleo ist die Abkürzung von Kleopatra.«

»Sind das türkische Namen?«

»Nein, Ambartsum ist armenisch, Kleo ist griechisch.«

Alle vier am Tisch schauten still auf uns. Immer wieder nickten sie mit ihren Köpfen, sie glaubten nicht, dass wir mit ihnen am gleichen Tisch saßen. Sie hatten Mitleid mit Alf, weil er sich in einem fremden Land befand.

»Ach, Kindlein, hat er Eltern?«, fragte Kleo.

»Alf, hast du Eltern?«

»Ja«, sagte Alf, »sie wohnen aber an der Ostsee, nicht in Berlin.«

»Ach, Kindlein, Kindlein«, sagten sie wieder als Chor.

Mein Vater hob sein Rakı-Glas hoch, alle erhoben ihre Gläser. Wir tranken, dann schälte mein Vater Obst, richtete einen Teller her, stand auf, mit einer kleinen Gabel nahm er Apfel-, Orangen- oder Melonenstücke, fütterte sie Alf in den Mund. Alf mochte es. Dann sprachen sie über das schöne Gesicht, die nassen blauen Augen und hellblonden Haare von Alf. Meine Mutter nahm Alfs Gesicht in ihre zwei Hände, sagte zu Kleo und Ambartsum: »Guckt mal, was für ein schönes Gesicht, was für ein schönes Gesicht.« Dann küssten sie wieder Alfs Wangen. Alf küsste die Wangen von meiner Mutter und Kleo, lachte und setzte sich wieder an den Tisch. Als ich ihn nach zwei Stunden fragte: »Alf, willst du gehen?«, sagte Alf: »Nein, ich will noch bei meinem Mıstık, bei Fatosch, Ambartsum und Kleo bleiben.«

Kleo konnte Französisch, sie übersetzte ihrem Mann, was Alf sagte, ich übersetzte es für meine Eltern, so lief die Nacht mit Deutsch, Französisch, Türkisch und Rakı weiter, bis mein Bruder kam.

Nicht mal sieben Minuten saß mein Bruder am Tisch, da fingen zuerst er und ich, dann er und Alf auf Deutsch, dann alle am Tisch an, über Politik zu sprechen, über das Töten der Linken, der Demokraten, der Professoren, der Journalisten durch die Fanatiker. Auch die Namen Helmut Kohl und Helmut Schmidt fielen, und wir wurden alle laut, es ging um das Militär, um den Ausnahmezustand, um die schlechte Ökonomie und die soziale Ungerechtigkeit, um Alt-Nazis, um die islamistische verlogene Partei von Erbakan und darum, wie nationalistisch die Türken und die Deutschen waren.

In dem Haus wohnten bis auf Kleo und meine Eltern nur Armenier. Kleo war eine Istanbuler Griechin, sie war Hutmacherin. Ambartsum verliebte sich in sie, der Vater von Ambartsum wollte als Armenier keine Griechin als Schwiegertochter in der Familie haben und drohte, Ambartsum zu enterben. Ambartsum heiratete Kleo, sein Vater enterbte ihn. Der Pförtner in diesem Hause war ein Türke, wohnte im Keller und war wahrscheinlich gegen die Armenier. Meine Mutter drohte ihm einmal: »Wenn du weiter diesen Menschen Angst machst, unverschämt bist, wirst du es mit mir zu tun kriegen.«

Weiter laut sprechend und nach vielen Umarmungen gingen Alf und ich hinaus auf die Straße ins dunkle Istanbul, liefen die steile Gasse hoch. Oben auf der breiten Straße stand ein Polizeiauto, und die Polizisten darin schauten mit Verdacht auf uns. Ihre Augen drehten sich in ihren Höhlen hin und her. Die Augen überlegten hin und her, ob sie Waffen auf uns richten sollten. Plötzlich umarmte mich Alf, küsste mich, wir liefen Arm in Arm als Liebespaar an dem Polizeiauto vorbei in Richtung unseres Hotels.

In der Nacht hörte ich im Bett die Hunde bellen. Immer wieder fuhr ein Polizeiauto mit Sirene. Wenn die Sirene weit weg war, wurde es kurz still, dann fingen die Hunde wieder zu bellen an. Kurz bevor ich schlief, hörte ich von den Minaretten das Morgengebet. Auch die Gebete von den Minaretten waren viel lauter als früher.

Am nächsten Tag gingen meine Kollegen zur Hagia Sophia, ich ging mit meinem Pass und dem Brief vom Theater zum deutschen Konsulat. Die deutsche Beamtin las den Brief, schaute dann auf mich, gratulierte mir zu diesem berühmten Theater, sagte: »Herzlichen Glückwunsch«, stempelte meinen Pass, schrieb mit ihrer Handschrift den Namen des Theaters und meine Tätigkeit in den Stempelabdruck und gab mir damit die Aufenthalts- und Arbeitserlaubnis in Berlin für die Vertragszeit von fünf Monaten bis zum 13. 06. 1979. Darunter stempelte sie *Generalkonsulat der Bundesrepublik Deutschland Istanbul.* Während sie mir meinen Pass zurückgab, sagte sie: »Jetzt gehen Sie bitte zu Ihrem Polizeipräsidium und lassen oben in der Rubrik Beruf das Wort *Tourist* in *Arbeiter* verändern.

Ich ging auf den steilen Straßen hinunter zum Polizeipräsidium in die Passabteilung. Der Chef der Passabteilung stand auf, bot mir einen Sessel an. Ich erzählte ihm: »In meinem Pass steht in der Rubrik Beruf *Tourist.* Aber jetzt habe ich eine Arbeit in Berlin. Um in Berlin arbeiten zu können, muss das Wort *Tourist* gestrichen und stattdessen *Arbeiter* eingetragen werden.«

Der Passabteilungschef stand von seinem Platz auf, lachte und sagte: »Aber meine Dame, ich bitte Sie, ich sehe doch, dass Sie keine Arbeiterin sind, mit Ihren schönen Augen, mit Ihren Augenbrauen, mit Ihren seidenen Haaren, mit Ihrem schön gewachsenen Körper. Nein, man sieht, dass Sie keine Arbeiterin sind, ich kann nicht in Ihrem Pass schreiben, dass Sie Arbeiterin sind.«

Ich sagte: »Herr, bitte schreiben Sie. Um in Deutschland zu arbeiten, muss im Pass als Beruf *Arbeiter* stehen, was von der türkischen Passbehörde offiziell eingetragen werden muss. Sonst kriege ich meine Arbeit nicht.«

Der Chef lachte wieder, sagte: »Sie sind aber keine Arbeiterin«, und wollte mit mir gemeinsam einen gezuckerten türkischen Kaffee trinken, bestellte beim Pförtner zwei Kaffee, sagte, wenn er in meinem Pass als Beruf *Arbeiter* schreiben würde, würde er mich beleidigen. »Sie sehen wie eine Künstlerin aus.«

Ich trank mit ihm noch einen gezuckerten Kaffee, ging nicht weg, ich wollte das Wort *Arbeiter* haben, es war fast Mittag, bald würde er Hunger kriegen. Kurz vor seiner Mittagspause strich er in meinem Pass *Tourist* aus und stempelte *Labourer – Arbeiter.*

Dann brachte er mich zur Tür, streichelte mir den Rücken. Ich trat aus dem Zimmer in einen großen Raum, in dem viele Tische standen, hinter denen junge Polizeibeamte saßen. Als ich vor einem dieser Tische, meinen Pass noch in der Hand, vorbeilief, rief mir der Beamte hinter dem Tisch zu: »Kann ich Ihren Pass sehen?« Er blätterte ihn durch, sagte sehr streng: »Auch wenn alles in Ihrem Pass in Ordnung ist, hängt es von der Initiative und Entscheidung der Flughafenpolizei ab, ob sie Sie ins Ausland rauslässt oder nicht.« Dann klappte er den Pass zu, gab ihn mir, beobachtete mich feindlich von seinem Tisch aus. Ich sah auf seinem Tisch die Zeitschrift von den ultranationalistischen Grauen Wölfen.

Ich lief aus dem Polizeipräsidium, dachte an die Männer gestern im Kino, die bei dem Sexfilm im Chor masturbiert hatten. Ich sollte nur noch zum Finanzamt, damit es bestätigte, dass ich dem Staat keine Steuern schuldete und dass ich ins Ausland reisen durfte. Die Steuerbeamtin hatte an der Ferse ihre Schuhe plattgedrückt, ihre Nylonstrümpfe mit dem Gummiband bis unters Knie gerollt. Sie lief zu einem dunklen Schrank, holte Mappen heraus, schaute in eine Mappe, sagte nichts, schaute in meinen Pass, sagte: »Ah, Sie haben vor drei, vier Jahren das Land als Tourist verlassen. Was machten Sie vier Jahre im Ausland, ohne uns zu fragen? Wo machten Sie rum, ohne dass wir wussten, was Sie trieben?« Aber letztlich musste sie doch bescheinigen, dass ich dem türkischen Staat nichts schuldete. Bis ich aus dem Zimmer gegangen war, folgte sie mir mit ihren Verdachtsaugen. Als ich auf der Straße lief, drehte ich mich ein paar Mal nach hinten, ob sie hinter mir herkam. Ich setzte mich auf eine Parkbank, den Pass steckte ich nicht in die Tasche, ich wollte ihn erst abwischen. Dann steckte ich ihn doch in meine Jackentasche, lief dann zu Fuß bis zu der Brücke am Goldenen Horn, die die beiden europäischen Teile von Istanbul verbindet. Als ich über die Brücke lief, wackelte sie wie früher. Auf der Brücke schrien die Straßenverkäufer wie früher, um ihre Spiegel, Kämme, Sesamkringel, Wasser oder Limonaden zu verkaufen. Die vielen Schiffe neben der Brücke leuchteten in der Sonne. Die langen Schatten der Menschen, die über die Brücke vom Goldenen Horn liefen, fielen von beiden Seiten auf die Schiffe und liefen an deren weißen Körpern entlang weiter. Nach dem letzten Schiff fielen die Schatten der Menschen ins Meer und liefen dort weiter. Über diese Schatten flogen die Möwen mit ihren weißen Flügeln, auch ihre Schatten fielen ins Wasser, und ihre Schreie mischten sich mit den Sirenen der Schiffe und den Schreien der Straßenverkäufer. Am Ende der Brücke vom Goldenen Horn gab es eine große alte Moschee. Dort auf den Stufen saßen Blinde in der Sonne, die Tauben saßen auf ihren Köpfen, Schultern und Beinen, weil die Blinden in kleinen Tellern Getreide verkauften. Die Leute kauften es, warfen es zu den Tauben. Deswegen flogen die Tauben immer wieder von den Köpfen oder Schultern oder Armen der Blinden hoch, um dann das auf der Erde liegende Getreide zu picken. Dann setzten sie sich wieder auf die Köpfe oder die Arme der Blinden. Ich setzte mich wie die Blinden auf die Stufen der Moschee. Weil in der Nähe der Gewürzbasar lag, kamen viele Menschen aus der Richtung, liefen an den Stufen vorbei, oder es kamen Menschen von der Brücke in Richtung Gewürzbasar und liefen an den Stufen vorbei, auf denen die Blinden mit den Tauben saßen. Ich schaute auf die Gehenden und Kommenden. Sie sahen aus, als ob man ihre Körper und Köpfe ins Eis gelegt hätte. Die Schatten dieser Menschen fielen auch auf die Stufen. Ich versuchte, mit meiner rechten und linken Hand die Schatten der Menschen, die neben mich fielen, festzuhalten. Stimmen, Schatten, alles war Istanbul. Man konnte die Schatten der Menschen nicht festhalten, aber die Stimmen der Menschen, Schiffe, Tauben, Hunde, Katzen, Straßenverkäufer, auf den engen, steilen Straßen mit den mit

Mühe hochfahrenden Autos, die Stimmen der Pferde, der Kutscher, der Kutscherklingeln, die Stimmen der Peitschen, Möwen, Sirenen, armen Straßennutten, die nach armen Männern riefen – Tag, Süßer –, Radiostimmen aus den offenen Fenstern, Wasserstimmen eines plätschernden Brunnens, Pfeifen eines Menschen, Lachen eines alten Mannes, Stimme des Windes, Schreie eines geschlagenen Straßenhundes, Möwen, die übers Meer flogen, Möwen, die nah über den Menschen ihre Flügel schlugen, Räder eines fahrenden Zuges, Weinen eines Kindes, Atmen eines Kindes, das rennt, dann wieder der Schrei eines Straßenverkäufers, Stimmen von Istanbul. Ich zog aus meiner Tasche den Kassettenrekorder, den ich bei mir hatte, um die Stimmen meiner Eltern aufzunehmen. Ich drückte auf Aufnahme, stand auf. Die erste Stimme, die ich aufnahm, war von dem Blinden, der neben mir saß: »MERHAMET – ERBARMEN«, und das Taubengurren von seiner Schulter. Ich lief vor den Sirkeci-Bahnhof, nahm die Stimmen der Menschen, die sich gerade von anderen Menschen verabschiedeten, auf, der Zug pustete, hustete, auch eine Mutter hustete, die am Bahnhof zurückblieb. Dann lief ich in den Gewürzbasar zwischen den Geruch gerade gemahlenen Kaffees, Mandarinen- und Apfelgeruch, Trockenfisch-Geruch und wieder Gewürz-Geruch. Ich nahm sechs Stunden lang die Stimmen von Istanbul auf. Wenn die Militärhubschrauber über die Dächer flogen, drückte ich auf PAUSE, dann wieder auf RECORD. Lief dann in Richtung des alten Bücherbasars. In einem großen Hof standen viele kleine Buchhandlungen nebeneinander. Alles voller Bücher. Es gab in diesen Läden keine Frauen als Verkäufer, nur Männer, dünne, dicke, ohne Schnurrbart, mit Schnurrbart, mit kurzen, mit langen Haaren, linke Bücher, rechte Bücher, fanatische Bücher, Religionsbücher. Ich sah in einem der Buchläden einen kleinen Mann, er war wie eine lachende Maske, und im Laden saß ein anderer Mann zwischen den Büchern mit einer religiösen Kopfbedeckung in einem langen Gewand. Ein paar Männer standen in einer Schlange, um die Hand dieses Mannes zu küssen. Er war wahrscheinlich ein Sektenführer, die Männer küssten seine Hand, dann gingen sie, ihre Köpfe gebeugt, seitlich rückwärts weg. Bei jedem Handkuss zog der Führer seine Augenbrauen hoch, um ein noch strengeres Gesicht zu machen. Er lächelte nicht, die Männer lächelten nicht, es lächelte nur sein Assistent mit der lächelnden Maske.

Als ich dieses Handkuss-Bild erstaunt anschaute, konnte ich nicht weggehen. Ich hatte noch nie einen Sektenführer gesehen, blieb einfach vor dem Schaufenster des Buchladens, der religiöse Bücher verkaufte, stehen. Die lächelnde Maske rief mir aus dem Laden zu, sagte: »Komm, meine Tochter, komm.« Ich bewegte mich nicht, deswegen kam er raus, wollte mir ein Buch über böse Geister zeigen, sagte, man dürfe das Wort *Cin – Geist* nicht in den Mund nehmen, sonst würde der Mund schief, und die bösen Geister kämen. Ich blieb weiter vor dem Laden stehen, so als ob ich meinen Weg verloren hätte in einer einsamen Landschaft und fände den Weg in die Stadt nicht mehr zurück. Die lächelnde Maske kam mit einem großen alten Blatt, auf das in arabische Schrift mit Goldbuchstaben geschrieben war. Er sagte: »Meine Tochter, das ist ein 700 Jahre altes Koranblatt. Sehr kostbar, ich schenke es dir.« In dem Moment rief sein Führer nach ihm. Er ging mit dem Blatt in der Hand in den Laden hinein, ich zwickte mich in meinen Arm und konnte weggehen.

Als ich spätabends in Pangaltı bei meinen Eltern ankam, saßen sie im Dunkeln. Erst als ich hereinkam, machte mein

Vater die Lichter an. Spät in der Nacht ging mein Vater schlafen, meine Mutter blieb am Tisch, erzählte mir wieder, wie die Ultranationalisten und Fanatiker mit der Polizei und dem »tiefen Staat«, einem Staat im Staat, und den Geheimdiensten zusammenarbeiteten und die Linken und Aleviten und Journalisten, Professoren, Gewerkschafter auf den Friedhöfen, in den Universitäten, Studentenheimen, in Cafés und Häusern hinrichteten. Die Rechten kämen mit Waffen in Bussen, entführten junge Männer, die Menschen im Bus rührten sich nicht. Oder sie durchkämmten die Caféhäuser mit Waffen. Um einen Linken zu töten, töteten sie auch arme, unpolitische Männer, die sich vor ihren Teegläsern doch nur wärmten. »Woher kommen aber all diese Waffen«, sagte meine Mutter, »woher kommen all diese Waffen, woher kommen all diese Waffen?«

»Mutter, meine Freundin, die Schriftstellerin Tezer Özlü, hatte mal gesagt: *Dieses Land ist nicht unser Land, es ist das Land von denen, die uns töten wollen.*«

Es flogen wieder die Hubschrauber nah über den Dächern.

»Du musst gehen.«

Ich umarmte meine Mutter, sie sagte genau wie vor vier Jahren, als ich gegangen war: »Geh, denk nicht an uns. Wir sind es gewöhnt, dass unser Herz im Schwarzen lebt.«

Ich lief wieder ins Dunkle. Alles dunkel, nur die wartenden, einzelnen Polizeiautos hatten Licht. Das Land trug das Licht der Polizei.

Als ich in Richtung des Hotels lief, sah ich im Dunkeln eine Gruppe junger Männer. Sie gingen mit schnellen Schritten vorbei. Ich drehte mich um, sah diese Männer, die dunkle, lange Straße, die Lichter von ein paar Polizeiautos, sagte leise, genau wie vor vier Jahren, bevor ich Istanbul verlassen hatte: »Das Land stirbt, alle Menschen werden getötet, ich muss alle Menschen fotografieren.«

Ich schaute im Flughafen dem Polizisten, der, wenn es ihm nicht passte, mich nicht in das Flugzeug nach Deutschland einsteigen lassen konnte, tief in die Augen. Er war ein müder, dünner, älterer Mann. Er ließ mich durch, gab mir meinen Pass zurück, sagte: »Gute Reise.« Dann hatte dieser Beamte im Polizeipräsidium, der Ultranationalist war, mir nur Angst einjagen wollen. Angst hat keinen Pass. Sie kann nicht in das Flugzeug einsteigen. Ich ging zur Toilette, wusch mein Gesicht.

Alf sagte mir im Flugzeug, sein Freund wäre für ein paar Monate weg, so lange könnte er mir dessen Zimmer vermieten. »Ich habe eine große Wohnung am Kanal.«

Ich kam nach Deutschland mit einem gültigen Pass und hatte ein Zimmer.

Alf fuhr in Berlin jeden Tag zur Bibliothek. Wir fotokopierten Bücher über traditionelles türkisches Theater, türkische Volksbräuche, türkisches Schattenspiel, türkische Hochzeitsbräuche, Bücher über Atatürk, um diese Blätter an die deutschen Schauspieler, die mitspielen würden, zu verteilen. Alf sagte: »Ich will nicht immer mit dem Auto in die Bibliothek fahren. Ich will mit dem Fahrrad hin. Kannst du Fahrrad fahren?«

»Nein.«

»Komm«, sagte er, ging mit mir in einen Secondhand-Laden, dort kauften wir ein Klappfahrrad. Alf brachte mir am Kanal in ein paar Stunden das Fahrradfahren bei. Dann fuhr er neben mir bis zur Bibliothek. Als wir wieder gingen, sagte Alf, er müsse zum Theater, ich solle allein nach Hause fahren. Ich stieg auf mein Klappfahrrad, hatte einen blumigen Rock und einen dicken Pulli an, fuhr ängstlich und sehr verkrampft über die Straße des 17. Juni, ein Auto stand dort. Drinnen saßen zwei Nutten, die auf ihre Kunden warteten und aus einer Taschenflasche Cognac tranken und rauchten. Als ich an ihnen vorbeifuhr, riefen die beiden mir zu: »Locker, locker, locker.« Ich blieb stehen, sagte: »Ich kann nicht, mein erster Tag mit Fahrrad.« Die ältere Nutte stieg aus dem Auto, fragte mich: »Soll ich dir zeigen, wie man fährt?« »Ja.« Ich stieg ab, sie stieg auf, fuhr mit dem Fahrrad mal runter, mal hoch, lachte dabei laut. Die junge Nutte im Auto hatte ihre blonden Haare toupiert und voluminös hochgesteckt, hatte große Brüste, und die schauten bis zur Hälfte aus ihrem engen Kleid heraus. Sie fragte mich: »Sach mal, willste 'ne Zigarette?« »Ja.« Sie zündete eine an, gab sie mir. Erst rauchten wir die Zigaretten bis ans Ende, dann schauten wir der älteren Nutte zu, die weiter lachte und hin und her fuhr und fuhr. Die blonde junge Nutte fragte mich: »Willste ooch 'nen Cognac?«, streckte mir ihre Taschenflasche hin. Ich sagte: »Nicht jetzt.« Dann fragte sie mich: »Sach mal, biste 'ne Türkin?« »Ja, wie hast du das erkannt?« Sie deutete mit ihrer Hand von meinem Fuß bis zu meinem Kopf. »Na, von allet.« Ich lachte, sie lachte, die ältere Nutte auf dem Fahrrad lachte, irgendwann hielt sie an, sagte: »Danke.« Die blonde junge Nutte sagte: »Du hast gesehen, wie meine Freundin fuhr, fahr du mal jetzt wie sie.« Ich lachte wieder, fuhr dann, wieder verkrampft, Richtung Alfs Viertel.

Eines Nachts, als ich besser Rad fahren konnte, kam ich früh um drei vom Theater und fuhr beim Goldenen Engel auf der alten Nazi-Paradestraße in Richtung Alfs Haus. Genau an der Abzweigung nach Moabit standen eine deutsche Frau und ein deutscher Mann, die Frau fragte mich: »Hast du Feuer?« Ich gab ihnen Feuer. Die beiden standen irgendwie sehr traurig da, um drei Uhr nachts. Weil ich stehen blieb, erzählte die Frau, dass ihr Freund und sie gestern aus Westdeutschland gekommen waren. Ihr Freund hatte als Zimmermann in einer Berliner Baufirma Arbeit bekommen, er war zu seiner Firma gegangen, um seine Papiere abzugeben, und sie war in eine Kneipe gegangen, um dort auf ihn zu warten. Danach wollten sie ein Hotel finden. Dort in der Kneipe hatte sie etwas getrunken, am Tisch saßen andere Menschen, und als sie aufs Klo gegangen war, musste einer von diesen Leuten etwas in ihr Glas gemischt haben. Sie trank, verlor das Bewusstsein, als sie wach wurde, war ihr ganzes Geld weg, und die beiden wussten jetzt nicht, wo sie hinsollten ohne Geld heute Nacht. Ich konnte nicht weiterfahren, blieb mit ihnen bis zum Morgen am Goldenen Engel, und wir sprachen weiter, rauchten, sprachen, bis der Mann sagte, er müsse zu seiner Baustelle. Dann gingen die beiden in den noch dunklen Morgen in Richtung Ernst-Reuter-Platz. Als ich nach Hause kam, schlief Alf noch.

Das Theater suchte deutsche Schriftsteller, die für das Türkenprojekt ein Stück schreiben könnten. Mein Lehrer erzählte ihnen, was für ein Stück er sich vorstellte, zeigte einem nach dem anderen das Zeitungsmaterial und erzählte immer von den gleichen Bildern: Es sollten zwei Götter, ein deutscher und ein türkischer Gott, zusammen aus dem Pergamonmuseum steigen und gemeinsam die Geschichte untersuchen: »Da ist die deutsche Börse, da ist die türkische Börse, dazwischen eine Wiege, darin weint ein türkisches Arbeiterkind. Zwei Kapitalisten wiegen die Wiege, der Kulturschock der Gastarbeiter stellt alles infrage, *economically*, *culturally*, *politically*. Man müsste unter den Gastarbeitern einen Gedicht- oder Kleidernähwettbewerb machen, dann könnte man prüfen, wie sie aus ihren deutschen Stoffen ihre türkischen Kleider nähen, damit man sehen kann, wie viel von ihrer Identität noch da ist. Da ist die deutsche Börse, da ist die türkische Börse, dazwischen pendelt eine Wiege mit einem Arbeiterkind hin und her, aiii, da sind Menschen in Plastikfolien gehüllt, darunter schreit ein Embryo, aiii, *are you feeling that*?«

Die Schriftsteller kamen nicht wieder.

Mein Lehrer erzählte fast jeden Tag die gleichen Bilder. Es liefen in seinem Kopf immer die gleichen Bilder. Wir kamen nicht weiter. Wir brauchten ein Stück.

Dieser Raum, in dem Hunderte Zeitungsausschnitte und andere Materialien auf den Tischen, Stühlen, am Boden lagen, hatte eine Nummer an der Tür: Raum 18. Irgendwann ging ich, wenn ich davorstand, nicht mehr sofort hinein. Ich blieb davor stehen und dachte: Jemand ist drinnen und horcht auf meinen Atem. Genau hinter der Tür ist ein Ohr, und das hat sich auf mich gerichtet. Die Augen von dieser Person können mich durch die Holztür sehen, oder durch die Wände, wenn ich jetzt plötzlich die Tür aufmache und hineingehe, werde ich niemanden finden, oder doch einen Mann, der als Diener verkleidet hinter der Tür steht, mit einer unbeweglichen Miene im Gesicht wird er diesen Satz sagen: »Mir ist es vollständig unbegreiflich, dass …« Dann wird er, ohne seinen Satz zu Ende zu bringen, aufhören und mich zwingen, darauf zu warten, wie sein Satz weitergeht. Was ist ihm vollständig unbegreiflich? Ich werde warten, gezwungen sein, auf sein Gesicht und seinen Mund zu schauen, dann wird er wieder einen neuen Satz anfangen: »Handelt es sich gar nicht um …« Handelt es sich gar nicht um was, um was? »Um was handelt sich gar nichts?«, werde ich schreien. Er wird plötzlich seine Hand auf meine rechte Schulter legen und sagen: »Still, der Wächter hört uns zu.« Welcher Wächter, welcher Wächter? Dann wird er sagen: »Schließlich taucht die Dritte Welt nicht einmal …« Nicht einmal was, was? »Kann ich bitte aus diesem Raum 18 raustreten?«, werde ich ihn leise fragen. Ich werde warten müssen, bis er unverständlich mit dem Kopf nickt, hat er JA gemeint, oder hat er … was hat er gemeint? Am besten gehe ich rückwärts aus der Tür, ich muss diesen Mann im Auge behalten, er ist der Wächter, Wächter der Materialien und Informationen, er ist der Verteidiger der Abbildungen und Fotografien, Zeitungsblätter, Wörter über Wörter, Informationen.

Den Raum Nummer 18 musste ich aber täglich betreten, von Assistenten oder anderen Personen gebrachte neue Zeitungsausschnitte empfangen und sie auf einen Platz legen. Der Raum 18 war wie ein Krebsgeschwür. Das Ausländerproblem wuchs und wuchs zum Krebsgeschwür und wuchs und wuchs im Raum 18 weiter. Aber welche Wahrheit sollte in den Materialien stecken? Wir brauchten einen sehr guten Theatertext und seinen Rhythmus, der wie bei einem Beat-Konzert von den Körpern der Zuschauer aufgenommen würde.

Ich ging in türkische Jugendheime, sprach mit Jugendlichen: »Sag mal, wovon träumst du?« »Von Afrika.« »Afrika?« »Ja, Löwen töten, Pelzladen in Berlin.« Die Jugendlichen lachten sich tot, weil ihre Eltern immer davon redeten, dass sie nach einem Jahr wieder für immer in die Türkei zurückkehren würden. »Immer noch ein Jahr, noch ein Jahr, seit diesem Jahr sagen sie, noch zwei Jahre, hihihihihi.« Während die Jungen Tischtennis spielten, lernten die Mädchen in einem Raum an Maschinen nähen. Wenn eine gerade nähte und ich ihr eine Frage stellte, antwortete nicht sie mir, sondern das andere Mädchen, das gerade nicht nähte.

»Hast du eine Mutter?« Die Erste, die nähte, schwieg, arbeitete an der Nähmaschine, hırr, hırr, hırr, hırr, hırr.

Das zweite Mädchen: »Sie sind tot. Sie sind auf der Autobahn in die Türkei verunglückt.«

»Hast du eine Oma?«

Die Erste schwieg, arbeitete weiter, hırr, hırr, hırr, hırr, hırr. Die Zweite antwortete für sie: »Ja, eine deutsche Oma. Oma Traute.«

»Wie?«

Die Zweite wieder: »Ja, als die Eltern starben, hat die Nachbarin Oma Traute für sie gesorgt.«

Ich fotografierte die Kinder, schrieb ihre Sätze unter die Fotos, hängte sie auf im Korridor vom Theater. Die Schauspieler standen davor, lachten, amüsierten sich. Mein Lehrer sagte, es sei noch zu früh für solches Material. Ich legte die Fotos in eine Mappe und ließ sie im Raum 18. Wenn die anderen kamen und sich um meinen Lehrer versammelten, sagte er wieder: »Es sollten zwei Götter, ein türkischer und ein deutscher, aus dem Pergamonmuseum steigen, sie sollten gemeinsam die Geschichte untersuchen, da ist die deutsche Börse, da ist die türkische Börse, dazwischen ist eine Wiege mit einem türkischen Arbeiterkind darin …«

Alf sagte, er habe einen deutschen Richter gefunden, der bereit sei, mit uns über das Ausländerproblem zu sprechen. Wir gingen zu ihm, ein ruhiger Mann, ein FDP-Mann, er hatte vor sich ein dickes Buch: das Grundgesetz. Er fing an zu reden: »In Deutschland ist die Menschenwürde unantastbar. Vor dem Gesetz sind alle Menschen gleich, aber Frauen wischen die Zimmerpflanzen ab, Männer reden über Gesetze.«

Er sagte, wenn die Fremden keine Chancen hätten, ihre Rechte wahrzunehmen, würde ihr Recht im Grundgesetz verletzt. Die Fremden von ihren Rechten auszuschließen, sei ein Widerspruch, zum Beispiel aktives und passives Wahlrecht, Ausländer sollten wählen und gewählt werden.

»Wenn sie keine Sozialrechte haben, bringt das die Fremden in sehr problematische Situationen. Auch den Gesetzgeber.«

Der Richter redete sehr langsam, und ab und zu ließ er Artikel weg. »Staat denkt, wenn wir Ausländer nicht in Gesellschaft einpflanzen, sie in Angst lassen, gut für unser Volk.« Oder: »Deutsche müssen lernen, mit Ausländern leben. Um den Schnee wegzuräumen, soll jeder eine Mark geben.«

Er sagte, der Staat wolle etwas tun, habe aber Angst vor der Reaktion seines Volkes. Angst vor den Fremden, Angst um Arbeitsplätze, das seien die Ängste des deutschen Volkes. Man könne mit den Fremden die Deutschen befremden, meinte er und gab ein Beispiel: »Beispiel Bayern, katholisch, Dorf, homogene Gruppe, sogar ein neu gekommener Deutscher dort fremd. Banale Ängste.« Dann sagte er: »Wo ist Solidarität der Arbeiterklasse?«

In Deutschland seien immer die anderen schuld gewesen, Juden, Franzosen, er sagte, Demagogen könnten das ausnützen. Dann drohe eine nationale Katastrophe.

»Arbeitsplätze knapp, woran liegt das? An den Ausländern. Nie meine Schuld, immer die anderen.«

Er kritisierte die Gesellschaft und sprang von den Arbeitsplätzen zum Christentum. Christen gäbe es seit 2000 Jahren, und nur sie seien die Besten? Aber was sei die Geschichte des Christentums? Kreuzzüge!

»Wir sind Staat, der das Rechtssystem nur ausnützt und damit spielt«, sagte er am Ende.

Als Alf und ich rausgingen, sagte Alf: »Er hat ziemlich

gebrochenes Deutsch geredet, denkt, dass du ihn so besser verstehst. Das macht mein Vater auch, wenn Ausländer ihn nach dem Weg fragen: Du gehen bis Rathaus, hinter Rathaus, gelbe Haus … So redet er immer.«

»Alf, mir ist das auf den Straßen auch aufgefallen. Wenn die Deutschen den Ausländern helfen wollen, reden sie immer gebrochen. Sie biegen, zerstückeln, zerschneiden ihre Sprache, sie stolpern über ihre Sprache, das habe ich in Paris nicht gehört. Die Franzosen reden ihr Französisch immer perfekt, auch wenn du kaum Französisch kannst. Vielleicht kommt es daher, dass sie in ihren Kolonien auch die Sprachen kolonialisiert haben. Wenn ein Afrikaner aus den alten Kolonien nach Frankreich als Arbeiter kommt, spricht er schon perfekt Französisch. So stolpern die Franzosen nicht über ihre Sprache. Aber die Deutschen stolpern.«

»Die deutsche Sprache zerbricht sich, bröckelt ab im Dienste der Nächstenliebe. Hahaha«, lachte Alf.

»Alf, dieses ›Im-Dienste-der-Nächstenliebe‹ habe ich auch bei Ausländern erlebt. Ein junger Türke, der perfekt Deutsch konnte, auch perfekt berlinerte, den hat ein Deutscher nach dem Weg gefragt. Der Türke hörte auf, perfekt Deutsch zu reden, beschrieb dem Mann den Weg in gebrochenem Deutsch. Du gehen große Straße, links machen, groß Haus sehen, rechts gehen. Das machte er nicht aus Zynismus, er machte es automatisch. Als ob man den Weg nur in gebrochenem Deutsch beschreiben könnte, deutsch-türkische Folklore.«

Das Theater lud auch Psychologen, Sozialwissenschaftler, Religionswissenschaftler, Ärzte ein, die die Probleme und Krankheiten der Gastarbeiter mit Beispielen erklärten. Sie gaben uns Mappen mit ihren wissenschaftlichen Arbeiten.

Das Material im Raum 18 wurde mehr und mehr. Wenn ich, um diese Mappen reinzustellen, in den Raum 18 ging, atmete ich tief, machte die Tür sehr rasch auf, schloss meine Augen, legte die Mappen auf eine Ecke des langen Tisches. Dann fühlte ich mich so müde, so müde, dass ich mich hinsetzen wollte, aber dafür musste ich wieder die Materialien, Papiere, die sich hochgestapelt hatten, auf den Boden stellen. Ich setzte mich auf einen Zeitungsstapel, beugte mich zum Tisch, legte meinen Kopf auf eine Mappe, machte die Augen zu, sagte: »Benno.«

Am ersten Tag, als ich in Paris angekommen war, saß Benno Besson in der Küche mit dem Brecht-Buch *Der kaukasische Kreidekreis*, wir lasen laut das Stück:

In alter Zeit, in blutiger Zeit
Herrschte in dieser Stadt, »die Verdammte« genannt
Ein Gouverneur mit Namen Georgi Abaschwili …

Wir tunkten trockene Brotstücke in Rotwein, aßen und redeten: Wie würde die Festung zur Falle, wie würde die Stille vor dem Palast zum Tumult, wie würde der Frieden zu Mord und Totschlag, wie finge man an, den ersten Satz zu inszenieren? Und am ersten Abend im Hotel, wo die Nachtwächterin ständig die Geräusche der Straße hörte, baute ich die erste Figur auf einer Weinflasche, den bösen Militär-Holzkopf.

Ich stand auf im Raum 18, ging zur Kantine, fragte meinen Lehrer: »Möchtest du mit mir nach Ostberlin gehen?«

Wir fuhren zum Grenzübergang Checkpoint Charlie. Der amerikanische Grenzpolizist stand vor seinem Wachhäuschen, schaute in Richtung DDR-Grenzposten, der auf einem kleinen Turm mit einem Fernglas in Richtung Westen guckte. Zwischen beiden Polizisten gab es nur ein paar Meter Entfernung. Wir gaben unsere Pässe dem DDR-Grenzposten, bekamen Visa, tauschten Westgeld in Ostgeld, liefen die

Friedrichstraße hoch. Die Stille von Ostberlin war schön, weg vom Türkisch-Deutsch, hier gab es keine Türken. Ich ging mit meinem Lehrer auf den Dorotheenstädtischen Friedhof, wo Brecht begraben ist. »Schau, hinter seinem Grabstein ist eine Zigarre.« Wir betrachteten die Zigarre, die jemand, der Brecht liebte, hingelegt hatte, lächelten die Zigarre an, immer wieder lächelten wir sie an. Mein Lehrer nahm aus seinem Zigarettenetui eine Zigarette, legte sie auch hinter den Grabstein von Brecht. Auf dem Weg in Richtung Grenzübergang fing es an zu schneien. Das trübe Licht am Himmel saß über der Stadt. Aus dem trüben Licht des Himmels wurde ein dichter Nebel. Mein Lehrer schwieg und lächelte weiter, als ob er weiter die Zigarre von Brecht betrachten würde. Ich sah seinen schiefen Mund. Er war ein sehr guter Lehrer, ich war eine seiner besten Schülerinnen. Sein schiefer Mund in diesem trübseligen Licht und dass ich ihm nicht helfen konnte, bei einem Stück, das noch nicht geschrieben war, machten mich so trübsinnig wie der Himmel. In der Schauspielschule hatte er uns einmal im Unterricht Fotos in die Hand gegeben und gesagt: »Fotografien beeinflussen ständig unsere Vorstellung von der Erscheinung der Dinge. Wenn man etwas anschaut, betrachtet man es nicht nur direkt, sondern auch unter dem Eindruck dessen, was Fotografien einem schon vorher vermittelt haben. Ihr müsst in das Bild hineinwandern und entschlüsseln, was ihr für seine Wirklichkeit haltet. Und das Gefühl, das euch dieses Foto vermittelt hat, müsst ihr auf der Bühne mit einer Stimme und dem Körper darstellen.« Er gab mir ein Foto. Ein Toter lag mit offenem Mund auf der Erde, er war so mager wie ein Skelett, nackt, seine Wangenknochen, seine Knie und Schulterknochen ragten aus dem Körper heraus, als ob er in einer Wüste läge und der Körper langsam austrocknete.

Aber es gab Bäume in seiner Nähe auf dem Foto. Ich ging auf die Bühne, schaute mir das Foto zwei Minuten lang an, schrie und warf mich hin und her, zog an meinen Haaren und kotzte wirklich auf die Bühne. Nach dieser Improvisation nahm mich unser Lehrer in die Arme. Ich atmete tief an seiner Brust und stöhnte. Er sagte, er könne heute keinen Unterricht mehr machen. »Der tote Mann auf dem Foto ist ein Jude, und der Ort ist ein Konzentrationslager.« Dass es in der Nähe von diesem toten Mann Bäume gab, machte mich fast verrückt. Ich kratzte während des Unterrichts ständig an meinen Beinen, bis sie bluteten. Er schickte uns auf die Straßen zum Gefühlesammeln, Die-Menschen-Betrachten und Uns-in-sie-Hineinversetzen, dann sollten wir zurückkommen und auf der Bühne Menschen, die uns berührt hatten, darstellen, den anderen nahebringen. Vielleicht wollte mein Lehrer etwas prophezeien mit seinen Bildern im Kopf: »Da ist die deutsche Börse, da ist die türkische Börse, die Menschen sind in Plastikfolien gehüllt, darunter schreit ein Embryo aiiii.«

Viele Jahre später, während der Irak- und Syrienkriege, werde ich mich an seine Sätze erinnern. An die Börsen und Menschen in Plastikfolien, an darunter schreiende Embryos. Aber jetzt, in der Pause der Hölle, liefen wir die Friedrichstraße hinunter in Richtung Checkpoint Charlie. Als wir nach Westberlin ausgereist waren, schaute ich auf den Boden und sagte: »Ah, hier hat es auch geschneit.« Wir liefen dann nach links in das türkische Viertel in Kreuzberg. Als wir am Kottbusser Tor standen, wurde der Schnee stärker, er drehte sich in der Luft und machte die anderen Menschen, die auf der Straße liefen, unsichtbar. Mein Lehrer wollte in dem sich wie verrückt drehenden Schnee weiterlaufen. Ich sah seine Haare, die vom Schnee nasser und nasser wurden. Ich sah unterm Schnee halb unsichtbare Türken, die in Kreuzberg umherliefen, und den großen Wunsch meines Lehrers, für diese Menschen ein Theaterstück zu machen. Als wir im Schnee ein paar Stunden lang gelaufen waren, sagte mir mein Lehrer, er werde nach Istanbul zurückkehren, um noch mehr Material zu suchen. Als er in den U-Bahnhof Kottbusser Tor ging, sah ich ihm nach, wie er die Treppen hinunterstieg, dann schluckte ihn der U-Bahn-Korridor.

Gegenüber der U-Bahn gab es ein Café. Ich setzte mich hinein, zog die nassen Schuhe aus, riss aus einer Zeitung, die dort auf einem Tisch gelassen worden war, Stücke, legte sie in die Schuhe, bestellte einen Tee, wärmte meine Finger an der Tasse. Draußen liefen einige Deutsche und Ausländer vor dem Caféfenster vorbei, dann kamen neue Menschen, die im Schnee an diesem Fenster vorbeiliefen, ich sah nur ihre Köpfe und Hälse, dachte mit nassen Haaren und nassen Füßen: »WAS HEISST ES, ÜBER TÜRKEN EIN STÜCK ZU MACHEN?«

Mein Lehrer kam mit der Sehnsucht, über diese Arbeiter ein Stück zu inszenieren, die jetzt im sich drehenden Schnee halb unsichtbar auf den Straßen von Berlin-Kreuzberg liefen. Es lagen so viele Materialien im Raum 18, aber nichts bewegte sich weiter. Rien ne va plus. Man konnte aus Raum 18 alle Zeitungsausschnitte nehmen, hier vor diesem Café auf die Straße in den Schnee legen, die Zeitungsbuchstaben würden sich in der Nässe auflösen, anfangen, im Straßenwasser zu schwimmen.

Ich hatte mal von dem Filmemacher Godard einen Aufsatz gelesen. Godard erzählte, eine Woche vor dem Dreh zu einem Film war er total verwirrt: *»Ich wusste einfach nicht, was ich machen sollte. Wir hatten alle Drehorte nach dem Buch festgelegt, wir hatten dem Buch entsprechend die Leute engagiert. Aber ich* *fragte mich, was ich mit alledem anfangen sollte. Es war, als hätte man alles, um einen Salat zu machen, und wäre sich nicht mehr sicher, ob man Appetit darauf hätte, oder als hätte man den Salat bestellt und fragte sich, ob man sich davon auch ernähren kann. Solange es nur um Salat geht, kann man ihn immer noch essen, aber wenn man ihn obendrein auch noch machen muss und nicht sicher ist, dann fragt man sich plötzlich, ob der Mensch den Salat überhaupt braucht. Da steht man dann da und hat Tonnen Salat vor sich. Man gerät in Panik und sagt sich: ich werde sterben, wenn ich es nicht schaffe, das alles zu essen.«*[31]

Waren diese vielen Materialien im Raum 18 nicht wie ein Gefängnis? Müsste man nicht eine Idee für sich finden, um da herauszukommen, oder einen Menschen, der einen sehr berührt, und, um dieser Berührung eine Utopie zu geben, der Geschichte eines einzigen Menschen folgen? War die Geschichte eines einzigen Menschen weniger reich als ein Zimmer voller Materialien über die in die Fremde Gegangenen? Ich zahlte und ging aus dem Café. Die Menschen liefen, Schnee auf ihren Haaren, Wimpern, Krägen, ihre Köpfe zwischen die Schultern gezogen, auf der Adalbertstraße. Ich schaute in ihre Gesichter. Ein kleiner Türke trug eine Brille, die vom Schnee nass geworden war, hatte, wie mein Lehrer, auch einen leicht schiefen Mund und lief in Richtung Oranienstraße. Ich lief hinter ihm her. Die Lichter der fahrenden Autos drehten sich in der Luft und leuchteten den Schnee an. Der kleine Mann mit der Brille und dem schiefen Mund lief links in die Oranienstraße, ich blieb weiter hinter ihm. Er ging in einen Zigarettenladen, hinter der Ladentheke stand ein dünner Türke, er hatte seine weiß gewordenen Haare schwarz gefärbt. Der Mann mit der Brille begrüßte ihn, sie hielten lange ihre Hände fest, der mit der Brille fragte: »Eee?«, eine drei Buchstaben lange, ernsthafte Frage:

»Eee?« Der Mann mit den schwarz gefärbten Haaren antwortete nicht. Der mit der Brille sagte: »Oyyyyy«, und schüttelte den Kopf. Als ich lange auf die beiden schaute, lächelte mich der Mann mit den schwarz gefärbten Haaren an, sagte: »Mein Freund ist unruhig, ich warte schon lange auf eine gesunde Niere, sie ist aber noch nicht da.« Der Mann mit dem schiefen Mund putzte seine neblig gewordene Brille mit einem Stofftaschentuch, setzte sie auf, ging leise raus. Ich auch, hinter ihm her. Er lief bis zum Oranienplatz, dann bog er auf die Straße, die Leuschnerdamm hieß, lief die Straße bis ans Ende. Am Ende dieser Straße sah ich die Ostberliner Mauer. Er hielt an der letzten Haustür, schloss auf, ging hinein, die Tür schloss sich hinter ihm. Vor der Mauer versuchten zwei Kinder, den nassen Schnee zu einem Schneeball zu formen, es ging aber nicht. Ich blieb vor der Ostberliner Mauer stehen, schaute hoch zu den vielen Fenstern des Hauses, in das der Mann mit der Brille und dem schiefen Mund hineingegangen war. Als die beiden Kinder ins Haus gingen, lief ich in Richtung U-Bahnhof Kottbusser Tor.

Liebe Efterpi,

heute Nacht habe ich geträumt, ich fahre mit dem Fahrrad über einen Sumpf. Der Sumpf wackelt. Das Fahrrad hat keine Bremse. Da laufen ältere Leute, schauen auf die Erde, Kriegsgesichter. Ich fahre zwischen ihnen, da ist ein Tisch, da sitzen ältere Frauen, eine heißt Ruth. Ruth erzählt mir, wie lustig das Leben im Sumpf sei. Da hängt eine Wäschleine, an der Würste und Watte übereinanderhängen. Ich bin in einem Taxi, das Taxi fährt in ein Schloss, das Taxi steigt die Treppen hoch, der Fahrer hält vor einer Tür. Ich schaue hinein, da ist ein Raum, ein Theatersaal, die Stühle sind leer. Über den Stühlen weiße Sonnenschutztücher.

Das Taxi fährt wieder die Treppen hoch und hält wieder vor derselben Tür. Ich sehe wieder die leeren Stühle.

Gestern Nacht habe ich geträumt, ich bin in Istanbul. Im Wald. Ich laufe im Garten, es ist sehr warm. Ich höre die Geräusche von den Tieren, ich schaue durch das Fenster hinein in meine Istanbuler Wohnung, die Fenster sind die gleichen geblieben, ich weine, Frauen sammeln sich hinter den Fenstern. Ich erzähle ihnen von meiner Liebe zu dieser Wohnung und der Vergangenheit. Ein junges Mädchen bringt mir einen Spiegel, der Spiegel ist blind. Ich bleibe allein. Treppen. Ich setze mich auf die Treppen. Weine in meinen Winterhut.

Zwischen den Träumen und Städten wandere ich mit nach Hause zurückkehrenden Sternen.

Efterpi, ich hatte dir zuletzt geschrieben, dass mein Lehrer nach Istanbul zurückgefahren ist. Ich sprach mit einem türkischen Sozialarbeiter, ob er mir helfen könne, türkische Menschen kennenzulernen, in türkische Wohnungen reinzukommen, mit Menschen zu sprechen. Der Sozialarbeiter sagte ja. »Ja, ich rede mit einigen und gebe Ihnen die Adressen.«

Ich bekam ein paar Adressen, klingelte bei der ersten. Ein türkischer junger Mann und sein kleiner Bruder machten die Tür auf. Die Mutter saß auf der Couch. Sie sagten: »Bitte, kommen Sie rein.« Ich sah ein großes Plakat an der Wand. Ein bundesdeutscher Polizist mit seinem Schäferhund. Neben dem Plakat hing das Foto von dem türkischen Ultranationalistenchef. Wir saßen am Tisch, ich stellte die üblichen Fragen: Wann sie nach Deutschland gekommen sind, was war das erste deutsche Wort, das ihnen sehr schwerfiel zu lernen, und so weiter. Irgendwann, als ich gehen wollte, ging der junge Mann und schloss die Zimmertür zweimal auf.

Er hatte, als ich reingekommen war, die Zimmertür zweimal zugeschlossen. Als ich draußen auf der Treppe stand, habe ich mich erst mal an die Wand gelehnt, oooh. Es war gefährlich. Er wollte mich in dem Raum wahrscheinlich kurz und klein schlagen, falls ich etwas gesagt hätte, was ihm nicht gefiel. Zum Beispiel: »Haben Sie Karl Marx gelesen?« Oder: »Sind Sie in der Gewerkschaft?« Grund, drei Zähne zu verlieren. In der nächsten Wohnung saß ein alter Mann mit Bart, hatte Stoffe auf den Tisch gelegt, irgendwann sagte er, es seien heilige Stoffe, er habe sie aus Mekka mitgebracht, ich solle einen kaufen als Schutz vor bösen Cins – Geistern. Sein Enkelsohn sagte mir auf Deutsch: »Opa hat die Stoffe in Hannover gekauft.« Es war mir peinlich, als ich heimlich ihr Familienalbum durchblätterte. Ich kaufte von ihm ein paar Meter Stoff. Als ich ging, warf ich sie in die Mülltonne. Dann kehrte ich zurück, vielleicht würde der alte Bartmann sie später entdecken. Ich nahm sie aus dem Müll raus. Draußen auf der Straße wusste ich nicht, wo ich den Stoff hinwerfen sollte. Als ich an einer Ampel wartete, drehten sich wieder Autolichter im Abenddunkel, leuchteten kurz den Stoff an, wie in einem Verhör. Der Stoff war ein religiöses Verhör. Ich kehrte zurück zu dem Haus, ging die Treppen hoch, hängte den Stoff an die Tür des bärtigen Mannes, ging die Treppen hinunter. Ich fragte mich, was diese Leute, die ich in ihren Wohnungen getroffen hatte, wenn sie nicht gesprochen, sondern nur wie Stummfilmschauspieler, was sie sagen wollten, stumm gespielt hätten, gespielt hätten. Sie waren eher wie aus einem Comic. Dokumentarisch und total *fiction*.

Efterpi, weißt du, der Weg ist zu lang zwischen Berlin und Istanbul. Nicht nur die Lebenden, auch die Toten haben auf diesem langen Weg ihre Auftritte. Der Sozialarbeiter erzählte mir von zwei türkischen Brüdern, die in Deutschland arbeiteten. Ihr Vater kam aus der Türkei zu Besuch. Nach zwei Wochen starb er in Deutschland. Die beiden Brüder dachten: Wenn wir zwei unseren toten Vater mit dem Flugzeug in die Türkei bringen, kostet uns das Tausende von D-Mark. Sie steckten ihren toten Vater in eine leere Fernsehkiste, Marke Schaub Lorenz, wollten mit dem Auto in die Türkei, ihren toten Vater in der Fernsehschachtel banden sie auf den Gepäckträger und kamen bis nach Jugoslawien, suchten einen ruhigen Platz in einem Wald, schliefen im Auto. Als sie am Morgen wach wurden, was sahen sie? Die Schaub-Lorenz-Schachtel war gestohlen, mit ihrem toten Vater drin. Diese Geschichte ist ja ein Gegenbild zu dem Bild meines Lehrers. Menschen in Plastikfolien gehüllt, darunter schreit ein Embryo aiiii, Tote in eine Schaub-Lorenz-Schachtel gesteckt, drinnen schweigt ein Toter, pssst. Also wie in einem Comic. Dokumentarisch und total *fiction*.

Ich ging öfter zu dem Tabakladen, Efterpi, dessen Verkäufer mit den schwarz gefärbten Haaren auf eine gesunde Niere wartete, in der Hoffnung, ihn und seinen Freund mit der nebligen Brille und dem schiefen Mund wiederzusehen. Weißt du, weil sie die Einzigen waren, die wie Stummfilmschauspieler, was sie sagen wollten, stumm gespielt haben, mit ihrem ganzen Körper. Dazwischen gab es wie im Stummfilm Zwischentitel. Im ersten Zwischentitel stand geschrieben: EEE? Dann die Nahaufnahme von dem Mann mit den schwarz gefärbten Haaren, der schwieg. Wieder Nahaufnahme von dem Mann mit der Brille, der nächste Zwischentitel: OYYYYY!

An den Tagen, an denen ich in den Wohnungen von Türken gewesen bin, lief ich danach ziellos durch die Straßen. Ich lief durch große, breite Straßen, ging dann in die Nebenstraßen, zählte wieder die im Krieg zerbombten, wiederaufgebauten und die nicht zerbombten Häuser. Boom-Häuser, Nicht-Boom-Häuser, boom, boom, boom, boom, nicht-boom, nicht-boom, nicht-boom, boom, boom, boom, nicht-boom, boom, boom nicht-boom, boom nicht-boom, boom, boom, boom, nicht-boom, nicht-boom, boom, boom, boom, nicht-boom, nicht-boom, boom, boom, nicht-boom, nicht-boom, boom, boom, boom, boom, nicht-boom, nicht-boom, nicht-boom, nicht-boom, boom, boom, boom, boom, nicht-boom, nicht-boom, boom, boom, nicht-boom, boom, boom, boom, nicht-boom, nicht-boom, boom, boom, boom, boom, nicht-boom, boom, boom, nicht-boom, nicht-boom, nicht-boom, nicht-boom, boom, boom, boom, nicht-boom, nicht-boom, boom, boom, boom, boom, boom, nicht-boom, boom, boom, nicht-boom, nicht-boom, boom, boom, boom, boom, boom, nicht-boom, nicht-boom, nicht-boom, nicht-boom, nicht-boom, boom, boom, boom, boom, nicht-boom, nicht-boom, boom, boom, boom, boom, nicht-boom, boom, boom, nicht-boom, nicht-boom, nicht-boom, nicht-boom, boom, boom, boom, nicht-boom, nicht-boom, boom, boom, nicht-boom, nicht-boom, boom, boom, boom, boom, nicht-boom, nicht-boom, nicht-boom, nicht-boom, nicht-boom, boom, boom, boom, nicht-boom, nicht-boom, boom, boom, boom, boom, nicht-boom, nicht-boom, nicht-boom, nicht-boom, nicht-boom, nicht-boom, boom, nicht-boom, boom, boom, boom, nicht-boom, nicht-boom, boom, boom, nicht-boom, nicht-boom, boom, boom, boom, boom, nicht-boom, nicht-boom, nicht-boom, nicht-boom, nicht-boom, boom, boom, boom, nicht-boom, nicht-boom, boom, boom, boom, boom, nicht-boom, boom, boom, nicht-boom, nicht-boom, nicht-boom, nicht-boom, boom, boom, boom, boom, nicht-boom, nicht-boom, boom, boom …

Am U-Bahnhof Gleisdreieck war ich plötzlich auf einem

leeren Grundstück. Eine leere Landschaft. Dieses Grundstück befindet sich hier in Westberlin, soll aber Ostberlin gehören. Auf diesem Grundstück liegen viele schwarze Briketts übereinandergestapelt für die Kachelöfen. Ob diese Kohlen auch Ostberlin gehören, weiß ich nicht. Ich lief da rum, sah die alten, toten, stillgelegten Bahnschienen, Gras war zwischen ihnen gewachsen, ich lief über diese toten Schienen und kam am Ende zu einem Ort, der wie ein Friedhof für Waggons aussah. Efterpi, wahrscheinlich parkten hier vor dem Krieg die Zugwaggons, wenn sie gerade nicht fuhren, oder sie wurden hier gewaschen und repariert, bevor sie wegfuhren. Dieser Ort, die Zugwaggons und Zugschienen sind wahrscheinlich schon gegen Kriegsende, vor fünfunddreißig Jahren, stillgelegt worden.

Die Waggons hatten viele Soldaten zum Sterben gefahren.
Jeder Waggon ein Totengräber.
Die Gesichter der Soldaten, ihr Zigarettenrauch
blieb im Waggon, die Knie der Soldaten
stiegen aus in den Krieg.

Um diesen Parkplatz für alte Waggons standen ein paar Kinder, pinkelten nebeneinander gleichzeitig gegen eine alte staubige Mauer, versuchten, mit ihrem Urinstrahl auf der Staubschicht an der Mauerruine Bilderrahmen zu zeichnen. Sie malten einen leeren Bilderrahmen, und der Staub, der sich seit Kriegsende auf der Mauer gesammelt hatte, war das gemalte Bild in diesem Rahmen.

Efterpi, mein Lehrer ist noch in Istanbul. Ich habe so viel Zeit. Ich habe versucht, ein Visum für Amerika zu bekommen. Ich las eines Nachts das Gedicht von Rimbaud:

Wär erst die Welt geschrumpft, zu einem einzigen schwarzen
Wald für unsere vier verWUNDerten Augen –
zu einem Strand für zwei verschworene Kinder –

zu einem Haus, wo hell unsere Zuneigung klingen kann –
dann hätte ich dich bald gefunden.[32]

Mein Herz klopfte, ich sagte: Ich werde zu meinem Geliebten nach New York fahren.

Ich habe versucht, ein Visum für die USA zu bekommen, aber sie sagten mir, ich hätte in meinem Pass nur noch zwei Monate Aufenthaltserlaubnis für Deutschland. Mein Vertrag mit dem Theater war nur für fünf Monate, davon sind drei weg, aber ich muss in meinem Pass noch mindestens sechs Monate Aufenthaltserlaubnis haben, um in ein anderes Land reisen zu können. Ich muss hierbleiben. Es gibt noch so viele Boom-, Boom-, Boom-, Boom-, Boom-, Boom-Häuser, ich werde sie weiterzählen. Alf, bei dem ich wohne, sagte mir, sein Freund komme zurück, ich müsse ausziehen, aber er hat für mich eine neue Wohnung gefunden. Da kann ich drei Monate bleiben. Ich schreibe dir bald meine neue Adresse.

Deine Kiki de Montparnasse.

Berlin, in Davids Wohnung

Liebe Efterpi,

als ich auf dem Weg zu Davids Wohnung am 1. April 1979 die Nachricht las, AYATOLLAH CHOMEINI RUFT DIE ISLAMISCHE REPUBLIK IRAN AUS, habe ich an Charis gedacht. Charis hatte gesagt, als Chomeini von Paris in den Iran zurückflog: ES WIRD FRÜHER DUNKEL, ALS MAN DENKT. Ich war auf der Straße, als ich diese Schlagzeile am Zeitungsstand las. Ich wollte im Stadtteil Schöneberg am Nollendorfplatz in ein Kino gehen. Ich las die Nachricht, lief in Richtung Kino, zählte ein paar Boom- und ein paar Nicht-Boom-Häuser, sah auf dem Weg eine Telefonzelle vor einem

Boom-Haus. Darin stand ein Mann mittleren Alters mit zwei Ausländerkindern. Die Kinder waren vielleicht vier und acht Jahre alt. Der Mann steckte Groschen in das Telefon, und der Achtjährige wählte eine Nummer. Ich sah das Bild wie in einem Slowmotion-Film, lief weiter in Richtung Kino. Gegenüber der Telefonzelle sah ich eine alte Frau hinter ihrer halb geöffneten Haustür versteckt zu dieser Telefonzelle und den zwei Kindern und dem Mann mittleren Alters schauen. Ich lief weiter, aber meine Schritte kamen mir auch wie in einem Slowmotion-Film vor. Ich stand dann vor dem Kino, sah das Kinoplakat, es war der Film, in den ich gehen wollte, aber irgendetwas zog mich da weg, Efterpi. Ich drehte mich um, lief in Richtung der Telefonzelle zurück, ich fing an zu rennen, der Mann und die zwei Kinder waren nicht mehr drin, die Zelle war leer. Ich bekam Herzklopfen, schaute, rechts, links, wo die drei hingegangen sein könnten, dann sah ich die drei eine Straße hinunterlaufen. Ich fing an, hinter ihnen herzugehen. Warum ich so still lief, warum ich achtgab, dass meine Schuhe keine Geräusche machen sollten, wusste ich nicht. Ich lief leise. Erst als der Mann mit den Kindern vor einem Kiosk stehen blieb, blieb auch ich stehen. Der Verkäufer von dem Kiosk sagte: »Bitte sehr?« Der Mann wollte zwei Packungen Schokolade. Ich rannte zu ihm, sah seine Tasche, die er bei sich trug, eine Art Arzttasche, fragte laut: »Sind die Kinder Ihre Kinder?« Der Mann antwortete nicht, lächelte mich an. Ich fragte die Kinder: »Ist dieser Mann euer Vater?« Die Kinder hatten Angst. Der Achtjährige sagte: »Nein!« »Was habt ihr in der Telefonzelle gemacht?« »Er wollte, dass wir unsere Familie anrufen und sagen, dass wir später kommen.« Ich fragte den Mann: »Warum sollen die Kinder später nach Hause gehen?« Er antwortete: »Ich wollte ihnen nur Schokolade schenken.«

»Sie, Sie kaufen diesen Kindern keine Schokolade. Ich kaufe ihnen Schokolade.« Ich kaufte zwei Schokoladen, gab sie den Kindern. »Jetzt rennt nach Hause, und lasst euch niemals von fremden Herren Schokolade kaufen. Auch nicht von Frauen, habt ihr verstanden.« Sie nickten, die Augen vom älteren und jüngeren Kind drehten sich ständig, und ihre Münder waren vor Angst zu dünnen Strichen geworden.

Efterpi, sie rannten wie von hinten gepeitschte Pferde weg von diesem Mann. Der Mann sagte zu mir: »Jetzt haben Sie was kaputt gemacht.« Er nahm seine Tasche, von der ich nicht wusste, was er darin hatte, von der rechten in die linke Hand, entfernte sich von diesem Kiosk, und beim Gehen sagte er zögernd: »Ich bin Pole.«

Was meinte er mit dem Satz »ich bin Pole«? Ich sagte dem Kioskbesitzer: »Können Sie die Polizei anrufen?« Er machte sein kleines Kioskfenster zu, sagte nichts, verschwand nach hinten. Ich dachte, er sei zum Telefonieren nach hinten gegangen, dann sah ich aber, dass das Telefon neben seiner Kasse stand. Ich ging weg, suchte nach dem Mann mit der Tasche, wollte diese Tasche, die er bei sich trug, ihm wegnehmen, öffnen, um den Inhalt zu sehen, konnte ihn aber nicht mehr finden. Ich habe mir tagelang alle Zeitungen angeschaut, ob ein Sexualmörder geschnappt worden ist oder ob ein Kind verschwunden ist, ich war auf mich wütend, dass ich nicht gesehen hatte, was in seiner Tasche war. Ich bin auch wütend, dass das Grab der deutsch-jüdischen Dichterin Else Lasker-Schüler nicht hier ist. Sie musste vor den Nazis abhauen – so hat man sie, ihren Tod und ihr Grab verloren. Ich hätte Else hier in Berlin besucht, wie Edith Piaf in Paris, aber Else ist nicht in Berlin. Ich schließe meinen Brief mit ein paar Zeilen von Else, die ich auswendig gelernt habe:

All' die weißen Schlafe
Meiner Ruh'
Stürzten über die dunklen Himmelssäume.
Nun deckt der Zweifel meine Sehnsucht zu
Und die Qual erdenkt meine Träume.

Hoşçakal Kikiriki

Im Raum 18 blieben Hunderte Materialien über Türken in Deutschland auf ihren Plätzen. Mein Lehrer kam noch nicht zurück. Wenn ich Raum 18 betrat, fühlte ich mich nicht nur müde, auch schuldig, als ob aus einer der Mappen jemand mich laut fragen würde: »Was suchen Sie hier in diesem Land? Was machen Sie hier, warum sind Sie hier?«

»Ja, ich wollte nur sehen, ob alle auf ihren Plätzen sind. Ich will jetzt weggehen«, würde ich antworten. Die Stimme aus der Mappe würde sagen: »Sie haben nicht alles gesehen, Sie wollen gerne verzichten, was, hab ich richtig gehört?«

Ich würde mit einer schwachen Stimme sagen: »Heute ist keine Sitzung angesagt, ich versichere Ihnen, ich bin mit meinem Besuch gleich zu Ende, ich will jetzt gehen.«

»Es gibt keinen Zweifel, dass Sie gehen wollen, allerdings ist es eine Frage, wie Sie mich, auf welche Art und Weise, in welchem Zustand, mit welchen Rechten zu überprüfen versuchen werden. Da ist der Haken, setzen Sie sich.«

»Vielen Dank, ich will mich nicht ausruhen«, würde ich antworten.

Ich ging aus Raum 18, fuhr zum U-Bahnhof Gleisdreieck an den stillen Ort, wo die nach dem Krieg stillgelegten Bahnschienen liegen, zwischen denen Gras gewachsen war. Ich lief über die toten Schienen bis zu der Waggonabstellruine, um zu sehen, ob wieder ein paar Kinder dort an die alte staubige Mauer pinkelten. Es gab heute keine Kinder. Ich lief wieder über die Schienen zurück, fuhr zum Kottbusser Tor, ging an der Oranienstraße zum Tabakladen, in der Hoffnung, den türkischen Verkäufer mit den schwarz gefärbten Haaren, der auf eine gesunde Niere wartete, und seinen Freund mit der nebligen Brille und dem schiefen Mund wiederzusehen. Der Türke mit den schwarz gefärbten Haaren war allein, saß hinter seiner Theke auf einem Hocker. Er erkannte mich und lächelte. Ich kaufte ein Päckchen Zigaretten und Streichhölzer. Nachdem ich bezahlt hatte, fragte ich ihn, wie es ihm gehe. Er machte mit den Händen eine Bewegung wie: *Nicht so gut*, sagte: »Ehhhhh.« Er hatte noch keine gesunde Niere bekommen. Wie sein Freund sagte ich: »Oyyyy.« Er fragte mich, wo ich arbeitete. »Am Theater. Ein Regisseur will über Türken in Deutschland ein Stück inszenieren. Ich helfe ihm, sammle Geschichten.«

Er sagte: »Was gibt es denn mehr als Geschichten.« Er gab mir eine Tasse Kaffee. Wir tranken still. Er nickte immer wieder mit dem Kopf. »Ja, ja, ja«, sagte er, »ja, ja, ja.« Leute kamen herein, einer kaufte eine Zeitung, der andere eine Flasche Rum. Der Mann mit den schwarz gefärbten Haaren lächelte jedem seiner Kunden hinterher, auch wenn sie schon die Tür zugemacht hatten und gegangen waren. Er lächelte im Grunde durchgehend. Lächelte und schwieg. Ich gab ihm die leere Kaffeetasse. Gerade als er mir die Tasse abnahm, fragte ich ihn, wie es seinem Freund mit dem schiefen Mund gehe. »Hat Ihr Freund mit der nebligen Brille einen Schlaganfall gehabt?« Er stellte die Kaffeetassen in ein kleines Waschbecken, antwortete, während er sie mit kaltem Wasser wusch: »Dem haben die Faschisten ins Gesicht geschlagen, türkische Faschisten«, fügte er schnell hinzu. »Er war Linker, verteilte vor der Fabrik Flugblätter an seine Kollegen, da kamen die Grauen Wölfe, haben ihn geschlagen, sein Gesicht gelähmt. Aber er lacht auch mit halbem Gesicht.« Dann lächelte er. Als er fertig mit dem Waschen war, holte er aus seinem Portemonnaie zwei Fotos. Auf dem ersten schauten sich die beiden an und lachten. Auf dem zweiten schauten beide zum Fotografen, lachten auch. »Ja, ja«, sagte er, klopfte mit dem Finger auf das Foto, »mein Freund heißt Isa, wie der heilige Christus. Er ist vorige Woche für immer in sein Dorf in die Türkei zurückgekehrt, war mein bester Freund, jetzt bin ich allein. Mit Wölfen allein. Wir sind geschaffen zum Futter für die Wölfe.«

Als ich die beiden Fotos, um sie noch mal anzuschauen, in die Hand nahm, sagte er: »Eine Minute, Minute.« Er holte Papiere, die er in ein Heft getan hatte, legte sie auf die Theke. »Bevor er wegfuhr, hat er mir diesen Brief anvertraut. Genau acht Seiten. Er hat Monate gebraucht, um das zu schreiben.«

Der Achtseitenbrief war mit einer Schreibmaschine geschrieben. »Monate?« Er sagte: »Isa konnte nicht Schreibmaschine schreiben, er musste die Buchstaben einzeln suchen, sehr langsam, sehr langsam, wo ist das A, wo ist das B, wo ist das C, wo ist das D, wo ist das E, wo ist das S, wo ist das G.«

»Wo hatte er denn die Maschine her?«

»Von Rüdiger. Ein guter Mann. Der hilft hier den Türken. Rüdigers Maschine. Wenn Rüdiger Türkisch könnte, hätte er es für ihn geschrieben.«

Ich drehte das erste Blatt von Isa mit dem schiefen Mund, der von den Grauen Wölfen geschlagen worden war, um. Er hatte auch die hintere Seite vollgeschrieben. Und das hatte er bei jedem Blatt gemacht. Also hatte der Brief nicht acht, sondern sechzehn Seiten. Isa hatte auf der ersten Seite, ganz oben in der Mitte, mit Großbuchstaben geschrieben: AN

MEIN VOLK UND AN DIE INTERESSIERTEN. Dann den Brief mit Kleinbuchstaben geschrieben.

Wo ist das a, wo ist das b, wo ist das c, wo ist das d, wo ist das e, wo ist das s, wo ist das g.

Der Mann mit den schwarz gefärbten Haaren sagte: »Isa, mein Freund, sagte: ›Mein Leben ist ein Roman.‹ Erzähle, sagte ich, erzähle. Aber Isa schwieg.«

»Mein Vater machte es genauso. Er sagte, meine Tochter, mein Leben ist ein Roman. Ich schaute auf sein Gesicht, damit er diesen Roman erzählte, aber er machte seine Augen zu, schwieg und rauchte. Ich habe ihm aber geglaubt, dass sein Leben ein Roman ist.«

»Bestimmt, bestimmt, so soll es gewesen sein.«

Der Mann mit den schwarz gefärbten Haaren schaute ein paar Minuten lang tief lächelnd in mein Gesicht, sagte dann vorsichtig: »Erlauben Sie mir, dass ich den Brief meines Freundes Ihnen anvertraue? Wenn Sie etwas damit machen könnten, denke ich, würde es Ihnen gut stehen.«

Er wartete auf eine Antwort. »Ooooh«, sagte ich. Er sagte: »Aiaiaia«, faltete den Brief, gab ihn mir, dann gab er mir seine Hand, lächelte: »Ich heiße Musa – Moses.« Als ich ging, rief er mir nach: »Warte, warte.« Er gab mir eines der beiden Fotos, auf dem sie zum Fotografen schauten und lachten. »Das Foto soll bei Ihnen bleiben.« »Ooooh«, sagte ich, lachte. Er lachte auch, sagte: »Ja, ja.«

Davids Wohnung, die Alf für mich für zwei, drei Monate gefunden hatte, lag oben am Kurfürstendamm in einer Seitenstraße. Die ganze rechte Seite der Straße bestand aus sieben Häusern, und ihnen hatte der Krieg keinen Streich gespielt, da gab es keine Boom-Boom-Häuser. Eine kurze Straße, und am Ende der Straße sah ich einen Bahndamm, auf dem ich aber keine S-Bahn oder einen anderen Zug fahren sah. Die linke Seite der Straße war im Krieg wahrscheinlich total gestorben, dort gab es zwei einstöckige, längliche Gebäude, die zwei Firmen gehörten. Auf beiden Seiten gab es Bäume. Beim letzten Baum lag das Haus von David. Die Wohnung hatte vier Zimmer. Im Salon gab es einen Billardtisch, dann rechts ein langer Korridor, der zur Küche führte. David war nicht in Berlin, er drehte in Südfrankreich einen Film. Er hatte neben einer Teekanne auf dem Tisch eine kurze Notiz gelassen.

»Du kannst schlafen, in welchem Bett und in welchem Zimmer du willst. Geniere dich nicht. Du kannst meine Strümpfe oder T-Shirts, auch die Hosen anziehen, Jackett, Hüte auch, willkommen, Frau von Istanbul. Dein David.«

In Davids Wohnung hielt ich den Sechzehnseitenbrief in der Hand, ging von einem Zimmer ins nächste, machte alle Lichter an, wusste nicht, wo ich den Brief hinlegen sollte. Am Ende legte ich ihn, Seite neben Seite, auf den Billardtisch, auf das gespannte grüne Tuch, ging in die Küche, holte ein Stück Käse, kam zurück, schaute auf den Brief. Isa hatte die ganzen Seiten bis zu den Rändern vollgeschrieben. Es gab auf dem Papier keinen Rand, keine weiße Fläche, alles war voll mit den schwarzen Buchstaben der Wörter. Auch zwischen den Wörtern hatte er oft keinen Platz gelassen. Bei manchen Buchstaben fielen die weißen Stellen schnell auf, wie bei o oder ö oder p oder d. Ich lief mit der ersten Seite seines Briefes, das Käsestück in der Hand, durch den langen Korridor in die Küche, legte den Käse auf einen Teller, lief mit der ersten Briefseite zurück zum Billardtisch. Ich las Seite um Seite den Brief, verstand aber seine türkische Sprache nicht so richtig. Am besten verstand ich den Satz »unser Dichter Nâzım Hikmet sagt: *Ein Arbeiter hat keine Hei-*

mat, wo die Arbeit ist, da ist seine Heimat, also sage ich mir, ich arbeite in Deutschland, Deutschland ist meine Heimat.« Diesen Satz konnte er deutlich ausdrücken, weil er ihn sicher von einem linken Studenten, der die Arbeiter politisierte, öfter zitiert bekommen und dadurch auswendig gelernt hatte. Auch die politischen Slogans, die er an mehreren Stellen im Brief geschrieben hatte, waren leicht zu verstehen. Zum Beispiel: »Alle Arbeiter müssen den Kapitalismus, der uns mit dem Hammer schlägt, mit Hämmern zurückschlagen.« Oder: »Es lebe die internationale Solidarität der Arbeiterklasse.«

Ich fand sein Nâzım-Hikmet-Zitat schön, dass er nicht gegen Deutschland sprach, fand ich sehr schön. Deutschland war nicht sein Problem. Aus seinem Brief, der sehr durcheinander war, entschlüsselte ich, dass seine Frau, die er im Dorf zurückgelassen hatte, sein Problem war. Sie kam ab und zu nach Deutschland, aber nach kurzer Zeit sagte sie: »Ich kann Deutschland nicht aushalten«, fuhr wieder in die Türkei zurück. Dann schrieb sie ihm: »Ich kann die Türkei nicht aushalten, ich komme nach Berlin.« Die Frau fuhr hin und her, und jedes Mal war sie schwanger. Und er war irgendwann arbeitslos, konnte nicht weg aus Berlin. Seine Verwandten schrieben ihm Briefe, dass seine Frau im Dorf nicht zu bändigen sei. Er ließ seine Frau nach Berlin kommen. Die Frau erzählte ihm in Berlin: Als sie einmal im Dorf unter dem Kirschbaum gestanden und Kirschen gegessen habe, sei der Onkel von ihm gekommen und habe auch angefangen, vom gleichen Baum Kirschen zu essen. »Was will dein Onkel von mir, kannst du mir das sagen?«, fragte sie Isa, ihren Mann. Isa ließ seine Frau in Berlin, fuhr in sein Dorf, fragte seine Verwandten, was mit diesem Kirschenessen von dem gleichen Baum war, wer stand zuerst unter dem Kirschbaum, seine Frau oder sein Onkel? »Wer ist zu wem gegangen?« Die Verwandten redeten schlecht über seine Frau. Er kam wieder zurück nach Berlin. Kurze Zeit später fuhr er aber wieder in die Türkei, um wieder die Verwandten zu fragen, was war das für eine Geschichte: vom *gleichen Baum Kirschen essen*?

Ich hatte, um diese Geschichte aus seiner unverständlichen Sprache zu entschlüsseln, zweieinhalb Stunden am Billardtisch gestanden. Von der ersten Seite zur zweiten, dann wieder zur ersten zurück, wieder gelesen, wieder zur zweiten. Dann von der zweiten zur dritten, dann wieder von der dritten zur zweiten, dann wieder zur ersten. Er hatte es sehr schwer, so schwer, sich auszudrücken, ließ die Sätze halb, mischte Daten, Orte, Gefühle, Slogans, dass ich immer wieder den Faden verlor. Aber sein Bedürfnis, sich zu veröffentlichen, war so groß, dass er monatelang mit den Schreibmaschinenbuchstaben geschlafen hatte und wach geworden war, um den Weg zu seinem Kummer zu finden, und die Buchstaben waren diesen Weg mit ihm mitgegangen. Die Buchstaben hatten ständig seine neblige Brille, seinen schiefen Mund, seine Falten gesehen und seine Wimpern, über denen er etwas trug, das ihn schlaflos machte.

Alf rief mich an, sagte: »Es gibt neue Zeitungsausschnitte und wissenschaftliche Mappen.« Ich sollte mit ihm im Raum 18 die neuen Dokumente sortieren. »Kommst du, Liebes?« »Ja, Alf.« Ich nahm den Brief von Isa mit, dachte, ich müsse ihn zu den Materialien im Raum 18 legen. Alf blieb eine halbe Stunde im Raum 18, da war der Raum leise. Ich legte Isas Brief auf einen Stapel Zeitungsausschnitte. Als Alf ging, hörte ich aus der Mappe, die mich neulich gefragt hatte, wieder: »Was machen Sie hier in diesem Land, was suchen Sie hier, wieso sind Sie hier?« »Ich werde mich gerne verpflichten, Ihnen zuzuhören, mir genehmigen, Ihnen eine Antwort zu geben, da ich aber meiner Antwort keine Bedeutung anmaße, wenn Sie mir erlauben, möchte ich schweigen. Ich muss jetzt gehen«, fügte ich hinzu. Die Mappe, aus der ich die Stimme der Frage gehört hatte, war still. Mit dieser Stille drängte in Raum 18 noch mehr Stille. Um die Stille nicht zu wecken, lief ich auf Fußspitzen rückwärts Richtung Tür. Gerade war meine Hand an der Klinke, da hörte ich aus der Richtung dieser Mappe Geräusche, als ob jemand mit lauten Geräuschen etwas kauen würde. Es hörte sich an, als ob alle Zeitungsartikel der verschiedenen Zeitungen, die sich in dieser Mappe befanden, die Wörter und Buchstaben der anderen Artikel zerreißen, kauen würden, oder die Buchstaben kauten sich selbst. Zwischen den Kaugeräuschen hörte ich die Stimme sagen: »Infolge Ihrer Überdrüssigkeit, Dusseligkeit haben Sie es versäumt, unsere Bemühungen, was Ausländer betrifft, unsere Verbesserungsbedürftigkeiten zu verinnerlichen. Sie gehören ausgelacht, hahahah.« Ich benutzte diesen etwas merkwürdigen, aber erleichternden Lachmoment, ging raus aus dem Raum 18. Auf dem Korridor hielt ich inne, legte mein Ohr an die Tür. Alles war still. Doch dann sagte jemand drinnen: »Still, sie hört uns zu. Unbegreiflich, man hätte sie nicht so frei herumlaufen lassen dürfen.« Die zweite Stimme sagte: »Am Anfang war hierbei ihre Dusseligkeit nicht zu erkennen.« Die erste Stimme: »Jetzt müssen wir tun, was wir tun sollen.« Die zweite Stimme: »Was du heute kannst besorgen, das verschiebe nicht auf morgen.«

Dann pfiffen sie eine merkwürdige Melodie. Dann hörte ich Papier rascheln. Es hörte sich an, als würden Papiere fallen und sich auf dem Boden verstreuen. Die erste und die zweite Stimme redeten weiter. Ihre Stimmen waren wie die Stimmen zweier Ärzte, die über eine Patientin, die vor ihnen lag, ihre Meinungen austauschten. »Nun?«, fragte die erste Stimme.

Die zweite Stimme: »Förmlich gedacht.«

Erste: »Scheint es Ihnen auch so?«

Zweite: »Ich dachte, vermute …«

Erste: »Vermutlich dem Beispiel der anderen folgend …«

Zweite: »Ist er in der Verfassung, sein Benehmen aus uns unerklärlichen, außergewöhnlichen …«

Erste: »Nun ja, das ist wahrhaftig, in seiner Befangenheit.«

Zweite: »Es wird Ihnen nichts geschehen, wenn Sie erlauben. Nach unserer Untersuchung von Seite eins bis sechzehn haben wir einige, besser gesagt mehrere Tippfehler bemerkt.«

Erste: »Beziehungsweise unbestechliche Wörter Ihrer Wahl müssen von richterlichen Untersuchungsorganisationen einmal begutachtet werden.«

Ich nahm mein Ohr von der Tür Raum 18, mein Herz klopfte. Ich drückte meine linke Hand auf das Herz, sagte: »Der Brief, der Brief von Isa mit dem schiefen Mund, er ist allein drinnen, die reden über ihn. Ich muss ins Zimmer, muss ihn von da entfernen.« Ich blieb aber im halbdunklen Theaterkorridor stehen. Wenn ich die Tür aufmache, zerstückeln vielleicht die Artikel in den Mappen oder aus den losen Stapeln den Sechzehnseitenbrief von Isa gemeinsam, dann nehmen sie ihn in den Mund, kauen alle Buchstaben, die Isa monatelang gesucht hat, wo ist das a, wo ist das b, wo ist das c, dann gefunden, dann getippt hat, kauen sie bis zur Unkenntlichkeit und werden sie, nachdem sie sie gekaut haben, als Papierteig aus dem Fenster in den leeren Lichtschacht spucken.

Jemand drückte auf das automatische Licht im Korridor.

Rinny kam auf mich zu: »Hey, Schatzi, wolltest du gerade gehen?« »Ja, aber ich habe im Zimmer etwas vergessen.« Ich machte die Tür von Raum 18 auf, Rinny kam mit. Ich sah Isas Brief ruhig auf dem Zeitungsstapel liegen, auf den ich ihn hingelegt hatte. Ich zählte – acht Blätter. »Gut«, sagte ich zu Rinny. »Ja, gut«, sagte Rinny. Ich steckte den Brief in meine Jackentasche, knöpfte die Tasche zu. »Rinny, wie geht's, wie steht's, hast du jetzt eine Wohnung gefunden?« Rinny musste ins Kostümzimmer, um von dort etwas mitzunehmen. Ich ging mit ihr hinein. Rinny nahm vom Kleiderständer eine Clownshose, sagte zur Hose: »Da bist du ja.« »Mensch«, sagte sie, »hast du eine Wohnung, ja?« »Ja, ich wohne bei David.« »David, kenn ich nich.« »Ich auch nicht.« Wir lachten. »Rinny, wenn du nicht weißt, wo du wohnst, kannst du ein paar Nächte zu David kommen.« »Nein, ich hab wat Tolles. Ich wohne bei Dirk. Er kann Kamasutra. Super.« »Super«, wiederholte Rinny. Ich fasste in meine Jackentasche, der Brief war da. »Schön«, sagte ich. »Mir sprießt das Kamasutra aus den Poren«, sagte Rinny, küsste mich am Ausgang des Theaters auf den Mund. Dann lief sie, die Clownshose in der Hand, in Richtung der Bühne. Isas Brief in der Tasche nahm ich den Bus 129, ging in die obere Etage des Busses, zählte aus dem Busfenster Boom-, Nicht-Boom-, Boom-, Nicht-Boom-Häuser. Bei einem Gebäude, das sicher vor dem Krieg schon da gewesen war, dachte ich: Karl Liebknecht, Rosa Luxemburg, Else Lasker-Schüler, Tucholsky haben das Haus auch gesehen. Wo ist Tucholskys Grab? In Schweden.

Tucholsky ist nicht in Berlin.

Else ist nicht in Berlin.

Berlin hat seine Toten verloren.

Ach, Edith Piaf, Tucholsky hat gesagt, *Soldaten sind Mörder.*

Ich stieg am Checkpoint Charlie aus dem Bus 129 aus, lief zuerst in Richtung des DDR-Grenzübergangs – Else ist nicht in Berlin, Tucholsky ist nicht in Berlin, aber Brecht ist in Berlin. Ich wollte nach Ostberlin zum Brecht-Grab. Der amerikanische Grenzpolizist stand in seiner Uniform vor seinem Grenzhäuschen und schaute in Richtung des DDR-Grenzpostens, der genau gegenüber, ein paar Meter weiter, aus dem Turm mit dem Fernglas in Richtung Westberlin schaute. Als ich vor der Tür des Grenzübergangs stand, klopfte plötzlich mein Herz. Wenn ich jetzt nach Ostberlin einreise, könnten die Zöllner bei der Zollkontrolle den Brief von Isa, der in meiner Tasche ist, finden und beschlagnahmen. Man durfte Schriftliches nicht nach Ostberlin mitnehmen. Bestimmt werden sie mir Isas Brief wegnehmen, dabehalten und vielleicht nicht mehr zurückgeben. »Da dieser Brief hinsichtlich unserer Verwaltungsbestimmungen etwas sonderbar wirkt, muss er zur Untersuchung für eine gewisse Zeit hierbleiben. Da Sie Ihrer Pflicht, nichts Schriftliches in unseren Staat einzuführen, nicht nachgekommen sind, schändliche Pflichtvernachlässigung nach § 18 Raum 18, Dossier 311, hat dies eine umfangreiche Klarstellung zur Folge …«

Ich steckte meine Hand in meine Jackentasche, hielt Isas Brief fest, kehrte vom Grenzübergang zurück in Richtung Westen. Als ich auf der Kochstraße stand, blitzte es ein paar Mal im Himmel. Die Menschen, die an den Bushaltestellen warteten, schauten alle in den Himmel. Als es sehr laut donnerte, schauten sie nicht mehr in den Himmel. Der plötzliche Regen, der zuerst ein bisschen Wasser in die Dunkelheit tropfte, aber dann stärker und stärker wurde, der den ganzen Himmel und die Berliner Straßen und die Boom- und die Nicht-Boom-Häuser mit seinem Wasser, das wie Tausende leuchtende, herunterregnende schwarze Nadeln aussah, schlug und schlug und alle Häuser unsichtbar machte, wurde noch stärker. Die Menschen rannten von den Straßen unter die Dächer oder in Richtung U-Bahnhof Kochstraße. Ich kaufte in einem Tabakladen Zigaretten, die Verkäuferin sagte: »Nicht dass Sie sich erkälten«, schenkte mir eine Plastiktüte, »für die Haare«, sagte sie. Vor der Tür wickelte ich Isas Brief in diese Plastiktüte, steckte ihn wieder in meine Jackentasche, knöpfte sie zu, hielt meine Hand vor die Tasche, lief dann durch die Kochstraße in Richtung Kreuzberg, wollte das Haus an der Ostberliner Mauer, wo Isa gewohnt hatte, wiedersehen. Der Regen schlug auf meinen Kopf und meine Schultern, von denen das Regenwasser ununterbrochen runterfiel. Ich fasste wieder an meine Jackentasche, ob der Brief noch da sei – er war da. Es gab auf dem Weg auf der linken Seite alte, unbewohnte Gebäude. Diese Häuser waren groß, mit vielen Fenstern, die in sich schwiegen, nur die Dunkelheit wohnte in ihnen, der starke Regen schlug alle Fenster, Türen, Hausfassaden, ununterbrochen. Ich fühlte etwas auf meiner linken Schulter. Eine Krähe? Saß sie still da und lief auf der Kochstraße mit mir in Richtung Kreuzberg? Doch ich hatte mich geirrt, da war keine Krähe. Nur der Regen schlug weiter meine Schultern. Nach dem letzten unbewohnten Gebäude stand ich plötzlich vor einem Friedhof. Es regnete weiter, aber die Erde auf diesem Friedhof war trocken. Dort regnete es nicht. Ich ging da rein. Der starke Regen schlug weiter meinen Kopf und meine Schultern, aber die Friedhofserde, über die ich lief, blieb trocken. Plötzlich erkannte ich diesen Friedhof. Es war der armenische Friedhof in Istanbul, in dessen Nähe in einer steilen Gasse meine Eltern seit Jahren wohnten. Meine Großmutter nahm mich als Kind jeden Tag an die Hand, spazierte mit mir auf diesen Friedhof. Wir blieben vor jedem

Grabstein stehen. Ich las ihr laut die Namen der Toten vor. Sie betete vor jedem Grabstein, sagte mir, ich solle die Namen der Toten in meinem Kopf behalten, an sie denken, ihre Seelen würden es hören. Ich lief zwischen den Grabsteinen umher, suchte nach meiner Großmutter, rief: »Großmutter, Großmutter«, schaute nach links, nach rechts, sah sie aber nicht. Am Ende des Friedhofs, hinter der Mauer, sah ich beleuchtete Berliner Häuser, alle ihre Fenster schauten still unterm Regen auf diesen Istanbuler armenischen Friedhof. Ich lief an der Friedhofsmauer entlang, rief wieder: »Großmutter, Großmutter«, sah sie nicht. »Großmutter, wo bist du, Großmutter, wo bist du?«

Was hatten die Zimmerwände und die Krähen der letzten Nacht in Bäcker Osmans Haus auf der Insel mir gesagt, als ich gesagt hatte: »Ich werde nach Europa gehen, still wandern auf den fremden Gassen.« Die eine Wand hatte gesagt: »Von dort werden alle deine gutherzigen Kindheitsvögel raus aus deinem Mund hierher zurückfliegen. In jedem Schnabel die Liebe, die Liebesquellen deiner Kindheit. So werden sie dich verlassen. Dich in der Fremde mit schwarzen Gefühlen zurücklassen.« Und die Wand hinter mir, wo ich gesessen hatte, hatte gesagt: »Leb hier mit deiner großen Kindheit, mit deinen Toten, und stirb später bei deinen Toten. In der Fremde wird der Mensch auf sich selbst zurückgeworfen, weil er andauernd daran erinnert wird, dass er fremd ist.«

Ich ging aus dem Friedhof raus auf die Kochstraße. Die fahrenden Autos spritzten andauernd Wasser nach links und rechts. Ein Stück Zeitungsblatt schwamm im Regen. Mit jedem Auto, das darüberfuhr, drehte es sich im Wasser. Ich lief weiter. Der Regen schlug mich, der Wind schob mich nach hinten, ich schob den Wind nach vorne. Die Straße war sehr lang. Die Häuser auf der rechten Seite hatten Licht. Aber ich sah keine Menschen oder ihre Schatten an den Wänden sich in den Zimmern bewegen. Ich sah nur einen kleinen Mann an einem Fenster stehen und geradeaus auf das auf der anderen Straßenseite stehende Haus schauen. Ich schaute kurz in die Richtung, wo er hinschaute, und sah genau so einen kleinen alten Mann an einem Fenster stehen und in Richtung des ersten alten kleinen Mannes schauen. Ich fasste in meine Jackentasche mit der Angst, dass der Brief von Isa nass geworden oder nicht mehr da war. Er war da. Ich atmete tief. Der Regen schlug meine Augen, ich schaute wieder runter auf die Straße, wo meine beiden Schuhe im Wasser weiterliefen, und sah plötzlich neben meinen Schuhen mein Gesicht, aber nicht so jung wie jetzt, sondern 25 Jahre älter, im Wasser lächelnd auf mich schauen. Aber es war ein anderes Berlin. Ich las im Wasser den Namen U-Bahnhof *Potsdamer Platz*, und es zeigten sich neben meinem 25 Jahre älteren Gesicht stark beleuchtete Hochhäuser, so hoch wie in Chicago, sich im Wasser spiegelnd, und mein 25 Jahre älteres Gesicht im Wasser sagte: »Du wirst sechs Putzfrauenrollen spielen und viele Bücher schreiben und wirst am Ende geschlachtet ...« Dann wiederholte das Gesicht diese Sätze. »Du irrst dich«, schrie ich, »ich bin Schauspielerin, keine Schriftstellerin.« Das Gesicht unten im Wasser lachte. Ich trat mit meinem linken Schuh auf mein 25 Jahre älteres Gesicht im Wasser, aber das Gesicht spürte meinen Schuh nicht, blieb lächelnd im Wasser liegen.

Ich fasste wieder in meine Jackentasche, ob Isas Brief da war. Dann fing ich an, mit meiner Hand den Brief in meiner Tasche festhaltend, in Richtung Oranienstraße bis zur Ecke Adalbertstraße zu rennen, und hielt genau an der Ecke an. Ich sah den Tabakladen von dem Türken Musa, der mir Isas

Brief und das Foto geschenkt hatte. Hinter der Ladentheke stand ein junger Mann. Der Junge war allein und bediente gerade zwei Männer. Als die zwei hinausgingen, lief ich ziellos hinter ihnen her. Die beiden gingen in eine Kneipe in der Oranienstraße, die *Max und Moritz* hieß. Ich schaute vom Fenster aus, an welchen Tisch sie sich setzten. Als sie anfingen, in der Speisekarte zu blättern, las ich auch die Speisekarte, die in einem Glaskasten neben der Tür hing. Wiener Schnitzel, Eisbein, Zwiebelkuchen. Als die beiden Männer zwei Bier serviert bekamen, ging ich weg, überquerte die Straße, lief dann auf den Leuschnerdamm, dann ans Ende bis zur Ostberliner Mauer, stellte mich vor die Mauer, schaute hoch zu dem Haus, wo Isa jahrelang gewohnt hatte, fasste noch mal in meiner Jackentasche nach seinem Brief. Das Haus war kein im Krieg bombardiertes Boom-Haus, es war ein Nicht-Boom-Haus. Ich fasste wieder nach dem Brief. Der Regen schlug die Hausfassade, die Fenster und mich gleichzeitig.

Soll ich U-Bahn fahren, Bus fahren, zu David? Ich hatte Angst, dass mir in der Bahn oder im Bus etwas passieren könnte. Dass man mir meine Jacke mit Isas Brief wegnehmen könnte. Oder ich könnte den Brief verlieren. Aber warum, warum sollst du ihn verlieren, fragte ich mich. Besonders fielen mir die Lichter der fahrenden Autos auf. Die Lichter sind besonders auf mich gerichtet. Die Straße verhört mich bald unter diesen starken Lichtern. Die Lichter fragen mich: »Sie meinen, die Straße ist Ihnen fremd, dann meinen Sie aber, Sie sind der Straße fremd. Die Straße ist aber denen, die Sie als Fremde sehen, nicht fremd. Wir haben den Verstand nicht verloren. Wäre es unmöglich, was wir verlangen, würden wir es nicht verlangen. Kurze Antwort wäre uns recht. Beziehungsweise bevorzugen wir eine kurze. Um aufrichtig zu sein und Ihre Erläuterungen zu würdigen, bringen Sie uns erst den Grund nah, warum Sie den Brief, den wir in Ihrer Tasche vermuten, und die Sätze in Ihrem Kopf in eine unerklärliche Verbindung bringen:

Es wird lange bleiben in den Fotos die Erinnerung
Dass wir im Stadtinnern gefroren haben
Wird bleiben verbrannter Ölgeruch in den Städten
Wenn man nicht in einen langen Fluss einsteigt
Und sich entfernt
bleiben fremd, die Betten jenes Hotels.

Jetzt eine kurze Antwort!«

»Es ist schon grün für Fußgänger«, antwortete ich und überquerte die Straße, fing an, in Richtung Kottbusser Tor zu rennen. Fuhr mit der U1 bis Wittenbergplatz, ging, den Brief in der Tasche festhaltend, zur Straße. »Fahren hier alle Busse den Kudamm hoch?«, fragte ich einen kleinen Mann mit Brille und traurigem Gesicht. »Ja«, sagte der Mann mit dem traurigen Gesicht und begleitete mich zur Bushaltestelle. Ich merkte, während ich mit ihm die Straße überquerte, dass ich den Brief in meiner Tasche nicht festgehalten hatte. Ich hatte sogar meine Hand raus aus der Tasche genommen. Der Mann las an der Bushaltestelle die Abfahrtszeiten vom 19er. »Fünf Minuten«, sagte er, blieb vor mir stehen. Wir blieben fünf Minuten still. Als der 19er sich zeigte, sagte er: »Ich bin Jürgen, schade wirklich, wirklich schade, würde mich gerne mit Ihnen unterhalten, aber ich muss zu meiner Stunde.« »Zu Ihrer Stunde?« »Therapiestunde, ich therapiere Heroinsüchtige.« Als der 19er-Bus kam und sich die Tür öffnete, sagte er: »Ich war selbst heroinsüchtig.«

Ich schaute aus dem Busfenster hinter ihm her. Er machte ein paar Schritte, dann drehte er sich um. Ich winkte ihm zu. Er lächelte. Dann ging ich hoch in die erste Etage. Oben im

Bus gab es sehr viele leere Plätze, fast alle Plätze waren leer. Kaum setzte ich mich hin, kam über die Treppe ein junger Mann mit sanftem Gesicht hoch. Er schaute sich alle leeren Plätze an, dann lächelte er ein bisschen, kam und setzte sich neben mich. Dann lächelte er wieder, sagte: »Mir tun die Hände weh. Vom Regen«, fügte er hinzu. Ich schaute auf seine Hände, dachte aber nicht, dass ich Isas Brief in meiner Tasche festhalten sollte. Er lächelte wieder, sagte: »Nicht vom Regen – Publikumsrücksicht wegen.« »Ich kann aus Ihren Wörtern nicht erkennen, warum Ihnen die Hände wehtun«, lächelte ich. »Entschuldigung, dass ich mich nicht bekannt gemacht habe«, sagte er. »Ich bin Lefteri.« »Sind Sie Grieche?« »Evet – ja«, antwortete er auf Türkisch. Ich lachte. »Meine Eltern mussten 1922 die Türkei verlassen. Sie wohnen jetzt nah der Grenze zur Türkei in Xanthi, in der Nähe von Kavala«, lächelte er. Plötzlich kamen hintereinander Tränen aus meinen Augen, er sah das, lächelte unbeholfen. Ich sagte: »Wir haben euch verloren, die türkischen Griechen waren die Garantie unserer Demokratie.« Als ich weiter weinte, fasste er leicht an meine linke Schulter, sagte: »Sei nicht traurig, sei nicht traurig, Xanthi ist auch schön.« Ich weinte weiter, schluchzend fragte ich: »Warum tun Ihnen Ihre Hände weh? Tut es sehr weh?« Lefteri fing an zu lachen. »Weine nicht, ich bin Musiker, spiele Bouzouki in einer griechischen Kneipe am Nollendorfplatz. Kennst du die Lieder von Theodorakis?«

»Ja, in der 68er-Zeit, als wir alle gegen den griechischen Militärputsch demonstrierten, hatte ein griechisch-türkischer Freund, Yorgo aus Istanbul, die Lieder von Theodorakis, die die griechische Sängerin Maria Farantouri singt, für mich ins Türkische übersetzt. Ich kann zwei dieser Lieder auf Türkisch singen.« Ich summte kurz ein Lied:

»Boğa bilmiyor seni
yerde ki karıncalarda.

Ich glaube, das ist ein Gedicht von García Lorca. Vor drei Jahren habe ich Maria Farantouri kennengelernt. Einen Monat lang feierten wir damals unseren Dichter Nâzım Hikmet. Farantouri hatte ein türkisches Lied auswendig gelernt und es gesungen. Später gingen wir zusammen essen.«

Lefteri lächelte. »Wenn du morgen Zeit hast, komm mal vorbei, wir tanzen Sirtaki.«

»Glaubst du, ich kann Sirtaki, ist das leicht zu tanzen?«

»Du hast Beine wie eine brasilianische Tänzerin. Komm morgen.«

»Ja, bestimmt komme ich. Lefteri, die nächste ist meine Haltestelle.« Ich stand auf. Wir umarmten uns. »Yasu Lefteri.« »Güle güle.«

Er zeigte mir durch das Busfenster seine beiden Hände, lachte. Ich lachte auch, und noch bevor das Lachen aus meinem Gesicht verschwunden war, steckte ich meine Hand in meine Jackentasche, hielt den Brief fest, lief die kurze Davids-Straße bis zum letzten Baum, ging in das Haus, nahm meine Hand noch nicht aus der Tasche. In Davids Wohnung war Licht.

Ich rief: »David.«

»Nein, Phil!«, rief eine Stimme. »Bin ein guter Freund von David«, rief er noch lauter.

Phil war im Salon, wo der Billardtisch stand. Er packte gerade in zwei Kisten, die auf dem Boden standen, Sachen. Er kam, gab mir die Hand, sagte: »Uff, meine Hände tun mir weh.« Ich lachte: »Bist du Musiker?« Müde antwortete Phil: »Nein, vom Packen, vom Kistentragen. Drei Tage lang habe ich meine Wohnung gepackt.« Dann fügte er schnell hinzu: »Aber alles ist schon am Flughafen. Abflugbereit. Ich habe nur noch diese paar Sachen zu packen, die bei David sind, und muss heute Nacht hier übernachten, meine Wohnung ist schon weg. Muss morgen früh in mein Land zurück, nach Boston. Ich war vier Jahre in Berlin.« Als Phil mit seiner Erklärung fertig war, atmete er tief, sagte: »Zieh doch die nassen Klamotten aus. Du bist klitschnass. Vorsicht, wenn du auf dem Korridor läufst, da habe ich Sachen stehen.«

Ich lief durch den Korridor, sah neben Büchern und ein paar Hosen auf dem Boden eine Kofferschreibmaschine, stieg über Phils Sachen, ging in mein Zimmer, zog die nasse Jacke und den Rock aus, hängte sie an den Lenker meines Klappfahrrads zum Trocknen, nahm die Plastiktüte aus der Jackentasche, packte Isas Brief aus – alle Buchstaben, Wörter waren da.

Ich zog mich an, rief: »Phil, willst du Tee?« »Nein, Vino.« »Guutt.« Ich nahm die Weinflasche mit zwei Gläsern, ging durch den Korridor, stieg wieder über Phils Schreibmaschine und Klamotten. Phil nahm einen Schluck, packte weiter, ich stand mit der Flasche ziellos im Raum. Phil sagte: »Du kannst dich ruhig auf den Sessel setzen. Ich weiß alles über dich. Von David und Alf, sie haben mir alles erzählt: Besson, Volksbühne, Paris, Avignon, Zeichnungen, Figurinen im Museum, der türkische Militärputsch, ein türkisches Stück ohne Stück, dein Lehrer. Ich bewundere deine Geschichte. I love your story. Meine Geschichte ist die Geschichte eines langweiligen Amerikaners, der Kunst in Berlin studiert hat. Jetzt wird er Lehrer in Boston und heiratet und raucht kein Haschisch.«

All das sagte Phil, ohne einmal zu mir zu schauen, während er alles sehr genau in die zwei Kisten packte. Dann holte er aus dem Korridor seine Hosen, faltete sie sorgfältig, tat sie in die zweite Kiste, holte die Schreibmaschine. Wenn Phil sein Glas leer hatte, ging ich zu ihm und goss ihm Wein nach und blieb wieder im Raum unbeholfen stehen.

Phil wird morgen im Flugzeug sitzen. Wie gerne würde ich eine von seinen Klamotten sein, die er in die Kiste packt. Wenn die Kisten in Boston ankommen, würde ich aus der Kiste raussteigen, einen Bus nach New York nehmen, aus dem Bus rausschauen, meine Haare kämmen, in New York die Straße meines Geliebten finden, das Haus finden. Da steht der Pförtner, ein junger Mann, im Hausflur an eine Wand gelehnt, hört gerade den Stimmen der Straße zu. Seine Augen zu. Er steht da wie die Platzanweiserin in dem Edward-Hopper-Bild *New York Movie*. Ich werde den Pförtner fragen: »Wo ist der Maler, mein Geliebter aus Paris?« Die Augen zu wird er mir zur Antwort geben: »Da, er steht hinter Ihnen.« Der Maler wird von hinten leicht meine Schulter anfassen: »Wo warst du, ich habe dich gesucht, gesucht überall, wo warst du?« Bevor ich ihm eine Antwort geben konnte, hörte ich Phils Stimme rufen: »Darf ich dich was fragen? Diese Jacke hier, willst du sie haben?« Bevor ich eine Antwort geben konnte, zog Phil sie mir an, lief mit mir zu dem großen Spiegel, der neben dem Kamin hing, starrte mich im Spiegel an, lachte, sagte: »Gebongt.« Phil hatte ein schönes Gesicht. Er ließ mich vor dem Spiegel stehen, lief zu seinen Kisten, nahm die Schreibmaschine vom Boden, kam wieder in den Spiegel, er nahm den Deckel ab, zeigte mir die kleine Remington-Reiseschreibmaschine, die wie eine Maschine aus den Dreißigerjahre-Filmen aussah. »Remington Portable Model 5 mit versenkbaren Typenhebeln. Kam 1932 raus.«

»Glaubst du, hatte Hemingway so eine?«

»Nein, nein, er hatte, glaube ich, eine Corona. Anders, ein anderer Typ. Aber für die Reise hatte er vielleicht so eine.

Walter Benjamin hatte, glaube ich, eine Remington Portable Model 5.«

»Walter Benjamin, kennst du die Geschichte? Walter Benjamin war seit 1933 in Frankreich im Exil. Als er 1940 aus seinem Exil vor den Nazis wieder flüchten musste, wollte er zur französisch-spanischen Grenze. Von Spanien wollte er zuerst nach Lissabon, dann in die USA, in dein Land. Er soll, um die spanische Grenze zu erreichen, 15 Kilometer zu Fuß über die Berge gelaufen sein. Wo du jetzt gesagt hast, dass er so eine Schreibmaschine besaß – glaubst du, er hatte sie bei sich gehabt und ist, krank und ohne Hoffnung, die 15 Kilometer mit seiner Schreibmaschine gelaufen?«

Phil sagte: »Ich weiß von dieser Flucht, aber ich weiß nicht, ob er seine Schreibmaschine bei sich hatte. Seine Manuskripte vielleicht. Oder doch die Maschine auch?«

Wir schauten uns im Spiegel an, zuckten mit den Schultern. Phil tat im Spiegel seine Remington-Maschine wieder in ihren Koffer, ging dann aus dem Spiegel raus, stellte seine Maschine neben die zwei Kisten, die er gepackt hatte.

»Phil, die spanische Polizei hat, bevor sie Walter Benjamin wieder zurück nach Frankreich zu den Nazis abschob, ihm erlaubt, eine Nacht im Hotelzimmer zu schlafen. Was für eine Nacht war das für ihn? Er hat die Nacht in einem Hotelzimmer, dann kommt der Tag in das Zimmer durch die Vorhänge rein, um Benjamin in den Tod zu schicken, aber die Nacht hat den Toten schon. Er ist mit der Nacht begraben. Kein Polizist konnte ihn aus den Händen der Nacht reißen. Die Nacht ist sein Grab, Phil. Phil, Deutschland hat seine Toten verloren. Tucholsky, Carl Zuckmayer, Else Lasker-Schüler, Walter Benjamin.«

Am nächsten Tag, als ich wach wurde, war Phil schon weg. Ich sah vor dem Spiegel noch seine Schreibmaschine stehen mit einer kleinen Notiz: *Ich überlasse dir die Maschine. Die habe ich von meinem Vater. Viel Spaß damit, Phil.*

Ich hob die Schreibmaschine an ihrem kräftigen Tragegriff hoch, trug sie in die Küche, stellte sie auf dem Küchentisch neben die noch halbvolle Kaffeetasse von Phil. Der Restkaffee war kalt geworden, Phil war schon lange weg. Am Kofferdeckel, der mit schwarzem Leinen bezogen war, befand sich ein sehr schöner naturlederfarbener Tragegriff. Ich machte den Kofferverschluss auf, klappte den Deckel hoch und sah die Schreibmaschine. Mein Herz klopfte. An der Stelle, wo das Papier eingespannt wird, stand in goldenen Buchstaben »Remington Portable« und darunter »Model 5«. Auf die Innenseite des schwarzen Kofferdeckels hatte Phil einen Zettel geklebt. Auf den Zettel hatte er einige Bemerkungen über den Charakter dieser Maschine geschrieben.

Die Maschine war auf ihrem auch mit schwarzem Leinen bezogenen Kofferboden festgeschraubt. Ich holte von Davids Schreibtisch ein Lineal und nahm an der Maschine Maß. Grundfläche 33 cm^2, Höhe 12 cm. Ich fasste die Maschine mit zwei Händen und wog sie. Vielleicht fünf Kilo. Ich stellte sie wieder auf den Tisch, trank aus Phils Tasse einen Schluck. Die Buchstaben auf den Tasten standen auf ihren Hebeln wie in der Luft. Jeder Buchstabe lag ein wenig in einer Vertiefung, und um jeden Buchstaben war ein Silberring, der die Buchstaben umringte. Und die Silberringe waren ein bisschen höher als ihre Buchstaben. Die letzte Taste rechts, mit der man Abstände machen konnte, ragte über die anderen Tasten hinaus, war ein bisschen kleiner und rot. Auf ihr standen drei Buchstaben, PAR. Unterhalb dieser Taste war die etwas größere, letzte Taste für die Großbuchstaben, in deren Silberring stand SHIFT KEY. Und auf der anderen Seite, links, gab es dieselbe Taste in derselben Größe, darüber die etwas kleinere Feststelltaste, auf der stand SHIFT, darunter LOCK. Ich spannte ein Papier in die Papierwalze, spannte es aber schief ein, weil ich nicht Schreibmaschine gelernt hatte, drückte auf die einzelnen Buchstaben. Die Buchstaben sprangen von ihren Plätzen, trafen mit einem Schwung das Papier, ließen einen Buchstaben dort und zogen sich zurück. Die Buchstabenhebel hatten etwas von der Präzision von einem langbeinigen Insekt oder von einer Cancan-Tänzerin, Beine ungewöhnlich hoch, das Publikum schreit: »AAA«. Man konnte auch mehrere Buchstaben gleichzeitig drücken. Ich drückte vorsichtig. Mehrere Hebel gingen hoch, wie bei einer Gruppe Cancan-Tänzerinnen, die Beine gleichzeitig ungewöhnlich hoch, das Publikum schreit »AAA« oder »OOO« oder »HHH« oder »UUU«. Ich hatte Angst, die Maschine kaputtzumachen mit dem Cancan-Tanz, machte den Deckel zu, der Kaffee in Phils Tasse wackelte. Ich stand auf, holte Isas Brief, legte ihn neben die Schreibmaschine, machte den Deckel wieder auf und versuchte, mit einem Finger Isas Brief abzuschreiben. Wo ist h, wo ist a, wo ist l, wo ist k, wo ist i, wo ist m, wo ist a, wo ist v, wo ist e, wo ist i, wo ist l, wo ist g, wo ist i, wo ist l, wo ist i, wo ist l, wo ist e, wo ist r, wo ist e: *halkima ve ilgililere – an mein Volk und die Interessierten.* Den ersten Satz hatte ich geschrieben. Ich machte weiter.

Wo ist b, wo ist e, wo ist n, ben – ich.

Wo ist g, wo ist e, wo ist l, wo ist d, wo ist i, wo ist m, geldim – bin gekommen.

Wo wohnen Sie, Madame?

Ich wohne in Isas Buchstaben.

Ein paar Stunden später, nachdem ich die letzten Buchstaben der zweiten Seite von Isas Brief getippt hatte, wollte ich aufstehen, mir eine Tasse Tee machen, aber ich konnte nicht aufstehen, weil die letzte Buchstabentaste, auf der ich gerade meinen rechten Zeigefinger hatte und deren Bein wie das von einer Cancan-Tänzerin hochgegangen war, meinen Finger nicht losließ. Das Bein blieb oben auf halbem Weg stehen, der Buchstabe wehrte sich, auf das Papier zu schlagen, um sich dort neben die vorherigen Buchstaben zu setzen. Ich versuchte, meinen rechten Zeigefinger von der Buchstabentaste loszureißen, meine Mühe war aber umsonst, mein rechter Zeigefinger blieb weiter an der Taste kleben, das Bein blieb weiter in der Luft. Ich überlegte, was ich tun könnte, dass diese Buchstabentaste meinen Finger losließ. Vielleicht wenn ich mit meinem linken Zeigefinger auf einen anderen Buchstaben tippte, würde diese Buchstabentaste, an der mein rechter Zeigefinger klebte, mich loslassen. Ich tippte mit dem linken Zeigefinger auf einen anderen Buchstaben, dann blieb aber auch der an meinem linken Zeigefinger kleben und wie das Bein von einer Cancan-Tänzerin in der Luft. Jetzt konnte ich beide Zeigefinger nicht von den Buchstaben losreißen. Von beiden Tasten blieben die Beine oben, wehrten sich, auf das Papier zu schlagen, um die Buchstaben dort zu lassen, und auch meine Zeigefinger loszulassen. Ich hielt meinen Atem an. Wie lange sollte ich hier sitzen mit meinen beiden festgenommenen Zeigefingern? Meine Füße waren gefroren, ich rieb sie aneinander, um etwas Wärme zu erhalten. »Es ist höchste Zeit, dass ihr meine Finger loslasst, Buchstaben«, rief ich in Richtung der Schreibmaschine. Nichts bewegte sich, nur das Summen des Kühlschranks war zu hören. Was für ein Buchstabenplan ist denn das, und zwar, was wird dann daraus, wenn ihr Plan ihnen geglückt ist? Ich muss aufstehen, meine Hände nach oben nehmen, die Schreibmaschine von ihrem Platz hochnehmen, dann werden die beiden Buchstaben meine beiden Finger loslassen, weil die Maschine auf den Tisch zurückfallen wird. Eine andere Lösung fällt mir nicht ein, dachte ich, stand auf, zog meine Hände in die Luft, die Schreibmaschine kam an meinen Fingern klebend mit hoch und blieb in der Luft hängen. Ich schüttelte meine Hände, doch die Maschine rührte sich nicht, die Buchstaben blieben mit ihren Cancan-Beinen auf dem halben Weg in der Luft stehen. Ich streckte meinen Kopf in die Nähe der beiden Buchstabenbeine. Dann sah ich in diesen beiden Buchstaben etwas, ging noch näher und entdeckte, dass aus den Cancan-Beinen, wo die Buchstaben saßen, anstatt Buchstaben zwei Gesichter rausschauten. Als ich diese beiden Gesichter erkannte, schrie ich so laut, dass diese beiden Gesichter meine Finger losließen und die Schreibmaschine auf den Tisch zurückfiel und die beiden Buchstabenbeine sich auf dem Papier verhakten. Die Gesichter, die ich gerade gesehen hatte, waren beide mein 25 Jahre älteres Gesicht, das ich schon zweimal in Straßenpfützen eines starken Regens gesehen hatte. Mein 25 Jahre älteres Gesicht hatte mir beide Male gesagt: »Du wirst mehrere Bücher schreiben und am Ende wirst du geschlachtet …«

Ich schaute auf meine beiden Zeigefingerkuppen, ob die Gesichter dort auch zu sehen waren. Sie waren da, und ihre Münder bewegten sich ohne Töne. Ich rannte von der Küche ins Badezimmer, um meine Finger zu waschen. Ich wusch sie, aber beide Gesichter waren weiter da. Ich schrubbte sie mit der Bürste, beide Fingerkuppen, die Gesichter waren weiter dort, aber nicht sehr deutlich. Sie waren jetzt verschrumpft ins Blasse. Ihre Münder bewegten sich auch nicht. Als ich wieder hinschaute, waren sie ganz verschwunden. Jetzt hörte ich aber aus der Küche Schreibmaschinengeräusche.

Ich blieb neben dem Billardtisch stehen, wagte es nicht, in die Küche zurückzukehren. Ab und zu wurde aus der Walze das Papier herausgenommen und neues dafür reingetan, girch, girch, girch, dann ging das Tippen weiter. Nachdem zehnmal neues Schreibpapier in die Walze getan worden war, wurde noch kurz getippt – ich denke, nur noch zwei Sätze, so etwa –, dann wurde es in der Küche still. Ich ging auf Fußspitzen, schaute an der Tür zum Küchentisch, neben der Schreibmaschine links lagen die Seiten von Isas Brief, die ich dahingelegt hatte, auf der rechten Seite lagen auch Papiere übereinander, und in der Maschine das letzte Blatt. Ich wagte es, hinzugehen, nahm das letzte Blatt aus der Maschine, es war Seite neun. Alle Papiere waren nummeriert: 1 – 2 – 3 – 4 – 5 – 6 – 7 – 8 – 9. Ich legte das neunte Blatt unter die anderen, nahm die erste Seite, fing an zu lesen. Da stand:

Wir warnen dich zum letzten Mal,
bleib fern von den Buchstaben.
Wir erinnern dich daran, was dir auf der Insel geschah.

Nach dieser kurzen Notiz der Schreibmaschine ging es mit dem Text weiter, den ich damals auf der Insel von den Wänden, von Mosquito und von den Krähen gehört hatte, bevor ich nach Europa gegangen war. Ich blätterte und las die letzten Seiten.

Die Krähen schrien draußen auf den Dächern: »Wenn du gehst, werden die Liebesquellen austrocknen. Dort wirst du nur deine eigenen Schritte hören wie das Schaf seine Glocke am Hals, tchang-tchang-tchang-tchang. Du wirst dich schämen. In den fremden Gassen, vor den fremden Wörtern ohne Kindheit wirst du dich schämen, denn in einer fremden Sprache haben Wörter keine Kindheit. Und die Scham ist ein tüchtiger Beamter, in seinen Händen die labyrinthische Zeit, aus der es keine Wiederkehr gibt.

»Sind denn die Gegangenen alle krank vor Scham, schamkrank, mit blassen Wangen, werden sie sich schämen bis ins Grab?«, fragte ich mich mit noch an die Wand gelehntem Kopf.

Die Krähen sagten: »Ja, die Gegangenen werden sich schämen bis ins Grab. Sogar die Hiergebliebenen schämen sich für die, die nach Europa gegangen sind. Die Leute hier sagen, diese Menschen, die von hier fort sind, geben in Europa ein schlechtes Bild von uns, wir sind modern hier, wir haben unsere Geschichten, unsere Reichtümer, unsere Kultur. Die, die weggegangen sind, sind die Armen, die Kulturlosen, die Sklaven. Durch sie wird in Europa unsere wahre Identität, unsere reiche Geschichte klein gemacht. Plötzlich schreibt Europa unsere reduzierte Geschichte.«

Ich sagte: »Ich mach die Geschichte wieder groß, ich werde dort Schauspielerin.«

Ich blätterte weiter.

Die Krähen verloren keine Zeit, mir zu antworten. Sie sagten: »Wenn du gehst, gehst du als Charlotte Corday oder als Ophelia von hier fort und kommst dort in Berlin als Putzfrau an.«

Ich sagte: »Krähen, ihr spottet meiner, meine Tränen zu locken. Dieser Gedanke, ich als Putzfrau, ich glaube, eine Schlange beißt mein Herz.«

»Ja«, sagten alle Krähen. Und dieses Ja sagten sie mit ganz sanften Stimmen. »Schau, die Frauen unserer Landsleute sind in Berlin Putzfrauen. Und auf einer deutschen Bühne ist eine türkische Frau eine türkische Frau und eine türkische Frau ist eine Putzfrau. Das ist die tägliche Realität. Und am Theater wird es eine nächtliche Realität. Du kannst in Deutschland am Theater nur als Putzfrau Karriere machen. Im ersten Stück bist du eine Putzfrau, bückst du dich und putzt mit dem Eimer. Im nächsten Stück kriegst du vielleicht eine Bohnermaschi-

ne, da hast du schon die hohe Karriere, vom Eimer zur Bohnermaschine. Bleib hier bei uns, bei deinem Mond, den du kennst. Du kannst in Europa vielleicht auch berühmt werden, vielleicht Schauspielerin oder Schriftstellerin, aber du wirst keine Ruhe finden. Sie werden dich loben und schreiben, dass du Pionierin der türkischen Künstler bist, dass du Aufklärerin der unterdrückten türkischen Mädchen bist, dass du eine Brücke zwischen der Türkei und Deutschland bist, dass du die einzige emanzipierte Türkin bist, dass du das beste Beispiel der Integration bist.«

All die Krähenstimmen nervten mich so sehr, ich öffnete das Fenster während die Uhr fünfmal schlug, und schrie raus: »Seid ihr die Hellseher, seid ihr Teiresias?«

Die Krähen ließen sich von mir nicht irritieren. In gleichem Rhythmus wie ihr Krächzen sprachen sie weiter, sagten: »Nehmen wir an, du schreibst dort einen Roman, mit all deiner Fantasie, mit eigenen Bildern, deinen empfindsamen Gefühlen, du schreibst zum Beispiel AB JETZT IST ALLEINSEIN MEIN PFERD.

Und genau da, als ich diese Sätze zu Ende gelesen hatte, verblassten alle Buchstaben, und die Papiere wurden ganz weiß. Nur diese Sätze nicht:

»Nehmen wir an, du schreibst dort einen Roman, mit all deiner Fantasie, mit eigenen Bildern, deinen empfindsamen Gefühlen, du schreibst zum Beispiel AB JETZT IST ALLEINSEIN MEIN PFERD. Oder DIE WOHNUNGSLOSE SCHNECKE. Weil du mit der Schnecke Mitleid hast. Diese Schöpfungen, die du aus deinem eigenen Körper ausgraben wirst, werden als Türkisch registriert. Sie werden sagen, schauen Sie, wie schön die türkische Sprache ist. Keiner kann Türkisch, aber plötzlich wissen sie, dass es Türkisch ist. Du landest in der türkischen Schublade. Europa, Berlin, Tiergarten der Sprachen, hier sind die türkischen Tiere, als wäre die Türkei ein Dorf, in dem alle Einwohner die gleichen Geschichten haben und mit gleichen Sätzen sprechen. So werden sie versuchen, dir dein Gedächtnis auszulöschen, weil sie keines

haben. Weil sie keines haben, darfst du auch keines haben. Weil es ihnen auch schnuppe ist.«

»Was meint ihr«, schrie ich, »dass es ihnen schnuppe ist?«

Meine Frage blieb offen. Aus unerklärlichen Gründen waren die Krähen plötzlich ganz still.

Ganz still.

Ich nahm diese Seite, faltete sie, legte sie in die Schreibmaschine, machte den Deckel zu, trug die Maschine in den Salon, stellte sie in eine Ecke. »Ich werde den Buchstaben zuhören, diese Maschine nie wieder aufmachen, nie etwas schreiben«, dachte ich. Aber dass zwischen meinem Versprechen und dem Die-Maschine-doch-wieder-Aufmachen nur anderthalb Jahre vergehen sollten, wusste ich nicht.

WOYZECK

Es geschah so: Ich war zum Theater gegangen und hatte Alf getroffen. Alf sagte: »Übrigens, du sollst Matthias Langhoff anrufen.« Langhoff war wie Besson einer meiner Regisseure. Bevor ich mit Besson nach Paris gegangen war, hatte ich bei Langhoff im Goethe-Stück *Der Bürgergeneral* an der Volksbühne Berlin mitgearbeitet. Alf gab mir eine Telefonnummer. Ich rief diese Nummer an, sprach mit Matthias Langhoff, er fragte mich, ob ich Lust hätte, nach Bochum ans Bochumer Schauspielhaus zu kommen als seine Mitarbeiterin. Matthias sagte: »Als neuer Intendant kommt Claus Peymann mit seinem Ensemble nach Bochum. Es wird eine sehr gute Zeit. Manfred und ich machen das Stück von Thomas Brasch *Lieber Georg*. Besorg dir das Stück, schau mal, ob du Lust hast.«

Als ich das Telefon auflegte, sah Alf mich neugierig an.

Ich sagte: »Alf, mein Regisseur Matthias Langhoff inszeniert das Brasch-Stück mit seinem Partner Karge zusammen. Er will mich als Mitarbeiterin.«

Alf sagte: »Mensch, gratuliere, ich freue mich für dich, Langhoff ist ein großer Regisseur.«

»Ja, ich liebe ihn auch, wie ich Besson liebe. Weißt du, Alf, ich muss die Menschen, mit denen ich arbeite, immer sehr lieben, sonst schaffe ich es nicht.«

Alf sagte: »Ich verstehe, sie sind wie Familie. Ich denke, du solltest zu Langhoff. Hier ist alles noch unklar. Es gibt noch kein Stück.«

»Ohne Theaterproben ist das Leben ein Wartesaal, Alf.«

»Du hast schon mal mit Langhoff gearbeitet?«

»Ja, in *Der Bürgergeneral* von Goethe. Ich liebe das Stück, diese satirisch-ironische Wirkung der Französischen Revolution auf die Deutschen. Mit der ganzen Truppe und Langhoff fuhren wir, bevor die Proben losgingen, mit Autos nach Weimar zu Goethe. Auf dem Weg Wälder, in der Ferne Bauern, Kirchtürme, LPG-Kühe, Schafe, wunderschön. Plötzlich zitterten die Hände meines Kollegen Hasso von Lenski, der das Auto fuhr. Er sagte zu mir: ›Dort oben auf dem Hügel war meine Mutter im Konzentrationslager.‹ Wir hielten an, rauchten, fuhren dann weiter nach Weimar, besuchten Goethes Winter- und Sommerhaus, auch die Särge von Goethe und Schiller. Die Frau, die uns herumführte, sagte, in Schillers Sarg gebe es nur den Körper Schillers, nicht seinen Kopf, bei Goethe sei noch alles da. Oder war es umgekehrt?«

Alf sagte: »Wer weiß, welcher Nazidieb den Kopf geklaut hat, um ihn bei sich zu Hause auf seinen Schreibtisch zu stellen. Langhoffs Mutter ist Jüdin, oder? Sein Vater war im KZ, nicht? Hat er da nicht *Die Moorsoldaten* geschrieben?« Dann sang Alf: »*Wir sind die Moorsoldaten und ziehen mit dem Spaten ins Moor*«, dann sagte er: »Gott sei Dank konnte die Familie nach Zürich flüchten.«

»Ich weiß, als der Krieg zu Ende war, kehrten die Langhoffs mit vielen anderen Künstlern aus dem Exil zurück nach Ostberlin. Matthias wuchs zwischen Künstlern wie Hanns Eisler, Paul Dessau, Bertolt Brecht, Helene Weigel, Anna Seghers, Arnold Zweig und Ernst Busch auf. Fast wie in den Zwanzigerjahren in Berlin, in der expressionistischen Zeit. Alf, mich macht es immer traurig, dass Deutschland durch die Nazis seine Toten verloren hat, so wie Else Lasker-Schüler, Walter Benjamin, aber wenigstens Brecht ist hier begraben – und Langhoffs Vater und Mutter.«

Alf nickte: »Große Scheiße die Nazis, auch für unsere Generation. Mensch, ich will, wenn ich in Paris oder Rotterdam bin, nicht Deutsch sprechen, sonst kommen mit der deutschen Sprache die Erinnerungen der Menschen an die Nazis wieder hoch. Die Nazis sind gestoppt worden, aber vorher haben sie uns Ungeborene noch in ihre Scheiße reingezogen.«

Wir nickten. Als ich gehen wollte, sagte Alf: »Apropos Bochum, du, ich rufe David an, er hat Freunde unter den Peymann-Schauspielern, die mit Peymann ans Bochumer Schauspielhaus kommen. Vielleicht kann einer dir eine Bleibe verschaffen, du musst irgendwo wohnen. Warte, ich rufe David sofort an.«

Wir gingen ins Büro. Alf sprach mit David, dann gab er mir den Hörer. David sagte: »Frau von Istanbul, weißt du, wo du in Bochum wohnen wirst?« »Nein, noch nicht.« »Hmm, warte mal, ich hab einen sehr guten Freund, ein Schauspieler von Peymann, Branko Samarovski. Er geht auch nach Bochum. Ich arrangiere, dass du bei ihm wohnst.

Notiere seinen Namen. Klasse Schauspieler, alles wird wunderbar.«

»David, die Arbeit mit Langhoff fängt erst in einem Monat an. Kann ich so lange noch in deiner Wohnung wohnen?« »Aber natürlich, mach dir keinen Kopf – ne te casse pas la tête, Frau von Istanbul. Und lass ein Foto von dir auf meinem Billardtisch.«

Ich las Braschs Stück *Lieber Georg*. Es ging um den expressionistischen Dichter Georg Heym, der mit seinem stark religiösen Vater, der Reichsmilitärstaatsanwalt war und Hinrichtungen begleitete, nicht klarkam. Der Vater zwang ihn, Jura zu studieren, Georg hatte damit große Probleme, verunglückte 1912 mit 25 Jahren beim Schlittschuhlaufen, als er seinen ertrinkenden Freund Ernst Balcke retten wollte. In Thomas Braschs Stück kamen der Vater von Georg Heym und Georgs Freund Ernst Balcke vor. Braschs Stück fängt so an:

HEYM Ich kann dich nicht mehr tragen Papa du
bist so schwer Steig ab Warum weinst du denn
PAPA Weiter Georg weiter Es muss vorwärts gehen
Was soll denn aus dir werden Als ich in deinem Alter
war habe ich schon zwei Todesurteile beantragt und
beide Prozesse gewonnen Aber du Erst pisst du fünf
Jahre lang ins Bett und jetzt Und jetzt Der einzige
Sohn ein Stotterer Lachhaft Mann
HEYM Ohne dich wär ich der größte deutsche Dichter Längst
PAPA Lachhaft Mit deine Gedichte wisch ich mir den Arsch
Jawohl den Arsch Weiter jetzt Los Und halt die Fresse
Ins Gerichtsarchiv werd ich dich stecken In den Staub
Und dann mit dem Säbel ein paar Ausrufezeichen
auf die Backen Das ist Lyrik Vorwärts jetzt[33]

Thomas Brasch hatte in einem Interview gesagt: »*Georg Heym war für mich nicht nur die Geschichte dieses Dichters, sondern auch meine Geschichte. Und die war für mich nicht anders zu erzählen als mit dem Mittel eines Stücks.*«[34]

Thomas Brasch kannte ich aus Ostberlin. Er war für mich ein aufregender Mensch. Thomas war vor ein paar Jahren nach Westberlin ausgewandert. Wenn ich Brasch sah, schaute ich ihm gerne zu, wie er provozierend mit Menschen sprach, wie er seine Augen aufriss und etwas sagte, erinnerte mich an den Brecht-Song »Ballade von der Unzulänglichkeit menschlichen Planens«.

Der Mensch ist gar nicht gut
Drum hau ihm auf den Hut.
Hast du ihm auf den Hut gehaun
Dann wird er vielleicht gut.
Denn für dieses Leben
Ist der Mensch nicht gut genug
Darum haut ihm eben
Ruhig auf den Hut.[35]

Und Thomas schrieb im Stück: *ich weiß jetzt daß ich ein Theaterstück schreibe das von einem Dichter handelt mitten in einem betäubend stillen Vorkrieg zwischen den unsichtbaren Gesetzen der Ökonomie unter dem Gewicht einer alten Ästhetik Das ist ein leichtes Schreiben sage ich im gleichen Augenblick als mich ein Luftzug vom hinteren Ende des Flurs trifft und meine Hand in der Bewegung stehenbleibt Ich wende mich um und sehe Männer in Trainingsanzügen herankommen Die Männer halten längliche Gegenstände in den Händen und sprechen laut miteinander Sie beachten mich nicht als sie über mich hinwegsteigen Erst als ich sehe wie sie den Ausgang verlassen und ins Helle treten erkenne ich daß es sich bei den Gegenständen um Gewehre handelt die sie jetzt in Anschlag bringen Ich begreife daß sie die ganze Zeit von einem Krieg gesprochen haben und verstehe die Worte die vorher für mich keinen Zusammenhang ergaben ZUSAMMENSCHLUSS TREUE ZUM BÜNDNIS NACHRÜSTUNG Ich lege mich flach auf den Boden und sehe daß die Männer ihre Gewehre gegen den Himmel strecken und in die feste graue Fläche zu schießen beginnen [...].*[36]

Ich fing an, auf Davids Billardtisch Collagen zu machen. Der ganze Tisch voll mit den geschnippelten Bildern, Papieren. Die Wörter des Brasch-Stücks wurden bald Bilder. Nach einem Monat Collagenarbeit saß ich mit Thomas in seiner Wohnung. Thomas schaute sich die Collagen an, sagte: »Ich werde Karge und Langhoff sagen, wenn sie beim Inszenieren des Stücks nicht weiterwissen, sollen sie deine Gefühle fragen.«

Bevor ich mit Isas Brief, Phils Remington-Schreibmaschine und den Collagen zum Thomas-Brasch-Stück *Lieber Georg* nach Bochum zu meiner neuen Arbeit fuhr, stieg ich auf mein Klappfahrrad, fuhr zur Straße des 17. Juni in der Hoffnung, die beiden Nutten, eine jung und blond, die andere älter, dünn und dunkelhaarig, in ihrem weißen Auto, wo sie auf ihre Kunden warteten, wiederzutreffen. Die Ältere hatte, als ich noch sehr schlecht Fahrrad fahren konnte, mir gezeigt, wie man fahren musste. Sie war aus ihrem weißen Auto ausgestiegen, auf dem Fahrrad hin- und hergefahren und hatte sich totgelacht. Jetzt wollte ich ihr mein Fahrrad schenken. Wenn ich das Lachen, ihr Lachen wieder treffen könnte. Ich fuhr vom Ernst-Reuter-Platz zum Goldenen Engel die ehemalige Naziparadestraße hinunter und suchte an dem Punkt, wo ich die beiden Nutten gesehen hatte, das weiße Auto. Es war da, aber nur die junge Blondine saß darin.

Sie erkannte mich, sagte: »Na, siehst du, hat doch geklappt mit dem Fahrradfahren.«

Ich hielt an. »Geht es gut?«

»Gut.«

»Wie geht es Ihrer Freundin?«

»Gut.«

»Ist Ihre Freundin nicht da?«

»Nein, morgen ist sie wieder da.«

»Ach, morgen bin ich weg.«

»Wohin denn weg?«

»Ich fahre heute mit dem Mitternachtszug nach Bochum.«

»Was machst du denn in Bochum, gefällt es dir nicht in Berlin?«

»Nein, nein, mit meiner Arbeit in Berlin hat es nicht geklappt.«

»Das ist schlecht. War das eine Reinigungsfirma?«

»Nein, Theater.«

»Theater, sieh an, sieh an. Du weißt sicher, dass John Wayne gestorben ist.«

»Ja, aber ich liebe Marlon Brando.«

»Ich habe mir John Wayne gerne angeschaut, *Ringo*, *Höllenfahrt nach Santa Fé*, er war 1,93 m groß, *Ein Mann aus Stahl* habe ich zuletzt gesehen.«

»Ich fand seinen Mund so unsinnlich.«

»Küssen musst du ihn ja nicht. Hast du auch in Filmen gespielt?«

»Ja.«

»Was denn?«

»Türkische Putzfrauen.«

Die blonde Nutte lachte, bot mir eine Zigarette an. Ich fragte sie: »Kennst du Bochum?«

»Nie war ich da, nichts für mich. Gibt es da ein Theater?«

»Ja, eines der besten in Deutschland, sagte man mir. Peter

Zadek war da bis jetzt Intendant. Jetzt ist es Claus Peymann. Weißt du, ich hatte, bevor ich nach Paris ging, zwei Jahre in Ostberlin gearbeitet. Ich hatte zwei Regisseure, Benno Besson und Matthias Langhoff. Besson ist jetzt in Paris, Matthias Langhoff geht nach Bochum. Er hat mich vor ein paar Wochen angerufen, ob ich als seine Mitarbeiterin ans Bochumer Schauspielhaus kommen will. Er sagte, Peymann ist Intendant, es wird eine sehr gute Zeit sein, und er freut sich auf mich.«

»Kindchen, du hast ja Männergeschichten am Laufen. Freust du dich?«

»Ja. Mein Regisseur Matthias Langhoff wurde während der Nazizeit in Zürich geboren. Dann sind die Langhoffs, wie auch Brecht, nach Ostberlin zurückgekehrt. Weißt du, die Mutter von Matthias Langhoff war Schauspielerin, sie war Jüdin. Matthias hatte mir in Ostberlin erzählt, dass sie nach dem Krieg, wo man gar nichts hatte, ihr Kleid, das kaputt war, einfach geklebt hat.«

Die blonde Nutte sagte: »Das kann ich mir vorstellen. Krieg ist was Böses. Meine Großmutter hat zwei Söhne verloren. Ich war klein. Sie sagte mir, sie hat Tabletten gekauft, gute Tabletten, wenn es wieder Krieg gibt, wird sie sie nehmen. Sie sagte: ›Ich will keinen Krieg mehr erleben.‹ Jetzt hat es Deutschland aber gut, oder? Aber zum ersten Mal kostet in der Bundesrepublik ein Liter Benzin mehr als eine D-Mark. Das ist nicht so helle. Also, du freust dich auf deine neue Arbeit und deine Männer?«

»Ja.«

»Na denn. Aufregend, aufregend«, sagte die Nutte, »Bochum ist nichts für mich. Sag mal, hast du ’nen Freund?«

»Ja, einen Geliebten, aber er ist in New York.«

»Ahhhh«, sagte sie, »schade.«

Als sie mir wieder eine Zigarette gab, fragte ich sie: »Wie heißt du?«

»Meike, aber Bianca gefällt mir besser.«

»Bianca, ich habe gesehen, wie deine Freundin glücklich war, als sie mit meinem Fahrrad hin- und herfuhr. Ich bin heute gekommen, um ihr mein Fahrrad zu schenken. Sie kann ja hier hin- und herfahren, weiterlachen.«

»Das ist ja lustig«, sagte Bianca, »na denn, stell es her. Hast du auch das Schloss?«

»Ja.«

»Dann schließ es ab, gib mir den Schlüssel. Ehrenwort, ich geb es ihr.«

»Wie heißt deine Freundin?«

»Wiebke.«

»Bianca, jetzt geh ich, grüß Wiebke schön. Ich danke dir.«

»War mir vielleicht ein Vergnügen. Tschüss.«

Ich lief die Straße des 17. Juni hinunter, drehte mich um, schaute zum letzten Mal auf das weiße Auto von Bianca und Wiebke, fuhr dann vom Ernst-Reuter-Platz zum Checkpoint Charlie, reiste nach Ostberlin ein, sagte zu dem Grenzpolizisten: »Ich will Abschied von Brecht nehmen.« Er schaute mich an, sagte: »Brecht, ja.« Dann gab er mir meinen Pass. Ich lief die Friedrichstraße hoch bis zum Dorotheenstädtischen Friedhof, ging zum Brechtgrab, fand wieder eine Zigarre hinter seinem Grabstein, sagte: »Auf Wiedersehn, Bertolt Brecht, ich gehe nach Bochum.« Dann lief ich weg, hielt eine Weile vor John Heartfields Grab, suchte dann das Grab von den Eltern meines Regisseurs Matthias Langhoff, von Wolfgang und Renate Langhoff, sagte: »Ich gehe zu euerm Sohn.« Das Grab war sehr ruhig, die Blätter um das Grab, auf dem Grab waren genauso still wie die Grabsteine, nur ein Mensch lief zwischen den Gräbern, suchte einen Grabstein, den er wahrscheinlich sehen wollte. Ich stand auf, ging mit Abstand hinter diesem Menschen her, um zu sehen, wen er suchte, welchen Toten. Er fand den Toten, blieb vor dem Grab stehen, auf dem Grabstein stand HEGEL. Ich lief weg. Am Grenzübergang Checkpoint Charlie gab es nicht viele Ausreisende, ich war schnell im Westen, fuhr zu Davids Wohnung, vergaß, durch das Fenster vom 129er-Bus die Boom-Häuser und die Nicht-Boom-Häuser zu zählen.

Als ich Davids Wohnungstür aufschloss, klingelte es in der Wohnung, ich ließ die Tür auf, rannte ans Telefon. David. Er sagte: »Ich habe mit Branko geredet, er wird dir helfen mit der Wohnung, du triffst ihn im Bochumer Schauspielhaus. Ist das in deinem Sinne?«

»Ja, David, danke. Ich fahre heute Nacht mit dem Nachtzug nach Bochum, die Schlüssel lasse ich auf deinem Billardtisch.«

»Okay, lass auch ein Foto von dir auf dem Billardtisch, hörst du, ich will ein Foto von der Frau von Istanbul in meiner Wohnung haben, haha.«

»Haha. Das Foto ist schon da.«

Ich packte die Collagen in meine Reisetasche, stellte Phils Schreibmaschine neben meine Tasche. Alles war gepackt. Isas Brief steckte ich wieder in meine Jackentasche, knöpfte sie wieder zu.

Der Nachtzug nach Bochum fuhr langsam zwischen den Berliner Boom- und Nicht-Boom-Häusern. Ich blieb auf dem Korridor des Schlafwagens, schaute raus. Bald wird der Zug in die DDR reinkommen, dann werden die Ost-Polizisten in das Zugabteil einsteigen, wenn die Lichter aus sind, sie anmachen, die Pässe verlangen, in dem plötzlich angehenden Licht werden ihre Gesichter und Militärmützen größer wirken, dann werden sie die Pässe stempeln, dann in das nächste Abteil gehen. Das wird das letzte Bild von der geteilten Stadt Berlin sein, und das Bild kann man nicht zwischen Buchblätter legen, und Brechts Grab liegt in der Nähe von John Heartfields Grab.

Im Schlafabteil stand eine Frau mit dem Rücken zu mir. Als ich die Tür öffnete, drehte sie sich um, eine schöne Frau mit sehr großen Augen. Bald fragte sie mich, ob ich eine Birne möchte. Während ich die Birne aß, aß sie auch eine, sagte: »Vom Baum meiner Freundin.« Sie hieß Ulrike, wohnte in Bochum. Als sie hörte, dass ich zum Bochumer Schauspielhaus fuhr, sagte sie: »Man sagt, unser Theater ist das beste Theater Deutschlands.«

»Ja, das habe ich auch gehört. Peter Zadek war jahrelang dort Intendant. Unter Zadek war Rainer Werner Fassbinder, den ich sehr liebe, regelmäßiger Gast in Bochum.«

»Auch vor Zadek gab es sehr gute Leute. Saladin Schmitt mit seiner Shakespeareliebe, Hans Schalla ab 1949 mit Inszenierungen von Arthur Miller, Tennessee Williams, Samuel Beckett.«

Sie kletterte hoch in ihr Bett, immer wieder hustete sie. Der Zug fuhr langsam über DDR-Boden. Der Zug würde noch lange so fahren, bis zur westdeutschen Grenze, hatte mir Ulrike gesagt.

Ich legte mich auch ins Bett. Ulrike schlief. Ich fing an, im Dunkeln zu rechnen: Ist Berlin näher an New York, oder ist Bochum näher an New York? Wenn ich ein Flugzeug nehme, um meinen Geliebten zu sehen, und nach New York fliege, von welcher Stadt aus ist New York näher, von Berlin oder von Bochum? Ich versuchte, mir den Weltatlas vor meine Augen kommen zu lassen, damit ich eine Antwort geben könnte. Ist Bochum näher an New York oder Berlin? Ob es in Bochum einen Flughafen gibt? Ich ging leise aus dem

Abteil, fand den Schlafwagenchef. »Wissen Sie, ob es in Bochum einen Flughafen gibt?« »Nein«, schüttelte der Schaffner den Kopf, »nein, da fahren nur Bundesbahnen. Die nächsten Flughäfen sind in Dortmund, Düsseldorf.« »Danke.« Ich kehrte zurück, grübelte weiter. Bochum–New York, Berlin–New York. Heimlich wollte ich doch, dass Bochum–New York näher wäre, sonst würde ich traurig, dass ich Berlin verlasse, falls Berlin näher wäre. Dann fing ich an zu denken: Ist Berlin näher an Istanbul oder Bochum? Doch Bochum, oder? Bochum ist näher an Österreich, dann kommt Jugoslawien, Jugoslawien ist nahe an Griechenland, Griechenland hoppla Istanbul. Ich atmete tief und schlief ein. Frühmorgens weckte uns der Schaffner, sagte: »Wir kommen bald in Bochum an.« Ulrike hustete, sagte: »Guten Morgen.«

Als wir aus dem Zug ausstiegen, sagte sie: »Am Theater ist um diese Zeit sicher kein Mensch. Wollen Sie sich bei mir etwas hinlegen?« Sie wohnte in einem Haus mit kleinem Garten. Ihr Sohn wachte auf, begrüßte uns, dann ging er wieder. Ulrike zeigte mir ein Zimmer. »Schlafen Sie etwas«, sagte sie, zog die Vorhänge zu, ging dann raus. Ich schlief ein. Um elf Uhr brachte Ulrike mich mit ihrem Auto zum Schauspielhaus. Die Häuser, die ich auf dem Weg sah, hatten schwarze Gesichter, ich wollte gerne ihre Gesichter waschen. Ich fragte Ulrike: »Wieso haben die Häuser so schwarze Gesichter?«

»Hier in Bochum gab es früher Bergbau. In jeder Familie gab es einen Bergmann. 1887, nein, nein, was sage ich da, 1890 haben sie hier das erste Unfallkrankenhaus der Welt, Bergmannsheil, eröffnet, für die Bergmänner hier. Die Stadt verlor 116 Bergarbeiter bei einer Kohlenstaubexplosion. Es gibt ein berühmtes Bergbaumuseum«, sagte Ulrike, »Bochum schrieb ab 1842 Industriegeschichte. Ja, die Stadt ist sicher für Sie nach Berlin sehr klein – aber hat auch ihre Geschichte. Zum Beispiel gab es 1583, oder war das 1584, nein, nein, auf jeden Fall 1583, hier eine Pestepidemie, die Stadt wurde öfter von der Pest heimgesucht, zuerst die Pest, dann Napoleons Truppen. Einen Tierpark haben wir auch.«

»Die Löwen tun mir leid.«

»Am 10. November, nein, am 9. November 1938, ich schäme mich für dieses Datum, an dem Tag wurden die ersten jüdischen Bürger in die Konzentrationslager verschleppt. Die jüdischen Häuser und Einrichtungen wurden zerstört. Schon zu Beginn der Zeit des Nationalsozialismus 1933 waren die Verhaftungen und Verfolgungen der jüdischen Bürger oder politischer Gegner wie Fritz Heinemann, August Bahrenberg, Otto, wie hieß der Otto mit Nachnamen, U… U…, ach, das ist mir peinlich. Gottseidank war 1945 der Einmarsch der Amerikaner. Da war ich gerade fünf Jahre alt. Meine Mutter sagte mir später, sie hätte sich an dem Tag aus Freude Lippenstift aufgetragen. Meine Mutter war sehr religiös, sie war nicht für die Nazis – Glück gehabt, oder?«

»Ja.«

»Dann, 1963, ach, was sag ich da, 1962 eröffnete OPEL die erste Produktionsstätte in Bochum. Dann bekamen wir das Planetarium, dann die Ruhr-Universität, leider ist die Selbstmordrate dort sehr hoch. 1973 wurde die letzte Bochumer Zeche stillgelegt.«

»Ulrike, sind Sie Geschichtslehrerin?«

»Ja«, sagte Ulrike, »wie haben Sie das rausgekriegt?« Ulrike hielt an, sagte: »Und das hier ist unser Theater. Willkommen in Bochum. Ich würde mich freuen, wenn wir Kontakt halten.« Sie gab mir ihre Visitenkarte.

»Danke, Ulrike.«

»Für dich bin ich Uli.«

Ich stieg mit meiner Reisetasche, Phils Schreibmaschine und Isas Brief in meiner Jackentasche und mit einem Lächeln um den Mund aus dem Auto und lief, weiter lächelnd, ins Theater. Am Bühneneingang saßen zwei Pförtner, die gerade aus einem Tabakbeutel Tabak nahmen und mit einem Apparat und Papierchen und Filtern Zigaretten herstellten. Sie fragten mich: »Gehören Sie zu dem Ensemble?« »Ja«, sagte ich. Die beiden waren sehr alte Männer, sehr sympathisch. »Soll ich euch zwei Kaffee oder zwei Bier von der Kantine holen?« Die beiden sagten: »Bier wäre recht, aber lass es. Sonst gewöhnen wir uns daran und lassen dich nur rein, wenn du uns Bier holst.« »Doch, ich hole«, sagte ich. »Nein, dann lassen wir dich nicht rein.«

Dann zwinkerte mir der Ältere zu. »Ein anderes Mal.« Wir lachten, sie ließen mich rein.

Ich stand auf einem langen Korridor, es waren viele Leute da. Einige liefen nach hinten, andere kamen von hinten in meine Richtung. Einige kannten sich, sprachen, Kaffeebecher in der Hand, auf dem langen Korridor miteinander, einige waren neu und fremd, sie standen vor den gläsernen Infokästen und lasen die Probenpläne. Zwei, die sich schon kannten, blieben vor mir stehen. Ich hörte Sätze von ihnen wie: »Der Wahnsinn des chronischen Irrsinns … bourgeoisen Trägheit … schmutzige Verachtung … weil das kranke Bewusstsein ein kapitales Interesse daran hat, nicht herauszutreten. Ja, Tassos Wut ist keine Wohlstandsanarchie.«

Wahrscheinlich redeten die beiden über ihre Rollen, die sie gerade probten.

»Und folgendermaßen, so verrückt diese Behauptung auch scheinen mag, behauptet sich das Gegenwärtige einer primitiven Ungerechtigkeit …« Ich hörte hin, wie dieser

Satz enden würde, aber in diesem Moment hörte ich hinter mir die Stimme meines Regisseurs Matthias Langhoff. »Ach, meine Rose«, sagte er. Ich umarmte ihn. Dann nahm ich die Collagen aus der Tasche und gab sie ihm.

Dieser Korridor war ein wichtiger Ort. Ich hörte einen Regisseur einen Schauspieler fragen, ob er bei ihm spielen würde, oder eine Schauspielerin fragte einen Regisseur wegen ihrer Rolle irgendetwas, und ich zeigte meine Arbeit meinem Regisseur auf dem Korridor. Man sagte, am Theater werden die wichtigsten, existenziellsten Fragen entweder auf dem Theaterkorridor oder vor den Toilettentüren gestellt oder besprochen. Wahrscheinlich weil wir keine Büros hatten. Wir hatten nur die Bühne, aber dort stellten wir die Figuren dar, und die hatten andere Geschichten als unsere, andere existenzielle Fragen.

Langhoff betrachtete lange die Collageblätter, sagte: »Kann ich die mitnehmen? Morgen um zehn treffen wir uns.« Dann lief er in Richtung der Treppen. »Wo willst du wohnen«, fragte er mich beim Gehen. »Bei Branko Samarovski.« Langhoff sagte: »Wenn du einen Mann mit einem Hund siehst, das ist Branko.« Am Ende des Korridors war die Theaterkantine. Ich ging da rein, schaute nach einem Mann mit einem Hund, schaute unter den Tischen, kein Hund, ging wieder raus. Der lange Korridor war jetzt leer, am Ende des Korridors ging die Fahrstuhltür auf, aus ihr kam zuerst ein Hund, dann ein Mann, ich schrie: »Brankooooo!«

Branko, zu dem mich David geschickt hatte, hatte noch keine Wohnung, aber eine ehemalige Freundin, und die hatte eine Einzimmerwohnung. Bis Branko eine Wohnung bekam, konnte er bei ihr wohnen. Branko sagte: »Du kannst auch da wohnen, bis ich was habe. Wenn ich was habe, nehme ich dich mit.«

Es war wirklich eine Einzimmerwohnung. In ihr gab es ein Bett, einen Kleiderschrank, einen Tisch, Stühle. Wir mussten alle in diesem Zimmer schlafen, Branko und die ehemalige Freundin im Bett, ich unten auf dem Boden auf einer Matratze, und Puk, so hieß Brankos Hund, auch da. In der Nacht, wenn alle ins Bett gingen und es dann dunkel und still wurde, stand Puk von seinem Platz auf, kam und legte sich zu mir. Er war ein sehr artiger Hund, er schnarchte nicht, lag ruhig, manchmal, wenn ich plötzlich wach wurde, sah ich, dass er gleichzeitig mit mir die Augen öffnete. Ich schaute auf ihn, er schaute auf mich. Ich dachte: Ein Hund kann sehr schnell laufen, rennen, kann ein Hund bis nach Istanbul zu Fuß laufen? Wie viele Tage, wie viele Wochen braucht er? Wenn er dreihundert Tage braucht, wie viele Tage braucht ein Mensch zu Fuß nach Istanbul? Fragend schaute ich im Halbdunkeln in Puks Gesicht, Puk schaute weiter auf mich.

Schon am zweiten Tag in Bochum hatte sich das ganze Ensemble in einem großen Raum versammelt. Der Intendant Claus Peymann, Chefdramaturg Hermann Beil, Oberspielleiter Alfred Kirchner, alle Techniker, alle Schauspieler. Alle waren sehr berühmt, alle waren nett, und weil sie erfolgreiche, glückliche Künstler waren, waren die Pförtner unten am Bühneneingang auch glücklich. Als die Ensemblebegrüßung zu Ende ging, kam lachend ein Techniker zu mir, sagte: »Du, du, sag mir, was auf Türkisch Guten Tag heißt.« »Merhaba.« Er schrieb das auf. »Wie heißt du?« »Hannes, der Tapeziermeister.«

Als unsere Probe zu Thomas Braschs Stück *Lieber Georg* anfing, war ich früher da als die Schauspieler und traf Hannes und die anderen Techniker hinter der Bühne und sah, dass der Tapeziermeister Hannes auf den Rücken der Dekorstücke mit Kreide *Merhaba* geschrieben hatte. Hannes fragte die Techniker, ob sie wissen, was Guten Tag im Türkischen heißt. Dann übte er mit ihnen das Wort und dirigierte dabei wie ein Orchesterdirigent. Als er merkte, dass ich lachte, lachte er auch, sagte: »Du, du, ich überleg mir ein sehr schweres deutsches Wort, und du musst mir sagen, was das auf Türkisch heißt.« Nach vier Tagen traf ich ihn bei dem Pförtner. Hannes sagte: »Du, du, ich hab das Wort. Was heißt auf Türkisch Endiviensalat?« »Hannes, wir haben in der Türkei keinen Endiviensalat, das Wort gibt es nicht auf Türkisch.« »Kann noch kommen.« »Ja, wenn die Türkei in die EG kommt.«

Von diesem Tag an lachten wir uns, wenn wir uns auf dem langen Korridor trafen, schon von Weitem an. Auf diesem Korridor hörte ich auch zum ersten Mal ein Wort, das ich nicht kannte. Eine Schauspielerin rief zu zwei anderen: »Kommt ihr zu IKEA?« »Ja, ich muss auch zu IKEA«, antwortete eine von den beiden. Fast jeden Tag hörte ich auf diesem Korridor das Wort IKEA. Ich fragte Claudia: »Was ist IKEA?« »Ein schwedisches Möbelgeschäft. Willst du mit? Ich muss ein Bettgestell kaufen, der Boden ist kalt ohne.« Sie nahm mich mit, wir trafen dort andere Kollegen, die auch etwas kaufen wollten. Es war ein sehr anstrengender Ort.

In der Nacht schlief ich mit Puk auf der Matratze. Ich träumte von meiner Mutter und meinem Vater: Mein Vater und meine Mutter aus Istanbul sind in Bochum. Es ist Abend. Wir laufen eine einsame Straße hinunter. Da unten ist ein beleuchteter Laden, ein IKEA-Laden. Meine Eltern wollen da rein. Ich bin sehr nervös, warum wollen meine Eltern zu IKEA? Wir gehen rein. Ich lasse meinen Vater und meine Mutter im IKEA-Laden, gehe raus und warte draußen auf der Straße. Vor dem Laden geht ein schwarzes Mädchen vorbei. Ich gehe wieder in den IKEA-Laden rein. Mein Vater liegt erschossen auf dem Boden.

Ich schrie und wachte auf. Puk schaute auf mich und blieb, wie ich, eine Weile wach, bis ich kapierte, dass es ein Traum gewesen war. Plötzlich bekam ich Angst, dass ich Isas Brief verloren hatte, stand auf, suchte, um die anderen nicht zu wecken, sehr vorsichtig im Dunkeln in meiner Reisetasche den Brief von Isa. Er war nicht da. Ich atmete so laut, dass Puk von seinem Platz aufstand und stehen blieb. Als letzte Hoffnung suchte ich in meiner Jackentasche: Da war Isas Brief. Ich sagte leise zu Puk: »Puk, ich habe ihn gefunden. Wo soll ich diesen Brief hintun? Wenn ich meine Jacke irgendwo vergesse, wird der Brief auch verloren gehen. Wenn ich ihn in meine Tasche tue und hier ein Dieb kommt, ist er auch weg. Ich muss ihn immer nahe an meinem Körper haben.«

Das Bühnenbild von unserem Stück *Lieber Georg* bestand aus gusseisernen Galerien und einem beleuchteten Glasdach, der Bühnenboden sah aus wie aus Eis, und man konnte mit Schlittschuhen darauf laufen. Auch in einer meiner Collagen liefen die Leute auf Schlittschuhen. Die Bühne war manchmal eine Eishalle aus der Zeit vor dem Ersten Weltkrieg, manchmal eine Turnhalle, mal Boxring, mal Dichterort, Schreibmaschine. Ich liebte Thomas Braschs Wörter.

Ich weiß von dem Würgegriff den euer Krieg mir bescheren wird den ihr achtlos vorbereitet habt in den Sitzungen der Volksvertreter im lauten Geschrei der Wahlen und im würdelosen Taumel der Wirtschaft Rufe ich Nichts da Nicht einen Strich meiner Kreide seid ihr wert die ihr dem Volk die Stimme entrissen und es zu euch heruntergezerrt habt ins Mit-

telmäßige Grauen vor dem Schreibtisch Entmündigt Enthirnt Entkernt führt ihr Vertreter des Volkes das Volk von Vertretern in seinen Untergang […][37]

Irgendwann fingen in den Proben die Probleme an. Manche Schauspieler meinten, sie verstehen Braschs Sprache nicht, sie kommen mit dem Text nicht klar. Als sie in der Pause in die Kantine gingen, fragte ich Langhoff: »Matthias, darf ich mich als schwangere türkische Putzfrau verkleiden und einmal über diese Bühne laufen. Ich möchte gerne wissen, ob dieser Auftritt meine Kollegen irritieren wird.« »Mach das«, antwortete Langhoff. Ich ging schnell hoch zur Kostümabteilung zu Frau Jacke, suchte mit ihr im Fundus Putzfrauenkittel, einen rosa Strickpulli, schlangengrüne Socken, ein Tuch für den Kopf und einen Bauch, zog alles an, eine schwangere türkische Putzfrau schaute mich aus dem Spiegel an. Unten war die Pause zu Ende. Ich versteckte mich hinten. Die Schauspieler kamen auf die Bühne, hatten nicht viel Lust, liefen mit ihren Schlittschuhen auf dem Eisboden. Der Boden war so weiß und hell, er wurde immer schnell schmutzig. Ich lief mit einem Eimer voller Wasser und einem Schrubber auf die Bühne und fing an, den Boden zu wischen. Die Schauspieler waren irritiert. Plötzlich war die Bühne lebendig. Alle wollten mich anfassen, mit mir spielen, lachten, hatten gute Laune. Langhoff rief aus dem Saal: »Keiner darf mit der türkischen Putzfrau sprechen, keiner darf sie anfassen. Es ist verboten.« Ich wollte nur meine Kollegen einmal irritieren, aber Langhoff sagte: »Du spielst jetzt mit in diesem Stück.« Er meinte, dass dieser kalte Boden, dieses kalte Deutschland, eine türkische Putzfrau braucht. »Mit diesem Bewusstsein bist du über die Bühne gegangen«, sagte er, und bald bekam ich auch Sprechtexte, die zu einer anderen Figur gehörten.

Ich freute mich, ich war ständig, in jeder Szene, auf der Bühne. Ich hatte verschiedene Papierfetzen, Zigarettenkippen, Reisig, Blätter gesammelt und verteilte sie vor der Probe über die Bühne, um sie später, während der Probe, in einer Plastiktüte wieder einzusammeln. Einmal hatte die Requisite aus Versehen meine Plastiktüte weggeschmissen. Ich fing an zu weinen. Der Requisiteur Uli Werner sah es, fing auch an zu weinen, ich umarmte ihn, sagte weinend: »Weine nicht, Uli.« Er sagte weinend: »Weine nicht.« Oben auf der Galerie stand in unserem Stück ein Klavier, das spielte der Comedian-Harmonists-Klavierspieler Erwin Bootz. Man sagte, er sei einer der wenigen von den Comedian Harmonists, die noch lebten. Einige von ihnen hatten während der Nazizeit Deutschland verlassen. Ich ging mit meinem Putzeimer hoch zur Galerie, wo Erwin Bootz immer vor seinem Klavier saß. Ich putzte um ihn herum, wollte ihn öfter sehen, weil ich die Comedian-Harmonists-Lieder sehr liebte. Wenn unten die Schauspieler und Langhoff diskutierten, erzählte mir Bootz leise, dass er in die junge Schauspielerin Jessica verliebt sei. Jessica war vielleicht zweiundzwanzig Jahre alt. Bootz kam mir sehr alt vor, er fasste meine Hand an, sagte: »Ich werde meine Tränensäcke operieren lassen, dann sehe ich jung aus.« Erwin Bootz bedeckte mit den Fingern seine Tränensäcke, schaute mich an: »Ich sehe doch zwanzig Jahre jünger aus, wenn sie operiert sind.« Und leise sagte er mir: »Weißt du, auf welchen Satz ich böse bin in diesem Stück? DAS BÖSE IST SENIL.«

Es gab noch einen Menschen, dessen Nähe ich suchte. Backenegger. Backenegger war ein sehr kleiner Mann, spielte in *Lieber Georg* mit. Er war Kleindarsteller. Ich liebte den alten, kleinen, armen stillen Backenegger. Es war kalt draußen, Januar. Wenn Backenegger in die Kantine kam und wie unsichtbar an einem Tisch saß, brachte ich ihm einen Tee mit Rum, saß mit ihm, wir sprachen nicht, tranken. Einmal, als wir beide hinter der Bühne auf unsere Auftritte warteten, merkte ich, dass er keinen Stuhl hatte, und bot ihm meinen Stuhl an. Er sagte mir: »Nein, ich bleibe lieber stehen. Wenn ich mich hinsetze, werde ich noch kleiner.« Einmal, als er eine starke Grippe und Fieber hatte, fragte ich ihn, ob ich mit einem Kollegen zu ihm nach Hause kommen und aus seinem Keller Kohlen hochtragen darf. Backenegger fragte: »Willst du wirklich?« Ich ging mit einem Bühnenbildassistenten zu Backenegger. Er wohnte in einem schwarzgesichtigen Bochumer Arbeiterhaus, Kinder von türkischen Familien spielten auf den Treppen. Wir trugen mehrere Eimer Kohle in die zweite Etage in Backeneggers Wohnung, die aus einem einzigen Zimmer bestand. Backenegger hatte ein Bett, einen kleinen Schrank, einen Tisch, drei Stühle, einen Ofen, etwas Geschirr, einen Kochtopf, sonst gar nichts. Neben seinem Bett stand ein Foto von seiner Mutter. Über seinem Bett hing ein Mutter-Maria-Poster. Weil Backenegger sich nicht hinsetzte, blieben wir zu dritt am Tisch stehen und tranken aus Kaffeetassen Obstler, den uns Backenegger einschenkte. Dann zeigte er uns sein Fotoalbum. Die Fotos zeigten Backenegger als jungen Mann in den Dreißiger- und Vierzigerjahren mit seinen Kollegen auf Theatertournee. Backenegger sagte: »Weil ich kleinwüchsig bin, musste ich nicht Soldat werden im Zweiten Weltkrieg. Ich habe nur Theater gespielt im Krieg.«

Einmal, als wir wieder hinter der Bühne waren, fasste er kräftig meine Hand an, hielt sie lange, und dann seufzte er und sagte: »Ach, ich war schon immer ein Monster.« Einige Kollegen scherzten öfters: »Willst du Backenegger heiraten, Aufenthaltserlaubnis, Deutschland gut Land«, oder fragten mich: »Wann putzen du bei mir? Guck, Tisch schmutzig, wo dein Lappen?« Ich lachte. Langhoff hörte auch, wie sie redeten, sagte mir: »Ich bin besorgt um dich. Wann wirst du lernen, dich der Unverschämtheiten deiner Kollegen zu erwehren?«

In unserer Inszenierung guillotinierte der Papa von Georg Heym mit einem Miniaturgerät Möhren, als wären sie Menschenköpfe, Georg Heym wurde die Zunge herausgeschnitten, die Freundinnen von Heym machten sich lustig über Georg. Der Krieg und der Rirarusse würden kommen und ihm die Mädchen nehmen.

Ich identifizierte mich in dem Stück nur mit Georg Heym, dem Dichter, der auf dem Eis sterben wird, in der Vorkriegsatmosphäre eines Landes zerbrechen wird, wo der Faschismus seine Spuren zeigt. Wenn meine Kollegen wieder irgendetwas mit »Wo dein Lappen, du kleine Putzi, wann du kommen bei mir putzen, Deutschland gut Geld« sagten, antwortete ich mit Thomas Braschs Sätzen aus dem Stück: *Wie weit muss ich denn gehen dass es endlich aufhört Jedes einzelne Wort* oder *Wer kann einen Menschen darstellen der kein Mensch ist* oder *Ich geh einfach weg Nach Neuruppin Dort werde ich als ganz krasser Pessimist auftreten Und Ihnen Herr Ballonflieger sage ich nur den einen Satz DAS BÖSE IST SENIL* oder *Ich habe von diesem Fall keine Kenntnis Wie lange wollen Sie eigentlich noch da oben im Baum hängen*[38]

Ich blieb bis Mitternacht im Theater oben im Regiezimmer, machte Zeichnungen, zeichnete Comics, dann ging ich zu Puk. Ich sah die Stadt Bochum fast nie. Manchmal dachte ich, die Stadt gibt es nicht. Es gibt nur unsere Bühne, nur den Text von Brasch, die Gedichte von Georg Heym und Puk, das ist die Stadt. Wenn ich nachmittags schnell gegenüber dem Theater zum kleinen Supermarkt ging, staunte ich über das Straßenbild, sagte mir: »Ah, ah, unser Bühnenbild hat sich verändert.«

Wie Thomas Brasch über den Dichter Georg Heym sein Stück geschrieben und *Lieber Georg* genannt hatte, schrieb ich einen Text über Brasch, der *Lieber Thomas* hieß. Langhoff wollte ihn lesen, ich gab ihn ihm, er las, sagte: »Aber was hast du mit dem faschistischen Vorkriegsdeutschlands zu tun? Du hast eine andere Kindheit, eine poetische Kindheit, oder?« Er hatte Recht. Die Welt von Georg Heym und Thomas Brasch mit Krieg, mit Faschismus, mit Berlin, mit Mauer war eine andere Welt. Aber die Sprache und die Inszenierung dieser Welt ging in meinen Körper rein, auch in die Träume. Ich träumte in einer Nacht: Plötzlich fangen die Menschen auf der Straße an zu rennen, jemand versammelt Menschen vom Schauspielhaus Bochum und mich in einem Haus. Ich sehe SS-Offiziere und tue so wie die anderen, als ob ich zum Fußballspielen rausginge. Da ist ein Loch und eine Leiter. Dann bin ich in einem Garten. Ich fange an zu rennen, ich habe nur eine Decke um. Meine Jacke, mein Schal und meine Reisetasche müssen in dem Haus geblieben sein, in dem die Faschisten uns versammelt hatten. Kalt. Dann kommt die Nacht. Ich will meine Jacke suchen gehen, der Brief von Isa ist in der Jacke. Ich sehe ein Auto auf der Straße, die SS-Leute sehe ich nicht. Ich bin vor dem Haus, laufe die Treppen hoch, schaue durch das Schlüsselloch in ein Zimmer. Viele Männer essen glücklich an einem Tisch. Mein Zahn fällt aus meinem Mund in meine Hand, in meiner Hand Zahnstücke. Ich versuche, den Zahn wieder in meinen Mund zurückzusetzen. Ich nehme mein Auge wieder vom Schlüsselloch weg. Hinter mir ist jemand. Der Co-Regisseur von Langhoff, Manfred Karge, er bringt mich zum Dachboden. Wir hören Schritte. Ich sehe zwei junge Männer, sie gehen. Manfred Karge führt mich zu einem Salon. Ich frage ihn: »Aber wenn der SS-Wächter von diesem Haus mich sehen wird?« Karge sagt: »Keine Angst, ich bin der SS-Wächter von diesem Haus.« Der Salon ist leer, alle Männer sind weg, leere lange Tische, Stühle, ich ziehe meine Jacke an, gehe raus in die Nacht, die Bochumer Straßen sind leer.

Ich wachte auf. Puk wachte nicht auf. Ich ging raus, trank ein Glas Wasser, kam zurück, holte Isas Brief aus der Jackentasche, ging ins Badezimmer, las den Brief, kam zurück, schlief ein und fing an, einen anderen Traum zu sehen: Ich bin in Köln. Die Straßen sind ganz leer. Der Dom und die Häuser liegen auf einem Haufen, braun und rot gestrichen, alle wie von van Goghs Pinsel gemalt. Es ist keine Stadtmalerei, ein Selbstmord einer Stadt ist das. Ich laufe ganz allein, drehe mich um, der Dom und die Häuser schauen auf mich, ihre Fenster sind beleuchtet, kein Mensch ist da, ich finde mich auf einem Grundstück. »Oh, oh«, atme ich, der Dom kann mir nicht mehr folgen. In dieser Sekunde trete ich mit meinem Fuß auf etwas Weiches. Sumpf. Ich werfe meine Jacke über einen Busch und versuche, mich herauszuziehen. Ich sinke immer tiefer, dann sitze ich plötzlich in einem Zug, Hamburg Altona Intercity. Am Ende des Zugkorridors ist ein Spiegel. ›Das Signal für den sofortigen Aufbruch‹, diese Worte lese ich in dem Buch, das von einer Frau, die vor mir sitzt, gelesen wird. Ich sage ihr: »Sie werden meine Haare, meinen Schmuck, dem Münchener Kunstmuseum schenken.« Dann sage ich: »Ich muss lesen, die ganze Vergangenheit wartet auf mich.« Da ist ein Toaster, aus dem kommen zwei Bücher brennend heraus.

Ich wachte auf, sah, wie Puk mich anschaute. Ich sagte:

»Puk, es war kalt, die Welt, welche mir ihre Hand entgegenstreckte, war gefroren.« Ich stand auf, nahm Isas Brief, ging wieder ins Badezimmer, las den Brief ein paar Mal, kam zurück. Puk hatte sich in das andere Bett gelegt.

Branko hatte eine Wohnung bekommen, sagte: »Ich nehm dich mit, ich geb dir ein Zimmer.« Diese Wohnung war nicht so nah am Theater. Ich lief nach den Proben zu Fuß nach Hause durch die Stadt Bochum. Die Stadt war sehr leise, auch die Häuser, in denen die Lichter an waren. Ab und zu fuhr ein Auto, das war das einzige Geräusch in der Nacht. Langhoff sagte: »Bochum ist die Schlafstadt der Sozialdemokraten.« Die neue Wohnung war groß, zwischen meinem Zimmer und den anderen Zimmern lag ein Salon, da war auch alles still. Der Holzboden knarrte nicht, nur wenn Brankos Hund Puk drinnen lief, hörte ich seine Schritte. Ich schaute manchmal in Richtung des Salons, ob Puk in meine Richtung lief, um mich zu besuchen. Er kam aber nicht, lief hin und her, dann wartete er in einer dunklen Ecke auf seinen Besitzer.

Ich traf in einer Nacht auf der Haustreppe eine dünne kleine Frau, so klein, so dünn wie Edith Piaf. Sie hatte nur einen Fuß. Sie hielt sich am Geländer fest und sprang die Treppen mit einem Fuß hoch, um in ihre Wohnung in der ersten Etage zu gehen. Ich half ihr, sie lud mich in ihre Wohnung ein, nahm meinen Arm, springend lief sie bis ans Ende des Korridors zu einem kleinen Raum. In diesem Raum war nur ein Stuhl, ein leeres kleines Regal, ein Bügeltisch und ein senkrecht stehendes Bügeleisen. Die Frau hielt sich am Stuhl fest, zeigte auf das Bügeleisen und fragte: »Siehst du dieses Bügeleisen?« »Ja«. »Es hat meinen Fuß kaputtgemacht.« Einmal bügelte sie ihre Wäsche, das Bügeleisen fiel ihr aus der Hand, schlug auf ihren Fuß, die Ärzte konnten den Fuß nicht retten. Sie sagte: »Jetzt sitze ich und bügle meine Wäsche so.« Dann schaute sie mir tief in meine Augen. Sie setzte sich auf den Stuhl, schaute weiter in meine Augen, ich schaute auf das Bügeleisen. Wie die Stadt Bochum war dieser Raum still, auch die Frau mit einem Fuß war still. Ich blieb auch still. An der Wand hinter dem Bügeleisen hing ein Foto. Ein paar Grubenarbeiter standen dort nebeneinander in ihren Grubenkostümen und -helmen, ihre Gesichter schwarz lachten sie zu dem, der das Bild fotografiert hatte. Die Frau mit einem Fuß sah, wohin ich schaute, stand auf, zeigte zu einem Mann auf dem Foto, sagte: »Mein Vater, Erich hieß er.« Dann lief sie wieder hüpfend aus dem Zimmer, ich blieb mit dem Bügeleisen allein. Die Frau kam zurück mit einem anderen Foto, auf dem ihr Vater in Jacke und Krawatte, Haare gut gekämmt, zu dem Fotografen schaute. »Ja, das war Erich«, sagte sie. Ich fragte sie, ob ich ihr morgen Brot holen sollte. Sie sagte: »Mach dir keine Sorgen, meine Tochter wohnt bei mir. Sie sorgt für mich.« Sie lächelte. Ich ging hoch. Oben horchte ich, ob Puk hin und her lief, aber er war still. Still schaute er von seinem Sitzplatz im Halbdunkel auf mich.

In dieser in sich gekehrten, stillen Stadt war ein Ort, an dem ich jeden Tag auf meinem Weg zum Theater vorbeilief, nicht still. Da hörte ich aus einem Fenster Männerstimmen, Männer, die stark husteten. Man sagte mir: »Da drinnen wohnen kranke oder einsame Bergmänner, das ist das Bergmannsheil.« Manchmal blieb ich vor dem Fenster dieses Hauses stehen, um die kranken Männer zu sehen, aber hörte nur ihren Husten. Auch wenn wir Probenpausen hatten, lief ich die Straße hinunter zum Bergmannsheil, aber hörte wieder nur ihren Husten, sah keine Gesichter.

Am Theater hatte ich eine gute Freundin gefunden, Katharina Hill. Sie war Dramaturgin, hatte sehr schöne nasse blaue Augen und eine sehr schöne Nase und hatte ihren Vater nie gesehen. Er starb als Soldat im Zweiten Weltkrieg, gleich am Anfang. Wir liefen gemeinsam vor dem Bergmannsheil hin und her, und an den Sonntagen liefen wir manchmal zu den Bochumer Industrieruinen, sahen dort verrostete, verlassene Maschinenteile, auf denen jetzt fast unleserlich der Firmenname KRUPP stand. Katharina blieb vor diesen Krupp-Schriften stehen, erzählte mir von Krupp während der Nazizeit. Katharina meinte, Krupp habe für das Naziregime einen Teil der Finanzierung organisiert, man redete immer von Hitler und den Nazis als den Schuldigen, aber wer für die Fortdauer dieses Regimes gesorgt habe, darüber schweige man heute noch.

»Katharina, erinnerst du dich an die Szene in Godards Film *Weekend*, wo die zwei Protagonisten Emily Brontë, die sie im Wald trafen, in Flammen setzten und verbrannten, und was danach Emilys Freund, der Dichter, sagte?

Verfolgt die wahren, die großen Diebe.
Rottet sie alle aus ab heute.
Von ihnen kommt die Kälte,
von ihnen kommt die Nacht,
die die Erde zu einer Welt
des Grauens macht.

Katharina, Jean-Pierre Léaud spielte den Dichter.«

Wir liefen weiter zwischen den verlassenen, verrosteten Maschinenruinen. Katharina sagte: »Lass uns von hier weg, wir gehen zum Museum, dann ins Kino, komm.«

Manchmal, wenn Branko seinen Hund Puk spazieren führte, liefen wir auch zu diesen Krupp-Ruinen. Branko erzählte mir von den Foltermethoden der Krupp-Fabriken an den Zwangsarbeitern: Wie man sie tagelang in einen Schrank schloss, wo sie nur stehen konnten, und im Winter goss man ihnen kaltes Wasser durch ein Loch auf den Kopf, auch auf die schwangeren Arbeitssklaven.

Ich träumte in der Nacht: Ich soll auf die Bühne, aber ich habe meinen Text vergessen. Ich laufe im Freien, da sind alte Zugschienen, ich soll meine Beine für das Stück rot färben. Ich habe einen Nagellackpinsel in der Hand. Ich färbe meine beiden Beine bis zum Knie rot und gehe zur Bühne. Der erste Akt ist zu Ende, die Schauspieler verbeugen sich vor den Zuschauern. Im Saal sitzen hochrangige Soldaten. Sie sollen Kriegsgespräche geführt haben. Zwei Schauspielerkollegen, Lore Brunner und Manfred Karge, halten den Kopf einer Klapperschlange fest, die ist am Sterben. Die beiden sagen zu mir, ich soll das Kinn der Schlange festhalten. Ich tue es, ein nasses Fleisch zwischen meinen Fingern. Die Schlange ist tot. Ich kriege Angst, vergiftet worden zu sein. Da ist ein Mann. Er sagt, er wird mir helfen. Draußen Trümmer, dort muss ich einen Film sehen, der im Himmel läuft. Ich spreche mit dem Schauspieler auf der Leinwand, sage: »Ich will leben.« Der Schauspieler auf der Leinwand sagt: »Du wirst leben.«

Immer wieder zogen mich diese Ruinen der verrosteten Industriemaschinen vom Naziunterstützer Krupp zu sich. Was ich da suchte, wusste ich nicht. Ich ging nach den Proben zu Braschs Stück *Lieber Georg* auch alleine öfters hin, lief zwischen dem kaputten Eisen und Stahl umher und las manchmal den *Lieber Georg*-Text von Brasch laut, so als ob ich für diese kaputten Maschinenteile der Naziunterstützerfirma Krupp eine Lesung hielt.

»Ich begreife daß sie die ganze Zeit von einem Krieg gesprochen ha-

ben und verstehe die Worte die vorher für mich keinen Zusammenhang ergaben ZUSAMMENSCHLUSS TREUE ZUM BÜNDNIS NACHRÜSTUNG Ich lege mich flach auf den Boden und sehe daß die Männer ihre Gewehre gegen den Himmel strecken und in die feste graue Fläche zu schießen beginnen Ich rutsche auf dem Fußboden näher zum Ausgang bis mir einfällt daß mein Körper meine Schrift auf den Steinen verwischt und ich still liegenbleibe […].«[39]

Nachdem ich den Text laut zu Ende gelesen hatte, schaute ich auf die verrosteten Maschinenteile, die verrosteten Buchstaben K R, sah die dünnen Bäume um diese Ruine. Die Stille, die da herrschte, vergrößerte und vergrößerte sich. Mein Herz pochte, ich lief rückwärts weg von diesem Ort. Ich muss die Maschinenteile und die Buchstaben K R im Auge behalten, ich muss weiter, weiter rückwärtslaufen, bis ich einen Menschen oder ein fahrendes Auto sehe, erst dann kann ich mich umdrehen und bis zum Theater rennen. Rasch kann ich mein Putzfrauenrollenkostüm anziehen und mich auf der Bühne verstecken, mich mit einem Besen hinunterbücken und das *Lieber Georg*-Bühnenbild, die Eishalle, den deutschen Boden des Ersten Weltkriegs und des kommenden Hitlerkriegs, putzen. Wenn die Eishalle geputzt ist, kann ich die Boxhalle putzen, dann die Fischbude, dann kann ich mit meiner Kollegin in die Kantine gehen, ein gekochtes Ei essen, Bier trinken, mit Katharina lachen, dann wieder durch die stillen Straßen von Bochum nach Hause laufen, in der ersten Etage an die Frau mit einem Fuß und an das Bügeleisen denken und wieder Angst kriegen, dass das in dem kleinen Raum senkrecht auf dem Bügelbrett stehende Bügeleisen auf den anderen Fuß der Frau fallen kann. Elli, so hieß die Frau mit einem Fuß. Arme Elli, arme Elli, Tochter des Grubenarbeiters Erich.

In der Nacht träumte ich: Zwei Hunde, dann vier Hunde

stehen vor einem Haus, es soll das Hänsel-und-Gretel-Haus sein. Dann plötzlich ist Istanbul da, dreimal größer als in Wirklichkeit. Ein Flugzeug fliegt und fotografiert, unten schrumpft die Stadt, wird kleiner, aber die Fotos, die das Flugzeug schießt, werden größer und größer. Die übergroßen Moscheen haben Füße und laufen bedrohlich auf mich zu, sie wollen mich zerquetschen. Ich schreie. Dann bin ich im Schauspielhaus Bochum, Blut fließt vom Dach auf die Bühne, hinterlässt Flecken auf dem Bühnenboden. Langhoff ruft mir zu: »Komm mit.« Männer in schwarzen Kostümen machen Ballett. Blut fließt auf sie. Dann bin ich wieder in Istanbul, höre Geräusche von den Tieren, eine Stimme sagt: »Die verhafteten Frauen werden mit Lastwagen abgeholt.« Ich sehe auf der Ladefläche eines fahrenden Lastwagens meine Großmutter zwischen den anderen Frauen.

Ich wurde wach, ging aus meinem Zimmer, rief leise nach Puk. »Puk, Puk, wo bist du, Puk, Puk.« Puk stand auf von seinem Platz, kam mit mir in die Küche. Ich trank aus einem großen Glas Wasser. Solange ich das Wasser trank, blieb er da, dann ging er wieder zu seinem Platz.

»Elli, hast du Lust, zu unserer Premiere zu kommen?«

Elli kam mit ihrer Tochter. Ich setzte sie in der Theaterkantine an einen Tisch. An einem anderen Tisch saß der Comedian-Harmonists-Klavierspieler Erwin Bootz, der in diesem Stück Klavier spielte und seine Tränensäcke operieren lassen wollte.

»Elli, kennst du Erwin Bootz, er spielt in dem Stück mit.«

»Ach, Gottchen, der ist ja alt geworden. Mein Vater liebte die Comedian-Harmonists-Lieder. Er hörte sie sich an den Sonntagen an, wenn er seinen Sonntagsanzug anhatte. Goebbels hat die Gruppe kaputtgemacht, sagte er mir, weil in der Gruppe drei Juden waren, die durften nicht mehr spielen mit den Deutschen. Bühnenauftritte waren für Juden verboten. Ja, so war es damals. Aber heute ist es ja anders, nicht wahr, Sandra?«

»Ja, Mama«, sagte Ellis Tochter.

»Die drei sind rechtzeitig aus Deutschland abgehauen, Erwin Bootz blieb, weil er Deutscher war, aber er ließ sich von seiner jüdischen Frau scheiden«, sagte ich.

Erwin Bootz aß gerade mit Appetit schreckliche Kantinenbouletten mit Senf.

Elli sagte: »Jetzt liebt er Bouletten.«

Die Premiere lief sehr gut. Wir waren 40 Leute auf der Bühne, standen auf der Eisfläche, dem »Boden« des kommenden Faschismus, zwischen zwei Kriegen, die jugendlichen Kleindarsteller liefen beim Applaus mit ihren Schlittschuhen auf dem »eisigen Deutschland«. Bei der Premierenfeier im Foyer standen alle in Gruppen, manche tanzten schon, Thomas Brasch war auch gekommen. Er umarmte mich, sagte: »Du verscheißerst als türkische Putzfrau mein Stück, sehr gut, sehr gut. Sag dem Matthias Langhoff, er soll mit dir das *Käthchen von Istanbul* inszenieren.« »Ja, ja«, sagten einige um uns herum, »Käthchen von Istanbul.« Ich legte meinen Arm auf Thomas' Arm, lief mit ihm zwischen den Leuten herum. Langhoff umarmte mich, bedankte sich, sagte: »Ich mach als nächstes *Woyzeck* von Büchner, hast du Lust mitzumachen?« »Ja.« Dann lief Langhoff zu einer Gruppe, ich blieb zwischen den Essenden, Tanzenden und lächelte vor mich hin. Von Weitem schickte mir Katharina Luftküsse mit der Hand. Ich schaute auf die Männer. Peymann hatte einen Regenmantel an, den er lässig trug, darunter ein T-Shirt. Seine Hände wirkten traurig auf mich. Der schöne Schriftsteller Peter Schneider stand bei Thomas Brasch, er war aus Berlin gekommen. Günter, der den Ton gemacht hatte, war müde und aß von einem Pappteller Kasslerfleisch, trank Bier. »Ich bleibe nicht lange, ich bin kaputt«, sagte er. Der Kleindarsteller Backenegger, der wegen seines Kleinseins sich vor dem Hitlerkrieg gerettet hatte und nicht Soldat werden musste, stand im Raum, aber nur bei den paar Jugendlichen, die so klein waren wie er. Als die Jugendlichen anfingen zu tanzen, ging er weg. Der jüdische Regisseur Luc Bondy war aus Berlin zur Premiere gekommen. Er hatte lockige Haare, die Finger seiner rechten Hand drehten ständig in seinen Haaren weiter an den Locken. Er sagte: »Hallo«, dann fasste er mich um meine Hüfte und lief mit mir durch den Raum. Luc sagte: »Du wirst geliebt, nicht, du hast viele Männer, nicht, die schlafen gerne mit dir, nicht.« Ich lachte. Luc küsste mich. Thomas Brasch sah uns, sagte: »Die Augen glänzen.« Dann sagte er: »Küss mich auch.« Ich küsste ihn. Luc sagte: »Komm, küssen wir uns zu dritt.« Vom Lachen zitternd küssten wir uns zu dritt.

»Zwei Juden und eine Türkin, das sollte Franz Josef Strauß sehen«, sagte einer der Kollegen und lachte über seinen Witz und ging weiter. Luc sagte: »Thomas hat mir erzählt, du warst mit Besson in Paris. Was hat dir in Paris am meisten gefallen?« »Yasujirō Ozu, ich liebe ihn. Ich habe in seinen Filmen sehr geweint oder sehr gelacht.« Luc sagte: »Es ist sehr merkwürdig. Kein Mensch redet in Deutschland von Ozu. Nur du redest von ihm, und Peter Handke.« Ich bekam wieder einen Kuss. Thomas guckte uns an und sagte wieder: »Die Augen glänzen.«

Wo wohnen Sie, Madame?

In den glänzenden Augen von Brasch und Bondy.

Ich spielte meine Putzfrauenrolle in *Lieber Georg*. Wenn ich zwischen meinen Auftritten in der Garderobe in Kostüm und Maske saß und auf meinen Auftritt wartete, dachte ich an die Sätze der Tiere auf der Insel. *Du gehst als Charlotte Corday oder als Ophelia von hier fort und kommst in Deutschland als Putzfrau an.* Nach der *Lieber Georg*-Premiere hatten einige Kritiker in Zeitungen geschrieben: »Und auf der Bühne war eine emsige türkische Putzfrau«, »und auf der Bühne putzt sogar eine echte türkische Putzfrau.« Sie hatten nicht geschrieben, von wem die Rolle gespielt wurde. Daraufhin schrieben Claus Peymann und der Chefdramaturg Hermann Beil an diese Zeitungen einen Brief. »Was fällt Ihnen denn ein? Wieso schreiben Sie nicht, von wem die Putzfrauenrolle gespielt wird. Sie ist Schauspielerin und eine sehr gute Künstlerin. Sind alle türkische Frauen für euch Putzfrauen? Sie kann auch sehr schön zeichnen.« Sie bekamen aber keine Antwort. Die Tiere von der Insel hatten auch gesagt: *Für Deutschland ist der beste Türke in Wahrheit der als Türke verkleidete Deutsche.*

Fünf Jahre später wurde ein Buch von Günter Wallraff sehr berühmt. Wallraff hatte sich als türkischer Gastarbeiter verkleidet und in verschiedenen Firmen gearbeitet. Das Buch hieß *Ganz unten.*

Langhoff fing mit den Proben zu *Woyzeck* von Georg Büchner an. Wenn ich an Georg Büchner dachte, bekam ich Sehnsucht nach ihm. Eine Sehnsucht, die ich hatte, seit ich eine junge Frau war in Istanbul. An meiner Schauspielschule in Istanbul im Jahre 1968 gab uns unser Lehrer jedes Wochenende Fragen mit nach Hause wie zum Beispiel: Was habe ich diese Woche getan, um mein Bewusstsein zu erweitern? Welches Buch habe ich gelesen? Er empfahl uns auch Stücke von Georg Büchner. Ich las *Woyzeck*. In dem Buch gab es ein Bild von Georg Büchner, ein Junge, der wie ein Vogel aussah und mir in die Augen guckte. Ich schämte mich vor Georg Büchner, weil er mit zwanzig Jahren ein Revolutionär und Wissenschaftler war und so geniale Stücke geschrieben hatte und mit dreiundzwanzig so jung gestorben war und wir in Istanbul in seinem Alter so viel Zeit verloren. Ich wollte nicht mehr schlafen, weil man beim Schlafen Zeit verlor. In der Nacht las ich bis vier, fünf Uhr morgens. Wenn ich, bevor die Schauspielschule anfing, mich ein paar Stunden zum Schlafen hinlegte, schaute ich mir das Bild von Büchner an, dann knipste ich die Lampe aus. Meine große Sehnsucht, mein Bewusstsein zu erweitern, Lesen, Lernen, hatte auch mit Büchner zu tun.

In Arbeitsgesprächen redete mein Regisseur Langhoff darüber, dass *Woyzeck* auf den Theaterbühnen als soziales Rührstück eines weltverbessernden Moralisten, als Abbild menschlichen Elends und sozialer Ungerechtigkeit dargestellt würde. *Revolutionäre Ideologen, sozialistische Reformer, Demokraten, ja sogar völkische Erneuerer sind fasziniert von einer pamphlethaften Eindeutigkeit, die sie sich in ihrem Sinn jeweils zu deuten berechtigt glauben. Nur wenige Werke der Literatur wurden mit so viel Erfolg so unnachgiebig wie der büchnersche Woyzeck misshandelt als trauriges Märchen.*[40]

Langhoff meinte, Büchners *Woyzeck* sei kein trauriges Märchen, er sei nur in die Hände von Märchenerzählern gefallen. Der Versuch würde sich lohnen, *Woyzeck* aus diesen Händen zu befreien. Das *Woyzeck*-Verständnis einer chaotischen Welt könne nicht zur Sprache kommen, alle anderen Kulturen hätten die Aufgabe, das Aufsteigen dieser Kultur einer chaotischen Welt zu unterdrücken, sie fernzuhalten von den subventionierten öffentlichen Einrichtungen, sie ins Abseits zu drängen, ins Reich des Monströsen, in die

Schlammzone des Bewusstseins, in den Mülleimer der Sittenlosigkeit. Und diese unterdrückte Kultur trüge alle Zeichen der Verstümmelung, des In-den-Schmutz-getreten-Seins, der Bösartigkeit und der Verachtung. »Doch leuchtet sie auch in ihrer unbesiegbaren Kraft, in ihrer Unmoral, in ihrem entdisziplinierenden, befreienden Charakter. Eine solche Kultur schafft sich ihre eigene Ästhetik, die nicht nur der bürgerlichen Ästhetik entgegengesetzt ist: Der schwarze Held verlacht die Blässe des Weißen. Das Abstoßende, Hässliche, Gewalttätige, Monströse, Ungerechte, Obszöne glänzt in seinen wahrhaftigen Farben. Der Ekel vor dem Schmutz, die Angst vor dem Tod, die Sorge um die Zukunft, der Schrecken vor dem Bösen, die Hemmung vor dem Verbrechen sind dieser Kultur Krankheiten und keine Tugenden. Was soll Tugend dem, welcher in eine Existenz gedrängt wurde, in der es keine Schuldfähigkeit gibt. Diese Kultur versucht nicht zu retten, sie treibt die Zerstörung voran. Die Frage des Kommenden ist ihr überflüssig, da sie nach dem Seienden auch nie gefragt wurde. Sie ist von unzerstörbarem Fatalismus, sie kämpft mit der Kraft, die sie aus ihrem Fatalismus zieht. Die Hoffnung ist, dass sie zu Wort kommt, dass sie sich wehrt gegen einen immer von Neuem die Welt ordnenden Heilsglauben, der doch immer nur von dem Besseren und dem Schlechteren spricht und dabei nichts anderes als Bevorzugte und Benachteiligte meint.«

ALTER MANN *mit Kind, das tanzt. Singt:*
Auf der Welt ist kein Bestand.
Wir müssen alle sterbe,
das ist uns wohlbekannt!
WOYZECK:
He! Hopsa! Arm Mann, alter Mann! Arm Kind! Junges Kind! Hei Marie, soll ich dich trage? […] Narre-Welt! Schön Welt![41]

»Ein armer Mann, der bald stirbt, singt, dass er bald stirbt. Ein junges Kind tanzt dazu, es bleibt noch am Leben, es kann noch tanzen. Das Ganze ist Spaß, Spaß mit der Wahrheit, ein Witz auf das Unvermeidliche, kein Raum für Mitleid. Ein kleines Theater des Asozialen. Das Gebrechen verspottet von der Ausgelassenheit, die Ausgelassenheit verlacht vom Gebrechen. Auf der Welt ist kein Bestand. Banal und wahr. Die Hoffnung ist konkret. Etwas Geld für das Lied oder den Tanz. Das Geld vielleicht für eine Flasche. Da wird keinem Mut gemacht, keine Hoffnung vorgetäuscht, keine Lüge wird verherrlicht, so wie es ist, ist es gut. Lied, Tanz und Musik sind grausam und schön. Das glitzert, das flimmert, der Schein ist genießbar, nicht als Traum, einfach als Schein, wie der Suff als Suff, der Rausch als Rausch, die Lust als Lust und so weiter, der Augenblick wird gelebt, für ihn wird gelebt, das ist die Welt Woyzecks, eine Welt ohne Hoffnung, ärmlich, im Schmutz, flackernde Lichter, Spott und Lachen, Schnaps und Tanz und kein Mitleid. Eine andere schöne Welt und eine bessere gibt es nicht für Woyzeck.«

Ich rief Ulrike an, die ich im Zug von Berlin nach Bochum im Schlafwagen getroffen und die mich zu ihrem Bochumer Haus mitgenommen hatte. »Hallo Ulrike, oh pardon, Uli, darf ich aus deiner Bibliothek Fotobücher, Kunstbücher leihen und sie am Theater fotokopieren? Ich will für die Woyzeck-Inszenierung Collagen machen. Ich brauche Bildmaterial.« »Ja, aber gerne, komm zum Essen heute Abend.«

Ulrike hatte eine Freundin, kurze Haare, sympathisch, lustig, Conny hieß sie, sie lachte ständig, sie spielte vor dem Essen mit Ulrike vierhändig Klavier und erzählte mir zwischen der Musik: »Wie du selbst siehst, bin ich eine unverbesserliche Lesbe.« Dann lachte sie. Ulrike und sie küssten sich, aber ihre Hände spielten weiter Tschaikowsky. Als sie sich küssten, lachte der Sohn von Ulrike auf der Couch, wo er mit langen Beinen saß und auf die beiden schaute. Plötzlich lachten wir zu viert. Später tanzten wir im Salon zu viert, und ich ging mit einer großen Tasche voll mit Büchern raus.

Ich blätterte in der Nacht in Ulis Büchern und wählte Bilder, um für unser Stück *Woyzeck* Collagen zu machen. Ich fand auch noch andere Materialien am Theater in Zeitschriften, Comicheften, fotokopierte sie, hängte dann die Blätter mit Stecknadeln an die Wände und an die Decke meines Zimmers. Die Decke war leicht erreichbar, weil Brankos Wohnung, in der ich wohnte, eine Dachetage war. Bald hingen Hunderte Bilder überall, deckten das Zimmer zu, und Bücher, Zeitschriften, Comichefte und ausgeschnittene Teile von Bildern lagen im Raum überall. In dem Raum wohnte Woyzeck, ich hatte außer meinem Bett keine leere Stelle mehr. Ich lief von einem Blatt zum nächsten, dann zu einem anderen, schnitt mit einer Schere Bilder aus oder riss Bilderteile mit der Hand aus, lief über die Blätter, die auf dem Boden lagen, bückte mich und riss weiter. Die Blätter raschelten unter meinen Füßen. Brankos Hund Puk kam, schob von außen meine Zimmertür auf, beobachtete mich aus einer Ecke, dann ging er über die Blätter und geschnippelten Papiere, Bilder und Schriften spazieren. Ging dann wieder raus, kam zurück mit einer Zeitung im Maul, schaute auf mich, erwartete, dass ich sie ihm wegnehme. Ich nahm ihm die Zeitung weg, brachte sie zu dem Tisch im Salon, kam zurück. Puk ging wieder zu der Zeitung, nahm sie ins Maul, brachte sie wieder in mein Zimmer, stand mit der Zeitung vor mir. Ich nahm ihm die Zeitung weg, legte sie auf den Boden zwischen die anderen Blätter. Puk setzte sich in eine Ecke, ich klebte am Tisch die Bilder für eine Szenencollage.

»Puk, Puk, schau, Woyzeck ist ein Mann ohne Bleibe. Marie, seine Freundin, ist eine Frau ohne Bleibe. Ein Mann und eine Frau ohne Bleibe schaffen die Situation einer Bleibe, indem sie gerne in eine Kneipe gehen. Dann tritt der Tambourmajor auf und zieht auch eine Tanznummer durch mit Marie. Der Aufmarsch vom Tambourmajor mit seiner Garde an diesem Ort, wo Woyzeck immer mit Marie ist, muss ganz stark sein. Aufbau eines Mannes, verstehst du, Puk? Puk, es spielt ein echtes Pferd in unserem Stück. Gestern hat es auf die Bühne gepisst. Die Schauspielerin Tana Schanzara, die zu Hause bei sich 43 Hunde leben lässt, kam auf die Bühne, sagte, das Pferd solle nicht dauernd stehen, es solle sitzen. Puk, Tana hat kein Bett mehr, ihre Hunde haben alle Orte besetzt. Sie schläft auf dem Tisch, dem einzigen hundeleeren Platz. Ich liebe Tana sehr.«

Ich hängte die Collage, die ich gerade gemacht hatte, an die Wand. »Puk, in *Woyzeck* ist die Sprache Spiel, stell dir vor, eine Sprache mit Masken über Masken, du nimmst eine Maske weg, darunter ist wieder eine Maske. Es sind unerwartete Wechsel in der Sprache aller Figuren. Puk, Langhoff meint, die Büchnersprache im *Woyzeck* unterteilt sich in mehrere Sprachebenen, Charaktere stoßen in ihrem unterschiedlichen Sprachduktus aufeinander. Die Sprache ist der Bewussten Unwahrheit, die Gefühle hinter einem Sprachpanzer verstecken und das Verletzende suchen, um die eigene Verletzlichkeit zu verbergen. Eine Sprache, die das Zerstörende liebt, sich in Sentimentalitäten verkleidet, gerne zitiert, nie direkt spricht, also eine Sprache mit Masken, die angreifen, um dem Angriff zuvorzukommen. Sprache als Spiel. Wer was glaubt, ist der Verlierer, meint Langhoff.

Langhoff sagt, gerade die Woyzeckfigur gebraucht so oft Mitleidsformulierungen wie ›*alles Arbeit unter der Sonn, sogar Schweiß im Schlaf. Wir arme Leut!*‹, ›*Wir arme Leut. Sehen Sie, Herr Hauptmann, Geld, Geld*‹, ›*Herr, Hauptmann, ich bin ein armer Teufel*‹. Das Selbstmitleid habe Tarncharakter, sagt er. Man lüge mit der sichtbaren Wahrheit, um sich zu verstecken, die wirklichen Empfindungen geheimzuhalten. Man rechne mit der Dummheit der anderen und deren Vorstellungen von Elend und Armut. Das Selbstmitleid sei eine Waffe, um die Betrüger zu betrügen. Es sei voller Ironie.

Langhoff sagt, Illusionen nähmen ganz andere Charaktere an. Man wisse Bescheid über sich und die anderen, also spiele man Theater als ironisches Spiel dieser Welt: Morgen höre ich auf zu trinken, ich war einmal reich, bald werde ich wieder arbeiten, ich beginne ein neues Leben, ich werde ein besserer Mensch. Keiner glaubt es, auch man selbst nicht, man spielt Theater. Die unterste Stufe ist der größtmögliche Raum der Freiheit. Die wichtigste, mehr gespürte als gewusste Erkenntnis: dass das wirkliche Elend eine Stufe höher beginnt, dort, wo die kleinen Almosen der sozialen Sicherheit verbunden sind mit unendlicher Arbeit. Angst vor dem Absturz, Sorge um die Zukunft, Hoffnung und der ihr folgenden Enttäuschungen, der Zwang der Anpassung. Das abgestufte Gefängnis hat keinen Gipfel, je höher man klettert, man kommt nicht heraus, der Ausgang ist unten, ein Loch im Boden, durch das man fallen kann.«

Eine Weile schwieg ich und konzentrierte mich auf die Collage, die ich gerade machte. Plötzlich klopfte mein Herz. »Puk, Puk, weißt du, wo Isas Brief ist? Weißt du, Isa, ich bin ihm in Berlin-Kreuzberg begegnet, es regnete an dem Abend sehr stark, er trug eine Brille, die seine Augen dreimal vergrößerte, und hatte einen schiefen Mund, weil türkische

Faschisten ihn geschlagen hatten, als er vor der Fabrik Flugblätter verteilte. Der Brief von ihm, der Sechzehn-Seiten-Brief, wo ist er, wo hab ich ihn hingetan, Puk, Hilfe, Hilfe, den Brief hatte mir sein Freund, der in einem Tabakladen arbeitete und auf eine gesunde Niere wartete, gegeben, er hatte mir den Brief anvertraut. Wo ist der Brief?« Als ich im Zimmer hin und her rannte, stand Puk auch von seinem Platz auf, lief hinter mir her, die geschnippelten Papierhaufen raschelten unter unseren Füßen. Ich schaute in meiner Reisetasche, unterm Bett, in den Taschen meiner Jacke nach, dann sah ich die Schreibmaschine, die auf dem Boden in einer Ecke stand. Ich öffnete den Deckel der Remington-Reiseschreibmaschine, die mir der Amerikaner Phil in Berlin geschenkt hatte, der Brief lag zwischen dem Deckel und den Tasten. Ich nahm den Brief und steckte die Seiten mit Stecknadeln in der richtigen Reihenfolge 1 – 2 – 3 – 4 … an die Wand zwischen das Woyzeck-Material. Ich sagte: »Puk, er ist hier, der Brief.« Ich ging in die Küche, nahm ein Bier. Puk war auch in die Küche gekommen. Erst nachdem ich mit Trinken fertig war, ging er in Richtung des dunklen Salons zu seinem Platz. Als ich wieder am Tisch saß und die Briefblätter mir gegenüber an der Wand sah, war ich beruhigt. Komisch, dachte ich, der Woyzeck spricht von Freimaurern wie jemand, der einen revolutionären Impuls hat. Isa redet ab und zu in Marx-Zitaten in seinem Brief auch wie jemand, der einen revolutionären Impuls hat.

Täglich zeichnete ich während der Proben, und abends schaute ich mir die Proben-Zeichnungen und Notizen noch mal an und entdeckte, dass die Figuren dem Woyzeck in unserer Inszenierung immer zu zweit begegnen: Der Doktor und der Hauptmann. Der Tambourmajor und der Unteroffizier. Marie und der Tambourmajor. Der Ausrufer und seine Frau. Die zwei Handwerksburschen.

Nur der Narr begegnet Woyzeck alleine. Die Menschen wirken auf Woyzeck, weil sie zu zweit auftreten, wie eine Masse. Im Fahrstuhl am Theater fuhr ich einmal mit einem Pärchen hoch. Ich fühlte mich nicht wohl. Zwei Leute, die sich vermehren, durch Kinder zum Beispiel, und zur Masse werden konnten. Also, du bist allein, sie sind die Masse. Ich fing auch an, meine Kollegen immer zu zweit zu sehen: Langhoff und sein Co-Regisseur. Die Bühnenbildnerin und ihr Assistent. Der Woyzeckschauspieler und seine Freundin. Der Regisseur und seine Frau. Die beiden Theaterpförtner in der Pförtnerloge. Die zwei Obstverkäuferinnen hinter der Ladentheke im Obstladen gegenüber. Die zwei Polizisten in ihrem Polizeiauto vor dem Theater. Die zwei Ehefrauen von den Regisseuren am Kantinentisch. Der Kantinenwirt und seine Köchin. Die schrecklichen Kantinenbouletten zu zweit auf einem Pappteller.

Einmal sah ich sogar in meinem Traum zwei übergroße künstliche Theaterschlangen mit zwei Menschenköpfen: In der Mitte ist eine hohe Mauer, eine der großen Schlangen mit zwei Menschenköpfen rollt, es ist der Regisseur Karge, und er ist ein Hochspringer, sein zweiter Kopf ist mein Regisseur Langhoff. Der schwere Schlangenkörper rollt über diese Mauer, springt hoch, kommt zurück, rollt mit seinem Körper wieder, springt, kommt zurück. Die andere Schlange hat auch zwei Menschenköpfe. Einer davon ist wieder der Kopf von Karge, der andere ist wieder Langhoff. Sie sitzt auf einem Sofa, liest ein Buch. Dann ist Vollversammlung am Theater.

In der Theaterkantine beobachtete ich öfter Menschen, die zu zweit saßen. Zwei Kollegen an einem Tisch, trinken, scherzen, werden müde von ihrem Spiel und schweigen. Dann kommt ein Dritter als Neuer dazu. Die zwei wachen auf, als ob sie auf diesen Auftritt gewartet hätten, um weiterspielen zu können. Sie sprechen den Neuen an, fangen an, gemeinsam an ihm zu bohren, Scherze zu machen, sodass dieser Dritte allein gegen die zwei steht und Antworten erfinden muss. Nur durch das Erscheinen des Dritten kann das Spiel der zwei zusammen weitergehen, wie auf der Bühne. Doktor und Hauptmann sind zusammen, sie machen ihren Blödsinn, dann schweigen sie, als ob ihr Spiel sie müde macht, dann tritt Woyzeck auf, und zu zweit werden sie wieder lebendig gegen den Dritten.

Isa, dessen Brief ich an die Wand zwischen die Woyzeck-Materialien gehängt hatte, schrieb an einer Stelle, dass er seine Verwandten auch immer zu zweit wahrgenommen hatte. Zu zweit oder zu dritt berichteten sie ihm von seiner Frau, die er in seinem Dorf bei ihnen zurückgelassen hatte. Seine Frau soll mit Isas Onkel zusammen vom gleichen Baum Kirschen gepflückt und gegessen haben, das schrieben die Verwandten ihm in einem Brief, und dass seine Frau ein Unding sei. Isa unternahm eine Reise von dreitausend Kilometern, um die Verwandten zu fragen, was dieses Kirschenessen vom gleichen Baum in Wahrheit war. Wie ihm die zwei Verwandten dieses gemeinsame Kirschenessen beschrieben, wirkte es auf ihn wie ein Beischlaf. Er wurde eifersüchtig und zitierte dann im Brief Sätze von Karl Marx. Marx hat für Isa Schutzfunktion, die türkischen Faschisten schlagen ihn, er zitiert Marx-Sätze, die Verwandten tratschen über die Nuttigkeit seiner Frau, er zitiert Marx-Sätze, auch eine Art Potenzsuche, wie bei unserem Woyzeck, der, als ihm der Hauptmann und der Doktor die Geschichte zwischen dem Tambourmajor und Woyzecks Frau Marie erzählen, eifersüchtig wird und sich impotent fühlt und in einem revolutionären Impuls von Freimaurern redet, um sich wieder potent zu fühlen.

Ich arbeitete in den Nächten weiter an Woyzeck, aber dachte häufiger, dass ich ein Theaterstück nach Isas Brief schreiben sollte. Dann könnte ich ihn nach Deutschland zur Premiere einladen, um ihm zu zeigen, dass sein Leben ein Roman sei, wie er auch in seinem Brief behauptet hatte. Ich wollte Isa eine Freude machen. Mein Herz schlug sehr laut.

Bald war Sommerpause. Nach der Sommerpause würden die Proben an Woyzeck weitergehen. Da ich für die Woyzeckarbeit in meinem Pass noch drei Monate Aufenthalts- und Arbeitserlaubnis verlängert bekam, hatte ich einen ordentlichen Pass, fuhr mit dem Zug von Bochum in die Türkei. Der Brief von Isa kam mit. Ich fuhr mit zwei türkischen Gastarbeitern im gleichen Abteil. In Österreich stiegen dann jugoslawische Gastarbeiter in den Zug. Ich liebte das Wort Gastarbeiter. Ich sah vor mir immer zwei Personen: Eine ist Gast und sitzt und trinkt Kaffee, und die andere arbeitet. Die jugoslawischen Bauarbeiter hatten ihre Finger absichtlich mit dem Hammer kaputtgeschlagen, um krankgeschrieben zu werden, und fuhren mit bandagierten Händen zu ihren Frauen nach Jugoslawien. Es saßen Griechen, Jugoslawen und Türken im Abteil zusammen im gleichen Zug, die gemeinsame Sprache war Deutsch. In Jugoslawien stiegen auch zwei türkische Väter in den Zug. Es waren alte Männer, sie waren mit einem anderen Zug mit leeren Särgen aus der Türkei nach Jugoslawien gefahren, um ihre toten Söhne und Töchter, die auf der Fahrt von Deutschland in die Türkei in Jugoslawien bei Autounfällen gestorben waren, zu holen. Die Toten in den Särgen fuhren auch mit diesem

Zug Richtung Türkei. Die Väter rauchten Zigaretten, standen auf dem Zugkorridor und sprachen leise über die Straße E5 Autoput. Einer sagte: »Dieser Weg hat uns unsere fünf Seelen weggenommen.« Die jugoslawischen und griechischen Männer sangen Sehnsuchts- und Liebeslieder über ihre Frauen, zu denen sie zurückfuhren, und übersetzten die Lieder für uns in ihrem gebrochenen Deutsch. Wir weinten und lachten. Tagelang ging so eine Fahrt. Die Toten in den Särgen, wir zu acht im Zugabteil, die gemeinsame Sprache Deutsch. Es entstand fast ein Oratorium, die Fehler, die wir in der deutschen Sprache machten, waren wir, wir hatten nicht mehr als unsere Fehler. Diese Sprache, ja, diese Sprache, ja, mit dieser Sprache sollte ich mein Theaterstück schreiben, dachte ich, als im Zugabteil alle schliefen. Der Zug fuhr schwer atmend durch Jugoslawien. Manche Dorfhäuser aus Ziegelstein hatten mehlige Lichter. Bald werden die zwei jugoslawischen Gastarbeiter aussteigen. Mit ihnen wird auch diese deutsche Sprache, die nicht perfekt ist, aussteigen. Wenn sie in ein paar Tagen wieder in Richtung Österreich in den Zug einsteigen, wird diese deutsche Sprache mit ihnen einsteigen. In meinem Theaterstück sollten die Zuschauer auf der Bühne nicht einem armen Türken, Griechen, ausgebeuteten Fremden begegnen, sondern einer deutschen Sprache, die sie nicht so schnell verstehen würden. Zerbrochene Glasstücke, es lebe DADA. Jetzt aber schliefen alle, so schlief auch ihre jugoslawische, griechische, türkische deutsche Sprache.

Nur die beiden Väter mit ihren toten Kindern in den Särgen standen auf dem gelblich beleuchteten Zugkorridor, rauchten, sprachen leise, nickten lange, das Zugfenster spiegelte ihre Schatten, die Lichter draußen streiften ihre Gesichter.

»Mutter, ist Istanbul dunkler geworden?«

»Nein, meine Tochter, deine Augen haben sich an die Deutschlandlichter gewöhnt.« Dann sagte sie: »Mein Kind, bleib von den Fenstern zur Straße fern.«

»Warum?«, fragte ich. Mein Vater sagte: »Sie schießen überall. Die Kugeln können einen auch durch die Fenster zu Hause treffen.« Als wir zum Essen zum Tisch liefen, sagte mein Vater: »Meine Tochter, setz dich nicht auf den Stuhl gegenüber der Wohnungstür, da können auch Schüsse herkommen.« Meine Mutter sagte: »Man sagt, dass irgendwelche Kräfte vom ›Tiefen Staat‹ den täglichen Krieg zwischen Linken und Rechtsextremisten absichtlich provozieren, damit das Militär einen Grund hat, wieder einen Putsch zu machen. Jeden Tag sterben zwanzig Jugendliche, mehr von den Linken. Woher kommen all diese Waffen, die diese Menschen haben, woher? Woher? Sie töten Lehrer, Gewerkschafter, Journalisten, Studenten, Aleviten, töten, töten, sie werden nie satt, dieses Land ist krank vom Nationalismus.«

Mein Vater machte das Radio an, suchte eine Musik, schnitt eine Zuckermelone auf, goss aus einer Flasche Rakı in unsere Gläser, setzte sich, sagte: »Gut, dass du gekommen bist. Als ich an dich dachte, schmerzte immer mein Nasenknochen.« Meine Mutter sagte: »Dann fing er an zu weinen. Wie ein Kind, wie ein Kind weint er. Neulich sah er einen Film mit Shirley Temple, da fing er auch an zu weinen. Zwei Augen wie zwei Brunnen.« Dann lachte meine Mutter. »Was heißt das auf Französisch, ich liebe dich?«

»Je t'aime.«

»Hast du gehört. Je t'aime«, sagte sie zu meinem Vater.

»Wie geht es Efterpi«, fragte sie dann. »Was heißt auf Französisch wie geht es dir?«

»Ça va?«

»Sehr leicht, ça va.«

»Was heißt Rakı auf Französisch?«, fragte mein Vater. Dann lachte er selbst.

»Efterpi geht's gut, Mutter. Ich hab kein Telefon in Bochum, ich kann sie nicht anrufen, aber ab und zu schreibt sie mir eine Karte oder einen Brief. Ich ihr auch. Ich habe ihr eine Karte aus Bochum geschickt. Auf der Karte sah man eine lange Straße, eine Bochumer Straße, mit Häusern, in der Ferne sah man das Schauspielhaus. Efterpi schrieb mir, sie zeigte die Karte ihren Freunden als Horrorfilm-Stadt. Sie sagte ihnen: ›Hier wohnt meine Freundin.‹«

»Ist sie eine Horror-Stadt?«

»Nein, Mutter, eine kleine Industriestadt, künstlich besiedelt wegen der Arbeitsplätze, eine arme Stadt, die Häuser haben schwarze Gesichter, früher lebten dort Grubenarbeiter. Es gibt in der Nähe vom Theater das Bergmannsheil. Da hörst du Männer krank husten, Arbeiter aus den früheren Zechen. Aber das Theater, sagt man, sei das beste Theater Deutschlands. Immer gingen die besten Regisseure zum Arbeiten dorthin, wie Peter Zadek, jetzt Claus Peymann. So ist ein sehr gutes Theaterpublikum entstanden. Das Theater und die Zuschauer sind miteinander gewachsen. Es gibt auch einen ganz kleinen Bochumer Mann, sehr arm, lebt allein, er ist Kleindarsteller. Backenegger. Weil er so klein ist, haben die Hitlerleute ihn als Soldat nicht genommen. Er hat sich vor dem Krieg gerettet. Wenn ich ihm einen Stuhl anbiete, damit er sich hinter der Bühne hinsetzt, sagt er mir: ›Danke, ich bleibe lieber stehen. Wenn ich mich hinsetze, werde ich noch kleiner.‹«

Mein Vater sagte: »Armer Mann, einsamer Mann. Meine Tochter, es ist gut, die Menschen zu lieben.«

Meine Mutter nahm einen Schluck Rakı, seufzte, fragte mich dann: »Meine Tochter, was macht dieser Chomeini mit den Iranern?«

»Ja, Mutter, er hat gesagt, ab jetzt gibt es keinen Platz im Iran für Demokratie. Nach zwei Monaten hat er das Heiratsalter geändert. Die Mädchen können mit dreizehn, die Jungen mit fünfzehn heiraten. Er hat alle Arten von Musik verboten, weil Musik die Jugend schlecht beeinflussen würde.«

»Ich verstehe nicht, warum manche Zeitungen in der Türkei Chomeini Revolutionär nennen. Was ist denn daran revolutionär? Hier gibt es ähnliche Leute. Manche Fanatiker lehnen es ab, an der Zeremonie von Atatürks Todestag am 10. November teilzunehmen. Wahrscheinlich würden manche hier, wenn es Atatürk und seinen laizistischen Staat nicht gegeben hätte, aus uns Hackfleisch machen.«

Meine Mutter stand auf, ging in ein anderes Zimmer, kam zurück mit einem Schuhkarton, sagte: »Da sind Zeitungsausschnitte, Nachrichten. Seitdem du das letzte Mal hier warst, nicht mal ein Jahr, aber der Schuhkarton ist voll, nur mit Tötungsmeldungen.« Dann seufzte sie und fing an zu weinen.

Als meine Eltern schliefen, setzte ich mich auf einen Stuhl nahe dem Fenster, schaute auf die Gasse, auf der fast alle Bewohner Armenier waren, dachte an den Satz: »Das Land ist krank vom Nationalismus.« Ich konnte nicht schlafen, ich machte den Schuhkarton auf, die Nachrichten, aus den Zeitungen gerissen, lagen übereinander.

Können die Toten in einen Schuhkarton passen?

3. Januar 1979. Der Chefredakteur von Milliyet, Abdi Ipekçi, wurde vor seinem Haus in seinem Auto getötet.

11. Januar 1979. Ein Bürgermeister der sozialdemokratischen Partei ist in seiner Wohnung mit Pistolenschüssen getötet worden.

27. Januar 1979. Der Roman Ölmez Otu *von Yaşar Kemal wurde in Frankreich als bestes ausländisches Buch des Jahres ausgezeichnet.*

21. Februar 1979. Das sozialdemokratische Parteizentrum wurde bombardiert. In Adana und Ankara wurden sieben Leute getötet.

25. Februar 1979. Die Ölkrise der Welt bedroht die Türkei tief. Benzin muss mit Benzinmarken gekauft werden.

4. März 1979. In der Stadt Kahramanmaraş wurde ein alevitischer Student mit Kugeln in den Mund getötet.

1. März 1979. Ayatollah Chomeini sagte, ab jetzt sei im Iran kein Platz mehr für Demokratie.

26. März 1979. Die Regierung hat die neuen Preissteigerungen bekannt gegeben. Die Schwarzhändler sind in einer Nacht reich geworden.

27. März 1979. Auf der Landepiste des Istanbuler Flughafens gab es wegen der Devisenkrise kein Licht. Die Piloten mussten im Dunkeln landen.

Mein Vater kam in den Salon, schaute auf mich, sagte: »Lies das nicht, meine Tochter. Ich möchte nicht, dass du auch so traurig bist wie wir. Soll ich dir lieber noch ein Glas Rakı geben?«

Er holte zwei Gläser, gab mir eines. Er setzte sich in einen Sessel mir gegenüber, schloss seine Augen und trank seinen Rakı. Ich blätterte leise weiter.

1. April 1979. Im Iran ist die Islamische Republik gegründet worden.

11. April 1979. In Uganda gab es einen Militärputsch. Idi Amin ist geflohen.

12. April 1979. Ein Abgeordneter der MHP (Ultranationalisten) wurde wegen Heroinschmuggels in Griechenland festgenommen.

Mein Vater machte wieder seine Augen auf, schaute auf mich. Ich übersprang ein paar Ausschnitte.

4. April 1979. Der Chef der Emek Partei (Partei der Arbeit) Mihri Belli wurde durch mehrere Kugeln schwer verletzt.

Ich hatte Mihri Belli Anfang der Siebzigerjahre in Ankara, wo ich am Theater gearbeitet hatte, kennengelernt. Jemand hatte erzählt, Belli habe im spanischen Bürgerkrieg auf der Seite der Republikaner gekämpft, die Verletzung in seinem Gesicht komme daher. Ich hatte mich damals gefragt, ob er im spanischen Bürgerkrieg Ernest Hemingway und Joris Ivens getroffen habe und was sie miteinander geredet hätten. Aber jemand anderer sagte, Belli habe nicht im spanischen, sondern im griechischen Bürgerkrieg 1946 gegen Faschisten gekämpft. Ich las weiter.

25. April 1979. Der Ausnahmezustand wurde durch das Parlament verlängert. Unter den türkisch-kurdischen Abgeordneten kam es zu lautstarken Auseinandersetzungen. Die 1.-Mai-Feiern wurden verboten. Es wurde bis zum 2. Mai eine Ausgangssperre verhängt.

4. Mai 1979. In Istanbul wurde ein Gymnasiast vor den Augen Hunderter von Menschen von Kugeln durchsiebt.

18. Juni 1979. Ein Café wurde von Kugeln durchlöchert, drei Tote.

23. Juni 1979. In Istanbul ging eine Zeitbombe hoch, ein Toter.

6. August 1979. Eine Bombe detonierte im Kulturzentrum Sabancı. Drei Kinder und ein Erwachsener wurden getötet.

17. August 1979. Ein Café in Denizli ist von Kugeln durchlöchert worden, drei Tote.

29. August 1979. Die Bewohner von Siverek verlassen die Stadt, denn in den letzten Monaten wurden dort siebzehn Menschen getötet.

Mein Vater machte wieder die Augen auf, sagte: »Was liest du gerade?«

Ich blätterte und wählte einen Ausschnitt für meinen Vater, las laut:

16. September 1979. Zwei Familien sind mit einem Ballon, den sie aus Betttüchern und Regenmantelstoff gebastelt haben, von Ostdeutschland nach Westdeutschland geflüchtet.

Mit Augenzwinkern sagte mein Vater: »Warum haben sie nicht den Bus genommen?« Dann lachte er und trank einen Schluck Rakı. Dann sagte er wieder: »Lies das nicht, meine Tochter. Ich möchte nicht, dass du traurig wirst.«

Ich sagte: »Ja, Vater«, und übersprang ein paar Ausschnitte. Dann las ich für mich weiter:

8. Oktober 1979. Rund 2000 Tote in 21 Monaten, 130 Opfer allein seit dem 1. September erschossen und mit Bomben getötet.

21. Oktober 1979. Durch infiziertes Blut, das vom Roten Kreuz verteilt wurde, sind dreißig Menschen gestorben.

10. November 1979. An den Zeremonien zum Todestag von Atatürk haben die Mitglieder der islamistischen Partei nicht teilgenommen.

»Vater, wäre es nicht besser, wenn die Türkei nicht neben dem Iran, sondern zwischen Italien und Frankreich liegen würde?« Mein Vater sagte: »Ja, mein Kind. Wir leben hier wirklich in einer gefährlichen Zeit, mit gefährlichen Menschen.« »Vater, der französische Schriftsteller Sartre sagt: ›Die Herzen von Menschen sind schwarz und voller Scheiße.‹« Mein Vater nickte lange, machte wieder die Augen zu.

26. November 1979. In Istanbul wurden ein Lehrer, Mitglied der Töb-Der (Lehrerorganisation), sowie drei Arbeiter getötet.

4. Dezember 1979. In Kırıkhan ist eine achtköpfige alevitische Familie mit Benzin übergossen und getötet worden.

15. Dezember 1979. In ein Café in Beşiktaş Istanbul wurde eine Bombe geworfen. Fünf Tote, neun Verletzte.

17. Dezember 1979. In einem Gebäude der islamistischen Partei MSP wurde ein heimlicher Schießübungsplatz entdeckt und Flugblätter mit Aufrufen zu einer islamischen Revolution in der Türkei wie die im Iran von Chomeini.

Ich legte den Schuhkarton kurz hin und trank den Rakı, den mein Vater mir hingestellt hatte. Erst machte ich die Augen zu, las dann aber weiter:

23. Dezember 1979. Neun Menschen wurden getötet.

25. Dezember 1979. Am Jahrestag des Massakers von Kahramanmaraş wurden vier alevitische Lehrer und Schüler getötet. 4000 Menschen wurden verhaftet.

Ich kannte in Berlin sehr viele Aleviten, die nach dem Massaker in Kahramanmaraş in Todesangst geflohen waren.

11. April 1980. Der Cumhuriyet-Journalist Ümit Kaftancıoğlu wurde ermordet.

4. Juli 1980. Die radikal-sunnitischen Muslime verübten in der Provinz Çorum ein Massaker an den Aleviten. 57 Menschen wurden getötet, mehr als 300 verletzt.

22. Juli 1980. Kemal Türkler, der erste Präsident des Gewerkschaftsdachverbandes wurde in Istanbul getötet.

Ich kannte Kemal Türkler. Ich machte den Schuhkarton der Toten zu, brachte ihn in das Zimmer zurück. Mein Vater machte das Licht im Salon aus und ging schlafen. Ich kam in den Salon zurück, stand im Dunkeln, sagte:

»Wo wohnen Sie, Madame?

Ich wohne mit den Toten in einem Schuhkarton.«

Jetzt war August 1980, über die Stadt war der Ausnahmezustand verhängt, aber die Nacht schlief nicht. Die Nacht hörte sich die Schüsse an, die da oder dort geschossen wurden. Ich machte das Fenster auf, schaute mir die dunkle, steile Straße an, die in Richtung des Meers immer steiler wurde. Wie schön wäre es, wenn nur der Wind, der vom Meer wehte, das einzige Geräusch in dieser Stadt wäre. Aber in der Ferne oder auch in der Nähe gingen Bomben hoch. Unten auf der Straße rannten ein paar Männer in Richtung Meer. In dem Haus gegenüber machte ein Mann das Fenster auf, schaute auf die Straße, dann sah er mich am Fenster stehen, blieb eine Weile unbeweglich da, dann ging er nach hinten. Ich lief durch den langen Korridor zu dem Zimmer meines Bruders, er war gerade in einer anatolischen Stadt mit einem Dokumentarfilmteam. Ich knipste das Licht an. Neben seinem Bett standen ein paar Bücher. Eines war Ernst Blochs *Das Prinzip Hoffnung*, darunter lag ein Buch von Hannah Arendt und darunter Gedichtbände von Can Yücel und Turgut Uyar. Ich nahm die Bücher, ging in mein Zimmer.

Am nächsten Tag besuchte ich unsere beiden armenischen und griechischen Nachbarn Kleo und Ambartsum. Ambartsum lag im Bett, weil er krank war. Kleo machte ihm Limonade. Ambartsum hatte hohes Fieber, er schaute an die Decke, sagte: »Sie werden kommen, sie kommen mich holen, sie kommen.« Kleo schwieg und schaute in meine Augen. Dann klingelte es. Mein Herz klopfte. Es war der Arzt.

Meine Mutter wollte nicht, dass ich in den Istanbuler Straßen spazierte, hatte Angst, dass mich eine Kugel treffen könnte. »Bleib bei mir«, sagte sie, »höchstens gehe in unseren Straßen spazieren.« »Ja, Mutter.« Ich lief unsere steile Straße hoch, ging am Fischladen vorbei, schaute mir die Fische an, dann lief ich zum armenischen Friedhof, lief zwischen den Grabsteinen rum, nahm von der Erde ein Blatt, roch daran. Es war sehr still auf dem Friedhof. Wie viele nicht gesagte Wörter hatten all diese Toten mit sich unter die Erde genommen? Wie viele nicht gesagte Wörter liegen jetzt unten? Wenn man diese nicht gesagten Wörter gehört hätte, aber viel früher gehört hätte, im Jahre 1915, als man die Armenier auf den Todesmarsch schickte, wäre die Türkei dann in die Hände des »Tiefen Staates« oder der Faschisten und kranken Nationalisten und Fanatiker gefallen? Hannah

Arendt hat über den deutschen Faschismus in etwa gesagt, die Vernichtungsmaschine der Nazis, die Fabrikation der Leichen, das hätte nie geschehen dürfen, da sei irgendwas passiert, womit wir alle nicht mehr fertig würden.[42] Weil man hier die Vernichtungsmaschine von damals, also von 1915, nicht zur Rede gestellt hatte, machte sie so weiter. Mal kurdische Dörfer in Dersim, mal Aleviten in der Stadt Maraş, 1955 in Istanbul Griechen, Juden, Armenier, jetzt die türkischen Linken, Demokraten, Journalisten. Die Vernichtungsmaschine durfte so weitermachen, weil keiner sie vor 65 Jahren zur Rede gestellt hatte. Wenn in jedem entferntesten türkischen Dorf ohne Elektrizität die Menschen von dieser Vernichtungsmaschine und von dem, was da geschah, gehört und sich mit den Opfern identifiziert hätten und nicht mit der Vernichtungsmaschine, würden sich hier die Menschen heute weiter töten? Ich blieb vor einem Grabstein auf dem Friedhof stehen. Manchmal flog ein Vogel über die Gräber, mal regnete ein Blatt aus einem Baum. Weit hinten gingen zwei Frauen zwischen den Gräbern. Die Totenerde fing, erst leise, dann laut zu sprechen an:

Wir dürfen nicht. Wir dürfen nicht sprechen.
Schon ewig lange dürfen wir nicht sprechen.
Das Letzte, was wir sahen:
Es schneite,
es war kein Tag, keine Sonne,
plötzlich die nackten Feigenbäume,
unter denen wir liefen, fingen an zu schreien:
O weh uns, ihr Verlorenen.
Ihr werdet nie wieder sehen eine
Herdflamme in eurem Haus.
Beraubt eurer Leben, schon eurer Schatten beraubt.
Nichts wird von euch, so melden wir euch,

zu eurem Herd wiederkehren.
Jungfrauen, flehend fallen wir vor euch auf die Knie.
Wir sehen mit diesen Augen, die blind sein wollen,
euren jammervollen Totenmarsch,
von dem ihr nie wieder zurückkehrt und
nie wieder
unter unsren Schatten ewige Treue
eurem Schönsten versprecht.
Ja, Feigenbäume sind wir
und strömen unser Gefühl in Tränen aus,
ein unsagbares Unrecht wird euch geschehen,
wo ihr sogar als Tote nicht mehr sprechen könnt.
Ihr werdet dulden, lange, zu lange,
euer Tod ohne Gräber, ohne die Totenmusik,
die auf euren toten Haaren kurz sich niedersetzt.
Oh, in welch Unglück stürzt ihr?
Ein Unrecht wird geschehen, so schnell,
nicht mal Tränen werden herabfallen
über eure hellen Wangen,
in den Flüssen, in waldigen Tälern,
über euch ein Mond, der selbst
seinen eigenen Tod treffen wollte,
anstatt euren Tod zu beleuchten.

Am nächsten Tag sagte ich zu meiner Mutter: »Mutter, ich bleibe im Kiez, keine Sorge.« Aber ich lief in Richtung Cihangir, dann die steilen Treppen von Cihangir nach Karaköy und kam an der Brücke vom Goldenen Horn an. Ich stellte mich wie die einsamen, armen Männer an das Brückengeländer und schaute mir alle Menschen, die auf der Brücke liefen, an. Die niedrige Brücke wackelte durch das Meer unter meinen Füßen, die Möwen schrien, die Schiffe, die abfuhren, schrien, die Straßenverkäufer, die mit ihren Karren über die Brücke liefen, schrien: »Bananeeeeen, Artischoken, Aartischoooooken.« Alle Männer, die an mir vorbeiliefen, erinnerten mich an Woyzeck, alle waren arme Männer, hier auf der Brücke liefen keine reichen Männer. Eine Gesellschaft von Ausgestoßenen, die sich aneinandergebunden fühlt wie Büchners Woyzeck oder Gorkis Nachtasylfiguren. Ständig leben sie im Schmutz mit Illusionen oder Desillusionierungen zwischen Liebe, Kameradschaft, Verbrechen, Streit bis zum Mord. Bald hatte ich eine Brücke voller Woyzecks. Ich lief langsam in Richtung Stadtzentrum, dann zu unserem armenischen Viertel Pangaltı. Ich traf, bevor ich nach Hause ging, eine Freundin, die ich, seit ich weg war, nicht gesehen hatte. Sie war hochschwanger, sie sah mich, erkannte mich, sie wollte Leber für das Abendessen kaufen gehen. Ich lief mit ihr mit. Es war Abendzeit. Sie erzählte von den rechtsextremistischen Grauen Wölfen und Fanatikern, die die linken Demokraten töten, Cafés mit Kugeln streifen, alle Menschen, die da sitzen, töten, auch unpolitische, die nur Tee trinken. Sie fragte wie meine Mutter: »Wer gibt ihnen diese Waffen, woher kommen diese Waffen?« Und sie fiel plötzlich mit ihrem acht Monate alten schwangeren Bauch auf die Straße, direkt auf den Bauch. Als sie aufstand, schauten wir beide mit großen Augen auf ihre Beine, ob an ihnen entlang Blut runterlief. Es war nichts. Wir liefen weiter zum Metzger, wo sie Leber kaufen wollte. Es liefen zwei Männer neben uns, einer sagte: »Oh Mann, hat die gefickt, sie hat was in der Röhre«, und einer fasste meinen Schenkel an, dann liefen sie weiter. Ich lief hinter ihnen her, schlug dem, der den Satz gesagt hatte, auf die Schulter. Er drehte sich zu mir, sah mich, schlug mir ins Gesicht, und mit dem Bein schlug er mir direkt zwischen die Beine.

Ich fiel auf die Straße, schimpfte auf ihn, viele Männer sammelten sich um mich, alle schauten nur, nur ein einziger Mann sagte: »Die Dame hat Recht.« Ich stand auf, lief zu meiner Freundin, dann gingen wir in Richtung des Metzgers. »Wer wird heute Nacht getötet?«, sagte sie, als wir in die Metzgerei reingingen.

»Mama, soll ich euch Woyzeck vorlesen?« »Ja, ja, lies, lies«, sagten meine Eltern am Tisch. Ich las erst auf Deutsch, dann übersetzte ich ins Türkische. Mein Vater mochte die Sätze: *›Auf der Welt ist kein Bestand, wir müssen alle sterbe, das ist uns wohlbekannt!‹*, *›Arm Mann, alter Mann!‹*, *›die Frau hat Hosen‹*, *›der Aff ist schon ei Soldat‹*. Meine Mutter war begeistert, wie schnell ich deutsche Sätze ins Türkische übersetzte.

In der Nacht schaute ich wieder durchs Fenster und schaute die steile Straße hinunter. Der Mann, der in dem Haus gegenüber wohnte und gestern Nacht, wie ich, am Fenster gestanden und die Straße hinuntergeschaut hatte, war nicht zu Hause. Es war dunkel dort. Ich rief meine schwangere Freundin an. »Es geht mir gut«, sagte sie, »mach dir keine Gedanken wegen mir.« Als ich auflegte, fragte ich mich, ob das Kind in ihrem Bauch Angst hatte. Dieses Kind wird bald, im September 1980, auf die Welt kommen. Was wird mit ihm geschehen, wenn es achtzehn, zwanzig ist? Was wird in diesem Land noch geschehen? Meine Schriftstellerfreundin Tezer Özlü hatte mir mal gesagt: In diesem Land leben nicht wir, sondern die, die uns töten wollen. Das hatte sie vor neun Jahren gesagt. Man konnte jetzt sagen: In diesem Land leben nicht wir, sondern die, die uns töten. Sie sind da, in dieser Stadt, in irgendwelchen Wohnungen, sie haben Todeslisten, sie haben Waffen, sie steigen in irgendwelche Autos, sie haben Benzin, sie fahren zum Töten, zum Entführen, zu einem Friedhof. Den Jungen, den sie entführt haben aus seiner Wohnung oder aus dem Studentenheim, lassen sie ein paar Schritte vor sich laufen. Dann fällt ein Mensch mit dem Gesicht auf die Erde, seine Schuhe haben alte Sohlen. Sie gehen, die Nacht ist warm. Sie klingeln an irgendwelchen Türen, da wohnen sechs junge Studenten, die in der Arbeiterpartei sind, die gerade fernsehen. Sie binden ihnen die Hände, die Beine zusammen, töten, töten, töten, töten, töten, töten. Dann fahren sie in einem weißen Auto wieder auf dunklen Straßen. Dann stehen sie an einem Tisch, über dem eine schwache Glühbirne hängt. Sie haben neue Pläne, neue Namen, neue Adressen, neue Kugeln, neue Bomben, neue Drähte, neue Messer, neue Stricke. In welchen Räumen waren diese Menschen als Kinder aufgewachsen? Welche Mutter, welchen Vater hatten sie? Sie töten, weil sie töten können. Töten ist in diesem Land erlaubt, weil das große Töten ab 1915 nie zur Rede gestellt wurde. Und dass sie so frei töten konnten, hat dieses Land, die Menschen, verfaulen lassen. Während die Getöteten unter der Erde verfaulten, verfaulten über der Erde die Tötenden und Schweigenden. Für sie ging das Leben weiter: Morgens kommen die Müllmänner, holen den Müll ab, große Wagen waschen die Straßen in den Morgenstunden, die Wanduhren schlagen pünktlich, die Uhren gehen pünktlich, viele Schüler kommen in den Schulen pünktlich an, Orangen wachsen in den Bäumen, die Restaurants sind offen, die Kinos sind offen, die Theater sind offen, die Straßenkehrer kehren immer wieder die Hauptstraßen, die Dönerspieße drehen sich und riechen in den Gassen, vor den Hotels stehen die Taxis, die Metzger bereiten in ihren stark beleuchteten Läden Lammkoteletts vor, die Kaugummis werden gekaut, die Lollipops werden geleckt, jemand rennt zur Fähre, das Meer ist mal ruhig, mal unruhig, der Mond über der Stadt mal groß, mal klein, die Frauen sitzen beim Friseur, die Lehrlinge kehren die abgeschnittenen Haare auf eine Schaufel, in den Bars unterhalten die Bardamen ihre Kunden, die Brücke am Goldenen Horn wackelt mit den unruhigen Wellen, die Fischer braten Fische und tun sie in großzügige Brote, die Schiffe hupen, aber am Ende der Nacht kommt Marcellus aus *Hamlet* und sagt: *»ETWAS IST FAUL IM STAATE DÄNEMARKS.«* Er steht so auf der Brücke und guckt sich die Stadt an, die Türen der Häuser öffnen sich. Aus ihnen kommen lebende, verfaulte Menschen und rennen zu den Bussen, zu den Autos, öffnen die Zeitungen, aus denen jeden Tag Blut runtertropft. Man wischt seinen Sitzplatz ab und liest weiter. Diese Halbtoten laufen, essen, machen Kinder, und wenn einer nicht verfault ist, zeigen sie auf ihn mit dem Finger.

Meine Mutter kam aus dem Schlafzimmer, setzte sich neben mich, fragte: »Was denkst du, meine Tochter?« »Mutter, du hattest mal erzählt, dass dein Vater die Tochter seines Freundes geheiratet hat, damit sie nicht mit den anderen Armeniern aus der Stadt weggeschickt wird.« »Ich war damals noch nicht geboren. Das hat mir die erste Frau meines Vaters mal erzählt. Mein Vater und sein Freund sollen immer sehr leise miteinander geredet haben.« »Mutter, hast du keine Angst, dass, wenn du auf der Straße bist, die Kugeln dich treffen könnten?« »Nein, höchstens sterbe ich. Die jungen Menschen werden getötet, was ist schon mein Tod? Denk nicht so was.« Als meine Mutter ging, ging ich zu ihren Fotoalben, nahm zwei Fotos meiner Eltern, legte sie in meine Tasche, machte das Licht aus, rauchte auf die Straße schauend, sah dann irgendwann den Mann im Haus gegenüber am Fenster stehen, er rauchte auch im Dunkeln. Nur die Glut unserer Zigaretten bewegte sich. Jeden Abend, bis ich aus Istanbul wegfuhr, rauchten wir beide im Dunkeln gleichzeitig.

Als ich von Istanbul wieder nach Bochum kam, ging ich, bevor ich nach Hause fuhr, zu einer Imbissbude und aß Currywurst, um in Deutschland anzukommen. Puk, Brankos Hund, war allein zu Hause, er kam zur Tür und begleitete mich in mein Zimmer. Dann ging er wieder zum Salon und kam mit der Tageszeitung in seinem Maul zurück, wartete, bis ich sie ihm wegnahm. Ich nahm die Zeitung, legte sie über die *Woyzeck*-Arbeitsblätter.

Als ich am nächsten Morgen zur Probe kam, standen alle *Woyzeck*-Schauspieler, die Souffleuse, die Assistenten, die Regisseure als Gruppe vor der Probebühne. Weil die Tür zur Probebühne zugeschlossen war, warteten sie dort auf den Schlüssel. Der Inspizient war ihn holen gegangen. Plötzlich bekam ich eine furchtbare Angst vor meinen Kollegen. Ich sah sie alle auf mich schauen. Ich hatte vor jedem Gesicht und Körper Angst. Während der Probe ging ich öfter auf die Toilette, setzte mich auf den Toilettendeckel und wusste nicht, wie ich wieder in den Probenraum zurückkehren sollte. Als ich wieder im Probenraum war, wollte ich nicht in die Gesichter meiner Kollegen schauen. Ich konnte sie nur anschauen, wenn sie auf der Bühne nicht als sie selbst, sondern in ihren Rollen standen. Und während sie ihre Figuren spielten, konnte ich sie zeichnen. Ich ging auch nach der Probe nicht mit ihnen in die Kantine. Warum ich vor ihnen Angst gekriegt hatte, wusste ich nicht. Sie wirkten auf mich sehr kräftig, sehr groß, sehr laut, und am Abend träumte ich: Ich bin in einem Bus, Männer sitzen drin, wie Humphrey Bogart verkleidet, der Bus fährt ab, ich will in einer Stadt aussteigen. Ich verspäte mich, den Halt-Knopf zu drücken, der Bus fährt an dieser Stadt vorbei. Ich frage, ob der Bus noch halten kann. Ein Mann sagte: »Ja, selbstverständlich.« Ich drücke den Halt-Knopf, der Bus hält. Ich habe Taschen und Koffer, ich steige aus, der Mann hilft, gibt mir meine Taschen und Koffer herunter, der Bus fährt ab. Eine sehr einsame Gegend, kein Mensch. In bin in einem großen Abgrund, braune hohe Hügel, Steine überall, Berge mit Löchern, eine unendliche Landschaft, und ich stehe in der Mitte dieser Landschaft. Ich kriege furchtbare Angst und merke, dass sie mich absichtlich in dieser Landschaft aussteigen ließen. Ich weiß, dass ich diese Berge mit meinen Koffern hochlaufen muss.

Ich ging jeden Tag während der Probe immer wieder auf die Toilette, setzte mich auf den Toilettendeckel. Alles war in diesem Raum leuchtend weiß, die Waschbecken, die Toilette, die Handtücher, die Wände, der kleine Fensterrahmen, die Kacheln an den Wänden. Ich kam dann zur Probe zurück, ohne jemanden anzugucken, setzte mich auf meinen Stuhl an den Tisch, zeichnete die Probe. Der Schauspieler, der Woyzeck spielte, beobachtete mich, und einmal, als die Schauspieler, um über eine Szene zu sprechen, sich im Saal versammelt hatten, sagte er mir: »Kannst du auf die Bühne gehen und die Stühle putzen?« Ich nahm einen Lappen und einen Eimer und putzte die Stühle vom Bühnenbild, wieder ohne jemanden anzuschauen. Er beobachtete mich. Später, nach ein paar Tagen, nahm er in der Rolle Woyzecks einen Putzlappen und putzte die Stühle wie ich, ohne die Leute in seiner Umgebung anzuschauen. Wenn ich wieder, um mich auf den Toilettendeckel zu setzen, aufs Klo ging, sah ich mein Gesicht im Spiegel, ich sagte zu mir: »Du musst nicht hier sitzen.« Mein Gesicht im Spiegel fragte mich: »Wo soll ich hin?« Ich ging wieder zur Probe, ohne meine Kollegen anzuschauen.

Jemand vom Theater sagte: »Du musst zum Intendanten Claus Peymann.« Peymann sagte mir, dass er bei Branko gewesen sei und Branko ihm mein Zimmer gezeigt habe. Er hatte sich den mit den Woyzeckblättern übersäten Raum angesehen. Er meinte, er hat noch keinen Menschen gesehen, der so voll mit Woyzeck lebt. Deswegen wollte Peymann, dass der Bühnenbildner Bausch mein Zimmer nachbaut und es zur *Woyzeck*-Premiere ins Theaterfoyer stellt. Und ich sollte in diesem nachgebauten Raum mit all den *Woyzeck*-Bildern, Collagen, Blättern ein genaues Abbild meines Zimmers herstellen. Die Maskenbildnerei sollte mein Gesicht abbilden, und ich sollte zwischen den Materialien als Puppe am Tisch sitzen und arbeiten, und die Zuschauer sollten diese *Woyzeck*-Welt und diesen Menschen anschauen. Bühnenbildner Bausch kam zu Branko, fotografierte den Raum und baute das Zimmer nach. Die Maskenbildnerin stellte meinen Kopf und mein Gesicht her und machte eine Perücke genau nach meinen Haaren. Ich zog einer Kleiderpuppe meine Hose und meinen Pulli an, setzte den Kopf auf die Puppe und nahm alles *Woyzeck*-Material von den Wänden meines Zimmers, brachte es zum Theater, steckte es mit Hunderten Stecknadeln in den aufgebauten Raum im Theaterfoyer. Bühnenbildner Bausch hatte in die vier Wände je ein Fenster gebaut. Die Zuschauer konnten durch die Fenster in diesen woyzeckschen Raum mit der am Tisch arbeitenden »Frau« von draußen schauen.

In meinem Zimmer bei Branko waren jetzt alle Wände, auch der Boden, leergeräumt. Puk kam in mein Zimmer, ging hin und her, ging wieder raus. Ich dachte, er würde jetzt mit der Zeitung im Maul wiederkommen. Nein. Er lief zu seiner Schlafecke.

Das Theater sagte mir, dass in der Villa Wahnsinn ein Studio frei geworden sei. Wenn ich wollte, könnte ich dort einziehen. Villa Wahnsinn war eine dreistöckige Villa mit zehn Studios, in denen Schauspieler vom Schauspielhaus wohnten. Und die Villa Wahnsinn war nur sechs Minuten vom Theater entfernt, auf der Königsallee. »Die Bochumer nennen dieses Haus ›Villa Wahnsinn‹«, sagte eine Schauspielerin, »weil die Schauspieler erst nach Mitternacht nach Hause kommen.« Die Lichter gingen in anderen Bochumer Häusern aus, und in der Villa Wahnsinn gingen sie erst jetzt an, Musik, Leben, Feten gingen los. Ich liebte Puk und Branko, aber Brankos Wohnung war weit weg vom Theater. Zwischen den Morgen- und Abendproben hing ich in der Kantine rum, und in der Nacht lief ich durch sehr einsame Straßen der kohlengesichtigen Stadt Bochum allein nach Hause.

Ich zog mit meiner Tasche und Phils Schreibmaschine an einem Sonntag in die Villa Wahnsinn. Mein Studio war im Erdgeschoss, mit großen Fenstern, die fast bis zum Boden gingen und in einen Park hinausschauten. Das Studio hatte Bett, Schrank, Teller, Tassen. Seit ich in Europa war, war dieses Villa-Wahnsinn-Studio meine erste eigene Wohnung: ein großes Zimmer, Küche, Bad, so groß, dass man darin tanzen konnte. Ein sehr stilles Zimmer, draußen war der Mond, und ein Hase saß auf der vom Mond beleuchteten Wiese und schaute zu meinem Fenster. Ich holte aus Phils Schreibmaschine Isas Brief, stellte die Schreibmaschine auf den Tisch und lehnte den Brief daran. Ich setzte mich auf das Bett und schaute mir das Tischbild an. Als ich wieder zum Fenster lief, sah ich den Hasen weiter auf der Wiese sitzen.

Und ich hatte zum ersten Mal ein Telefon. Ich rief meine Mutter an und gab ihr meine Nummer, dann rief ich Efterpi an. »Efterpi, Efterpi, ich wohne jetzt in der Villa Wahnsinn, hier wohnen noch zehn andere Schauspieler, ich habe ein Telefon, schreib die Nummer auf. Ist Monsieur Umberto bei dir?« »Ja, woher weißt du das? Ich habe ihm gerade seinen Kaffee gebracht.« »Wie geht es den Katzen Clochard, Pambuh, Badi?« »Clochard beobachtet uns aus dem Garten, alle küssen dir deine Hände.«

Mein erster Traum in der Villa Wahnsinn: Ich bin in einem Zimmer, darin ist ein Licht wie aus dem Meer und draußen ist das Meer. Zwei Männer bringen in einem offenen Sarg Maria Callas zu diesem Zimmer, sagen, sie ist tot. Die Männer legen sie auf ein hohes Bett. Ich sehe, wie weich ihr Körper noch ist, als die Männer den Sarg zu diesem hohen Bett tragen. Ich habe ein komisches Gefühl. Ich frage die Männer: »Ist sie wirklich tot?« Die Männer sagen: »Ja«, holen den Deckel und wollen den Sarg schließen. In diesem Moment steht Maria Callas plötzlich auf, streckt ihre Arme, gähnt, steigt aus ihrem Sarg herunter von dem hohen Bett. Die Männer sagen: »Wenn wir den Sarg mit dem Deckel zugemacht hätten, hätten wir sie über das Meer getragen, durch die Wellen wäre sie wach geworden, aber keiner hätte ihre Stimme gehört.«

Es klingelte an der Tür, ich wachte auf.

Ortrud Beginnen, eine der Schauspielerinnen vom Schauspielhaus, stand vor der Tür. Sie kam herein, setzte sich auf den Tisch, sagte: »Peter hat Krebs. Heute haben sie ihm ein Bein abgenommen. Ich komme gerade vom Krankenhaus.« Dann sagte sie nichts mehr, legte ihren Kopf auf den Tisch neben Phils Schreibmaschine, blieb so liegen. Irgendwann legte ich auch meinen Kopf auf den Tisch. Als ich meinen Kopf wieder vom Tisch hob, war Ortrud schon weg.

In den nächsten Wochen sah ich Ortruds Freund Peter in

der Kantine. Er saß neben Ortrud, dann stand er mit seinen Krücken auf, lief auf einem Bein zur Kantinentheke, bestellte Bier. Ein sehr junger Mann. Er schaute ständig auf seine Hand, in der er das Kleingeld zum Bezahlen bereithielt. Ich schaute auf sein Gesicht. Genauso schaute ich auf sein Gesicht im Krematorium, bevor man ihn einäscherte. Ortrud hatte nur mich und meine Freundin Katharina Hill zu dem Toten eingeladen. Wir standen um den Peter im Sarg. Als man Peter zum Einäschern in den Ofen fuhr, ging ich in andere Räume, in denen Tote in ihren Särgen lagen. Ihre Familien standen, wie wir um Peter, um sie herum. Die Toten waren geschminkt. Ihre Familien drum rum waren blasser als die Toten. Ich kannte außer Uli und meiner Nachbarin Elli keine Bochumer, Elli mit einem Fuß. Jetzt sah ich so viele tote Bochumer und um ihre Toten stehende, blasse Familien in schwarzen Kostümen.

Später liefen Katharina, Ortrud und ich mit der Asche von Peter die armen, ruhigen Straßen von Bochum entlang und gingen an dem Haus Bergmannsheil vorbei. Ich hörte wieder aus den Fenstern das Husten der kranken Männer. Dann ging Ortrud mit der Asche von Peter in eine andere Richtung. Bevor sie ging, gab sie uns ein wenig Asche von Peter in die Hand. Katharina und ich liefen mit der Asche von Peter in der Faust zur Villa Wahnsinn. Katharina wohnte auch dort, im dritten Stock. Wir liefen zuerst in den Garten, verstreuten die Asche um eine junge Birke, blieben eine Weile da. Später ging Katharina hoch, kam mit einer Flasche Rotwein zu mir herunter, öffnete sie, dann gab sie mir die Flasche. Ich goss in zwei Gläser Wein, wir tranken ihn am Tisch, stellten die Flasche neben Phils Schreibmaschine. Wir sprachen sehr wenig. Ich schaute in den Garten, der Hase saß wieder auf dem gleichen Platz auf der Wiese. »Katharina, hier gibt es einen Hasen.« Katharina sagte: »Ich sehe im Garten immer ein Eichhörnchen auf dem langen Baum, der vor meinem Balkon gewachsen ist.« »Katharina, was für ein schöner Junge Peter war, oder?« »Ja, er war sehr fein«, sagte Katharina, und wir schwiegen wieder. Dann ging sie hoch. Ich stellte die Weinflasche in der Küche auf den Boden. Dann vergaß ich, dass sie auf dem Boden war, und stieß beim Laufen gegen sie. Die Flasche fiel um und ging kaputt, Wein floss auf den Küchenboden. Ich fegte die Glasstücke zusammen, wischte den Wein vom Boden auf. Dann fühlte ich mich leer, müde. Angst vor dem Sterben. Legte mich um 22 Uhr ins Bett, träumte: Ich bin im Badezimmer, zwei Schnecken sind im Waschbecken. Ich drehe den Wasserhahn auf. Dann setze ich mich auf die Toilette. Das Wasser im Waschbecken läuft weiter. In dem Moment kommt etwas von unten aus der Toilette, breitet sich groß aus, schlägt mir auf meinen Hintern, schmeißt mich hoch. Eine große Kobra, ihr Gesicht so breit wie der Toilettendeckel. Dann bin ich in einem Haus. Schäferhunde bellen, am Himmel ist ein Flugzeug, es hat eine sehr lange Treppe bis zur Erde. Ich denke: Aber wie kann man herunterklettern, wenn man brennt, brennend so weit heruntersteigen muss. Hunde kommen in meine Nähe. Ich halte meine Hände hoch. Draußen ein Regen. Ich bin in einer U-Bahn. Da stirbt ein Mann. Ich trete in sein Blut. Eine kleine Türkin sagt laut: »Er ist sogar ein Türke.«

Früh am Morgen klingelte das Telefon. Ich wachte auf, ging zum Telefon, nahm ab, meine Mutter sagte: »Mein Kind, ich weck dich, ich weiß, aber es passiert ein Militärputsch. Im Radio sagen sie: ›Liebe Bürger, seien Sie ruhig‹, aber ich denke, das ist ein rechter Putsch.« Plötzlich wurde das Telefon unterbrochen. Es war kalt im Zimmer. Ich ging ins Bett, machte das Radio an, ein französisches Lied. Die Franzosen sind wach, dachte ich. Später die Nachrichten: »Ankara, 12. September 1980. Heute haben die türkischen Militärmächte unter Generalstabschef und ranghöchstem Soldaten des Landes, General Kenan Evren, die Demirel-Regierung gestürzt und die Macht übernommen. Im ganzen Land wird das Kriegsrecht verhängt. Ausnahmezustand.«

Ich dachte plötzlich an die Briefe, die ich vor zehn Jahren von einem Freund bekommen und die ich dann bei meinen Eltern in der Wohnung gelassen hatte. Ich zerbrach mir den Kopf: In welches Buch hatte ich diese Briefe hineingetan? Ich wollte meine Mutter anrufen, sagen, dass sie die Briefe da wegnimmt, aber ihre Nummer in Istanbul war dauernd besetzt. Wahrscheinlich hatte das Militär die Telefonverbindungen abgeschnitten. Sie besetzten als Erstes Fernsehen, Radio und Funk. Ich setzte mich gegenüber dem Telefon, schaute lange darauf. Ich hatte Angst vor ihm. In den kommenden Monaten werde ich aus diesem Telefon diese Nachrichten hören:

Das Parlament wurde aufgelöst.

Politische Parteien sind verboten, ihre Vermögen beschlagnahmt, Politiker und Abgeordnete verhaftet.

650 000 Personen als Staatsfeinde festgenommen.

230 000 werden vor Gericht gestellt.

Für 7000 Personen wurde die Todesstrafe gefordert, davon über 500 zum Tode verurteilt.

30 000 Personen entlassen.

Hunderte von Personen starben unter Folter.

30 000 flohen ins Ausland.

300 Menschen von Unbekannten ermordet.

Vereine wurden geschlossen.

Tausende Lehrer entlassen.

Zeitungen zum hundertsten Male vor Gericht gestellt.
299 Menschen starben im Gefängnis.
Mehrere starben bei einem Hungerstreik.
50 Menschen wurden aufgehängt.
Tausende Bücher wurden verbrannt.
Gewerkschaften, Lehrervereine wurden verboten.
Viele Menschen begingen Selbstmord in Polizeihaft.

1971, beim Militärputsch vor neun Jahren, der auch gegen die Linken gerichtet war, hatte der Schriftsteller Aziz Nesin uns in der Istanbuler Akademie der Künste mit einer kleinen Geschichte erklärt, was Faschismus ist: In einem Land fängt ein Mensch an zu schreien. Er schreit: »In meinen Arsch steckt man eine Eisenstange.« Der Chef des Landes sagt: »Sofort diesen Menschen aufhängen.« Man hängt den Mann auf. Irgendwann schreit ein anderer: »In meinen Arsch steckt man eine Eisenstange.« Der Chef des Landes sagt: »Sofort diesen Menschen aufhängen.« Dann hängen sie den Mann. Irgendwann schreit wieder ein anderer: »In meinen Arsch steckt man eine Eisenstange.« Der Chef des Landes sagt wieder: »Sofort diesen Menschen aufhängen.« Sie hängen auch diesen Mann. Irgendwann fängt der, der ihn aufgehängt hat, an zu schreien: »In meinen Arsch stecken sie eine eiserne Stange.« Sie hängen ihn auf. Am Ende bleibt kein Mensch mehr übrig, nur der Chef des Landes. Auch er schreit eines Tages: »In meinen Arsch steckt man eine eiserne Stange.« Das ist Faschismus, hatte Aziz Nesin uns damals gesagt – der Faschismus steckt jedem eine Eisenstange in den Arsch.

In diesen Tagen in Bochum sah ich Stanley Kubricks Film *The Shining*. In der Szene auf dem langen Korridor des Hotels kam aus der Fahrstuhltür plötzlich Blut wie eine Riesenwelle raus, floss in den Korridor und hörte nicht auf. So als ob unten in diesem Hotel die getöteten amerikanischen Indianerdörfer liegen und das Blut der getöteten Indianer ununterbrochen nach oben kommen würde. In der Türkei liegen unten auch so viele Getötete. Das Blut kommt hoch, fließt in den Straßen, in den Städten, aber man sieht es nicht. Was kommt noch in diesem Land hoch, wenn die Getöteten unten in den Schichten sich unaufhörlich bewegen und an die Schuld erinnern? Jetzt hatten sie wieder einen Putsch. Weil sie die Getöteten nicht mehr töten können, töten, foltern, hängen sie die Lebenden weiter auf?

Ich wählte immer wieder die Telefonnummer meiner Mutter. Vom vielen Wählen kam mir die Nummer wie eine Bedrohung vor, die mich in den Händen hatte. Dann hörte ich von draußen ein Geräusch, als ob jemand an mein Fenster klopfen würde. Ich machte das Fenster auf, im Garten war niemand. Ich staunte, dass es draußen und im Raum so ruhig war. Ich ging ans Telefon, wählte immer wieder die Nummer von meinen Eltern – es war immer besetzt. Der Garten, der Raum waren weiter still. Ich hörte nur das Besetztzeichen des Telefons. Ich schlief nicht, bis es hell wurde. Dann sah ich den Hasen auf der Wiese, stand auf, zog meine Jacke an.

Vor der Probe zu *Woyzeck* lief ich durch die stillen Straßen zum Bochumer Bahnhof. Am Bahnhof wollte ich eine türkische Zeitung kaufen. Ich fand keine, kaufte ein Comicheft, wartete vor der Kasse, die Kassiererin war noch nicht am Platz. Vor mir stand ein vielleicht 16-, 17-jähriger deutscher Junge. Er sagte immer wieder: »Geh weg, geh weg.« Ich verstand nicht, zu wem er diese Sätze sagte. Wer sollte da weggehen? Es gab außer uns keine anderen im Laden. Er sagte noch mal, wie Zischen: »Geh weg, geh weg.« Die Kassiererin kam, hörte ihn, schaute ihn streng an, er schwieg, zahlte und ging. Als ich bezahlte, sagte sie mir: »Sie müssen sich wehren.« Ich zahlte und ging durch die stillen Straßen zum Theater. Der Pförtner im Theater, der gerade sein Butterbrot aß, sagte mir: »Es tut mir leid für dein Land. Fahr nicht in die Türkei, bleib bei uns. Die Kantine ist noch zu, willst du eine Tasse Kaffee?« Er goss ein und gab mir die Tasse durch das Pförtnerfenster. Ich setzte mich in einen schwarzen Ledersessel in den Eingang ihm gegenüber, trank den Kaffee und wiederholte in meinem Kopf ständig den Satz:

IM SCHLAF DER VÖLKER STEHN DIE GENERÄLE AUF.

IM SCHLAF DER VÖLKER STEHN DIE GENERÄLE AUF.

IM SCHLAF DER VÖLKER STEHN DIE GENERÄLE AUF.

IM SCHLAF DER VÖLKER STEHN DIE GENERÄLE AUF.

IM SCHLAF DER VÖLKER STEHN DIE GENERÄLE AUF.

IM SCHLAF DER VÖLKER STEHN DIE GENERÄLE AUF.

IM SCHLAF DER VÖLKER STEHN DIE GENERÄLE AUF.

Ich wusste nicht, wo ich diesen Satz gelesen hatte. Bei Müller, Thomas Brasch oder einem türkischen Dichter? Von wem hatte ich diesen Satz gehört? Mein Regisseur Matthias Langhoff kam herein. »Ach«, sagte er, »ach.« Ich stand auf, ging mit ihm durch die Tür ins Theater hinein. Wir liefen auf dem langen Korridor. Ich schaute auf das Profil von Langhoff. Er war während des deutschen Faschismus in der Emigration in Zürich auf die Welt gekommen. Sein Vater war im KZ gewesen, seine jüdische Mutter war jung gestorben, und ich wusste, dass Langhoff mich schützte. Er liebte mich sicher als Mitarbeiterin, aber er schützte mich auch. Ich konnte sogar sagen: »Wo ist Ihr Land Madame, wo wohnen Sie?« Ich würde nicht antworten: »Ich wohne in Bochum«, ich würde sagen: »Ich wohne in Langhoff.« Auf dem langen Korridor sagte ich: »Matthias, mich berührt ein Brief von einem türkischen Arbeiter, ich möchte ein Stück schreiben.« Er sagte: »Das finde ich gut. Du musst mit Claus Peymann und dem Chefdramaturgen Hermann Beil reden, ich rede auch mit ihnen.« Nach ein paar Tagen ging ich zu Hermann Beil. Ich traf ihn bei Ensemble-Versammlungen und sah ihn öfter auf der Theatertreppe. Er war ein ernsthafter Mensch. Wenn er so langsam die Treppe zur Intendantenetage hochlief, sah ich ihn öfter von hinten, dachte: Das ist ein sensibler Mensch. Ich erzählte Hermann Beil von Isas Brief und dass mich dieser Brief sehr berührte und ich ein Theaterstück schreiben wollte. Beil schaute mich kurz an, sagte dann: »Wir erwarten auch ein Theaterstück von Ihnen.« Er sagte, er würde mit dem Intendanten Peymann reden. Nach ein paar Tagen sagte er mir in etwa: »Sie wissen, dass Thomas Bernhard und Thomas Brasch im Auftrag des Bochumer Schauspielhauses Stücke schreiben. Wir haben uns entschlossen, Sie genau so zu bezahlen wie Thomas Bernhard und Thomas Brasch. Sie schreiben ein Exposé, Sie zeigen es uns, wenn wir es gut finden, schreiben Sie weiter an Ihrem Stück. Sie haben sechs Monate Zeit.«

Abends rief ich wieder meine Mutter an. Die Verbindung war wieder besetzt. Ich rief Efterpi an. Efterpi hatte auch versucht, meine Mutter anzurufen. Ihr Mann Charis hatte seine Mutter in Istanbul angerufen, aber Madame Despinas Telefon war auch immer besetzt.

»Weißt du, Efterpi, indem die Türken ihre Armenier, Griechen verloren haben, haben sie ihre Demokratiechancen verloren. Diese Menschen waren die Garantie für die türkische Demokratie. Das Schweigen über die Toten, die keine Gräber haben, erzeugt nur neue Gewalt. Heftigkeit, Grimm, Gewalttätigkeit, neue Galgen, Galgen, Galgen. Weil sie die Toten, die sie getötet haben, nicht noch mal töten und deren Stimmen, die unten weiterreden, nicht zum Schweigen bringen können, nehmen sie jetzt seit Jahren ihre Türken als Geiseln. Die Türken, die anders denken als sie, sie sind die neue Kriegsbeute, Kriegsgefangene im eigenen Land. Du weißt, wie der neue Serienmörder heißt?«

Efterpi sagte: »Ja, General Kenan Evren. Evren wird das Land polarisieren, sagt Charis, um für seine Tötungsmaschine faschistische Chöre zu bilden, die denken sollen, Evren schütze das Land und dadurch sie. Furchtbare Sachen werden geschehen in dieser neuen Tötungsmaschine. Es werden die Charaktere der Menschen bis zum Verfaulen zermahlen, sagt Charis.«

»Charis hat Recht. Brecht hat in etwa gesagt, in den Bauernkriegen ist der Nationalcharakter der Deutschen zermahlen worden. Wer seinen Mund aufmacht, stirbt als Erster. Übrig bleibt eine geduckte Masse.«

»Charis und ich denken, um die Linken, die Demokraten zu vernichten, zugrunde zu richten, aus der Geschichte ewig zu löschen, das Gedächtnis der Menschen auszulöschen, wird General Evren das Land und die Generationen islamisieren. Viele Menschen werden das mit sich machen lassen, weil für sie der Staat über allem steht, wie ihr Patriarch, ihr Vater, vor dem sie keine Rechte haben. Er kann sie schlagen, er kann sie missbrauchen. Die Ursache, dass die Türkei nicht demokratisch wird, liegt in der Hörigkeit dem

Staat gegenüber. Dieser Staat erlaubt keine zivilgesellschaftlichen Organisationen, Menschenrechtler, Pressefreiheiten. Evren lässt junge Leute aufhängen und redet vom Schutz der nationalen Einheit, von der Wiederherstellung der Staatsautorität. Er begründet seinen Putsch, indem er sagt, die Streitkräfte befürchteten in der Türkei eine vergleichbare Entwicklung wie die islamische Revolution im Iran oder einen Bürgerkrieg wie im Libanon. Das ist eine große Lüge, erst jetzt wird General Evren eigenhändig die Türkei zu Chomeinis in Religion verpackten Ultranationalismus entwickeln. Charis sagt, Evren wird religiöse Generationen produzieren, die den Kommunismus bekämpfen sollen, wie die grünen Generationen in Afghanistan. Aus Menschen machen sie Hackfleisch, das hört nicht auf. Wer weiß, wer nach diesem Evrenschuft der neue Serienmörder wird? Wir denken, wenn man einem Land die linke Seite abschneidet, ist es so, als ob man den eigenen Kopf abschneiden würde.«

»Ja, Efterpi. Denk mal, wenn in der Türkei François Mitterrand regieren würde oder Willy Brandt.«

Efterpi sagte: »Ja, ja.«

Ich sagte: »Hannah Arendt hat über das Naziregime in etwa gesagt, die Fabrikation der Leichen hätte nie geschehen dürfen. Da sei irgendwas passiert, womit wir alle nicht mehr fertig würden. Und die Leichenfabrikation von Evren hätte auch nie geschehen dürfen. Wir alle werden damit nicht mehr fertig.« Ich seufzte lange.

Efterpi sagte: »Nur die Kunst rettet uns.«

»Ja, Efterpi.« Dann fragte mich Efterpi auf Französisch: »Comment on dit en français? – Wie sagt man auf Französisch, nur die Kunst rettet uns?«

»Seulement l'art nous …«, ich hatte das französische Wort

für retten vergessen. »Was heißt rettet? Dis donc?« Efterpi lachte, wir legten auf.

Ich wählte wieder die Nummer meiner Eltern – besetzt. Ich lief hin und her, hin und her, ging ins Bad, von da ging ich zum Fenster, der Garten war dunkel, den Hasen konnte ich nicht sehen. Dann ging ich zum Tisch, fing an, einen *Woyzeck*-Comic zu zeichnen. Die Figuren waren aus dem Stück, aber die Handlung war frei erfunden.

Während ich zeichnete, lachte ich sogar ab und zu. Irgendwann hörte ich wieder ein Geräusch, als ob jemand an mein Fenster klopfen würde. Ich schaute raus in den Garten, sah niemanden.

Am nächsten Morgen, als ich meine Eltern immer noch nicht erreichen konnte, lief ich ins Stadtzentrum, suchte nach einem Französisch-Kurs, fand einen. Nach der Probe ging ich wieder hin. Eh voilà, les jours sont gris mais …

Abends zeichnete ich weiter am *Woyzeck*-Comic. Neben die Comicblätter legte ich zwei Hefte nebeneinander. In ein Heft schrieb ich meine Französischkurs-Aufgaben, in das zweite notierte ich für mein Stück Ideen, Momente, Requisiten, Aktionen, Stimmungen. Vielleicht sollte das Stück so anfangen: Unter dem Apfelbaum steht meine Hauptfigur, der Bauer. Ein Apfel spricht zu ihm wie ein Nachrichtensprecher im Radio über das Nach-Deutschland-Gehen und Arbeitfinden. Nein, nein, es muss mit einem Traum anfangen. Die Frau des Bauern muss einen Traum haben. Sie und der Bauer liegen unter dem Apfelbaum und schlafen. Sie träumt vom Weggehen ihres Mannes. Die Doppelgänger von der Frau und dem Bauer könnten den Traum spielen. Also Masken. Oder: Das Stück könnte anfangen in Istanbul vor der Deutschland-Vermittlungsstelle. Bei einer Ärztin in der Gesundheitskontrolle stehen nackte Männer in Unterhosen in einer Reihe, die nach Deutschland zum Arbeiten gehen wollen. Die Geräusche von Istanbul. Vor dieser Vermittlungsstelle verkaufen Istanbuler Kleinkriminelle den Bauern, die nach Deutschland zum Arbeiten gehen wollen und zur ärztlichen Kontrolle müssen, Urin. Die Bauern haben Angst davor, den eigenen Urin den Ärzten zu geben, er könnte krank sein, und so dürften sie nicht nach Deutschland. Deswegen kaufen sie Urin bei den Urinverkäufern. Sie schmuggeln ihn in kleinen Wasserpistolen zu den Gesundheitskontrollen bei den Ärzten und geben ihn hinter einem Vorhang in die Gläser, die von den Ärzten verteilt werden. Aber der gekaufte Urin ist krank. Oder mein Stück fängt an mit einem von Deutschland in die Türkei rückwärtsfahrenden Opel Caravan. Im Auto elf Gastarbeiter, einer davon ist der Bauer. Die Sprache: alle Arten Sprachdadaismus. Nimmt der Bauer seine Frau mit nach Deutschland? Nein, er lässt sie im Dorf.

Plötzlich klopfte mein Herz.

Der Bauer nimmt nicht seine Frau, sondern seinen Esel mit nach Deutschland. Der Esel ist seine halbe Identität. Der Esel kann sprechen. Weil der Esel nicht mehr arbeiten muss, kann er sich im Laufe des Stücks zu einem Intellektuellen verwandeln, Marx und Sokrates zitieren.

Ich ging hoch zu meiner Freundin Katharina Hill, sagte: »Katharina, Katharina. In meinem Stück ist die Hauptrolle neben dem Bauern ein Esel. Der geht mit ihm nach Deutschland.«

Katharina lachte, sagte: »Ja, du kleiner Esel, weil du hier allein, einsam bist, gibst du deiner Theaterfigur einen Esel mit, sonst Deutschland kalt.«

»Nein, nein, der Esel bin ich. Ich kann durch den Esel alles sagen, was ich sagen will. Er wird Marxist.«

»Marx wird sich freuen«, sagte Katharina.

Ich sagte: »Die Toten will ich auch wie Lebende sprechen lassen. Weißt du, auf dem Weg von Deutschland in die Türkei sind so viele Arbeiter durch Autounfälle gestorben. Tagelang fuhren sie, ohne zu schlafen. Ist das Heimweh? Ja, Heimweh, Heimweh, das Wort muss mitspielen.«

Katharina fragte: »Wie willst du dein Stück nennen?«

»Karagöz in Alamania. Karagöz bedeutet Schwarzauge. Schwarzauge in Deutschland. Karagöz ist außerdem eine türkische Schattenspielfigur, wie Pantalone aus der Commedia dell'arte: komisch, schlau, anarchistisch. Weißt du, Isa, dessen Brief mich dazu brachte, dass ich dieses Stück schreibe, hat etwas von Karagöz, das sah ich auch auf seinem Foto. Karagöz lebt noch in türkischen Menschen, wie Pantalone in italienischen Menschen weiterlebt.«

»Bühnenbild?«

»Weiß ich nicht. Zugabteil, Korridor, Kleiderfundus oder nur wechselnde Malereien, weiß ich nicht. Erst muss ich die Figuren, ihre Sprache finden, nur so können sie anfangen zu leben. Die Sprache, die Sprache. Direk schbireg, Gülizar banof, Katharina, in Berlin nannten die Türken den Görlitzer Bahnhof Gülizar banof – Gülizar ist ein Frauenname.«

Als ich von Katharina in meine Wohnung im Erdgeschoss zurückkam, sah ich das Telefon und bekam wieder Angst. Ich setzte mich an den Tisch, blätterte in meinem Französisch-Buch, mal vorne, mal hinten. »Ich werde das ganze Buch laut lesen, so laut, dass ich nichts anderes denken muss«, sagte ich zum Telefon. Ohne die Antwort vom Telefon abzuwarten, fing ich an, laut zu lesen. Ich las eine Weile in dem Französisch-Buch, dann schlug ich einen Gedichtband von Turgut Uyar auf, las laut dem Telefon dieses Gedicht vor:

Ich sag dir, schau auf diese Plätze
Auf die Gassen, Brücken, Dächer ohne Ziegel
Auf die Steine, Stöcke, furchtbaren Waffen
Auf den Stadtplan, auf die Verkehrsampel
Und auf die Männer im Blut
Männer im Blut
Blut ist Hoffnungslosigkeit
Bereite dich darauf vor
Wie einsam wir sind, erinnere dich immer
Der Hunger, die Massaker
Oder zum Beispiel ohne dich sein an einem Abend meines Lebens
Erinnere dich an die Heere, die von einem Ort an den
Anderen ziehen mit Flugzeugen
Die Lügen, der Verrat, die chaotischen Häfen
in der Welt, wo zwei Sachen plötzlich sich gegenüberstehen[43]

Irgendwann hörte ich wieder ein Geräusch, als ob jemand an mein Fenster klopfen würde. Ich öffnete das Fenster. Es war niemand draußen im Garten. Ich stieg aus dem Fenster in den Garten, schaute in Richtung der Büsche, dann stieg ich wieder durch das niedrige Fenster ins Zimmer. Dann wählte ich Istanbul.

Es waren sehr viele Geräusche in der Leitung. Mein Vater sagte: »Meine Tochter.« Meine Mutter sagte: »Die Panzer fahren auf den Straßen. Wir sehen jeden Abend diesen …« Dann wurde die Leitung voll mit Geräuschen. »Mama!« Die Verbindung war wieder abgebrochen. Ich legte auf, ging und setzte mich auf das Bett, schaute zum Telefon.

In der Nacht träumte ich: Ich will zu Benno Besson. Ich nehme ein Taxi. Ich erinnere mich nicht an seine Hausnummer. Ich laufe einen Korridor entlang. Ein Kind, sein Körper und sein Kopf stecken in einer feinen Strumpfhose. Jemand hat das Kind in dieser Strumpfhose an die Türklinke gehängt. Ich sage zu einem älteren Mädchen, dass man das Kind nicht so aufhängen sollte. Ich bin in einer Straßenbahn, ich sehe ein Flugzeug am Himmel, dann sehe ich ein zweites Flugzeug. Das zweite Flugzeug teilt sich am Himmel in zwei Teile. Eine Hälfte bleibt im Himmel, der andere Teil kommt herunter. Alle in der Straßenbahn warten, ob die Flugzeugteile dort ankommen, wo wir stehen. Ich schreie: »Tür auf, wir müssen raus.« Die Straßenbahntür geht nicht auf. Die Hälfte vom Flugzeug, die herunterkommt, schleudert auf die Straße. Drinnen sind manche Sitzplätze leer. Auf manchen sitzen noch Leute. Ihre Köpfe sind an die vor ihnen stehenden Sessellehnen gelehnt.

Am Theater hatten die Kollegen gehört, dass ich ein Stück schreibe, sprachen mich an. Tana Schanzara sagte: »Schatz, wann spielen wir dein Stück?« Ja, dachte ich, Tana muss unbedingt mitspielen. Ein Kollege, der Dramaturg war, sah mich und dichtete:

»Mondschwarzes Haar
unter deutsch-deutschem Himmel
galoppiert ein türkischer Schimmel.«

Ich lachte, setzte mich mit einer Tasse Kaffee zu ihm. Er fing sofort an zu erzählen: »Ja, ich kannte auch einen Türken, Süleyman Ufak. Ein so kleiner Mann, aber so klein. Ich weiß noch genau, er war Schlosser, Kollege von meinem Stiefvater. Er kam zu uns, saß im Wohnzimmer, guckte mit uns Fernsehen. Einmal kam seine Frau mit. Touristin. Da haben sie bei uns auf der Couch im Wohnzimmer geschlafen. Sie haben so gebumst, so gebumst, mein oller Stiefvater ist aufgestanden und hat gesagt: ›Hört auf damit, wir können nicht pennen.‹ Ich dachte, ich spinne. Süleyman hat später mit meiner Mutter was gehabt. Fast eine Zweierbeziehung.

Er war sehr nett. Eines Tages schenkte er mir so ein Aquarium. Und überhaupt, bei euch wäscht man sich den Arsch mit Wasser nach dem Kacken, nicht. Siehst du, ich weiß das. Das hat er mir erzählt. Ich wasche auch immer meinen hier. Erst wasche ich ihn, dann trockne ich ihn. Ha, wenn ich ihn einen Tag nicht wasche, wird meiner hier ganz rot. Ich habe ein Handtuch für den Hintern und eines für die Füße. Für Gesicht und Körper habe ich natürlich auch Extra-Handtücher.«

Dann schaute er auf mich. Ich lachte, sagte: »Darf ich, was du mir erzählt hast, in mein Theaterstück reinnehmen?«

»Es ist mir eine Ehre«, sagte er.

Diese Figur könnte ich TÜRKENLIEBHABER nennen, dachte ich.

Abends notierte ich eine Bahnhofsszene: Am Bahnhof sammeln sich die Gastarbeiter, warten auf den Zug, um in ihr Land zu fahren. Es ist Weihnachten, es schneit draußen, der Zug ist noch nicht da. Ein Weihnachtsmann schenkt ihnen billige Uhren, und mit einer Kelle schöpft er ihnen aus einer Schüssel Gulaschsuppe in Plastikteller. Karagöz und sein Esel sind auch da. Die Gastarbeiter essen ihre Suppe. Dann tritt ein Polizist auf mit einem Flüchtling, der abgeschoben werden soll. Dieser Mann ist mit Handschellen an den Polizisten gekettet. Der Zug hat Verspätung, der Polizist läuft mit dem Häftling im Bahnhof hin und her, alle Gastarbeiter gehen hinter den beiden her, wollen seine Geschichte hören. Nachdem der Häftling allen seine Schwarzarbeiter-Geschichte in seiner sehr eigenen deutschen Sprache erzählt hat, fangen alle anderen an, über Deutschland zu dichten. Danach holen alle ihre Musikinstrumente, musizieren ganz falsch, aber herzlich ›Stille Nacht, heilige Nacht‹. Da könnte der TÜRKENLIEBHABER in einer Heino-Maske auftreten. Er dichtet für die Gastarbeiter: »Mondschwarzes Haar unter deutsch-deutschem Himmel galoppiert ein türkischer Schimmel.« Er hat eine Trommel, trommelt laut und erzählt: »Ja, ich kannte auch einen Türken …« Der Weihnachtsmann könnte über alle Köpfe Konfetti streuen.

Vielleicht sprechen Karagöz und der Esel, wenn sie sich auf den Weg vom Dorf nach Deutschland machen, die alten Texte der türkischen Schattenspiele, wie zum Beispiel:

Als Nachthaube empfehle ich dir,
den Hut aus Zuckerbrotpapier,
für unsern Esel sei der Trog
voll Hafer und voll Gerste hier.[44]

So könnte der Esel sprechen.

Die Sprache sollte aber durch eine andere Sprache unterbrochen werden, shakespearesche Sprache, dadaistische Sprache usw.

Heißt sich auf einen langen Weg machen auch verschiedene Spracherfahrungen machen? Sollte nicht jeder Ort, den sie betreten, eine andere Sprache hervorbringen, neue Figuren und ihre Sprache? Das Reiseziel ist nicht, Deutschland zu erreichen, sondern neuen Figuren und deren eigenen Sprachen zu begegnen. Die Frau von Karagöz, die er nicht mit nach Deutschland nimmt, sollte vielleicht, nachdem ihr Mann mit dem Esel weggegangen ist, in dem gesamten Stück nicht mehr reden, sondern irgendwann einen langen Monolog singen. Unbedingt sollte eine wunderbare Opernsängerin die Frau von Karagöz spielen. Soll der Esel von seinem Freund Karagöz durch einen Opel Caravan ausgetauscht werden? Was redet ein Esel mit einem Opel? Redet er über die kommenden Kriege? Soll Deutschland vielleicht nie vorkommen in meinem Stück, sondern nur eine Tür sein, durch die man durchkann oder nicht? Was passiert mit der

Sprache, wenn man immer wieder durch diese Tür rein- und rausgeht? Was passiert mit der Sprache?

Wo wohnen Sie, Madame?

Ich ging zu Matthias Langhoff, gab ihm die *Woyzeck*-Comics, daraus wurde das Programmheft für *Woyzeck*. In der *Woyzeck*-Premiere ging ich in der Pause ins Foyer und beobachtete heimlich die Zuschauer, die sich das vom Bühnenbildner Bausch gebaute *Woyzeck*-Zimmer anschauten. Sie gingen von Fenster zu Fenster, schauten in den Raum hinein und sahen mein Ebenbild am Tisch sitzen zwischen Hunderten von *Woyzeck*-Blättern. Ich hatte der Puppe ein kleines Käppi auf den Kopf gesetzt, das mein Freund Backenegger, der sich vorm Hitlerkrieg gerettet hatte, in einem Stück getragen hatte. Als die Zuschauer wieder in die Vorstellung gingen, lief ich zu dem *Woyzeck*-Zimmer, schaute den Raum und die Frau, die ich war, an und dachte an Brankos Hund Puk. Puk würde jetzt mit einer Zeitung im Maul in diesen Raum kommen, ich würde die Zeitung aus seinem Maul nehmen, sie zwischen die Arbeitsblätter auf dem Boden legen, erst dann würde Puk sich hinsetzen, und ich würde ihm von Woyzeck erzählen. Ich hatte mich mit Woyzeck identifiziert, und er hatte mich an die Hand genommen und zu Karagöz und zu dem marxistischen Esel geführt. Ich sagte: »Danke, Puk, danke dass du mich in den Nächten unterstützt hast.«

Ich arbeitete an meinem Stück weiter. Manchmal kamen die Schauspieler, die in der Villa Wahnsinn wohnten, wir tranken aus einer Flasche Cognac, und ich las ihnen, was ich gerade geschrieben hatte, vor. Wir lachten, tranken weiter. Ich zeigte einmal meine Fotos aus Istanbul – aus der Zeit, in der ich an der Schauspielschule gewesen war. Es gab ein

Foto, auf dem ich mit meinen Freunden im Bikini auf der Istanbuler Prinzeninsel auf einem Felsen am Meer stand.

Eine Kollegin sagte: »Du bist aber erst in Deutschland modern geworden, nicht?« Ich sagte: »Ich glaube dir, dass du so denkst.« Später, als ich im Dunkeln im Bett lag, hörte ich wieder die Geräusche, als ob jemand an mein Fenster klopfen würde, knipste das Licht an, schaute raus in Richtung der Büsche, nichts. Dann ging ich zu dem anderen Fenster, schaute hinaus, sah nichts. Ich konnte nicht mehr schlafen, ging ans Telefon – sollte ich meine Mutter anrufen? Während ich grübelte, klingelte das Telefon. Ich sprang hoch, außer Atem sagte ich: »Hallo, hallo.« Jemand sagte auf Türkisch: »Ben Joos – ich bin Joos.«

»Joos!«, schrie ich, »Joos!«

Joos war sehr traurig. Er sagte: »Weißt du, in der Türkei haben sie zwei Jungen gehängt, einen von den Linken und einen von den Rechten. Angesprochen auf die Exekutionen, sagte der Putschgeneral Evren: ›Sollen wir sie etwa nicht hängen? Sollen wir sie weiter durchfüttern?‹ Ich sprach mit türkischen Studenten über diese Tötungen, manche sagen: ›Hast du etwas anderes erwartet?‹ Solche Antworten tun meinem Herz weh.«

»Ja, es ist, als ob sie sich an das Grausame gewöhnt hätten. Nein, Joos, wir werden uns nicht daran gewöhnen, wir sollten uns nicht daran gewöhnen. Evren will mit seiner Tötungsmaschine das Gedächtnis der Menschen lahmlegen. Und am Ende kommen senile Generationen dabei heraus, die keine Verbindung zur Vergangenheit haben und dadurch auch keine Utopie für die Zukunft. Evren macht aus der ganzen Türkei eine Militärkaserne, und alle sollen wie gehirnlose Soldaten funktionieren.«

Joos sagte: »Ich dachte zuerst, sie würden diese jungen

Menschen nicht hängen, weil sie aus Europa mit Reaktionen rechnen könnten. Und es gibt noch vierzig oder sogar siebzig Leute, die sie hängen wollen. Europa muss doch jetzt reagieren, wo bleiben die Gegenreaktionen?«

»Die Reaktionen, die du erwartest, werden nicht kommen, sie werden nur sagen: ›Wir sind über die Türkei sehr beunruhigt.‹«

»Und dann mit der Türkei die Geschäfte schön weiter betreiben.«

»Woyzeck würde sagen: Sehn Sie, Herr Hauptmann, Geld, Geld. Joos, du weißt, Erdal Eren, den sie aufgehängt haben, war nicht mal siebzehn. Sechzehn Jahre und acht Monate, sagt man. Sie haben seine Knochen messen lassen, um zu beweisen, dass er achtzehn ist, um ihn aufhängen zu können. Weißt du, Joos, es gibt viele Leute in der Türkei, die als Erziehungsmethode das Aufhängen richtig finden. Sie wollen diesen Faschismus von General Evren. Du weißt, es gab noch einen siebzehnjährigen Jungen, Ercan Koca. Er hat, als man Erdal aufgehängt hat, mit einem Transparent dagegen protestiert, er ist danach unter Folter gestorben.«

»Ja, ich weiß«, sagte Joos.

Wir blieben beide still, sehr lange.

Ich sagte dann: »Ich denke immer wieder an Sophie Scholl und ihren Bruder oder an Erich Mühsam, Walter Benjamin, wenn ich an die Türkei denke.«

Dann schwiegen wir wieder.

Joos kannte ich von früher. Er war Schweizer, Mathematiker, man sagte, er sei ein Mathematikgenie. Er ging in Zürich immer zum Bahnhof, freundete sich mit Gastarbeitern an, Jugoslawen, Türken, lernte von ihnen ihre Sprachen, und deswegen sprach er sehr gut Türkisch. Als wir so schwiegen, hörte ich wieder ein Geräusch, als ob jemand an mein

Fenster klopfen würde. Ich drehte meinen Kopf zum Fenster, sah nichts. Joos sagte: »Ich lebe jetzt in Frankfurt, bin an der Uni, schreib meine Nummer auf. Was machst du?«

»Ich schreibe ein Theaterstück.«

Ich erzählte ihm von Isas Brief, von Karagöz und dem Esel. Joos lachte, sagte: »Das würde mir gefallen, mit dir zusammen etwas zu spinnen.«

»Joos, kann ich zu dir nach Frankfurt kommen und dir die Szenen vorlesen?«

»Ja, komm.«

Ich fuhr eines Morgens nach Frankfurt. Joos wohnte im Stadtviertel Bockenheim in einer Dreizimmerwohnung. Alle Zimmer waren voll. In einem hauste ein älterer Fremdenlegionär, der in Afrika jahrelang Soldat gewesen war. Joos hatte ihn in der Kneipe nebenan kennengelernt. Weil er keine Wohnung hatte, hatte Joos ihn zu sich mitgenommen, ihm ein Zimmer gegeben. Er trank den ganzen Tag Bier und blätterte in einem Stapel Polaroidfotos, die er in Afrika geschossen hatte. Die Fotos waren alle von Mösen von schwarzen Frauen. Er hatte alle Schwarzen-Mösen, mit denen er geschlafen hatte, nach Frankfurt mitgenommen. Joos sagte mir: »Wenn er den ganzen Tag Bier trinkt, sage ich ihm, er soll sich eine Arbeit suchen. Dann lässt er seine Tür auf und zupft auf seiner Gitarre, um zu zeigen, dass er arbeitet.«

»Wie heißt er?«

»Gilbert, aber ich glaube, er heißt Jochen. Der Wirt in der Kneipe nennt ihn Jochen. Aber wir nennen ihn weiter Gilbert.«

Der zweite Hausgast von Joos war ein junger alevitischer Mann, Haydar. Seine Familie hatte ihn nach dem Militärputsch von General Evren schnell nach Deutschland geschickt. Er war sehr jung, ein schöner Junge, der mit Schubertliedern Deutsch lernte. Ab und zu fragte er mich, was ein Wort auf Türkisch hieß.

»Was heißt ›ein Mondenschatten‹?«

»Es heißt Ay gölgeleri.«

Es kamen auch Gastarbeiter zu Joos, damit er ihnen mit der Steuer und anderen bürokratischen Papieren half. Einer dieser türkischen Bauarbeiter, Osman, hatte, um in Deutschland zu bleiben, sich von seiner türkischen Frau scheiden lassen und eine deutsche Frau geheiratet, ihr Geld gegeben, die Frau lebte in der Psychiatrie, man sagte, sie sei gaga. Danach hatte Osman seine Frau aus der Türkei geholt. Tagsüber, wenn er zur Baustelle ging, ließ er sie bei Joos, damit sie sich nicht langweilte. Sie hieß Hayrunissa. Ich ging mal mit Hayrunissa am Bahnhof im Rotlichtviertel spazieren. Hayrunissa wollte unbedingt eine Peepshow sehen. Wir gingen in einen Peepshowladen, bezahlten, gingen in die gleiche Kabine, schauten uns eine Peepshow an: Eine Frau ging gerade von der Peepbühne, die andere kam, das Bett, auf dem sie saß, drehte sich ein paar Mal, dann zog die Frau ihre Unterhose aus, machte Bewegungen, als ob sie masturbieren würde, dann ging sie. Wir gingen auch aus der Kabine raus. Hayrunissas Frage war: »Sie hat sich ihr Ding unten angefasst? Wäscht sie ihre Hände danach?«

Zu Hause übte Haydar wieder mit Schubertliedertexten Deutsch. Gilbert zupfte auf seiner Gitarre. Wenn er die Gitarre ablegte, legte er mit den afrikanischen Frauenmösen-Fotos Karten. Es klingelte, Joos machte die Tür auf. Ein älterer deutscher Mann und seine Frau kamen herein. Joos hatte diesen Mann auf der Straße angesprochen. Er spielte auf der Straße seine Drehorgel, wartete auf das Trinkgeld der Leute. Joos hatte tatsächlich erreicht, dass der Drehorgelspieler eine Rente bekam. Als die beiden gingen, umarmten sie mich. Der arme Drehorgelspieler schaute tief in meine Augen, sagte: »Du trägst Sterne in deinen Augen.« Dann lächelte er.

Wo wohnen Sie, Madame?

Im Lächeln eines armen Drehorgelspielers.

»Joos, Heiner Müller hat gesagt, Romane kann man im Sitzen schreiben, Stücke muss man im Stehen und Laufen schreiben. Lass uns den Karagöz-Text im Stehen lesen.«

Wir standen beide und spielten die Szene beim Arzt, an der Grenze: Warten, dass die Tür nach Deutschland aufgeht. Aus dieser Tür kommt zuerst ein Toter, der seinen eigenen Sarg trägt. Auf dem Sarg steht »Berlin to Turkey«. Dann kommt ein Mann mit goldenen Zähnen, der erzählt, wie schnell man in Deutschland reich werden kann. Joos erfand mit mir zusammen Texte für den Mann mit den goldenen Zähnen:

Du gut scheißt – Stuhlgang jeden Tag.
Gut. Du gehen rein, du kauft Zelt, stellen im Park,
in Mitte
scheißen: Alles klar?
Dann warten. Leute kommt.
Fragt: Was gibt sehen?
Du spricht Direk, Dreck.
Sagen Wahrheit. Ketzer sind Gutmann, Ketzer lieben
Wahrheit.
Ketzer fragen: Direk?
Du spricht: Jawohl, Direk.
Was kostet?
Du sagen: 99 Pfennig …

Dann lachte Joos sich tot.

Aber kurz danach weinte Joos fast, weil wir wieder über die Türkei und die von General Evren aufgehängten jungen Menschen sprachen. Er meinte: »Amerika will den Neoliberalismus durchsetzen. Es will keinen Widerstand von Gewerkschaften oder politischen Gruppen. Um die neoliberale Politik durchzusetzen, schafft Amerika in verschiedenen Ländern der Welt extrem rechte Regierungen oder Militärjuntas. In der Türkei gab es auch vor der Militärjunta einen starken Widerstand der Gewerkschaften, Arbeiter und linken Studenten.«

»Joos, jetzt gibt es keinen Tag, an dem der General den Bürgern nicht erzählt, was sie denken müssen. Er spritzt sein Gehirn durch das Fernsehen in die Gehirne der Menschen. Er redet und redet. Bald wird die Türkei mit lauter Evren-Kopien voll sein, die sich gerne nur in den von Evren vorgeschriebenen Grenzen bewegen. Die von den Galgen herunterhängenden Körper sind ihre Pornofilme. Das gucken sie gerne. Joos, in dem Brechtstück *Im Dickicht der Städte* antwortet Jane auf die Frage, ob sie den kleinen Katechismus kenne:

›Es wird schlechter,
es wird schlechter,
es wird schlechter.‹«[45]

Als ich wieder nach Bochum zurückfuhr, verabschiedete sich der alte Fremdenlegionssoldat mit den Worten: »Allons, marchons.« Haydar hatte in seiner Handschrift den ganzen Text »Gute Nacht« aus der *Winterreise* aufgeschrieben und schenkte ihn mir. »Im Zug kannst du es lesen und an mich denken«, sagte Haydar, sagte dann: »Du bist ein sehr schöner Apfel, in dich kann man überall beißen und alles an dir essen.« Haydar war ein Bauer, er kannte Äpfel. Ich nahm lachend das Schubertblatt, öffnete die Wohnungstür, ging hinaus. Auf den Treppen lachte ich weiter, Haydar lachte in der Wohnung.

Wo wohnen Sie, Madame?

Ich wohne in einem schönen Apfel.

Im Zug las ich den Winterreisetext »Gute Nacht«.

Fremd bin ich eingezogen,
Fremd zieh ich wieder aus.
[…]
Ich kann zu meiner Reisen
Nicht wählen mit der Zeit:
Muß selbst den Weg mir weisen
In dieser Dunkelheit.
Es zieht ein Mondenschatten
Als mein Gefährte mit,
[…]
Die Liebe liebt das Wandern, –
Gott hat sie so gemacht –
Von einem zu dem andern –
Fein Liebchen, Gute Nacht![46]

Unter dem letzten Satz hatte Haydar einen Apfel gezeichnet. Ich lachte wieder. Genau dieses Lied würde mir bald auch ein zweiter Mann schenken.

In Bochum schrieb ich mein Stück in sechs Monaten zu Ende. In dieser Zeit inszenierte Langhoff Tschechows *Kirschgarten*. Wenn ich vom Schreiben Pause machte, ging ich zur Probe, zeichnete die Szenen, ging dann wieder zur Villa Wahnsinn. Nachts arbeitete ich lange und hörte wieder das Geräusch, als ob jemand an mein Fenster klopfen würde. Ich unterbrach die Arbeit, schaute durch das niedrige Fenster in den Garten hinaus, sah nichts, arbeitete weiter.

Ab und zu rief Joos an: »General Evren redet von der türkisch-islamischen Synthese und will sie zur offiziellen Staatsideologie machen. Er wird die Schulen in die Richtung einer nationalistisch-türkischen und islamischen Form zwingen. Er hat gesagt, mit dem neuen Entschluss wird in den Grundschulen und Mittelschulen der Religionsunterricht obligatorisch.«

»Joos, meine Mutter erzählt, dass dieser General Schuft im Fernsehen Texte aus dem Koran lesen würde. Weißt du, Joos, früher sind wir hinter den Flugzeugen, die Reklameblätter herunterwarfen, hergerannt. Fliegeronkel, Fliegeronkel, schmeiß uns ein Blatt herunter, schrien wir von der Erde in Richtung Himmel. Wahrscheinlich werden sie aus solchen Fliegern bald nicht mehr Reklame, sondern irgendwelche Koranblätter abwerfen.«

Joos sagte: »Dann kommen bald Krawatten-Chomeinis. Dieser Hass auf die linke Seite des Landes. Und reden dabei von Nation und Vaterlandsliebe, benutzen den Namen Atatürk, Atatürk, Atatürk. Armer Atatürk, eine richtig tragische Figur. Ich denke, die, die ihr Land lieben, sind die Getöteten oder die, die sie noch töten wollen. Und die, die töten, reden dabei von Vaterlandsliebe und von Gottesliebe.«

»Wie Buñuel sagte: DER VOM MENSCHEN GESCHAFFENE GOTT IST DER GEIST DES BÖSEN.«

Um von etwas anderem zu sprechen, fragte mich Joos jedes Mal, welche tollen Leute gerade im Bochumer Schauspielhaus arbeiteten.

»George Tabori ist da. Wenn er mich auf der Treppe trifft, legt er immer seine linke Hand auf meine rechte Schulter. Weil er gerade von oben runterläuft, ich von unten hoch, ist meine rechte Schulter für ihn günstiger. Thomas Bernhard ist auch hier. Ich liebe ihn. Du musst ihn unbedingt lesen.«

Joos sagte: »Ich habe ihn gelesen.«

»Ah, pardon.«

Kurz vor dem Ende unserer Gespräche fragte mich Joos immer: »Was hast du heute gekocht?« Dann legten wir auf.

Ich gab mein Stück Langhoff und Hermann Beil zum Lesen. Nach ein paar Tagen sagte Langhoff mir: »Dein Stück ist genial. Genial. Das schicken wir zum Verlag der Autoren. Das Stück ist ein Phänomen, im wörtlichen Sinne des Wortes. Das neue Volk kommt vor, sie reden im türkischen Denken mit gebrochenem Deutsch, ständig wechselt die Sprache und die Sprachform. Ein historisch festgestelltes Volk und seine Sprache. Das hat noch keiner gemacht.« Hermann Beil gratulierte mir auch: »Sehr schön. Jetzt muss man schauen, wer das inszeniert.«

Der Verlag der Autoren druckte mein Stück *Karagöz in Alamania*: ein großes rotes Heft. Der Verlag wollte diesen Text jetzt an die Theater schicken. Als ich mit dem gedruckten Stück nach Hause kam, bekam ich Angst. Ich dachte, meinem Stück würde etwas geschehen. Ich versteckte es in einem dicken Bildband. Dann rief ich den Verleger Karlheinz Braun an. Ich wollte ihm sagen, er solle mein Stück nicht abschicken, er solle es nicht vervielfältigen. Er war aber nicht da. Ich lief zum Theater, sprach mit Langhoff, sagte ihm, dass ich nicht möchte, dass mein Stück an ganz fremde Leute geschickt wird. Langhoff sagte: »Die Stücke sind nicht für Schubladen geschrieben.« Er meinte, ich solle mich nicht gestört fühlen, wenn die Leute endlich anfingen, über mich und mein Stück zu sprechen. Ich reflektierte diesen Satz und blieb still.

Als wir am Kantinentisch saßen, kam ein Mann zu Langhoff. Er gab mir die Hand, sagte: »Karl.« Ein sehr schöner Mann. Wie er im Raum stand, sein Auftritt, erinnerte er mich an Marlon Brando. Ich liebte Marlon Brando, seit ich zwölf war. Karl war der Bühnen- und Kostümbildner für das neue Stück, das Langhoff inszenieren wollte. Beide sprachen kurz miteinander, dann ging Karl weg. Ich schaute hinter ihm her. »Karl ist nicht nur ein toller, berühmter Bühnenbildner, er ist auch ein herzlicher Mensch«, sagte mir später meine Freundin Katharina Hill. Ich sagte ihr: »Weißt du, Katharina, mit welchem Mann ich gerne ins Bett gehen würde? Mit Karl.« Katharina lachte, sagte: »Alle Schauspielerinnen an den deutschen Theatern wollen mit Karl ins Bett gehen.«

Nachdem Karl gegangen war, fragte mich Matthias Langhoff: »Hast du Lust, wieder zu spielen?« Er würde das englische Stück *Deeds – Milchpulver* von Howard Brenton und Trevor Griffiths inszenieren. Das Stück basiert auf den Nestléskandalen, erzählt über Mütter in Afrika und anderen Ländern, die durch die Verwendung von Milchpulver ihre Babys verlieren. Ich las das Stück, ich liebte das Stück, eine satirische Revue. Ken Deed, der Rockertyp, Bauarbeiter – ein Schauspieler, den ich sehr liebte, spielte den Ken: Michael Rastl –, kommt nach Hause, ruft nach seiner Frau Mary. Keiner da. Seine Mutter kommt. Im Treppenhaus klingelt das öffentliche Telefon. Ken Deed wird von einem Nachbarn zum Telefon gerufen. Ken geht hin. Ken kommt zurück, sagt zu seiner Mutter: »Das Krankenhaus hat angerufen, das Baby ist tot.« Seine Frau Mary ist auch verschwunden, sie ist auf der Suche nach der Wahrheit, warum ihr Kind sterben musste. Ab diesem Moment geht auch Ken den Ursachen für den Tod ihres Babys nach. Warum musste sein Baby sterben? Verschiedene Stationen, beim Pfarrer, im Hospital, dann auf der Straße, wo die englische Königin spazieren geht, dann im pakistanischen Supermarkt, wo er die

Milchpulverpakete zerreißt. Die Polizei kommt, Gefängnis. Bald entlassen, klettert er als Putzmann auf ein Hochhaus, beobachtet die Büroräume der Nestléchefs und Manager. Alle sitzen da, schauen sich einen Milchpulverreklamefilm an. Der Nestléchef spricht in Schwyzerdeutsch und in Linkenterminologie über die Rettung und die Missstände der Dritten Welt. Nach ein paar Stationen kommt Ken Deed in das englische Parlament.

Langhoff gab mir sechs Rollen: Eine englische Straßenspielzeugverkäuferin, die pakistanische Supermarktinhaberin, die Ken Deed an die Polizei ausliefert, einen Nestlémanager, den ich ein bisschen wie Groucho Marx spielte, eine Putzfrau, dann eine Londonerin, die sich im Hyde Park laut äußert, dann in der Parlamentsszene die Inderin. Ich liebte diese Szene, weil ich in der Rolle zeigen konnte, was das Parlament ist, was seine wahre Funktion ist. Am Anfang der Szene kommt Ken Deed ins königliche Parlament. Er hat sich mit einem linken Politiker verabredet, um ihm zu erzählen, dass sein Kind wegen dem Milchpulver gestorben ist und der Politiker der Sache als linker Abgeordneter nachgehen soll. Zwei Edelnutten kommen, füllen beim Parlamentspförtner Formulare aus. Der linke Abgeordnete kommt zu Ken Deed. Ein anderer Abgeordneter kommt zu den zwei Edelnutten. Es fangen zwischen diesen beiden Gruppen parallel zwei Gespräche an. Der andere Abgeordnete verabredet sich mit den zwei Edelnutten, der linke Abgeordnete hört sich Ken Deeds Totes-Kind-Geschichte an und weint an den Schultern von Ken. Ken tröstet ihn. Sie gehen ab. Dann komme ich als Inderin im Sari-Kleid ins Parlament und frage den Pförtner auf Hindi nach Currypulver. Ich hatte für die Rolle ein paar Sätze in Hindi geübt. Die Inderin denkt, das königliche Parlament ist ein Supermarkt. Der Pförtner erzählt der Inderin, dass hier das königliche Parlament ist: »Nicht hier Curry!« Die Inderin lacht ungeheuer. In dieser Szene lasse ich absichtlich aus meiner Einkaufstüte Pakete mit weißen Bohnen herunterfallen. Alle Bohnen verstreuen sich auf dem gebohnerten Parlamentsboden. Der Pförtner und ein Abgeordneter helfen mir, die Bohnen wieder aufzusammeln. Dann fällt aus meiner Einkaufstasche ein Paket Eier. Die Eier gehen kaputt. Der Pförtner wischt sie vom Boden auf. Mir ist es etwas peinlich. Ich will helfen. In der Hektik geht mein Sari-Kleid auf, zwei Meter Stoff hängen herunter. Ich bitte einen der Pförtner, mir den Sari wieder umzuwickeln. Ich stehe bewegungslos, die Hände hoch, er soll sich mit dem Stoff um mich drehen und den Sari wieder an seinen Platz rücken. Als ich gehe, biete ich ihnen als Dank noch trockene Feigen an, die ich aus meiner Einkaufstüte nehme. Der Pförtner lehnt beleidigt ab. Dann geht die Inderin glücklich weg.

Langhoff sagte: »Das ist das königliche englische Parlament.« Er sagte mir: »Ich weiß, du liebst die Marx Brothers sehr, du bist Harpo Marx.« Als wir anfingen zu spielen, bekam ich nach dieser Szene jeden Abend Szenenapplaus.

In einer anderen Szene musste ich die Putzfrau spielen. Ich nahm einen Staubsauger und saugte den Boden. Plötzlich hörte ich mit dem Staubsaugen auf, sagte zu Langhoff: »Matthias, ich habe als Putzfrau Karriere gemacht. In Thomas Braschs Stück *Lieber Georg* hatte ich in meiner Putzfrauenrolle nur einen Eimer und Wischlappen. Jetzt in diesem Stück habe ich einen Staubsauger. Ich habe als Putzfrau Karriere gemacht.« Alle Kollegen und Langhoff lachten plötzlich so aus dem Herzen und laut, da lachte ich auch. Und abends, in der Villa Wahnsinn, setzte ich mich an den Tisch und schrieb einen Putzfrauenmonolog: *Karriere einer Putzfrau.*

Er fängt so an: *Ich bin die Putzfrau, wenn ich hier nicht putze, was soll ich denn sonst tun? In meinem Land war ich Ophelia.*

Beim Schreiben lief ich ab und zu in die Wohnung gegenüber, sprach mit der Kostümassistentin Stephanie Geiger, las ihr meinen Text vor, sie gab mir Weißwein, ihr Vater war ein schwäbischer Weinbauer, ich ging mit vollem Weinglas in mein Zimmer zurück, schrieb weiter, ging wieder zu Stephanie, fragte, ob sie ein deutsches Liederbuch hat, sie gab mir ein dickes Buch, schenkte mir wieder ein neues Glas Wein ein, ich nahm beides, ging zu mir, schrieb weiter:

Ich habe gesagt: »Großmutter, ich gehe, der Zug wartet.« Sie sagte: »Am Ende gewinnen immer die Bösen.«

Ich wollte mich langsam an Europa gewöhnen, deswegen bin ich mit dem Zug gefahren. Ich gehe, aber ich lasse so viele Tote hinter mir, der Schlaf von einem Kind, das zum ersten Mal ein Schiff sieht, wird leicht, und der Schlaf eines Jungen, der getötet worden ist, ist aus. Für ihn Zigarette, Abend, Straße, Katze ist vorbei. Er wird mit einem Pferd in mir herumlaufen, vielleicht gegen Morgen an einen Fluss kommen.

Und ich Wasserleiche bin in einem grünen Garten angekommen. Als Ophelia ertrunken in meinem Land, wieder in die Welt gekommen in Deutschland als Putzfrau. Schwarze Haare und weiße Plastiktüte, das reichte. Keiner merkte, dass ich die ehemalige Leiche von einem Mann bin, der Hamlet spielen wollte und sollte! Ich als Putzfrau, Deutschland bleibt sauber, ich habe Augen geschlossen, bis 22 gezählt, ich sagte: »Ich mache die Augen auf, und bei dem ersten Prinz, den ich sehen werde, werde ich arbeiten, 20-21-22.« Da stand ein Hund. Schwarzweiß gekleidet, Zähne geputzt, kurze Haare, Nase geputzt, nicht nass. Ich bin diesem Prinzen gefolgt. Meine Arbeit war leicht. Der Prinz schiss im Wald, ich bin immer hinter ihm gelaufen und habe die Scheiße in einer weißen Plastiktüte gesammelt und nach Hause in den Förstersalon gebracht. Der Herr Förster sagte: »Wenn der Prinz eines Tages nicht mehr lebt, die Hunde leben nicht so lange wie die Menschen, dann habe ich wenigstens ein Andenken von ihm.«

Kein Wolf im Wald hat mich angesprochen, ich denke, sie haben auch gearbeitet. An einem sonnigen Tag merkte ich was, sagte ich zu mir: »Was ist los, die gewöhnliche Scheiße vom Prinz ist nicht mehr da.« Die Scheiße fehlte. Ich kehrte zurück mit leerer weißer Plastiktüte in den Salon. Der Förster hatte das Telefon in der Hand, sagte: »Das ist das grausamste Gesetz der Natur, ich war mit meinem sieben Jahre alten Jagdtier auf Pirsch, mein Hund suchte ein angeschossenes Gamskitz, plötzlich stürzte ein Adler vom Himmel, haute seine Krallen in den Hund, flog mit der Beute davon. Ich als Förster griff zum Gewehr, ich zögerte, schoss nicht, Adler stehen unter Naturschutz, er hat sich seine Nahrung geholt, sagte ich später«, sagte der Herr Förster am Telefon […].

Ich hörte wieder ein Geräusch, als ob jemand an mein Fenster klopfen würde, schaute in Richtung dunkler Garten, sah nichts, ging zu Stephanie, las ihr vor, was ich bis jetzt geschrieben hatte, sie lachte, schenkte mir wieder einen Wein ein. Ich kehrte zurück an meinen Tisch. Es standen da zwischen Blättern und Stiften drei halbvolle Gläser Wein und das deutsche Liederbuch. Irgendwann kam Stephanie zu mir, es war 4 Uhr 30, sie sagte: »Wenn du weiterarbeitest, arbeite ich auch weiter.« Sie machte Kostümentwürfe. »Ja, ich will noch arbeiten.« »Gut, dann arbeite ich auch.«

Stephanie war ein kleines, schönes Mädchen aus Schwaben. Ihr Vater, der Weinbauer, schickte nach jeder Weinlese viele Flaschen Weißwein, die in der Villa Wahnsinn in jedem Studio zu sehen waren. Stephanie schenkte die Trauben ihres Kindheitsgartens ihren Kollegen. Ich mochte Stephanie.

Gegen neun Uhr am nächsten Tag war mein Putzfrauenmonolog zu Ende geschrieben. Ich lief zum Theater, gab Langhoff den Text, neben Langhoff stand Heiner Müller, er war nach Bochum gekommen, um sein Stück *Der Auftrag* zu inszenieren. Er nahm den Monolog und las ihn in der Kantine, fand ihn sehr schön, sagte: »Als Untertitel musst du schreiben *Erinnerungen an Deutschland*.«

Also: KARRIERE EINER PUTZFRAU. *Erinnerungen an Deutschland*.

Ich freute mich, dass Heiner Namensvater war. Er wollte, dass ich bei den Proben von *Der Auftrag* vorbeikomme: »Komm doch, komm, deine Gefühle sind wichtig.« Ich kannte Heiner Müller seit Mitte 1975, als ich in Ostberlin an der Volksbühne gearbeitet hatte. Mit Heiner konnte man sehr viel lachen. Er war klug, spritzig, witzig. Er hatte mir vor sieben Jahren erzählt: »Bei uns in der DDR dürfen die pensionierten älteren Leute bei Rot die Straße überqueren und alle Arten von Pilzen essen.« Ich fragte ihn: »Dürfen die pensionierten DDR-Leute immer noch bei Rot die Straße überqueren und alle Arten von Pilzen essen?« Heiner antwortete: »Inzwischen müssen sie es.« Seit Heiner Müller da war, kam auch öfter Thomas Harlan in die Bochumer Schauspielhauskantine, weil er mit Heiner befreundet war. Er war der Sohn von Veit Harlan, der für das Naziregime den Film *Jud Süß* gedreht hatte. Ich saß einmal an einem Tisch in der Kantine, Thomas Harlan kam, setzte sich zu mir, etwas gebückt, in sich gekrochen. Irgendwann redete er darüber, dass sein Vater für Goebbels den wirkungsvollsten Nazihetzfilm gedreht hatte. Er sagte: »Ein Mordinstrument hat er ihm geschenkt. Dieser Mensch ist mein Erzeuger.« Ich wusste nicht, was ich sagen sollte, schaute tief in seine Augen, er war ein schöner Mensch. Ich wusste von Heiner, dass Thomas Harlan in seinem Leben, in seinen Filmen und seinem Schreiben, in seinen Recherchen sich mit Nazikriegsverbrechen ständig beschäftigt hatte und sich weiter damit beschäftigte. Er hatte sich 1974 in Chile der chilenischen Widerstandsbewegung gegen Pinochet angeschlossen. »Thomas Harlan, wissen Sie, als Allende getötet wurde, war ich auf einer Straße in Istanbul. Jemand hatte seinen Fernseher auf die Straße gestellt, damit alle diese Tötung sehen. Diese Szene im Fernseher wiederholte sich ständig. Es war ein Restaurantbesitzer, der den Fernseher dorthin gestellt hatte, er war selbst Sozialist. Dieser Moment war wie ein Schrei.«

Thomas Harlan sagte: »Heiner sagte mir, Sie haben ein Stück geschrieben.« Es kamen ein paar Leute, setzten sich zu Harlan. Ich ging dann hoch zur Probe.

Abends ging ich in eine Vorstellung, ein Gastspiel. In der Reihe, in der ich saß, saßen ein paar Plätze weiter ein arabischer Mann und seine vier Frauen. Die waren alle im weißen, schicken Tschador und schauten sich das Stück an. In einer Szene zog sich eine Schauspielerin auf der Bühne in ihrer Rolle splitternackt aus. Plötzlich standen die vier Frauen des arabischen Mannes auf, gingen hintereinander aus dem Zuschauerraum raus. Als diese Nacktszene vorbei war, kamen diese vier Frauen wieder herein, setzten sich auf ihre Plätze und blieben bis zum Ende des Stücks. Ich liebte es, wenn zwischen der Bühne und dem Zuschauerraum etwas passierte. Das Theater findet nicht auf der Bühne statt, sondern zwischen der Bühne und dem Zuschauerraum. In der Premiere des Herbert-Achternbusch-Stücks *Kuschwarda City* kam es irgendwann zu Reaktionen von manchen Zuschauern. Der Hauptdarsteller Peter Sattmann trat aus seiner Rolle, antwortete ihnen: »Ich hab Mitleid mit dir, ich hab Mitleid.« Der ganze Raum war unruhig. Dann kam Achternbusch auf die Bühne, im Zuschauerraum war weiter große Unruhe, Achternbusch stand still da, dann nahm er aus seiner Jacken- oder Hosentasche ein Taschenmesser, schnitt damit seinen Daumennagel, warf ihn in den Zuschauerraum und sagte: »Das kriegt ihr ab von mir. Mehr kriegt ihr nicht.« Es war sehr komisch. Ich liebte Achternbusch. Solche Menschen waren für mich die Ehre Deutschlands. Kroetz, Achternbusch, Fassbinder, Heinrich Böll, Rosa von Praunheim, Wolfgang Neuss, ich liebte auch Willy Brandt. Ich liebte es, in einem Land zu leben, das lebensfähig war. Ich hatte ja kein lebensfähiges Land. Deswegen wohnte ich jetzt in deutschen Schriftstellern.

Wo wohnen Sie, Madame?
In Franz Xaver Kroetz
In Herbert Achernbusch
In Rainer Werner Fassbinder
In Heinrich Böll
In Wolfgang Neuss
In Rosa von Praunheim
In Thomas Brasch
In Hannah Arendt

Danke dir, Mond über Deutschland, dass du all diesen Menschen deine Lichter gabst.

Heiner Müller hatte für die Inszenierung seines Stücks *Der Auftrag* eine schwarze amerikanische Sängerin engagieren lassen. Elaine. Elaine wohnte auch in einer Erdgeschosswohnung in der Villa Wahnsinn. Sie lud uns jeden Abend zu sich ein, kochte immer Fisch, Reis, eine große Flasche billiger Rotwein auf dem Tisch, und sie wollte dann auch, dass wir alle tanzen und später alle bei ihr bleiben, nicht nach Hause gehen, uns alle in ihr großes Bett legen und weiter-, weiter-, weiterleben. Wenn ich mit ihr in einen Bochumer Tanzclub ging, provozierte sie Leute zum Zu-ihr-Mitkommen. Sie handelte regelrecht mit ihnen. »Wieso wollt ihr nicht mitkommen? Weil ich Schwarze bin? Ja, ja, ja, weil ich schwarz bin.«

Als wir auf dem Weg zur Villa Wahnsinn waren, sagte ich: »Oh, die Nacht ist so dunkel.« Elaine sagte: »Schwarz ist nicht gefährlich.«

In diesen Tagen kam die Sängerin Tina Turner nach Bochum für ein Konzert. Elaine kam herein, sagte: »Wir gehen zu Tina, du, ich haue dich, wenn du nicht mitkommst.« Ich liebte Tina Turner sehr. Elaine und ich standen ganz vorne bei der Bühne und zergingen vor Liebe. Die Bühne war sehr niedrig, sodass man Tina Turner anfassen konnte. Keiner fasste sie an. Ganz am Ende, als sie noch ein paar Mal auf die Bühne geholt wurde, bückte sie sich nach vorne, kratzte mit ihren Fingernägeln über meinen nackten Arm, von der Schulter bis zum Mittelfinger, dann lachte sie in meine Augen schauend. Ich lachte auch.

Wo wohnen Sie, Madame?
In Tina Turner.

DIE KOMMENDEN KRIEGE SIND RELIGIONSKRIEGE

Ich ging zu Heiner Müllers Probe. Der Untertitel von seinem Stück *Der Auftrag* lautete *Erinnerung an eine Revolution.* Drei Männer aus unterschiedlichen Klassen, beauftragt von der Regierung der Französischen Revolution im Jahre 1799, organisieren auf der britischen Kolonialinsel Jamaika einen Sklavenaufstand. Debuisson ist der Sohn eines Sklavenhalters, ein Intellektueller, Galloudec ein normannischer Bauer und Sasportas ein schwarzer Sklave. Nach langen Agitationsversuchen erfahren die drei Beauftragten von der Machtübernahme Napoleons. Die politischen Machtverhältnisse verändern sich, die Revolutionsregierung ist nicht mehr im Amt. Die drei geraten miteinander in Konflikt: Wie gültig ist das revolutionäre Konzept des Auftrags? Der Konflikt endet in Tod, Verrat, Verlust. Müller probte gerade mit dem Schauspieler Gottfried »Laki« Lackmann, der den Sasportas spielte. Ich liebte Laki. Er spielte in *Milchpulver* meinen indischen Mann. Er war homosexuell, und öfter erzählte er mir in der Kantine von seinen nächtlichen Verführungen im Park hinter dem Schauspielhaus. Laki probte gerade als Kannibalenkaiser Sasportas die Szene, in der er den Sklavenhändlersohn Debuisson, seinen Auftragsgenossen, zum Tode verurteilt. »Das Theater der weißen Revolution ist beendet. Das Theater der Weißen ist zu Ende.«

Während Laki probte, dachte ich an den Iran und Chomeini, daran, dass der schwarze Sasportas wie Chomeini sei: Er setzt sich hin, spricht allalalalalalalala pararararararararararar, redet von Revolution, eine ganze Moschee und das Land hören auf ihn, und die Köpfe fallen runter. Blob, blob, blob, blob, blob.

Am Ende der Probe fragte ich Laki: »Laki, willst du, dass ich dir ein muslimisch-religiöses Lied singe?« Heiner sagte: »Sing, sing.« Ich sang.

Heiner sagte: »Sing noch mal das Lied.« Als ich das Lied zu Ende gesungen hatte, sagte Heiner: »Sehr schön, das kaufen wir. Dein Gefühl ist ganz richtig. DIE KOMMENDEN KRIEGE SIND RELIGIONSKRIEGE.«

Heiner wollte, dass ich im Stück mitspiele. Teil des Bühnenbilds war ein langer, schmaler Raubtierkäfig, der sich mitten durch den ganzen Zuschauerraum zog. Ich sollte, mit einem Tuch bedeckt, neben diesem Raubtierkäfig stehen und das Lied immer wieder laut singen. Heiner sagte: »Im Käfig wird ein echter Panther sein.« Während ich dieses Lied der kommenden Kriege singen würde, sollte der Panther im Käfig hin- und hergehen, hoch und runter, hoch und runter, als Gefahr.

Als wir anfingen zu spielen, ging der Panther nicht hin und her. Er lief gar nicht. Er versteckte sich in einer dunklen Ecke, und manchmal sah ich ihn aus seinem Versteck auf mich schauen. Und er stank sehr intensiv nach Tier, nach Lebenslänglich-Gefangensein, nach Hoffnungslosigkeit. Einen ähnlichen Geruch würde ich genau 32 Jahre später in der Türkei am Ägäischen Meer in der Stadt Küçükkuyu riechen, im Jahr 2013. Im Jahr 2013 saß ich in einem Café am Meer, las eine Zeitung, an mir ging eine dünne Frau vorbei, und ein paar Meter hinter ihr folgte ihr ein türkischer Hafenpolizist. Diese Frau schaute beim Vorbeigehen in meine Augen. Sie roch wie dieser Panther im Käfig, nach Müdigkeit, nach

Gefangensein in der Hoffnungslosigkeit und nach Meeresluft. Ich drehte mich nach hinten, um zu sehen, wohin sie ging. Sie wurde von dem Polizisten zu einer öffentlichen Toilette begleitet. Und am Hafen, in der Ferne, sah ich das Flüchtlingsschlauchboot. Die Wasserschutzpolizei hatte diese syrischen Menschen, die hofften, nach Griechenland abzuhauen, gestoppt und wieder in den türkischen Hafen zurückgebracht. Und diese Frau musste aufs Klo.

Jedes Mal, wenn ich nach dem Ende der Vorstellung nach Hause ging, wiederholte ich auf dem ganzen Weg: *Die kommenden Kriege sind Religionskriege.* Es hatte geschneit, der Boden war rutschig. Um nicht auszurutschen, teilte ich den Satz in vier Teile auf:

Die kommenden
Kriege
sind Religions-
kriege
Die kommenden
Kriege
sind Religions-
kriege
Die kommenden
Kriege
sind Religions-
kriege

Es schneite noch stärker. Ich kam schneebedeckt in die Villa Wahnsinn. Ich klopfte den Schnee ab, machte das Licht an. Elaine kam, sagte, sie gehe mit einem Typen aus, Champagner trinken, lieben. »Geh du auch aus, zu viel Arbeit!«

Ich ging zum Telefon, rief meine Mutter an. Meine Mutter war nicht da. Mein Vater sagte, dass unser Nachbar

Ambartsum gestorben sei und meine Mutter mit Ambartsums Frau Kleo zum armenischen Friedhof gegangen sei. Dann erzählte mein Vater mir, dass eine unserer Verwandten, weil sie Nâzım Hikmets Gedichte gelesen, für Frieden und Gewerkschaftsgründungen gearbeitet hatte, immer wieder zum Militärgericht musste. Sie hatte den gleichen Familiennamen wie wir, es drohten ihr und sechs anderen bis zu dreißig Jahre Gefängnis. Mein Vater war ein Mensch, der nie viel sprach. Er sagte plötzlich: »Wir leben in finsteren Zeiten.« Dann schwieg er. »Vater, Vater, ich liebe dich sehr.« »Danke, meine schöne Tochter.« Dann schwieg er. Mein Vater und meine Mutter hatten nach allen drei Militärputschen, der erste in den Sechzigern, der zweite in den Siebzigern, jetzt der dritte in den Achtzigern, jedes Mal um die von den Putschisten aufgehängten oder durch die Folter Getöteten geweint. Was heißt es, zwanzig Jahre lang mit Getöteten aufzustehen und abends die Augen zuzumachen. Mein Vater sagte: »Komm nicht, mein Kind.« Dann schwieg er. Irgendwann legte er auf, ohne etwas anderes zu sagen. Doch, er sagte einen Satz, den meine Mutter auch manchmal sagte: »Ich sitze im Dunkeln.«

Nachdem ich das Telefon aufgelegt hatte, sah ich, dass der Schnee von meinen Haaren auf den Boden tropfte. Ich setzte mich an den Tisch, wo Phils Geschenk, die Schreibmaschine, stand. Ich schaute mir diese sehr schöne Maschine, die auch Walter Benjamin gehabt haben soll, an, sagte dieses Gedicht von Brecht auf:

Wirklich, ich lebe in finsteren Zeiten!
[…]
Was sind das für Zeiten, wo
Ein Gespräch über Bäume fast ein Verbrechen ist
Weil es ein Schweigen über so viele Untaten einschließt![47]

Als ich das Brechtgedicht aufsagte und dabei an Brechts Stimme dachte, weil er das Gedicht auf eine Schallplatte selbst gesprochen hatte, dachte ich wieder an den Satz von Jane aus *Im Dickicht der Städte*: *Es wird schlechter, es wird schlechter, es wird schlechter.*

Wirklich, wir werden in noch finstereren Zeiten leben.

Ich hörte wieder das Geräusch, als ob jemand an mein Fenster klopfen würde, dann war es wieder still. Ich legte meinen Kopf auf den Tisch neben Phils Schreibmaschine. Draußen war es ruhig, wie immer nach dem ersten Schnee. Warum war die Welt so ruhig, wenn es zum ersten Mal schneite, warum. Ich ging zum Fenster, machte es auf, der Schnee drehte sich im Wind, kam durch das Fenster ins Zimmer, ich hielt mein Gesicht zum Schnee. Dann sah ich vor dem Fenster, unten auf der Erde im Schnee, Schuhabdrücke, machte das Fenster zu, lief langsam aus der Wohnung, ging in die dritte Etage zu meiner Freundin Katharina Hill. Katharina saß mit ihrer Mutter am Tisch, sie aßen gerade. Ihre Mutter kannte ich noch nicht. Sie hieß Elisabeth. Sie küsste meine Wangen. Sie hatte einen großen Busen, als sie mich umarmte, fühlte ich ihn. Dann guckte sie in meine Augen, ein sensibler, argloser Mensch. Als ich erzählte, dass vor meinem Fenster Fußspuren im Schnee waren, stand sie noch mal auf, umarmte mich wieder, sagte: »Ach, mein Kind, ich war vorhin auf dem Balkon, sah einen Mann vor deinem Fenster masturbieren. Ich wollte es dir nicht sagen, damit du keine Angst bekommst.«

Ich ging auf Katharinas Balkon, schaute hinunter, die Fußspuren waren schon mit Schnee bedeckt. Ich aß mit Katharina und ihrer Mutter Matjesfilet. Später klingelte ich bei meinem Schauspielerkollegen, der über mir wohnte, fragte ihn, ob er auch einen Mann gesehen hatte vor meinem Fenster. Er sagte: »Ja, ich stand vor ein paar Tagen auf meinem Balkon, aß gerade einen Apfel, ich sah ihn, wie du sagst, beim Masturbieren. Ich wusste nicht, was ich machen sollte, ich war schockiert, ich schmiss den Apfel auf seinen Kopf, dann bekam ich Angst, machte die Balkontür zu. Das ist ein Spanner. Sie sind aber harmlos, vielleicht einsame Menschen.«

Ich ging in meine Wohnung. Es gab Rollläden, ich hatte sie noch nie benutzt. Ich ließ alle Rollläden an den Fenstern herunter. Jetzt war alles zu, er konnte mich nicht mehr sehen. Am nächsten Tag schaute ich wieder auf den Schnee, sah diesmal zwei unterschiedliche Fußspuren. Ich ging mit einem Meterstab raus, um sie auszumessen. Eine war Schuhgröße 43, die andere 45. Ich stieg wieder durchs Fenster ins Zimmer, machte die Rollläden zu. In der Nacht, alles zu, lag ich im Bett, hörte wieder Geräusche, konnte die ganze Nacht nicht schlafen. Erst in der Früh, 5 Uhr 30, als die ersten Autos anfingen, durch die Königsallee zu fahren, machte ich die Rollläden hoch, ging in den Garten, sah an den Rollläden außen, dass jemand versucht hatte, zwischen den einzelnen Rollladenstäben Zweige durchzustecken, um in den Raum zu sehen. Ich nahm die Zweige weg, lief zum Theater, erzählte in der Kantine dem Schauspieler Martin Schwab, dass ich vor meinem Fenster Spanner hätte, die hätten Schuhgröße 43 und 45. Martin lachte, sagte: »Ich habe 42.« Ich lachte auch. Ich ging zum Sekretariat, erzählte Barbara, dass der Spanner die Rollläden mit Zweigen aufgehalten hatte. Barbara sagte: »Ich spreche mit dem Pförtner, du brauchst dichte Vorhänge.« Der Theaterpförtner kam mit Vorhängen und einer Leiter zu mir, hängte die Vorhänge auf. »Alles ist jetzt zu«, sagte er auf der Leiter. »Jetzt brauchst du keine Angst mehr zu haben, jetzt kannst du schlafen.« Aber obwohl die Vorhänge und Rollläden zu waren, konnte ich nachts nicht schlafen. Ich lag im Bett schlaflos, bis draußen wieder die ersten Autos anfingen zu fahren. Dann machte ich die Vorhänge und die Rollläden auf, das Licht kam rein. Ich schlief dann ein paar Stunden bis zum Probenbeginn.

Bald fragten mich meine Kollegen in der Kantine täglich: »Was macht dein Spanner?« In den Nächten blieb ich wieder bis morgens wach, dachte im Bett an den Roman-Polanski-Film *Ekel*. *Ekel*, in dem das Mädchen Catherine Deneuve einen Männerarm durch die Wand kommen sieht. Ich glaubte auch langsam, dass der oder die Männer durch meine Wand kommen könnten. Ich schaute immer auf die Wand neben meinem Bett, stand öfter auf, ging zu dem Fenster, machte die Lamellen der Rollläden auseinander, um durch die Schlitze zu sehen, ob jemand draußen stand. Ich wollte unbedingt diese Menschen sehen. Es würde mir helfen, wenn sie eine Gestalt annähmen. Allmählich wurde ich selbst ein Spanner. Ich schaute stundenlang durch die Schlitze in den dunklen Garten, ob er da war. Als es hell wurde, sah ich durch die Schlitze den Hasen auf der Erde sitzen und hüpfen. Dann machte ich die Rollläden auf, schaute, ob Fußspuren da waren – sie waren da. In der Nacht machte ich wieder alles zu, sogar das Licht aus. Ich dachte: Ich bin wie die Türkei. Ich mache alles zu, denke, ich bin in Sicherheit. Aber wegen der Gestalt, die draußen lauert, kann ich nicht schlafen. Wie die Türken in der Türkei. Da ist eine Katastrophe, wer dafür verantwortlich ist, wollen sie nicht begreifen, sie suchen nur ihre Sicherheit bei ihrem Militär und ihren Machthabern. Eine Gesellschaft, die so unfähig ist, den Grund und Ursprung des Desasters, das ihr zustößt, zu kapieren, muss bei jeder Gräueltat, die sie selber geschaffen hat, die Qualen akzeptieren. Wo hatte ich das gelesen?

Ich wusste es nicht mehr. Aber ein Satz von Antonin Artaud passte dazu:

Es steht schlecht, weil das kranke Bewusstsein jetzt ein kapitales Interesse daran hat, nicht aus seiner Krankheit herauszutreten.[48]

Diese kranken Türken sahen den Staat schon immer als Vater. Ein Vater Staat, der immer der Mächtigste ist, eine heilige Macht ohne Konkurrenz. Und diesen Vater Staat muss das Volk auf seinem Rücken tragen. Vater darf alles: streicheln, töten, schlagen. Es gibt keine Rechte, sondern das Volk hat nur verteilte Aufgaben. Vater Staat ist heilig, man darf über ihn nicht diskutieren. Was der Vater sagt, hat das Volk ohne Murren zu tun. Es gibt keine Bürger, es gibt Untertanen. In den Gehirnen soll nur der Vater sein, damit der Vater die Gehirne leicht kontrollieren kann. Wahrscheinlich liest General Evren im Fernsehen aus dem Koran und lässt Koranblätter aus Flugzeugen in die Dörfer schmeißen, weil er eine noch begrenztere Grenze für die Gehirne der Untertanen erreichen möchte. Dann kann er noch leichter die Gehirne unter Kontrolle halten. Heiner Müller hat »ich scheiße auf den Staat« gesagt, und Sartre hat gesagt: »Die Herzen der Menschen sind schwarz und voller Scheiße.«

Plötzlich klopfte es an die Rollläden. Dann hörte ich kurz hintereinander kurze Atemgeräusche, die sich verschnellerten. Er war da draußen, masturbierte gerade, ohne mich zu sehen. Ich sah ihn auch nicht, wagte es auch nicht, die Rollläden hochzuziehen, blieb im Bett bewegungslos, schaute auf die Wand. Wann wird er durch die Wand kommen? Am nächsten Morgen um sechs Uhr, als die Autos durch die Königsallee fuhren, machte ich die Rollläden und Fenster auf, schaute in den Garten. Unten auf der Erde lagen ein paar Taschentücher. Ich machte schnell alles wieder zu. Jetzt konnte ich auch tagsüber die Rollläden und Fenster nicht mehr aufmachen. Ich wollte den Garten vergessen – den gibt es nicht, Taschentücher gibt es nicht, Gebüsch gibt es nicht, nur diesen dunklen Raum. Ich versuchte, laut Französisch zu lernen. Ich lernte bis 9 Uhr 30, dann ging ich zum Theater. Auf dem Weg zum Theater schrie aus einem fahrenden Auto ein dicker Jugendlicher mit zwei anderen ganz laut: »Türkenfotze.« Ich traf vor dem Theater den Schauspieler Urs Hefti. »Urs, was heißt Fotze? Vorhin haben drei Jugendliche mir aus dem Auto ›Türkenfotze‹ zugerufen.« Urs öffnete seine Augen groß, schlug seine Hände auf seinen Mund, sagte: »Wirklich, wirklich, so was haben sie zu dir gesagt?« »Ja, ich kenne aber das Wort nicht.« »Gut, dass du es nicht kennst. Türkenfotze heißt Türkenmöse. Vergiss es, vergiss es. Mensch, du lebst gefährlich.«

Im Sekretariat sagte ich: »Barbara, hilf mir, kann ich nicht in der dritten Etage eine Wohnung bekommen?« Barbara sagte, dass ich einen Gaststatus hätte. Die Wohnungen oben würden nur an fest Engagierte vermietet. Ich bekam Aufenthalts- und Arbeitserlaubnis nur, wenn ich eine neue Arbeit hatte. Drei Monate, dann zwei Monate. Ich war im Gaststatus, und Gäste wohnten in den Erdgeschosswohnungen. »Barbara hilf mir, ich hab Angst, ich schlaf nicht mehr.« Barbara versprach mir, mit der Stadtverwaltung zu reden. Ich umarmte sie, ging hinunter, der Pförtner sortierte gerade die Post, rief mir nach: »Du hast Post.« Sie war von meinem Bruder. Eine Postkarte, auf der ein Junge im Soldatenkostüm und eine sehr geschminkte, junge Frau als Pärchen zu sehen waren. Sie saßen auf einer Wiese, sie hatte ihre rechte Hand auf dem Knie des Soldaten. In ihrer linken Hand hielt sie eine rote Blume. Mein Bruder schrieb mir auf Deutsch: *Liebe Liebe. Man liebt jetzt bei uns »militärisch«. Falls diese Karte dir gefällt, kann ich dir davon eine ganze Kollektion schicken.*

Er hatte auch den Roman *Hundert Jahre Einsamkeit* von García Márquez in der türkischen Ausgabe und eine Musikkassette mit orthodox-armenischen Kirchenliedern mitgeschickt. Zu Hause stellte ich die Karte an Phils Schreibmaschine, schaute hin, sagte laut: »Die Zeit in der Türkei ist die Soldaten-und-die-Nutten-Zeit, und das ganze Land ist eine Kaserne, und der Kasernensultan liest seinen Untertanen aus den Koranblättern vor. Und der Iran ist sofort nebenan. Wie traurig, dass die Türkei nicht ein Land ist, das zwischen Frankreich und Italien liegt. Nein, es liegt neben dem Iran. Herdenvolk, gutes Volk. Die Frauen haben einen versteckten Phallus, sie müssen ihn unter Tüchern verstecken. Joos rief mich an, war sehr besorgt, weil General Evren das Parteiengesetz, das Gewerkschaftsgesetz, das Demonstrationsgesetz, das Hochschulgesetz und das Sprachverbotsgesetz (Kurdisch) neu erlassen würde. Joos sagte: »Mensch, es wird der Tag kommen, an dem das Land faschistisch wird. Ich bin sehr traurig.« Dann legte er auf.

Nachdem ich das Telefon aufgelegt hatte, saß ich eine Weile, ohne mich zu bewegen.

Kurz danach, als wieder ans Fenster geklopft wurde, schrie ich auf Französisch: »Arrête, arrête, arrête, arrête, j'en ai marre, j'en ai marre, j'en ai marre, laisse-moi tranquille, laisse-moi tranquille – Halt, ich hab's satt, lass mich in Ruhe.«

Solange ich schrie, so lange klopfte er an das Fenster. Ich ging aus der Wohnung, raus auf die Straße. Die Autos fuhren, spritzten schmutzigen Schnee mit ihren Rädern zur Seite, ich blieb an die Tür gelehnt und dachte an Joos' Sätze über die Türkei: »Es wird der Tag kommen, an dem das Land faschistisch wird.«

Alles mischte sich in meinem Kopf: die geschlossenen Vorhänge, die Wände, durch die der Mann kommen könnte, die Stimmen von meiner Mutter, von meinem Vater aus dem Telefon, ihre Straßen, auf denen die Panzer laufen, die Menschen, die, Hände hoch, vor den Wänden stehen, der General, in seinem Mund Atatürk, in seiner Hand der Koran, der aus dem offenen Fernseher spricht, unter der Erde die Getöteten, die schon lange Getöteten, die erst vor kurzem Getöteten, ihre Stimmen. Ich holte meinen Mantel aus der Wohnung, lief ins Stadtzentrum zum Französischunterricht.

Abends ging ich mit ein paar Kollegen in das italienische Restaurant gegenüber vom Theater, *Bänksken*. Gino, der Besitzer, war ein Mann mit traurigen Augen, aber sein Mund lächelte ständig. Als es drei Uhr wurde und wir alle gingen, wollte ich Gino fragen: »Gino, darf ich hier auf der Bank schlafen? Ich hab Angst zu Hause.« Ich fragte ihn aber nicht, lief nach Hause, ging noch im Mantel zum Fenster, schaute durch die Rollladenschlitze. Immer wieder ging ich zum Fenster, schaute lange raus, dann wartete ich, dass der Mann durch die Zimmerwand durchkam.

In diesen Tagen fing Langhoff mit seiner neuen Inszenierung, *Clavigo* von Johann Wolfgang Goethe, an. Ich war seine Assistentin, zeichnete die Szenen, machte Collagen, spielte eine Rolle, eine Spanierin, die mit einer Kerze zum Totenhaus kommt. Ich blieb auch nach den Abendproben lange im Theater, in der Angst, dass ich, wenn ich in meiner Wohnung in der Villa Wahnsinn säße, wieder als Spannerin den Garten beobachten würde und nicht arbeiten könnte. Oben, in der letzten Etage des Theaters, gab es eine Probebühne, dort gab es einen sehr langen Tisch. Ich arbeitete dort. Der lange, dunkle Theaterkorridor machte mir keine Angst. Der Korridor roch nach Theater. Goethe hatte mit jemand gewettet, dass er *Clavigo* innerhalb einer Woche schreiben würde, und hatte die Wette gewonnen. Clavigo, ein Mann zwischen Karriere und Liebe. Clavigo ist Archivarius des Königs. Er hat Marie verlassen, weil man mit Weibern viel zu viel Zeit verliert. Am Ende gibt es zwei Tote, Clavigo und Marie. Ich zeichnete einige Szenen.

Ich wollte, wenn ich mit den Arbeiten fertig wäre, mir in diesem Probenraum zwischen den Probenkostümen ein Bett machen und mich hinlegen und ohne Angst schlafen. Aber ich schämte mich vor dem Pförtner. Er würde merken, dass ich noch nicht rausgekommen war, und das Theater nicht abschließen, wenn er seinen nächtlichen Rundgang machte. Er würde sich sicher genieren, in diesen Raum zu kommen, mich zu wecken. Er würde eine Weile an der Tür stehen und mich dann fragen: »Bist du eingeschlafen?«, und würde bewegungslos warten, bis ich den Raum verließe. Jedes Mal, wenn ich ging, hob dieser alte, nette Pförtner in der Pförtnerloge seinen Po halb hoch und grüßte mich: »Gute Nacht.« Ich dachte: Weil ich der letzte Mensch bin, der das Theater verlässt, glaubt er vielleicht, dass ich ein wichtiger Mensch bin. Ich lief die stille Königsallee langsam hoch. Am schlimmsten war, wenn ich mit dem Haustürschlüssel die Tür nicht sofort aufschließen konnte. Dunkle, stille Häuser, stille Bäume, nebenan der Parkeingang, die stille Straße, nur in der Villa Wahnsinn brannten die Lichter in den Schauspielerwohnungen. Ich ging ins Haus und klopfte bei der Sängerin Elaine. Als sie mich sah, lachte sie sich tot an der Tür. Das war ihre Freude, dass ein Gast da war. Dann erst sprach sie: »Komm, es gibt noch Fisch und Reis. Wenn du danach nicht mit mir tanzt, bin ich böse.«

In den Nächten, wenn viele Leute bei Elaine waren, dachte ich: »Jetzt kann ich in meine Wohnung reingehen.« Elaines Wohnung war neben meiner. Ich würde mich hinlegen und wissen, dass hinter der Wand Elaine und die Freunde waren. Als ich aber in meine Wohnung kam und die Tür abschloss, blieb ich mit meinem Zimmer allein. Ging wieder und wieder zu den Rollladenschlitzen, um zu schauen, ob er da war. Ich war ein echter Spanner geworden. Ich konnte mich nicht mal über meine wegen *Clavigo* für weitere drei Monate erneuerte Aufenthalts- und Arbeitserlaubnis freuen. Wie schön wäre es, wenn man nur auf der Bühne leben würde, mit Hamlet, Clavigo, Woyzeck, Georg Heym, Medea, Kassandra, Antigone, Iphigenie, Nathan dem Weisen. Neben diesen Figuren wären auch Benno Besson und Tabori auf der Bühne, Thomas Bernhard, Gramsci, Camus, ab und zu Hermann Beil, der schöne Bühnenbildner Karl, Peymann, Langhoff, der Schauspieler Urs Hefti, Puk, Branko, die Sekretärin Barbara und der alte Pförtner und mein kleiner Freund Backenegger, der so klein, ja, so klein ist, dass die Nazis ihn nicht zum Militärdienst zugelassen haben. Er hat meine Hand hinter der Bühne angefasst und gesagt: »Ach, ich war immer ein Monster.« Die Bühne macht für jeden Auftritt Platz: Dostojewski, Kavafis und dem Bochumer Tapeziermeister Hannes Weiß, der hinter der Bühne den Technikerkollegen beigebracht hat, was auf Türkisch »Guten Tag« heißt, damit sie mich begrüßen, meiner Freundin Katharina Hill, ihrem Geliebten Jürgen Holtz, der im Heiner-Müller-Stück Debuisson spielt, Laki, der mir gerne seine Männer-Verführungsgeschichten erzählt, Tana Schanzara, die wegen ihrer 43 Hunde in ihrer Wohnung kein Bett mehr hat zum Schlafen und auf dem Tisch schläft.

Ja, mit all diesen Menschen wollte ich ständig auf der Bühne leben, nie allein vor einem Fenster stehen, nie allein auf eine Wand schauen, durch die ein fremder Mann kommen und wie ein einsamer Schatten im Zimmer stehen konnte. Die Bühne ist großherzig, dort reden die Toten, und jede Nacht kommen die Zuschauer, um diese Toten zu sehen und ihnen zuzuhören. Und die Toten mischen sich nur am Theater in das Leben der Lebenden. Die Gespräche der Toten sind aufregend, deswegen sind die Lebenden, bevor das Stück losgeht, so aufgeregt. Zwischen den Theatertoten wie Hamlet können auch andere Tote auf die Bühne kommen: Alle vertriebenen, auf dem langen Marsch zugrunde gerichteten Armenier, alle getöteten Dersim-Kurden, Aleviten, alle vom Militär aufgehängten Menschen, unter Folter Getöteten, aber auch die, die jetzt noch in den Gefängnissen mit den schwachen Glühbirnen auf die Galgenzeit warten, um zum Tod mit den eigenen Schuhen zu laufen. Die Toten dürfen, können nur auf der Bühne sprechen. Im Leben hat man sie zum Schweigen gebracht. Wenn ich nur all diese Toten sehen könnte, sie ins Gedächtnis rufen könnte, dann würden sie leben. Dann kämen vielleicht auch Edith Piaf und die von den Nazis getöteten Franzosen dazu, aber auch die lebende Catherine Deneuve, neben ihr Buñuel, auch Pier Paolo Pasolini, meine Großmutter mit ihren zwei armenischen Freundinnen aus Kappadokien. Alle Wahrheiten würden auf der Bühne einen Platz finden. Zwischen den Toten und den Lebenden würde die Grenze wie zwischen Himmel und Meer sein, die sich ineinandermischen, wenn ich nur sagen könnte: »Ich glaube an die Grenzenlosigkeit des Herzens.« Die Erinnerung, wie manche gefroren haben, wird nur auf der Bühne bleiben. Die Erinnerungen der Bühne können ihr kein General Evren, keine Fanatiker wegnehmen. Die Bühne ist eine Totenwelt, da wohnen die Toten, nur die Toten sprechen, wir noch Lebenden hören ihnen zu. Hört den Toten zu. Ihr Faschisten, probiert mal, ob ihr den Toten das Gedächtnis löschen könnt. Menschen, die auf euren Totenlisten gestanden haben, konntet ihr nicht das Gedächtnis löschen. Deswegen wollt ihr jetzt in die Gehirne der Lebenden die Fahne, die Nation, die Heimatliebe, den Koran einpflanzen, damit das Gedächtnis unter diesen Sachen seinen Weg, seine Erinnerungen verliert. Deswegen diese Eile in dieser späten Stunde der Gedächtnislöschzeit. Ich spucke auf euch, ich scheiße auf euren Faschismus.

Ich machte das Licht an, es war schon fünf Uhr morgens, bald würden die ersten Autos fahren. Ich öffnete das Fenster, atmete tief die Luft ein, ließ das Fenster offen, unter der Dusche erinnerte ich mich plötzlich, was einer meiner Nachbarn mir neulich erzählt hatte: Vor ein paar Jahren kam ein Spanner durch das offene Fenster ins Zimmer, schmierte mit Schuhcreme auf den Steinboden das Wort »Sau« und andere Wörter. Ich rannte aus der Dusche ins Zimmer, schloss das Fenster, sah dabei draußen wieder Taschentücher liegen. Ich ließ alle Rollläden und Vorhänge herunter, setzte mich nass auf einen Stuhl. Das Wasser aus meinen Haaren und von meinem Körper fiel auf den Steinboden. Ich schwor mir: Wenn die *Clavigo*-Premiere vorbei ist, werde ich nach Istanbul fahren, ein paar Wochen da bleiben, schlafen, schlafen, schlafen. Draußen werden die Panzer rollen mit lauten Geräuschen. Mein Vater wird vom Fenster fernbleiben. Er wird in der Mitte des Salons stehen. Ich werde aufstehen und sagen: »Ich fahre wieder zurück, hier kann ich nicht schlafen.« Ich werde zum Zug rennen, der Grenzpolizist wird meinen Pass in der Hand behalten, dann auf den Tisch werfen, aber er wird kein Wort sagen, so wie: »Sie können ihn nehmen.« Ich werde den Pass nicht anfassen, bis er ihn mir gibt. Dann kann ich in den Zug einsteigen. Dann kann ich schlafen. Dann aber, wenn der Zug in Griechenland anhält, werde ich mich vor den Griechen schämen, dass die Osmanen sie vierhundert Jahre besetzt hielten, und wenn der Zug in Bulgarien, Ungarn anhält, werde ich mich wieder schämen. In Deutschland werde ich mich wieder schämen. Nicht wegen den Osmanen – weswegen, weswegen? Vielleicht weil die Türken in den Zeitungen ein tägliches Thema sind. Was hatten die Krähen in Bäcker Osmans Haus auf der Insel mir gesagt?

Du wirst dich schämen, weil du dauernd ein Thema bist. Kein Mensch mehr, ein Thema. Morgen wirst du nicht mehr wie hier in deinem Bett aufwachen, sondern in den Zeitungen. Willst du zu ein paar Zeilen werden, in den muffigen Blättern, die gefaltet in den Taschen stecken oder in den Zügen vergessen werden?

Ich schrie: »Arrêtez, arrêtez, Krähen, ich gehe zu Goethe, zu Johann Wolfgang Goethe.«

Es klingelte das Telefon. Barbara. Barbara sagte: »Gute Nachricht, du bekommst in der dritten Etage die Wohnung von Katharina. Katharina zieht zu ihrem Freund in die zweite Etage. Du kannst ab heute die Wohnung haben. Wir haben dir das nicht erzählt, wollten erst sicher sein, dass die Stadtverwaltung es akzeptiert.«

Ich sagte: »Aber der Hase draußen auf der Wiese, ich liebe ihn. Wenn ich oben bin, kann ich ihn nicht mehr sehen.«

Barbara sagte: »Willst du nicht ausziehen?«

»Darf ich noch überlegen? Ich ruf dich an.«

Ich legte auf, saß im dunklen Raum, sagte: »Aber wenn ich oben bin, kann ich den Hasen nicht sehen.« Ich ging hin und her, sagte: »Ich liebe diese Wohnung, meine erste Wohnung hier.«

Nach einer Stunde rief Barbara mich noch mal an, sagte: »Ich muss der Stadt eine Antwort geben, willst du, oder willst du nicht?« Ich sagte wieder: »Aber der Hase auf der Wiese.«

Barbara sagte in einem entschiedenen Ton: »Du, pack schnell deine Sachen ein. Du hast uns seit Wochen beschäftigt, wir haben mit der Stadtverwaltung gekämpft, dir diese Wohnung besorgt, es war schwer genug. Sag mal, bist du abhängig von deinem Spanner? Jetzt packst du, bringst deine Sachen hoch, wir kommen dir helfen.« Barbaras Ton half mir.

Ich packte meine Sachen, rannte ein paar Mal hoch, runter, hoch, runter. Bald stand Phils Schreibmaschine in der neuen Wohnung auf Katharinas Tisch, die Bücher – Rembrandt, Beckmann und Bacon – auf dem Fensterbrett, und die Bäume draußen lachten über mich. Jetzt war ich oben: Ich kann mit offener Balkontür schlafen. Katharina hatte alles, Bett, Decken, Küchengeschirr, Kühlschrank, Tisch, Stühle, für mich hiergelassen und sogar das Bett neu bezogen. Ich ging auf den Balkon, sah von oben den Park. Die Äste eines hohen Baums streiften das große Fenster und den Balkon. Ich sah von oben den Platz, wo die Spanner mit Schuhgrößen 43, 45 in den Nächten standen. Auch die Taschentücher lagen noch auf der Erde, aber von oben sehen sie wie Bruchteile eines schweren Traums aus, dachte ich und fasste die langen Äste des Baums an, der auf mich schaute.

In der ersten Nacht träumte ich: Drei Plastikschlangen laufen in einer durchsichtigen Plastiktüte in einem Zimmer rum. Jemand schneidet mir mit einer sehr großen Schere die Wimpern meines rechten Auges. Ich lasse nicht zu, dass die linken Augenwimpern auch geschnitten werden. Wieder ein Zimmer. Es regnet auf einen Balkon. Mein Selbstportrait, das ich sehr liebe, liegt im Regen, die Wasserfarben sind fast verlaufen, das Gesicht hat sich verändert, als ich dieses Portrait aus der Nähe anschaue. Ich suche nach dem alten Gesicht. Dann bin ich auf der Straße. Ich sehe auf der Straße einen Mann, er hat ein Zeichen auf seinem Kragen, er flüstert mir viele Wörter zu.

Ich wachte auf, ging ein Glas Wasser trinken. Mit dem Wasserglas in der Hand schaute ich diesen neuen Raum an. Dann legte ich mich wieder hin, träumte wieder: Ich sehe Füße, Größe 44, die stehen nicht auf der Erde, sondern senkrecht in der Luft vor dem Balkon meiner neuen Wohnung. Ich bekomme Angst, dass die Füße durch die Balkontür hereinkommen könnten. Dann sehe ich eine Klapperschlange, die mit dem Kopf nach unten klappert, cling, cling, sie ist am Sterben, ihr Kopf liegt müde unter ihrem Körper. Ich habe Angst, vergiftet zu werden. Da ist ein Mann. Ich soll in ihn verliebt sein. Er sagt, er wird mir helfen. Dann bin ich in einem anderen Raum, Parterre, ein runder Tisch, dort sitzen fünf Männer, eine politische Versammlung, ich bin unruhig – wann wird die Bombe von der Straße auf uns geschmissen? Ein Mann redet mit anderen über mich, sagt: »Siehst du ihre Haare? Sehr energisch. Das kommt vom dialektisch Denken.« Es klingelt, ich mache die Tür auf, ein junger Mann kommt rein. Bedrohlichkeit vom Innenraum und vom Außenraum.

In den anderen Nächten sagte ich laut, bevor ich schlief: »Schlangen, bitte tretet nicht mehr auf in meinen Träumen. Versteht ihr? Kommt nicht, bitte.« Das half nichts. Ich hatte wieder Schlangenträume: Ich sitze in einer Zweizimmerwohnung, zwischen diesen zwei Zimmern gibt es keine Tür. Draußen Winterlandschaft. Ich sehe neben meinem Bett drei tote Schlangen, ich habe keine Angst. Ich schreibe am Tisch auf der Schreibmaschine. Ich sehe, dass eine Schlange gähnt, ich merke, dass sie lebendig ist, habe Angst, wenn ich abends schlafen gehe, könnte sie zu mir ins Bett kommen, weil es zwischen den zwei Zimmern keine Tür gibt. Ich will die Schlangen loswerden. Jemand ist da. Er tut die Schlangen in einen Sack. Ich helfe ihm. Die lebendige Schlange beißt in meinen Zeigefinger, ich kriege echte Schmerzen. Mit einer Nadel versuche ich, mein Blut rauszuholen. Ich sehe, dass die Schlange die Hand des anderen Menschen, der mir hilft, auch beißen will. Die Schlange macht ihr Maul groß auf. Ihr Maul hat eine orange leuchtende Farbe.

In einer anderen Nacht träumte ich: Ich laufe auf der Straße. Auf meiner rechten Seite ein Park. Auf der Erde liegt eine sehr, sehr lange Schlange, sie sieht aus wie ein Gartenschlauch. Jemand gibt mir eine gefaltete Bananenschale – sie sei voller Gift. Ich soll sie zu einem Zimmer bringen, da soll es ein gefährliches Tier geben. Das Tier soll die Bananenschale essen und sterben. Ich mache die Tür auf, viele Leute stehen draußen, Stille. Sie haben etwas Bedrohliches, wie die Figuren von Magritte. Ich sehe kein Tier. Ich weiß nicht, was mit der giftigen Bananenschale passiert ist. Ich schlafe ein und denke, dass ich vom Gift was abgekriegt habe und tot bin. In einem anderen Traum bin ich in der Türkei in einer Stadt, die bekannt ist für ihre Faschisten. Die Stadt ist ganz leer, nur ich stehe im Stadtzentrum, und in der Mitte vom Zentrum dreht sich eine fünfzig Meter lange, tiefschwarze, dicke Schlange hin und her. Die soll auch ein Faschist sein. Dann bin ich an einem Bahngleis. Ich frage jemand, in welche Richtung ich fahren soll.

In der anderen Wohnung unten konnte ich nicht schlafen wegen der Spanner, jetzt, hier, fing ich an, vor dem Schlafen Angst zu bekommen wegen der Schlangenträume. Ich erzählte es einem Kollegen. Er sagte: »Oh, so viel Sex.« Ich rief Efterpi in Paris an, erzählte ihr, dass ich immer wieder von

Schlangen träumte, Kollegen sagten, es seien Sexträume – »so viel Sex«. Efterpi sagte: »Hast du Angst vor Schlangen?« »Ja, ich kann mir nicht einmal ein Foto von ihnen angucken.« Efterpi sagte: »Vielleicht machst du, indem du von ihnen träumst, Kraftproben mit ihnen. Du stellst dich der Angst und zeigst Kraft.« Efterpis Gedanke gefiel mir. Die Schlangen sind meine Ringpartner. Ich probiere meine Kraft aus, ich stelle mich, ich ringe mit ihnen. Ob es so war? Aber es gefiel mir, und ich sah in meinen Träumen keine Schlangen mehr. Außerdem besuchte mich bald ein echtes Tier. Ich lag im Bett, gegen Morgen hackte etwas an meinen Kopf. Ich wachte auf und fasste nach meinem Kopf, schaute, was das war. Ein Eichhörnchen lief weg zum Balkon, sprang vom Balkon zum Baum, kletterte den Baum hinunter, und unten auf der Erde blieb es stehen. Ich fing an zu lachen und streichelte meinen Kopf, sagte: »Willkommen, komm wieder.« Das Eichhörnchen lief weg und hielt seinen Schwanz in der Luft. Ich erzählte Katharina, dass ein Eichhörnchen mich am Kopf angefasst hatte, als ich im Bett lag, entweder mit seinen Krallen oder Zähnen. »Kennst du es?« Katharina lachte: »Ja, ich kenne es. Es kam auch, als ich da wohnte. Ein Einzelgänger. Wenn du ihm Nüsse auf den Balkon hinstellst, kommt es wieder. Aber die Schalen räumt es nicht auf.« Dann lachte sie wieder.

Jetzt hatte ich ein Tier.

Ich hatte irgendwo gelesen, manche Tiere, die lebenslänglich bekommen hätten in den Zoos, unterhielten oder adoptierten kleine, verwaiste Tiere, befreundeten sich mit ihnen in ihren Zellen, sorgten für sie. Ein Elefant hatte eine Ratte, die er als seinen Gefängnisfreund adoptierte, ein Löwe auch eine Ratte, die Schimpansen Vogel- oder Katzenbabys. Die Adoptierten ließen sich von ihnen füttern, und die anderen unternahmen etwas, was für die Verwaisten gut war. Wer war hier das verwaiste Tier? Das Eichhörnchen oder ich? Ich, oder?

Ach, Eichhörnchen, ach, Eichhörnchen, das Leben ist ein Vogel. Machst du die Augen zu, bist du da, machst du die Augen auf, bist du dort.

Wo wohnen Sie, Madame?

In der Adoption eines Bochumer Eichhörnchens.

Auf der Premierenfeier von *Clavigo* tanzte ich mit dem einarmigen Theaterkritiker Henning Rischbieter. Er war 17 Jahre alt gewesen im Hitlerkrieg und hatte dort seinen Arm verloren. Er sagte mir: »Ich habe meine Schuld mit dem Arm bezahlt. Ich war einverstanden.« Er hatte mein Theaterstück gelesen, wollte nach der Uraufführung von *Karagöz in Alamania* das Stück in seiner Zeitschrift *Theater heute* drucken. Auf der Premierenfeier tanzten viele, wir tanzten auch, Rischbieter drehte sich ein paar Mal um sich selbst, dann fiel er auf den Rücken. Alle eilten zu ihm. Er stand auf, sein Kölner Freund kam, fasste ihn unter seinen Arm, sie gingen. Eine der Schauspielerinnen sagte mir: »Was hast du mit Rischbieter gemacht, hast du ihn schwindlig gemacht? Du siehst ja unglaublich schön aus, was machst du, um so schön auszusehen?« Ich bedankte mich und tanzte mit ihr. Es war schon zwei, drei Uhr nachts, ich wollte mich nicht hinsetzen. Ein Schauspieler aus *Clavigo* tanzte mit mir, seine Mutter mit einem Freund von ihm. Er sagte: »Mein Freund aus München. Er ist extra zu unserer Premiere gekommen.« Irgendwann sagte seine Mutter: »Ich will nach Hause.« Die beiden gingen, ich und der Freund blieben auf der leeren Tanzfläche, tanzten weiter, nur in einer Ecke hinten tanzten noch Katharina und Jürgen, sie hatten sich fest umarmt, wir nicht.

Der Freund schaute mir dauernd in die Augen, so tanzte er, blieb im Auge drin, bis das Orchester aufhörte zu spielen. Er umarmte mich, so liefen wir aus dem Theater, wie zwei Aneinandergeklebte. Auf dem Weg war kein Mensch außer uns zu dieser späten Stunde. Er rauchte eine Zigarette und ließ mich daran ziehen. Dann nahm er wieder einen Zug, dann ließ er mich wieder daran ziehen. Wir sprachen kein Wort. Wir liefen. Auf den Treppen blieb sein Arm weiter wie angeklebt um meine Schultern, so kamen wir in meine Wohnung. Sein Arm weiter um meine Schultern lief er mit mir in die Küche, nahm ein Glas Wasser, ließ mich trinken, dann trank er, ließ mich trinken, dann trank er. Dann ging er mit mir und dem leeren Glas auf den Balkon, schaute auf die Bäume, dann in mein Gesicht. Dann liefen wir wieder ins Zimmer. Er stellte das Glas auf den Tisch. Ich konnte ihn nicht anschauen, er war zu schön – wenn ich hinschaue, wird er mir meine Wimpern verbrennen. Ich kenne seine Stimme nicht. Er nimmt mein Gesicht, legt es langsam hinunter auf ein Kissen. Dann sind wir im Bett, die Äste sind im Wind, sein Schatten legt sich auf mein Gesicht, mein Verstand ist von seinem Platz weggeflogen. Ich sehe nur einen Mund, seinen Mund. Er gibt seine Schönheit, die die Welt schmückt, mir. Das macht die Sehnsucht größer. Ohne mein Herz zu fragen, hat er meine Antwort gehört. Die Blüten seines Mundes wandern in meine Haut. Wo sein Herz schlägt, schlägt mein Herz. Ich ziehe seinen Körper wie ein Kleid an. Die Nacht rührt meine Schenkel an, mit der anderen Hand seine Schenkel. Die Farbe der Lichter, die uns streifen, wie tonlose Musik. »Komm zu mir, komm«, sagt eine fremde Stimme. Das Gesicht liegt auf den weißen Tüchern. Dort kämmen sich Lehrlingsknaben ihre Haare. Der Abend stirbt auf den Kleidern meiner Großmutter. Deine blauen Augen sind alle meine Abschiede. Du bist so hell. Wie viele Male werde ich sterben? Die Sehnsucht hört nicht auf, meine Haare sind nass. Ich sehe ihn in mir laufen. In den Adern haltlose Strömung. Ihn in meinen Armen halten, alle seine Wünsche abküssen, ich bin in Paris, sind die Straßen einsam? Brennen die Laternen? Ich bin nass, laufe über einen See, ich laufe, ich kann, ich schließe die Augen, die Stimme der Liebe wird mich blind machen, sie spricht weiter, mein Körper geht auf wie ein in der Mitte aufgeschnittener Granatapfel. Jemand fasst meinen offenen Körper, leckt ihn mit seiner Spucke. Der Körper rutscht vom Meer in die Tiefe und schläft im Wasser ein.

Als ich wach wurde, sah ich ihn schlafen. Er war sehr hell, die Nacht noch dunkel. Diese Helligkeit wird mich blind machen. An seinen Haaren spielen goldene Tiere miteinander. Habe ich alle diese Schwärme von seinen Lippen gepflückt? Es pocht eine Stille in seinem Körper. Du bist so hell, ich bin so wach. Diese Ruhe im Bett, wie auf einem Feld. Nur mein schwindliges Herz fließt in der Nacht. Kann der kommende Morgen mein Herz wieder an seinen Platz bringen? Ich fasste mein Herz an, schlief nah an seiner Schulter ein, wurde wach, suchte nach seiner Schulter, er war gegangen. Der Raum, das Wasserglas auf dem Tisch, die Falten im Betttuch sagten: »Er war da, aber er ist gegangen.« Sie machten mir Vorwürfe. »Wieso war dein Schlaf so tief«, sagten sie. »Aus welchem tiefen Schlaf bis du wieder erstanden«, sagten sie auch. Das Zimmer war wie gefrorene Erde. Da sagte ein Tier: »Ich sterbe.« Er war wie ein großer Engel neben mir gegangen, gelegen, hatte mich mit Liebe übergossen, überhäuft – hab die Welt vergessen –, dann war er, wie ein seltener Stern im Himmel, verloren gegangen. Oder war er ein Traum? Ein Traum, der die ganze Nacht mit mir gerungen hatte? Ach, wie gern ruhte ich in diesem Traum weiter. Ich schließe die Augen fest zu, ich werde dich finden, auch wenn der Traum dunkel ist. Lebenslang bin ich im Leben umhergeirrt, warum nicht bei der Suche nach dir im Traum umherirren. Ich habe keine Angst, dass der Traum so groß, so unendlich ist. Mein verwaistes Herz, du hast so viele Tote gefunden. Ist es wirklich schwer, im Traum nach einem Lebenden zu suchen? Er hatte mich an das Leben erinnert. Dort gab es auch so viele Tote, nach denen ich so viel Sehnsucht hatte.

Ich fing an zu schluchzen. Ich hielt die Falten des Bettuches für sein Gesicht, aber sah auch neben seinem die Gesichter von sechzehn-, siebzehn-, achtzehn-, zwanzigjährigen Toten, die zum Galgen gebracht wurden, die Schuhe von diesen Jungen. Behielten sie ihre Schuhe an, oder gingen sie barfuß zum Galgen? Warum dachte ich an ihre Schuhe? Als die Generäle während des vorigen Militärputsches in den Siebzigerjahren Deniz, Yusuf und Hüseyin hintereinander aufhängten, hatten es diese Männer so eilig, die drei aufzuhängen, dass Hüseyin keine Schuhe anziehen konnte. Als man ihn nach seinen letzten Wörtern fragte, sagte Hüseyin: »Wenn mein Vater mich morgen sieht, wird er denken, dass ich nicht mal Schuhe besaß, und wird traurig sein. Sagen Sie meinem Vater, die haben mich, ohne mir Zeit zu lassen, meine Schuhe anzuziehen, hierhergebracht.«

Hatten die jungen Männer mal ein Mädchen geküsst oder es nur in ihren Träumen geküsst? Was für ein Land! Warum gingen nicht Millionen auf die Straße, um diese Gefängnisse zu öffnen, diese jungen Menschen unter ihren Flügeln zu verstecken, über die Meere wegzubringen. Ich schluchzte und schluchzte eine halbe Stunde lang, trocknete meine Tränen mit der Bettwäsche, in der dieser blauäugige, zu schöne

Mann geschlafen hatte. Dann ging ich in die Küche, um etwas Wasser zu holen. Ich sah auf einem Glas einen Zettel:

»Liebe, ich muss mit dem Frühzug fahren. Liebe, in die ich traumwandlerisch gestolpert bin; wenn ich an dich zurückdenke, jetzt, ist es, wie wenn ich mich an Traummomente erinnere, sie strahlen eine ungeheure Intensität aus, sprachlose Schönheit. Zunge bin ich nicht mehr – bin in Selbstvergessenheit und Ganzheit mit jemand die Straße und die Nacht entlanggegangen. Es wäre sehr schön, wenn du zu mir kommst.

Wilmar.«

Er hatte seine Telefonnummer und seine Münchner Adresse aufgeschrieben. Wilmar. Ich legte seinen Brief auf Phils Schreibmaschine neben die Postkarte von meinem Bruder, auf der ein armer junger Soldat und eine Frau zusammen posierten. Ich las ein paar Mal seinen Brief, dann war mir schwindlig, ich musste mich hinlegen. Ich lag im Bett, schaute auf den Baum, zwischen seinen Ästen sah ich den Himmel. Sicher hat er, bevor er ging, den Himmel blau gefärbt mit dem Glück in seinen Augen. Der Traum dieser Nacht lauscht noch hinter diesem Baum. Ich werde diese Nacht noch wachen, werde wie eine Traumwandlerin zu ihm gehen. Sehnsucht, du hast laute Winde.

Eine Woche später saß ich im Nachtzug von Bochum nach München und konnte nicht schlafen. Ich saß in einem einsamen Sechs-Personen-Abteil, hörte mir das Rattern des Zuges an. Jeder Schritt vom Zug bringt mich näher. Aber es ist noch Zeit. Im Zug schrieb ich eine Geschichte, »Herrmann und Leyla«. Eine Frau, die Leyla heißt, fährt mit einem Nachtzug zu einem Mann, den sie nur eine Nacht erlebt hat. Beide hatten kein Wort gesprochen, nur sich geliebt. Jetzt geht sie zu ihm und hat Angst davor, was passieren könnte, wenn sie anfingen zu sprechen. Die Wörter könnten gefährlich sein, sie könnten Wörtermörder werden. Die Verletzungen der Wörter kann keine Salbe heilen. Also, sie hat Angst vor Gesprächen. Oder vor einer anderen Frau, die im Nebel ist, aber da ist. Die Wörter könnten die Momente, die die beiden wie ein schönes Bild gemalt haben, kaputtmachen. Leyla denkt am Anfang: Dort ist er, wird er mich küssen? Ich will nur mit seinen Sternen spielen. Dann hat sie Angst: Wenn sie anfangen zu reden, könnten die Spiele, das Leiden losgehen. Angst frisst die Bilder auf, die noch nicht gelebt sind. *Ich merke, manchmal lieben wir Enttäuschungen mehr als den Geliebten. Ein Leben ist vorbei, als ob es nie da gewesen ist.* Während der langen Nachtreise steigt die Angst, dass die Liebe durch Wörter, Gespräche, eine andere Frau im Nebel kaputtgehen könnte, hoch, und als der Zug in München ankommt, steigt Leyla nicht aus dem Zug.

Der Nachtzug Bochum–München kam langsam an. Gegen Morgen waren die Schatten der Wälder länger als ihre Bäume. Es ist die Zeit, er wird da stehen, siehst du, die Liebe hat mich in eine Stadt gebracht. Auf dem Bahnhof knien, deinen Gang küssen will ich. Schau, unser Körper aus Seide.

»Komm in den Garten, es ist nicht mehr so heiß.«

Wilmar lief barfuß im Garten. Er behielt sein Hemd an, es war ein heißer Sommer. Er war zu hell, die Sonne verbrannte ihm die Haut. Er zitierte mir immer aus den Büchern, die er für seine Doktorarbeit gerade las. »Willst du hören? Pasolini schrieb über den Linksfaschismus: *Wie viele Katholiken, die Kommunisten werden, nehmen den Glauben und die Hoffnung mit und vergessen die Liebe, ohne sich dessen überhaupt bewusst zu werden. So entsteht der Linksfaschismus.*«[49] Dann stieg Wilmar durch das niedrige Fenster aus dem Garten in sein Zimmer, setzte sich wieder an seinen Schreibtisch. Die Katze Chinno sprang hinter ihm auch ins Zimmer. Ich blieb unter dem Birnbaum, der in Wilmars Zimmer schaute. Ich zeichnete den Baum, und besonders gerne zeichnete ich die Blätter, die in sein Zimmer schauten. Irgendwann kam Wilmar zum Fenster mit einem anderen Buch in der Hand, zitierte: »Brief an meine Freunde, um zu lernen, gemeinsam Filme zu machen. Von Jean-Luc Godard:

Ich spiele
Du spielst
Wir spielen
Kino
Du glaubst es gibt
Eine Spielregel
Weil du ein Kind bist
Das noch nicht weiß
Dass es ein Spiel ist und dass es
Den Großen vorbehalten ist.«[50]

Es war wie ein Theaterspiel. Die Bühne war das offene Fenster, ich draußen, Wilmar drinnen. Er stand im Zimmer am Fenster, ich stand im Garten am Fenster. Er zitierte aus den Büchern oder stellte mir vom Fenster aus die Frage, warum in der Türkei der faschistische General Evren von so vielen zum Präsidenten gewählt worden war.

»Sie glauben, er sei ihre Sicherheit. Er schütze sie. Wenn man sie fragen würde, wovor er sie schützt ...« Wilmar lief zum Tisch, nahm ein Buch von Godard, blätterte darin, fand die Seite: »*Die Art und Weise, mit der sie ihre Sicherheit steigern, schafft schließlich noch größere Angst, und es ist besser, jeden Tag etwas Angst zu haben, als sich für sein ganzes Leben versichern zu wollen. [...] Die einen wollen die Sicherheit auf Erden, die anderen für später, aber das kommt in etwa auf dasselbe raus. Man gebraucht das Verb ›haben‹ mehr als das Verb ›sein‹.«*[51]

Als er mir aus dem Buch zitierte und irgendwann nicht mehr weiterlas und das Buch auf das Fensterbrett legte, wusste ich, dass er mich vom Garten ins Zimmer ziehen würde. Ich stieg in das Zimmer, er zog sein Bett dorthin, wo die Sonne sich auf den Boden gesetzt hatte, seine sehr hellen Haare elektrisierten sich, meine auch, wir liebten uns, deckten uns mit der Sonne zu, schliefen etwas, dann ging er zum Schreibtisch, ich in den Garten, die Katze blieb mit ihm im Zimmer oder mit mir im Garten, wie es ihr passte. Abends ging er mit mir zu seinem Nachbarn in die obere Etage, zu einem Pastor und dessen Tochter. Sie hatten ein Klavier. Der Pastor setzte sich mit seiner fünfzigjährigen Tochter hin, und sie spielten vierhändig Klavier. Der Pastor fragte mich, welches Lied ich mir wünschte. »Schubert, *Fremd bin ich eingezogen, fremd zieh ich wieder aus.*«

In der Nacht, wenn wir unten im Bett lagen, hörte ich oben jemanden hin- und herlaufen. Hin und her, hin und her. War es der Pastor, der hin- und herlief, oder seine Tochter, die nie geheiratet hatte? Wilmar erzählte mir später, dass der Pastor seine Tochter, als sie in der Pubertät war und sich in einen Kommunisten verliebt hatte, in die Psychiatrie eingeliefert hatte, wo man sie mit Elektroschocks behandelte. Nach dem Krieg waren alle Familienmitglieder gestorben und ausgerechnet die Tochter, deren Leben er zerstört hatte, blieb bei ihm und sorgte für ihn.

Es war wirklich ein heißer Sommer. Ich wollte nur eine Woche bleiben, dann nach Istanbul fahren, aber in diesem Haus mit der Katze Chinno und Wilmar und dem Birnbaum, an dem lebende und langsam am Ast verfaulende Birnen hingen, kam es mir vor, als ob ich bei meiner Mutter und bei meinem Vater wäre. Wilmar küsste ständig mein Gesicht, umarmte mich auf den bayrischen Straßen, die Menschen schauten uns an, wir gingen ins Kino, sahen jeden Abend Filme von Friedrich Murnau, gingen in den Biergarten, tranken, aßen, scherzten, liebten uns. Dann las er mir im Bett lange aus Robert Musils Buch *Der Mann ohne Eigenschaften* vor:

Die beiden Menschen, die darin eine breite, belebte Straße hinaufgingen ...[52]

Er saß auf seinen Fersen auf dem Bett mir gegenüber. Er gefiel mir so sehr, ich dachte: Ich habe kein Blut mehr in meinem Körper, mein Körper ist in seinem Körper. Wenn ich über die Türkei erzählte und im Bett weinte, putzte er mir die Nase, sagte: »Ich hab Angst um dich, fahr nicht.«

Am nächsten Tag rief ich meine Mutter an. Sie sagte mir: »Mein Kind, du hältst es hier nicht aus. Warte noch, mein Kind.« Dann sagte sie wieder: »Mein Kind, mein Kind.«

Ich lief in den Garten. Die Katze Chinno lag zwischen den heruntergefallenen Birnen. Ich nahm eine Birne, roch daran, sagte: »Mutter.«

Wilmar kam von der Bibliothek, ließ seine Tasche auf den Boden fallen, sagte: »Komm, wir gehen.« Wir fuhren zu einem See, saßen dort in einem Bierzelt an den Tischen mit Hunderten von Menschen, tranken aus den großen, hohen Gläsern Bier. Es war heiß. Wir liefen über eine Wiese im Dunkeln lachend zum See, schwammen nackt, liebten uns auf der Wiese, gingen zurück, hörten, wie die Leute im Zelt sangen. Ich ging auf die Bierzelttoilette. Dort kam ein Mann aus der Männertoilette, sah mich, schaute mich mit offenem Mund an, fiel auf seine Knie, schlug mit seiner rechten Hand an sein Herz, schrie laut: »MARIA.« Ich lief wieder auf die Wiese, Wilmar kam, küsste meinen Hals, meine Schultern, zog mein dünnes Kleid aus, zog sich aus, als ob er seine Kleider zerreißen würde. Wir liebten uns wieder auf der Wiese – die Nacht steht da, die Wiese liebt unser Dasein. Ich kriege wieder so viele Küsse von Wilmar, er fängt an, still zu weinen, ich sage: »Ich bin in einer Stadt angekommen wegen einer Liebe. Er lacht so schön in der Liebe.«

Wir trennten uns von jedem Vogel, der nach Süden umzieht.
Die Wolken hatten sich auch nach Süden gemalt.
Nur die Sonne ist bei uns geblieben
und das Lachen von dem Geliebten.

Dann standen wir auf, er weinend, ich lachend, schmissen uns wieder in den See, schrien, fassten uns an, er lachte jetzt auch. Jetzt will ich weinen. Mond, hilf mir, hilf meiner Liebe. Wir fuhren zurück, die Nacht war weiter warm. Wir fassten uns im Auto an, rannten nach Hause, ließen die Kleider zu Boden fallen, ich hängte mich an seinen Hals – ich ziehe seinen Körper wieder als Kleid an. Später, als wir in den Schlaf fielen, sah ich die Blätter, Äste vom Birnenbaum, die ihre Gefühle in unsere Richtung neigten – sicher sitzen draußen meine Mutter, mein Vater unter diesem Baum, rauchen eine Zigarette, trinken aus einer Flasche, fühlen sich so gut, so gut, unter einem Baum zu sitzen und zu wissen, ich wohne in der Liebe. Ich träumte: Ich bin in Bochum, in der Villa Wahnsinn. Ich will in meine Wohnung, die Tür ist offen, ich gehe rein. Da steht ein Mann, trinkt Eier, es ist meine Wohnung, aber nicht meine Wohnung. Die Tapeten sind in Wilmars Bettdeckenmuster. Dann bin ich am Theater. Zwei Kolleginnen sagen: »Doch, du bist allein, ach, lüge nicht.« Ich bin traurig, gehe raus. Da kommt Wilmar in einer Rotkreuz-Uniform, haut in die Gesichter der zwei Kolleginnen. Draußen ist ein Fahrrad. Meine Zähne bluten. Dann plötzlich laufe ich auf einer silbernen Fläche. Ein See als Erde. Unendlich, wie von Dalí gemalt. Wilmar sagt: »Die Freundin wollte nicht kommen.« Ich laufe wieder auf diesen silbernen See. Ich höre nur meine Schritte, sie sind ganz laut. Angst und Genuss. Ich sitze mit Wilmar am Tisch. Der Nebel geht etwas weg. Es tauchen aus dem Nebel Türme, Dom, Schloss und eine ein Kreuz haltende Frau auf, die es hochhält wie die New Yorker Statue. Sehr bedrohlich. Ich bekomme Angst. Ich mache mein Gesicht mit meiner Jacke zu. Hinter mir sitzt ein Arbeiter. Er klopft auf meine Schulter, sagt: »Madame, sehen Sie diesen Dom da? Er ist während Napoleon gebaut worden. Ich habe ihn sauber gemacht.«

Gegen Morgen wachte ich auf mit Donner und Blitz. Der starke Regen schlug an die Äste vom Birnenbaum. Manche Birnen, die halb verfault am Ast hingen, fielen mit dem Regen herunter. Ich hörte ein »pat«. Ein langer Ast des Birnbaums schlug mit dem Regen an Wilmars Fenster. Der Blitz gab dem dunklen Raum Licht. Dann wieder dunkel, dann wieder hell. Mit jedem Lichtwechsel schaute ich auf Wilmars Gesicht, schaute auf das Zimmer, die Wände, seine Schuhe, sein Hemd – es wird für mich unmöglich sein, von diesem Raum, von diesem Gesicht mich zu trennen, wenn die Arbeit in Bochum in ein paar Wochen wieder anfängt. Ich ging hinaus in den Garten, wusch mich mit dem Regenwasser, das ununterbrochen fiel. Ich sah unter Regen und Blitz meine Brüste, Füße, Hände, die Birnen, die mit dem Regen zitterten. Die Welt war zusammengeschrumpft und zu diesem Garten und zu Wilmars Zimmer geworden. Alles andere war wie entfernte Träume. Ich drehte mich unterm Regen um mich, schnell, schneller, noch schneller, noch etwas schneller, dann werde ich fliegen, werde schreien: »Ich kann fliegen, ich kann fliegen.« Ich trat auf der Erde auf etwas Spitziges, es tat weh. Ich fiel auf die nasse Erde, ging hinkend unter die Dusche.

Als das Telefon bitter klingelte, war es erst sechs Uhr. Wilmar stand aus dem Schlaf auf, sagte: »Hallo.« Dann schaute er auf mich, dann drehte er sich mit dem Telefon um. Ich sah seinen Rücken. Es fielen Sätze wie: »Was meinst du? – Ich weiß es nicht, wir reden nicht darüber.«

Irgendwann legte er auf, stand in einer schattigen Ecke, sagte: »Es war Hedda. Sie fragte, wann du gehen wirst. Ich sagte ihr, ich weiß es nicht, wir reden nicht darüber. Sie sagte mir, ich stünde zu dir, ich sei bei dir.«

Dann erzählte er: Hedda war viele Jahre seine Freundin, die er geliebt hatte, sie verliebte sich in einen anderen Mann, seit Monaten gab es keinen Kontakt.

Wilmar sagte: »Ich führte qualvoll Tagebuch, und ab und zu zog ich ein Präservativ über und schlief mit Kirstin, der besten Freundin von Hedda, ging tanzen. Eines Abends tanzte ich mit einer Frau und ihrem Mann. Die Frau hieß Birte. Ich schlief mit ihr ein paar Mal. Ihr Mann war ein Boss von der CSU. Im Tanzlokal sang gerade Dean Martin. Bei dieser Musik habe ich mit diesem Mann getanzt. Penis an Penis. Ganz steif. Es war sehr schön.«

Plötzlich fing Wilmar an, laut zu weinen. Er warf sich aufs Bett, sagte: »Birte, sie war so eine ruhige Frau, fuhr vor einem Jahr gegen einen Baum und starb. Wenn ich am Friedhof, wo sie liegt, vorbeigehe oder -fahre, fühl ich mich so schlecht. Einmal fuhr ich mit dem Taxi bei ihr am Friedhof vorbei, ich bat den Taxifahrer, kurz anzuhalten, ich ging raus und kotzte, sie war so eine ruhige Frau.«

Es war sehr komisch. Innerhalb von fünf Minuten hatte Wilmar von drei Frauen geredet. Hedda, Birte, Kirstin. Und von dem CSU-Boss. »Hedda will dich kennenlernen. Ich hab sie gerne, aber ich will nicht in ihre Hände fallen.«

»Woher weiß sie von mir?«

»Ihre Freundinnen Beate und Michaela haben uns ein paar Mal im Kino gesehen und Hedda angerufen. Lass uns rausgehen aus diesem Zimmer.«

Wir gingen in die Stadt. Er ging in die Bibliothek, verabredete sich in drei Stunden mit mir. Ich schaute ihm hinterher, er tat mir leid – ein Junge zwischen zwei Frauen und einer Doktorarbeit.

Ich lief ziellos um den Viktualienmarkt rum. Auf der anderen Straßenseite liefen zwanzig japanische Touristen die Straße hinunter. Hinter mir schrien junge Männerstimmen: »Ausländer raus.« Ich schaute auf die Japaner und fand es peinlich – »Ausländer raus« –, hoffte nur, dass die Japaner kein Deutsch verstünden, drehte mich nach hinten, die jungen Männer riefen weiter: »Ausländer raus.« Da verstand ich: Sie riefen diese Sätze nicht zu den Japanern, sondern zu mir. Sie schauten nicht zu den Japanern, sondern zu mir und behielten mich gemeinsam im Auge. Ich wechselte die Straßenseite, ging zu einer schönen Kirche, dem Alten Peter, sah in der Kirche einen jungen Mann, der vor einem Glaskasten betete, in dem ein Skelett lag, die hl. Munditia. Sie lag da, in dem Glaskasten, die ganzen Gebeine, die Beine, Arme, das Totengesicht, mit glänzenden Steinen geschmückt, auch aus ihren Augenhöhlen schauten zwei Steine. Sie soll aus den Katakomben in Rom stammen, und sie ist die Patronin der alleinstehenden Frauen und soll 310 nach Christus gestorben sein. Ich schaute lange auf sie, aber dann ging ich weg, setzte mich in eine Kirchenbank, sah einen ganz kleinen Mann vor mir, er las die Bibel. Ich versuchte, das Telefonat von Hedda zu vergessen, etwas anderes zu denken. Ich glaube, Jean-Luc Godard hatte gesagt: *Wenn man ein Buch liest, gibt es Augenblicke, wo man daran denkt, dass man ein Buch liest, und andere Augenblicke, wo man es vergisst.*

Der kleine Mann mit der Bibel stand auf und ging, ich auch. Wilmar wartete auf mich vor dem Pferdemetzger auf dem Viktualienmarkt. Als Wilmar und ich durch die Straßen liefen, sagte er mir: »Hast du es gemerkt, dass du dreißig, vierzig Schritte von mir wegliefst? Du liefst nicht neben mir, sondern weg von mir.« Wir gingen wieder zu dem gleichen Kino, das alle Murnau-Filme zeigte. Im Foyer sagte Wilmar: »Oh, Hedda, sie ist da mit zwei Freundinnen.«

Ich sah drei Frauen, die schauten alle auf mich. Wir gingen in den Saal. Irgendwann drehte ich mich nach hinten, eine dieser Frauen schaute auf mich. Murnaus Film *Sunrise* fing an. Als der Film zu Ende ging, gingen wir im Dunkeln weg in ein Tanzlokal.

Wir standen nebeneinander und sahen auf die Tanzenden. Hinter uns waren zwei Männer. Sie beschäftigten sich mit uns. Einer lud mich zum Tanzen ein. Ich zog meine dünne Jacke aus, hängte sie an einen Stuhl. Ich tanzte ein paar Minuten, ließ den Mann stehen, kehrte zurück, nahm meine Jacke, merkte, dass mein Portemonnaie fehlte. Ich suchte in allen Taschen, der andere Mann hinter uns zeigte auf den Boden, sagte: »Da ist Ihr Portemonnaie.« Ich hob es auf, aber da war kein Geld mehr drin. Als ich Wilmar das erzählte, kam der Mann, mit dem ich getanzt hatte, von hinten und drückte seinen Penis an meinen Po. Wilmar sagte: »Komm, wir gehen, hier wird es eng.«

Auf der Straße sagte Wilmar: »Du bist 15 Meter auf der Straße gegangen, ohne zu merken, dass ich nicht neben dir bin. Ohne mich bist du gegangen.« Wir gingen in das Jazzlokal Domicile. Sie spielten gerade »Marmor, Stein und Eisen bricht, aber unsere Liebe nicht«. Wilmar sang das Lied laut in mein rechtes Ohr. Er zeigte mir in dem Raum eine Säule, erzählte, dass der CSU-Mann von der toten Birte ihm hier seinen Penis gerieben hatte und sie sich sehr viel geküsst hatten, Penis an Penis, steif. »Oh, Schwein. Oh, ich bin zu sentimental.«

Zu Hause ging ich in den Garten. Er kam, küsste meine Haare, sagte: »Du bist so verhalten.« Er holte mich vom Garten ins Bett, sagte: »Ich hab sie gern, aber ich bin hier. Reicht es dir nicht?« Ich zog die Bettdecke über meinen Kopf. Er zündete eine Zigarette an, streichelte mir meine Haare, pustete mir seinen Atem ins Ohr, sagte: »Du bist eine schöne Seele, eine tiefe Seele.« »Lies ein paar Seiten von *Der Mann ohne Eigenschaften*.« Er las eine Stunde lang, dann standen wir auf, er gab mir die Hand, wir liefen durch die Gassen, wir rannten zusammen, dann blieben wir stehen. Ich sagte: »Lass uns nicht reden.« Als wir zurückkamen, gab ich ihm die Geschichte, die ich im Zug geschrieben hatte: »Herrmann und Leyla«. Er las sie und sagte: »Du willst leiden.« »Was soll ich tun?« Er sagte: »Hierbleiben, kämpfen.«

Hedda rief am nächsten Morgen wieder um sechs Uhr an, dann um neun, auch abends. Wilmar gab mir einen Brief, sagte: »Hier, Hedda hat ihn mir geschickt. Lies ihn.« Ich sagte: »Ich will ihn nicht lesen.« »Bitte lies.« Ich las. Sie beschrieb die Treppen einer Kirche. Dort traf sie einen gefährlichen schwarzen, großen Vogel, der mit seinen Flügeln einen Schatten über sie legte. In der Kirche traf sie neben dem Altar der hl. Maria Wilmar als Heiligen und wusch ihm seine Füße und hörte von draußen das Flügelschlagen des schwarzen Vogels. Wilmar fragte mich: »Was meint sie? Wovon redet sie? Von Liebe oder was?« Da rief Hedda an. Ich ging raus.

In der Nacht saß ich im Zimmer, sagte leise: »Ein Haus, aus dem man nicht rauskann. Steh auf, lauf. Denke, die Wälder warten auf menschliche Geräusche. Der See hat so viel

Liebe für die Körper, lass dich von ihm umarmen. Die Wolken, guck hin. Geh raus. Dann ist der Mensch frei.«

Ich schlief ein, ich träumte: Offene Türen, ein Bett wie ein Operationstisch, ich liege da. Drei Frauen unterschiedlichen Alters, zwanzig, vierzig, sechzig. Sie sind erst nett zu mir. Dann beobachten sie mich, stören mich, indem sie auf den Korridoren hin- und hergehen. Ich rufe einen Mann an, er sagt, er wird jemanden töten. Dann ruft er mich an, sagt: »Ich habe gemordet. Der Tote liegt im Haus.« Der Theaterdirektor Claus Peymann kommt, auf einer Flöte blasend. Ich bin in einem ganz engen Raum. Peymann sagt zu mir: »Du wirst drei Monate auf der Flöte üben.« Dann bin ich in einer Wüste, auf einem hohen Hügel. Still und leer. Ganz plötzlich tauchen aus vier Ecken Panzer, Offiziere, Soldaten in verschiedenen Militärkostümen mit Waffen in der Hand auf. Sie machen knallharte Bewegungen. Sie tun so, als ob sie schießen würden. In der Mitte der Wüste steht eine Hütte, das Fenster ist auf. Da ist eine Frau, vor ihr auf dem Tisch sind frische Tomaten und Pepperoni. Dann bin ich in Wilmars Zimmer. Wilmar liegt auf einem schwarzen Lederbett und liest. Über ihm hängt eine halbe Frau aus billigem Porzellan als Lampe von der Decke bis zum Bett. Die Lampe bewegt sich hin und her. Ich bin in Paris in dem Haus von Efterpi. Auf dem Tisch sind leere Teller. Ich esse einen Teller. Dann bin ich im Kosmos, wie in dem Kubrick-Film *2001*, die Farben bewegen sich. Ich muss schneller laufen als das Licht. Ich sehe Wilmar in München. Er wählt meine Nummer in Bochum, ich sitze neben ihm.

Hedda rief um Punkt sechs Uhr an. Er ging ans Telefon, ich ging aus dem Zimmer hinaus. Wilmar wollte mir seine Tagebücher zeigen, damit ich über sein Leiden Bescheid wisse.

»Wilmar, zeig sie mir nicht. Erzähl mir nichts über deine Vergangenheit. Schau, wir haben solche schönen Momente, als ob wir gemeinsam ein besonderes Bild malen würden. Ich habe Angst, wenn wir zu viel reden, werden diese Malereien kaputtgehen. Stattdessen werden sich Wörter an ihre Stelle setzen. Ich will nicht Wörtermörder werden. Ich bin wegen der Liebe in diese Stadt gekommen. Du lachst so schön in der Liebe.«

»Du meinst, wir sollten nicht reden, sondern weiter gemeinsame Momente schaffen, als ob wir zusammen ein schönes Bild malen würden?«

»Ja, bis jetzt haben wir einen lustigen Fellini-Film gespielt. Wenn wir reden, wird es ein Ingmar-Bergman-Film oder *Die Verachtung* von Godard.«

Wilmar küsste mein Gesicht viele Male hintereinander. Als das Telefon klingelte, schwitzte er auf der Stirn, ging, nahm ab, redete. Dann gingen wir raus. Er ging in die Bibliothek, ich lief wieder ziellos auf dem Viktualienmarkt herum, ging in alle Kirchen, rein und raus. Dann setzte ich mich wieder in die Kirche Alter Peter auf eine Kirchenbank. Es war schön in der Kirche, still. Eine alte, kleine, bucklige Frau lief sehr langsam von vorne nach hinten. Sie schaute auf die Erde. Dann war sie nicht mehr zu sehen. Ich machte die Augen zu und stellte mir vor, was Wilmar und ich sprechen würden, wenn wir reden würden. Es war nicht leicht, aber trotzdem stellte ich es mir vor und ließ erst Wilmar sprechen:

ER: »Ich habe kein Mitleid mit dir. Ich habe vielleicht manchmal ein schlechtes Gewissen.«

SIE: »Wann hast du ein schlechtes Gewissen?«

ER: »Du bist sehr offen auf mich zugegangen. Ich konnte manchmal nicht ganz da sein. Bei jedem Anruf strahlte Hedda große Spannung aus.«

SIE: »Du hast die Spannung zwischen ihr und dir gesteigert. Es hat dir auch Spaß gemacht, von ihr dauernd angerufen zu werden.«

ER: »Ich denke aber dabei nicht, dass ich dich opfere oder so was.«

SIE: »Für mich war unsere Beziehung eine große Chance.«

ER: »Ich habe es auch als Chance empfunden. Ich weiß nicht, wie unsere Beziehung wird, es hängt von uns beiden ab. Von unseren Haltungen, wie wir miteinander umgehen. Gibst du mir etwas Kissen?«

SIE: »Nein.«

ER: »Du willst mir also kein Kissen geben?«

SIE: »Ich habe geträumt, da war ein unheimlich großer Lastwagen. Du bist mit meinem Mantel eingestiegen. Wir sind an einer expressionistischen Wiese angekommen. Das war schön, viele Leute waren da.«

ER: »Weißt du was? Du schläfst, und ich verführe dich. Schön, komm zu mir, schön, schön.«

Dann schlafen sie ein. Wenn sie wieder wach sind, irgendwann, gehen die Wörter wieder los.

ER: »Ich habe viel nachgedacht. Ich habe nie so viel nachgedacht wie in den letzten Monaten. Ich habe gemerkt, dass ich zu Gemütlichkeit erzogen worden bin. Meine Mutter hat mich so angefasst, als ob ich etwas Zerbrechliches wäre.«

SIE: »Willst du aus deiner Haut raus?«

ER: »Ich leb so vor mich hin, bin etwas gemütlich. Hab einen sehr merkwürdigen Traum gehabt. Ich hatte ein dickes Baby, es war dick und saugte an mir. Das ist Hedda, sie hat mich immer damit angegriffen, dass ich wie ein Oberlehrer reden würde.«

SIE: »Du musst mit mehreren Frauen schlafen, deinen Körper von dem Phantom befreien.«

ER: »Wollen wir uns lieben, mir ist heiß.«
SIE: »Ist dir heiß?«
ER: »Da unten.«
SIE: »Ja.«

Ich hörte in der Kirche Schritte. Es war eine Gruppe Amerikaner in die Kirche gekommen. Ich war froh, dass diese Gruppe meine Dialogfantasien unterbrochen hatte, weil die Vorstellung von diesen Wörtern, Sätzen mich müde gemacht hatte. Ich hatte Angst, dass das Realität werden könnte. Ich lief zum Altar der hl. Maria, setzte mich ihr gegenüber hin. Die hl. Maria hieß in der Türkei Meryemana, Mutter Meryem, und sie war für uns auch eine Heilige. In meiner Kindheit gab es heilige Stätten, wo junge Frauen ihr Kerzen hinbrachten und beteten. Als Kind ging ich auch mit meiner Großmutter zu ihr, bat Mutter Meryem darum, dass sie mir in der Schule bei den Englischprüfungen helfen sollte. Meine Mutter hatte mir erzählt, dass Mutter Meryem als Jungfrau ein Kind geboren hatte, weil der Himmel das so gewollt hatte. Ich hörte auch von den Nachbartöchtern, dass, wenn ein Mann ein Mädchen umarmt, nur umarmt, auch mit Kleidern, das Mädchen schwanger werden könnte. Mich hatte in der Schule mal ein junger Mann umarmt – als ich nach Hause kam, spielte ich an diesem Tag nicht mehr mit den anderen Kindern, kletterte nicht auf den Maulbeerbaum, sondern saß vor dem Haus, dachte: Ich bin schwanger, ich muss mein Kind schützen, aber wie soll ich es meiner Mutter sagen, dass ich schwanger bin. Da half mir die Geschichte der heiligen Maria, Mutter Meryem. Ich dachte: Ich sage, dass ich wie die heilige Meryem vom Himmel schwanger bin, ohne Mann. Mutter Maria befreite mich von meiner Angst.

In der Kirche blieb ich noch eine Weile vor der hl. Maria,

ging dann hinter den Amerikanern aus der Kirche raus. Ich dachte an der Kirchentür an Buñuels Film *El ángel exterminador – Würgeengel*. Dort konnte eine Gruppe Menschen aus unerklärlichen Gründen die Kirche nicht verlassen, obwohl die Türen offen waren. Ist eine Liebesgeschichte auch eine Kirche, aus der man nicht rauskann, obwohl die Türen der Liebe auch offen sind?

Es regnete stark. Ich lief dann lange im Regen, sah die Lichter, die Menschen, den schönen Viktualienmarkt, die Marktfrauen, Weintrauben, Kirchtürme, Biergläser. Meine Tränen liefen mit dem Regen über meine Wangen. Ich hatte mich entschlossen, wegzufahren. Ich hätte sowieso bald nach Bochum zurückfahren müssen, jetzt würde ich etwas früher gehen. Ich würde nach Istanbul fahren und von dort nach Bochum. Ich dachte: Ich habe mich, seit ich aus Istanbul weg bin, sowieso daran gewöhnt, mir die Männer nur auszuleihen, mit ihnen schöne Bilder zu malen, dann loszulassen. Liebe ist loslassen, hatte jemand gesagt, aber wer, daran erinnerte ich mich nicht mehr. Ich lief, ich weinte, ich weinte, ich lief. Es war zu schön.

»Da bist du ja, gehen wir ins Kino?«

Wir gingen zu Karl Valentin. Wilmar fragte: »Liebst du Valentin?« »Ja, ich liebe Valentin. Du kennst sicher die Anekdote: Karl Valentin hatte bei einem seiner Kabarettabende in der Nazizeit seinen Zuschauern gesagt: Gut, dass Hitler nicht Kraut heißt. Sonst müssten wir ihn begrüßen mit Heil Kraut.«

Wilmar umarmte mich. Wir sprachen kein Wort, liefen auf den Straßen, wurden nass, nahmen die U-Bahn, fuhren nach Hause, zogen die nassen Kleider aus, lasen im Bett gemeinsam in dem Godard-Buch *Einführung in eine wahre Geschichte des Kinos* Godards Gespräche mit Studenten über Fritz Langs

M und Godards *Petit Soldat*. Godard sagte: *Ich finde es interessant, »M« im Zusammenhang mit »Le Petit Soldat« wiederzusehen, weil sich mir da bestimmte Fragen aufdrängen. Wie soll man herangehen an den persönlichen, unpersönlichen Faschismus?*[53]

Nachdem Wilmar das Buch zugeklappt und das Licht ausgemacht hatte, wollte ich ihm sagen, dass ich nach Istanbul fahren würde. Da klingelte das Telefon wieder bitter. Er ging hin und nahm ab. Er kam zurück, sagte: »Sie will sich mit mir treffen und reden.« Ich sagte: »Erzähl mir nichts.« Er sagte dann: »Morgen ist mein Geburtstag. Gehen wir zusammen in einen schönen Biergarten?« »Ja, wir gehen.« »Küss mich.«

Am nächsten Tag sah ich ihn und mich wie in einem Film: Sie kaufen Fahrkarten für die Frau. Stellen ihre Reisetasche in ein Schließfach. Sie fahren mit der S-Bahn zum größten Biergarten, essen gemeinsam eine Makrele, trinken Gespritzten, spazieren Hand in Hand, Kinder machen Kopfstand auf der Wiese. Sie kommen zurück zum Bahnhof, sie reden über die Ausländer, die vorbeigehen. Ob sie Türken sind? Er redet über die politische Lage in der Türkei, fragt, falls sie in der Türkei festgehalten würde, ob man nicht von Deutschland aus Druck ausüben könnte. Er bringt sie zum Zug, findet ihr Abteil. Er setzt sich in das Abteil, raucht, sie gehen wieder raus, spazieren herum, die letzten Minuten. Sie umarmen sich sehr fest. Sie steigt in den Zug. Er sagt: »Ich schreibe dir.« Der Zug fährt ab.

Ich fuhr mit einem Türken, der die Zeitung *Hürriyet* las, im gleichen Abteil. Er fragte mich, wo mein Vater geboren wurde. Ich nannte die Stadt in Kappadokien. »Ihr aus Kayseri, ob ihr es zugebt oder nicht, habt alle Armenier in der Familie.« Er schwieg und fing an, Kreuzworträtsel zu lösen. Fragte mich ab und zu nach einem Wort. Ich zeichnete, was ich durchs Fenster sah. Wilmar hatte mir das Godard-Buch und auch ein Buch von Wolfgang Koeppen geschenkt. Bis der Zug in Istanbul ankommt, werde ich sie zu Ende gelesen haben. Diese Bücher hielt ich gerne in meiner Hand, sie waren ein Teil von Wilmar. Nur noch Robert Musils Buch *Der Mann ohne Eigenschaften* fehlte hier. Gut, dass ich nicht nach Bochum fahre. Da ist die Wohnung, ich schließe die Tür auf, sehe das Bett, das Wasserglas. Gut, dass ich im Zug bin. Hab Hunger, aber es gibt kein Restaurant. Gut, indem ich etwas dünner werde, wird die Sehnsucht auch dünner. Es ist gut, im Zug zu sein. Die Bilder in dem Fenster wechseln ständig. Man kann nicht einem Bild nachtrauern. Der Mann, der Kreuzworträtsel löste, stieg aus, ich blieb allein im Abteil. Ich schlief, träumte: Ich stehe vor einem Glaskasten in der Kirche. Darin schwimmen Fische. Das Wasser steigt hoch, und die Fische fallen aus dem Wasser auf den Boden. Ich hebe die Fische auf, tue sie wieder ins Wasser. Die Fische sind tot und künstlich, handgearbeitet aus Stoff und Schmuck. Im Wasser sehe ich eine Gestalt. Ein sehr dicker Körper, wie eine Schlange, hässlich, nur dickes Fleisch. Sie hat kein Gesicht, bewegt sich im Glaskasten. Ich sehe dann Herbert Achternbusch, er gebiert ein Kind.

Als ich wach wurde, sah ich zwei Leute auf den Plätzen mir gegenüber. Eine junge Italienerin und ihren Großvater. Er schnitt von einem runden Brot ein paar Scheiben ab, gab seiner Enkelin und mir davon. Dann verteilte er an uns Parmesankäse am Stück, und mit dem Messer schnitt er von seiner Brotscheibe kleine Stücke und brachte sie mithilfe seines Messers in den Mund. Wir aßen, und der alte Mann reichte uns seine Weinflasche. Die junge italienische Frau hieß Graziella. Sie wohnte in Salzburg, der Großvater bei Florenz, und beide fuhren nach Athen. Von dort wollten sie nach Lesbos, weil Graziella ihre Doktorarbeit über die Dichterin Sappho schrieb. Sie fragte mich, woher ich komme, ich sagte rasch, ich sei Griechin. Graziella sagte: »Sie haben ein sehr griechisches Profil.«

Der Zug fuhr, die Lichter von draußen streiften unsere Gesichter. Ich hörte auf mit dem Essen: »Graziella, ich bin leider nicht Griechin. Ich schäme mich wegen des türkischen Rechtsextremisten Ağca, der 1981 in Rom auf Papst Johannes Paul II. ein Attentat verübt hat, deswegen log ich.« Graziella lachte, übersetzte ihrem Großvater, was ich gesagt hatte. Der Großvater sagte ihr etwas. Graziella sagte: »Mein Großvater sagt, er ist böse auf den Attentäter, weil er auf den Papst geschossen, ihn aber nicht erledigt hat. Mein Großvater ist Kommunist, er mag diesen Papst nicht. Er sagt, Johannes ist ein politischer Intrigant.« »Wissen Sie, Graziella, dieser Faschist Ağca hat auch 1979 den türkischen Journalisten Abdi Ipekçi ermordet, ist geschnappt worden, aber mithilfe der rechtsextremen Mafia aus dem Gefängnis abgehauen. Ipekçi liebte ich. Er recherchierte, sagt man, die Verhältnisse zwischen Rechtsextremisten und der Drogenmafia und die geheimen Taten des tiefen Staates. Ach, Graziella, schön, dass die Italiener den Faschismus hinter sich haben. Die Türken haben ihn noch vor sich.«

Der Großvater hatte sich hingelegt. Er schlief, und ab und zu sprach er im Schlaf. »Wissen Sie, Graziella, ich war, bevor ich nach Europa ging, auf einer Insel. Diese türkische Insel liegt genau gegenüber von Lesbos. Früher lebten die türkischen Griechen da, bis 1923. Dann hat man sie nach Griechenland geschickt, das nannte man Völkertausch, und die griechischen Türken aus Griechenland rübergeholt. Und dort auf dieser Insel gibt es eine sehr schöne Orthodoxkirche.

Dort habe ich Ali Kaptan kennengelernt. Er zeigte mir die Lichter von Lesbos und sagte mir: ›Dort ist Europa.‹ Ali Kaptan nannte mich Irene Papas. Er sagte mir: ›Geh nicht nach Europa, Irene Papas, bleib hier, werde meine Tochter.‹ Dort auf dieser Insel sprechen die Türken unter sich griechisch.«

»Türken und Griechen, schade, wegen schlechter Politik«, sagte Graziella. Ich sagte: »Ich denke, Türken und Griechen, das ist eine verhinderte Liebesgeschichte. Dort auf der Insel hatte ich gedacht, wenn es eines Tages zwischen den Ländern keine Grenzen mehr gibt, wird die schönste Grenzenlosigkeit die zwischen dieser Insel und der Insel Lesbos sein: das Meer. Graziella, kennen Sie Gedichte von Sappho auswendig?« »Nein, nicht ganz, nur Bruchstücke.« »Können Sie bitte eines aufsagen?« »Aber nur einen Teil von der Ode an Aphrodite«:

So dem Blitz gleich stiegest du herab und fragtest,
Sel'ge, mit unsterblichem Antlitz lächelnd:
Welch ein Gram verzehrt dir das Herz, warum doch
Riefst du mich, Sappho?[54]

»Noch etwas, bitte.«

Ich brenne und begehre:
ich verbrenne an dir.

»Noch etwas, bitte.«

Und am Sehnsucht weckenden Reiz des Mundes;
Doch mir schrickt im Busen das Herz zusammen,
Wem du nahst, beklommen versagt die Stimme
Jeglichen Laut mir.[55]

Ich wiederholte: *»Und am Sehnsucht weckenden Reiz des Mundes«.*

Graziella schaute auf mich, lächelte, sagte: *»Welch ein Gram verzehrt dir das Herz?«*

»Ich bin zu früh aus einer Liebesgeschichte oder aus einer

Begehrensgeschichte rausgegangen. Er war zu schön. Er hatte den Sehnsucht weckenden Reiz des Mundes.«

»Ach, so ist das. Sappho sagt: Hält eine Liebe an, so deswegen, weil noch etwas in uns unbefriedigt ist.« Dann machte Graziella die Augen zu, bald schlief sie ein.

Der Großvater gab mir am nächsten Tag Brot, Salami, Käse, sprach mit mir auf Italienisch. Der Zug fuhr durch jugoslawische Dörfer, ging sehr oft in Tunnels rein, schrie dann, bevor er wieder rausfuhr. Ich stand auf dem Zugkorridor, sah in einem der Häuser mit mehligem Licht eine junge Frau, die am Fenster stand und in die Nacht schaute. »Welch ein Gram verzehrt dir das Herz?«, rief ich aus dem offenen Zugfenster in ihre Richtung. Dann verschwand das Bild, nur meine Stimme hallte in dem leeren Zugkorridor. Als der Zug in Athen ankam, sagte der Großvater: »Arrivederci, bella donna.«

»Arrivederci, arrivederci, Signor Salini, arrivederci, Graziella.«

Bevor sie ausstieg, sagte Graziella: »Hier, von Sappho, für deine Reise.« Sie hatte auf einem Papier Sätze von Sapphos Gedichten aufgeschrieben. Wir umarmten uns. Ich musste auf den Zug nach Istanbul warten. Ich setzte mich in ein Café, bestellte Café grecque. Der Kellner brachte mir ihn. Dann kam er wieder, brachte ein Gebäck, fragte mich, woher ich käme. Ich wurde rot, sagte: »Aus Italien.« Er sagte: »I love Totò, I love Anna Magnani.« »I love them, too, and I love Kavafis, Seferis, poli-orea poeta. Ich kann zwei Gedichte auswendig von Kavafis.

Sie fand ich nicht wieder, die ich so schnell verlor …
Die poetischen Augen, das blasse
Gesicht … in der Straßendämmerung …
sie fand ich nicht wieder, die ich ganz zufällig gewann

und so leichthin aufgab
Und danach so angstvoll suchte.
Die poetischen Augen, das blasse Gesicht
Jene Lippen, die fand ich nicht wieder.[56]

Der Kellner schaute mich an mit leisen Augen, nickte, mit Lächeln um den Mund, ging wieder. Ich sagte mir: Wenn er zurückkommt, sage ich ihm, dass ich gelogen habe, dass ich keine Italienerin bin. Er wird sicher sagen: »Turk, Grecque, no problem. Schlechte Politik Problem.«

Der Zug von Athen nach Istanbul wartete auf dem Gleis. Ich sah ein paar türkische Menschen einsteigen, lief auf dem Bahnsteig mit langsamen Schritten, schaute in die Zugfenster hinein, hinter manchen saßen schon Menschen, ein Mann rauchte am offenen Fenster, ein anderer fotografierte ihn vom Bahnsteig. Es kamen sechs türkische Männer mit eiligen Schritten zum Zug. Mein Herz klopfte. Ich sagte: »Diese Männer steigen in diesen Zug, nur um mich zu verhaften, wenn der Zug an der Grenze in die Türkei einfährt. Der Zug wartet, dass ich einsteige, dann werden sich alle Türen gleichzeitig schließen, dann bin ich in den Händen dieses Zuges, der wird mich zu der türkischen Grenze bringen, dort ist ein Mann mit einem Schnurrbart wie ein schmutziger Schatten über seinem Mund, er nimmt meinen Pass, schaut zu lange rein, dann macht er seinen Mund auf, aus seinem Mund kommen zwei Polizisten raus, die Stimme meiner Mutter schreit: »›Mein Kind.‹«

Ich rannte im Athener Bahnhof weg von dem Zug nach Istanbul, weg, weg, ging zu dem Café zu dem griechischen Kellner, fragte ihn, wie ich auf die Insel Lesbos fahren könne. Er sagte: »Vom Hafen Piräus. Von dort gibt es jede Nacht ein Schiff nach Lesbos.« »Yassou bre pedakimu.« »Yassou, yassou turcala.«

Ich fuhr mit dem Taxi zum Hafen von Piräus. In diesem Hafen waren 1923 viele türkische Griechen, die aus der Türkei vertrieben worden waren, angekommen und hatten eine Arbeit gesucht und als Hafenlastenträger gearbeitet. Ich hatte das in Interviews mit türkischen Griechen gelesen. Manche schafften es nicht, als Lastenträger zu arbeiten, weil sie keine Kraft hatten. Sie hatten ihre Frauen und Mütter und Kinder verloren und mussten so weiterleben. Wie sollten solche Menschen als Lastenträger arbeiten? Sie trugen ihre Toten auf ihren Schultern. Ich setzte mich auf eine Bank, schaute mir die Menschen an und fing an zu weinen. Ich wusste nicht, warum ich weinte. Weil die Türkei ihre Griechen verloren hatte und mit jedem Verlust ihr eigenes kollektives Gedächtnis und ihre Erinnerungen ausgelöscht hatte und weiter ihr Gedächtnis löschte? Oder weinte ich, weil ich von Wilmar weit weg war? Oder weinte ich, weil ich vor meinem eigenen Land Angst hatte und mich vor dieser Angst nicht retten konnte? Ich hatte mich in diesen schönen Hafen von Piräus gerettet, in dem die türkischen Griechen, die 1923 alles verloren hatten, gelandet waren und als Lastenträger gearbeitet hatten und ihre Toten in den Gräbern in der Türkei lassen mussten. Sie waren hier einsam, ihre Toten in der Türkei einsam. Ich stand auf, trocknete meine Tränen, aß in einem kleinen Restaurant Okraschoten, weinte wieder, als ich in der Speisekarte las, dass Okraschoten Bamia hießen. Auf Türkisch hießen sie Bamya. Bamya war sicher ein griechisches Wort. Warum hatten die beiden Wörter Bamia und Bamya den Krieg zwischen Türken und Griechen nicht verhindert? Wenn kein Krieg gewesen wäre, hätten türkische Griechen in der Türkei und griechische Türken in Griechenland weitergelebt, und in beiden Ländern hätten sich das griechische Wort Bamia und das türkische Wort Bamya nicht getrennt, und das Ägäische Meer hätte keine Grenze. Ich trank Weißwein, suchte in der Speisekarte weiter nach gemeinsamen Wörtern. Ich fand:

Keftedes – Köfte, Bouletten

Bizeli – Bezelye, Erbsen

Boureki – Börek, Teigpastete

Patlatzani – Patlican, Aubergine

Ich bestellte ein Keftedes. Bevor das Schiff nach Lesbos fuhr, schrieb ich an Wilmar das Kavafis-Gedicht in einen Brief und schickte ihn im Hafen von Piräus ab:

Die poetischen Augen, das blasse Gesicht

Jene Lippen, die fand ich nicht wieder.

Das Schiff von Piräus kam auf Lesbos, in Mytilini, an. Als das Tau vom Schiff auf die Mole geworfen wurde und ein, zwei Männer unten am Hafen die dicken Taue an die Poller banden und das Schiff quietschend mit dem Kai zusammenkam, sah ich vom Oberdeck die türkische Insel, von der aus ich nach Europa gegangen war, in der Ferne als eine schwarze Silhouette. Ich lachte darüber, wie nahe diese beiden Inseln waren. In dieser Silhouette lief jetzt mein Freund Ali Kaptan im Hafen. Dort ist er, so nah. Mit einem schnellen Schiff bin ich von hier vielleicht in zwanzig Minuten bei ihm. Aber ich habe Angst, in die Türkei einzureisen.

Ich stieg vom Schiff. Die griechische Polizei stempelte meinen Pass, kalosorisma – welcome to Lesbos. Ich spazierte in den Gassen von Mytilini, sah eine sehr schöne Orthodoxkirche, vor ihr standen sehr viele Leute in einer Schlange. Alle weinten, alle trugen schwarze Anzüge, sie weinten so aus den Herzen, da dachte ich: Wer ist tot, wer ist gestorben, vielleicht ein Kind? Ich stellte mich auch in die Schlange. Die Menschen gingen in die Kirche hinein. Kurz darauf kamen sie wieder mit Tränen in den Augen heraus. Als ich in die Kirche eintrat, sah ich erst die Familie der Toten. Im Inneren der Kirche lag auf einer Bahre eine sehr alte tote Frau. Ihre weißen Haare waren nach hinten gekämmt und zu einem kleinen Knoten gebunden. Die, die vor mir gingen, küssten der Toten ihre Hand, dann küssten sie eine Ikone, die neben der toten Frau stand. Ich machte es genauso wie sie. Ich küsste der toten Frau ihre Hand, dachte: Diese Frau war bestimmt eine türkische Griechin. Sie war vielleicht, als sie mit ihren Eltern die Türkei verlassen musste, eine junge Frau, vielleicht fünfzehn oder achtzehn. Ich küsste ihre Hand ein zweites Mal. Dann küsste ich die Marienikone, lief weiter. Als ich an der Familie der Toten vorbeiging und etwas sagen musste, so wie die anderen, konnte ich kein Wort sagen. Ich weinte und grüßte sie leicht mit dem Kopf, ging aus der Kirche hinaus, schaute ein letztes Mal in Richtung der toten alten Frau, suchte ein Taxi, versuchte, dem Taxifahrer zu sagen: Bringen Sie mich zu einem Dorf, wo die Griechen wohnen, die aus der Türkei 1923 hierher vertrieben worden sind. Der Taxifahrer verstand kein Englisch, fragte mich auf Türkisch: »Türk müsün? Bist du Türkin?« Ich sagte: »Ja, evet, evet. Lütfen beni türkiyeden 1923 de buraya ...« Der Taxifahrer weinte plötzlich, sagte: »Du erinnerst mich an meine tote Mutter. Sie wurde auch aus der Türkei hierher geschickt. Als sie hierherkam, konnte sie nicht mal Griechisch, sie sprach mit mir immer türkisch.«

Er fuhr mich zu einem Bergdorf, zu einem wunderschönen Dorfplatz. Über den ganzen schmalen Platz hingen Äste und Zweige eines Baums und bildeten ein Dach aus Blättern gegen die starke Sonne. Darunter war es dunkel und kühl. Die Tavernen hatten ihre Tische unter dieses Blätter- und Ästedach gestellt. Dort aßen, tranken die Menschen. Der Taxifahrer und ich setzten uns dazu, sprachen türkisch, und irgendwann kam eine bucklige alte Frau vor der Taverne vorbei, sprach mit dem Besitzer. Der Taxifahrer sagte: »Schau, diese Frau ist von der türkischen Insel, von der du geredet hast. Sie kam als Kind hierher mit ihren Eltern. Meine Mutter kannte sie. Sie kennt sich sehr gut mit Kräutern aus.«

Ich schaute mir die bucklige Frau an, dachte: Bevor sie in die Emigration ging, ist sie sicher jede Woche als Kind mit ihren Eltern in der Orthodoxkirche gewesen, dort hat sie für Maria Kerzen hingebracht und sie angezündet an einer schon brennenden Kerze, und die Fresken in dieser Orthodoxkirche waren damals noch nicht kaputtgemacht. Giovanni, so hieß der Taxifahrer, sagte: »Üzülmeyelim gel üzülmeyelim – lass uns nicht traurig werden, nicht traurig werden.«

Als er mich wieder zum Hafen zurückfuhr, umarmten wir uns. Dann fuhr er weg, und ich schaute hinter ihm her. Wie von der buckligen alten Frau waren auch die Gräber seiner Großeltern in der Türkei zurückgeblieben. Wenn die Menschen Flüchtlinge werden, sind nicht nur sie, sondern auch ihre Toten davon betroffen. Der eine muss gehen, der andere muss bleiben. Aber das Herz des Gehenden bleibt auch beim Bleibenden. Was passiert mit dem Herz?

Ich lief zum Hafen und setzte mich in ein Café, von wo aus ich die türkische Silhouette sehen konnte. Wenn ich jetzt von hier, gerade hier, wo eine Kaffeetasse vor mir steht, die Stimmen der Türkei hören könnte, was könnte ich dann hören? Ja, was könnte ich hören? Was, was, das Wort was – was, was, was. Es klang in meinen Ohren, ich hörte nur meine Stimme mit Echo. Was, was. Die Leute im Café tranken ihren Café frappé, die Eisstücke drehten sich in ihren langen Gläsern, ich hörte aber ihre Geräusche nicht, hörte nur meine Stimme. Ich sagte mir: Die Silhouette des anderen Ufers, die Insel auf der Seite der Türkei, stört mich. Diese Silhouette bringt mich zum Schwanken zwischen Hingehen oder hier auf der Seite von Europa bleiben, den Kaffee zu Ende trinken, dann gehen, in Richtung Zug, um nach Deutschland zu fahren. Ich hörte mein Lachen mit Echo. Mein Lachen gab verzweifelte Geräusche von sich, schnalzte mit der Zunge, tschk, tschk, tschk. Dann flüsterte es mir zu: »Gut, dass kein anderer dich gehört hat, du befindest dich hier auf Lesbos, das eine Insel ist, die Züge fahren hier nicht. Es gibt keinen Zug, hat nie einen gegeben, niemals wird es hier einen Zug geben, aber es braucht nicht viel Mut, hier zu leben, sich unter einen Baum zu legen, die Arme nach hinten zu schlagen, der Himmel ist schon auf dem Weg in die schöne Nacht auf der Insel auf der türkischen Seite. Willst du zum türkischen Ufer gehen, dir dort die Vorwürfe von Mosquito oder den Krähen wieder anhören, erinnerst du dich, du bliebst damals dort, in Bäcker Osmans Haus, die ganze Nacht wach, der Mond stand ganz nah, mit seinem großen Gesicht sah er aus, als ob er das Licht der Schlaflosen wäre, das mit der Stimme eines Gedichts die unruhigen Nachtwände zu beruhigen versuchte. Du sagtest: ›Ich werde das Land verlassen, nach Europa gehen, still wandern auf den fremden Gassen‹, und dann sagte die eine Wand: ›Gut, sieh nur hin, wohlan, hetz dich ab, wohlan, wie ein schneller Hund, renn hin zu diesem Europa.‹ Hatte die andere Wand nicht gesagt: ›Dort werden alle deine gutherzigen Kindheitsvögel raus aus deinem Mund hierher zurückfliegen, in jedem Schnabel die Liebe, die Liebesquellen deiner Kindheit, so werden sie dich verlassen, dich in der Fremde mit schwarzen Gefühlen zurücklassen?‹ Und war da nicht auch ein Mosquito, und hatte er denn nicht, als du sagtest: ›Hier ist die Zeit zu dunkel, ich kann nach Europa gehen und eines Tages wieder nach Istanbul zurückkehren‹, gesagt: ›Wenn du auch zurückkehrst in einer düsteren Nacht, wird dein Gewissen vor dir in deiner Stadt Istanbul heimlich in eine Bucht fahren, ein aus bösen Schuldgefühlen gebautes Piratenschiff, und listig auf dich warten. Du wirst in der Fremde zu einem Niemand schrumpfen.‹ Und hatte der Mosquito nicht auch gesagt: ›Die Deutschen trieben das Osmanische Reich im Ersten Weltkrieg in den Ruin, hetz dich und renn zu den Kolonialisten?‹«

»Ich erinnere mich«, sagte ich leise, damit die Leute im Café meine Stimme nicht hörten und ihre Aufmerksamkeit auf mich richteten. »Ja, ich weiß, finde aber nicht, dass die Wände und der Mosquito Recht haben. Sie sprachen mit mir zu nationalistisch. Mir hat keiner in Europa was angetan. Ich denke wie der jüdische Regisseur Peter Zadek. Er sagte, die Deutschen sind nicht eifersüchtig, wenn sie merken, dass einer ein guter Künstler ist, unterstützen sie ihn, bieten ihm Chancen.« Ich sagte weiter: »Wenn die Deutschen im Ersten Weltkrieg das Osmanische Reich in den Ruin treiben wollten, war daran auch das Osmanische Reich schuld, seine nazistischen Faschisten Enver-Cemal-Talât-Pascha. Warum mussten sie denn in den Krieg? Aber typisch für die Türkei, manche dort sind neidisch auf die Aufklärung und die Industrie in Europa, dann werden Kleider angezogen aus Komplexen und Neid, und sie reden an gegen Europa. Wenn in Europa gehetzt wird, hetzen auch manche Türken. Schweig Stimme, sonst kotze ich noch hier.«

Die Stimme aber machte seelenruhig weiter: »Aber als du sagtest: ›Aber ich werde dort auch Schauspielerin, warum sollte es mir in Europa anders gehen als hier, ich spiele hier Rollen, dort auch Rollen, Ophelia hier, Ophelia dort‹, du weißt, da haben die Krähen keine Zeit verloren, dir zu antworten, sie sagten: ›Wenn du gehst, gehst du hier als Ophelia fort und kommst dort in Deutschland als Putzfrau an.‹ Du hattest geantwortet: ›Krähen, ihr spottet meiner, meine Tränen zu locken, dieser Gedanke, ich als Putzfrau, ich glaube eine Schlange beißt mein Herz.‹ Die Krähen wiederum sprachen weiter, sagten: ›Auf einer deutschen Bühne ist eine türkische Frau eine türkische Frau, und eine türkische Frau ist eine Putzfrau. Du kannst in Deutschland am Theater nur als Putzfrau Karriere machen. Im ersten Stück bist du eine Putzfrau, bückst dich und putzt mit dem Eimer, im nächsten Stück kriegst du vielleicht eine Bohnermaschine. Da hast du schon die hohe Karriere vom Eimer zur Bohnermaschine.‹«

»Du irrst dich, Stimme«, sagte ich rasch. »Mich hat keiner gezwungen zur Putzfrauenrolle. Ich habe mich selbst in Stücke als Putzfrau geschlichen, ich, allein ich. Es hat mir auch Spaß gemacht, auch den anderen. Ist Putzfrau keine Rolle? Glaubst du, dass es anders ist, diese Rolle zu spielen als Ophelia? Oder redest du hier von einer unteren und einer oberen Klasse von Frauen? Ja, du redest von Klassen. Ich habe sogar an der Frankfurter Oper in Strawinskys Stück *The Rake's Progress – Der Wüstling* eine Putzfrau gespielt, mit einer Bohnermaschine. Sie musste leise sein, die Sänger sangen ja. Bei der ersten Probe glaubten die Orchestermusiker ihren Augen nicht, als sie mich sahen, standen von ihren Plätzen auf mit ihren Instrumenten in der Hand und schauten auf mich. Nach der Probe kam ein türkischer Bühnenarbeiter, erzählte mir in gebrochenem Türkisch, hier Opernbühne, nix putzen hier, putzen nach Probe. Der Regisseur musste aufklären, dass es eine Rolle war. In der Premiere sah mich die berühmte Opernregisseurin Ruth Berghaus, fragte, ob ich in der Berlioz-Oper *Die Trojaner*, die sie inszenierte, die Rolle der Andromache spielen wolle. Die Putzfrauenrolle hat mich zur Andromache gebracht. Ein anderer Regisseur hat mich gefragt, ob ich in einem Brechtstück bei ihm spielen wolle. Deswegen schweig, Stimme, mit deiner Putzfrauen- und Mosquitowahrsagerei und so weiter«, sagte ich und fühlte einen Schmerz an meinem Fuß. Jemand hatte die Cafétür aufgemacht, und die kühle Luft drang ins Café und über mein Gesicht. Ich sagte wieder rasch: »Wenn ich hier sitze und auf die Silhouette von der türkischen Insel schaue, dann nur deswegen, weil ich nach meiner Mutter, meinem Vater und meinen Dichterfreunden aus Istanbul Sehnsucht habe, und die Angst will ich loswerden vorm Hinfahren. Ja, warum stehe ich denn nicht auf, ich kann nicht den ganzen Tag über die leere Hafenstraße von Lesbos schauen, dann den Blick von der Straße zum Himmel richten.«

»Geh doch, geh doch«, sagte die Stimme.

»Ja, warum denn nicht?«, sagte ich.

»Ja, warum stehst du denn eigentlich nicht auf und gehst ans Meer, du liefst damals hinter dem kleinen Seeigel von der türkischen Insel auf dem Meer bis hierher und weiter, weiter nach Jugoslawien, bis Berlin. Sag mal, hast du Liebeskummer wegen Wilmar?«, fragte mich die Stimme.

»Ja, habe ich sicher auch, aber auch Liebeskummer wegen meiner Mutter und meinem Vater. Ich habe ihre Körper schon lange verloren. Meine Mutter und mein Vater sind zu einer Stimme geworden, nur am Telefon, keine Körper, nur eine Stimme.«

»Du gehst also, um die Körper zu finden? Aber hast du keine Angst«, sagte die Stimme, lachte dann ungezogen, wartete auf meine Antwort.

»Natürlich«, sagte ich und stand allein auf, ohne diese Stimme, die mir an diesem Tisch manchmal starke Schmerzen zugefügt hatte. Bevor ich ging, schaute ich streng in Richtung des Tisches. Er war leer. Der Kellner räumte gerade die Kaffeetasse ab, und das Geld, das ich dagelassen hatte, tat er in sein Kellnerportemonnaie. Das Rechnungspapier zerriss er, steckte es in einen Aschenbecher, nahm ihn auch mit, lief zur Theke. Ich machte die Cafétür auf, sagte: »Die Angst, die will ich auf dieser Reise verlieren.«

Plötzlich hörte ich wieder die Stimme. Sie sagte: »Ah, du denkst, du kannst die Angst vor der Türkei einfach verlieren, so wie du die Angst vor Schlangen, die in deinen Träumen manchmal erscheinen, einfach verlierst, wenn du wieder wach bist. Die Angst ist aber keine Schlange im Traum«, sagte die Stimme streng und kam noch mit. Ich überlegte, in eine Seitengasse einzubiegen.

»Du kannst gehen.«

»Aber dann?«, fragte die Stimme.

»Kein dann.«

Mein Fuß schmerzte so, dass ich beinah lieber in ein Hotel gegangen wäre, anstatt am Hafen und am Meer entlangzulaufen. Es wäre auch nicht schlecht, im Hotel das Bild, das im Zimmer hing, falls es schief hing, zurechtzurücken, die Tischlampe anzuknipsen, im Bett zu liegen, lange auf das Bild zu schauen. Ich schüttelte meinen Kopf, lief schneller, nahm meine Reisetasche von der rechten Schulter auf die linke, sagte immer wieder: »Ich gehe jetzt, ich werde auf der Insel auf der türkischen Seite ankommen, Ali Kaptan suchen, mit ihm Wein trinken, bei Bäcker Osman wohnen, seinen hinkenden Sohn Saadettin sehen. Er wird die Lampe im Korridor an- und ausknipsen, und wenn die Glühbirne angeht, wird er sagen: Edison.«

Ich war am Meer an eine Stelle gekommen, wo das Wasser bis zu meinen Knien reichte. Ich dachte: Ob meine Mutter weiter die Nachrichten von den Getöteten in der Türkei aus den Zeitungen ausreißt, sie dann in einem Schuhkarton sammelt? Ja, wenn all diese Toten plötzlich hier am Ägäischen Meer zwischen den türkischen Inseln und der Insel Lesbos schwimmen würden, wie sähe dieses schöne salzige Meer aus, gäbe es denn leere Stellen, oder wäre alles voll mit Toten?

Am Horizont lag ein dünner Dunst über dem Meer. Langsam verschwand die Trennungslinie zwischen dem Himmel und dem Meer. Ich konnte nicht sehen, ob das Meer jetzt den Himmel in sich hineinzog oder der Himmel das Meer. Genau wo ich stand und das Meer betrachtete, stieß etwas an meinen Fuß. Ich schaute hinunter und sah einen Seeigel, den Ali Kaptan Meereskastanie genannt hatte. Der Seeigel lief in Richtung der türkischen Insel, ich zögerte ein paar Sekunden, hustete dann, lief über das Meer hinter ihm her. Wenn er schneller lief, wurde ich auch schneller, wenn er stehen blieb, blieb ich auch stehen. Der Seeigel wechselte andauernd seinen Gehrhythmus, es war nicht schwer, ihn nachzumachen. Ich lief und merkte, dass das Meereswasser etwas kühler wurde. Da duckte sich der Seeigel, blieb regungslos, eine Weile blieb er so, dann machte er nach hinten eine Bewegung, als ob er zurück in Richtung Lesbos laufen wollte. Dann aber zog ihn etwas hinunter, ich sah ihn nicht mehr. »Wo bist du?«, rief ich, »wo bist du, ich habe geglaubt, du würdest mit mir zu der türkischen Insel laufen. Komm hoch, du wirst mir den Weg zeigen!«

Genau in diesem Moment zog mich das Meer, wie es den kleinen Seeigel hinuntergezogen hatte, runter. Ich wollte mich wieder hochziehen, es glückte mir nicht. Das Meer zog mich weiter runter, tiefer und tiefer. Dann war ich am Meeresboden. Da sah ich den kleinen Seeigel wieder. Das sollte mich nicht daran hindern, nach Hause zu gehen: Dann werde ich eben auf dem Meeresboden in die Richtung der türkischen Insel laufen. Ich kann sogar ohne polizeiliche Kontrolle ins Land reinkommen.

Unten am Meeresboden war es sehr still, schön. Ich hörte nur manchmal ein oben auf dem Meer fahrendes Fischermotorboot. Dann entfernte sich das Geräusch. Der Seeigel lief wieder vor mir. Er zeigt mir bestimmt die Richtung nach Hause, dachte ich, und ich bin sehr wach. Bin ich wirklich wach? Ich schlug mir am Meeresgrund ein paar Mal ins Gesicht, zwickte mich in den Arm. »Du bist wach«, sagte ich und lief weiter. Wie viel Zeit vergangen war, wusste ich nicht. Ich hatte weder Hunger bekommen, noch war ich müde. Manchmal sah ich große Fische, die hinter den kleinen schwammen, ich war mir nicht sicher, ob sie mich bemerkten oder nicht. Es kam mir vor, als ob sie mich nicht sähen. Aber sicher sehen sie dich, denk nicht solche unmöglichen Sachen. Wie du sie siehst, sehen sie dich auch, sagte ich mir. Dann sah ich eine Hose, die sich am Meeresgrund mit dem Wasser hin- und herbewegte. Aus der Tasche der Hose hing eine dünne, billige Kette, an die manche Menschen ihre Taschenuhr hängen – die Uhr in die Hosentasche stecken, die Kette draußen zwischen Hosenlasche und Tasche hängen lassen, einen letzten Blick in den Spiegel werfen, schön, die Tür aufmachen und auf die Straße gehen. Ich bückte mich auf den Meeresgrund, befreite die Hose von den Algen, die sich um die Hose gewickelt hatten, nahm die Hose über meinen linken Arm, lief weiter. Die Hose hatte einen sehr dünnen Stoff. Er war dunkelgrau, und ein Saum vom linken Bein war aufgegangen, hing einfach etwas herunter. Da ich so beschäftigt mit dem Hosensaum war, sah ich zuerst nicht, dass in der Ferne am Meeresgrund andere Hosen oder Jacken sich in dem Wasser hin- und herdrehten. Als ich sie sah, ging mir der Atem aus, dazu fuhr gerade noch ein großes Schiff oben auf der Meeresoberfläche, seine Maschinen lärmten im gesamten Meer und am Meeresboden. Das Schiff war weit weg, oben, ich sah es nicht, aber der Lärm bedeckte den ganzen Meeresboden, und alle diese Hosen, Jacken, Röcke, Kinderjacken bewegten sich noch rascher an ihren Plätzen hin und her. Manche schwammen nach oben, als ob der Maschinenlärm sie höher ziehen würde. Manche Kleider klebten sich an meinen Körper und Kopf, sodass ich sie mit meinen Händen wegziehen und mich befreien musste, um meinen Weg zu sehen. Mir war bewusst, dass ich mir eine klare Sicht verschaffen sollte. Genau in diesem Moment stieß ich auf etwas Hartes, sodass ich stolperte und auf den Meeresgrund fiel. »Was ist das, was ist das?«, murmelte meine Stimme und bekam durch das Meerwasser ein komisches Echo, als ob ich ein billiges, schlecht funktionierendes Mikrofon vor meinem Mund hätte. Ich blieb neben diesem harten Gegenstand, der mich zum Stolpern gebracht hatte, sitzen. Weil ich da saß, sah ich, dass der kleine Seeigel auch vor meinen Füßen stehen blieb.

»Seeigel, Seeigel, ich bin nicht ermüdet, hoffe nur, dass du auch noch laufen kannst. Du wirst mich zu der türkischen Insel führen.« Der Seeigel bewegte kurz seine braunen Nadeln hin und her. Ich dachte, er sagt ja, alles in Ordnung. Ich ertastete den harten Gegenstand, es war eine billige Tasche, die aber vollgestopft war, sodass am Reißverschluss an manchen Stellen die Nähte geplatzt waren. Ich versuchte, den Reißverschluss zu betätigen, aufzuziehen. Es war keine leichte Sache. Der Reißverschluss zögerte, ließ sich nicht ziehen. Während ich immer und immer wieder daran zu ziehen versuchte, hörte ich wieder ein Schiff oder ein großes

Motorboot weit oben auf der Meeresoberfläche genau über uns fahren. Dann hörte ich Geschrei, dachte ich. Aber dann war es wieder still. Vielleicht hatte ich mich nur getäuscht. Der Seeigel bewegte seine braunen Beine jetzt noch schneller hin und her. Vielleicht wollte er mich fragen: Wie lange willst du hier sitzen, wir müssen weiter, steh auf, aufstehen. Ich hob mich hoch und lief hinter ihm weiter. Die dunkelgraue Stoffhose behielt ich weiter auf meinem linken Arm.

»Was für eine hübsche Farbe haben deine Stacheln, Seeigel«, rief ich ihm zu. Er lief zurück, kam bis zu meinen Füßen, wartete dort reglos, als wolle er sich neben meinen Füßen festnageln. »Was hast du«, rief ich, »was?« Er bewegte sich nicht. »Es liegt dir also gar nicht viel am Weitergehen«, sagte ich, »mein Wunsch, mit dir weiterzugehen, besteht.« Der Seeigel blieb weiter regungslos. Ich lief ein paar Schritte voraus, schaute hinter mich, er würde sicher auch anfangen zu laufen, hatte ich gedacht, nein, er blieb da, wo er stand. Ich lief ein paar Mal um ihn rum, plätscherte im Wasser über seinen Stacheln, er rührte sich nicht. »Ich schäme mich so erbärmlich, deine Sprache nicht zu können, Seeigel, bitte erbarme dich, komm, lass uns weitermachen, ich will weiter.« Ein Männerhemd mit langen Ärmeln schwamm zuerst weit weg, dann drehte es sich im Wasser und schwamm gezielt in meine Richtung, kam bis zu mir, wickelte sich um meinen linken Arm, auf dem ich die dunkelgraue Hose trug, und zog mich im Wasser weiter nach vorn. »Lass meinen Arm los«, sagte ich, »wenn du willst, trage ich dich mit der Hose zusammen, lass aber bitte meinen Arm los, zieh mich nicht nach vorne. Ich muss bei dem Seeigel bleiben, er ist mein einziges Glück. Er wird mich zu Mutter, Vater, Bruder, Freunden bringen, bitte, ich will nur nach Hause gehen, diese Menschen sind seit Jahren nur zu einer Stimme geworden, ich will wieder ihre Körper finden. Dazu habe ich noch Liebeskummer. Erbarme dich meiner.« Nein, das Hemd hörte mir nicht zu, blieb nur kurz stehen, wenn am Meeresboden ein Schuh oder ein Rock oder ein Tuch oder ein T-Shirt lag. Ich sammelte all diese Sachen ein. Meine Arme und Hände waren bald voller Kleider und Schuhe. Das Hemd mit den langen Ärmeln zog mich und all diese Sachen hinter sich her. Allmählich wurden der Meeresboden und das Wasser dunkler. Die Nacht war angekommen. Es gab nur etwas Licht in der Ferne. »Woher kommt dieses Licht?« Es quälte mich, dass ich nicht den Seeigel bei mir hatte, sondern ein herrenloses Männerhemd mich zwang, weiter-, weiterzulaufen. Es lief und zog mich in Richtung dieses kleinen Lichtes. Das dunkle Wasser strengte mich an, ihm in seinem Tempo zu folgen. »Hemd, ich erwarte aber einen guten Ausgang, auch wenn ich mich von dir nicht befreien kann«, schrie ich.

Plötzlich zog jemand oder etwas all diese Kleider und Hosen und Schuhe und die graue Stoffhose mit der Uhrkette aus meinen Armen und Händen weg. Es schien, als hielte er sie jetzt in seinen Armen, aber ich sah durch diese vielen Kleider keine Gestalt. Eine Stimme sagte: »Es liegt mir ernstlich daran, Sie zu befreien. Haben Sie auf Ihrer Route mehr von diesen Kleidern, Hosen, Schuhen gesehen?«

»Nein, nein«, antwortete ich, »vielleicht doch, aber mehr konnte ich nicht tragen, ist das denn wichtig gewesen?«

»Ziemlich wichtig. Die Sachen gehören hierher.«

»Was meinen Sie mit hierher, was ist hier, was ist dieses Licht dort?«

»Sie kamen hierher, hoffentlich nicht in der Hoffnung auf einen guten Ausgang.«

»Ja, hab mir erlaubt, so etwas zu denken«, sagte ich.

»Es gibt keinen Ausgang. Sie sind einfach falsch hier. Hier dürfen Sie nicht weitergehen, nicht mal sein!«

»Was Sie sagen, klingt ja unglaubwürdig. Hier ist das Meer zwischen Griechenland und der Türkei. Wieso darf ich hier nicht weitergehen«, fragte ich etwas nervös.

»Um mit Lebenden wie Ihnen mich auf ein Gespräch einzulassen, habe ich keine Zeit. Aber ich hab irgendwie Mitleid mit Ihnen. Fragen Sie, wenn Sie noch eine Frage haben, dann gehen Sie gefälligst«, sagte ungeduldig die Stimme.

»Gehen, wohin soll ich denn gehen? Mein Weg führt strikt gerade weiter. Sie sagen aber, das darf ich nicht.«

Plötzlich duzte die Stimme mich: »Noch mal. Du Mensch. Hier, dieser Ort, ist deiner Zeit voraus. Du musst zurück in deine Zeit, deine Zeit ist noch IN DER PAUSE DER HÖLLE, du hast selber gesagt, die Hölle hat in Europa eine Pause gemacht, du musst zurück in diese Zeit IN DER PAUSE DER HÖLLE. Hier ist die Höllenpause zu Ende.«

Ich blieb stumm und versuchte, die Gestalt dieser Stimme zu sehen, aber es war mir unmöglich. Die Kleidungsstücke, die jemand vorhin meinen Armen abgenommen, so meine Arme und Hände befreit hatte, hingen jetzt alle zusammen in einem Klumpen im Wasser, bewegten sich ganz ruhig. Ich tastete in der Kleidermasse, ob ich dahinter zwei Hände, Schultern, einen Kopf finden könnte, aber ich fasste nur in Kleidungsstücke.

Plötzlich sagte die Stimme: »Mensch, geh weg, ich habe keine Zeit zu verlieren, ich muss die Kleidungsstücke zu ihren Orten zurückbringen. Geh zurück zu den Orten, die sich IN DER PAUSE DER HÖLLE befinden. Geh, leb wohl. Du musst diese Zeit zurückdrehen.

Die Kleidungsstücke, ineinandergewickelt, bewegten sich nach vorne. Mit dieser Bewegung wurde auch das Meer etwas heller. Ich versuchte, einen Schritt nach vorne zu machen, es war mir unmöglich. Ich strengte mich wieder an, zu gehen oder zu sehen, was da vorne, wohin sich die Kleidungsstücke von mir mehr und mehr entfernt hatten, war. Ja, da war was. Ich machte die Augen zu, dann wieder auf, dachte: Da sind Menschen. Es liegen da Menschen. Sind sie denn tot, sie liegen alle da. Kinder, Frauen, Männer, warum liegen sie alle da? Das Meer bewegt ihre Haare nach hinten. Nur die Haare, die Haare bewegen sich im Wasser. Die Arme der Menschen, Beine der Menschen bewegen sich nicht. Nur die Haare, ihre Haare. Das Wasser macht das. Ich versuchte noch einmal, in Richtung dieses Ortes zu laufen, wo der Tang und die Algen sich an diesen liegenden Gestalten anhielten. Neben ihnen lagen Rettungswesten, deren Schnüre sich auch mit dem Wasser bewegten. Ich sah auch kaputte Schlauchboote etwas entfernt von ihnen. In diesem Moment warf das Wasser mich kräftig nach hinten. Es war wie ein Kampf zwischen mir und dem Meer. Ich konnte das Wasser nicht nach vorne schieben, aber das Wasser schob mich nach hinten, weiter und weiter. Ich konnte mich nicht aus den Armen des Wassers retten. Es schob mich, und mein Körper ging nach hinten, wie von einem dicken Seil gezogen. Plötzlich hörte ich eine Stimme. Sie fragte mich: »Wollen Sie noch einen Kaffee?«

Der Kellner vom Café nahm seinen Lappen von seiner Schulter, ging damit einmal über den Tisch, nahm meine leere Kaffeetasse in die Hand, wartete, ich sagte: »Ja, noch einen Kaffee bitte.« Dann hörte ich wieder die Geräusche der sich in dem Café frappé drehenden Eisstücke der anderen Gäste auf den anderen Tischen. Der Kellner brachte einen neuen Kaffee. Draußen auf dem Meer fuhr gerade ein großes Fischerboot, in dem drei Fischer runtergebückt mit ihren Netzen beschäftigt waren. Das Boot fuhr nach links. Ich trank meinen Kaffee. Als ich den Kellner fragte: »Sorry, wo ist der Friedhof von Mytilini Lesbos?«, schrieb er mir die Adresse auf. Ich las das Wort Saint Panteleimon. »Können Sie mir ein Taxi rufen?«

Aus dem Taxi sah ich am Meer entlang auf der anderen Seite die Silhouette der türkischen Insel. Von dem Taxifahrer erfuhr ich, dass ein Teil des Friedhofs, zu dem ich fuhr, für arme Griechen gebaut worden war, die für ein Begräbnis kein Geld hatten. Am Friedhof war es sehr ruhig. Sehr viele Blumen standen auf den Gräbern. Ich hörte nur die Stimme des Windes. War das ein Lodoswind oder ein Poyrazwind? Oder vielleicht der Imbatwind? Ich lief zwischen den Grabsteinen rum. Wahrscheinlich sind auch viele Tote hier, die 1923 die Türkei verlassen mussten und hier in Lesbos gestorben sind. Deswegen las ich ihre Geburtsdaten. Ja, diese Frau Anna, die kann vom türkischen Ufer und mit einem Schiff nach Lesbos getragen worden sein, von der Insel, wo Ali Kaptan jetzt lebt. Ali Kaptan musste Lesbos auch als Kind verlassen und auf einem Schiff zum anderen Ufer getragen werden. Wie Anna. Und beide, Anna und Ali Kaptan, mussten sich von ihren Toten trennen, als sie auf die Schiffe gingen. Ich lernte ein paar Namen der Toten auswendig: Apanhi, Elema, Lisias, Aikaterini, Vasiliki, Stavroula, Apostolos, Avraam, Sotiris.

Ich blieb lange vor den Fotos der Toten stehen. Nicht auf jedem Grabstein gab es ein Foto. Ich freute mich, wenn es auf manchen Fotos gab. Auf einem saß ein Mann mit dem Rücken zu der Kamera und hatte seinen Kopf nach hinten gedreht und lächelte zu dem Fotografen. Der Wind bewegte die Blumen auf seinem Grab. Ich fasste den kleinen Tannenbaum an, der neben seinem Grabstein eingepflanzt war. Ich roch dann an meiner Hand, es roch nach Tanne. Dann lief ich, meine Hand vor meiner Nase, aus dem Friedhof raus. Da war ein großes, leeres Feld, und daneben sah ich einen Olivenhain. Dreißig, fünfunddreißig Jahre später wird es am Rande dieses griechischen Armenfriedhofs Gräber für Flüchtlinge geben. Die Flüchtlinge, die im Meer zwischen der Türkei und Griechenland ertrinken und gefunden werden, werden hier begraben. Der Wind wehte weiter und schlug meine Haare nach hinten. Ich dachte, das ist ein Poyrazwind. Als ich zurück zum Hafen kam, sah ich wieder die Silhouette vom türkischen Ufer. »Ich glaube, der Wind, der weht, ist der Poyraz«, wiederholte ich. Ich hatte damals auf der Insel den Poyraz erlebt. Wenn der Poyraz aus den Bergen wehte, fegte er alles nach vorne in Richtung Meer. Die Haare der Fischer flogen nach vorne Richtung Meer, und die Kleider der Fischerfrauen klebten sich an ihre Körper nach vorne, sodass ihre Popos und Beine von hinten – wie von Bildhauern modelliert – auf den Gassen zu sehen waren.

Am Hafen kaufte ich für das Schiff nach Athen ein Ticket, blieb bis zur Abfahrtszeit auf einem Stuhl, der, besitzerlos, einfach auf der Straße stand. Vorher kaufte ich einen Retsina und ein Sandwich, schaute auf die Silhouette des anderen Ufers, die sich durch die Nacht und den Dunst, den Dunst vom Meer, langsam unsichtbar machte. In Athen nahm ich am nächsten Tag den Zug nach Deutschland, nach Bochum.

Als der Zug in München ankam, musste ich mich an meinem Sitzplatz festhalten. Ich suchte in meiner Tasche den Text, den ich, als ich von Bochum nach München gefahren war, im Zug geschrieben hatte, »Herrmann und Leyla«, in dem Leyla zu ihrem Geliebten, den sie nur eine Nacht gesehen hatte, fährt, aber, als der Zug in München ankommt, aus Angst, dass durch die Wörter die Liebe kaputtgehen könnte, nicht aussteigt. Die Geschichte hatte mir beim Hinfahren schon geflüstert, was da passieren würde.

Der Zug verließ langsam den Bahnhof. Gut, dass mein Herz keine Beine hat, sonst würde es hier aussteigen, zu Wilmar fahren, unterm Birnenbaum stehen, ins Zimmer rufen: *Komm in den Garten, Geliebter, es ist nicht mehr so heiß.*

Ich habe noch steile Wege zu klettern in den einsamen Bergen, dachte ich und ging ins Zugrestaurant.

Irgendwann setzte sich ein Mann mir gegenüber. Er war von Beruf Zugführer, seine größte Angst war es, dass ein Mensch sich vor seinen Zug wirft.

»Haben Sie das schon einmal erlebt?«

»Ja, schon zweimal. Ich musste zum Psychiater«, sagte er, trank seinen Kaffee und ging.

Der Zug kam in Bochum an. Als ich aus dem Bahnhof rausging, kam mir die Stadt arm und grau vor nach Lesbos und München. Ich lief am Theater vorbei, hatte Angst, nach Hause zu gehen, ging ins Theater, hoch in die letzte Etage, da gab es einen Raum, in dem ein Fernseher war. Ich sah einen Dokumentarfilm: Ein schwarzer junger Mann in Amerika sitzt in seiner Todeszelle. Bevor er zum elektrischen Stuhl muss, fragen sie ihn, was er sich zum Essen wünscht. Er sagt: Krabben. Seine ganze Familie ist auch da, sie essen gemeinsam Krabben, dann muss die Familie gehen. Sie verabschieden sich und bedanken sich bei ihm für die Krabben. »It was really very good« usw. Dann wird er zum elektrischen Stuhl geführt. Die schwere Tür schnappt zu, ein Tisch und Stühle stehen im leeren Raum, die Teller und die Haut der geöffneten Krabben glänzen unter den starken Gefängnisneonlampen. Er läuft zum Tod, seine Familie läuft den langen Gefängniskorridor in Richtung Ausgang.

Woher nahmen all diese Beine die Kraft zum Laufen, dachte ich, und ich lief die Theatertreppen hinunter, lief die Königsallee hoch. Die Allee war um diese Zeit ganz leer. Ein paar mehlige Lichter waren in manchen Häusern an. In der Villa Wahnsinn gab es nur in der zweiten Etage Licht. Ich ging die Treppen hoch. Wahrscheinlich war der schwarze Junge tot, bevor er die Krabben verdauen konnte. Er tot. Krabben tot. Bevor ich meine Tür aufschloss, blieb ich davor stehen, hörte der Stille hinter der Tür zu. Als die Stille zu laut wurde, ging ich wieder die Treppen hinunter, klopfte an der Tür der zweiten Etage, keiner war da, ging wieder hoch zu mir, sah in der Küche das Glas, aus dem Wilmar, als er bei mir übernachtet hatte, Wasser trank und mich auch trinken ließ. Ich trank ein Glas Wasser, ging ins Bett, schlief ein, wachte plötzlich mit einem Schrei auf. Ich hatte geträumt: Ein Zimmer, ich bin im Bett, die Wände, der Boden fangen an zu atmen, dehnen sich, und da entstehen Risse, Löcher. Plötzlich kommen aus jedem Loch an der Decke Schlangen raus. Ihre halben Körper bleiben in diesen Rissen stecken, ihre Gesichter sehen auf mich herunter.

Ich schrie: »Dämonen, macht den Himmel frei.« Ich blieb atemlos im Bett, alles war still, ich machte die Augen zu, machte die Augen auf, schaute in Richtung der Decke. Da wuchsen nur zwei Lichtlinien, die aus den Straßenlampen von draußen ins Zimmer gewachsen waren. Keine Löcher, keine Schlangen. Ich dachte dann: Wo habe ich diesen Satz »Dämonen, macht den Himmel frei« gelesen? Den Satz konnte ich bei dem Dichter Rimbaud gelesen haben, ich stand auf, suchte nach Rimbauds Buch *Eine Zeit in der Hölle Licht-Spuren*, blätterte darin. In seinem Gedicht »Höllennacht« las ich in der zweiten Strophe:

Das ist die Hölle, Qual ohne Ende!

Seht doch, wie das Feuer sich von neuem entfacht!
Ich brenne wie es sich gehört. HAU AB, Dämon!

Dämonen, macht die Himmel frei, hatte sich vielleicht nach seinem »HAU AB, Dämon!« in meinem Kopf gebildet. Oder war das doch von Rimbaud? Ich blätterte noch mal:

Komm, so komm,
Zeit, in der ich brenn …
Ich war geduldig, so lang
bis alles mir verging …[57]

Ich klappte das Buch schnell zu, um von den Wörtern »Komm, so komm, Zeit, in der ich brenn …« wegzurennen.

Um wieder zu schlafen, zog ich die Decke über meinen Kopf. Meine Füße blieben draußen. Ich dachte: Bin ich denn gewachsen diese Nacht? Was passiert mit den Körpern, welche Form nehmen sie an, wenn den Menschen etwas geschieht, wenn die Körper nach den unterschiedlichen Gefühlen ihre Form ständig verändern, eine andere Gestalt annehmen? Mein Körper ist viel länger geworden. Der Liebeskummer, den ich mir nicht mal flüsterte, sondern von mir wegzuhalten glaubte, hatte mir gezeigt, dass ich ihn von mir nicht weghalten konnte. Liebesweh, Mutterweh atmeten in diesen Wänden. Ich schlief die ganze Nacht nicht, schlug gegen Morgen mit beiden Händen auf den Boden, sagte: »Großmutter, hilf mir.« Wenn nur Katharina hier gewesen wäre, oder Stephanie oder Langhoff. Aber das Theater hatte noch Ferien.

Jede Nacht lag ich schlaflos im Bett, ließ die Balkontür offen, stellte auf den Balkon Haselnüsse, damit das Eichhörnchen, das einmal von den Bäumen auf den Balkon, vom Balkon in mein Zimmer gekommen war und an meinen Kopf geklopft und mich adoptiert hatte, wiederkäme. Ich schaute in den Garten, ob ich es sehen konnte, sagte: »Ich bin dein verwaistes Tier, das du adoptiert hast, du hast an meinen Kopf gefasst, komm doch, komm, damit ich auf die Frage, wo wohnen Sie, Madame, sagen kann, ich wohne in dem Eichhörnchen.« Es kam nicht. Dann ging ich ins Bett, nahm Baldrian. Es war aber nicht möglich, zu schlafen. Ich schlug wie jeden Morgen auf den Boden, sagte: »Großmutter, hilf mir.«

Ich fuhr an den Fluss Ruhr, ging da lange spazieren, ein dünner Regen hatte angefangen. Ich lief neben der Ruhr, versuchte, die Regentropfenschläge auf dem Fluss zu zählen. So werde ich Regentropfenzähler und nicht Schlaflose-Nächte-Zähler. Ich sah zwei ältere Bochumerinnen. Sie liefen mit sehr langsamen Schritten auch an der Ruhr entlang, hatten einen großen Regenschirm und Gummistiefel an. Meine Füße, Haare waren sehr nass geworden. Die Alten sagten mir: »Nicht, dass Sie sich erkälten.« Ich sollte mich zu Hause sofort abtrocknen, ein Aspirin nehmen. Ich bedankte mich, schaute lange hinter ihnen her. Als sie in der Natur so klein wie eine Nadel zu sehen waren, lief ich auch von der Ruhr weg, fuhr in die Stadt, ging an dem Bergmannsheil vorbei, hörte aus den Fenstern das Husten der kranken Bergmänner, dann lief ich zu dem verlassenen Krupp-Grundstück, auf dem alte Maschinenteile von Krupp oder Opel verrostet zwischen dem gewachsenen Unkraut lagen. Irgendwann pinkelte ich zwischen die Maschinenteile. Als ich meinen Hosenreißverschluss zuzog, hörte ich die Stimmen der Tiere, dachte: Vielleicht ist ein Zoo in der Nähe. Ich lief dann in Richtung der Tierstimmen, lief und lief und fand einen Tierpark, ging da rein. Um einen Käfig hatten sich Menschen gesammelt. Da war ein neuer, junger Tiger eingesperrt. »Ein neuer Ankömmling«, sagte eine Frau, die neben mir stand. Ich ging nah an den Käfig heran. Der junge Tiger lief von einer Gitterseite zu der nächsten, ständig wechselte er seinen Platz, irgendwann trafen unsere Augen sich. Er schaute tief in meine rein, ich in seine. Dann ging ich um den Käfig herum zum Gitter auf der anderen Seite. Er kam auch sofort hin und schaute wieder in meine Augen. Ich wechselte wieder die Seite, er kam wieder sofort hin, schaute in meine Augen. Ich konnte nicht mehr bleiben. Ich rannte durch kohlengesichtige Bochumer Straßen, sagte:

»Erbarmen!
Sprühende Glut im Rauhreifüberfall – Erbarmen! – […]
Und die Tränen, weiß und kochend – Erbarmen!«[58]

Und die Tränen, weiß und kochend – Erbarmen!

Diesen Satz wiederholte ich ständig. Auf dem Weg zur Villa Wahnsinn klingelte ich an einem schwarzgesichtigen Ruhrgebietshaus. Hier wohnte ein junger Schauspieler vom Schauspielhaus Bochum, Rupert Seidl.

Er war zu Hause, färbte gerade die Türkante in Senffarbe. Es roch nach frischer Farbe. Rupert sah meine nassen Schuhe. »Sind deine Füße nicht gefroren?« »Ja.« Rupert ging, brachte eine Schüssel voll heißem Wasser, ich setzte mich auf einen Stuhl, stellte meine Füße rein. Rupert bückte sich, kniete vor mir und rieb meine Füße im heißen Wasser. Während Rupert meine Füße rieb, schaute ich auf sein Gesicht, auf seine langen Haare. Ich wollte ein ganz kleines Tier, so klein wie eine Heuschrecke sein, mich in Ruperts Haare setzen, nach frischer Farbe riechen und dort schlafen. Dann dort wach werden. Dort gibt es Flüsse, Täler, Berge, Wiesen, dort auf eine lange Reise gehen, dann wieder schlafen. »Langsam kommt wieder Blut zurück in deine Füße«, sagte Rupert, setzte sich auf den Boden. Das Zimmer war ruhig.

»Hast du eine Mutter, Rupert?« Rupert erzählte, dass seine Mutter verrückt geworden war, deswegen hatte man ihn in ein Heim gesteckt. Er sagte: »Ich war zu lang, hatte zu große Augen, die anderen Kinder haben mich jede Nacht im Schlafsaal geweckt, aus dem Bett geholt, mich dann geschlagen, jede Nacht.« Rupert sagte: »Als ich sehr dünn wurde, 40 Kilo, kam mein Vater und holte mich aus diesem Heim raus.« Rupert fragte mich dann: »Ist meine Wohnung schön?« Dann stand er auf, holte aus dem Glasschrank zwei Fotos, zeigte sie mir, sagte: »Schau, das hier ist meine erste Freundin, das hier meine Großmutter und ich.« Meine Füße waren noch im Wasser. Rupert fragte mich, während er die Türkante weiter färbte: »Wie findest du meine Bettdecke? Das ist ein orientalisches Tuch aus Indien.« Ich fragte Rupert: »Rupert, kannst du gut schlafen? Ist Schlafen eine gute Sache?« Rupert sagte: »Ich schlaf sogar zu lange. Das ist meine ›Schlaflosigkeit‹.«

Meine Füße hatten sich erwärmt. Ich nahm sie aus der Schüssel, zog wieder meine Schuhe an, wollte zuerst weggehen, wechselte aber nur den Sitzplatz, vom Stuhl zum Kanapee. Das Zimmer war etwas kühl. Aus einem Ofen wie eine Schachtel kam heiße Luft raus. Aber sie wärmte das Zimmer nicht. Erinnerte nur daran, wie kalt der Raum war.

Während Rupert seine Türkante weiter mit Senffarbe bestrich, schaute ich auf Ruperts Bettdecke, erinnerte mich an Wilmars Bett. Es hatte eine grüne Decke. Dort war die ganze Welt geschrumpft und zu Wilmars Zimmer geworden. Ich saß da, ich konnte schlafen, wir waren wie zwei hilflose Kinder. Vom Fenster schaute der Birnbaum herein, alle Birnen waren schon verfault. Nur eine lebte noch. Aber die verfaulten Birnen hielten sich fest an den Ästen, verfault und lebend schauten sie in das Zimmer und auf diese zwei Kinder. Wie viele meiner Haare sind in diesem Zimmer geblieben? Sein Gesicht, wenn ich zurück an ihn denke, im Englischen Garten in München, über dem Grün eine Helligkeit. Er hatte sich auf die Wiese gelegt, der Boden war etwas nass. Wilmar fragte mich: »Schau mal, hat die Wiese mein Unterhemd gefärbt?« Der Sommer ist vorüber. Diese Wiese ist vorüber. Sie sind gegangen. Nur diese Helligkeit ist geblieben. Ich bin jede Nacht wach. Die Helligkeit hängt an meinen Wimpern.

Ich blieb weiter auf Ruperts Kanapee sitzen. Rupert färbte weiter die Tür. Ich schaute auf seine sehr dünnen Handgelenke, ich dachte: Also Rupert blieb im Heim auch ein Jahr lang schlaflos. Als die anderen Kinder ihn aus seinem Bett herausholten und ihn schlugen, sagte er: Frappe HAU HAU HAU.

»Lass uns singen, Rupert.«

»Was?«

»Von Brecht, von dem ertrunkenen Mädchen aus *Baal.*«

Als sie ertrunken war und hinunterschwamm
Von den Bächen in die größeren Flüsse
Schien der Opal des Himmels sehr wundersam
Als ob er die Leiche begütigen müsse.
Tang und Algen hielten sich an ihr ein …

»Dann, Rupert, wie ging es dann weiter?«

Rupert sang:

So daß sie langsam viel schwerer ward …

»Ich weiß den Text nicht weiter«, sagte Rupert.

»Ach, ich auch nicht. Doch:«

Kühl die Fische schwammen an ihrem Bein
Pflanzen und Tiere beschwerten noch ihre letzte Fahrt.
Und der Himmel ward abends dunkel wie Rauch
Und hielt nachts mit den Sternen das Licht in Schwebe.
Aber früh war er hell, dass es auch
Noch für sie Morgen und Abend gebe.[59]

Wir lachten. Rupert nahm meine Hand, fragte: »Soll ich in deiner Hand lesen?« »Ja!«

»Du hast sehr große Erfolge in der Kunst, große Sachen wirst du machen, viele Sterne werden auf dich regnen. Du wirst Ruhm erlangen.« Rupert zeichnete mit dem Finger in meine Hand und zeigte auf eine Stelle, sagte: »Siehst du, hier teilt sich deine Lebenslinie in zwei. Als ob dein Leben zu Ende wäre, als ob du gestorben wärst. Da bahnt sich eine große Tragödie an. Du wirst denken, du bist gestorben, du kommst da nicht raus, aber guck hier, diese Linie, da geht es weiter.«

In der Nacht lag ich wieder schlaflos im Bett, machte die Lampe an, holte das Buch des japanischen Malers Hokusai, schaute auf die Bilder. Auf einem der Bilder, in einem Holzboot, arbeiteten fünf Menschen. Ich konnte nicht erkennen: Waren es Männer oder Frauen? Sie sammelten aus dem Wasser Seerosen. Ich wollte in dieses Bild hineingehen, dort sein bei diesen Menschen im Jahr 1835. Also, wenn ich damals dort in diesem Holzboot gesessen hätte, bräuchte ich heute nicht hier in diesem Bett schlaflos liegen. Ich schlug wieder auf den Boden, sagte: »Großmutter, hilf mir.« Am nächsten Morgen sah ich das Eichhörnchen, das über den Balkon ins Zimmer gekommen war. Ich schaute still hin, es ging wieder auf den Balkon, nahm eine Haselnuss, brachte sie mit seinen zwei Pfoten zu seinem Mund, aß mit sehr komischen Mundbewegungen die Nuss, drehte mir auf der Türschwelle seinen Rücken zu, nur sein langer Schwanz blieb im Zimmer, der Körper auf dem Balkon, es aß dort weiter. Ich ging in die Küche, holte das Glas, aus dem Wilmar Wasser getrunken hatte, goss Wasser ein und trank, fühlte mich vielleicht zum ersten Mal glücklich, dachte: Heute Nacht kann ich sicher schlafen.

Der Filmemacher Godard hatte gesagt: »Um zu lieben, muss man arbeiten, diese Arbeit lieben, sonst kann man das Leben nicht leben.« Ich sagte mir: Arbeite, schreib Wilmar einen Brief. Ich nahm ein Blatt, dann saß ich lange vor dem leeren Papier, sah mich im großen Zimmerfenster wie in einem dunklen Spiegel. Anstatt den Brief zu schreiben, zeichnete ich mich auf dieses Papier. In der Nacht zählte ich die vorbeifahrenden Autos auf der langen Königsallee, konnte wieder nicht schlafen, ging in die Küche, nahm das Glas, drückte es in meiner Faust, bis das Glas zerplatzte und meine Hand leicht verletzte, das Blut tropfte auf den Steinboden, ich wischte es nicht auf, lief zwischen Küche, Zimmer, Korridor hin und her. Es klopfte an meiner Tür. Katharina Hill. Sie kam herein, sah mich halb nackt, mit blutender rechter Hand. Katharina brachte ein Handtuch, putzte die Hand ab, verband sie, setzte sich auf einen Stuhl. Ich setzte mich ihr gegenüber, dann fing ich laut zu weinen an. Weinen und weinen. Ich wusste nicht, wie lange ich weinte. Dann erzählte ich ihr von meiner Reise. Katharina schwieg, dann sagte sie: »Du wolltest in die Türkei, hattest Angst, bliebst in München, dann hattest du vor ihm Angst, wolltest in die Türkei. Du hast es nicht gewagt, bliebst in Lesbos, dann bist du wieder nach Bochum gespült worden. Weißt du, er ist ein deutscher Student, ein Junge, ein schöner Junge, aber ich denke, es gab einige Provokationen, oder? Oh, ich habe Angst vor Provokationen in der Liebe«, sagte Katharina. »Was du von ihm erzählt hast, mit dem CSU-Politiker Penis an Penis tanzen, die tote Geliebte, der Friedhof, die zwei Freundinnen von Hedda, die dich alle anschauten. Er sagte dir, bleibe hier, kämpfe. Du hast Angst vor Gesprächen, vorm Kämpfen, vielleicht vor der Liebe. Jetzt kämpfst du mit dir hier allein, anstatt dort zu kämpfen. Vor Wörtern abgehauen, und jetzt sitzt du nur mit Wörtern hier in den Nächten allein.«

»Ja, ich bin ein Wörtermörder geworden.«

Katharina sagte: »Du bist dünn geworden.«

Sie stand auf, ging hinunter in ihre Wohnung, ich saß weiter auf dem Stuhl, Katharina brachte ihre Waage, ich stieg darauf.

»Wie viel hast du verloren?«

»Sieben Kilo.«

Sie sagte: »Lass uns essen gehen.«

Wir liefen die Bochumer Straßen hinunter, gingen wieder am Bergmannsheil vorbei zu einem chinesischen Restaurant. Ich hatte früher einmal da gegessen, mit dem Comedian-Harmonists-Musiker Erwin Bootz, der in eine sehr junge Schauspielerin verliebt gewesen war und seine Augensäcke operieren lassen wollte. Als ich in der Speisekarte blätterte, sagte die Kellnerin: »Sie hatten damals Nr. 77 gegessen.« So bestellte ich Nr. 77. Das Essen blieb ungegessen, ich redete und weinte wieder.

»Katharina, der Birnenbaum, er hatte so viele verfaulte Birnen, nur eine lebte noch, aber die anderen, die verfaulten, hielten sich sehr fest an den Ästen, und alle schauten in sein Zimmer. Er saß da mit einer Hand am Schreibtisch, die Katze draußen drehte sich in der Sonne.«

Dann schwieg ich, weinte in meinen Teller. Die Kellnerin sagte, als sie aufräumte: »Haben Sie Kummer?« Aber in ihrem Dialekt hörte es sich sehr komisch an. »Hamschi Kumma?« Es war schön, ich lachte. In der Villa Wahnsinn gab mir Katharina eine Tablette. »Sie hilft dir«, sagte sie, »dein Körper muss sich wieder erinnern, was Schlaf ist, so geht es nicht.«

Ich legte mich ins Bett. Katharina blieb weiter im Raum,

blätterte in dem Buch des japanischen Malers Hokusai, ich schlief ein.

Am nächsten Morgen sah ich den leeren Stuhl, auf dem Katharina gestern gesessen hatte, das Hokusai-Buch lag offen aufgeschlagen auf dem Tisch – dort waren Löwenzeichnungen.

Ich ging ins Theater, der Pförtner rief nach mir: »Hier ist ein Brief für dich.« Dann sagte er: »Aus München.« Ich nahm den Brief, legte mich draußen vor dem Theater auf eine der niedrigen Mauern, die das Theater von dem kleinen Park nebenan trennten. Während ich Wilmars Brief las, sah ich zwischen meinen angewinkelten Beinen Busse und Autos die Königsallee hoch- oder runterfahren. Es war ein kurzer Brief. Wilmar erzählte, dass er, nachdem ich von München in die Türkei gefahren war, zu seinen Eltern gegangen war. Dort hatte er einen Film von Andrzej Wajda angesehen und um ein Uhr geschlafen.

»Du bist gegangen. Im Film *Der Dirigent* machten die polnischen Leute das auch so, sie konnten auch gehen. Dann sind sie wiedergekommen – aber sie konnten gehen. So wie du. Das ist deine türkische Seite, hier bleibt man und lebt gemütlich und unzufrieden. Ich habe gedacht, dass ich zu gemütlich erzogen wurde. Meine Mutter hat mich fast angebetet, so als ob ich zerbrechlich wäre. Sie ist eine harte Frau, meine Mutter. Sie wird aggressiv, wenn ich über die TV-Serie *Dallas*, die sie guckt, lache. Sie wird sofort aggressiv. Ich will nicht psychologisieren, es ist nur, weil ich so viel nachgedacht habe, seitdem du gegangen bist.«

Wilmar erzählte dann weiter vom Büro, von der Bibliothek, von der Atmosphäre, dass es dort so dunkel und finster sei.

Ich steckte den Brief ein, lief mit schnellen Schritten zur

Villa Wahnsinn, ging in den Garten, suchte nach dem Eichhörnchen, sah aber nur den Hasen, setzte mich auf einen Stein, schaute ihm zu. Als er ging, ging ich zu Katharina. Als sie erfuhr, dass Wilmar geschrieben hatte, sagte sie: »Freust du dich nicht?«

»Ich weiß es nicht.«

Ich setzte mich auf einen Stuhl, Katharina brachte mir einen Teller Suppe, ich aß sie nicht. Katharina setzte sich auch auf einen Stuhl, fragte: »Warum isst du nicht?« »Ich weiß es nicht.«

»Welche Gedichte kommen dir in letzter Zeit ins Gedächtnis?«

»Mein Kopf ist so voll, aber ich erinnere mich an Bruchstücke eines Gedichtes von Rimbaud:

Mein grenzenloses Herz!
Leb deinen Traum,
trotz einsamer Nacht
und brennender Tage.

Oder auch eine Strophe von Heinrich Heine:

Es treibt dich fort von Ort zu Ort,
Du weißt nicht mal warum;
Im Winde klingt ein sanftes Wort,
Schaust dich verwundert um.

Ich sehe, wie jemand vielleicht auf einer Sandstraße läuft, im Winde hört er ein sanftes Wort, dreht seinen Kopf nach links und bleibt stehen. Ob er dann weitergeht, weiß ich nicht. Und warum der Kopf sich nicht nach hinten oder nach rechts dreht, das weiß ich auch nicht. Immer nach links.«

Katharina stand auf, lief ein paar Schritte, dann wackelte sie mit den Ohren, als ob sie etwas gehört hätte, drehte ihren Kopf nach links, blieb mit dem Rücken zu mir stehen, rief die ersten Worte von Shakespeares *Hamlet* mit ängstlicher Stimme: »Wer da?«, den Satz von dem Soldaten, der den Geist von Hamlets Vater gesehen hatte. Dann sagte Katharina: »Pardon, pardon. Vielleicht hast du deine Unruhe nicht wegen des jungen Mannes, sondern deines Landes wegen, wegen der Menschen dort. Sie sind dort, und es treibt dich von Ort zu Ort. Vielleicht wirst du in dir auch getrieben, manchmal mehr, manchmal weniger.«

»Katharina, als du vorhin den Anfang von *Hamlet* gespielt hast, habe ich an die klugen Leute in der Türkei gedacht, die für jeden Gerechtigkeit und Chancengleichheit verlangen. Ihr Problem ist ein Hamlet-Problem. Hamlet weiß viel, aber gegen den autokratischen König kann er nichts durchsetzen, und am Ende zieht er viele am Hof mit sich in den Tod.«

Katharina nickte, sagte dann: »Ungelebte Energien führen zu Katastrophen.« Dann überlegte sie eine Weile und fragte: »Wie ist denn jetzt die Situation in der Türkei? Regieren die Generäle oder Zivilisten?«

»Militär und Zivilisten. Admiral Ulusu ist Ministerpräsident. Turgut Özal ist stellvertretender Ministerpräsident. Özal sagt andauernd, wenn er nicht in der Regierung ist, kommen die Generäle wieder. Er erpresst die Leute, und dabei führt er die Ideen des Putschistengenerals Evren aus.«

Katharina fragte: »Und welche sind das?«

»Sie wollen die Türkei ändern zu einem nationaltürkisch-islamischen Land. Özal tritt mit seinen Ministern öffentlich in Moscheen auf, die Evolutionstheorie wollen sie nicht mehr lehren. Manche lachen über diesen Özal, weil er wie eine Karikatur aussieht. Aber er ist gefährlich, er hat keine Werte, er hat mit seiner Unverschämtheit die Moral der Leute kaputtgemacht, es geht jetzt nur ums Geldverdienen. Er animiert im Fernsehen die Leute dazu, nicht solidarisch zu sein, sondern egoistisch, individualistisch, frei nur für sich zu stehen, um Gewinne zu machen.«

Katharina fragte: »Meinst du die Solidarität unter den Arbeitern?«

»Für die Freie Marktwirtschaft vernichten Evren und Özal die Gewerkschaften, nehmen sie die Rechte der Arbeiter zurück, die türkische Geldbourgeoisie und Washington sind sehr glücklich mit Özal. Weißt du, Katharina, vorhin sagte ich, dass Özal wie eine Karikatur aussieht, über die viele lachen. Ich habe einmal einen Dokumentarfilm gesehen, in dem eine deutsche Aristokratin, eine alte Frau, erzählte, dass Hitler, Goebbels und Göring öfter in das Hotel Adlon zum Essen kamen, wo sie auch aß. Die Aristokratin sagte: ›Wir sahen die drei, aber nahmen sie nie ernst, sie waren für uns Karikaturen.‹ Man muss die Politiker, die wie Karikaturen sind, ernst nehmen.«

»Ja, natürlich«, sagte Katharina. »Also, der Achtziger-Putsch in der Türkei wurde von General Evren nur gemacht, um in der Türkei den Neoliberalismus durchzusetzen?«

»Ja, Özal sagt, wir haben die Marxisten erledigt. Weißt du, meine Freundin, die Schriftstellerin Tezer Özlü, sagte vor mehreren Jahren: ›Hier ist nicht unser Land, hier ist das Land von denen, die uns töten wollen.‹ Weißt du, Katharina, wenn ich Istanbul in meinem Traum sehe, sehe ich es als eine bedrohliche Stadt. Die Moscheen, achtmal vergrößert, laufen auf mich zu, um mich zu zerquetschen. Die Flugzeuge am Himmel zerbrechen in zwei Stücke, fallen auf die Menschen herunter. Ich hatte in Athen eine große Angst, in den Zug nach Istanbul einzusteigen. Ich dachte, all die türkischen Männer, die da einsteigen, sind da, um mich zu verhaften, zu entführen.«

Katharina sagte: »Vielleicht war deswegen der Birnbaum in Wilmars Garten ein Zufluchtsort. Ein Ort der Poesie.«

»Meinst du, darin wollte ich mich einfrieren? In einem eingefrorenen poetischen Bild wohnen anstatt in Istanbul, wo die neue Verbrechen produzierende Schuld wohnt? Denn die unverarbeitete Geschichte produziert Schuld, oder?«

Katharina nickte, sagte: »Die unverarbeitete Geschichte kommt durch die Hintertür immer zurück. Denn mit Unterdrückung der Vergangenheit kann man die Geschichte nicht bewältigen und nur neue Schuld produzieren. Du wirst aber eines Tages nach Istanbul gehen, oder?«

»Ich weiß es nicht, ob Istanbul bis zu diesem Tag noch existieren wird. Ich werde es nicht wiederfinden, in der Türkei wird schon seit Jahren den Menschen das Gedächtnis ausgelöscht, damit man ihnen eine neue Identität aufzwingen kann. Bestimmt werden sie der Stadt oder den Städten auch das Gedächtnis auslöschen, Orten, die für die Menschen und für ihr Gedächtnis eine Rolle gespielt haben. Sie werden das Gedächtnis von Mensch und Stadt zusammen auslöschen. Du wirst sehen. Zum Beispiel der Taksim-Platz in der Stadtmitte von Istanbul, der für die 1.-Mai-Demonstrationen ein Symbol-Platz ist, wird eines Tages ausgelöscht. Auch die Atatürk-Statue wird da vielleicht ausgelöscht. Die Stadt und die Menschen werden gemeinsam verfaulen. Ein fruchtbarer Ort für Leichenfledderer. Die werden ununterbrochen fleddern, damit die anderen, die gefleddert wurden, glauben, dass sie Leichen sind.«

»Das hatten die Deutschen mit den Nazis. Sie wollten auslöschen, sie löschten aus und sind ausgelöscht. Auslöschen wollen ist ein Todestrieb, sagte jemand, ich weiß nicht mehr, wer«, sagte Katharina.

Als ich hoch in meine Wohnung ging, merkte ich, dass ich

im Bad den Wasserhahn offen gelassen hatte. Das Wasser floss ununterbrochen. Ich machte den Hahn zu, schrieb an Wilmar, dann fing ich an zu lachen. Ich sagte: »Schau mal, das ist wie eine Oper. Er singt den Teil eines Librettos, oder er spricht nur, und du singst eine Arie. Das ist eine komische Oper. Er sagt, Madame, ich gehe zu meiner Mutter fernsehen, du singst die Arie von einem blutlos gewordenen Körper, ganz dramatisch. Wie soll diese Oper enden?«

Ein paar Wochen gingen das gesprochene Libretto und die hochdramatische Arie weiter, ich wollte weiter nicht essen und schlafen, schlug am Morgen auf den Boden, sagte: »Großmutter, hilf mir.«

Ich ging ins Theater. Langhoff wollte in Frankreich, in Lyon, von Heinrich von Kleist *Prinz Friedrich von Homburg* inszenieren. Er hatte mir gesagt, dass der Bühnenbildner Karl dafür ein wunderbares Bühnenbild entworfen hatte. Ich wollte Karls Bühnenbildentwürfe sehen und wollte für das Kleist-Stück Collagen machen, ging hoch zum Bühnenbildraum. Karl arbeitete gerade mit seinen Schülern an dem Bühnenmodell für *Prinz Friedrich von Homburg.* Ich setzte mich auf einen Tisch, zeichnete das Bühnenmodell, dann ging ich wieder. Ich traf Karge, der den Woyzeck und in *Lieber Georg* von Thomas Brasch gespielt hatte, unten auf dem langen Korridor. Karge wollte bald das Brechtstück *Die Mutter* inszenieren. Er sagte mir auf dem Korridor, dass er für mich Rollen darin habe – die Frau, die die Bibel zerreißt, und eine Sängerin. Meine bibelzerreißende Proletenrolle hieß Lydia Antonowna. Außerdem sollte ich in der Sängergruppe Hanns-Eisler-Lieder singen. Ich liebte Hanns Eisler, sagte ja, freute mich. Danach fotokopierte ich Bilder für die Collagen für das Kleist-Stück, holte mir das Arbeitsmaterial für das Brechtstück *Die Mutter*, kam zur Villa Wahnsinn. Plötzlich, an einem Tag, waren zwei Stücke, die ich sehr liebte, in mein Leben gekommen, das Zimmer, in dem ich seit Wochen schlaflos gelegen und Zuflucht in den Hokusai-Bildern von 1835 gesucht hatte, war ein Regen aus einer anderen Zeit, der sich jetzt in die Erinnerungen der Wände zurückgezogen hatte. »Hier wohnt jetzt Prinz Friedrich von Homburg, Prinzessin Natalie, Pawel, Lydia Antonowna, Pelagea Wlassowa, Heinrich von Kleist, Brecht«, sagte ich laut. Ich legte das Material auf den Tisch, rief dann meine Mutter an.

»Wo warst du«, sagte sie, »wo war deine Stimme?« Ich erzählte ihr, dass ich bis Athen und Lesbos gekommen war, es aber nicht gewagt hatte, an das andere Ufer in die Türkei zu fahren.

Sie sagte: »Leb dein Leben.«

»Mutter, erinnerst du dich an Maxim Gorkis Roman *Die Mutter*, den du sehr geliebt hast. Es gibt ein Stück von Brecht nach Gorkis Roman, es heißt auch *Die Mutter.* Ich werde in diesem Stück spielen. Eine Arbeiterfrau stellt sich mehr und mehr auf die Seite ihres revolutionären Sohnes. Erinnerst du dich?«

Meine Mutter sagte: »Ich habe später den Roman meiner Freundin Ayten zu lesen gegeben. Er hat sie auch sehr berührt. Schön, meine Tochter. Leb dein Leben.«

»Schau Mutter, ich übersetze dir ein paar Sätze aus einem Brief von Brecht über dieses Stück:

So seht ihr also die proletarische Mutter den Weg gehn
Langen gewundenen Weg ihrer Klasse, seht, wie zuerst
Ihr der Pfennig fehlt am Lohn ihres Sohnes [...].«[60]

Meine Mutter gab das Telefon irgendwann meinem Vater. Mein Vater sprach zuerst überhaupt nicht. Dann sagte er: »Meine Tochter, wann kommst du? Bevor ich sterbe, will ich dich noch mal sehen.«

Meine Mutter lachte, sagte: »Du wirst nicht sterben, mach das Kind nicht traurig.«

Nachdem ich das Telefon aufgelegt hatte, dachte ich: Es gab in den Sechziger-, Siebzigerjahren solche Mütter wie die Brecht-Figur auch in der Türkei. Meine Mutter war so eine Frau, zuerst ängstlich wegen der 68er-Bewegung der Arbeiter und Studenten, in der ich auch war, wanderte sie dann aber mehr und mehr auf die Seite dieser Widerstandleistenden. Ihre Wangen waren rot geworden, als sie zum ersten Mal den Begriff ›Comprador-Bourgeoisie‹ ausgesprochen hatte.

Ich las Texte aus *Die Mutter* laut und sah das Gesicht meiner Mutter. Dann las ich *Prinz von Homburg* laut und merkte, dass ich vor mir das Gesicht von dem Bühnenbildner Karl sah. Jetzt hatten beide Figuren eine Gestalt. Während eines Feldzugs ist der preußische General Prinz Friedrich von Homburg erschöpft und hat einen Traum. Wegen seines merkwürdigen Traums überhört er, dass er ohne ausdrücklichen Befehl den Feind nicht angreifen darf. Durch den Traum durcheinander, gibt der Prinz dennoch den Befehl zum Angriff. Er wird wegen Befehlsverweigerung verhaftet und zum Tode verurteilt, obwohl der Befehl des Prinzen sein Regiment zum Sieg geführt hat. Aber bei dem Kurfürsten, der ihn zum Tode verurteilt hat, steht Disziplin und Hierarchie über allem. Nun geht für den Prinzen von Homburg ein Albtraum los.

Der Prinz war wie die Menschen in der Türkei: der Staat so mächtig, so autoritär, so unbarmherzig, so patriarchalisch, kein Individuum frei, er erhängt, foltert, lässt verschwinden als Erziehungsmaßnahme für den Rest. Friedrich von Homburg könnte auch ein Türke namens Fikret sein.

Ein kräftiger Regen schlug ans Fenster und wurde lauter

und lauter. Vom Balkon kam nach einer Weile Wasser ins Zimmer. Ich ging auf den Balkon, versuchte, die Blätter aus dem hohen Baum, die den Balkonabfluss verstopft hatten, zu entfernen. Ich sammelte sie auf und warf sie hinunter in den Garten, sah in dem Moment einen Menschen, der trotz des kräftigen Regens vor dem Fenster der mittleren Parterrewohnung stand, da wohnte die Maskenbildnerin Naomi. Ich ging die Treppen hinunter, klingelte, sagte: »Naomi, mach deine Rollläden zu, draußen steht jemand«, lief mit ihr zum Fenster, plötzlich sahen wir den Mann auf der anderen Seite des Fensters, sein Gesicht klebte am Glas, der Mann hatte eine Maske vor seinem Gesicht. Naomi schrie, lief rückwärts zum Korridor, ich schrie auch, ging aber und zog die Rollläden herunter. Dann setzte ich mich auf einen Sessel, mein Herz raste. »Naomi, komm rein!« Ich erzählte ihr von meinen Nächten mit den Spannern, blieb lange bei ihr, wir tranken aus einer Flasche Cognac, ich ging betrunken nach oben. Obwohl ich vor vier Stunden gedacht hatte: Ich suche keine Zuflucht in dem Hokusai-Buch, hier wohnt jetzt Prinz von Homburg, Brecht, Prinzessin Natalie, Wilmar wohnt nicht mehr hier, er ging in einem alten Regen weg – war es aber nicht so. Er wohnte hier, und die Sehnsucht nach ihm würde mit mir die Nacht durchwachen. Um mit der Sehnsucht nicht allein zu bleiben, nahm ich einen Text von Brecht mit ins Bett und las:

Das Gedächtnis der Menschheit für erduldete Leiden ist erstaunlich kurz. Ihre Vorstellungsgabe für kommende Leiden ist fast noch geringer.[61]

Das Telefon klingelte. Wilmar. Er fragte mich mit sanfter Stimme: »Stör ich?« Dann erzählte er von seinen Ängsten vor den kommenden Prüfungen für seine Doktorarbeit, vom prasselnden Regen. Irgendwann fragte ich ihn, ob er mit

Hedda zusammen sei. Er sagte: »Sie ist nach Paris verreist, wenn sie zurückkommt, wollen wir es wieder probieren.« Dass er aber sehr viel an mich denken würde. Er sagte: »Du bist weggegangen, anstatt hier zu bleiben, zu kämpfen.« Als wir auflegten, war mir wieder so, als ob ich kein Blut im Körper hätte. Ich lief wieder zwischen Küche und Bett, Bett und Küche, Küche und Bett rum, dann ging ich auf den Balkon, sah unten wieder den Mann mit der Maske: Wie einsam muss er sein, dass er in diesem Regen vor dem beleuchteten Fenster stehen bleibt, seine Fußspuren im Schlamm lässt, dann geht er, dann geht er, aber wohin geht er, wohin? Ich lief dann im Zimmer wieder zwischen Bett und Küche rum, immer wieder fragte ich mich: Wohin geht er, wohin, wohin, wohin? Dann ging ich auf die Toilette. Kotzte. Schlug auf den Boden, sagte: »Großmutter, hilf mir.«

Der Herbst kam. Die Blätter fielen. Auf den Straßen färbte ein einziges Blatt die ganze Stadt gelb. Wilmar rief mich in den Nächten an, redete vom prasselnden Regen, er sagte, er werde mich bald besuchen. Ich versuchte, ihm Mut zu machen für seine Doktorarbeit, sagte, dass ich für ihn Hexereien machen würde. Tatsächlich legte ich die Brille meiner Großmutter auf den Tisch, redete mit ihr, dass sie bei Wilmars Doktorarbeit helfen sollte. In einer Nacht um null Uhr drei rief er mich an – er hatte sein Doktorexamen geschafft.

In einer anderen Nacht, als ich gegen Morgen einschlief, sah ich im Traum einen Tisch, meinen Tisch, auf dem viel zu viel Sachen chaotisch gestapelt waren. Meine Großmutter kam, fegte all die Sachen mit der Hand vom Tisch herunter, machte den Tisch leer. Ich war böse im Traum, weil ich nicht verstand, warum sie das machte, fragte: »Warum machst du das?« Sie lächelte mich an, legte ein neues Tuch auf den leeren Tisch.

Als ich wach wurde, war ich sehr glücklich, weil meine Großmutter, die sehr lange nicht mehr in meine Träume gekommen war, diese Nacht da gewesen war. Mein letzter Traum mit ihr: dass sie mit einem Militärlastwagen mit ein paar anderen Frauen zusammen abgeholt wird und auf der Ladefläche steht, und der Laster fährt weg, dem ich hinterherschauen muss.

Der Bühnenbildner von *Prinz Friedrich von Homburg*, Karl, fragte mich, ob ich Lust hätte, in einer Oper zu spielen. Er war nicht nur Bühnenbildner, er inszenierte auch Opern und Theaterstücke. Wir verabredeten uns für den Nachmittag im Bühnenbildzimmer.

Er saß vor dem *Prinz von Homburg*-Bühnenmodell, modellierte gerade die Prinzessin Natalie aus Plastilin, er erzählte mir den Inhalt von Igor Strawinskys Oper *The Rake's Progress*, die er in der Frankfurter Oper machen würde. Es ging um Tom, der vom Teufel Nick eine Erbschaft versprochen bekommt und darüber seine Liebe zu Anne verrät und an den Teufel fast seine Seele verliert. Karl sagte: »Es gibt eine Szene, wo der Teufel Nick die Seele von Tom fordert, sie spielen Karten in einem Grab um die Seele von Tom. Weißt du, wenn Tom und der Teufel Nick gemeinsam in dem Grab sitzen und um die Seele von Tom Karten spielen, könntest du als Putzfrau die Bühne bohnern, wie in den amerikanischen Krimis. Während zwei Gangster in einem Hochhaus ihre Geheimpläne besprechen, hängt draußen am Fenster ein Fensterputzer und putzt. So etwas«, sagte er.

Ich sagte: »Ja, ich will gerne die Rolle spielen.«

Karl sagte, später irgendwann würde er in Berlin an der Freien Volksbühne von Brecht *Im Dickicht der Städte* inszenieren, ob ich da die Mutter der Hauptfigur Garga spielen würde. »Liebst du das Stück?«, fragte er mich.

»Ja, und wie, ich liebe das Stück. Ich vergesse nie die letzten Sätze vom Stück: ›*Das Chaos ist aufgebraucht. Es war die beste Zeit.*‹«[62]

»Deine Rolle ist Gargas Mutter Maë, sie ist die einzige Figur in dem Stück, die sich emanzipiert, von der Familie und dem Kampfplatz der Männer in der Großstadt weggeht. Ich denke, du bist die Frau aus den schwarzen Wäldern, du bist meine Idealbesetzung für die Maë, das ist deine Traumrolle. Du liebst Brecht, willst du spielen?«

»Ja.«

Er hatte mehrere Fotos als Arbeitsmaterial auf dem Tisch. Ich schaute die Bilder an. Das Foto von einem weinenden Kleinkind schaute ich mir lange an.

Karl sagte: »Das bin ich als Kind im Hitler-Krieg.«

Ich schaute weiter auf das Foto, meine Nase juckte, ich würde weinen. Weinte nicht.

Karl sagte: »Wenn du willst, behältst du es, ich habe noch eins.«

Ich nahm das Bild, schaute es weiter an, er fragte: »Fährst du Weihnachten in die Türkei?«

»Nein, ich habe Angst. Wenn sie mich nicht rauslassen, ma vie est futsch.«

»Du bleibst also in Bochum?«

»Ja, kein Problem, ich hab eh keine Gefühle für Familienfeiern an Weihnachten.«

Er war gerade mit der Prinzessin-Natalie-Figur fertig, stellte sie unter eine Modell-Hängelampe, machte die Lampe an, schaute auf die Schatten auf dem Bühnenbild, die die kleine Lampe verursachte. »Es ist schwer, Weihnachten allein zu sein, oder?«, sagte er, »wenn du willst, komm mit mir in die Normandie, ich fahre über die Feiertage hin, du kannst das Meer sehen, du bist ein Kind vom Meer, oder?«

»Ja, ich kann mit dir fahren«, sagte ich, nahm das Weinende-Kind-Foto, ging aus dem Zimmer raus. Draußen stand ich eine Weile vor der Tür, dann lief ich den langen, halb dunklen Theaterkorridor entlang, sagte:

»*Es treibt dich fort von Ort zu Ort,*
Du weißt nicht mal warum;
Im Winde klingt ein sanftes Wort,
Schaust dich verwundert um.«

Wo wohnen Sie, Madame?

Ich wohne in Karls sanftem Wort.

In der Nacht zog ich mein Bett neben die Balkontür, von wo aus ich durch das Fenster den Himmel sehen konnte:

Die Pupillen der Nacht werden heute größer.
Ihre warme Seele wird mich
bald mit ihren Blumenhänden verschlingen.

Kurz darauf fiel ich in den Schlaf.

Am nächsten Morgen schaute ich durch das Fenster auf die Königsallee. Alles kam mir sehr lebendig vor, auch die stillen Häuser auf der Allee, der arme Obdachlose, der gerade an einer Frau vorbeilief, um in den Park zu gehen, ein Bus, der gerade vorbeifuhr, drei Schüler mit ihren zu großen Schultaschen, die in eiligen Schritten die Straße überquerten, die drei dicklichen Arbeiterinnen, die auf den Bus warteten (eine nahm ihre Tasche von der linken Hand in die rechte), alles war lebendig, sogar der ruhige Baum, der vor meinem Fenster mit seinen nackten Ästen in mein Zimmer schaute. Im Himmel bewegten sich die Wolken, um irgendwo hinzugehen, alles war lebendig, wie in Dziga Vertovs Film *Der Mann mit der Kamera*: Er steht mit einer übergroßen

Kamera, filmt Momentaufnahmen, die schnell-energischen Bewegungen eines Platzes. Das Kameraauge öffnet sich wie ein Auge, geht wieder zu, dann wieder auf, eine Frau putzt Straßenbahnschienen, jemand wacht auf einer Parkbank auf, reckt sich, die Straßenbahnen fahren aus ihren Depots, Autos, Pferdefuhrwerke, Busse, Menschen bewegen sich mit Energie auf einem Platz. Der Mann mit der Kamera steht auf einer hohen Brücke, die Jalousien an einem Fenster gehen auf, dann wieder zu, ein Stuhl klappt sich auf, ein Kind sitzt, ein Geiger wartet auf den Konzertstart, eine Klarinette bläst, ein Fenster wartet offen, eine Frauenhand auf Blumen. Alles strahlt eine große Energie aus. Der Film montiert die Ausschnitte der Wirklichkeit eines ganzen Tages. Mit der Montage stellt er ununterbrochen konstruierte Situationen dar. Man liebt die Energie des Lebens.

Bald liebte ich auch die Energie des Lebens.

WIE EIN SCHLUCHZEN IN DEN RUINEN

Ich fuhr mit Karl mit dem Auto nach Frankreich. An einer Tankstelle bückte er sich über den Motor von dem alten Jaguar, ein italienischer Mann bückte sich auch über den Motor, die beiden Männer lächelten und nickten einander zu. Ich schloss die Augen, dachte an dieses Lächeln. Dann fuhren wir weiter nach Frankreich.

Es ist Nacht, die Sterne schieben uns, wir landen in einer Küstenstadt, sie hat ein nasses Gesicht, das Meer in Flut umarmt diese kleine Stadt gerade, zieht sich dann zurück. Auf den Hoteltreppen verlieren wir dann das Meer, dann, im Zimmer, öffnet sich ein Fenster, draußen wieder das Meer, es kommt wieder in die Nähe, zieht sich wieder zurück, atmet tief, kommt wieder in die Nähe, zieht sich zurück, atmet tief, kommt wieder in die Nähe, wäscht seine Steine und färbt sie.

Am nächsten Tag fuhren wir weiter zu Omaha Beach, Juno Beach, Utah Beach, den Orten, wo die Alliierten an einem Junitag 1944 gelandet waren. Dort, wo wir tagelang spazierten und wo ich mich zu Steinen runterbückte, hatten die Alliierten an einem Tag 4000 Soldaten verloren. Von Stein zu Stein laufend, erzählte Karl unter dünnem Regen: »An den Stränden der Normandie landeten 150 000 Soldaten der Alliierten. So hat Europas Befreiung von den deutschen Faschisten angefangen. Sie sind für uns gestorben, D-Day nannten sie den Tag. Die Nazis erwarteten nicht die Landung der Alliierten hier, wo wir jetzt stehen, weil hier die Küste so steinig, steil, uneben, schroff ist. In den Vierzigerjahren hatten die Nazis an der Küste entlang den Atlantikwall gebaut. Tausende Kilometer, eine Küstenbefestigung, eine Unzahl von Bunkern. Aus denen haben die Nazis auf die Alliierten geschossen, denke ich. Um diese Befestigung zu bauen, haben die Nazis die französischen Bewohner zur Zwangsarbeit gezwungen. Diese Schuld wurde auch in den Nürnberger Kriegsverbrecherprozessen verhandelt gegen den Naziarchitekten Speer und seine Kumpane. Stahl, Beton, tote Amerikaner, tote Tiere. Es soll zuvor sehr stark geregnet haben.«

Dann schwieg Karl. Wir liefen still zwischen den Möwen rum, die auf den Steinen standen und in Richtung des Meeres schauten. Wir setzten uns auch auf zwei Steine. Kein Mensch war an dem Strand, nur Steine.

Ich sagte: »Karl, was denkst du, wie viele tausende Mal die Stimmen nach Sanitätern gerufen haben an diesem Tag? Sanitäter, Sanitäter, Sanitäter, Sanitäter, Sanitäter, Sanitäter, Sanitäter, Sanitäter, Sanitäter, Sanitäter, Sanitäter, Sanitäter, Sanitäter, Sanitäter, Sanitäter, Sanitäter, Sanitäter, Sanitäter. Wie viele Fallschirme sind an den Kirchtürmen hängengeblieben, gefangen vom Turm, getötet von Nazis mit Maschinengewehren, von unten, von da, von dort? Diese jungen Menschen sollen sich in der Luft um sich gedreht haben, die Schuhe an ihren toten Füßen gut geknotet am Morgen, bevor sie ins Flugzeug einstiegen, Kriegsschiffe, Landungsboote, Ebbe, Hochwasser oder Flut, Ebbe oder Flut, Tausende von Landungsbooten, ein nervöses Meer, so junge Menschen, alle wollten Europa retten, kleine Freunde, junge Freunde.«

»Ja«, sagte Karl, »und vor ihnen, in dem Atlantikwall, lauernde Nazis. Unten an der Küste von Nazis gelegte Minenfelder, dazwischen in den Erdboden eingegrabene Infanterieeinheiten. Man sagt, an diesem Junitag war dieser Sandboden mit Blut getränkt. Blut regnet, Blut ertrinkt im Sand, Blut läuft. Was machte die Zivilbevölkerung an diesem Tag?«

Die Stimme von Karl wurde immer leiser und leiser. Ich sah zwischen den Steinen ein Kinderspielzeug.

»Ein Kind ist hier vorbeigegangen, es hat sein Spielzeug verloren.«

»Vielleicht hatte der Großvater das Spielzeug in der Hand, und er hat es verloren«, sagte Karl, »oder das Spielzeug war kaputt. Dann haben sie es hiergelassen.«

Karl fotografierte die Steine, mich, das kaputte Spielzeug.

Als er so über die Steine lief oder sich zu ihnen bückte oder sich zum Felsen oder in Richtung des Meeres drehte oder den Hügel hoch, dann wieder zur Erde oder auf mich schaute, dachte ich, was für ein schöner Mann er ist. Aber immer wieder, vielleicht durch den Ort der viertausend toten alliierten Soldaten auf dem Strand, rückte Karls Kindheitsfoto, auf dem er weinte, an die Stelle seines jetzigen Gesichts, und das Kindheitsfoto erinnerte mich an den Rossellini-Film *Deutschland im Jahre Null*, den Rossellini nach dem Krieg in Berlin gedreht hatte.

Berlin lag in Ruinen und sprach in den Nächten vor sich hin: »Ich bin müde vom Tod.«

Der Film: Ein deutsches Kind, ein mutterloses Kind, das Edmund Köhler heißt, muss im bis auf die Knochen zerbombten Berlin für seine Familie sorgen. Sein Vater ist krank, liegt immer im Bett, der Bruder versteckt sich vor den alliierten Soldaten, Edmund muss Geld nach Hause bringen, egal wie. Er arbeitet auf dem Friedhof, wird rausgeschmissen, muss für den Hausbesitzer auf dem Schwarzmarkt Sachen verkaufen, wird von Betrügern reingelegt, der Besitzer beschuldigt ihn, ein Dieb zu sein. Er hat einen Lehrer, der wahrscheinlich von ihm etwas Sexuelles möchte, der Edmund eine Schallplatte mit Hitlers Reden gibt, Edmund solle sie den alliierten Soldaten verkaufen. Eines Tages bringt ihn der Lehrer auf die Idee, seinen Vater zu vergiften, und sagt wie die Nazis: »Man muss eben den Mut haben, die Schwachen verschwinden zu lassen.« Edmund mischt das Gift in den Tee, der Vater stirbt. Alle Nachbarn und die Schwester denken, dass der Vater vor Hunger gestorben ist. Am Ende sitzt das Kind in einem leeren Ruinenhaus, stürzt sich von der Höhe hinunter und stirbt zwischen den Ruinen.

Der Filmemacher Jean-Luc Godard liebte Rossellinis Film sehr. Er schrieb in seinem Buch *Einführung in eine wahre Geschichte des Kinos*: *[…] da wurde mir klar, dass man diesem Kleinen etwas in den Kopf gesteckt hat, überallhin, in den Körper, der plötzlich einfach zu groß für ihn wird. Und als er es dann merkte, ging es einfach nicht mehr. Er verkaufte Zigaretten, er machte nur lauter Dinge, die die Erwachsenen machen, die Eltern, und auch wenn die Stadt total zerstört war, das war ein Ungeheuer, das keins sein wollte.*[63]

Der Regisseur Rossellini soll gesagt haben: »Sollte jedoch jemand glauben, nachdem er diese Geschichte von Edmund Köhler miterlebt hat, es müsse etwas geschehen, man müsste den deutschen Kindern beibringen, das Leben wieder lieben zu lernen, dann hätte sich die Mühe desjenigen, der diesen Film gemacht hat, mehr als gelohnt.«

Den deutschen Kindern beibringen, das Leben wieder lieben zu lernen. Karl war auch im Krieg geboren, 1940, an einem Augusttag. Auf dem Foto, das mich an Rossellinis Film *Deutschland im Jahre Null* erinnerte, war er ungefähr drei Jahre alt. Die nackte Hölle setzte damals auf die Kinderkörper zu große Köpfe. Kannst du ihn nicht tragen, Kind, stirb! Pat, Pat, Pat.

Karl lief weiter zwischen den Steinen rum, fotografierte, ich summte das Lied von Brecht und Hanns Eisler »Ein Pferd klagt an«.

Da fragte ich mich:
Was für eine Kälte
Muß über die Leute gekommen sein!
Wer schlägt da so auf sie ein, daß sie jetzt
So durch und durch erkaltet?
So helft ihnen doch und tut das in Bälde –
Sonst passiert Euch etwas
Was Ihr nicht für möglich haltet![64]

Karl war also in diese Welt, über die das sterbende Pferd klagte, hineingeboren.

Eine Möwe setzte sich in meiner Nähe auf einen Stein. Dann kamen andere Möwen, und jede setzte sich auf einen

Stein. Plötzlich war auf jedem Stein eine Möwe. Ich bewegte mich nicht, damit sie nicht hochflogen, merkte, dass Karl sich auch nicht bewegte. Wir blieben still, bis eine der Möwen ans Meer flog. Da flogen alle anderen hinter ihr her, und jeder Stein war jetzt leer.

Karl stand auf, kam, fotografierte mich, setzte sich auf einen Stein neben mich. Wir schauten gemeinsam aufs Meer, bis die Möwen vom Meer in Richtung Himmel hochflogen. Ihre Schreie, die sich wie Lachen anhörten, brachten uns auch zum Lachen. Wir schrien laut in den Himmel: Ah ah ah ah ah ah ah ah ah ah ah ah ah ah ah ah ah ah ah ah ah ah ah ah ah ah ah ah ah ah ah ah ah ah ah ah ah ah ah ah ah ah ah ah ah ah ah ah ah ah ah ah ah ah ah ah ah ah ah ah ah ah ah ah ah ah ah ah ah ah ah ah ah ah ah ah ah ah ah ah ah ah.

Wir spazierten tagelang auf diesen Stränden. Der Himmel, unter dem Tausende Stimmen im Jahr 1944 nach MEDICS – SANITÄTERN gerufen hatten, hörte jetzt auch andere Wörter, weil Karl mir auf diesen Stränden, auf die damals Blut gelaufen war, auf die es Blut geregnet hatte, deren Sand in Blut ertrunken war, von seiner Kriegskindheit erzählte: SIRENEN – LUFTSCHUTZKELLER – TIEFFLIEGER – DIE ROTE MÜTZE.

»Ich war vier Jahre alt, meine Mutter suchte Pilze im Wald, ein Tiefflieger kam näher, meine Mutter stürzte sich auf mich, riss mir meine rote Mütze vom Kopf, sagte: ›Nicht bewegen.‹«

JÜDISCHE MENSCHENANSAMMLUNGEN – LASTWAGEN – ABTRANSPORT.

»Viele Menschen wechselten die Straßenseite.«

EVAKUIERUNG – SCHEISSE IM EIMER.

»Wir waren wegen der Bombenangriffe zwangsevakuiert, in einem Dorf, bei einer Familie Rangers. Wir hatten keine Toilette dort, meine Mutter, meine Schwester und ich schissen alle drei in einen Eimer. Meine Schwester musste einmal den Eimer voller Scheiße über die steile Holztreppe hinuntertragen, sie war sechs, sie rutschte, alles lief runter. Rangers sollen gesagt haben: »Da haben wir die Scheiße – douu hommer den Schaas.«

ENDLOSE KOLONNEN

»In diesem Dorf gab es eine Steinbrücke und einen Fluss, Rotach hieß er. Die Amerikaner fuhren in Jeeps, Panzern, Lastwagen, endlose Kolonnen, Tag und Nacht. An der Brücke machten sie Pause. Von der Steinbrücke aus schossen sie auf die Forellen im Fluss. Wir Kinder standen am Straßenrand, bettelten um Bonbons, wir bekamen Schokolade, Datteln und Bonbons.«

OCHSE UND AMERIKANER

»Einmal sah ich bei den Rangers durch das Fenster, wie die Amerikaner einen Ochsen auf den Lastwagen ziehen wollten. Sie hatten Bretter von der Ladefläche zur Erde gelegt. Es war zu steil für den Ochsen, der Ochse rutschte immer wieder runter. Nach einigen Versuchen haben die Amis Stroh auf die Bretter gestreut. Sie arbeiteten stundenlang, aber der Ochse wollte auf keinen Fall auf den Lastwagen. Es war wie ein Kampf zwischen den Amerikanern und dem Ochsen.«

AMIS – SCHWARZE GIS

»Aaach, ich liebte die Amerikaner, am meisten natürlich die Schwarzen, am Teich habe ich einen schwarzen Soldaten nach der Uhrzeit gefragt, er lag auf einer Frau, machte weiter mit der Frau und hielt mir dabei den Arm hin mit der Uhr, das half mir nichts, ich konnte die Uhr noch nicht lesen.«

RUINEN – ÜBERALL SCHEISSE IN DER STADT

»Im Mai 1945, direkt nach Ende des Kriegs, kamen wir zurück nach Nürnberg. Alles voller Ruinen. Scheiße, überall war Scheiße in der Stadt. In den Ruinen war es vollgeschissen, voller Monatsbinden von Frauen. Damit wir Angst hatten vor den Ruinen, sagte man: ›Da sitzen Mörder, die die Kinder ermorden.‹«

ESSGESCHIRR – NUDELN – ROTE SOSSE AUF SCHNEE

»Die Schulspeisung bekamen wir von den Amerikanern. Wir hatte ein Essgeschirr, darauf kriegten wir einen Klacks Nudeln mit roter Soße, mal mit Schinken, mal mit Käse. Auf dem Schulweg sah man immer wieder das ausgekippte Essen, manchmal ganz viel, manchmal weniger, du hast es immer wieder gesehen. Wenn der Schnee lag, war das besonders auffällig, rote Soße auf Schnee.«

HAMSTERN

»Wir suchten immer nach Essen, fuhren mit dem Zug

aufs Land zum Hamstern. Die Züge waren überfüllt, die Leute fuhren auf den Dächern. Auf dem Land kannten wir Leute. Die gaben uns einen Korb voller Essen, vielleicht Erbsen, Kartoffeln, Kohlrabi, Gelbe Rüben, Rote Bete, Mehl, Gries, solche Sachen, aber sehr begrenzt. Ich bekam einen Apfel, legte ihn in den Korb. Immer wieder schaute ich zu diesem Apfel. Wie wir am Bahnhof ankamen, kam aus dem Menschengedränge ein Kind, stürzte sich auf den Korb, klaute blitzschnell den Apfel. Die Kinder waren darauf spezialisiert, die Hamsterer, die vom Land zurückkehrten, zu berauben. Ich habe ja als Kind nicht kapiert, was die Ruinen waren, aber als das Kind mir meinen Apfel klaute, habe ich sehr wohl verstanden: Wir alle waren Ruinenkinder.«

Während Karls Wörter sich im Himmel der Normandie neben dem Wort der alliierten Soldaten »MEDICS – SANITÄTER« sammelten, sammelten sich auch die Lachmöwen am Rand des Wassers, wo die Wellen aufhörten. Weil es ständig etwas regnete, froren sie und plusterten ihre Federn auf, und dadurch sahen sie aus, als ob sie eine Halskrause trügen. Manche schissen auf die Steine, hinterließen weiße Spuren, viele Steine mit weißen Flecken waren Möwentoiletten wie auf der türkischen Insel, wo die Orthodoxkirche stand und von wo aus ich über das Meer nach Europa gegangen war.

Plötzlich sagte Karl: »Was ich bei den Amerikanern bewunderte, waren die Hosen, die gutsitzenden Uniformhosen. Die Blusen, die Käppis, alles, was die Amerikaner hatten, hatte meine volle Begeisterung, egal was, Stiefel, Handschuhe, Zigaretten, Autos, wie sie im Jeep saßen, die Beine lässig hochgestellt, mit einer Zigarette im Mund fuhren sie Auto. Sie waren die Kings, das waren die Sieger. – Besuchen wir den GI-Friedhof hier?«

Auf dem GI-Friedhof, als wir zwischen den Steinkreuzen von einem Toten zum anderen liefen, erzählte mir Karl: »Einmal gab mir ein GI-Soldat eine Büchse, das war Pampelmusensaft, mir hat er himmlisch geschmeckt, so was Schönes.«

Auf einem GI-Grabstein stand eine Möwe. Karl ging hin und las den Namen des Toten laut: Matthew. Dann liefen wir zu anderen Gräbern und lasen die Namen laut: Logan, Ethan, Casey, Mike, Jake, fast riefen wir ihre Namen, als ob sie uns antworten sollten und sagen sollten: »Ich komme gleich«, »wir gehen gleich«, »ich komme wirklich«.

Karl sagte: »Schau mal, der heißt Rhett. So hieß der Mann im Schwimmbad damals. Wir Ruinenkinder waren immer auf der Straße. Mit den anderen Kindern ging ich in dieses Schwimmbad, obwohl ich nicht schwimmen konnte. Ich lief im Wasser auf den Knien, es war nicht tief, und machte Schwimmbewegungen. Die anderen Ruinenkinder glaubten mir, die Kinder glaubten alles. Ich habe ihnen auch erzählt, dass ich sprechende Frösche, Eidechsen, Mäuse habe, dass ich mit ihnen sprechen kann, sie konnten sich nicht satthören an meinen Tiergeschichten. Aber ich habe immer Schuldgefühle gehabt, weil ich sie anlog. In dieses Bad kamen auch amerikanische Soldaten mit ihren Familien. Dort habe ich diesen Mann, der Rhett hieß, getroffen. Ich muss auf seine Familie gestarrt haben, die auf einer Decke saß. Er hatte zwei Kinder. Der amerikanische Vater schnitt gerade ein großes Brot ab, ein Brot, wie ich es nie gesehen hatte, eine große Scheibe schnitt er ab und drückte aus der Tube gezuckerte Milchpaste und schmierte sie ganz dick drauf. Dann reichte er sie anstatt seinen Kindern mir, sagte auch etwas, *come on* oder so was. Oh, wie das schmeckte, oh, wie das schmeckte! ›What's your name?‹, fragte er mich. Ich verstand ihn nicht, und er zeigte auf sich und sagte: ›My name is Rhett, your name?‹ Ich habe mir damals gewünscht, ich hätte einen Amerikaner zum Vater. Ich war zehn Jahre und kannte meinen Vater nicht. 1950 weckte uns meine Mutter, holte uns aus dem Bett, dann musste ich Klavier spielen vor einem wildfremden Typen, der auch furchtbar aussah, mit rasiertem Kopf und Bartstoppeln, er kam gerade aus der Gefangenschaft aus Sibirien und sah furchtbar aus. Meine Mutter war sehr aufgeregt, sagte: ›Das ist ja der Franz, der Vati ist da, euer Vati, der Vati, Vati, euer Vati.‹ Aus war es mit der schönen Zeit mit meiner Mutter.«

Als wir vom Friedhof rausgingen, war ich neugierig, wie der Vater von Karl über die Russen sprach. Millionen Russen hatten durch die Nazis ihr Leben verloren, aber manchmal beobachtete ich in Deutschland Reaktionen, als ob die Deutschen die Opfer von den Russen wären.

»Erzählt dein Vater von den Russen?«, fragte ich Karl.

»Sehr wenig, er mochte die Russen. In der schwierigen Zeit der Gefangenschaft und Arbeit im Kohlebergwerk in Sibirien hatte mein Vater das Glück, dass er eine sehr schöne Tenorstimme hatte. Die Wachsoldaten kamen zu ihm und wollten, dass er für sie singt. Er sang deutsche Arien, Schuberts Adelaide, deutsche Heimatlieder. Die Russen müssen entzückt gewesen sein, mein Vater erzählte, dass sie begeistert waren. Du weißt ja, die Russen sind wie die Iren, sie sind verrückt nach Singen, sie werden selig. So hatten er und seine Mitgefangenen einfach längere, unverhoffte Pausen. Und wenn der Lagerkommandant besoffen war und selig und sentimental wurde, dann ließ er meinen Vater länger singen. Mein Vater wollte ja Opernsänger werden, er liebte das Theater, die Oper, Sänger, Künstler. Was er in Russland gesungen hat, hat er auch zu Hause gesungen. Und ich musste ihn am Klavier begleiten.«

Später erzählte mir Karl, dass sein Vater immer aus den Zeitungen die Opern- und Theaterkritiken ausgeschnitten und in der Familie laut vorgelesen hatte. Und er brachte Karl eines Tages zu dem berühmten Bühnenbildner Ambrosius Humm, einem Schweizer, der gerade in Deutschland arbeitete. Karl und sein Vater klingelten, eine sehr schöne Frau machte auf, brachte sie in ein wunderschönes Zimmer, alles hell, und Humm malte gerade ein großes Bild an der Malerstaffelei, es gab einen Weihnachtsbaum, Bücher lagen rum, Zigaretten, Äpfel, Plätzchen, alles machte einen freien, großzügigen Raumeindruck, und dazwischen die schöne Frau Humm, Regula hieß sie.

Karl sagte: »Humm wurde mein Bühnenbildlehrer. Und Humms Lehrer war der große Bühnenbildner Teo Otto. Er war an der Kunstakademie Düsseldorf Professor der Bühnenbildklasse, die ich jetzt leite. Ich bin Teo Ottos Nachfolger.«

Er sagte auch, dass Teo Otto, wie Caspar Neher, mit Brecht gearbeitet habe, und Brecht hatte sogar ein Gedicht für ihn geschrieben: »Theo, schwanke nicht.«

Es muss für Karl damals verrückt gewesen sein, dieses warme, schön beleuchtete Zimmer von Humm, die Kekse, der Weihnachtsbaum, die Lichter, Kunstbücher, schön riechenden Äpfel, diese Schweizer Menschen, die den Nazialltag in ihrem eigenen Land nie erlebt hatten, die keine körperliche Erfahrung mit dem Faschismus machen mussten, deren Städte nicht Ruinen waren – und kaum waren der Vater und Karl wieder draußen, sahen sie nur Ruinen. Karl hatte mir gesagt, dass er in seiner Ruinenkindheit Glücksgefühle nur auf dem Weg zum Klavierunterricht hatte.

»Ich liebte die Sträucher mit den weißen Bällchen am Straßenrand, sie waren schön, aber sie machten mich sehr traurig in den Abendzeiten, wenn ich vom Klavierunterricht nach Hause kam.«

Ich fragte Karl: »Warum machten diese Sträucher mit ihren weißen Bällchen dich traurig?«

Er sagte: »Ich weiß es nicht, sie waren zu schön, so weiß, wie ein Fremder, der seinen Weg in den Ruinen verloren hatte, sie standen da wie ein Vorwurf, wie ein Schluchzen in diesen Trümmern.«

Die Flut zog sich zurück. Die Möwen pickten in Ruhe am Saum des Wassers nach den Muscheln, aber dann überschlug sich wieder eine Welle, und alle Möwen flogen hoch. Ihre braunen Köpfe mit den langen Schnäbeln sahen aus wie venezianische Masken, diese Art Möwen gab es in der Türkei nicht, ich sah sie zum ersten Mal hier in der Normandie.

Während die Flut zurückging, und das dauerte ungefähr drei Stunden, spazierten wir weiter. Der Himmel über uns, unter dem Tausende Stimmen im Jahr 1944 nach MEDICS – SANITÄTERN gerufen hatten, hatte in diesen paar Tagen auch Karls Kriegskindheitswörter gesammelt. Das waren die Wörter des Jahres 1944:

MEDICS – SANITÄTER – SIRENEN – LUFTSCHUTZKELLER – TIEFFLIEGER – DIE ROTE MÜTZE – JÜDISCHE MENSCHENANSAMMLUNGEN – LASTWAGEN – ABTRANSPORT – EVAKUIERUNG – SCHEISSE IM EIMER – OCHSE UND AMERIKANER – AMIS – SCHWARZE GIS – RUINEN – ÜBERALL SCHEISSE IN DER STADT – ESSGESCHIRR – NUDELN – ROTE SOSSE AUF SCHNEE

Ich fragte Karl: »Karl, hörtest du etwas über die Nazizeit im Radio oder zu Hause oder von Lehrern oder vom Metzger oder von Kindern, egal wem?«

Jetzt kamen zu diesen Wörtern neue Wörter dazu.

KEIN MUCKS, KEIN MUCKS – TÖDLICHES SCHWEIGEN – REITPEITSCHE – DACHAU – DAS VERMÖGEN DER JUDEN – OBERSALZBERG – LASTWAGENKONVOI

Karl sagte: »Kein Mucks, kein Mucks, tödliches Schweigen. Die Studenten der 68er-Bewegung haben es erst geschafft, dass darüber geredet wurde. Und Fritz Bauer, der jüdische Staatsanwalt, der mit Willy Brandt im Exil war. Ach ja, und eine blinde Frau, Frau Günter, hat 1957 darüber geredet. Frau Günter war Gouvernante bei einem jüdischen Fabrikanten, der von Julius Streicher mit der Reitpeitsche persönlich abgeholt worden war. Streicher war der Herausgeber des *Stürmer*, der schlimmsten Hetzzeitung gegen Juden. Frau Günter war Augenzeugin der Abholung ihres Chefs, sie wurde erst später blind.«

»Woher kanntest du die blinde Frau?«

»Sie war die Zimmerwirtin von meinem Nachhilfelehrer in Chemie. Ich habe bei Frau Günter an ihrem großen Flügel Klavier gespielt. Sie stand hinter mir, fasste meinen Kopf an, tastete, sagte: ›Du bist ein schöner Junge, Karl. Du hast so einen schönen Kopf.‹ Meine Mutter hatte mir erzählt, dass sie immer an meinem Kopf herumgedrückt hatte, als ich ein Baby war. Ich soll einen großen, unförmigen Kopf gehabt haben, sie hatte Angst, dass die Nazis meinen Kopf als Wasserkopf einstufen und mich ihr wegnehmen könnten. Frau Günter hat einmal für mich und meinen Nachhilfelehrer etwas zu essen gemacht, Bratkartoffeln mit Eiern, aber da waren Schmutz und Haare drin, weil die Arme ja blind war. Mein Lehrer Jürgen hat heimlich das Essen weggetan. An dem Tag hat sie uns von Streicher und der jüdischen Familie erzählt. Sie sagte über die jüdische Familie, die von dem berüchtigten Nazischläger Streicher abgeholt wurde: ›Es waren wunderbare Leute.‹ Dann weinte Frau Günter.«

Wir waren sehr lange auf den Steinen gesessen, froren. Warum standen wir denn nicht auf? Unsere Klamotten waren auch feucht, ja, warum standen wir nicht auf? Wir schwiegen, schauten aufs Meer, Karl fragte mich irgendwann: »Was heißt auf Türkisch ›wie geht es dir?‹«

»Nasılsın.«

»Nasılsın.«

Der Abend hatte sich mit seinen Wolken über das ganze Meer gelegt, die Wolken bewegten sich so, als ob sie bald alle ins Meer fallen würden, um sich von dort als weiße Wellenstücke an die Küste spülen zu lassen, sich dort über die jetzt mit dem Abend schwarz gewordenen Steine zu legen und zu dem Himmel zu schauen. Dieser Himmel hatte an dem Tag, dem 6. Juni, hier über den Steinen und über dem Meer so viele Tote gesehen. Die zwei Steine, auf denen wir saßen, auf denen hatten sicher auch Tote gelegen, Tausende Tote, zwischen ihnen Tiere und SANITÄTER, SANITÄTER rufende Stimmen. Kein Regen am 6. Juni, aber für mich über alldem ständig regnendes Wasser, von den Kirchtürmen oder von den Bäumen herunterhängende junge Männer, umarmt von ihren Fallschirmen, und Regen, Regen, als ob der Regen an dem Tag heruntergekommen wäre, um die Toten zu waschen. Der Regen rennt hin und her, zu dem ersten Toten, dem zweiten Toten, dem dritten Toten, dem vierten Toten, dem viertausendsten Toten, Wasser ist Blut, Blut ist Wasser. Das Meer ist Blut, Blut ist das Meer. Die Steine sind Blut. Blut ist Steine. Die Nacht sagt: »Ich komme.« Alles ist die Nacht. Nur die Stimmen im Dunkeln schreien noch: SANITÄTER SANITÄTER SANITÄTER SANITÄTER SA-

NITÄTER SANITÄTER SANITÄTER SANITÄTER SANITÄTER SANITÄTER SANITÄTER SANITÄTER SANITÄTER SANITÄTER SANITÄTER SANITÄTER SANITÄTER SANITÄTER SANITÄTER SANITÄTER.

Ich hörte zwischen den Stimmen, die SANITÄTER SANITÄTER geschrien hatten, die leise Stimme von Karl. Er fragte mich: »Wie sagt man auf Türkisch noch mal ›wie geht es dir?‹«

»Nasılsın.«

»Nasılsın.«

Dann schwiegen wir wieder, schauten wieder in Richtung des Meeres. Jetzt hatte die Nacht langsam ihre schläfrige Dunkelheit über das ganze Meer geworfen. Nichts bewegte sich an der ganzen Küste. Die Möwen, die ständig, während wir da saßen, über das Meer geflogen waren und manchmal auf den Steinen gestanden hatten, waren alle weggegangen. Die Küstensteine waren jetzt auch unsichtbar. Wir gingen im Dunkeln in Richtung der Lichter eines Restaurants. Alles in Lichtern, Frauen, Männer, alle schön angezogen, Frauen mit ihren nackten Schultern, Armen, vor den glänzenden Wein- oder Champagnergläsern, ihr Lachen klebte sich an die hohen Decken, Stimmen drängten durch die hohen Fenster raus in Richtung der dunklen Küste. In der Mitte des Saals stand der Sapin de Noël – der Weihnachtsbaum. Da gingen wir rein.

Als wir zurück nach Deutschland fuhren, entfernte sich die Küste der Normandie, deren Himmel am 6. Juni 1944 mit dem Wort SANITÄTER bedeckt gewesen war, und dieses Wort SANITÄTER fiel damals vom Himmel zurück auf die sterbenden Menschen und Tiere und blieb in den sterbenden Ohren als letztes Wort dieser Welt. SANITÄTER.

Der Staub der Welt stäubt in die Sonne.

Das Auto kam in Bochum vor der Villa Wahnsinn an. Ich dachte: Jetzt wird Karl wegfahren, ich werde die Treppen hochgehen, alles im Schlaf, werde vor meiner Tür stehen, hineinhören, meiner eigenen Stille zuhören, ich werde mich darin sehen, den Kopf ein bisschen schief, leicht auf die rechte Schulter gelehnt, am Tisch sitzend. Auf dem Fensterbrett stehen ein paar dicke Bände. Caravaggio, Buñuel, Marx Brothers, Pasolini, Rimbaud, Hokusai und Francis Bacon. Ähnlich wie auf den Bildern von Francis Bacon wachsen aus dem Körper der Frau, die ich bin, aus ihren Armen, Beinen, aus dem Kopf und vom Tisch, vom Stuhl, aus den Blättern vor ihr, aus dem Telefon, aus den paar Büchern, die vor dem Fensterbrett stehen, Schatten. Sie wachsen ineinander bis zu einem großen Schattenklumpen, der sich vom Tisch bis zu ihren Füßen verlängert und um ihre Füße herum sich mit dem Schatten der Stuhlbeine verbindet. Der Rest des Raumes ist ohne Schatten. Deswegen sieht es nur dort, wo der Schatten gewachsen ist, wie ein Raum aus, ein von Schatten begrenzter Raum. Dadurch tritt nur dieser Teil des Zimmers in Erscheinung, der Schatten beschränkt sich darauf, der Frau, die am Tisch sitzt, die dieses Bild belebt, eine Daseinsmöglichkeit zu geben. Die Frau soll das Bild mit Leben erfüllen.

Karl stieg aus, machte die Tür auf meiner Seite auf, stand da, sagte langsam: »Jetzt packen wir deine Sachen, und du ziehst zu mir.«

Bevor wir wegfuhren, warf ich alle Nüsse, die ich noch hatte, in den Garten für das Eichhörnchen.

Die zwei Töchter von Karl waren für Neujahr nach Düsseldorf gekommen, die eine aus New York, die andere aus Hamburg. Wir standen am Rheinufer mit Flaschen in der

Hand, tranken, lachten, schauten in den Himmel, das Feuerwerk warf kurz seine Farben und seinen Glitzer in den Himmel, fiel dann rasch wieder in den Rhein. Zwischen all diesen platzenden Farben, lauten Geräuschen sagte Karl zu seinen Töchtern: »Ihr müsst sie schützen«, er meinte mich. Die beiden Töchter und ich lachten. »Doch, schützen sollt ihr sie«, wiederholte Karl, »sie braucht Schutz.« Wir lachten wieder, tranken, lachten noch lauter. Die Töchter gingen mit ihrem Vater um, als ob er Max oder Moritz wäre, oder Hanswurst. Sie spielten mit ihm, und er spielte gerne mit ihnen. Ich war genauso wie sie, ich spielte mit meinem Vater, als ob er eine Comicfigur des türkischen Theaters oder die Pantalone-Figur aus der Commedia dell'arte wäre. Im Grunde waren beide Väter keine Väter, sondern Spielfreunde. Es war schön, auf ihre Szenen zu schauen. Lachen, sie lieben. Ich hatte plötzlich eine deutsche Familie. Die ältere Tochter sah aus wie die holländischen Mädchen von den Vermeer-Bildern, die jüngere hatte ein grünes und ein braunes Auge. Und sie liebten ihren Vater sehr, der keinen Vater spielte, wie mein Vater keinen gespielt hatte. Wie schön wäre es, wenn alle Kinder in der Türkei Väter hätten, die nicht Väter spielten. Aber in der Türkei wimmelt es von Vätern, die Väter spielen, dachte ich am Rhein. Das Feuerwerk wurde lauter und lauter, und die ganzen Menschen am Rheinufer umarmten, küssten sich, wir uns auch. Als es hell wurde, liefen wir, immer noch Flaschen in der Hand, auf den Straßen, ich hörte die Töchter immer wieder »Papa, Papa« sagen, »Papa, Papa, Papa«, das Wort Papa wie Baba im Türkischen. Lange hatte ich das Wort nicht gesagt, Baba, Baba, Baba, Baba. Ich hatte immer noch große Angst, in die Türkei zu fahren, dafür aber hörte ich jetzt die anderen Papa, Papa sagen.

Die Proben an der Frankfurter Oper fingen an. In Karls Inszenierung von Igor Strawinskys Oper *The Rake's Progress* saßen Tom und der Teufel Nick in einer Szene in einem Grab und spielten Karten um die Seele von Tom. Währenddessen musste ich als Putzfrau auftreten und mit der stummen Bohnermaschine die Bühne bohnern. William Cochran, der Heldentenor, spielte Tom. Er war ein süßer, dicker Bilderbuch-Opernsänger, er nannte sich Bud. Bei meiner ersten Probe, als ich mit der stummen Bohnermaschine anfing, die Bühne zu bohnern, standen die ganzen Orchestermusiker von ihren Plätzen auf, schauten auf mich. Cochran sagte zu Karl mit seinem amerikanischen Akzent: »Die Putzfrau muss weg, damit wir proben können.«

Karl sagte: »Bud, die Putzfrau spielt in der Szene mit.«

Cochran wollte ihm widersprechen, aber der Dirigent gab sein Zeichen, und Cochran fing an zu singen. Als ich fertig war und von der Bühne abging, eilte hinter der Bühne ein türkischer Techniker zu mir, erzählte mir aufgeregt auf Türkisch, dass hier die Opernbühne sei, ein Stück geprobt werde und ich nicht putzen dürfe. »Später, später, nach der Probe dürfen Sie hier arbeiten, dann bohnern Sie die Bühne«, sagte er.

Bald sagte William Cochran, er finde die Putzfrau gut, aber seine Frau nicht. »Meine Frau meint, die Putzfrau muss weg, sonst würden die Zuschauer nur auf die Putzfrau schauen.«

Die Opernregisseurin Ruth Berghaus kam zur Premiere von *The Rake's Progress*, fragte mich, ob ich bei ihr die Rolle der Andromache in der Oper *Die Trojaner* von Hector Berlioz spielen würde. Ich freute mich, weil Berghaus und ihr Mann, der Komponist Paul Dessau, mit Brecht zu tun gehabt hatten. Dessau war mit Brecht im amerikanischen Exil gewesen.

Ich liebte die Opernkorridore. An der Oper sangen die Sänger schon, wenn sie unten beim Pförtner vorbeikamen. Alle Korridore waren voller Opernklänge, Musikfetzen, Arien übender Stimmen aus den Zimmern, Geräusche des probenden Orchesters, die Sänger konnten in allen Sprachen singen, alle Wörter der Welt hatten Platz in ihrem Gedächtnis und ihrem Mund. Wörtervolle Menschen. Stimmenvolle Korridore.

Der Tenor William Cochran sang in *Die Trojaner* den Aeneas, den trojanischen Helden. Meine Rolle der Andromache war eine stumme Rolle. Nachdem ihr Mann Hektor, der trojanische König, im Trojanischen Krieg gefallen ist, tritt sie mit ihrem Sohn Astyanax auf, stumm trauert sie, weint und weint um Troja, um ihren getöteten Mann und um ihr Kind, das auch noch getötet wird. Und während sie stumm trauert, singen der riesige Opernchor und Kassandra für sie.

Chor:
Andromache und ihr Sohn!
Welch ein Schicksal!
Dieses allgemeine Jubelgeschrei …
Und diese unendliche Traurigkeit,
Diese tiefe Trauer,
Dieser stille Schmerz!
Die verheirateten Frauen und Mütter weinen
bei ihrem Anblick …
Kassandra:
Ach, bewahre dir deine Tränen;
Witwe Hektors,
Für künftiges Unglück
Brauchst du noch viele bittere Tränen …[65]
Andromache war eine schöne Rolle.

Nach den *Trojaner*-Proben ging ich manchmal zum Essen in ein italienisches Restaurant, ALASSIO, gegenüber dem Theater. Alle gingen hin, dort wurden die wichtigsten Sachen besprochen, wie die wichtigsten Sachen im Bochumer Schauspielhaus auf dem langen, obskuren Korridor, der in die Kantine führte, besprochen wurden: »Du, willst du bei mir die Rolle soundso spielen …?« und so weiter. Im ALASSIO sprach mich der Frankfurter Theaterdramaturg Horst Laube an. Laube kannte ich als Stückeschreiber, auch als Theaterkritiker für den *Spiegel* und die *Frankfurter Rundschau*.

Laube sagte: »Ich habe dein Stück *Karagöz in Alamania* gelesen, wunderbar, wunderbar. Ich habe Adolf Dresen dein Stück gegeben, das müssen wir unbedingt machen, habe ich ihm gesagt. Dresen hat es gelesen und für die Kosten der Inszenierung bei der Stadt Frankfurt Gelder beantragt. Der Kulturdezernent Hilmar Hoffmann hat es möglich gemacht, wir bekamen zusätzliche Gelder für dein Stück.«

Ich umarmte Horst, bedankte mich. Er goss mir aus seiner Karaffe ein Glas Rotwein ein, wir tranken. Laube war einer der Menschen, über die der jüdische Regisseur Peter Zadek gesagt hatte: »Die Deutschen sind nicht eifersüchtig. Wenn sie merken, dass ein Künstler gut ist, unterstützen sie ihn, eröffnen sie ihm Chancen.«

Laube hatte schon mit dem Kulturdezernenten Hilmar Hoffmann in Frankfurt Heiner Müller durchgesetzt, er wurde dort gespielt. Horst Laube fragte mich: »Hast du Lust, dein Stück zu inszenieren?«

Wir gingen zur Theaterdramaturgie, um mit den anderen Dramaturgen, Marc Günther und Ingo Waßerka, die auch als Dramaturgen für mein Stück arbeiten würden, zu sprechen. Es wurde abgemacht, dass ich in der nächsten Saison mit den *Karagöz in Alamania*-Proben anfangen würde. Dann gingen wir mit Laube wieder in das ALASSIO. Karl kam rein, Horst Laube sah ihn, dichtete:

Schon sträubt sich mir das Haar am Scheitel,
Sehe ich den Bühnenbildner Kneidl.

Karl lachte, setzte sich zu uns. Horst Laube fragte mich: »Liebst du den Karl?« Ich sagte: »Ja.« Er streichelte den Kopf von Karl, sagte: »Du hast Recht, er ist ein Monster.« Dann küsste er ihn, sagte: »Du machst die Bühne und die Kostüme für ihr Stück *Karagöz in Alamania.*«

»Ja«, sagte Karl.

Die Frage, ob ich Karl liebte, stellte mir auch Karls Vater, als wir uns zum ersten Mal trafen. Der Vater ging mit mir spazieren, zeigte mir das Geburtshaus von dem Maler Albrecht Dürer, wir gingen rein, schauten uns die Zimmer an. In einem der Zimmer fragte er mich, ob ich Karl liebte. Ich sagte: »Ja.« Er sagte: »Gut, Sie sind eine rassige Frau.« Auf dem Weg fragte er mich, ob ich an Gott glaubte. Ich sagte: »Ich liebte in meiner Kindheit die Mutter Maria, sie ist auch eine Heilige in der Türkei. Was mich begeistert, ist, dass in jedem Land die Maler unterschiedliche Marientypen gemalt haben, in den Museen sieht man das, immer nach den folkloristischen Frauentypen des Landes.«

Zu Hause, als ich mit Karls Mutter Ilse sprach, sang der Vater leise: »Dies Bildnis ist bezaubernd schön.« Immer wieder sagte er: »Was für ein schöner Abend, was für schöne Menschen.« Dann sagte er: »Ihr habt es gut«, und erzählte mir, wie er in der Nazizeit als Soldat nach Russland musste: »Wir kamen in einer Kaserne an, am nächsten Tag mussten wir nach Russland, wir mussten draußen im Hof der Kaserne übernachten, es ging uns schlecht, wir hatten Hunger, einer der Soldaten sagte: ›Es gibt ein Fass voller Honig.‹

Die Soldaten haben sich geprügelt, um von diesem Honig zu essen. Ich habe meine beiden Hände in das Fass getaucht, habe von dem Honig gegessen. Es war aber kein Honig, es war Fliegenleim. Ein paar Soldaten sind gestorben. Wenn du gesehen hättest, wie schlimm es mir ging. Mich haben sie so in den Zug nach Russland geworfen und gesagt – überleg dir, die deutschen Offiziere –, ich soll zufrieden sein, dass sie mich nicht erschossen haben, weil ich heimlich aus diesem Fliegenfass gegessen habe. Während sie mir drohten, kotzte und schiss ich ununterbrochen. Ich kam mit acht Kilo weniger aus dem Zug in Russland an. Ich fiel auf den Boden, konnte mich nicht bewegen. Überleg dir, die deutschen Offiziere haben mich zu den Toten geschmissen. Ich lag zwischen den Toten. Eine Russin half mir, gab mir Milch. Als der Krieg zu Ende war, haben uns die Russen durch die Moskauer Straßen laufen lassen. Wer nicht laufen konnte, blieb auf dem Boden liegen, dann ging es mit dem Zug ab nach Sibirien in die Kriegsgefangenschaft. Ihr habt es gut.«

Karls Mutter sagte: »Es waren böse Zeiten. Das ist vorbei.« Sie nahm unsere Hände wie beim Ringelreihen, schüttelte sie. Ilse war eine sehr christliche Frau. Ich ging am Abend mit ihr in ihre Kirche, setzte mich neben sie, machte alles nach, das Knien, das Bekreuzigen, Weihwasser nehmen. Ich liebte Ilse, sie war ein Waisenkind wie meine Mutter. Ilses Mutter war während Ilses Geburt gestorben.

UN MANTEAU

Lyon 1984. Ich hatte, bevor Karl und ich zu den *Prinz Friedrich von Homburg*-Proben nach Lyon fuhren, drei Fotos mitgenommen – Kleist, Kafka, Büchner. Kleist sah auf seinem

Bild wie eine Frau aus, die sich, um auf eine gefährliche, lange Reise zu gehen, als Mann verkleidet hatte. Die drei Fotos standen auf dem Tisch nebeneinander, ich schaute auf ihre Gesichter, las einen Text aus *Prinz Friedrich von Homburg*:

Das Leben nennt der Derwisch eine Reise,
Und eine kurze. Freilich! Von zwei Spannen
Diesseits der Erde nach zwei Spannen drunter.
Ich will auf halbem Weg mich niederlassen![66]

Aus dem Zimmerfenster in Lyon sah ich den Fluss Rhône. Unser französischer Kollege vom Theater, der technische Leiter, Noël »Napo« Kuperman, der mit Karl an dessen Bühnenbild für *Prinz Friedrich von Homburg* arbeitete, ging nach den Proben mit Karl und mir öfter im Lyoner Stadtviertel La Croix-Rousse spazieren, erzählte auf den steilen, hügeligen Straßen, dass es in Lyon im Jahr 1831 und 1834 zwei große Weberaufstände gegeben hatte. Napo erzählte vom Weberstreik, von ihrem Kampf, um ihren niedrigen Lohn zu verbessern, ihrem Aufstand, wie ihr Viertel von der Armee mit Kanonen bombardiert wurde, wie die Weber massakriert wurden, wie die toten Seidenweber in der Rhône schwammen. Seitdem konnte ich mir die Rhône ohne die Kleistsätze im Kopf nicht mehr anschauen.

Wer heut sein Haupt noch auf der Schulter trägt,
Hängt es schon morgen zitternd auf den Leib,
Und übermorgen liegt's bei seiner Ferse.[67]

Napo fuhr mit uns an einem Sonntag in sein Dorf Barsac. Auf der Dorfstraße fand ich einen toten Frosch. Autos waren über ihn gefahren, er war plattgedrückt, aber seine Füße sahen so aus, als ob er sofort wieder hüpfen würde. Ich nahm den Frosch mit. Napo fuhr uns zu einem alten Schloss, wo während der Französischen Revolution die Gegner gefangen gehalten worden waren. An eine Wand in einem Raum hatte ein Gefangener seinen Namen gekritzelt und das Datum von damals.

»Ja, wirklich, wer heute sein Haupt noch auf der Schulter trägt, hängt es schon morgen zitternd auf den Leib.«

Ein anderes Mal fuhr Napo uns nach Vassieux-en-Vercors. Während der Nazizeit 1944 hatten sich Tausende französische Widerstandskämpfer in Vercors' Wäldern und Bergen versteckt. Die Widerstandskämpfer, die sich in einer Grotte versteckt hielten, wurden alle von den Nazis ermordet. »Die Nazis flogen mit Segelflugzeugen, die kein Geräusch machten, vom Berg ins Tal, massakrierten die Menschen, steckten die Häuser in Brand, verbrannten Frauen und Kinder, ließen die Toten auf der Erde auf dem offenen Feld liegen, wochenlang blieben die Leichen da, wurden von kleinen und großen Tieren gefressen.« Als Napo das erzählte und wir auf den leeren, ordentlichen Dorfplatz schauten, dachte ich wieder an Kleists Homburgtext.

Wer heut sein Haupt noch auf der Schulter trägt,
Hängt es schon morgen zitternd auf den Leib,
Und übermorgen liegt's bei seiner Ferse.

Napo war französischer Jude. Sein Vater war von den Nazis im Konzentrationslager ermordet worden. Karl sagte: »Wahrscheinlich seine Mutter auch.« Wir fragten ihn aber nicht, ob seine Mutter auch von den Nazis getötet worden war.

Napo hatte viele Videokassetten. Es fiel mir auf, welche Filme er liebte und aufgenommen hatte und uns, weil er uns auch liebte, unbedingt zeigen wollte. Einer war von dem japanischen Regisseur Mizoguchi Kenji, *Ugetsu Monogatari – Erzählungen unter dem Regenmond.* In dem Film bleibt die Frau, deren Mann im Bürgerkrieg, um seine Töpfe zu verkaufen, in die Stadt gehen muss, im Dorf mit ihrem kleinen Kind allein zurück und wird von Soldaten ermordet.

Das Kind bleibt mutterlos.

Ein anderer Film, den Napo liebte, war von Charles Laughton, *Die Nacht des Jägers.* Dort wird die Mutter von zwei Kindern von einem Psychopathen getötet. Die Kinder bleiben mutterlos und sind in Gefahr. In beiden Filmen gab es Kinder, deren Mütter getötet wurden. Die Sätze von Kleist waren auch für die von Nazis getöteten Mütter und Väter.

Wer heut sein Haupt noch auf der Schulter trägt,
Hängt es schon morgen zitternd auf den Leib,
Und übermorgen liegt's bei seiner Ferse.

Napo ›adoptierte‹ Karl und mich, ging mit uns jeden Abend in Lyon ins Restaurant. An sonnigen Sonntagen legte er sich mit uns am Fluss auf eine Decke, fuhr uns zum Automuseum in Lyon. Das Auto von Hitler war auch da, aber auch das Auto von Edith Piaf. Der schwarze Mercedes von Hitler machte mir Angst. Ich lief zu Edith Piafs Sportwagen, stellte mir Edith am Steuer vor mit einem flatternden Schal im Wind. Karl genierte sich, mit Napo vor dem Hitler-Mercedes zu stehen. Später sagte ich zu ihm: »Karl, Napo liebt dich.« Karl sagte: »Ich weiß, dass so ein kluger, sensibler Mann wie Napo mich, der ich im Hitlerkrieg ein Kind war, nicht für schuldig hält, aber ich denke, er liebt mich, weil ich eine türkische Freundin habe, er liebt mich wegen dir.«

»Nein, Karl, er liebt dich.«

Als Karl lange schwieg, sagte ich: »Auch Brecht war Deutscher, auch Kleist war Deutscher, auch Büchner war Deutscher.«

»Auch Marlene Dietrich ist Deutsche«, sagte Karl, lachte dann, überlegte, »ja, wer war noch deutsch?«

»Sophie Scholl war Deutsche«, sagte ich, »Willy Brandt ist Deutscher«.

»Hölderlin war Deutscher, Bach war Deutscher«, sagte Karl.

»Ernst Busch war Deutscher, Ernst Lubitsch«, sagte ich. Wir stockten. Dann fielen die Namen von Kurt Weill, Else Lasker-Schüler, Carl Zuckmayer, deutsche Juden, die in der Nazizeit ins Exil gegangen waren. Plötzlich sagten wir im Chor: »Rainer Werner Fassbinder war Deutscher.«

Ich sagte: »Wolfgang Langhoff war Deutscher. Er hat im KZ die *Moorsoldaten* geschrieben.«

»Ernst Thälmann war Deutscher«, sagte Karl, »er wurde auf Befehl Hitlers getötet.«

Bei Thälmann dachte ich wieder an die Kleistsätze. Die Sätze von Kleist passten auch auf ihn.

Wer heut sein Haupt noch auf der Schulter trägt,
Hängt es schon morgen zitternd auf den Leib,
Und übermorgen liegt's bei seiner Ferse.

Während der Proben zu *Prinz von Homburg* schrieb ich mit großen Buchstaben auf ein Blatt Papier:

DAS LEBEN IST EINE KARAWANSEREI HAT ZWEI TÜREN AUS EINER KAM ICH REIN AUS DER ANDEREN GING ICH RAUS.

Ich weiß nicht, ob die Wörter von Kleist –

Das Leben nennt der Derwisch eine Reise,
Und eine kurze. Freilich! Von zwei Spannen
Diesseits der Erde nach zwei Spannen drunter

– der Grund waren, dass ich diese Wörter geschrieben hatte. Dieses Blatt lag, während wir den *Prinzen von Homburg* probten, immer auf dem Tisch neben den Fotos von Kafka, Büchner, Kleist. Irgendwann schrieb ich noch ein Wort auf dieses Blatt:

DER MANTEL

Unter den französischen Schauspielern, die ich alle liebte, liebte ich besonders Serge Merlin, der den Obristen Kottwitz spielte. Ich kannte ihn auch aus Andrzej Wajdas Film *Samson.* Serge war sehr leidenschaftlich, ständig aufgeregt, lebte nur für das Theater. Serge sagte zu Karl, der auch Kostüme für das Stück machte: »Charles, Charles, un manteau et rien – nur ein Mantel, sonst nichts.« Seine Bassstimme vibrierte über die Wörter »un manteau et rien«. Uun mmannteau eeet rieenn. Er wünschte sich für seine Rolle des Obristen Kottwitz nur einen Mantel, sonst nichts. Serge wollte unter dem Mantel nackt sein. Seine Figur Obrist Kottwitz riskierte seinen Kopf, um Friedrich, Prinz von Homburg, vor dem Todesurteil zu retten. Er wagte es, mit dem Kurfürsten zu sprechen, der über den Prinzen das Todesurteil gesprochen hatte. Mit dem Kurfürsten zu sprechen, war für den Obristen Kottwitz sicher auch wie eine Schlacht. Kottwitz, nackt unter einem Soldatenmantel, war auch dem Tod nah.

OBRIST KOTTWITZ:
Vergönne, mein erhabner Kurfürst, mir,
Daß ich, im Namen des gesamten Heers,
In Demut dies Papier Dir überreiche![68]

Serge Merlins »un manteau et rien« kam als DER MANTEL auf das Blatt Papier neben DAS LEBEN IST EINE KARAWANSEREI …, und das Blatt blieb neben den Fotos von Kleist, Kafka, Büchner liegen.

Efterpi und Charis kamen zur Premiere. Als ich Efterpi und Napo während der Premierenfeier miteinander bekannt machte, klopfte mein Herz: zwei Menschen, deren Eltern von den Nazis ermordet worden waren, standen einander gegenüber, lächelten sich an, redeten über Kleist und den *Prinzen von Homburg*.

Wir fuhren mit Efterpi und Charis auch nach Vercors, fuhren zu einem einsamen Plateau, auf dem drei Kühe und ein alter Hirte auf der grünen Wiese standen. Die Kühe hatten Glocken an den Hälsen, wenn sie liefen und sich runterbückten zum Gras, klangen ihre Glocken in den Tälern, machten Echos, zu denen die Nazis mit ihren stillen, hinterlistigen Segelflugzeugen hinuntergeflogen waren, um dort schlafende Kleinkinder, vielleicht mit den Namen Anaïs, Lilou, Louise, Hugo, Jules, Pierre, in Kohle zu verwandeln. Wir standen auf dem Plateau nebeneinander, wo wir, um das Tal zu sehen, uns etwas vorbeugen mussten.

»Mama, der Fuß brennt.«

»Mama, hilf mir.«

Unten, wo wir hinschauten, dort hatten die Kinder »Mama, der Fuß brennt, Mama, hilf mir – Maman, mon pied brûle, Maman, aide-moi« geschrien oder vielleicht leise gemurmelt unter dem Feuerrauch, der sie wie eine unbarmherzige Decke zugedeckt hatte. Und draußen fielen damals vielleicht manche Vögel, die immer da flogen, durch das Feuer und den Rauch auf die Dächer dieser Häuser herunter und blieben auf den Ziegeln tot liegen, um mit diesen Kindern weiterzusprechen.

»Louise, mon amie, je viens avec toi – Louise, meine Freundin, ich komme mit dir.
Lass uns sterben, wo das Jaulen
der Schakale uns nicht findet.«

»Draußen dreht sich ein Messer in der Wunde der Wälder, Täler,
der Mütter. Lass uns gemeinsam gehen, Louise, nimm Hugo
und Lilou mit.«

LEBEN MIT SPIEGELMENSCHEN

»Hallo, Mutter, ich wohne jetzt in Düsseldorf bei Karl. Hörst du, er spielt für dich am Klavier Bach. Das Stück nennt sich Goldberg-Variationen. Ein russischer Gesandter soll diese Stücke bei Bach in Auftrag gegeben haben, damit er schlafen kann. Sein Pianist soll sie für ihn gespielt haben, damit er einschlafen kann.«

Meine Mutter sagte: »A, a, a, schön.«

»Mutter, ich sehe immer meine Nachbarn, die im Hof leben, in den Spiegeln, die hier in der Wohnung hängen. Ich lebe hier mit Spiegelmenschen. Jetzt steht hier eine Kaffeetasse auf dem Tisch, dahinter, im Spiegel, sehe ich den Pfarrer mit Hut auf dem Kopf im Hof an seinem Fenster stehen. Eine echte Kaffeetasse und ein unechter Hut stehen sich gegenüber.«

»Schön, dein Vater läuft auch in der Wohnung mit Hut auf dem Kopf herum. Vielleicht liebt der Pfarrer im Hof auch seinen Hut wie dein Vater?«

»Mutter, im Hof leben italienische Nonnen, die jüngste Nonne wäscht an den Sonntagen das Oldtimerauto vom Pfarrer. Am Abend trinken die Nonnen ein Glas Rotwein, die jüngste lacht laut, wenn sie Rotwein getrunken hat.«

»Wie dein Vater, er lacht oder singt, wenn er seinen Rakı trinkt.«

»Mutter, der große Dichter Heinrich Heine ist auch in dieser Stadt geboren. Ich gehe immer zu seinem Haus. Dann laufe ich bis zu einer hohen Brücke und überquere den Rhein. Auf der Brücke halte ich gegen den Wind meinen Rock fest. Auf der anderen Seite des Flusses wohnt Joseph Beuys, er ist ein großer deutscher Künstler. Joseph Beuys trägt immer einen Hut, wie mein Vater und auch wie Karl, der trägt auch immer einen Hut. Mutter, warte, ich lese dir von Heinrich Heine ein paar Zeilen vor:

Lächelnd scheidet der Despot,
Denn er weiß, nach seinem Tod
Wechselt Willkür nur die Hände,
Und die Knechtschaft hat kein Ende.

Armes Volk! Wie Pferd und Farrn
Bleibt es angeschirrt am Karrn,
Und der Nacken wird gebrochen,
Der sich nicht bequemt den Jochen.[69]

Jetzt übersetze ich für dich ins Türkische.

Despot, sırıtarak ölür
Çünki bilir, ölümünden sonra
Keyfiyet sadece el değiştirir
kulluk da hiç bitmez

Zavallı halk! At gibi
Arabaya koşulur ensesi kırılır
Boynu vurulur
eğer sabana koşulmak istemezse.«

»Schön, das passt zur Türkei«, sagte meine Mutter, »der Ministerpräsident Özal wird auch lächelnd scheiden, denn er weiß, nach seinem Tod wechselt die Willkür nur die Hände, wie dein Dichter sagt.«

»Mutter, sammelst du noch die Zeitungsausschnitte über die Ermordeten in einem Schuhkarton?«

»Die Toten passen nicht mehr in einen Schuhkarton.«

»Ach, Mutter, ich lese dir noch ein Gedicht von Heinrich Heine vor:

Im Beginn schuf Gott die Sonne,
Dann die nächtlichen Gestirne;
Hierauf schuf er auch die Ochsen,
Aus dem Schweiße seiner Stirne.

Später schuf er wilde Bestien,
Löwen mit den grimmen Tatzen;
Nach des Löwen Ebenbilde
Schuf er hübsche kleine Katzen.

Zur Bevölkerung der Wildnis
Ward hernach der Mensch erschaffen;
Nach des Menschen holdem Bildnis
Schuf er interessante Affen. […][70]

Nachdem ich meine Mutter und mich mit Heine zum Lachen gebracht hatte, legte ich das Telefon auf und lachte weiter. Karl sagte, ohne seinen Bach zu unterbrechen: »Wollen wir nicht in die Türkei fahren?« Ich setzte mich hinter ihm rasch auf einen Stuhl. Plötzlich fühlte ich mich von Fieber überfallen, mir brannten meine Wangen, ich fing an zu husten, meine Zunge schmeckte die Angst in meinem Mund, ich schwieg, als ob meine Zunge groß geworden wäre und ich nicht reden könnte. Karl spielte weiter, irgendwann ging das Fieber weg, die Zunge wurde normal, ich sagte: »Erst will ich mein Stück inszenieren, dann vielleicht. Wenn sie mich an der Grenze nicht rauslassen, dortbehalten, kann ich *Karagöz in Alamania* nicht inszenieren.« Karl spielte weiter, sagte: »Du musst keine Angst haben, ich werde dir helfen, ich bin ja bei dir.« »Erst das Stück.« Karl spielte weiter.

Nachdem ich am Frankfurter Schauspielhaus *Karagöz in Alamania* inszeniert hatte, fuhr ich mit dem Zug nach Düsseldorf zurück. Ich stieg gleich in den Wagen, in dem sich das Zugrestaurant befand. Irgendwann kam ein gutaussehender Mann, setzte sich, obwohl es noch leere Tische gab, mir gegenüber. Er hatte romantische Augen, eine sanfte Stimme, bestellte sich eine Flasche Sekt, trank, er starrte nur auf mein Gesicht, warf nicht einmal einen Blick aus dem Fenster. Er fragte mich, was ich machte.

»Ich habe gerade im Schauspielhaus Frankfurt mein Stück inszeniert. Zwei Monate fast nicht geschlafen, jeden Morgen in die Hose gestiegen, zur Probe gefahren.«

»Eine Liebesgeschichte?«, fragte er.

»Ein schelmenhafter türkischer Bauer macht sich mit seinem Esel auf den Weg nach Deutschland, um Geld zu ver-

dienen. Weil der Esel nicht mehr als Esel arbeiten muss, entwickelt er sich zu einem Intellektuellen, zitiert Karl Marx, Sokrates, beobachtet die Situationen auf dem langen Weg zwischen der Türkei und Deutschland. Am Ende wird er durch ein Auto ersetzt und versucht noch, mit dem Auto über kommende Kriege zu diskutieren.«

»Für Regiearbeit kriegt man ja bestimmt ordentlich Knödel.«

»Heißt Knödel Geld?«

»Ja, Zaster.«

Um vom Geldthema wegzukommen, sagte ich: »Was denken Sie über Multikulti? Ich frage Sie das, weil ich gerade mit Schauspielern aus verschiedenen Nationen gearbeitet habe. Mit dem deutschen Fassbinder-Schauspieler Volker Spengler zum Beispiel, der die Transsexuelle Elvira in *In einem Jahr mit 13 Monden* spielte; auch mit türkischen Film- und Theaterstars, zum Beispiel mit Tuncel Kurtiz, einem Schauspieler aus Yilmaz-Güney-Filmen, oder Senih Orkan, der in dem Film *Topkapi* mit Melina Mercouri, Peter Ustinov und Maximilian Schell spielte.«

»Oh, Maximilian Schell, schöne Type.«

»Ja, und andere wunderbare Leute, Jürgen Holtz vom Brecht-Theater, Katharina Hill, Eva Maria Strini, Paco, ganz großartige Schauspieler, und dazu die Laien, also Gastarbeiter, die tolle Gesichter hatten, und eine wunderbare griechische Opernsängerin, die Sopranistin Sonia Theodoridou, als Frauenhauptrolle. Und dazu ein echter Esel, ein Schaf, ein Lamm und drei Hühner.«

»Sehr interessant. Ich komme auch aus dem Multikulti-Geschäft. Ich habe drei Pferdchen.«

»Mein Großvater hatte auch viele Pferde. Er war Großgrundbesitzer, aber kämpfte auf der Seite von Atatürk.«

»Sie sind eine rassige Frau, aber emanzipiert. Atatürk hat doch die Frauen emanzipiert. Es gibt aber in Istanbul auch Pferdchen, nicht nur emanzipierte.«

»Wie, Pferdchen?«

»Prostituierte, die Kunden ködern, für Knödel.«

»Ja, sicher, es gibt sie auch.«

Er hustete, sagte: »Erzählen Sie weiter von Ihrer Multikulti-Arbeit.«

»In den Proben war am Anfang eine heilige Stimmung: ›Wir machen etwas Besonderes, zum ersten Mal ein Theaterstück über Türken.‹ Leise Stimmen, Liebesblicke, auch die Tiere waren miteinander befreundet, Esel, Schaf, Lamm und Hühner schliefen im gleichen Stall nebeneinander, die Schauspielerin, die auf sie aufpasste, sagte: ›Wie die Tiere sich lieben.‹ Das dauerte eine Woche. Nach einer Woche fingen die normalen Schwierigkeiten der Probenarbeiten an. Als die Schauspieler aufeinander böse wurden, wurden auch die Tiere böse aufeinander. Der Esel trat das Schaf, das Schaf biss den Esel, das Lamm schrie zwischen den beiden mäh. Der türkische Star wollte dem deutschen Star beibringen, wie man einen Gastarbeiter spielt, worauf der deutsche Star zu ihm sagte: ›Du Kümmeltürke, lerne erst mal richtig Englisch.‹ Der türkische Star sagte zu ihm: ›You are SS-Mann, du SS-Mann.‹ Einmal brachte die deutsche Schauspielerin das Schaf auf die Bühne, fragte: ›Wer hat auf den Kopf des Schafes gespuckt?‹ Daraufhin sagte der spanische Schauspieler: ›Du mit deiner deutschen Tierliebe, und die Menschen hungern in der Welt.‹ Die Schauspielerin gab ihm eine Backpfeife, sagte: ›Du eitler Spanier.‹ Ein anderer türkischer Star kam zu mir, sagte: ›Wenn der Deutsche, der schwule Spengler, weiter in diesem Stück spielt, steige ich aus.‹ Kümmeltürke, SS-Mann, deutsche Tierliebe, eitler Spanier, Schwuler, all diese Wörter fielen. Der deutsche Star begrüßte mich jeden Morgen mit ›Guten Morgen, Frau Chomeini‹. Also, Kümmeltürke, SS, deutsche Tierliebe, eitler Spanier, Schwule und Ayatollah Chomeini. Dann hat der Esel den türkischen Star Tuncel Kurtiz in den Nacken gebissen.«

»Dann hat der Esel sicher den Lolly gespürt?«

»Was bedeutet Lolly?«

»Na, den Knüppel.«

»Nein, nein. Wir mussten zum Krankenhaus, wo Tuncel eine Spritze gegen Tollwut bekam und genäht wurde. Der andere türkische Star, Orkan, sagte: ›Ein türkischer Esel würde so etwas niemals tun.‹ Der Esel war ein Frankfurter Esel, wissen Sie. Der andere deutsche Star, der immer mit dem echten Esel in einer Bühnenecke saß, kam zu mir und sagte: ›Ich verstehe mich mit dem Esel gut, er würde mich niemals beißen.‹ Dann trat ihn der Esel aber auch. Der Star kam zu mir und sagte: ›Entweder ich oder der Esel, wenn der Esel in dem Stück mitspielt, spiele ich nicht mehr.‹ Ich sagte: ›Ich werde mit dem Esel sprechen.‹ Mir machte all das nichts aus, ich dachte, es ist besser, miteinander offen schräg umzugehen, mit Kümmeltürke, Chomeini, als künstlich multikultiliberal zu spielen. Ich wusste, all das würde bei der Premiere vergessen sein und sie würden entdecken, dass sie sich im Grunde mögen. So war das auch.«

»All diese Leute standen Ihnen zur Verfügung? Sie sind mir ja eine Ziehmutter. Haben Sie einen Freund?«

»Ja, aber seit einer Woche arbeitet er in Paris, wir telefonieren nur.«

»Ah, Telefonsex?«

Ich ahnte, was er war, wahrscheinlich Zuhälter. Ich fragte ihn: »Sie haben doch gesagt, Sie haben drei Pferdchen. Betreiben Sie einen Pferdestall?«

»Ja, in gewisser Weise. Ich habe ein paar Pferdchen, die für mich arbeiten. Bei mir ist auch Multikulti, deutsche, thailändische, spanische. Die Pferdchen wohnen bei mir, picobello, multikulti. Gott, sind Sie eine rassige Frau.«

Der Zug kam langsam in Düsseldorf an. Eines der Häuser, das zu den Bahnschienen schaute, war der Düsseldorfer Puff. Ich schaute jedes Mal, wenn der Zug von Köln nach Düsseldorf einfuhr, zu diesem Haus. Während der Zug vorbeifuhr, zeigten sich die Frauen im BH oder Negligé an ihren Zimmerfenstern. Manche arbeiteten hinten im Raum schon mit ihren Kunden, und an den Fensterrahmen standen ihre Zimmernummern. 1, 9, 11, 14, 8, 2, 7. Manche Frauen lehnten mit ihren Oberkörpern aus dem Fenster raus, stellten ihre Brüste zur Schau, manche saßen auf dem Fensterbrett, man sah die Beine. Wenn der Zug vorüber war, verließen sie ihre Fenster. Alles leer, nur die Nummern blieben. 1, 9, 11, 14, 8, 2, 7. Der Mann sagte: »Bei uns läuft das nicht so anonym mit Nummern an den Fenstern. Wir sind mehr für persönlichen Kontakt.«

Ich sagte: »Ich muss aussteigen.«

Er sagte: »War mir eine Ehre, mit Ihnen über Multikulti zu sprechen.«

Seitdem ich die Türkei verlassen hatte, war ich nicht mehr auf einem Schiff gewesen. Auf dem türkischen Schiff von Venedig nach Smyrna sagte Karl: »Siehst du, du hast keine Angst mehr vor der Türkei. All diese Menschen, all diese türkischen Männer, die, ohne das Schiff zu verlassen, sechs Monate, acht Monate lang hier drin arbeiten, die Sehnsucht nach ihrem Zuhause aushalten, bringen dich zu deiner Mutter, deinem Vater.«

Ich dachte an die Männer, die in der Hitze und Lautstärke

des Maschinenraums schwitzten und in den Jahren Teil der Maschinen wurden: Alle tun das, um mich nach Hause zu bringen, und ich schaue vom Oberdeck hinab auf die mit weißen Röcken tanzenden Wellen.

Der Vorhang fällt, das Stück ist aus,
Und Herrn und Damen gehn nach Haus.[71]

Ich merkte, dass Karl sich auf der Reise wirklich darüber freute, dass er mich von meiner Angst vor der Türkei befreit hatte. Auf dem Schiff arbeiteten nur Männer. Manche Schiffsoffiziere liefen in ihren Uniformen auf dem Schiffskorridor. Die Männer kannten sicher voneinander die Geschichten, weil sie monatelang, Tag und Nacht, auf diesem Schiff zwischen Smyrna und Venedig, Venedig und Smyrna lebten. Als Karl und ich an der Schiffsbar auf den Hockern saßen, deutete der Barmann auf einen Schiffsoffizier, der hinten auf seinen sehr dünnen Beinen vorbeiging, sagte auf Türkisch: »Sein Gesicht lacht nie, er ist traurig wegen seiner Frau.« Ich schaute lange hinter dem Offizier mit den dünnen Beinen und mit dem traurigen Gesicht her.

»Karl, der Offizier, der da hinten geht, soll wegen seiner Frau traurig sein, der Barmann hat mir das erzählt.«

Ich sah den Offizier mit den dünnen Beinen und dem traurigen Gesicht am nächsten Tag auf dem Deck wieder. Er kam an die Bar, holte seinen Kaffee, trank ihn mit einem Lächeln, lief wieder den gleichen Weg zurück, ich schaute wieder hinter ihm her. Da geht der traurige Major mit einem Frauengespenst durch den Schiffskorridor, und die ganze Nacht faltet sich von Neuem sein Herz, wenn er weint und denkt, er wird noch verrückt. Wenn er seinen Kummer auf dem Schiff zwischen dem Ägäischen Meer und dem Mittelmeer hin- und herträgt, wird das Schiff schwermütig? Die Wellen, die das Schiff mit seinem Kummer nach vorne schieben, versinken sie in Gedanken? Karl sagte: »Morgen früh kommt das Schiff pünktlich in Smyrna an, ich hab den Barmann gefragt. Nur eine Nacht zwischen dir und den Straßen deiner Kindheit. Wie viele Jahre warst du nicht in der Türkei?«

»Sechs Jahre. Komisch, wenn ich all diese am Meer lebenden armen Männer anschaue, die dicken Schiffstaue auf dem Arbeitsdeck übereinandergerollt sehe und den traurigen Schiffsoffizier, vergesse ich, wie ich in diesen Jahren vor Telefonhörern Angst hatte. Die Stimme meiner Mutter schrie in den Hörer: ›Mein Kind, das Militär kommt‹, oder sie sagte: ›Hubschrauber fliegen über unsere Dächer, hörst du?‹«

Wir schauten lange auf das Meer. Wahrscheinlich hat das Meer mich beruhigt, dachte ich, als ob das Meer alle meine Kindheitserinnerungen in seinen Wellen bewahrt und jedes Mal auf seine Reisen mitgenommen hätte, um sie mir, falls es mich träfe, zurückzugeben. Ich dachte: Das Meer ist eine Frau, eine Frau aus Wasser, hat aber ein Herz voller Mitleid mit den Gegangenen. Deswegen macht das Meer allen Toten, die sich in ihm hingelegt haben, Platz in seinen tiefen Orten, deswegen kämmt es ihnen ihre Haare weiter, das Meer kämmt auch unsere Haare auf dem Oberdeck, auch dem traurigen Schiffsoffizier, der gerade hinten geht, es bringt uns ohne Zögern zu einem Hafen. Dort gibt es mir meine Erinnerungen zurück, die es für mich bewahrt hat. Wenn ich raus bin aus diesem Schiff, brauche ich meine Erinnerungen, damit das Land mir zuruft: »Sei gegrüßt, du Kind, wir haben auf dich gewartet, erkennst du uns noch? Wir wünschen dir, dass du die verwandten Herzen triffst und mit ihnen die Schönheit der Welt teilst, denn das Gedächtnis bewahrt sich nur in der Nähe der Liebe, zarte

Freundin. Eile zu der Stadt, finde dort eilig die Menschen, die dich berühren, mach ihnen in deinem Herzen Platz, denn nur sie sind es, die dein Gedächtnis mit Poesie ernähren. Sei gegrüßt, Reisende, die Tür ist auf, zögere nicht, komm, trete in das Haus.«

Karl sagte: »Komm, wir gehen in die Schiffsbar, ich bringe dir in dieser letzten Nacht auf dem Schiff die Regeln vom Schachspiel bei.«

Der Barmann lächelte uns an, als wir in die Bar kamen. Es gab noch ein paar Gäste, die an den kleinen runden Tischen saßen. Karl ging die Schachkiste beim Barmann holen. Gegenüber unserem Tisch saßen ein Deutscher und zwei Türken, sie sprachen laut. Der junge deutsche Mann erzählte, dass er in Istanbul am deutschen Gymnasium als Lehrer eine Arbeit bekommen habe und dass er zum ersten Mal nach Istanbul fahren würde. Die Türken sprachen auch Deutsch, erzählten, dass sie in Istanbul wohnten, und die drei tauschten ihre Adressen. Der junge deutsche Lehrer hatte unsichtbare Wimpern, Augenbrauen, Haare, er war ein Albino und hatte die Schönheit der Albinomenschen. Ich hatte in Istanbul einen türkischen Albinofreund gehabt. Nach dem Militärputsch 1971 hatte der Filmemacher Yılmaz Güney einen Studenten zu mir geschickt, damit ich ihn verstecke. Weil unsere Wohnung nicht sicher war, brachte ich ihn in der Rolle seiner Ehefrau von einem Versteck zum nächsten, zuletzt zu dem Albinofreund. Er versteckte ihn einige Zeit. Viel später las ich in der Zeitung *Cumhuriyet*, dass er 1982 in Anatolien verhaftet und 1984 im Gefängnis durch Folter getötet worden war. Er war ein schöner, lustiger Junge, sein Name war Necmettin.

Karl erklärte mir die Züge der Schachfiguren. Ich mochte die Springerfigur und auch die Bauern. Wir lachten, tranken

Gin Tonic, es wurde dunkel draußen, der Abend hatte seinen Mantel umgedreht und die schwarze Nacht mit ein paar Sternen über das Schiff gelegt, und die Welt war nur zu dieser Nacht und diesem Schiff zusammengeschrumpft. Der Barmann wusch gerade seine Gläser, wir lachten, alles war wunderbar. Plötzlich setzte sich der schöne deutsche Albino an unseren Tisch, sagte: »Guten Abend«, schaute auf mich und sagte: »Ich wollte Sie schon gestern etwas fragen, darf ich?« »Ja.« »Mich interessiert, was Sie über den Völkermord an den Armeniern denken.«

Ich merkte, dass ich leise wurde, sagte: »In meiner Kindheit stand meine Großmutter plötzlich von ihrem Platz auf, streckte ihre Arme hoch, schrie: ›Abo, abo, wie die jungen armenischen Frauen sich von den Brücken hinuntergestürzt haben.‹ Dann setzte meine Großmutter sich hin und fragte mich nach einer Zigarette, rauchte still und sagte nichts mehr.«

Der junge Mann fragte wieder: »Aber was denken Sie über den Völkermord.«

In dem Moment kam der traurige Schiffsoffizier in die Bar, setzte sich an einen Tisch in unserer Nähe. Ich schaute auf ihn, er schaute nicht auf mich, aber ich dachte: Er ist hochgekommen, um mich zu verhaften. Er sitzt da und wartet, bis die anderen Männer kommen, um mich festzunehmen. Der Offizier wird mich mit ihnen verhören, sie werden mich die ganz Nacht verhören. Wenn das Schiff im Hafen ankommt, wird ein Auto draußen warten, ein Auto mit verdunkelten Fenstern. Ich stand auf und lief aus der Schiffsbar hinaus, Karl hinter mir her, ich sagte ständig: »Sie werden uns verhaften, sie werden uns verhaften, sie werden mich verhaften.« Auf dem Schiffskorridor saß der junge Schiffsdiener, der immer dort saß. Ich sagte: »Er sitzt da, um mich zu beobachten. Wenn ich in der Schiffskabine bin, wird er die Tür von außen zuschließen.«

In der Kabine setzte ich mich aufs Bett, zog meine Beine hoch, zitterte ununterbrochen, sagte andauernd: »Sie werden mich verhaften, die Männer sind da, um mich zu verhaften.«

Als ich nur diese Sätze mehrere Male wiederholte und weiter zitterte, haute mir Karl kräftig ins Gesicht. Erst dann kam ich zu mir, sagte: »Danke.« Dann schlief ich ein. Am nächsten Morgen war alles wieder normal. Beim Frühstücken sah ich den traurigen Schiffsoffizier und den jungen deutschen Albinomann, er rief freundlich: »Guten Morgen.« Das Schiff war angekommen.

In Smyrna fuhren wir mit dem Auto von dem Schiff. Auf den Treppen zum Autodeck sah ich den traurigen Schiffsoffizier zum letzten Mal. Wir warteten vor der Zollkontrolle, ich rannte aus dem Auto zu einem dünnen Zollbeamten, sagte laut: »Wir haben nichts zu verzollen, wir haben nichts zu verzollen, ich habe nur dieses kleine Radio mit.«

Der dünne Zollbeamte schaute auf mich. Plötzlich wurden seine Augen nass, er hatte Tränen in den Augen, sagte: »Danke, dass Sie so ehrlich sind, wir wollen auch nicht nachschauen. Weiterfahren, danke, dass Sie so ehrlich sind.«

Die Landschaft von Smyrna in Richtung Bergama war voll mit lilafarbenen Dornhecken. »Karl, Karl, diese Dornen heißen Mor diken, ich liebe sie. Als Kind wollte ich, dass diese lilafarbenen Dornen mein Bett sind. Ich wollte in ihnen träumen, ich liebe sie. Meine Kindheit holt mich ab.«

Zwischen Smyrna und Istanbul liegen Bergama und Troja und zwischen diesen beiden die Insel mit der Orthodoxkirche.

Wir fuhren nach Bergama, dann auf einem sehr steilen

Weg zum Pergamon-Altar. Dort sahen wir zwischen den Ruinensteinen, dass eine Schlange ihre Haut abgestreift hatte.

Sei gegrüßt, Schlange des bergamenischen Reichs.

»Karl, hier hat man Pergament produziert.«

Sei gegrüßt Pergament.

Seid gegrüßt, ihr lose auf dem Boden liegenden Ruinensteine, die ihr seit dem zweiten, dritten Jahrhundert vor Christus hier wohnt.

Sei gegrüßt, Kulturort des Hellenismus.

Sei gegrüßt, Wind. Wie frei treibst du dich hier umher?

Sei gegrüßt, Dionysos.

Sei gegrüßt, Zeus.

Sei gegrüßt, Demeter.

Karl wollte das große Amphitheater sehen.

Wir standen oberhalb der Stufen des Amphitheaters.

Ich sagte: »Zehntausend Sitzplätze soll das Theater haben. Seid gegrüßt, Stufen.«

»Was für eine Kultur, wo zehntausend ins Theater gingen. Das geht uns an«, sagte Karl.

»Karl, geh du runter in das Theater, ich schaue dir und den Stufen dann zu. Ein schöner Moment.«

Karl ging, ich schaute eine Weile hinter ihm her. Dann lief ich zu Athenes Heiligtum. Da war eine kleine Fensteröffnung, durch die man die Landschaft und das Amphitheater sehen konnte. Ich lehnte meinen Kopf an die Wand. Aus der Öffnung kam der Wind, meine Haare bewegten sich, ich schloss die Augen, sprach zu Athene:

»Athene, Freundin, innige, unvergleichliche Freundin. In den Zeiten, wo meine Seele nicht wusste, wo sie wohnen sollte, hast du mit deinen Winden nicht gespart, die mich auf den guten Wegen laufen ließen, mich aus den Liebesbächen der Freundschaften trinken ließen. Meine zarte Freundin, gib mir weitere Winde für mein Leben, solche, die auf meinen Wegen mir weitere Fragen stellen. Deine Winde, die mich jetzt zu Vater, Mutter tragen, spare nicht mit ihnen auf meiner Reise, schütze mich auf dem Wege vor denen, die der Scham den Rücken zugekehrt haben und die, um die Stimmen der Toten nicht zu hören, ihre Ohren und ihre Herzen mit dicken Fäden und Nadeln zugenäht haben. Dunkel bleibt die Frage der Toten hier, Athene, innige, unvergleichliche Freundin, hilf den Menschen, gib ihnen Herz, Ohren und Fragen, dass sie ins Dunkle gesunkene Fragen ans Licht bringen, nur in diesem Licht können sie ihre Seelen waschen, mit Wahrheiten ihre Haare kämmen, ihre Haut in diesem Licht sonnen. Hilf ihnen, die Fragen zu stellen, die sie zu Wahrheiten führen. In diesem Land müssen die Menschen sich mit ihrer Vergangenheit auseinandersetzen. Ich höre dumpfe Töne rufen, o hilf, o zeige ihnen aus der Tiefe deines Herzens Wahrheitsliebe, sonst bleibt diese Welt, die die Toten mit Ungerechtigkeiten nicht in ihren Schlaf versinken ließ, wie ein weiter sich in den Wunden nach links, rechts, rechts, links drehendes, bohrendes, unendlich großes Messer.«

Ich stand noch immer vor der kleinen Öffnung in der Wand von Athenes Heiligtum, Wind im Gesicht, sah unten im großen Amphitheater Karl die Steinstufen hochsteigen. Ich ging von Athenes Heiligtum runter, sah drei ältere Bäuerinnen zwischen den Bergama-Ruinen laufen. Sie sahen mich, lächelten, fragten: »Spazierst du auch, ja?«, kamen, umarmten mich, küssten meine Wangen, lachten, sagten: »Wir spazieren auch«, liefen weiter. Sie hatten Mäntel wie Gehröcke, sie liefen weiter, sahen aus wie aus den Steinen Bergamas geboren. Wenn der Abend kommt, werden sie wieder in den Steinen verschwinden. Ich schaute lange hinter ihnen her. Karl kam, schaute in die Richtung, in die ich schaute, sagte: »Wie schade, dass der Zeusaltar nicht hier auf seinem Platz, sondern in Berlin im Pergamon-Museum steht.«

»Der Sultan soll den Deutschen, die damals den Zeusaltar mit nach Deutschland verschleppen wollten, gesagt haben: ›In meinem Land gibt es so viele Steine, ihr Deutschen sollt auch etwas davon haben.‹ Die Dummen und die Diebe müssen ein ideales Pärchen sein.«

Als wir zu der Insel kamen, wo ich Ali Kaptan vor dreizehn Jahren kennengelernt hatte und von der aus ich nach Europa gegangen war, suchte ich sofort nach Ali Kaptan, fragte die Fischer, die ihre Netze am Hafen auf die Erde gelegt hatten, um die Löcher zu reparieren. Ihre Schatten lagen vor ihnen, und sie, über ihre Schatten gebückt, antworteten: »Er sitzt dort im Café.« Dann erhoben sie sich alle, schauten auf mich, sagten im Chor: »Aber er ist verrückt geworden. Er kennt uns nicht mehr.« Dann bückten sie sich wieder über ihre Schatten. Ich sagte zu Karl: »Er wird mich erkennen«, lief zu dem Café. Hinter einem Fenster saß Ali Kaptan, ich lächelte ihm zu. Er schaute mich an. Ich ging zu ihm, sagte: »Ali Kaptan, ich bin die, die du Irene Papas genannt hast, Ali Kaptan, Ali Kaptan.« Er reagierte nicht. Der Kellner, der in ein paar Gläser Tee goss, sagte: »Der Arme, er erkennt niemanden, nicht mal die Fischer, mit denen er Jahr um Jahr täglich aufs Meer fuhr.« »Ali Kaptan, Ali Kaptan.« Seit Jahren hatte ich Sehnsucht nach diesem Moment gehabt, aber Ali Kaptan war nicht mehr in dieser Welt, ich war zu spät gekommen. Ich ging nach hinten in die dunkle Ecke des Cafés, weinte leise, Karl sagte: »Lass uns zu deiner Orthodoxkirche gehen, bevor es noch dunkel wird.« Wir liefen die steile Steinpflastergasse hoch. Weil der Abend nahte, waren in den Häusern schwache Lichter an. Der Wind schob, wie vor dreizehn Jahren, die halb zugezogenen Vorhänge an den Fenstern der Häuser mal in die Zimmer rein, dann holte er sie wieder raus zur Straße und zeigte uns die Zimmer. Im Zimmer des ersten Hauses stand damals, vor dreizehn Jahren, die kleine alte Frau, die sich nicht bewegt hatte, sondern mit einem Tuch in der Hand einfach in der Mitte des Zimmers gestanden hatte. Sie war jetzt nicht mehr in diesem Zimmer zu sehen. Im nächsten Haus hatte ein Mann im Pyjama im Sessel gesessen, und ein kleines Kind hatte sich zu ihm gesetzt. Ich sah jetzt nur den leeren Sessel. Erst im nächsten Haus sah ich wieder etwas wie damals – das große gerahmte Foto an der Wand. Nur die Toten auf dem Foto hatten auf mich gewartet.

»Karl, hier ist die Orthodoxkirche.«

Ich rannte die Treppen zur Kirche hoch, Karl zitierte den Troll aus *Ein Sommernachtstraum*, rief mir zu: »How now, spirit! Whither wander you? – He, Geist! Wo geht die Reise hin?« Ich rief: »Über Täler und Höhn, / Durch Dornen und Steine, / Über Gräben und Zäune, / Durch Flammen und Seen / Wandl' ich, schlüpf ich überall, / Schneller als des Mondes Ball.« Karl rief: »Over hill, over dale, / Thorough bush, thorough brier.«[72]

Ich lief zu der Tür der Kirche, ein Schaf war mit einem Seil an die Tür gebunden. Ich löste das Seil, hielt es in der Hand, so gingen wir zu dritt, das Schaf, Karl und ich, in die Orthodoxkirche hinein.

Karl wedelte mit den Armen, rief: »He, was ist das!«

Ich antwortete: »Die Fledermäuse, die wohnen hier, seitdem die türkischen Griechen diese Insel verlassen mussten. Die ganze Gesellschaft dieser Kirche ist hier, um dich zu sehen. Das Schaf, die Fledermäuse. Helena aus dem *Sommer-*

nachtstraum würde sagen: *Auch fehlt's hier nicht an Welten von Gesellschaft.*«

Die Fresken an den Wänden waren noch abgekratzter als vor dreizehn Jahren. Wie die Frau Zehra, die mir damals die Kirche gezeigt hatte – hier war der heilige Jonas, hier die heilige Meryem und Isa –, ging ich von Wand zu Wand, sagte zu Karl: »Hier war der heilige Jonas, hier die heilige Maria mit Christus.«

Das Schaf zog mich aus der Kirche raus. Karl blieb allein dort. Ich band das Schaf wieder an die Kirchentür, hörte aus dem Haus nebenan Radiogeräusche und Musik, wie vor dreizehn Jahren, jemand sang auf Griechisch ein Lied. Auf dem Baum vor dem Haus rochen die Oleanderblüten sehr kräftig, machten mich schwindlig und den Garten, die Nacht draußen hatte ihre Sterne schon oben am Himmel, und in der Ferne, am anderen Ufer, waren auf der griechischen Insel Lesbos Lichter an.

Wir gingen zu einem Hotel am Hafen, saßen im Dunkeln auf dem Balkon. Ich sagte: »Karl, schau, da ist Europa. Das sind die Lichter von Lesbos. Karl, ich habe mal gedacht, wenn die Türkei eines Tages in die EG aufgenommen wird, wird die schönste Grenzenlosigkeit hier am Meer zwischen dieser und der Insel Lesbos sein. Und die Menschen in diesem Land werden eine Identität haben – Europäer. Das wird der Vielsprachigkeit, dem Vielvölkergemisch einen Namen geben – Europäer. Ich habe Angst, dass die Nähe zu Iran, es ist ja nebenan, die Türkei zugrunde richten, die in Religion verpackte ultranationalistische Republik Iran unter der Erde arbeiten, Schritt für Schritt tückische, unbarmherzige Minen unter der Türkei einrichten, die Türkei und den wackeligen Laizismus so zugrunde richten wird.

Am nächsten Morgen sagte Karl: »Komm, lass uns wieder zu der Orthodoxkirche gehen und schauen, ob das Schaf noch da ist.« Das Schaf war da. Ich löste sein Seil, ging wieder mit dem Schaf in die Kirche. Karl blieb in der Mitte der Kirche stehen, die Fledermäuse flogen um seinen Kopf hin und her, Karl erzählte mir, dass er als Kind in der Kirche Messdiener gewesen war: »Ich war neun Jahre alt. Bei der Zeremonie der Wandlung musste ich dem Priester Wasser und Wein über seine Fingerspitzen gießen, mit denen er die Hostie, den Leib Christi, angefasst hatte. Ich schüttete nur sehr wenig Wein ein, damit für mich ein großer Schluck übrig blieb, aber der Priester befahl mit Bewegungen seiner Fingerspitzen, weiter und noch mehr zu gießen. Manche Priester waren aber nicht so gierig, sie wollten mehr Wasser statt dieses süßen Messweins. Wenn Wein übrig blieb, habe ich beim Rausgehen kurz vor der Sakristei den Wein in den Mund genommen, aber nicht geschluckt, weil der Priester sich hätte umdrehen und mich hätte erwischen können. Erst später schluckte ich.«

Dann ging Karl in eine Hausruine, die genau gegenüber der Orthodoxkirche stand, ich lief da auch hinein, vorsichtig ging ich über die wacklige Holztreppe hoch in die erste Etage. Auf dem Orthodoxkirchendach hatte sich ein Storch ein Nest gebaut neben dem Lautsprecher von der Moschee, saß mit seinen Kindern und sprach laklaklaklak. Dann schwieg er eine Weile, dann wieder mit dem Schnabel laklaklaklaklaklaklak. In dem alten, verwilderten Garten neben der Orthodoxkirche lief ein kleiner, dünner alter Mann zu zwei Ziegen. Ein Esel kam hinter dem kleinen Mann her. Der Mann ließ die Tiere im Garten, ging wieder weg. Die Tiere beugten ihre Köpfe zur Erde zu ihrem Futter. Der kleine alte Mann kam wieder, goss in Steinschüsseln aus einer Kanne Wasser für die Tiere, ging wieder aus dem Garten raus. Eine der Ziegen hob ihren Kopf, schaute in meine Richtung. »Karl, die Ziege hat mir in die Augen geguckt.« Karl sagte: »Hier ist Apollon geboren, hattest du mir erzählt, hier ist ein Zauber, ich würde gerne hier leben.« In dem Moment kam ein noch kleinerer, dünnerer Mann die Treppen des Ruinenhauses hoch, lächelte uns an: »Seid willkommen. Kilise ye mi bakıyorsunuz? – Schaut ihr auf die Kirche? Ich heiße Hüsnü.« Er war der Besitzer des Ruinenhauses. Er sagte: »Das Haus ist von Griechen, ein Greekhouse. Die türkischen Griechen haben, als sie hier lebten, sehr gute Häuser gebaut, im Winter warm, im Sommer kalt.« Er sagte, dass er das Haus reparieren wolle, aber er habe kein Geld, und fragte direkt: »Wollt ihr kaufen, kauft doch, Madame, rettet das Haus, ihr liebt alte Sachen, ihr könntet das Haus retten. Gebt diesem Haus Leben, das seinem kommenden Tod seit Jahren zuschaut. Ich brauche Geld, um meinen Sohn zu verheiraten. Bitte, Madame.«

Ich schämte mich, den kleinen Mann so flehen zu lassen, sagte: »Mein Problem, Herr Hüsnü, ich mag kein Eigentum.«

»Aber was sagt dein Mann«, sagte Herr Hüsnü.

Ich übersetzte Karl, der still auf uns schaute, was Herr Hüsnü sagte. Er zeigte Karl mit seinen Fingern eine Summe. Dann sagte er: »Ich habe noch ein Eselhaus, aber am Meer. Das will ich auch verkaufen. Nimm die beiden, bitte, der Esel ist bald tot, ich brauche Geld.« Er wollte für beide Häuser wenig Geld haben. Ich schämte mich wieder. Er nahm uns mit, lief einen schmalen Weg an der Orthodoxkirche vorbei in Richtung des Friedhofs der Insel. Von da aus lief er mit raschen Schritten fünfundvierzig Minuten auf einem langen, einsamen Weg, auf dem nur Olivenbäume und ab und zu Feigenbäume zu sehen waren. Wegen den vielen Oliven hatten sich die Äste zur Erde gebeugt. Durch unsere Schritte kam von der Erde ein dünner Staub hoch. Ich sah fünfundvierzig Minuten lang diesen hochsteigenden Staub. Der Poyraz-Wind, der vom Kazberg wehte, klebte unsere Hemden vorne an unsere Körper, die Haare flogen nach hinten. Wir kamen am Ende dieses langen, staubigen Weges in einem Dorf an, das aus vielleicht zehn Häusern bestand. Es waren wie Ruinen aussehende, ganz kleine Häuser. Der dünne kleine Mann machte eine Tür, die mit einem Seil zugebunden war, auf, sagte: »Hier.« Innen drin stand ein Esel mit Stroh um sich herum. Hüsnü Bey sagte: »Draußen das Meer, ihr könntet Tag und Nacht schwimmen. Es gibt keine Elektrik, kein fließendes Wasser, aber in der Nähe gibt es zwei große Brunnen. Wenn man hier den Weg noch weiterläuft, kommt eine Klosterruine, dort lebten, als die türkischen Griechen noch hier waren, die Mönche. Die haben in ihrem Garten Mandarinen angepflanzt. Die Bäume sind noch da, die Mandarinen sind noch da.«

Ich sagte zu Karl: »Da riecht es nach verlassenen Mandarinen.«

Als wir wieder zurückliefen, fragte ich Hüsnü Bey: »Wo ist der Friedhof der türkischen Griechen, die bis 1923 hier lebten?« »Irgendwo hinter dem türkischen Friedhof. Da gibt es keine Grabsteine mehr. Nur die Toten.«

Der kleine, dünne Hüsnü Bey nahm aus den Bäumen Feigen, gab uns zu essen, sagte: »Der Esel ist zu alt, er wird sterben, ihr könnt das Haus haben. In den anderen Häusern wohnen auch nur Tiere. Das haben auch die türkischen Griechen so gemacht. Die hatten dort ihre Olivenbäume, sie haben ihre Oliven geerntet, sie mit den Tieren zur Mühle gebracht und die Tiere während der Erntezeit dort im Dorf in den Häusern gelassen. Wir machen es auch heute noch so.« »Ach, ach«, sagte Hüsnü Bey, »die türkischen Griechen ließen damals, 1923, während des Völkeraustausches, ihre Tiere hier und wir unsere in Griechenland, damals war ich ein kleiner Junge. Wir mussten Kreta verlassen. Die türkischen Griechen wurden von hier nach Lesbos und Kreta geschickt, wir aus Lesbos und Kreta hierher. Aber die Olivenhaine und die Tiere und die Toten blieben, wo sie waren. Meine Mutter hat 45 Jahre lang geweint, als wir aus Kreta hierherkamen. Sie weinte: ›Ach, das Grab meiner Mutter ist auf Kreta geblieben, ach, das Grab meines Vaters ist auf Kreta geblieben‹, meine Mutter ging 45 Jahre lang hier nicht aus dem Haus. Sie wollte zurück nach Kreta, sagte: ›Ich will nach Kreta zurück‹, dort wollte sie sterben. Sie konnte noch nicht mal richtig Türkisch, als wir hierherkamen, sie hat mir alle griechischen Lieder, die sie von griechischen Nachbarn auf Kreta kannte, beigebracht. Jetzt kommen die Griechen von Kreta und Lesbos hierher als Touristen. Sie spazieren hier, sie besichtigen die Kirchen ihrer Großeltern, sie suchen die Häuser ihrer Großeltern. Sie hören, dass ich alte griechische Lieder singen kann, kommen zu mir, sagen: ›Gut, dass ihr von Kreta weg wart, schon 1923. 1941 sind die deutschen Nazis gekommen, haben viele Menschen auf Kreta getötet.‹ Und dann bitten sie mich, ihnen ihre alten griechischen Lieder zu singen, die meine Mutter von Kreta mitgebracht und mir beigebracht hat. Ach, ich habe sieben Stofftaschentücher kaputtgemacht durch mein Tränenwischen, als meine Mutter starb.«

Der alte, kleine Hüsnü Bey holte aus seiner Hosentasche ein Tuch, trocknete seine Augen, schwieg dann. Dann sah ich nur den Staub, der mit jedem Schritt vom Boden aufstieg. Als wir an einem Brunnen vorbeikamen, zog er mit dem Eimer, der da stand, Wasser hoch und gab uns zu trinken. Dann setzte er sich auf einen Stein, rauchte eine Zigarette, sagte ein paar Sätze auf Griechisch, dann sagte er auf Türkisch: »Ich war neun Jahre alt, als meine Eltern Kreta verlassen mussten. Wir kamen mit Schiffen hierher, wir mussten in irgendein Haus gehen, da wohnen, alle Häuser waren leer, meine Mutter sah Blut in manchen Häusern, die die türkischen Griechen verlassen mussten. Sie sagte: ›Ich machte eine Haustür auf, da lagen Tote, machte ein anderes Haus auf, auch Tote.‹ Mein Vater sagte, alles sei Mutters Hirngespinst, so was gebe es nicht. Sie wollte Kreta nicht verlassen und hier wieder neu anfangen, sie hatte Kummer, deswegen sah sie hier überall Gespenster, sagte mein Vater. Meine Mutter wollte Kreta wirklich nicht verlassen, sie sagte mir auch: ›Bre Hüsnü, schau, die Kretagriechen tun uns nichts, wir sind gute Nachbarn.‹ Dann aber, eines Tages, gab es auf Kreta viel Lärm, viel Krach, viel Beifall für Atatürk, die Kretatürken gingen zum Hafen, und plötzlich befanden wir uns mit unseren Betten auf einem Schiff und kamen von Kreta hierher. Aber wir mussten in einer leeren Seifenfabrik in Quarantäne bleiben, fünfzehn Tage schliefen wir da, meine Mutter weinte, ihr Taschentuch mit den Tränen roch nach Seife, auch nachdem wir aus der Quarantäne in ein Haus zum Wohnen kamen, rochen ihre Haare, ihre Kleider noch nach Seife. Deswegen liebe ich Seifengeruch.«

Dann stand der ganz kleine, alte Hüsnü Bey auf, lief auf dem staubigen Weg mit schnellen Schritten zurück in Richtung Inselzentrum. Wir schwiegen fünfundvierzig Minuten lang. Erst als wir beim Friedhof vorbeikamen, sagte Hüsnü Bey: »Lasst uns am Grab meiner Eltern ein paar Minuten verweilen.« »Wie heißen Ihre Eltern, Hüsnü Bey?« »Hamdi und Nur.«

Es war ein sehr schöner Friedhof. Alle Gräber lagen unter Bäumen, auf den Gräbern waren viele Blumen gewachsen. Oleanderbäume, Olivenbäume, alle standen in der Sonne, rochen stark nach Leben, blühten. Die Körper der Bäume waren warm von der Sonne, die Äste, die Blätter hatten sich mit der Sonne über die Gräber gelehnt, auf manchen Grabsteinen lagen ihre Schatten. Das Leben und der Tod zeigten sich in diesen Schatten Hand in Hand. Der alte Hüsnü Bey nahm einen Krug Wasser, der neben dem Grab seiner Eltern stand, goss über das Grab und die Nachbargräber Wasser, sagte dann: »Ohhhh, etwas Kühle tut ihnen gut.« Dann rauchte er wieder eine Zigarette. Während des ganzen Weges hatte ich alles, was Hüsnü Bey gesagt hatte, für Karl ins Deutsche übersetzt. Jetzt, wo Hüsnü Bey schwieg oder rauchte oder aus dem Krug Wasser über die Gräber spritzte, übersetzte ich auch dies alles. »Karl, jetzt gießt er Wasser über die Gräber, Karl, jetzt raucht er, Karl, jetzt schweigt er, Karl, jetzt holt er aus seiner Tasche ein Taschentuch.« Karl lächelte leise. Ich merkte erst jetzt, dass ich auch die Bewegungen von Hüsnü Bey ins Deutsche übersetzt hatte.

Hüsnü Bey sagte: »Danke, dass ihr hier wart. Lasst uns bei mir einen Tee trinken. So seht ihr auch, wo meine Eltern gewohnt haben.«

Wir liefen wieder die steile Gasse zur Orthodoxkirche hoch, sahen wieder die Häuser, an deren offenen Fenstern der Wind die Vorhänge mal in die Wohnung schob, mal sie zur Straße herausholte. Ich sah wieder in einem der Häuser das gerahmte Foto an der Wand, auf dem die Toten vor fünfzig Jahren still und ernst zum Fotografen geschaut hatten. Hüsnü Bey brachte uns wieder zu dem Ruinenhaus, das er uns verkaufen wollte, ging aber nicht hinein. An das Ruinenhaus angebaut war ein kleines Haus, dessen Fensterrahmen blau gefärbt waren. Dort ging er hinein. Dann lief er durch den schönen Steinkorridor zu einer Tür, machte sie auf. Draußen lag der Garten, und es roch stark nach Basilikum und Bergtee, die überall wuchsen, und diese beiden Gerüche gingen ineinander und verstanden sich gut.

Karl sagte: »Ein alter Garten. Die Oleanderbäume, die Granatapfelbäume und Quitten, der Olivenbaum, der Mandarinenbaum, die Zitronen, wie alt mögen sie wohl sein. Und dieser Pfirsichbaum, es riecht unter diesem Baum stark nach Pfirsichen.«

Hüsnü Bey machte uns in der großen Küche Tee. Alle Decken waren schöne, alte Holzarbeit. Auch oben, in der ersten Etage, waren die Böden und die Decken aus Holz. Sie waren weiß gefärbt und strahlten in der Sonne, die sich trotz der Fensterläden hereingedrängt hatte. »Die Sonne liebt es, in die Häuser reinzugehen, sie ruht sich auf dem Holz aus«, sagte Hüsnü Bey. Dann sagte er: »Gelin, gelin – kommt, kommt«, machte ein Fenster zum Garten auf, es roch wieder nach Basilikum und Pfirsichen und dem Oleanderbaum, der vor dem Fenster stand und dessen Äste das Glas berührten, fast ins Zimmer gewachsen wären, sodass Hüsnü Bey einen Ast zurückschieben musste, um das Fenster und die Fensterläden wieder zu schließen. »Sonst wird es hier zu heiß, den ganzen Tag müssen die Fensterläden zubleiben.«

Hüsnü Bey lief aus dem Zimmer, dann durch einen Korridor zu einem Fenster, machte dort die Fensterläden und das Fenster auf. Die Orthodoxkirche stand genau gegenüber hinter dem verwilderten Garten. Und der Storch sprach weiter laklaklak dort auf dem Dach der Orthodoxkirche.

Hüsnü Bey hatte oben in den Räumen keine Möbel, unten in dem großen Raum ein Bett, einen kleinen Schrank und in der Küche einen Tisch mit vier Stühlen. Hüsnü Bey sagte: »Seit meine Frau tot ist, hat keiner auf diesen Stühlen gesessen. Kauft doch dieses Haus. Das hier ist auch ein Griechenhaus. Die türkischen Griechen haben bis 1923 hier gewohnt, ein sehr gutes Haus, im Winter warm, im Sommer kühl.«

»Wir können nicht, wir wohnen in Deutschland.«

»Ihr werdet ja nicht ewig in Deutschland leben. Schau, es gibt ein Sarnıç, eine Zisterne unter der Küche, ein Regenrohr leitet das Wasser dorthin, unter der ganzen Küche, wo wir jetzt stehen, ein großes Wasserzimmer. Und im Garten gibt es einen Brunnen, schönes, kühles, sauberes Wasser. Ich bin alt, will keinen Ofen mehr anmachen, um ins Feuer zu pusten, habe ich keinen Atem mehr, will in einem Haus wohnen, das Zentralheizung hat. Kauft es.«

Er sagte den Kaufpreis auf Türkisch. Ich schwieg und schämte mich. Hüsnü Bey sagte: »Mietet wenigstens das Haus. Ihr würdet mir sehr helfen.« Hüsnü Bey sagte: »Ich kann sofort ausziehen. Ich wohne sowieso schon bei meinem Sohn, der hat Zentralheizung.«

Karl sagte: »Lass es uns mieten, ich kann nicht zuschauen, wie der alte Mann bettelt. Schau dir seine alten Hände an.« Und er sagte zu Hüsnü Bey: »Wir mieten es. Und wir geben Ihnen für sechs Monate die Miete.« Der kleine Hüsnü Bey lächelte Karl an, er hatte verstanden. Wir holten aus unseren Taschen Geld, legten zusammen. Hüsnü Bey aber wollte mit uns unbedingt zum Inselbürgermeister gehen, dort ein Papier unterschreiben.

Der Bürgermeister war ein junger Mann mit langen Haaren, bestellte für uns Kaffee, dann steckte er in die Schreibmaschine drei Bögen Papier mit jeweils Carbonpapier dazwischen, schrieb, dass Hüsnü Bey für sechs Monate die

Miete erhalten habe. Hüsnü Bey nahm jetzt das Geld von uns. Ohne es zu zählen, steckte er es ordentlich in seine Geldbörse, der Bürgermeister stempelte die Papiere. Ich schaute auf seine von dem Carbonpapier blau gewordenen Fingerspitzen. Er gab uns eine Kopie, eine dem Hüsnü Bey und behielt die dritte für sich. Ich sagte: »Hüsnü Bey, wir fahren jetzt nach Istanbul und kommen mit meinen Eltern zurück.« Er sagte: »Wartet, wartet«, ging hinter der Bürgermeisterei zu einer kleinen Hütte, aus der die Hühner gackerten, kam mit zehn Eiern zurück, schenkte sie uns. Unsere Hände voll mit Eiern liefen wir zur Inselpost. Ich legte die Eier auf die Theke, rief meine Mutter an: »Mutter, wir kommen heute Abend an.« Dann zahlte ich das Telefon, nahm die Eier wieder in meine Hände. So liefen wir zum Auto.

Auf dem Weg nach Istanbul hielten wir in Troja an, das trojanische Holzpferd stand an einem Platz neben der Straße. »Karl, mir wird unheimlich. Schau, da unten am Meer, man kann sich vorstellen, wie die Griechen vom Meer her nach Troja gekommen sind und die Trojaner umzingelt haben.«

Als wir in den Ruinen herumliefen, tauchten wieder drei alte Bäuerinnen mit ihren gleich aussehenden Kleidern auf, sahen mich, kamen, umarmten mich, küssten meine Wangen, fragten wie die Bäuerinnen in Bergama: »Spaziert ihr auch, gut, gut, gut, ihr macht es gut, gut, gut.« Dann gingen die drei, die Hände auf ihren Rücken, zwischen den Steinen Trojas weiter. Es kam dann ein Bauernjunge, sagte, er sei Touristenführer von Beruf, arbeite hier als Trojatouristenführer, lief dann mit uns mit, erzählte aber nichts über Troja, sondern zeigte uns eine Pflanze, deren Früchte rausplatzten, wenn man sie anfasste. Er fasste sie an, sie platzten, patpat, raus, er sagte: »Diese Pflanze ist gut gegen die Hämorrhoiden, die Taxifahrer kommen, suchen nach ihnen, sammeln sie. Taxifahrer haben Hämorrhoiden, sie sitzen viel.«

Am Ende des Trojaspaziergangs blieb der Touristenführer stehen, wartete, dass wir ihn bezahlten. Wir bezahlten ihn. Er sagte uns als Letztes: »Die Opferstätten sind da rechts. Ich gehe aber nicht mit hin. Ich habe Angst.« Wir lachten, er bedankte sich, ging mit seinen Gummischuhen und der alten Hose in eine andere Richtung.

Als wir in Istanbul ankamen, stand ich eine Weile gegenüber dem Haus meiner Eltern, schaute hoch zu ihrem Fenster, da war Licht. Der Wind vom Meer holte auch ihre Vorhänge aus den Fenstern heraus und schob sie wieder in den Raum hinein.

Die Tür ging auf. Mutter, Vater. Zwei Körper hielt ich in meinen Armen. Sie waren seit Jahren nur zu Stimmen geworden, aber jetzt waren die Körper da. Wie wir da so eng zusammen standen, vermischten sich unsere Haare. Aus Freude wuchsen die Haare ineinander und verdrehten sich. Die Haare hatten ihre Sehnsucht auch in den anderen Haaren gesehen, und jetzt wollten sie sich nicht mehr loslassen. Die Haare von uns dreien dirigierten uns im Salon zu einem Tisch. Dann war alles laut. Mein Vater sprach Karl auf Türkisch an, ohne darüber nachzudenken, ob Karl Türkisch verstand, erzählte, sagte Gedichte auf, goss immer wieder Rakı aus einer Flasche nach, die er vor sich hielt, stand auf, küsste Karls Wangen, küsste meine Wangen, seufzte vor Sehnsucht, die in ihm wohnte. Später fing er an zu singen, so sangen wir alle. Karl schaute mit lachenden Augen auf uns, mein Vater sagte zu ihm: »Du bist der Honig, der von den Ästen heruntertropft.« Ich übersetzte, was er sagte. Karl sagte, er werde Türkisch lernen: »Ja, das werde ich.«

Plötzlich tönte eine sehr laute Musik aus der Tiefe. Ich

schaute aus dem Fenster, sah den Pförtner dieses Hauses auf einem Sessel, den er vor die Haustür gestellt hatte, sitzen. Neben ihm saß seine siebzehnjährige Tochter mit zwei anderen Frauen. Sie hörten Arabeskmusik, die sie unten in der Kellerwohnung so laut aufgedreht hatten, dass die Töne sich überschlugen.

Meine Mutter sagte: »Jede Nacht das Gleiche. Die Musik ist sehr laut, die Frauen sprechen sehr laut, sie schreien eher, die armenischen Nachbarn wagen es nicht, ihnen etwas zu sagen. Sie haben Angst. Höchstens hauen sie immer wieder ihre eigene Wohnungstür sehr laut zu, dann wieder auf und wieder zu, dann wieder auf, dann wieder zu, damit die Tochter vom Pförtner leise wird. Aber man weiß, der Pförtner hat Verbindungen zur Polizei, deswegen wagen sie es auch nicht, sich bei ihm wegen der Lautstärke zu beschweren. Aber der Pförtner und seine Familie leben auch in sehr schlechten Umständen, zwei kleine, dunkle Zimmer, kein Fenster, nichts, die Menschen werden verrückt, ihre Lage ist schlimm, aber sie richten ihre Ohnmacht gegen den armenischen Nachbarn, anstatt über den Staat nachzudenken. Ich weiß es nicht, wohin das alles rennt, wahrscheinlich zu etwas Ungeheurem. Manchmal denke ich, wir sind tot, aber wir sind zum Leben verurteilt.«

Mein Vater sagte: »Şerefe – prost.« Karl wiederholte das Wort, sagte: »Şerefe.« Ich sagte: »Mutter, hast du Lust, auf einer Insel zu leben? Es gibt eine Insel, die ich sehr liebe, man sagt, der griechische Gott Apollo ist dort geboren.«

In dieser Nacht träumte ich: Ich bin in einem Krankenzimmer, sitze auf dem Bett, versuche, mit dem Bett aus diesem Zimmer rauszukommen. Ich manövriere mit dem Bett wie mit einem Auto. Der Raum hat mehrere Türen und Gänge, aber keinen Ausgang. Ich überlege mir, dass ich mich auf den Boden legen und versuchen könnte, die Wände mit den Händen kaputt zu schlagen. Die Ärzte sind da. Sie geben mir sieben Papierhände zum Händeschütteln. Die Papierhände sind nebeneinandergeklebt. Dann bin ich allein, sitze an einem Tisch, draußen ist ein Industriebild, vielleicht England. Dann setzt sich ein Mann zu mir, der Bruder von van Gogh. Ich frage ihn: »Sind Sie Theo, der van Gogh immer Geld geschickt hat?« Theos Gesicht hat viele Falten, Sorgen. Unruhe. Er nickt. Ich danke ihm, dass er das gemacht hat, dass er van Gogh geholfen hat.

Am nächsten Tag besuchten wir mit Karl zwei Istanbuler Friedhöfe. Auf beiden lagen Schriftsteller, die ich sehr liebte, Oğuz Atay auf dem Edirnekapı-Friedhof und Ahmet Hamdi Tanpınar auf dem Aşiyan-Asri-Friedhof in Rumeli Hisarı.

»Karl, die Bücher der beiden sind noch nicht ins Deutsche übersetzt. Du würdest sie lieben.«

»Ich muss Türkisch lernen«, sagte Karl.

Als wir auf den Friedhöfen zwischen den Gräbern rumliefen, dachte ich an meine Großmutter. Sie hatte sieben Kinder verloren und ging immer auf den Friedhöfen spazieren. Sie hatte mich immer mitgenommen, wir standen vor den Toten, beteten für ihre Seelen. Ich lernte von manchen Toten die Namen auswendig, und in der Nacht, wenn ich an die Toten und ihre Seelen dachte, fing ich an, ihre Namen aufzuzählen. »Großmutter, wo ist der Tod?«

Sie hatte gesagt: »Der Tod ist zwischen Augen und Augenbrauen. Ist er weit weg?«

»Karl, warst du in Paris auf dem Friedhof Père Lachaise? Edith Piaf liegt dort. Einmal hat ein Mann an ihrem Grab ihr Lied ›Non, je ne regrette rien‹ laut abgespielt. Es war so schön, die Leute standen da, es regnete, und Edith sang.

Lass uns jetzt für Oğuz Atay Edith Piafs Lied singen. Er liebte Edith bestimmt.«

Ich summte am Grab von Atay ›Non, rien de rien, non, je ne regrette rien‹.

»Karl, siehst du die Friedhofskatzen? Die haben alle kaputte Augen oder verletzte Münder. Sie sind die ärmsten Katzen, sie sammeln sich bei den Toten, sie fühlen sich nur bei Toten sicher.«

Nach den Friedhöfen von Atay und Tanpınar nahmen wir das Schiff und fuhren auf die asiatische Seite nach Kuzguncuk. »Karl, hier wohnt einer meiner liebsten Freunde, ein wunderbarer Mensch, Dichter, Can Yücel, er ist unser Neruda. Sein Vater, Hasan Ali Yücel, arbeitete mit Atatürk zusammen, in den Dreißigerjahren reiste er mit ihm drei Monate im Auftrag des Bildungsministeriums durch die Türkei, und Ende der Dreißiger wurde er Bildungsminister der Türkei. Er begründete die Dorfinstitute, Ausbildungsstätten für Bauernkinder, die wurden aber von rechten Politikern verboten als hässliches linkes Gedankengut und Kommunistennester genannt. So nahmen sie den Dorfkindern ihre Lehrer weg und ließen die Bauern und ihre Kinder mit Imamen allein. Hasan Ali ließ die Weltklassiker ins Türkische übersetzen. Ich glaube, er selbst übersetzte unter anderem Goethe. Er wollte die Seele des Humanismus in der Türkei durchsetzen. Aus dem Grund ließ er westliche Literatur und Dostojewski und Tolstoi übersetzen. ›Westlich werden‹ bedeutete für ihn, dass die Türkei sich mit dem Humanismus auseinandersetzte, sich in Richtung Humanismus bewegte. Er wollte den Weg der Aufklärung vorbereiten. Das wurde aber von den Rechten behindert. Am Ende sind wir in den Händen Demirels, Özals, General Evrens, der Religionsverkäufer, Neoliberalisten, Marktwirtschaftler. Karl, Can wurde 1971 zu fünfzehn Jahren Gefängnis verurteilt, weil er Che Guevara übersetzt hatte, und kam erst 1974 durch die Generalamnestie von Ecevit frei. Nach dem 1971er-Putsch ging ich immer zu Cans Haus, seine Frau Güler kochte in einem Riesentopf Suppe für die Menschen, die auch immer zu Can kamen, Gewerkschafter, Arbeiter, linke Studenten. Sie hörten gemeinsam im BBC-Radio englische Nachrichten über die Türkei, aßen Suppe, Can brachte jeden zum Lachen. Er ist eine besondere Figur. Es gibt nicht seinesgleichen. Wir holten von Can Yücel Kraft, gingen in den Nächten wieder mit Utopien nach Hause.«

Ich klingelte an einem Haus, Cans Frau Güler machte auf und schrie vor Freude. Can Yücel lief zu Hause mit einem Stock herum, weil er sich seinen Fuß kaputt gemacht hatte. Während Ministerpräsident Turgut Özal im Fernsehen gesprochen hatte, war Can so wütend geworden. »Can stand plötzlich von seinem Sitzplatz auf, schimpfte, wollte nach Özal im Fernsehen treten, aber sein Bein war eingeschlafen, und er knickte mit dem Fuß um«, erzählte mir Cans Frau Güler lachend.

Can sagte, Özal habe die menschliche Scham kaputt geschlagen. Er habe die Solidarität zwischen Menschen, Arbeitern zugrunde gerichtet. Er predigte im Fernseher, wie individualistisch die Menschen sich bewegen sollten: ›Denk nur an dich, du kannst verdienen.‹

Can und Karl sprachen die ganze Nacht über Shakespeare. »Karl, Can hat Shakespeare-Stücke ins Türkische übersetzt. Man nennt Can die türkische Stimme von Shakespeare.« Can las uns das sechundsechzigste Sonnett vor, erst den englischen Text, dann seine türkische Adaption:

Tired with all these, for restful death I cry,
As, to behold Desert a beggar born,

And needy Nothing trimm'd in jollity,
And purest Faith unhappily forsworn,

Vazgeçtim bu dünyadan tek ölüm paklar beni.[73]

Als wir gingen, sagte Can: »Ich werde für Karl ein Gedicht schreiben.« Viele Jahre später, als Can in Deutschland war, besuchte er uns. Karl spielte für ihn Bach, Kurt Weill, Hanns Eisler auf dem Klavier. Can schrieb danach ein Gedicht über ihn, »Piyano terliyor terliyor«, und veröffentlichte es: *Karls Hände fliegen über das Klavier …*

Als wir auf das Schiff warteten, schaute ich auf den in dieser Stunde einsamen Landungssteg von Kuzguncuk. »Weißt du, Karl, den Menschen wurde mit diesen drei Militärputschen Schlimmes angetan. Dieser stille Landungssteg im Halbdunkel sagt mir das. Kein Mensch auf den Straßen, keine Schritte von Haus zu Haus. Besonders die jungen Menschen zeigen sich nicht in diesem Dunkel, weil man sie immer angehalten, durchsucht, verhaftet, gefoltert hat und noch anhalten, durchsuchen kann. Die Menschen sind kaputt gemacht in der Absicht, dass sich der patriarchische Rechtskonservativismus, ohne dass man ihn infrage stellt, durchsetzt, und es wird alles mit der Sicherheit des Staates begründet. Der Staat steht über allem, wie in den konservativen Familien, der Vater ist über allem, die Kinder haben keine Rechte, sie sind die Rechtlosen. Man kann sie ficken, man kann sie schlagen, man kann sie verhungern lassen. Schau, dieser Faschist General Evren ist fast von der Mehrheit akzeptiert worden, obwohl er Siebzehnjährige aufgehängt hat. Warum haben sie ihn gewählt? Weil viele Menschen auch konservativ und rechts sind. Der Staat ist in Gefahr, wer schützt uns? Evren, ein Faschist. Man sagt, das

Osmanische Reich, das nach dem Ersten Weltkrieg aufgeteilt wurde, hat ein großes Trauma hinterlassen: Und darin lebt die Angst, wieder aufgeteilt zu werden. Viele hier glauben, dass andere Länder die Türkei unter sich aufteilen werden. Deswegen diese Lüge, dass alles für die Sicherheit des Staates ist. Daran glauben sie, rücken zusammen, akzeptieren die schlimmsten Mörder wie General Evren. Der Staat, der Staat.«

Karl sagte: »Wie bei Hitler. Alle haben mitgemacht, es sind Zerstörer und Selbstzerstörer.«

Als wir mit dem Schiff von der asiatischen auf die europäische Seite fuhren, war fast kein Mensch auf dem Schiff zu dieser späten Stunde. Der Arbeiter hinter der Theke trocknete mit einem Lappen seine Theke, dann faltete er das Tuch, ich schaute noch eine Weile auf seine Bewegungen, er war ein dünner Mann, hatte einen Clark-Gable-Schnurrbart. Vor den zwei Militärputschen in den Siebziger- und Achtzigerjahren hatte man zu dieser Stunde auf dem Schiff junge Männer, die wie Che Guevara aussahen, gesehen. Alle waren verschwunden – wohin sind sie gegangen und wohin sind alle Arbeiter gegangen, die in den Gewerkschaften aktiv waren, die beim großen Arbeiteraufstand am 15./16. Juni 1970 zu Hunderttausenden gelaufen sind? Am 15./16. Juni 1970 legten sie in den Fabriken die Arbeit nieder, kamen von der asiatischen Seite, um sich mit den Arbeitern von der europäischen Seite, die auch ihre Arbeit niedergelegt hatten, auf den zwei Brücken am Goldenen Horn zu treffen. Aber der Oberbürgermeister ließ die Schwimmbrücken, die nur in den Nächten für die übergroßen Schiffe geöffnet wurden, auseinanderziehen, damit die Arbeiter nicht zusammenkommen konnten. Wären sie weitergelaufen, wären sie ins Meer gefallen.

»Karl, morgen gehen wir zu einem dritten Friedhof, da ist Cahide Sonku begraben. Sie war Regisseurin und der erste türkische Filmstar, sie war die berühmteste Frau in der Türkei, sie starb in großem Elend. Sie soll auch verrückt geworden sein am Ende, mit einer Pfeife im Mund versuchte sie, auf der Straße die Autos zu dirigieren. Eine wunderschöne Blondine. Als sie noch lebte, ging ich mit einem Regisseur zu ihrer Wohnung, um sie kennenzulernen. Sie war gerade nicht da, die Tür stand offen, jeder konnte rein. Die Wohnung bestand aus einem Zimmer, es gab ein Bett, aber auf dem Bettgestell gab es keine Matratze, sie schlief auf dem Metallrost, wie auf Rasierklingen. An den Wänden hingen alte Eisenstücke, alte Schlüssel, aber Hunderte davon. Willst du zu ihrem Grab?«

Karl antwortete:

»I'll follow thee, and make a heaven of hell,
To die upon the hand I love so well.«[74]

Am nächsten Tag sang ich auf dem Friedhof an Cahide Sonkus Grab auch ihr das Edith-Piaf-Lied »Non, je ne regrette rien«. Karl, jetzt besuchen wir den jüdischen Friedhof in Kuzguncuk. Dort ist eine Schriftstellerin, die ich sehr liebe. Sevim Burak. »Man sagt, Burak malte mit Wörtern. Dort werde ich ihr auch Ediths ›Non, je ne regrette rien‹ singen.«

Nach dem jüdischen Friedhof wollte Karl den Topkapı-Serail besuchen. Wir fuhren mit dem Schiff zum europäischen Teil. Ich wollte auf den Straßen bleiben. Ich lief ziellos auf den steilen Straßen von Istanbul rum, dachte: Die Menschen sind zu Schatten geworden. Wenn ich an irgendwelchen Friedhofs- oder Häusermauern entlanglief, sah ich dort nicht die Menschen, nur ihre laufenden Schatten. Wenn ein Schatten mit einem Pfund Hackfleisch in seinem Einkaufsnetz vorbeilief, schauten andere Schatten auf dieses Netz. Alles war teuer geworden, das Geld war durch die hohe Inflation kaputt, Fleisch kaufen war nicht jedes Schatten Sache. So redeten Schatten miteinander über Geld, über sehr komische Zahlen, unheimlich hoch, über Millionen, die letztendlich keinen Wert hatten. Ich sah vor einer Mauer einen Mann. Er war so dünn wie ein Gefangener im Nazi-KZ, er hatte ein Loch in seiner Kehle, aus dem atmete er, wahrscheinlich war er operiert. Er hatte keine Augen, anstatt Augen sah man nur Haut, nicht mal Augenhöhlen, die Augen waren im Mutterbauch nicht gewachsen. Diesen Mann hatten sie hingesetzt, damit er bettelte. Er hatte aber seine Hände nicht zum Betteln geöffnet. Seine Hände, sein Gesicht hatten eine blasse hellbraune Farbe, die Hände lagen auf seinen dürren Beinen, sein Mund war wie ein ganz dünner Gummi, der gerade gezogen wurde, nur sein langes Kinn in seinem Gesicht hatte sich entwickelt. Ich dachte: Vielleicht hatte er als Baby im Bauch seiner Mutter öfter sein Kinn angefasst, um zu überlegen, warum seine Mutter seine Augen vergessen hatte. Von dort, wo er saß, konnte man den ganzen Platz sehen. Die Schatten liefen, Schatten überquerten die Straße, Schatten blieben stehen, Schatten hatten das Leben, das leblose Leben besetzt, die Menschen besiegt, nur der blinde Mann mit dem Loch im Hals und der blassen hellbraunen Haut war als Mensch übrig geblieben. Er saß da zwischen den an ihm vorbeilaufenden Schatten und den unendlich vielen Baustellen, die die ganze Stadt mit Bohrmaschinen, Hämmern, Zement, lauten Geräuschen unbarmherzig erwürgten. Nur die Toten retteten diese Stadt – wo es Friedhöfe gab, gab es keine Baustellen. Gibt es denn kein Gedicht, das, wenn man es zitiert, alle Baustellen, alle Nägel, Hämmer, Zemente, Bohrmaschinen in Luft auflöst, dem armen, blinden, dürren Mann seine Augen gibt, ihn die Schiffe, die Möwen sehen lässt, ihn vor diesem Elend rettet? Als ich über die Brücke am Goldenen Horn lief, wurde mein Körper so schwer, so schwer, ich fing an zu weinen, sagte: »Istanbul meiner Kindheit, ich habe so Sehnsucht nach dir, warum haben sie dich getötet, warum haben sie so viele Menschen getötet, warum kann keiner sie zur Rede stellen? Warum sind die Geschichten der Toten zuzementiert? Wohin geht diese Stadt, wohin, wohin, wohin?«

Auf der Brücke hatte ein Arbeiter sich an das Eisengeländer gelehnt. Neben ihm stand eine junge Frau. Er erzählte ihr von dem großen Arbeitermarsch, der auf dieser Brücke geendet hatte. »Hunderttausend waren wir, du wirst es nicht glauben, hunderttausend Genossen. Ich hatte viele Gedichte von Nâzim Hikmet auswendig gelernt, ich sagte sie in den Istanbuler Straßen auf, es war der schönste Tag meines Lebens.« Das Mädchen nickte, sie war damals vielleicht zehn Jahre alt gewesen. Als ich an ihnen vorbeilief, weinte ich noch lauter. Diesmal auch um ihn, weil er kein Schatten war, er war noch ein Mensch. Wer weiß, was man ihm noch antun wird. Ich sagte laut: »ALLE WERDEN GETÖTET, ICH MUSS ALLE MENSCHEN FOTOGRAFIEREN. AUCH ALLE TOTEN MUSS ICH FOTOGRAFIEREN.«

Ich schrieb zu Hause diesen Satz auf ein Blatt.

»Mutter, Vater, lasst uns morgen wegfahren.«

Wir fuhren mit meinen Eltern auf diese Insel. Hüsnü Bey war schon ausgezogen. Der Tisch, die Stühle und das Bett waren weg. Mein Vater holte im Garten einen Pfirsich von dem Baum, setzte sich auf einen großen, umgekippten Mühlstein, der auf drei Steinsockeln lag. Mein Vater aß aber den Pfirsich nicht, schaute auf ihn, als ob der Pfirsich ihm gerade etwas erzählen würde. Der Garten hatte eine große Holztür, die sich zu einer anderen Gasse hin öffnete, in der sehr schöne alte Häuser standen, die von türkischen Griechen gebaut worden waren. Meine Mutter blieb an der Gartentür stehen, hörte sich die Stille der Gasse an, drei Katzen kamen die Gasse herunter, blieben kurz vor den Füßen meiner Mutter stehen, dann liefen sie die Gasse weiter hinunter, die zum Hafen führte. Meine Mutter schaute hinter ihnen her, bis sie nicht mehr zu sehen waren. Dann liefen wir eine der steilen Gassen hoch zu einem Hügel, dort zeigte ich meiner Mutter und meinem Vater die Silhouette von Lesbos, das andere Ufer in der Ferne, sagte: »Da ist Europa, da ist Lesbos.«

Meine Mutter legte ihre Hand auf ihren Mund, schaute, als ob sie gerade einen schönen Traum festhalten wollte. Der Wind oben auf dem Hügel klebte ihr Kleid an ihren Körper. Zuerst meine Mutter, dann mein Vater schlossen ihre Augen, hörten dem Wind zu. Karl schloss auch seine Augen. Ich schaute auf die drei, machte auch die Augen zu. Dann liefen wir wieder den Hügel hinunter, gingen in Hüsnü Beys Haus rein, liefen die Treppe hoch in die erste Etage, schwiegen, schauten dort auf die Sonnenstrahlen, die durch die Fensterläden hereingekommen waren und sich auf dem Holz an der Decke und auf dem Holz auf dem Boden hingelegt hatten.

Die ganzen Räume oben rochen nach Oleanderblüten. Ich lief durch den Holzkorridor auf die andere Hausseite, machte die Fensterläden auf, die Orthodoxkirche stand genau gegenüber mit ihren Störchen, die gerade schwiegen und kein Laklaklak machten. Jetzt schauten wir alle still auf die Kirche und den verwilderten Garten, in dem ein Esel stand, ohne sich zu bewegen, er schlug nur seinen Schwanz ab und zu gegen seine Oberschenkel. Neben dem verwilderten Garten gab es ein ganz kleines Haus mit vielleicht nur einem einzigen Raum. Vor diesem Haus stand eine Frau, die schaute ungeheuer konzentriert vor sich hin – was sah sie, wohin schaute sie, das verstand ich nicht. Meine Mutter sagte leise: »Sie ist blind. Die Nachbarin ist blind.«

»Karl, die Nachbarin ist blind«, sagte ich leise.

Wir gingen die Treppe wieder hinunter. Ich sah die Haustür, dachte: Wenn ich die aufmache, werde ich die blinde Frau wieder sehen, sie wird das Türgeräusch hören, vielleicht fragen: »Wer da?«

Wir liefen wieder in Richtung Küche, machten den Deckel der Zisterne auf, riefen da hinein, das Wasserzimmer antwortete mir. Dann gingen wir wieder in den Garten. Dort machte ich den Deckel vom Brunnen auf. Mein Vater nahm den kleinen Eimer, zog aus dem Brunnen Wasser, brachte es zum Pfirsichbaum, goss ihn, kam zurück, machte den Brunnendeckel zu, setzte sich wieder auf den großen Mühlstein, nahm wieder den Pfirsich in die Hand, den er vorhin dort gelassen hatte. Keiner sprach. Meine Mutter fasste die Zitronenblätter oder die Lorbeerblätter an den Bäumen an, roch an ihnen. Karl ging, setzte sich neben meinen Vater, schaute auf den Pfirsich, den mein Vater in der Hand hielt. Meine Mutter kam zu mir, sagte: »Warum mussten die türkischen Griechen hier weg? Es wäre für uns besser gewesen, wenn sie noch hier leben würden. Warum mussten sie weggeschickt werden, warum, warum?«

»Mutter, dieses Haus ist auch von ihnen gebaut und bewohnt worden. In diesen Zimmern sind Kinder auf die Welt gekommen, die Yannis oder Stavrula hießen, oder Yorgo. In der Orthodoxkirche brannten sicher Kerzen, alle Fresken waren am Leben, dort sind schöne Lieder gesungen worden.

Mutter, sie sind mit dem Wind gegangen, sie sind mit den Traurigkeit tragenden Schiffen gegangen, und wir sitzen hier mit einem Wort, WARUM, WARUM.«

Wir fuhren mit einem Schiff in die Stadt, kauften dort Betten, Decken, Bettwäsche, Tische, Stühle, Küchengeräte, mieteten einen kleinen Lastwagen, brachten alles in Hüsnü Beys Haus, bereiteten alles für die Nacht vor, liefen dann die steile Gasse hinunter zum Hafen. Mein Vater hielt in seiner Hand den Pfirsich. Unten am Hafen lagen Fischernetze auf dem Boden, die Fischer liefen über sie, bückten sich hinunter, flickten die von den Fischen verletzten Stellen. Der Wind Imbat ließ alle Fahnen an den Fischerbooten nach rechts wehen, die Abendsonne lag auf den Holzstühlen des Hafencafés, die Fischerboote am Kai stiegen mit dem Wind und den Wellen hoch und runter. Ein Mann schrie: »Drei Tee«, ein Kind rannte mit drei Teegläsern zu einem Fischerboot, die von der Sonne gebräunten Gesichter der Fischer ähnelten dunklen Bäumen, das Licht auf den Körpern der Fischerboote war jetzt von Abendschatten verfolgt. Der Imbatwind brachte von dem Meer Salzgeruch mit, das Meer war ein blauer Wind, der das Blau vor sich herfegte, am Kai wurde das Blau zu weißem Schaum. In der Ferne sah das Meer aus wie ein von allen Seiten geschaukeltes Blau. Ein buckliger Mann, der drei Krawatten trug, lief an dem Café vorbei, der Fischer, der neben uns am Tisch saß, sagte: »Er ist verrückt, tut aber niemandem etwas an, liebt nur Krawatten und sammelt in den Bergen Heilkräuter.« Dann kam ein ganz dünner, glatzköpfiger Mann, blieb vor Karl stehen, sagte ganz schnell: »YES, NO, OKAY, YES, NO, OKAY.« Dann lief er weiter. Dann kam ein anderer dünner Mann mit langer Nase, sagte auf Deutsch: »Ich bin der Alman-Gürbüz.« Er setzte sich an unseren Tisch, sagte, er habe zehn Jahre in Hamburg als Schweißer bei Blohm & Voss gearbeitet. Er habe gehört, dass wir Hüsnü Beys Haus gemietet hätten, dann sagte er zu meiner Mutter: »Mütterchen, ich kann alles bauen, reparieren. Wenn du mich brauchst, bin ich da.« Dann bestellte er sich ein Bier, trank, erzählte Karl und mir auf Deutsch, dass er in Hamburg ein gesuchter Türke war. Er hatte sogar in deutschen Pornofilmen den wilden türkischen Mann verkörpert. Die Filmleute hätten ihn gefragt: »Wollen Sie einen tollen türkischen Hengst darstellen?« »Ja.« »Dann kommen Sie morgen früh zu folgender Adresse.«

Er sei, meinte Alman-Gürbüz, in mehreren Filmen ein gesuchter Türke gewesen. Dann stand Alman-Gürbüz auf, sagte: »Karl, du bist unser Schwager, du hast unsere Schwester zur Frau genommen, bist unser Schwager. Schwager heißt auf Türkisch ENIŞTE.« Alman-Gürbüz brachte innerhalb von zehn Minuten alle Fischer um uns herum dazu, Karl Schwager – Enişte zu rufen. Enişte, Enişte. Irgendwann kamen auch die zwei Kinder von Alman-Gürbüz zum Hafen, setzten sich an unseren Tisch. Alman-Gürbüz sagte zu seinen Kindern: »Das ist euer Karl Enişte.« Die Kinder sagten: »Enişte.« Dann sagten sie ein Kindergedicht auf, das sich reimte.

Enişte, Enişte (Enischte)
donu kaldı yemişte. (yemischte)
Schwager, Schwager
seine Unterhose mit Saum
hängen geblieben am Feigenbaum.

Alle lachten. Ich stand auf und lief in Richtung des Cafés, wo ich zuletzt Ali Kaptan sitzen gesehen hatte. Er saß am gleichen Tisch und schaute in die gleiche Richtung. Ich ging zu ihm, setzte mich an den Nebentisch, schaute ihn an in der

Hoffnung, dass er mich diesmal erkannte. »Ali Kaptan, hast du dein Boot *Zeliha* noch«, fragte ich irgendwann. Plötzlich stand er auf, sagte: »Zeliha«, setzte sich wieder hin, schaute wieder in die gleiche Richtung. Ich schwieg, und irgendwann ging ich weg.

Als Karl und ich nach Deutschland zurückfuhren, schaute ich lange aus dem Autofenster nach hinten. Ich sah meine Mutter und meinen Vater mit anderen Inselleuten lachen und sich amüsieren, die sich zu ihnen am Hafen an den Tisch gesetzt hatten.

Als wir in Düsseldorf ankamen, schaute ich als Erstes in den großen Spiegel, der über dem Küchentisch an der Wand hing, um darin unsere Nachbarn zu sehen. Ich sah den Pfarrer, der stand wie immer an seinem Fenster, schaute auf den Hof, die junge Nonne putzte gerade im Hof das Oldtimerauto des Pfarrers.

Als ich meine Reisetasche leerte, fand ich zwischen den Buchseiten von *Hundert Jahre Einsamkeit* von Gabriel García Márquez den Zettel, auf den ich, nachdem ich in Istanbul allein durch die Straßen gelaufen war und alle zu Schatten gewordenen Menschen gesehen hatte, geschrieben hatte:

ALLE WERDEN GETÖTET,

ICH MUSS ALLE MENSCHEN FOTOGRAFIEREN.

AUCH DIE TOTEN MUSS ICH FOTOGRAFIEREN.

Ich legte den Zettel auf den Tisch neben das Papier, das ich in Lyon während der *Prinz von Homburg*-Proben geschrieben hatte:

DAS LEBEN IST EINE KARAWANSEREI … und DER MANTEL.

Die beiden Papiere lagen nebeneinander. Wenn ich in mein Zimmer ging, warf ich immer einen Blick auf die beiden Zettel, die neben der Remington-Schreibmaschine lagen.

Draußen im Hof spielten die Kinder des afrikanischen Arztes, den die Nonnen in ihrem Haus wohnen ließen. Ich sah sie manchmal aus dem Fenster, manchmal im Spiegel, der in der Küche hing. Karl ging jeden Tag in die Kunstakademie zu seiner Bühnenbildklasse. Günther Rühle, der Intendant des Frankfurter Schauspielhauses, wo ich mein Stück inszeniert hatte, hatte mir einen Brief geschickt. Er schrieb darin, dass er meine schöne Regiearbeit noch in Erinnerung habe, und fragte mich, ob ich bei ihm ein Stück von Molière inszenieren würde. Ich schob diesen schönen Vorschlag vor mir her, weil ich in diesen Tagen sehr unruhig war. Ich lief in der Wohnung hin und her, setzte mich in dem Zimmer, in dem der Flügel stand, vor einen Spiegel, malte mein Selbstportrait. Ich malte mich den ganzen Tag mit Wasserfarben, am nächsten Tag wieder, am nächsten Tag wieder. Abends malte ich Karl am Tisch oder, wenn er schlief, im Bett. Wenn ich mich auf das Malen konzentrierte, hörte ich nicht die Autos draußen vorbeifahren. Aber wenn ich fertig war, klopfte wieder mein Herz. Ich lief wieder hin und her, nahm manchmal die Videokamera, filmte meine Gänge oder mich im Spiegel oder nur den Holzboden oder den jungen Baum im Hof. Dann ging ich wieder Selbstportraits malen.

LIEBER WOLFGANG HILBIG

WOHNUNG MIT ZWÖLF FENSTERN

Eines Abends kam Karl mit dem Frankfurter Operndramaturg Klaus Zehelein und dem Regisseur Christof Neel nach Hause. Die drei hatten gemeinsam an Smetanas Oper *Die verkaufte Braut* gearbeitet. Ich kochte Huhn mit Weißwein, es schmeckte ihnen. Nach dem Essen saßen sie weiter an dem Tisch, hörten sich laut Smetanas Oper an. Ich saß auch am Tisch, das rote Telefon, mit dem ich meine Mutter angerufen hatte, stand auch auf dem Tisch. Ab und zu machten sie die Opernmusik aus, sprachen über das Stück, dann machten sie die Oper wieder an, hörten zu. Ich nahm ein Malpapier und die Wasserfarben, malte die drei Männer, die sich die Oper anhörten, das Telefon war auch mit auf dem Bild. Als ich mit dem Bild fertig war, stand ich auf wie ein Schiff, das sich vom Kai entfernte, holte Papier, kam zurück, fing an, Notizen zu machen. Während ich die Notizen machte, hörte ich die Opernmusik nicht mehr. Als ich fertig war, nahm ich die Blätter, brachte sie in mein Zimmer.

An nächsten Morgen machte ich die Remington-Schreibmaschine auf, schrieb die Notizen mit der Maschine ab. Nachdem ich die Notizen mit der Maschine abgeschrieben hatte, las ich sie, und während ich sie las, machte ich dazwischen mit der Hand neue Notizen.

Dann schrieb ich weiter, ohne zu wissen, dass es ein Roman wird, und plötzlich tauchte auch DER MANTEL aus der *Prinz von Homburg*-Probe in Lyon auf:

Die Soldaten zogen ihre MÄNTEL aus, die bisher von 90 000 toten und noch nicht toten Soldaten getragen waren. Die MÄNTEL stanken nach 90 000 toten und noch nicht toten Soldaten und hingen schon am Haken.

An den Tagen, an denen ich schrieb, ging ich sehr oft, um Kaffee zu holen, in die Küche. An einem Tag regnete es. Ich arbeitete unter lauter und lauter werdenden Regengeräuschen, dann ging ich, um mir eine Tasse Kaffee zu holen, in die Küche. Der Regen draußen schlug auf alles und machte die Häuser unsichtbar. Im Hof war das Auto von dem Pfarrer unter starkem Regen unsichtbar. Der Pfarrer stand am Fenster, durch den an sein Fenster schlagenden Regen war er auch bald unsichtbar. Neben dem Nonnenhaus gab es im Hof eine Druckerei. Die drei Drucker, die dort arbeiteten, standen mit ihren Kaffeetassen wie immer in ihrer Pause am Fenster, aber das Bild zitterte wie ein alter Film. Bald waren auch sie unsichtbar. Der Regen war so laut, so stark, dass ich dachte: Er wird all diese Häuser, all diese Menschen, die er unsichtbar gemacht und in einen alten, zitternden Film verwandelt hat, von ihren Plätzen reißen, so leicht wie Pflanzen einsammeln und vor sich her irgendwohin treiben, wo man nicht weiß, wohin. Bald konnte ich draußen kein Bild mehr sehen, der Regen schlug gegen das Küchenfenster, alles war jetzt unsichtbar draußen, auch unser Balkongeländer. Ich drehte mich zu dem Küchenspiegel, um dort diesen unsichtbaren Hof als unsichtbares Spiegelbild zu sehen, sah aber dort keinen Spiegel hängen. »Wo ist der Spiegel«, schrie ich, »vorhin hing er da.« Dann drehte ich mich zum Hof, da war kein Hof. Es war auch kein Regen draußen. Und der Raum war nicht der, in den ich vorhin zum Kaffeeholen gekommen war. Ich war in einem anderen Raum. Es war eine Wohnung mit zwölf Fenstern. Ich rannte zu einem der Fenster, sah unten einen Park, in dem Zelte aufgeschlagen waren. Da liefen zwei schwarze Männer, einer hatte zu große gelbe Schuhe, beide gingen gerade in eines der Zelte hinein, und in der Ferne sah ich den Berliner Fernsehturm. Ich schrie, hörte aber meine Stimme nicht, lief von einem Zimmer in das nächste. In dem Raum, der das Bad sein sollte, war an einer Wand ein großer Spiegel. Er spiegelte andere Häuser draußen und einen Bus, der gerade vorbeifuhr. Ich sah die Nummer des Busses, M29. Ich war so sehr damit beschäftigt, die Nummer des Busses zu lesen, dachte keinen Moment daran, mich im Spiegel zu sehen. Als der Bus aus dem Spiegel rausfuhr, sah ich mich. »Ich kenne dich nicht, wer bist du«, schrie ich. So schrie auch die Frau, die ich sein sollte, im Spiegel zu mir: »Ich kenne dich nicht, wer bist du?« »Ich kenne dich nicht«, sagte ich wieder. Die Frau im Spiegel, die ich sein sollte, sagte auch: »Ich kenne dich nicht.« Es verging Zeit, ich wusste nicht, wie lange, wir beide sagten:

»Ich kenne dich nicht.«

»Ich kenne dich nicht.«

»Ich kenne dich nicht.«

»Ich kenne dich nicht.«

»Wer bist du?«

»Wer bist du?«

»Wer bist du?«

»Wer bist du?«

Kein Ergebnis im Spiegel.

Kein Ergebnis vor dem Spiegel.

Ich sagte zu der Frau im Spiegel: »Ich gehe jetzt«, ging nach rechts. Die Frau im Spiegel sagte: »Ich gehe jetzt«, ging auch nach rechts. Natürlich im Spiegel.

DER JUNGE SCHWARZE MIT DEN ZU GROSSEN GELBEN SCHUHEN

Ich lief durch die Räume, es war schon Abend geworden, der Fernsehturm in der Ferne blinkte. Unten im Park liefen schwarze Männer, arabisch aussehende Männer, junge deutsche Mädchen von einem Zelt ins andere. Es war ein großer Platz, ein schöner Ort. Aber mich beschäftigte die Frau im Spiegel. Ich ging wieder hin. Frechheit. Sie war auch da. Ich strich mit meiner rechten Hand über meine Stirn, sie machte mich nach. Das nervte mich so sehr, dass ich wieder zum Fenster, das auf den Platz schaute, ging. Aus den Zelten kamen Radiogeräusche, mal griechisch, mal französisch, mal deutsch. Ich ging wieder zum Spiegel. Diesmal nicht, um die Frau im Spiegel zu treffen, sondern die Frau, die ich war. Doch ich hatte mich geirrt, sie war wieder da, die von vorhin. Ich nahm meine Kräfte zusammen, sagte diesmal höflich: »Wer sind Sie?« Sieh mal an, sie war auch höflich, sagte: »Wer sind Sie?« »Wir müssen uns trennen«, sagte ich. Sie sagte genau das Gleiche. Ich sagte mir: Jetzt werde ich die ganze Nacht am Fenster stehen und nie wieder zu diesem Spiegel gehen. Anstatt in den Salon, wo mehrere Fenster auf den Platz und zu den Zelten schauten, lief ich in ein anderes Zimmer, von dem man in die Küche gehen konnte. Im Zimmer sah ich den alten Schreibtisch und meine Remington-Schreibmaschine, ging hin, sah neben der Maschine einen hohen Stapel handgeschriebener Blätter, es war meine Handschrift, drehte ihn um und sah das erste Blatt. Auf dem standen die Wörter *Ein von Schatten begrenzter Raum* …

Ich legte meinen Kopf auf den Tisch. Ich war durch die Kommunikation, die keine war, mit der Frau im Spiegel müde geworden. Ich könnte vielleicht ein bisschen schlafen, sogar träumen, ja, ein Traum wäre jetzt gerade richtig. Träumen, und dann wach werden aus diesem Schlaf. Ja, richtig, so ist es richtig, sagte ich mir, legte meinen Kopf auf die Tischplatte. Wie lange ich da so blieb, wusste ich nicht. Ich fühlte auf meiner linken Schulter etwas, aber was, wusste ich nicht. Ich hob meinen Kopf hoch und sah in dem ganzen Zimmer Krähen stehen. Einige hatten in ihren Schnäbeln irgendwelche Zeitungsausschnitte. Die dünnste, kleinste, älteste, die vorne auf dem Tisch stand, hatte nichts im Mund, sagte mir: »Einen schönen Abend.« Alle Krähen sagten dann: »Einen schönen Abend, Madamöö.«

»Gut, dass ihr da seid«, sagte ich und blinzelte mit den Augen. Sie waren so viele. Hätte ich sie gezählt, wäre ich nicht fähig gewesen, ihre Zahl im Kopf zu behalten.

Sie schauten auf mich, ich schaute auf sie, sagte, flüsterte eher: »WER IST DIESE FRAU IM SPIEGEL?«

Eine der Krähen wagte es, zu lachen. Wra kikiki, wra hihihi. Die anderen warnten sie, aber ganz elegant, indem sie sich vor ihr höflich verbeugten. Sie wurde stumm. Die jüngste Krähe sagte: »Sie haben uns gefragt, wer die Frau im Spiegel ist. Wir können nur vorschlagen, Sie reden mit uns, und am Ende werden Sie verstehen, wer diese Frau im Spiegel ist.«

»Reden? Wie, was, wie?«

»Ja, reden«, sagten die Krähen. Dann wurden sie still. Alle schauten auf mich. Bei so vielen Augen konnte ich nicht untätig bleiben. Anstatt aber etwas zu sagen, stand ich auf, ging zum Fenster, tat so, als ob ich es schließen wollte, aber es war ja schon zu. Ich sah unten am Platz wieder den Park und die dort aufgeschlagenen Zelte und den jungen schwarzen Mann mit seinen etwas zu großen gelben Schuhen aus einem der Zelte rausgehen und den Park entlanglaufen.

»Ich komme gleich«, sagte ich zu den Krähen, lief mit raschen Schritten hinaus aus dem Zimmer zum Bad und sah in den großen Spiegel, sah wieder die Frau und hinter ihr den Platz draußen. Der Bus M29 fuhr gerade vorbei, und kurz darauf fuhr er aus dem Spiegel raus.

»Wie soll es jetzt weitergehen«, fragte ich mich, kehrte aber wieder in das Arbeitszimmer zurück, alles war noch da. Übereinanderliegende Blätter, Krähen, die Remington-Schreibmaschine. Die Krähen sagten höflich: »Es ist Zeit, dass Sie anfangen, wir haben nicht viel Zeit, also sprechen Sie bitte.«

»Aber was, was«, murmelte ich leise.

»Wir hatten dir mal auf der Insel etwas prophezeit. Wie wir dein Leben verfolgt haben, sind unsere Gedanken wahr geworden. Davon wollten wir mehr wissen.«

Dann schwiegen die Krähen und warteten. Ich schaute wieder in Richtung des Fensters. Eine der kleinsten Krähen sagte mit einer schönen Stimme: »Ich weiß, du fühlst dich bedrängt, mir ist es etwas peinlich, dass ich mich bei dir jetzt so bemerkbar mache, aber ist es nicht an der Zeit, dass du sprichst? Wir sind friedlich. Streng dich nur ein bisschen an, meine Liebe.«

Dann schaute die Krähe neben sich, sie war verunsichert, ob diese letzten zwei Wörter zu viel waren – »meine Liebe«.

Ich knipste die Tischlampe an, um sie noch etwas mehr zu irritieren, als sie es schon war, aber es war keine gute Idee. Das Licht der Lampe zeigte jetzt an allen Wänden und an der Decke übergroße Schatten der im Raum Anwesenden, also von den Krähen und von mir. Um mich vor diesen vergrößerten Schatten zu retten, drehte ich meinen Kopf zum Fenster, sah unten am Platz jetzt fünf schwarze, sehr junge

Männer mit einem Ball Fußball spielen. Ich versuchte, unter ihnen den Mann mit den zu großen gelben Schuhen zu sehen. Er war nicht dabei, hilflos drehte ich meinen Kopf wieder zurück, knipste das Licht aus. Jetzt hatten die Anwesenden in diesem Raum nur sich selbst und keine Schatten, die sie an den Wänden vergrößerten. Die Krähen sagten im Chor:

»Wir hatten dir auf der Insel etwas prophezeit. Schau dir die Manuskriptseiten von deinem siebten Buch an, die neben der alten Maschine übereinanderliegen.«

Die jüngste Krähe sagte mit krächzender Stimme:

»Seite 59, nimm und schau hin«, dann räusperte sie sich. Dann sagte die Krähe neben ihr:

»Gestatten Sie, dass ich Sie führe?« Sie nahm von ganz unten aus dem Stapel einige Seiten, ordnete sie, legte sie vor mich hin.

»Wir bitten Sie höflich, es laut zu lesen.«

Ich war gezwungen zu lesen, weil alle auf mich schauten. Ihre Körpersprache sagte mir, sie seien bereit, zuzuhören. Zwei Krähen hatten sogar ihre Augen geschlossen, ich dachte erst, sie schlafen, doch hatte ich mich geirrt. Beide schlugen ihre Augen auf, um mir zu beweisen, dass sie nur zum Zuhören ihre Augen geschlossen hatten. »Ruhe!«, sagte eine. Es war aber sehr ruhig, sie meinte mich. Ich schaute wieder raus zum Park, ob ich den schwarzen Jungen mit den zu großen gelben Schuhen sehen könnte. Wenn er da wäre, würde ich diesen Traum, der mir geschah, wegjagen können. Der Junge mit den gelben Schuhen war nicht da. Dann sagte ich mir: Mach, was die Krähen wollen, dann gehen sie bestimmt. Ich fing an, die handgeschriebenen Blätter, die die Krähe vor mich hingelegt hatte, zu lesen:

Als noch ein paar andere Fischer, brennende Zigaretten in ihren

Mündern, Richtung Hafen rannten und nicht mehr zu sehen waren, sah ich Tausende von Krähen, eine nach der anderen.

Die Krähen sagten: »Nicht das, an einer anderen Stelle weiterlesen.«

Dann fing ich wieder an zu lesen.

»Wenn du gehst, werden die Liebesquellen austrocknen. Dort wirst …«

Die Krähen baten: »Halt, bitte nicht das. Lies ab *Seid ihr die Hellseher, seid ihr Teiresias*?«

Ich las die Stelle, die die Krähen hören wollten.

»Nehmen wir an, du schreibst dort einen Roman, mit all deiner Fantasie, mit eigenen Bildern, deinen empfindsamen Gefühlen, du schreibst zum Beispiel AB JETZT IST ALLEINSEIN MEIN PFERD. Oder DIE WOHNUNGSLOSE SCHNECKE. Weil du mit der Schnecke Mitleid hast. Diese Schöpfungen, die du aus deinem eigenen Körper ausgraben wirst, werden als Türkisch registriert. Sie werden sagen, schauen Sie, wie schön die türkische Sprache ist. Keiner kann Türkisch, aber plötzlich wissen sie, dass es Türkisch ist. Du landest in der türkischen Schublade. Europa, Berlin, Tiergarten der Sprachen, hier sind die türkischen Tiere, als wäre die Türkei ein Dorf, in dem alle Einwohner die gleichen Geschichten haben und mit gleichen Sätzen sprechen. So werden sie versuchen, dir dein Gedächtnis auszulöschen. Weil sie keines haben. Weil sie keines haben, darfst du auch keines haben. Weil es ihnen auch schnuppe ist.«

Dann schaute ich auf die Krähen. Eine sagte: »Danke, dass Sie uns unsere Bitte nicht abgeschlagen haben. Wir wollen Sie noch um etwas bitten, ja, wir wollen Sie höflich an noch etwas erinnern. Sie liefen mal in einer regnerischen Nacht auf einer breiten, langen Straße in Berlin. Dort im Wasser haben Sie etwas gesehen.«

Dann schauten sie auf mich. Ich schaute auf meine Hände. Da machte die jüngste Krähe einen Schritt auf mich zu, sagte: »Ach, mein Kind, eine kleine Hilfe für dein Erinnerungsvermögen, ich hole dir die Seite 84, lies sie bitte auch laut.« Und prompt fand sie diese Seite im Blätterstapel und legte sie vor mich hin. Ich hatte vorhin schon die Erfahrung gemacht – es hatte wenig Sinn zu zögern, die Krähen würden nicht aufgeben. Ich las das Blatt ganz schnell, als ob ich eine Telefonbuchseite lesen würde:

»*Der Regen schlug meine Augen, dann schaute ich wieder hinunter, wo meine beiden Schuhe im Wasser weiterliefen, und sah plötzlich neben meinen Schuhen mein Gesicht, aber nicht so jung wie jetzt, sondern fünfundzwanzig Jahre älter, im Wasser lächelnd auf mich schauen. … Das Gesicht unten im Wasser lachte. Ich trat mit meinem linken Schuh auf mein fünfundzwanzig Jahre älteres Gesicht, aber das Gesicht spürte meine Schuhe nicht, blieb lächelnd im Wasser liegen. Der 129er-Bus fuhr gerade vorbei und spritzte mit seinen Rädern das Wasser der Straße zur Seite und nahm mein Gesichtsbild beim Vorbeifahren mit sich mit.*«

Als ich fertig war, wurde es im Zimmer unruhig. Manche Krähen wechselten und tauschten die Plätze, aber nachdem sie fertig waren, schauten sie mich weiter an, und mit noch frischeren Stimmen als vorhin sagten sie: »Jetzt erzählen Sie bitte. Also sprechen Sie bitte, wir sind ganz Ohr.«

Ich schaute auf meine Hände, die ich umgedreht auf meine Beine gelegt hatte. Meine Handflächen sagten, dass ich dabei sei, langsam in eine Ohnmacht zu rutschen, meine Stimme kam aus einem ganz tiefen Brunnen, meine Ohren hörten diesen Satz mit Echo, als ob meine Stimme in einem Pinienwald stünde und Millionen Grillen dort gleichzeitig ununterbrochen zirpten, meine Stimme sagte: »Ich kann nicht, ich konnte nicht mal sprechen damals.«

Die Krähen sagten im Chor: »Darum bitten wir dich höflich, dass du es uns jetzt erzählst.«

»Also sprich.«

»Du zögerst.«

»Willst du nicht?«

Dann wurde es eine Weile wieder still.

»Aber, aber«, sagten die Krähen, »du hast deinem toten Dichterfreund Wolfgang Hilbig versprochen, dass du sprechen wirst. An seinem Grab auf dem Dorotheenstädtischen Friedhof, wo auch Bertolt Brechts Grab liegt. Also sprich.«

»Ja, ja, Wolfgang Hilbig«, sagte ich, lächelte, seufzte, sagte: »Wolfgang Hilbig, den liebe ich sehr.«

»Denk an ihn, denk an dein Versprechen an seinem Grab«, wiederholten die Krähen.

»Darf ich ein Glas Wasser trinken?«

»Selbstverständlich«, sagten die Krähen.

Sie gossen mir aus einer Flasche, die unten neben dem Tisch stand, ein Glas Wasser ein, so vorsichtig, dass kein Tropfen aus der Flasche auf den Tisch tropfte. Als ich das Wasser trank, sah ich aus den Winkeln meiner Augen, dass die Krähen mich irgendwie mochten. Sie sahen nicht aus, als ob sie streng wären oder hinter einer unmöglichen Wahrheit herrannten, ich glaube, sie wollten sogar etwas scherzen. Die Krähe, die ganz hinten stand, rief von hinten: »Wenn das, was Ihnen geschah, zu erzählen keinen Spaß machen wird, was ich annehme, fangen Sie da an, wo Sie zuletzt waren, erzählen Sie von da an, wo die junge Nonne im Hof dem Pfarrer seinen Oldtimer wusch.« Dann sagte die Krähe: »Es war für mich ein großes Vergnügen, kurz mit Ihnen gesprochen zu haben.«

Ich wiederholte, was sie gesagt hatte: »Die Nonne, die dem Pfarrer seinen Oldtimer wusch.« Die höfliche Krähe, die ganz hinten stand, sagte: »Darf ich die Zeit der Nonne vertiefen, um Ihrem Erinnerungsvermögen auf die Sprünge zu helfen? Am besten mit einer Frage. Wer war damals Kanzler in Deutschland?«

Ohne zu zögern, sagte ich: »Helmut Kohl.«

»Richtig«, sagte sie, »und wer war Präsident in Amerika?«

Ich zögerte etwas. Dann antwortete ich: »Ronald Reagan. Den liebte ich nicht.«

»Türkei?«

»Turgut Özal.«

»Und in Frankreich?«

Ich wurde laut und sagte mit Vergnügen: »Jacques Chirac. Den nannten wir mit Efterpi Şırrak.«

»Ah, oui«, sagte die Krähe.

Ich schaute auf die Krähe, die »ah, oui« gesagt hatte, lächelte sie an, sagte: »Ah, oui.« Dann schwieg ich wieder. Als sich das Schweigen in die Länge zog, sagte die Krähe, die ganz hinten stand: »Die Umgebung wartet darauf, Ihre Stimme, die wahrscheinlich von der Tonlage her dramatischer Sopran ist, zu hören. Also, ab der jungen Nonne bitte. Oder ab dem Abend, an dem Ihre Gäste sich Smetanas *Verkaufte Braut* anhörten. Also, Sie saßen mit drei Männern am gleichen Tisch, die sich diese Oper anhörten, dann malten Sie sie, dann gingen Sie und holten Blätter, machten Notizen, dann, am nächsten Tag, haben Sie angefangen, Ihren ersten Roman zu schreiben. Dachten Sie darüber nach, in welcher Sprache Sie schreiben?«

»Nein, nein«, antwortete ich, dann schwieg ich wieder. Die Krähe, die die Frage gestellt hatte, kam einen Schritt näher, schaute tief in meine Augen, so lange, bis ich weitersprach. »Ich dachte nicht darüber nach, warum ich auf Deutsch schreibe, ich wusste nicht mal, dass das, was ich schreibe, ein Roman wird. Ich liebte die ›Gefahrmomente‹ in den Wörtern: Du gehst auf dem Schreibtisch auf eine Reise mit Wörtern – das hat etwas von Trapeznummern oder Opernsängern oder Motorradfahrern im Zirkus. In der Oper guckt man den Opernsängern auf den Mund in der Angst: Geht die Stimme hoch, oder fällt sie runter? Ähnliches bei einer Trapeznummer: Fällt die Artistin herunter, stirbt sie, oder schafft sie es, die Hand ihres Partners zu fassen? Beim Schreiben auch: Läuft das Wort über das Seil bis ans Ende, oder fällt es vom Seil herunter? Manchmal schrie ich laut: ›Wen soll es angehen, was du schreibst, wen?‹ Aber ich schrieb weiter. Ab und zu schaute ich beim Schreiben durch die Balkontür auf den Hof. Dort sah ich immer die drei Drucker am Fenster ihrer kleinen Druckerei stehen, Kaffeetassen in der Hand, in meine Richtung schauen. Die junge Nonne wusch wieder an Sonntagen dem Pfarrer sein Oldtimerauto, der Hof war sehr leise. An Sonntagabenden saßen alle sechs Nonnen zusammen, tranken Rotwein, die junge Nonne lachte dann immer laut. Manchmal hörte ich die Stimmen der schwarzen Kinder, die mit ihren Familien bei den Nonnen wohnten. Ich liebte die Menschen auf diesem Hof.« Dann schwieg ich. Wagte gar nicht, die Krähen, die ganz still waren, anzuschauen. Ich war mir nicht sicher, ob all das sie interessierte. Am besten stehe ich auf, gehe ins Badezimmer, um zu sehen, ob die Frau aus dem Spiegel noch da ist. Als ich aufstand, drehte sich eine Krähe, die bis jetzt auf dem Tisch nur im Profil zu mir gestanden hatte, ganz zu mir, sagte: »Die Erinnerungen, nicht wahr?« Dann schwieg sie. Aber plötzlich fing sie an, mit einer anderen Stimme zu sagen: »Ich muss Sie an Ihre Rechte erinnern. Indem Sie sich weiter erinnern, werden nicht Sie stärker werden, sondern die Frau im Spiegel, die Sie dazu verleitet hat, zu fragen: *Ich kenne dich nicht, wer bist du?*«

»Ist sie noch da?«

»Ja, sie ist noch da. Aber es soll Sie nicht schwächen, erzählen Sie, wir sind ganz Ohr.«

Ich schaute in alle Gesichter der Krähen, ob sie auch so dächten. Sie blinzelten würdig, indem sie ihre Augen leicht schlossen.

»Ja, der Hof war sehr leise. Beim Schreiben ging ich Kaffee holen, sah den Hof immer im Spiegel, der über dem Küchentisch hing, telefonierte jeden Tag mit meiner Mutter, erzählte ihr aber nicht, dass ich meinen Kindheitsroman schreibe. Ich fragte sie, was sie heute kocht, manchmal sangen wir am Telefon ein Lied. Sie war für mich eine Stimme, ihr Körper fehlte. Karl arbeitete an der Oper Frankfurt. Ich war sehr einsam, lebte mit den Menschen vom Hof, die ich im Spiegel über dem Küchentisch sah, schrieb weiter. Draußen rasten die Busse, Autos in einem verrückt gewordenen Rhythmus eines Industrielandes, und ich verlangsamte an meinem Schreibtisch diesen verrückt gewordenen Rhythmus. Mein Roman fängt im Mutterbauch an, Ende der Vierzigerjahre in der Türkei, in einem Zug. Das kleine Mädchen im Bauch seiner Mutter fängt an, das Leben zu sehen. Ich suchte in meinem Körper, als ob mein Körper eine antike Stadt wäre, den langsamen Rhythmus aus meiner Kindheit und die Gefühle, die ich für diese wunderbar poetischen Menschen von damals hatte, ich rief mir durch das Schreiben die Menschen meiner Kindheit, die nicht mehr lebten, meine Toten, ins Gedächtnis zurück, und sie fingen an, in der deutschen Sprache zu leben. Ihre Körper, die mir schon lange fehlten, waren plötzlich da, auch von meinen Eltern die Körper, plötzlich da, in den Zimmern, in meinem Körper. Unbewusst schützte ich den langsamen Kindheitsrhythmus und die Körper meiner Toten, indem ich die Wohnung tagelang nicht verließ. Ich dachte, die Menschen hinter den Fenstern der rasenden Busse würden auf mich schauen und die sich schnell drehenden Räder der Busse würden Schmutzwasser schleudern und meine Toten würden mich plötzlich verlassen. In manchen Nächten ging ich mit Schmerzen ins Bett, ich dachte, das kommt daher, dass ich beim Schreiben über meine Kindheit zu viele Gefühle aus meinem Körper ausgegraben habe, der Schmerz machte mich glücklich, ich war dankbar, dass mein Körper all diese Gefühle noch hatte und sie mir beim Schreiben zurückgab. Die Toten sprachen mit süßen, süßen Wörtern zu mir. Ich sah manchmal die Sterne vom Bett aus und sprach zu ihnen, dass sie mich und meine Toten schützen sollten, bis mein Roman zu Ende sei.«

Plötzlich wurde es draußen so laut, dass ich auch laut werden musste. Ich unterbrach meine Erzählung, schaute in die Gesichter der Krähen, dann stand ich auf, schaute aus dem Fenster. Unten am Platz liefen mehrere Demonstranten mit Schildern und Transparenten in den Händen. Aus einem Mikrofon schallte eine Stimme. Auf den Schildern las ich die Worte *Asylpolitik*, *Diskriminierung der Flüchtlinge*, *Wir werden nicht leiser*, *Refugees welcome*, *Wir kämpfen weiter*, *The Border exists only in your head.* Die Krähen hatten auch ihre Köpfe zum Fenster gedreht, fragten mich mit ihren Augen, was unten am Platz los ist. »Es ist eine Demonstration gegen die deutsche Asylpolitik«, antwortete ich. Ich blieb am Fenster stehen und sah wieder den jungen schwarzen Mann mit den zu großen gelben Schuhen unten im Park aus einem der Zelte rausgehen. Er lief den Park entlang, ging in die Menschenmenge rein, lief mit ihr die breite Straße hinunter. Aus anderen Zelten kamen andere schwarze Männer mit deutschen Mädchen und Jungs raus, liefen auch zur Menge. Dann kam aus einem der Zelte ein deutsches Mädchen mit einem Schild, auf dem *Kein Mensch ist illegal* stand. Sie eilte auch zu den Demonstrierenden, und alle zogen die breite Straße hinunter. Der letzte Slogan, den ich hörte, war: *We are here to stay – wir sind hier, um zu bleiben.* Als die Menschen nicht mehr zu sehen waren, rannte ein einzelner deutscher Junge hinterher mit einem Schild, auf dem stand: *Welcome to Germany.*

Alle Krähen schauten auch aus dem Fenster hinunter zum Platz, bis keine Menschen mehr zu sehen waren. Dann nahmen sie wieder Platz, genau da, wo sie, seit sie gekommen waren, gestanden hatten.

»Darf ich rausgehen, ich muss pinkeln?«, fragte ich. Ich ging ins Badezimmer, wollte aber gar nicht in den Spiegel hineinschauen, die Frau wiedersehen. Beim Laufen deckte ich meine Augen mit meinen Händen zu, ließ nur ein bisschen offen, und leider, leider sah ich durch diese Augenlücke im Spiegel zwei Beine ab dem Knie, und die Füße im Spiegel hatten die Schuhe an, die ich zu Hause trug, weil sie sehr leise Sohlen hatten. Ich gab das Pinkeln auf, lief, dieses Mal meine Augen von den Händen ganz bedeckt, wieder raus zu dem Zimmer, wo der Arbeitstisch stand, und alle Krähen standen genau auf den Plätzen, die sie vorhin eingenommen hatten. Sie waren so ruhig. Obwohl ich mir als Einwand zu sagen vorgenommen hatte, ich habe Kopfschmerzen, kam dieser einfache Satz nicht über meine Lippen. Ich setzte mich wieder auf diesen Stuhl, auf dem ein Kissen war, und auf dieses Kissen war das Portrait von Shakespeare gedruckt, darauf stand »Gute Unterhaltung«. Ich grübelte über diese Schrift auf dem Kissen. Eine der Krähen, die etwas fettige Haare hatte, hatte so intensiv auf dieses Kissen geschaut. So hatte sie mich zum Denken gebracht, ich hatte einen kurzen Moment überlegt, wird sie mich jetzt fragen: »Lieben Sie Shakespeare?« Deswegen wunderte es mich nicht, als von ihr die Frage kurz darauf kam. Ich lächelte sie an, dann grübelte ich über mein Lächeln, wieso ich in dieser Abenddämmerung, in diesem Zimmer einfach so lächelte. In welchem Zustand befand ich mich denn, und was dachten die Krähen über mein Lächeln? »Danke«, sagten einige Krähen. »Danke, danke, Liebes, dass Sie uns Ihr Lächeln nicht erspart haben. Wir gehen davon aus, dass Sie uns ein bisschen mögen, auch das geringste Mögen macht uns überaus glücklich. Also Liebe, Liebe, wir gehen davon aus, Sie erzählen weiter.«

Aber was, was, grübelte ich wieder. Die Krähe, die mich »lieben Sie Shakespeare?« gefragt hatte, kam einen Schritt zu mir: »Sie sind ja kein verlassener Baumstamm in einem einsamen Wald, auf dem wir uns niederlassen wollen. Denken Sie, es ist eine tiefe Nacht, und Sie sprechen im Schlaf. Zum Beispiel über die Wände Ihres Zimmers, aus dessen Fenstern und Spiegeln Sie die Nonnen und Drucker im Hof sahen und in dem Sie an Ihrem ersten Roman schrieben. Wie heißt das Buch noch mal?«

Bevor ich etwas sagen konnte, antwortete die jüngste Krähe: »Du wirst vergesslich, meine Liebe.« Sie war sehr aufgeregt, alle schauten auf sie. Als sie rülpste, lachte ich laut und war von meinem lauten Lachen fast erschrocken. Aber rasch nahm ich mir vor, mich etwas zu amüsieren, indem ich eine Lehrerin nachmachte. Ich hustete, öhö, öhö, öhö, sagte:

»Meine sehr verehrten Damen und Herren. Als ich an meinem ersten Roman schrieb, hatte ich an den Wänden des Zimmers, in dem ich anfing zu schreiben, Fotos und Bilder, die mir etwas sagten, die in meinem Herzen spazieren konnten, die mir Kraft gaben, mit Stecknadeln befestigt: Buñuel, Signorelli, alle Selbstportraits von van Gogh, Rembrandt, meine Mutter, mein Vater, mein Freund, Heinrich Heine, Kavafis, die Beatles, Bilder aus Pompeji, Tierbilder, Postkarten von Surrealisten, die Kreuzigung Christi, eine Picasso-Frau, die mich an meine schöne Mutter erinnerte, ein Bild eines nackten Mädchens im türkischen Bad, das mir ähnlich sah, Burt Lancaster, Man Ray, Kiki de Montparnasse, Marlon Brando, Munch, Bilder, auf denen Menschen mit dem Rücken zum Maler stehen, Zeitungsausschnitte mit Bildern von türkischen Vätern, deren junge Söhne schuldlos hingerichtet wurden, der Grünewald-Altar, Albrecht Dürer als Christus, schöne Männerbildnisse aus der Renaissance, Fotos von meinem Regisseur Benno Besson während Theaterproben, Heinrich Böll, Brecht, Kurt Weill, Orientalisten, erotische Bilder aus der ottomanischen Zeit, Filmplakate von japanischen Filmen, von Ozu, Mizoguchi, Naruse, Fotos von Anna Magnani, Silvana Mangano, Pasolini, Emil Jannings, Peter Lorre, Fritz Lang, Nosferatu, Citizen Kane, Istanbulfotos des türkisch-armenischen Künstlers Ara Güler mit Schiffen, Bauern, Gassen und ein Bild meiner Großmutter, mit einem Kind auf einer Wippe sitzend. An manchen Tagen wollte ich mich gar nicht an den Schreibtisch setzen, da sprach ich immer mit der Stimme meiner Großmutter, ich machte sie nach, wie sie mit mir als Kind geredet hatte: ›Geh, setz dich hin, die Reise beim Schreiben geht nur am Tisch weiter. Sonst schreibst du im Kopf, und dein Kopf wird ein Wasserkopf.‹«

Eine der Krähen goss mir Wasser in ein Glas, ich trank es. Ich merkte, dass das Wort *Wasserkopf* die Krähen sehr interessierte. Sie wollten mich fragen, was das ist. Aber da das Wort Wasser und das Wort Kopf so leicht zu verstehen waren, wagten sie es nicht, oder vielleicht riskierten sie es nicht. Sie schauten sich gegenseitig an und nickten. Damit sie ihre

Scham nicht in die Länge ziehen mussten, sagte ich mit einer etwas höheren Stimme:

»Es war leichter am Theater. Ich hatte, seit ich zwölf Jahre alt gewesen war, immer am Theater gearbeitet, immer mit Menschen gelebt. Am Theater gab es eine Institution, die einem half: Du gehst morgens beim Theaterpförtner vorbei, er scherzt mit dir – wenn du mir nicht ein Bier spendierst, lass ich dich nicht rein –, dann lacht er. Die Korridore, die Theaterkantine, die Bühne, die Theatergarderoben, alles sind Spielplätze. Der Regisseur holt in den Proben aus dir etwas raus, die Kostümbildnerin sucht mit dir ein Kostüm, das deine Figur unterstützen kann, da ist ein Dramaturg, da ist der Bühnenbildner, da ist das Bühnenbild, du fängst an, auf der Bühne deine Ecken zu finden, deine Mitspieler fordern dich in ihren Rollen heraus oder du die anderen in deiner Rolle, und bringst so die Probe weiter. So kommt man bis zur Premiere. Deine Kollegen küssen deine Wangen, zweimal morgens, zweimal abends. In Frankreich küssten die französischen Kollegen meine Wangen dreimal morgens, dreimal abends. Wenn du dreißig Kollegen hast, wirst du morgens neunzigmal, abends neunzigmal geküsst, das macht 180 Küsse täglich. Aber beim Romanschreiben fehlen die Küsse.

Karl und ich hatten einen Nachbarn, er hieß Fritz, 70 Jahre alt. Fritz ging öfters morgens zum Frühschoppen nebenan in die Kneipe Waldi. Er klingelte bei mir und beschwerte sich über seine Frau: ›Was soll das? Ich darf ja gar nichts trinken.‹ Seine Frau hörte oben still im Treppenhaus zu. Ich sagte: ›Fritz, Ihre Frau ist nett.‹ Er lachte zahnlos. Ich brachte der Frau eine Flasche Sekt hoch. Am nächsten Tag klingelte Fritz bei mir, hatte zwei Passbilder in der Hand, sagte: ›Das Foto hier ist noch, wo ich meinem Führer diente. Das Foto hier später.‹ Dann ging er zu Waldi.«

Eine der Krähen kam mit langsamen Schritten zu mir und fragte mich leise: »Was ist ein Wasserkopf.«

»Wasserkopf ist ein Kopf, der bei Hitler nicht leben durfte.«

Die Krähe ganz hinten sagte: »Beschäftige unsere hochverehrte Freundin nicht mit Kopf und Wasser. Lass sie bei ihrem Thema bleiben. Meinten Sie, dass das leere Papier eine Theaterbühne ist?«

Ich sagte: »Ja, das Schreiben war wie das Theater eine Inszenierung. Man ist gleichzeitig in zwei Personen und in zwei Orten. Man versucht, mit Romanmitteln die Grenzen des Roman-Ichs zu verschieben, aber gleichzeitig verschiebt man seine eigenen Grenzen am Schreibtisch. Du bist das erste Ich. Und auf dem Papier ist das zweite Ich. Und das erste Ich teilt dem zweiten Ich Geheimnisse mit, aber auch das zweite Ich teilt dem ersten Ich Geheimnisse mit. Zum Beispiel: Meine Mutter hatte mir erzählt, dass sie mich beinahe im Zug geboren habe. Und das Roman-Ich im Mutterbauch erzählte mir von Soldatenmänteln, die von 90 000 toten und noch nicht toten Soldaten getragen worden waren. Wenn es dem ersten und dem zweiten Ich gutging, merkte ich, dass die Menschen auf den Straßen mich gerne anschauten. Ich sammelte auf den Straßen Liebessignale, brachte sie nach Hause, und dann wollte ich immer meine Mutter anrufen, ich liebte meine Mutter sehr. Als Kind, wenn ich mit ihr und Großmutter im gleichen Zimmer saß, schaute ich diese beiden Frauen an: Sie bückten sich, sie erhoben sich, sie machten eine Tür auf, sie waren da, ich konnte sie riechen, ich konnte sie anfassen, sie waren immer da, aber ich hatte ständig Sehnsucht nach ihnen. Ich roch heimlich im Schrank an den Kleidern meiner Mutter, weinte, trocknete meine Augen mit ihren Kleiderröcken.

Ich sagte sehr oft: ›Mutter, Mutter, wo bist du?‹
›Ich bin hier, meine Tochter.‹
Ich sagte wieder: ›Mutter, wo bist du?‹
Obwohl ihr Körper da war, suchte ich immer nach ihrem Körper. Dann verlor ich diesen Körper wirklich, weil ich Istanbul verließ. Ab dem Moment war sie für mich nur zu einer Stimme geworden, zu einer Zunge.

MUTTERZUNGE

Eines Tages hörte sich ihre Stimme am Telefon sehr schwach an, so als ob sie ständig in einem dunklen Raum sitzen würde, als ob sie aus diesem Dunkeln nicht rauskönnte. Genau nach diesem Telefongespräch, ab dem Tag, konnte ich an meinem Roman *Das Leben ist eine Karawanserei* nicht weiterarbeiten. Ich ging raus auf die Straße, mir war schwindlig, als ob ich in einem engen Korridor gehen müsste. Ich lief ziellos durch die Straßen, sah in einem Kiosk türkische Zeitungen hängen, die türkischen Wörter kamen mir nicht wie aus meiner Muttersprache vor, sondern wie aus einer von mir gut gelernten Fremdsprache, die Wörter berührten mich nicht. Ich war sehr unruhig. Ich flog nach Berlin zu meiner guten Freundin Katharina. Dann ging ich auf einer Wiese spazieren. Ich spazierte nicht, legte mich auf die Wiese, schaute auf den Himmel und wartete, dass der Himmel auf die Erde herunterklappte. Die Unruhe trieb mich weiter, ich flog am selben Tag wieder nach Hause nach Düsseldorf. Ich konnte an meinem Roman nicht weiterschreiben. Stattdessen schrieb ich, wirklich fast mit Feuer unter meinen Füßen, einen Text, dem ich den Titel ›Mutterzunge‹ gab: Eine Frau hat in Berlin ihre Mutterzunge verloren. Sie erinnert sich nur an drei Wörter aus ihrer Mutterzunge, die sie noch berühren. Sie sucht in Berlin West und Ost ihre Wörter, die sie verloren hat, und entschließt sich, zu ihrem Großvater zurückzugehen und seine Schrift zu lernen, also Arabisch, in der Hoffnung, vom Großvater wieder den Weg zurück zu ihrer Mutter und Muttersprache zu finden, die sie in Deutschland verloren hat. In der Geschichte lernt sie bei einem arabischen Gelehrten die arabische Schrift. Der Meister ist ein Sufist. Er unterrichtet sie mit den Schriften des Korans. Sie ist eine Atheistin, aber verliebt sich platonisch in ihren Lehrer. Er sich auch in sie. Eine unmögliche Liebe, un amour impossible, sie muss vierzig Tage in seiner Wohnung eingeschlossen bleiben und die Schrift lernen. Sie kann ihm ihre Liebe nicht eröffnen, deswegen redet sie in der Nacht mit den arabischen Schriften und Buchstaben, und die Schriften sprechen zu ihr. Die beiden, der Lehrer und sie, reden öfter über den Tod. Nach vierzig Tagen kann sie sich aus diesem Schriftzimmer befreien, aber durch die unmögliche Liebe erinnert sie sich an noch mehr Wörter aus ihrer Mutterzunge, die sie berühren.

Ich schrieb diese Geschichte, dann aber fragte ich mich, wieso ich so eine Ebene gewählt hatte, wieso sie die arabische Schrift lernt, die vor Atatürks lateinischer Alphabetreform die Schrift der Türkei und die Schrift ihres Großvaters gewesen war. Ich hatte nie Interesse gehabt, Arabisch zu lernen, und hatte mir nie zu der Schriftreform in der Türkei eine Frage gestellt. Aber wieso hatte ich so eine Ebene gewählt?

Ich war weiter sehr unruhig. Ich fuhr von Düsseldorf nach Berlin, Karl arbeitete dort gerade am Theater, wohnte in einem Haus, das auf einen Garten schaute, da waren hohe Bäume, der Hausbesitzer war unser Freund Wolfgang Storch. Er kam manchmal in den Garten, umarmte einen

Baum, blieb da minutenlang so stehen. Wolfgang machte sehr schöne Bücher über Berlin, über Heiner Müller, über Pasolini. Wolfgang hatte in seinem Müller-Buch eines meiner Theaterstücke abgedruckt, das ich in Bochum geschrieben und Müller gewidmet hatte: *Karriere einer Putzfrau – Erinnerungen an Deutschland*.

Die Verlegerin von Heiner Müller, Gabi Dietze, las das Buch von Wolfgang Storch, rief mich in Berlin an, sagte: ›Ich habe Ihre *Karriere einer Putzfrau* gelesen, bin hingerissen, würde sehr gerne mit Ihnen ein Buch machen, haben Sie Texte?‹

Ich sagte: ›Ich schreibe seit fünf Jahren an einem Roman, er ist noch nicht fertig, aber ich habe eine Erzählung, die »Mutterzunge« heißt. Ich gebe Sie Ihnen zu lesen.‹ Ich gab Gabi Dietze die ›Mutterzunge‹.

Diese englische Frau hänge ich an die Wand als Heiner Müller

Meine Unruhe hörte nicht auf. Karl und ich fuhren mit dem Auto in die Türkei. Auf dem Weg besuchte Karl in Stuttgart einen Theaterregisseur. Ich lief im Zentrum der Stadt herum, der Kanzler Helmut Kohl war nach Stuttgart gekommen, stand auf einem Platz und sprach über ein Mikrofon. Viele Menschen hatten sich auf dem Platz versammelt, ich war ganz hinten, neben mir standen einige Obdachlose, Alkoholiker, eine Frau wackelte nach vorne, nach hinten mit einer Flasche in der Hand, schrie in Richtung Helmut Kohl mit einer verrauchten Stimme, die unterwegs in Stücke sprang: ›Du Alkoholiker, Helmut, du Alkoholiker!‹ An einem anderen Platz sah ich mehrere chinesische Studenten, die miteinander redeten, dann stumm blieben, dann wieder redeten. Ich lief weiter, blieb vor einem Fernsehladen stehen, in allen Fernsehern liefen die gleichen Bilder, die gleichen Nachrichten, Studentenproteste auf dem Platz des Himmlischen Friedens in Peking. Ich sah rollende Panzer, ein Kommentator in allen Fernsehern redete vom demokratischen Aufbruch in den sozialistischen Ländern, Frühling in Moskau, Glasnost, Perestroika. Dann lief ich wieder ziellos in einen Park, traf Karl, wir gingen ins Kino. Es lief ein Film von Krzysztof Kieślowski, *Ein kurzer Film über die Liebe*. Nach dem Film weinte ich auf der Straße, Karl schaute auf mein Weinen, aus seinen Augen perlten leise Tränen.

Am nächsten Tag fuhren wir weiter in die Türkei. Obwohl meine Mutter und mein Vater gerade auf der Insel waren, sagte ich zu Karl: ›Lass uns nach Istanbul fahren.‹ Obwohl ich keinen Grund hatte, nach Istanbul zu fahren, trieb mich irgendetwas in mir dorthin.

Als wir in Istanbul vor dem Haus meiner Eltern standen, schaute ich hoch zu ihren Fenstern. Dass die Fenster und

Vorhänge zu waren, machte mich wütend. Aber was der Grund für die Wut war, wusste ich nicht. Dann schaute ich auf die Fenster von unseren Nachbarn nebenan, Kleo und Ambartsum. Sie waren auch zu, weil Ambartsum und Kleo tot waren. Früher sah ich in beiden Wohnungen immer die halb aufgezogenen Vorhänge, die der Wind vom Meer mal in die Zimmer schob, mal wieder herausholte. Jetzt waren alle Fenster zu, die Vorhänge bewegten sich nicht mehr. Wir gingen hoch. Als ich die Wohnung meiner Eltern aufschloss, sah ich die Schuhe meiner Mutter, die da allein standen. Wie verloren sahen diese Schuhe aus, wie ein Waisenkind mit dünnem Hals. Die Wohnung roch nach Naphthalin, ich ging von einem Raum in den nächsten, warum, wusste ich nicht. Ich suchte nach etwas, aber wonach suchte ich? Ich sah den Schuhkarton, in dem meine Mutter die Nachrichten über die getöteten Menschen gesammelt hatte, ich las die Namen der Toten, dann ließ ich die Zeitungsausschnitte dort liegen. Ich lief umher, links, rechts, ich fasste an die Lippenstifte meiner Mutter, die in einer Schublade lagen, aber was suchte ich? Dann fragte ich mich: Warum fährst du nicht zur Insel, zu deiner Mutter, deinem Vater – als ob sie tot wären. Aber dieser Gedanke stellte nur die Frage, suchte keine Antwort, und schnell erlosch er. Ich öffnete die Schränke, schaute mir die Schubladen und dann die Kleider an. Ein rotes Kleid hing zwischen andersfarbigen Kleidern. Ich nahm das rote Kleid raus, schaute mir das Kleid an, warum ich das machte, wusste ich nicht. Ich zog noch mal die Schubladen auf, sah in einer ein Kaligramm aus arabischen Buchstaben, die ganzen Buchstaben bildeten einen Vogel. Ich nahm das Bild, dann dachte ich: Nein, nicht jetzt, ich nehme es erst, wenn sie tot ist. Das war ein flüchtiger Gedanke, er kam in mein Gehirn wie ein Licht und verlöschte auch so schnell wie ein Licht, sodass ich über diesen Gedanken nicht grübeln konnte.

Am nächsten Tag gingen Karl und ich in ein Museum, spazierten darin, dann kaufte ich ein Bild: Auf einem Kamel ist ein Sarg, eine Frau hält das Kamel und läuft vor dem Kamel, das den Sarg mit dem Toten trägt. Das ganze Bild war aus arabischen Buchstaben gestickt. Als wir gingen, kam wieder ein Gedanke so schnell wie ein Licht, dann verlöschte er wieder, ich konnte das Licht, diesen Gedanken nicht schnappen, nicht festhalten.

Wir fuhren zu der Insel zu meinen Eltern, zum Hüsnü-Bey-Haus. Ich war weiter sehr unruhig. Ich hatte unterwegs frische Aprikosen gekauft, die waren alle zermatscht, ihr Saft lief in meine Reisetasche. Meine Mutter war nicht zu Hause. Als ich sie durchs Fenster auf der engen Gasse laufen sah, empfand ich Wut und wusste nicht, warum. Ich redete dauernd von Problemen, erzählte ihr, dass ich krank sei, obwohl es nicht wahr war. Meine Mutter versuchte, mich zu beruhigen. Ich erzählte ihr, obwohl es nicht wahr war: ›Mama, ich bin nervös, ein Verlag hat von mir einen Text verlangt, ich habe ihnen einen gegeben, ich weiß aber noch nicht, ob er gedruckt wird.‹ Ich war nervös, aber nicht wegen des Verlags. Ich wusste nicht, warum ich nervös war. Ich erzählte meiner Mutter auch nicht, dass die Geschichte ›Mutterzunge‹ heißt, aber warum ich es nicht erzählte, wusste ich nicht. Meine Mutter sagte: ›Du wirst sehen, mein Kind, sie werden das Buch machen.‹

Ständig beobachtete ich meine Mutter – wie sie läuft, wie sie auf die Erde schaut. Wenn ihr Kopf so auf die Erde schaute oder ihre Stimme sich wieder so anhörte, als ob sie ständig im Dunkeln sitzen würde, fühlte ich wieder Wut und dann Ohnmacht, aber warum? Als ich immer wieder Sachen zum

Problem machte, so wie ›Warum steht dieses Radio hier?‹ oder ›Warum fallen ständig Pfirsiche herunter?‹, beruhigte sie mich jedes Mal, bis die nächste Nervosität kam. Sie sagte: ›Mein Kind, ich habe irgendwo gelesen, so unruhige Menschen wie du seien Genies, sie seien so unruhig wie du. Ich dachte an dich, dachte, mein Kind ist ein Genie.‹ Ich entschuldigte mich wegen eines Moments vor zwanzig Jahren, wo ich sie mal zum Weinen gebracht hatte. Sie sagte: ›Ich erinnere mich nicht, hast du mich zum Weinen gebracht? Ich erinnere mich nicht. Die Mütter vergessen, mein Kind.‹ Ich sagte: ›Mutter, in Istanbul, die Wohnung muss man ein bisschen aufräumen, manche Sachen weggeben.‹ Meine Mutter sagte: ›Gib alles weg, ich will Istanbul nicht mehr sehen.‹

Sie wollte mit meinem Vater am nächsten Tag zu meinem jüngeren Bruder abreisen. Ich bat die beiden, nicht abzufahren. Meine Mutter sagte: ›Ich habe es deinem Bruder vor drei Monaten versprochen. Der wartet auf uns.‹ Wir saßen im Hüsnü-Bey-Haus, draußen rochen Oleander und Pfirsiche, drängten in die Küche, wo wir beide stundenlang wie aneinandergeklebt saßen. Auch als es dunkel wurde, machten wir kein Licht an. Wir sprachen und sprachen. Meine Mutter sagte: ›Weißt du, mein Kind, du hast alles gemacht, wovon ich geträumt habe. Ich wollte wie du Schauspielerin werden, ich wollte wie du Knickhalslaute spielen, ich wollte wie du Geschichten schreiben.‹

›Mutter, die Entwicklungen laufen etwas langsam. Du hattest eine Mutter, die war verheiratet mit einem Mann, der vier andere Frauen hatte im gleichen Haus. Großmutter starb mit dreißig Jahren. Es war Sultanszeit. Du warst ein Waisenkind, dann hast du dich in meinen Vater verliebt, ihr seid nach Istanbul gezogen, es war Atatürkzeit, du hast

Hütegetragen, auf den Bällen getanzt mit schönen Kleidern, ihr seid ins Kino gegangen, habt Clark Gable, Anna Magnani geliebt, du hast deren Fotos in deine Alben geklebt, beim Film *Vom Winde verweht* geweint, *Madame Bovary* und Tolstoi, Balzac und Yaşar Kemal gelesen, dich mit Politik beschäftigt. Ich bin deine Tochter und habe als Kind schon angefangen, Theater zu spielen. Das ist die langsame Entwicklung.‹ Meine Mutter erzählte noch, wie sie Atatürk als kleines Schulmädchen kennengelernt hatte. Atatürk besuchte ihre Schule, die Schüler hatten sich im Garten der Schule versammelt, Atatürk sprach mit den Kindern, als er bei ihr war, streichelte er die Haare meiner Mutter, schaute in ihre Augen, sagte: ›Du bist ein kluges Mädchen.‹ Dann sagte meine Mutter zu mir: ›Komm‹, und ging mit mir durch die Gartentür zu dem gegenüberliegenden Haus, machte mich mit den Nachbarn bekannt. Später sagte sie mir: ›Mein Kind, sie sind gute Menschen, wenn ich nicht mehr da bin, tot bin, können sie dir helfen.‹ Ich schrie: ›Wieso sollst du sterben, wieso, wieso, du bist jung.‹ Meine Mutter schaute in meine Augen, sagte: ›Wir sollen leben, nicht wahr, mein Kind?‹

Mein Vater und Karl kamen vom Hafen zurück. Karl und mein Vater hatten dort dem Dorfverrückten mit drei Krawatten und dem anderen Verrückten, der Yes-No-Okay, Yes-No-Okay sagte, Geld geschenkt, ihr Lachen gesehen und mit Alman-Gürbüz, der in Hamburg in deutschen Pornofilmen gespielt hatte, Tee getrunken. In einem Regal stand ein großes Foto meines Vaters, das Karl gemacht hatte. Meine Mutter sagte: ›Karl, fotografiere mich auch. Ich will auch da stehen.‹ Karl fotografierte meine Mutter. Wir gingen in den Garten, saßen dort unterm Pfirsichbaum, ab und zu fiel aus dem Baum ein Pfirsich herunter, der Mond lief über uns, wer weiß wohin.

Am nächsten Morgen fuhren meine Eltern zu meinem jüngeren Bruder, Orhan. Als sie gingen, hielt meine Mutter an der Tür, sagte zu mir: ›Meine Tochter, was wird mit meinem roten Kleid?‹ Ich verstand nicht, was sie meinte. Als ich die Tür hinter ihnen zumachte, kam wieder ein Gedanke vorbei, so schnell wie ein Licht, aber ging wieder so schnell aus. Ich konnte diesen Gedanken nicht schnappen, er erlosch wie vom Himmel rutschende Sterne. Ich lief mit Karl auf der Insel fünfundvierzig Minuten zu dem Eselhaus von Hüsnü Bey, das er uns vor drei Jahren hatte verkaufen wollen. Hüsnü-Bey hatte meine Mutter dazu gebracht, das Eselhaus zu kaufen. Der Esel war tot, das Haus war voll mit Spinnen, Insekten. Wir holten aus dem Brunnen Wasser, putzten das kleine Eselhaus. Als Karl über einem Gaskocher Fisch briet, goss er in die heiße Pfanne anstatt Öl aus einer anderen Ölflasche Petroleum. Die Pfanne ging in hohen Flammen auf, Karl machte das Feuer aus. Plötzlich hatte ich so eine Sehnsucht nach meiner Mutter. Ich sah den Hügel am anderen Ufer, dachte: Das ist meine Mutter. Ich war wie ein Wald, und in mir zirpten Millionen Grillen unter der starken Mittagssonne, so laut war meine Sehnsucht, die um etwas trauerte, aber um was, was? Wir liefen wieder zurück zur Hauptinsel, ich lief unter der Sonne, als ob ich in einer brennenden Landschaft durch das Feuer lief.

Wir gingen am Friedhof vorbei, ich war sehr traurig, depressiv, wusste aber nicht, warum ich so tiefe Schmerzen in meinem Herz hatte. Abends führte mich Karl in ein Restaurant am Hafen aus. An einem langen Tisch saßen französische Touristen, aßen Fisch, tranken Rakı. Eine Frau war sehr glücklich und sehr angetrunken, sie lachte, sang, ich schaute auf sie, fand in ihrem Glücklichsein Trost, aber dann plötzlich war sie still. Sie schlief und pinkelte auf den Stuhl.

Ein Mann neben ihr sagte zu den anderen: »Mon Dieu, elle a chié dans son pantalon – mein Gott, sie hat in die Hose geschissen.« Die Arme saß in ihrer Scheiße und schlief. Ihre Freunde redeten und überlegten, was sie machen sollten. Die Lage der Frau machte mich noch trauriger.

Wir liefen die steile Pflastersteingasse zu Hüsnü Beys Haus hoch, ich sah in einem Haus wieder das gerahmte Foto, auf dem Menschen, die nicht mehr lebten, in den Dreißigerjahren zum Fotografen schauten. Zu Hause machte ich kein Licht an, nur mit dem Licht des Mondes saß ich in der Küche und war unendlich traurig. Das Telefon klingelte. Karl ging in den Salon, nahm im Dunkeln den Hörer ab, sprach komisch, so wie: »›Ach, Orhan, was sagst du?‹, er rief mich, sagte: ›Orhan, Orhan will dich sprechen‹, schaute dann mit groß gewordenen Augen auf mich. Mein Bruder sagte: ›Schwester, wir haben unsere Mutter verloren.‹ Dann schwieg er.«

Es war still im Raum.

Irgendwann lief die Krähe, die ganz hinten stand, zu mir, sagte: »Wenn du nicht willst, sprich nicht weiter, unsere zarte Freundin.« Dann sagten alle Krähen: »Wenn du nicht willst, sprich nicht weiter, unsere zarte Freundin, leg deinen Kopf kurz auf den Tisch.« Eine goss aus der Flasche, die neben dem Tisch stand, in ein Glas Wasser. Ich legte meinen Kopf auf den Tisch. Die Krähen fingen an, in dem Zimmer über meinem Kopf hin und her zu fliegen. Ich hörte ihre Flügel schlagen, und sie gaben einen einzigen Laut von sich: Ach.

»Ach, ach, ach, ach, ach, ach, ach, ach, ach, ach, ach, ach, ach, ach, ach, ach.«

Ich hob meinen Kopf wieder vom Tisch hoch, lief zum Fenster. Die Krähen flogen weiter im Zimmer zwischen den

Wänden hin und her. Ich schaute aus dem Fenster zum Platz.

»Da geht der junge Schwarze mit den zu großen gelben Schuhen. Jetzt geht er rein in eines der Flüchtlingszelte.«

Als ich das sagte, nahmen die Krähen von Neuem ihre Plätze ein. Ich staunte, wie genau sie wieder auf ihren Plätzen standen, wie vorhin. Ich setzte mich wieder hin, sprach weiter.

»Wir fuhren mit einem Taxi vier Stunden lang zu der Stadt, wo sie gestorben war. Mein Bruder Orhan erzählte mir, dass er drei Tage vorher aus dem Traum gerissen worden war. Er hatte eine Gestalt, wie ein Todesengel, laut an sein Fenster klopfen gesehen. Und mein älterer Bruder, Ali, hatte meiner Mutter gesagt: ›Mutter, ich sehe den Schatten vom Tod über mir.‹«

Ich trank Wasser, die Krähen schauten mit Traueraugen auf mich.

»Meine Mutter hatte mir erzählt, dass ihr rechter Mittelfinger, als sie an der Nähmaschine nähte, unter die sich noch über den Stoff bewegende Nadel geriet, die dann in ihrem Finger zerbrochen war. Die Ärzte sagten: ›Wir können es operieren, aber keine Angst, die Nadel wird sich nicht bewegen und zu Ihrem Herzen laufen.‹ Als Kind hatte ich immer wieder an ihrem Finger nach dieser halben Nadel getastet. Manchmal stand ich in der Nacht vom Schlaf auf und tastete im Dunkeln ihren Mittelfinger ab, ob die Nadel noch da war. Oder war sie auf dem Weg in Richtung ihres Herzens? Ich war jahrelang die Wächterin einer kaputten Nadel. Sie hat diese Nadel genommen und ist aus dieser Welt gegangen.«

Die Krähen schwiegen, warteten, dass ich das Glas Wasser zu Ende trank.

»Am nächsten Tag stand ich auf dem Friedhof nicht unter dem Baum, wo die Männer sie unter die Erde ließen, sondern beim nächsten Baum, denn die Frauen durften nicht am offenen Grab der Toten stehen, nur die Männer. Die Männer nahmen sie aus dem Sarg, fassten das Leichentuch an den vier Ecken, plötzlich sah ich ihre Fersen, die aus dem Leichentuch herausschauten. Sie schaukelt, dachte ich, hier ist ein Garten, sie schaukelt in einer Schaukel, die man zwischen den beiden Bäumen festgemacht hat, ich stehe unten und sehe ihre Fersen. Unter einem entfernten Baum sah ich einen sehr armen Mann, wahrscheinlich war er der Friedhofsnarr. Er schaute auf die Männer, die Erde über meine Mutter warfen, dann schaute er auf mich, die Augen groß geöffnet. Alle seine Gesichtszüge aus Schmerz und Mitleid nach unten gezogen, blieben seine Augen in meinen Augen, meine Augen in seinen. Als der Abend kam und meine Mutter nicht mir gegenübersaß, sondern in einem Grab lag, hörte ich das Abendgebet. Aus vielen Moscheelautsprechern kamen ungeheuer laut die Stimmen der Muezzins. Es war so laut, dass ich meinen Bruder fragte: ›Hat vielleicht unsere Mutter diese Überlautstärke gehört und deswegen einen Herzinfarkt bekommen?‹ Mein Bruder sagte: ›Nein, sie starb vorher.‹ Ich sagte: ›Gut, dass sie es nicht gehört hat.‹ Genau in diesem Moment verstand ich, warum ich in ›Mutterzunge‹ von der arabischen Schrift erzählt hatte und die Protagonistin die arabische Schrift lernte und die Schrift mit der Frau redete und sie mit der Schrift. Was war die arabische Schrift für mich? Sie war die Schrift des Korans. Was war der Koran für mich? Engel, Teufel, Strafe, die andere Welt, also Tod, Tod. Meine Geschichte ›Mutterzunge‹, die ich mit Unruhe geschrieben hatte, wollte mir sagen, dass meine Mutter sterben würde, dass ich bald ihre Zunge, den warmen Körperteil in ihrem Mund, die Liebesquelle meiner Sprache, meiner Gefühle, meiner Kindheit, meiner Jugend, verlieren würde.

Wir fuhren mit meinem Vater zur Insel zurück. Ich fand zu Hause ein Haar meiner Mutter, sagte laut: ›Ich habe ein Haar meiner Mutter‹, wollte es festhalten, es irgendwo hintun, damit es nicht verloren ging. Auf der Suche nach einem Platz verlor ich es und fand es nicht mehr. Dann erst fing ich an, sehr laut zu weinen. Ich lief in dem Hüsnü-Bey-Haus hin und her. In allen Räumen weinte ich. Dann klopfte es leise an der Haustür. Ich machte auf. Die blinde Nachbarin stand da, sagte nichts, hatte ihre Augen ungeheuer aufgerissen, als ob sie damit sehen könnte. Ich wurde still, sagte: ›Meine Mutter ist gestorben.‹ Sie sagte: ›Meine Tochter.‹ Dann drehte sie sich um, lief vorsichtig zu ihrem kleinen Haus, blieb vor ihrer Tür stehen, ich blieb vor unserer Tür stehen, der Abendwind bewegte ihr Nachthemd, klebte es an ihren Körper, ihre herunterhängenden Brüste zeigten sich unter dem Hemd, sie schaute in meine Richtung. Sie sieht mich, dachte ich, sie sieht mich. Als ich ins Haus ging, schaute ich aus dem Fenster. Sie stand da, genau wie vorhin, als ob sie gerade sehen könnte. Ich ging dann durch die Gartentür hinunter zum Hafen, um meinen Vater zu suchen. Er saß mit Karl und den zwei Verrückten und Alman-Gürbüz an einem Tisch, genau hinter ihm war eine Stange, festgerammt in die Erde, die mit drei anderen Stangen zusammen das Blätterdach des Cafés trug. Ich sagte: ›Vater, lass uns nach Hause gehen.‹ Er sagte: ›Ich will nicht, ich will nach Istanbul.‹ ›Vater, Vater, lass uns hierbleiben.‹ Ich hielt mich an der Stange fest, genau hinter meinem Vater. Karl schaute auf mich. Die Menschen am Hafen schrien: ›Erdbeben, Erdbeben.‹ Plötzlich wurde ich mit der Stange einen Meter vorwärtsgerissen und wieder zurück, ich kam wieder genau dort an, wo ich vor einer Sekunde gestanden hatte. Auch mein Vater wurde mitsamt seinem Stuhl einen Meter vorwärtsgerissen und dann wieder zurück. ›Vater, es war ein Erdbeben.‹ Mein Vater sagte, er habe nichts gemerkt. Als wir gingen, schaute eine Frau sehr intensiv auf uns. Alman-Gürbüz sagte mir: ›Die Frau ist krebskrank, sie wird sterben, sie kannte deine Mutter.‹

MEIN VATER LÖSTE SICH WIE EIN AUSGETROCKNETES INSEKT AUF

Mein Vater blieb dabei, nach Istanbul zurückfahren zu wollen. Ich sagte Karl: ›Bleib du hier, ich fahre mit meinem Vater mit dem Bus nach Istanbul. Er denkt, dass er in Istanbul meine Mutter finden wird.‹ Als wir in Istanbul ankamen, ging mein Vater ins Schlafzimmer, legte sich ins Bett, auf die Seite, wo meine Mutter immer geschlafen hatte. Er ging am nächsten Tag mit mir zum armenischen Friedhof, blieb vor jedem Grabstein stehen, schaute ab und zu die langen Bäume hoch, dann wieder zu den Grabsteinen. Dann kehrten wir nach Hause zurück. Er trank seinen Rakı, gab mir auch davon, wir saßen am Tisch, dann ging er wieder ins Bett, legte sich auf die Bettseite, auf der meine Mutter immer geschlafen hatte. Als er schlief, sah ich den Schuhkarton, in dem meine Mutter die Zeitungsausschnitte von den Menschen, die von den Faschisten und Fanatikern getötet worden waren, gesammelt hatte. Ich nahm den Karton, umarmte ihn, suchte im Regal das Buch *Tutunamayanlar – Die Haltlosen* von dem toten Schriftsteller Oğuz Atay, umarmte das Buch, setzte mich, in meinen Armen beide Sachen, in den Sessel, weinte leise, umarmte noch fester den Schuhkarton mit den Totennamen und Oğuz Atay.«

Die Krähe, die ganz hinten am Tisch stand, sagte: »Ihr Vater starb sicher auch kurz danach. Ich fühle das.«

Als sie das sagte, war sie unsicher. Ich gab ihr sofort die Antwort: »Ja, er bekam beim Sitzen auf der Couch einen Schlaganfall, lebte ein paar Tage im Krankenhaus als halber Mann. Er glaubte, dass ich meine Schwester sei, das, was er aus dem Fenster des Krankenhauszimmers sah, sei unser Nachbarhaus, und dass alle Ärzte unsere Gäste seien. Er sagte: ›Kauf Rakı und Lammkoteletts, Schafskäse, schnell den Tisch decken, die Gäste sind da.‹ Ich sagte: ›Ich gehe einkaufen, Vater.‹ Ich lief durch die Krankenhauskorridore, sah in den Zimmern viele halbe Männer wie meinen Vater, alle hatten Schlaganfälle gehabt. Ein Mann, der dünn war und schöne Augen hatte, schaute in meine Augen, sagte mit schwerem Mund: ›Siehst du unsere Lage?‹ Seine Frau, eine stille, arme Frau, saß auf einem Stuhl neben seinem Bett, sagte zu mir: ›Er war ein sehr guter Gewerkschafter. Er hat den Großen Arbeiteraufstand mit angeführt. Sie haben uns, während wir noch lebten, getötet, meine Tochter.‹ Ich sprach mit ihr, sagte, dass ich damals auch mitgelaufen war, als Hundertausende gelaufen waren. Als der halbe Mann schlief, ging ich aus dem Zimmer, setzte mich auf einen Stuhl neben das Bett meines Vaters, zeichnete ihn.

Am nächsten Morgen saß ich wieder auf diesem Stuhl, zeichnete wieder meinen Vater, bevor er starb. Ich fragte ihn: ›Vater, geht es dir gut?‹ Er sagte: ›Mein Gehirn ist krank.‹ ›Warum, Vater?‹ ›Meine Frau ist tot, mein Gehirn ist krank.‹ ICH SAH, DASS MEIN VATER SICH WIE EIN AUSGETROCKNETES INSEKT AUFLÖSTE. Er sagte noch einen Satz, den ich nie vergessen werde: ›MICH LEGEN SIE IMMER REIN.‹ Er hatte Recht, er war Geschäftsmann und war sein Leben lang von den anderen reingelegt worden, von vielen. Er hatte immer verloren, weil er ein naiver, sehr herzlicher, sehr gebender Mensch war. Meine beiden Eltern waren Waisenkinder – meine Mutter hatte keine Mutter gehabt, mein Vater keinen Vater, sie konnten sich gegen den Wind der bösen Menschen nicht festhalten.

Er sagte plötzlich: ›Ich kann nicht atmen, hol den Arzt.‹ Ich stand auf, ging zu einer Wand, klebte meinen Körper an die Wand, ich hatte keine Stimme. Ich sah, wie der Tod gekommen war und meinem Vater und mir eine gehauen hatte, meinem Vater im Bett, mir an der Wand. Dann ließ der Tod mich los, aber nicht meinen Vater. Dann schrie ich: ›Ärzte!‹

Nachdem er gestorben war, erzählte mir eine Krankenschwester, die wir für die Nächte bezahlt hatten: ›Ihr Vater wollte unbedingt, dass ich ihm erlaube, meine Wange zu küssen. Gestern Nacht habe ich es getan. Jetzt, wo er tot ist, freue ich mich, dass ich seinen Wunsch erfüllt habe.‹«

Die Krähen flogen wieder hin und her. Beim Fliegen schlugen sie mit ihren Flügeln, sagten wieder: »Ach, ach, ach, ach, ach, ach, ach, ach, ach, ach, ach, ach, ach, ach, ach, ach, ach, ach.«

Ich stand auf, schaute aus dem Fenster zu dem Park. In den Flüchtlingszelten waren Lichter an, aus einem Radio kamen französische Nachrichten, und aus einem Auto, das um den Park fuhr, sprach eine Männerstimme aus einem Megaphon, kündigte an, dass sie durchhalten würden. Ich öffnete an meinem Schreibtisch eine Schublade, nahm ein Foto, auf dem meine Mutter, mein Vater, mein Bruder Ali und ich in Istanbul vor dem Fotografen saßen. Ich legte es auf den

Tisch, damit die Krähen es sahen. Sie blieben in der Luft stehen, sahen herunter zu dem Foto.

Ich sagte: »Ich habe einen wunderbaren Freund, einen großen Schriftsteller, er schrieb unter anderem *Das Leben der Bilder oder Die Kunst des Sehens.* Er heißt John Berger. Ich zeigte ihm mal das Foto. John sagte mir: ›Schau, deine Eltern sehen wie die Kinder von dir und deinem Bruder aus und du und dein Bruder wie ihre Eltern.‹ Ich hatte ihm gesagt: ›John, du hast die Geschichte des Fotos gesehen. Meine Eltern waren Waisenkinder, sie wärmten sich an uns, sie haben sich mit uns zugedeckt.‹

Als ich Istanbul verließ, nahm ich den Schuhkarton mit den Zeitungsausschnitten der Getöteten, das Buch *Tutunamayanlar* von Oğuz Atay und ein Foto mit, auf dem Mutter, Großmutter, meine zwei Geschwister und ich auf einem Hügel in Istanbul stehen. Das Foto hatte mein Vater gemacht. Er stand sicher mit dem Fotoapparat um den Hals, seinen Borsalino-Hut auf dem Kopf vor uns, sagte mit seiner sanften Stimme: ›Çekiyorum – ich nehme auf.‹ Dort, wo er stand, waren kleine Eidechsen, Heuschrecken. Mein Vater war nicht gestorben, er hatte sich in diesem Bild versteckt.

Karl und ich kehrten nach Deutschland zurück. Ich saß immer auf demselben Stuhl, schaute auf den anderen Stuhl, ich saß in einer Stille, als ob ich die Stille angezogen hätte und, auch wenn ich wollte, sie nie wieder ausziehen könnte. Als ich in dieser Stille die stillen Blätter meines unterbrochenen Kindheitsromans *Das Leben ist eine Karawanserei* sah, die Namen meiner Eltern still auf diesen Blättern las, dachte ich: Als ich in die Türkei fuhr, lebten meine Mutter und mein Vater, als ich zurückkam, waren sie tot. Aber auf den jetzt still auf mich wartenden Blättern sollte ich weiterschreiben, als ob sie leben würden. Aber die anderen Figuren, die tot waren, lebten doch auch. Ich konnte aber nicht weiterschreiben. Die Figuren mussten still in ihrer Stille warten, bis ich die Stille unterbrechen würde. Ich konnte nicht. Nur in den Nächten, in denen ich der Stille der Nacht zuhörte, das Buch *Tutunamayanlar* von Oğuz Atay wieder und wieder las, dann die Briefe von van Gogh an seinen Bruder Theo durchblätterte und wieder und wieder las, hörte die Stille etwas auf durch das Blättern der Seiten. Ich nahm diese Bücher mit ins Bett, umarmte sie, schlief, wachte auf, Oğuz Atay und van Gogh in meinen Armen oder unter meinem Busen. Der Theaterregisseur Einar Schleef rief mich an, fragte, ob ich in der Walpurgisnacht in Goethes *Faust* die Hexe spielen würde, ich sagte: ›Ja‹, fuhr nach Frankfurt, spielte, bekam Applaus, kam zurück, die Stille saß in der Wohnung, in der Nacht lief ich zu den Büchern, schlief wieder mit Oğuz Atay und van Gogh in meinen Armen oder unter meinem Busen. Efterpi rief mich jeden Tag an, wir sprachen nicht, wir weinten, sie weinte so, als ob sie gerade ihre Mutter verloren hätte.

Ich träumte in einer Nacht: Ich bin drei Jahre alt, meine Eltern haben meine Hände in ihren Händen, laufen im Istanbuler Stadtzentrum Beyoğlu. Die Beleuchtung der Straße zeigt nur uns drei. Als ich wach wurde, war ich so glücklich, wollte sofort wieder schlafen, den Traum weiter sehen. Ich blieb wach, umarmte wieder Oğuz Atay und van Gogh.«

Die junge Krähe sagte: »Der Traum geht wie ein Traum vorbei.« Alle anderen schauten verblüfft auf sie. Es wurde ganz still im Raum. Als die Stille zu stark, fast unerträglich wurde, rülpste die junge Krähe, sagte entschlossen, zwischen Rat und Befehl: »Wann werden Sie uns die Sache erzählen?

Ich meine Ihr Versprechen an Ihren Poetenfreund Wolfgang Hilbig.«

Wieder verblüfft, blieben die anderen Krähen still, sodass die junge Krähe einen Schritt zurücktrat, und dabei sprach sie in sich hinein: »Ich weiß, Sie wollen sich von Ihrer Mutter, Ihrem Vater nicht trennen, aber ich würde mich glücklich schätzen, wenn Sie weitererzählten. Eine Frage nur: Haben Sie denn nicht mal gedacht, als Sie in diese Welt hineinschauten, den Geschehnissen beiwohnten, dass es gut ist, dass Ihre Eltern nicht mehr leben?«

Als mein Schweigen sich in die Länge zog, sagte die Krähe, die ganz hinten stand: »Sie sind wohl immer noch da?«

»Eine Sekunde, ich muss mal«, sagte ich, stand auf, ging ins Badezimmer, im Dunkeln sah ich im Spiegel die Frau dort als dunkler Schatten sich bewegen. Ich ging in ihre Nähe. Vielleicht fühlt sie sich einsam, dachte ich. Plötzlich schnitt sie mir Grimassen im Spiegel. Ich entfernte mich, sagte zu dieser Gestalt: »Ich höre aus dem Schweigen unserer Gäste, der Krähen, dass sie es für geeignet halten, wenn ich sofort zu ihnen zurückkehre«, und ging. Ich ging im Krähenzimmer zum Fenster, machte es auf, atmete ein und aus, die frische Kühle tat meinen Wangen gut. Unten im Park hatten die Flüchtlinge in einer Tonne Feuer gemacht, es roch stark nach Rauch, einige schwarze Männer standen um diese Tonne, ein deutscher Obdachloser saß auf einer der Parkbänke, dann stand er auf, ging zu einer anderen Bank, die noch näher an der Feuertonne stand. Aus einem der Zelte kam eine junge deutsche Frau mit einem Teller, in dem vielleicht Suppe war, zu ihm, gab ihn ihm, er aß sie. Die junge Frau brachte ihm auch einen Schlafsack, zeigte ihm eines der Zelte, durch ihre Gesten verstand ich, dass er da schlafen konnte. Ich machte das Fenster zu. Die Krähen hatte sich durch die Kühle, die durch das Fenster gedrungen war, offensichtlich wohlgefühlt, jetzt standen sie gespannt, um weiter zuzuhören.

Die junge Krähe wiederholte wieder ihre Sätze von vorhin, sagte: »Die Frage lautete, haben Sie nicht mal gedacht, als Sie in die Welt hineinschauten, den Geschehnissen beiwohnten, dass es gut ist, dass Ihre Eltern nicht mehr leben?«

»Ja, das habe ich mal gedacht, in einem Taxi. Nach dem Tod meiner Eltern fiel die Berliner Mauer. Ich fuhr mal in einem Taxi, der junge jugoslawische Fahrer drehte seinen Kopf nach hinten zu mir, sagte: ›Deutschland hat Kroatien anerkannt, das heißt Krieg in Jugoslawien, mein schönes Land wird das Gesicht des Todes sehen.‹ Als 1991 in Jugoslawien der Krieg losging, sagte ich: ›Gut, dass meine Eltern das nicht gesehen haben.‹ Seitdem habe ich immer wieder gesagt: ›Gut, dass meine Eltern das nicht gesehen haben.‹ Während der Neunzigerjahre in der Türkei, unter dem Regime der Ministerpräsidentin Tansu Çiller, die den Ruf hatte, rechts, rassistisch, korrupt, mafiavernetzt zu sein, verschwanden Tausende Kurden, und einfache Bauern, Kinder wurden als Terroristen von Bomben getötet. Da habe ich gesagt: ›Gut, dass meine Eltern das nicht gesehen haben.‹ 1993, in der Türkei, in der Stadt Sivas, haben islamistische Fanatiker 35 Menschen, Schriftsteller, Dichter, Künstler, zwei Hotelarbeiter, viele von ihnen Aleviten, in einem Hotel bei lebendigem Leib verbrannt. Da habe ich gesagt: ›Gut, dass meine Eltern das nicht gesehen haben.‹ Dann der Journalist Uğur Mumcu, der mit einer Autobombe vor seinem Haus getötet wurde. Da habe ich gesagt: ›Gut, dass meine Eltern das nicht gesehen haben.‹ 1994, die Auslöschung in Ruanda. Da habe ich gesagt: ›Gut, dass meine Eltern das nicht gesehen haben.‹ 2001, am 11. September, sprangen Menschen aus der hundertsten Etage in die Tiefe. Da habe ich gesagt: ›Gut, dass meine Eltern das nicht gesehen haben.‹ Man hatte mich in den Neunzigern mit einem Literaturstipendium ein paar Monate nach New York geschickt, ich war zweimal in den Zwillingstürmen, und jedes Mal war ich mit dem gleichen netten Fahrstuhlführer hoch- und runtergefahren. Seit dem 11. September sehe ich sein Gesicht und seinen Körper ständig vor meinen Augen. 2003, George W. Bushs Einmarsch im Irak. Da habe ich gesagt: ›Gut, dass meine Eltern das nicht gesehen haben.‹ 2007, der armenisch-türkische Journalist Hrant Dink wurde ermordet. Da habe ich gesagt: ›Gut, dass meine Eltern das nicht gesehen haben.‹ Ach Hrant, Hrant«, sagte ich und schwieg.

Die älteste Krähe kam bis vor mein Gesicht, sagte mit vorwurfsvoller Stimme: »In Ihrer Liste fehlen aber die Attentate von Al-Qaida, ISIS, in Afghanistan, Afrika, Ägypten, wieso haben Sie diese Länder vergessen? Weil sie arm sind?«

»Nein, es kommt daher, dass die Medien die Ereignisse in diesen Ländern schnell vergessen oder sie nicht in Erinnerung rufen. Dadurch vergessen wir es leichter, denke ich«, sagte ich.

Die älteste Krähe sagte: »Ach ja, die Medien. Wenn etwas im eigenen Land ausgeblendet ist, ist es in allen Gedächtnissen gelöscht. Sind Sie fertig?«

»Nein, die Türkei heute. Ich sage immer wieder laut: ›Gut, dass meine Eltern diese Politik, diese Menschen nicht mehr erlebt haben.‹«

Die Krähen wurden unruhig, nickten, schwiegen, manche plusterten ihre Hälse auf, als ob ihnen übel geworden wäre, als ob sie kotzen wollten. Ich machte wieder das Fenster auf, damit etwas kühle Luft ins Zimmer kam. Unten im Park saß der Obdachlose im Schlafsack auf der gleichen

Bank, die schwarzen Männer und das junge Mädchen standen weiter um das Feuer. Ich setzte mich wieder hin, horchte auf diese mir fremden, eigentümlichen Geräusche, die die Krähen beim Hälse-Aufplustern von sich gaben. Bald waren alle Hälse, die sie wieder und wieder aufgeplustert hatten, plötzlich ruhig. Eine Krähe, die bisher kein Wort gesagt hatte, sagte: »Wollen Sie nicht Ihre Tischlampe anknipsen, es wird früher dunkel, als man erwartet.«

»Oh, ich habe etwas vergessen: 2015, *Charlie Hebdo*. Charbonnier, Cabut, Verlhac, Honoré, Wolinski, Maris, Cayat, Ourrad, Renaud. Wie ihre Namen vor dem Töten von Al Qaida noch gerufen wurden. Da habe ich gesagt: ›Gut, dass meine Eltern das nicht gesehen haben.‹ 2015, Paris, Bataclan, wartet, ich muss hier ein Foto haben. Hier auf dem Foto, in Paris, am Place de la République, da war dieser Trauerplatz mit vielen Kerzen, Bildern, Namen der 130 von den Islamisten Getöteten. Hier die Namen der Toten: Nick, Cédric, Anne, Chloé, Christopher, Jean-Jacques, Charlotte, Hodda, Nicolas, Bertrand, Emmanuel, Sebastien, Yoav, Kheiredddine, Thomas, Elsa, Mohamed, Ludovic, Ciprian …«

Ich legte das Foto auf den Tisch.

Die Krähen schauten lange auf das Bild. Die junge Krähe sagte: »Ich schäme mich wegen meines kindisch-närrischen Benehmens, auch der Moment ist ungeeignet, aber zwischen den Namen der Ermordeten steht eine Frau, das sind Sie.«

Dann sagte sie ganz schnell: »Diese Frau im Bild, ist das nicht auch die Frau im Spiegel? Wieso fragten Sie die Frau im Spiegel: ›Wer bist du, ich kenne dich nicht?‹«

»Das werde ich euch erklären. Ihr habt mich in diese Zeit gebracht, ihr seid gekommen, deswegen ist auch die Frau im Spiegel gekommen. Wenn ihr nicht gekommen wärt, wäre ich in der anderen Zeit geblieben, bei den Nonnen im Hof.

Und dort, im Spiegel, die Frau wäre eine andere Frau. Sie wäre dort im Spiegel geblieben.«

»Meinen Sie vielleicht, wir haben nicht nur Sie überrascht oder gezwungen, sondern auch die Frau im Spiegel aus der Zeit bei den Nonnen im Hof Ende der Achtzigerjahre wortwörtlich gezwungen, hier und jetzt in den Spiegel zu kommen?«

»Es ist nichts zu machen. Jetzt sind wir beide hier. Sie im Spiegel, ich vor euch. Es hat keinen Sinn, zu sagen: ›Wenn ihr nicht gekommen wärt …‹ Ihr seid jetzt hier. Und die Frau im Spiegel ist im Spiegel, und die Frau im Spiegel ist auch die Frau mit meinem fünfundzwanzig Jahre älteren Gesicht, die mir in einer stark regnerischen Nacht in Berlin vor fünfundzwanzig Jahren im Regenwasser erschienen ist und gesagt hat: ›Ja, du wirst sechs Putzfrauenrollen spielen und mehrere Bücher schreiben und am Ende wirst du geschlachtet von einem …‹ Ihre letzten Wörter hatte ich damals nicht verstanden, weiß ich heute auch nicht, aber ich ahne was. Schauen Sie, unten sind Flüchtlinge, in Zelten. Wenn es regnet, wird der Boden unter ihren Betten und unter ihren Tischen zum Schlamm. Ich staune, dass der junge schwarze Mann mit den zu großen gelben Schuhen seine Schuhe trotz des Schlamms so sauber hält. Wir können jetzt alles vergessen und uns auf den Regen in den Flüchtlingszelten und die gelben Schuhe des schwarzen Jungen konzentrieren. Geht das nicht? Ich weiß nicht, was Sie von mir wollen, Krähen.«

Die älteste Krähe hustete lange, dann fingen alle anderen Krähen auch an zu husten, sodass die älteste Krähe aufhörte, den anderen auf ihre Rücken klopfte, bis auch sie aufhörten. Sie nahm aus ihrem Mund einen kleinen Zettel und las: »*Nehmen wir an, du schreibst dort einen Roman, mit all deiner Fantasie, mit eigenen Bildern, deinen empfindsamen Gefühlen, du schreibst zum Beispiel AB JETZT IST ALLEINSEIN MEIN PFERD. Oder DIE WOHNUNGSLOSE SCHNECKE. Weil du mit der Schnecke Mitleid hast. Diese Schöpfungen, die du aus deinem eigenen Körper ausgraben wirst, werden als Türkisch registriert.*«

»Ist ja gut. Ihr habt das gesagt, damals. Vergessen wir das. Lasst uns den Chip wechseln. Ich kann euch von dem Dichter Heinrich Heine *Deutschland. Ein Wintermärchen* vorlesen.«

Ohne die Antworten der Krähen abzuwarten, las ich das Gedicht ganz schnell, so schnell, dass ich bald atemlos wurde, aber ich las weiter:

Zu Cöllen kam ich spät Abends an,
Da hörte ich rauschen den Rheinfluß,
Da fächelte mich schon deutsche Luft,
Da fühlte ich ihren Einfluß –
[…]
Der Cancan des Mittelalters ward hier
Getanzt von Nonnen und Mönchen;
Hier schrieb Hochstraaten, der Menzel von Cöln
Die giftgen Denunziaziönchen.
[…]
Dummheit und Bosheit buhlten hier …[75]

Bevor ich meinen letzten Heine-Satz zu Ende gelesen hatte, kam eine der Krähen, die bis jetzt kein Wort gesagt hatte, nahm mir das Buch weg, legte den feuchten Zettel, den die älteste Krähe unter ihrer Zunge rausgeholt hatte, auf die Buchseite, sagte: »Sie sind uns eine Antwort nicht schuldig, aber wenn wir Sie höflich bitten dürfen.«

Das Wort ›dürfen‹ wurde so dürftig gesagt, ich schämte mich wahrhaftig, dass ich die Krähen als meine Gäste nicht zufriedenstellen konnte. Es war klar, weder würden die Krähen zur Ruhe kommen diese Nacht noch ich.

»Gut. Also, der Satz AB JETZT IST ALLEINSEIN MEIN PFERD, da habt ihr wahrhaftig Recht gehabt. Ich war mit mehreren Schriftstellern zu Literaturtagen in eine Stadt eingeladen. Ein Kritiker machte diesen Satz zur Überschrift seines Artikels, lobte mich sehr, schrieb: ›Schauen Sie, wie schön die türkische Sprache ist.‹ Alleinsein ist mein Pferd, ich hatte diesen Satz mal geschrieben, als ich mich sehr, sehr einsam fühlte, als ein kurzes Gedicht, um mir Kraft zu geben. Ich verstand nicht, was das mit Türkisch zu tun haben sollte, das waren meine persönlichen Gefühle. Ja, ja, ja, da habt ihr Recht gehabt, Krähen! Sind wir quitt? Soll ich das Heine-Gedicht weiterlesen?«

»Nein«, sagte in aller Seelenruhe die jüngste Krähe, »Sie müssen, um das Gewicht der Geschichte richtig zu verteilen, wieder in den anderen Spiegel, wo Sie die Nonnen im Hof gesehen haben und selbstverständlich sich selbst, Sie müssen wieder zu diesem Spiegel zurück, um von dort den Weg zu unseren Wünschen, ohne Löcher, zu befriedigen und den Faden der Geschichte wiederzufinden, wenn ich Sie bitten darf. Sonst bleiben wir weiter auf Ihrem Schreibtisch sitzen. Denken Sie an Goyas Bild, der Mann an einem Tisch, den Kopf auf die Arme gelegt und über seinem Kopf kreisende Vögel. Denken Sie an Goya. Wir verlassen unsere Posten nicht.«

»Es wird nicht so schlimm werden«, sagte die Krähe, die hinter der jungen Krähe stand, »gehen Sie in den Spiegel zurück. Ich will Sie nur daran erinnern, was wir Ihnen damals auf der Insel vor vierzig Jahren prophezeit haben. Mit unserer Prophezeiung ›*Ab jetzt ist Alleinsein mein Pferd*‹ haben wir Recht gehabt, Sie haben uns das ja gerade erzählt. Wir hatten auch gesagt: *Diese Schöpfungen, die du aus deinem eigenen Körper ausgraben wirst, werden als Türkisch registriert. Sie werden sagen, schauen Sie, wie schön die türkische Sprache ist. Keiner kann Tür-*

kisch, aber plötzlich wissen sie, dass es türkisch ist. Du landest in der türkischen Schublade. Europa, Berlin, Tiergarten der Sprachen, hier sind die türkischen Tiere, als wäre die Türkei ein Dorf, in dem alle Einwohner die gleichen Geschichten haben und mit gleichen Sätzen sprechen. So werden sie versuchen, dir dein Gedächtnis auszulöschen, weil sie keines haben. Weil sie keines haben, darfst du auch keines haben. Weil es ihnen auch schnuppe ist.

All das haben wir Ihnen vor vierzig Jahren prophezeit. Wie Kassandra. Sie als Theaterfrau lieben Kassandra, also lieben Sie uns auch. Erzählen Sie weiter. Was brachte Sie zu Wolfgang Hilbig?«

Diese Krähe war offenbar eine der Krähen Liebste. Alle nickten nach ihren Sätzen, schauten auf sie mit Lichtern in ihren Augen.

»Sind Sie böse, war ich zu eindringlich?«

»Nein, ist gut so.«

Das sagte ich, dann blieb ich wieder still. Die Krähen auch. Ich hörte eine leise Stimme. Sie stotterte: »Eine ku-ku-ku-kurze Rei-rei-rei-reise.« Dann atmete sie tief, machte flüssig weiter. »Eine kurze Reise bis zu dem anderen Spiegel, in dem Sie sich selbst und die Nonnen im Hof sahen. Sie liebten diesen Hof, gehen Sie wieder hin. Übrigens, als Sie vorhin vom Tod Ihrer Mutter erzählten, über Ihre Unruhe, als Sie Ihrer Mutter begegneten, da dachte ich, dass Sie stark gefühlt hatten, dass Sie gehen wollte. Dass Sie bald die Zunge Ihrer Mutter, den warmen Körperteil in ihrem Mund, die Liebesquelle Ihrer Sprache, Ihrer Gefühle, Ihrer Kindheit, Ihrer Jugend verlieren würden, dass Sie deswegen Ihrer Geschichte, kurz vor ihrem Tod, unbewusst den Titel ›Mutterzunge‹ gegeben haben. Verzeihen Sie meine Neugier. Meine Frage ist: Ist das Buch herausgekommen?«

»Mein Erzählungsband *Mutterzunge* erschien 1990. Ein Juror der Ingeborg-Bachmann-Jury las das Buch und lud mich zum Bachmannpreis-Wettbewerb nach Klagenfurt ein. 1991 las ich dort einen kurzen Ausschnitt aus meinem Roman *Das Leben ist eine Karawanserei.* An dem Abend ging ich in eine Kneipe. Da waren auch österreichische Soldaten. Dann vergaß ich aber, wo mein Hotel war, fragte, wo das Hotel sei, wo die Bachmannpreiskandidaten wohnten. Die Soldaten sagten: ›Komm mit‹, liefen zu einem Platz, auf dem Taxis standen. Sie sagten mir: ›Wir wollen mit Ihnen in den Wald fahren.‹ Ich haute ab, sah vor einem Haus eine Frau in ein Auto steigen, fragte sie nach der Adresse meines Hotels. ›Kennen Sie das Hotel, wo die Bachmannpreiskandidaten wohnen?‹ Sie sagte: ›Ja, steigen Sie ein, mein Freund bringt mich nach Hause, dann kann er sie zu Ihrem Hotel fahren.‹ Wir fuhren, sie stieg dann aus. Ihr Freund fuhr weiter, hielt das Auto irgendwo an, deutete auf seine Hose, fragte mich: ›Lecken?‹ Ich sagte: ›Nein.‹ Er sagte: ›Ihr Hotel ist da.‹ Ich stieg aus, lief zum Hotel.

Ich gewann den Bachmannpreis.

Nach dem Kindheitsroman *Das Leben ist eine Karawanserei* schrieb ich die Fortsetzung, *Die Brücke vom Goldenen Horn*, einen Entwicklungsroman eines jungen Mädchens in der 68er-Zeit. Dann, als Fortsetzung, *Seltsame Sterne starren zur Erde*, über eine junge Frau in den Siebzigerjahren im geteilten Berlin. Mit dieser Trilogie ging ich in der Welt und im gesamten Deutschland auf Lesereisen. Ich sagte mir: Ich lebe in einem sensiblen Land. Das Land ist Deutschland. Die Leser, die ich traf, mochte ich, wir lachten gemeinsam, auch in den kleinsten Orten von Deutschland.

Es war eine sehr schöne Zeit. Ich fuhr dazwischen nach Paris, arbeitete mal mit Benno Besson, mal mit Matthias Langhoff, spielte in Tschechows *Drei Schwestern* im Sarah-

Bernhardt-Theater oder in Euripides' *Die Troerinnen*, da kam meine Lieblingsschauspielerin Isabelle Huppert, um es sich anzuschauen, nach der Vorstellung setzte sie sich an unseren Tisch, sprach mit Langhoff. Irgendwann schaute sie in meine Augen – plötzlich war sie aus einem ihrer Filme rausgekommen, um in meinem Herzen einen Platz zu suchen. Ab diesem Moment dachte ich oft an sie. Wenn Karl und ich am Tisch aßen, tranken, fragte ich immer: ›Karl, was hat Isabelle heute gegessen? Karl, was macht Isabelle gerade?‹ Ich arbeitete weiter in Paris in den Stücken von Beckett, Lorca, O'Neill. Schaut, hier in diesem Heft Zeichnungen von meinen Kollegen von *Drei Schwestern*. Auch mein Freund Bernard Dort, der Brechtianer.

Bernard kam zu unseren Proben. Wenn er meine Hand hielt, merkte ich, dass er hohes Fieber hatte. Ich wusste nicht, dass er todkrank war. Wenn ich zur Probebühne in der sechsten Etage über die Treppen lief, sagte er unten am Fahrstuhl

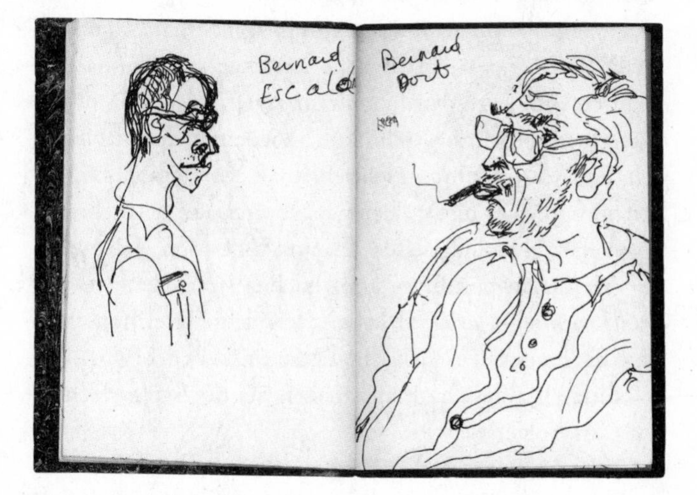

zu mir: ›Gehst du sechs Etagen zu Fuß?‹ Erst als er bald darauf starb, verstand ich, warum er das erstaunlich fand.

Dann kam ich wieder nach Deutschland zurück, arbeitete an meinen Büchern, machte weiter Lesungen.«

Eine der Krähen fragte: »Aber irritierte Sie nicht in manchen Interviews die Frage: ›Ist es deutsche Literatur, ist es türkische Literatur, haben Sie deutsch geschrieben, türkisch gedacht?‹«

»Der große türkische Dichter Can Yücel, unser Pablo Neruda, schrieb eine sehr lange Kritik in der Istanbuler Literaturzeitschrift *Adam*: ›Denkt man in dieser gewaltig einfachen Logik, wird sich irgendwann die Frage stellen, ob Picasso beim Malen seiner Bilder auf Spanisch oder Französisch gedacht haben mag oder ob der Schriftsteller Joseph Conrad mit seiner polnischen Abstammung, der seine Bücher in englischer Sprache geschrieben hat, aus einem polnischen Hut einen englischen Hasen herausgeholt hat, dieses Gewirr kann niemand mehr lösen. Literatur hat keine Nationalität, Literatur hat ein Zuhause, das ist die Welt.‹[76]

Ich fand es auch problematisch, wenn man sagte, ich sei Pionierin oder eine Brücke zwischen der Türkei und Deutschland. Das Wort Pionierin klang mir etwas militärisch, Brücke politisch. Ich hatte an jedem meiner Romane vier Jahre, fünf Jahre geschrieben, als wäre ich aus einem Traum heraus in die Welt hineingeboren, um ein Leben in der Verwirklichung dieses Traums zu finden. Ich wollte nur Menschen berühren, zum Lachen bringen, Spaß machen, Momente erleben lassen. Ich liebte die Menschen. Aber die Frage ›Ist es türkische Literatur, ist es deutsche, Türkei, türkisch, türkische Bilder, haben Sie türkisch gedacht‹ – das hatte Folgen.«

Vielleicht hätte ich den Krähen weitererzählt, aber draußen wurde es dermaßen laut, es hörte auch nach fünf Minuten nicht auf. Ich fühlte mich gezwungen aufzustehen, das Fenster aufzumachen, auf den Platz zu schauen. Es war drei Uhr. Unten auf dem Platz stand der Obdachlose, dem eine junge Frau vor ein paar Stunden Suppe und eine Schlafstelle in den Flüchtlingszelten angeboten hatte, jetzt mit dem Gesicht zur Wand, mit seinen beiden Händen abgestützt an der Eckhauswand nebenan. Er schrie sehr laut, ohne Pause: »ADOLF MUSS HER.«

Adolf muss her.

Adolf muss her.

Adolf muss her.

Adolf muss her.

Adolf muss her.

Adolf muss her.

Adolf muss her.

Adolf muss her.

Ich dachte, ihm war vielleicht sein Wein ausgegangen, vielleicht hatte er eine Krise. Die junge Frau stand hinter dem Obdachlosen, versuchte, ihn zu beruhigen, er veränderte seine Position nicht, schrie weiter: »Adolf muss her.«

Ich machte das Fenster zu, setzte mich auf meinem Stuhl auf das Kissen, auf das ein Portrait von Shakespeare und der Satz »*Gute Unterhaltung*« gedruckt waren. Die Krähen standen millimetergenau auf den Plätzen, auf denen sie vorhin gestanden hatten. Die junge Krähe sagte: »Das ist aber schön, dass Sie sich nun wieder uns gegenübersetzen. Wir sind durchaus wach und neugierig. Also nur Mut. Wie ging es weiter?«

Ich sagte: »Liebe Krähen, lasst uns von etwas anderem sprechen. Reden wir von den Menschen, die nach dem Tod nicht mal für ihren toten Körper Platz beanspruchen dürfen.

Nicht mal der Tod kann sie behalten. Das kleine kurdische Mädchen in der Türkei, das Ceylan hieß, ging auf eine Wiese mit ihren Schafen. Dort stand sie mit ihren Schafen. Eine Mörsergranate flog heran, dann hingen ihre Körperstücke in den Bäumen. Die Schafe schrien, der Staat sagte sofort: ›Sie hat mit einer Mine gespielt, es braucht keine Autopsie.‹ Ihr Krähen, von ihr blieb kein Körper. Aber ihre Hände waren nicht zerfetzt, sie waren ganz da, sie hatte nicht mit einer Mine gespielt. Ihre Familie sammelte die Stücke aus den Bäumen, von ihr blieb kein Körper, von dem ihre Mutter sagen könnte: Mein Kind. Diese Mutter musste auf Befehl ordentlich die Stücke ihres Kindes in ihrer Schürze einsammeln. ›Pass auf, du altes Arschweib, wir geben dir sonst kein Grab für dein Scheißkind.‹

Wirklich, ich lebe in finsteren Zeiten, sagte Brecht.

Ja, wirklich, wir leben in finsteren Zeiten. Die Männer haben ihr eigenes Land kolonialisiert, und sie begießen sich täglich mit Hass. Sie haben eine Europakomplex-Garderobe aus Hass und werden ständig aus dieser Garderobe mal ein Hemd, mal eine Krawatte, mal eine Unterhose anziehen, und das halbe Volk, das ein Chor ist, sagt: ›Wir sind gerne der Nagel an eurem Zeh, wer euch nicht gut findet, muss weg.‹

›Finde mich gut, sonst töte ich dich.‹ ›Töte ihn, töte, hurra.‹

In dieser Zeit werden täglich drei Frauen getötet. Die Mörder werden oft freigelassen. Wie in Luis Buñuels Film *Das Gespenst der Freiheit.* In dem Film schießt ein Mann von dem Dach eines Hochhauses auf die Menschen, die unten laufen. Man schnappt diesen Mörder, später im Gericht wird er freigelassen. Er geht raus ohne Handschellen und gibt Interviews. Oder in dem Pier-Paolo-Pasolini-Film *Die*

120 Tage von Sodom: In einem faschistischen Staat in Italien entführen ein paar Faschisten und faschistische Nutten junge Menschen. Sie befriedigen ohne Scham ihre Obszönität und Macht an ihnen. Sie sitzen in einer Villa, quälen, ficken diese jungen Menschen, da wird in einem großen Kessel Scheiße gekocht, die Faschisten zwingen die Gefangenen, diese Scheiße zu essen, und essen sie auch. So wie in den Pasolini-Szenen wird man in der Presse des Großen Hasses in großen Kesseln täglich Scheiße kochen und dann mit großen Löffeln in die Münder der Menschen füllen und auch selbst essen. Die Teller müssen aber saubergeleckt werden. Erst lecken, dann mit Säbeln auf die Straße. Herrlich, die, die Scheiße essen, werfen Bomben, die Kinder sterben, wenn sie als Hirten ihre Tiere spazieren führen. Eine davon war Ceylan, das habe ich euch vorhin erzählt, Krähen. Einer der Scheiße-Esser sagte: ›Pass auf, du altes Arschweib, wir geben dir sonst kein Grab für dein Scheißkind. Wir können sogar die Leiche, die du nicht mehr erkennen kannst, aus dem Grab wieder rausholen lassen. Na, dann sehen wir, wohin du sie bringen wirst. Du wirst deine Zunge schlucken. Wenn du sie nicht schluckst, schlucken wir sie. Na, wo wir bei der Zunge sind, wird es hier sehr sexmäßig. Wir ficken alle eure Kinder, die ihr wegen Armut zu uns brachtet, in unsere Internatshäuser, was ist denn schon ein Arsch? Jungen sind uns lieber, wir ficken sie, und sie sind ruhig. Die Hauptsache: Ruhe. Wir sind ruhig, die sind ruhig, ihr seid ruhig. Die Arbeiter sind ruhig. 1 002 Lira geben wir ihnen, Mensch, ein toller Monatslohn, halt's Maul, wir müssen noch zwei Kinder begraben von einem armen Mann, weil seine Nutte sich von ihm trennen wollte und er die Kinder ordentlich getötet hat und dabei so nett war, seine Frau anzurufen und ihr zu sagen: »Ich habe deine Kinder getötet, bist du glücklich?« Du glaubst mir nicht? Mensch, hau ab, wir haben noch viel zu tun. In einem Kinderinternat von unserer Sekte sind elf Kinder, zwischen vier und sechzehn Jahre alt, verbrannt. Die Tür zum Notausgang war abgeschlossen, abgesperrt, die Tür hatte keinen Griff, meckert ihr, ich hab das gehört. Hätten wir denn die Tür offen lassen sollen, damit die Mädchen in der Nacht rausgehen und Huren werden, wenn wir nicht aufpassen? Hier, eure sauberen Toten, verkohlt, aber niemals Huren. Was wollt ihr noch? Geht weg! Das war deren Schicksal, Gott hat es bestimmt. Geht weg! Ich muss noch ein Interview geben über Väter, die auf ihre neunjährige Tochter Lust kriegen und sie mit Wollust küssen, es ist keine Sünde. Wollust, damit meine ich, wenn der Schwanz sich bewegt, also zum Ständer wird. Es hängt auch davon ab, was die Tochter anhat, ein dünnes Kleid oder ein dickes Kleid. Es ist ihre Schuld, wenn die Frauen mit einem Mann in einem Fahrstuhl zehn Etagen hochfahren. Die schwangeren Frauen dürfen sich nicht auf der Straße zeigen, sonst werden sie und auch ihr Kind gefickt. Die Frauen dürfen auf der Straße nicht laut lachen. Lassen Sie mich, ich muss noch ein Interview geben über eine Mutter, die mit ihrem Freund zusammen ihr Baby getötet hat. Vorher haben sie das Baby sexuell bearbeitet. Na und? Wenn das Kind noch Milch trinkt, ist es vielleicht noch Sünde, aber wenn es ein bis zwei Jahre alt ist, nicht. Ihr lauft über die Straßen, die wir gebaut haben. Was hast du gesagt, du Hure? Wo ist mein Säbel? Wer Hunde tötet, Katzen tötet, geht ins Paradies. Was hast du gesagt, du Hure? Wo …«

Wie in einem Traum hörte ich eine Stimme: »Machen Sie Ihre Augen auf, Sie machen uns Angst.«

Ich öffnete meine Augen, sah, dass alle Krähen sich vor meinem Gesicht versammelt hatten, wie die Zuschauer an einer Unfallstelle schauten sie mit großen Augen auf mich, eine schlug mir sogar auf die Wange: »Verzeihen Sie meiner Hand, trinken Sie das Wasser, kommen Sie zu sich, Sie waren, wie sagt man, geistesabwesend, wo waren Sie, Sie haben uns Angst eingejagt, unsere zarte Freundin.«

»Ich war an einem anderen Ort. Bei den Toten, deren Totsein abgesperrt ist.«

»Wie gebückt sie dasitzt. Aber ihre Augen sind schön. Sie ist da, sie ist wieder bei uns. Stehen Sie auf, laufen Sie ein paar Schritte.«

Ich stand auf, ging zum Fenster. In der Dunkelheit draußen sah ich zu dieser späten Stunde noch die beleuchteten Flüchtlingszelte wie ein überbelichtetes Foto. Aus einem der Zelte kamen wieder französische Radiostimmen, der Obdachlose war nicht zu sehen. Vielleicht schlief er, vielleicht lief er auf den Berliner Straßen an den Boom- und Nicht-Boom-Häusern vorbei und streifte mit seinem Körper die Hausfassaden.

Ich machte wieder das Fenster zu, setzte mich auf meinen Stuhl. Alle Krähen waren zurück auf ihren alten Plätzen. Die älteste Krähe hielt ihre Augen ein Weilchen geschlossen, dann machte sie sie auf, schaute auf mich. Ich lächelte sie an, sie mich auch. Dann lächelten alle Krähen. Es dauerte nicht sehr lange, vielleicht ein paar Sekunden, dann sagte jemand, diesmal nicht die junge Krähe, sondern die Krähe, die weit hinten stand: »Die Sache bitte mit Ihrem Lieblingsschriftstellerfreund Wolfgang Hilbig. Wenn Sie noch zögern, bleiben wir noch ewig, bis zur Ewigkeit, bis zu Ihrer Ewigkeit bei Ihnen. Das Land, wo wir hingehen werden, weit weg von hier, es droht, mir langsam an Heimweh zu sterben. Eins, zwei, drei, los, nur Mut. Sie grübeln. Gedankenschwarz … was ist?«

»Ach, ich weiß es nicht, ich dachte an euer äußerst wirkungsvolles Dastehen.«

»Keine Abwege, keine Widerrede, hopp, hopp, wir sind hier nicht im Theater.«

»In Wahrheit dachte ich an einen jüdisch-deutschen Theatermann, an einen der größten Theaterregisseure von Europa, an Peter Zadek.«

»Na, na, nicht in die Nebengassen fahren.«

»Nein, das ist keine Nebengasse. Als Karl im Berliner Ensemble für *Perikles* von Shakespeare das Bühnenbild machte, sagte Zadek zu ihm: ›Du, ich möchte, dass du mit mir arbeitest.‹ Dann arbeiteten sie zusammen, fünfzehn Jahre lang. Nach dem 11. September waren wir bei Peter Zadek. Er sagte: ›Wir sind in den Händen von Mördern.‹ Als George W. Bush in den Irak einmarschierte, sagte Peter Zadek: ›Wir sind in den Händen von Mördern und Dieben.‹ Ich muss seitdem wieder und wieder an seine Sätze denken, wenn ich auf die Welt schiele, es nimmt kein Ende. Wir sind in den Händen von Mördern und Dieben und laden jeden Tag unsere Handys auf. Und am Abend schauen wir die Nachrichten, als Voyeure. Zadek sagte, als die Handys die Hauptrolle bekamen: ›Eine Welt voller Verrückter.‹ Ich traf dann in den Ländern, wohin ich wegen der Übersetzungen meiner Bücher reiste, sehr oft Handyverrückte, Mexiko, Griechenland usw. In London hatte ich an einer vollen Bushaltestelle *den* englischen Handyverrückten gesehen. Der Handyverrückte hatte kein Handy, machte aber die Leute nach, Handy am Ohr, als ob er telefonieren oder gerade eine SMS schicken würde, das machte er sehr energisch nach. Den schönsten Handyverrückten traf ich in Barcelona, oder war es in Girona, vielleicht Girona. Er trug auf seinem Arm ein rotes Telefon, wie aus den Sechzigerjahren, lief damit in der Fußgängerzone rum, bot den Leuten den Hörer an, fragte sehr höflich jemanden: ›Quieres telefonar, quieres telefonar? – Wollen Sie telefonieren?‹ Dann fragte er einen anderen: ›Quieres telefonar?‹ Mein Gastgeber erzählte mir, dass der Verrückte keine Eltern hatte, sein Leben lang war er Vollwaise, und während der ganzen Woche lief er mit dem roten Telefon herum und fragte die Leute. Aber Samstag und Sonntag arbeitete er nicht, blieb zu Hause, er hatte Feierabend. Auf der Insel, wo Karl und ich im Sommer ein paar Wochen wohnten, gab es auch einen Handyverrückten. Die anderen Verrückten waren gestorben, der Verrückte, der zu Karl immer Yes-No-Okay, Yes-No-Okay gesagt hatte, und der Verrückte mit drei Krawatten. Jetzt gab es einen Handyverrückten. Er hatte selbst kein Handy, borgte sich von den Leuten im Café das Handy, wählte keine Nummer, sprach laut, schrie: ›Mama, was gibt es zum Abendessen‹, und machte seine Mutter nach, die Antwort seiner Mutter: ›Papalina, papalina, Fisch.‹ Wir könnten sagen, wir sind in den Händen von Mördern, von Dieben und Handys.

Karl und ich liefen damals auf der Insel in fünfundvierzig Minuten zu dem Eselhaus, saßen da, schauten auf das Meer. Als die Mosquitos uns stachen, verließen wir das Eselhaus und liefen weiter. Es gab auf der anderen Seite des Hügels einen sehr einsamen Ort am Meer. Dort gab es nicht mal einen Brunnen, kein Wasser, keine Elektrizität. Wir sahen dort einen kleinen älteren Mann, der aus einer sehr armen Hütte rauskam. Er rief seine Frau, eine sehr junge Frau kam heraus, lief in unsere Richtung, aber sehr unsicher. Ich fragte den Mann: ›Was hat Ihre Frau?‹ Er sagte: ›Sie ist blind. Wenn ich Geld hätte, würde ich sie operieren lassen. Aber die Augen des Schicksalsengels sollen blind werden, ich bin ein armer Mann, Hanım, wir hauten aus unserem kurdischen Dorf ab, kamen hierher. Die Behörden haben wegen dem PKK-Krieg unsere Dörfer evakuiert. Alle mussten weg. Alles leer dort. Wir sind nach drei Tagen mit Bussen hier gelandet.‹ Er nahm eine Melone und fing an, sie aufzuschneiden, um uns einzuladen. Ich ging zu der jungen blinden Frau. Als sie fühlte, dass ich bei ihr stand, sagte sie ein paar Mal hintereinander: ›Wir sind keine Kurden, wir sind keine Kurden, wir sind … wir sind … wir sind Griechen.‹

Sie war so jung, so blind, die Hütte war so arm.

Ich sagte dem Mann: ›Kannst du morgen mit deiner Frau zum Inselzentrum kommen, ich will sie zum Augenarzt bringen.‹ ›Ja, Hanım, Allah soll mit Ihnen einverstanden sein. Ich bringe sie morgen.‹

Kurz, der Arzt sagte: ›Man kann sie operieren, es gibt aber in der Stadt Bursa den berühmtesten Augenarzt der Türkei, sogar Leute aus Amerika, Europa, kommen zu ihm, der kann es uns mit Sicherheit sagen.‹ Karl fuhr am nächsten Tag die blinde Frau, ihren Mann und mich in die Stadt Bursa. Die blinde junge Frau wollte während der Fahrt aus dem Auto raus, wir hielten an, sie kotzte auf die Autobahn, ich sah in ihrer Kotze auf dem Asphalt nur Tomaten, die der Ehemann um die Hütte angepflanzt hatte. Der berühmte Arzt sagte am Ende der Untersuchung: ›Man kann ihre Augen öffnen.‹ Ich sagte: ›Gut, wir lassen sie operieren.‹ Ich bezahlte ihre Operation. Die Leute auf der Insel redeten darüber. Viele wollten auch Geld von uns haben, für eine neue Elektrik oder Stromschulden oder für die Dachreparatur. Der Fischer M.A., der sich mit seiner Frau um das Hüsnü-Bey-Haus und das Eselhaus kümmerte, wenn wir nicht da waren, dessen Kindern wir die Schule bezahlten und dem wir Geld gegeben hatten, damit er sich ein Haus bauen konnte, hatte erzählt, dass ich einer kurdischen Frau eine teure Operation ermöglicht hätte, dass ich PKK-Anhängerin sei. Als ich ihn darauf ansprach, sagte er, nein, so etwas habe er nicht gesagt, die anderen seien böse, üble Nachreden.

Karl und ich fuhren nach Berlin zurück, der Fischer M.A. rief mich in Berlin an, erzählte ein paar Mal, dass er im Eselhaus Schlangen gesehen habe, eine sogar zwei Meter lang. Beim nächsten Telefonat erzählte er, dass im Nebenhaus ein Geheimdienstbeamter eingezogen sei, dass der ein schlimmer Typ sei, immer wieder Schlangen, Geheimagenten. Dann fragte er mich, ob ich das Eselhaus verkaufen würde. Ich sagte: ›Nein.‹ Nach ein paar Tagen rief mich ein Mann an, sagte mir seinen Namen, sagte: ›Ich habe Ihre Telefonnummer von M.A., ich will das Haus kaufen, ich habe eine Tochter, sie ist blind, ich war mit ihr da, an dem Haus, meine Tochter sagte, ich will hier leben, Vater.‹ Bei einem anderen Telefonat sagte er, dass er wie ich Antifaschist, Antimilitarist sei und dass er bei der Polizei gefoltert worden war. Dann rief M.A. wieder an, erzählte wieder von Schlangen im Eselhaus. Kurz, ich gab ihm eine Vollmacht, um das Haus zu verkaufen, und erfuhr erst im nächsten Sommer, als Karl und ich wieder auf der Insel waren, dass das Eselhaus nicht von diesem Mann mit der angeblich blinden Tochter gekauft worden war. Er war nur ein Strohmann von einem Mitglied der größten Kapitalistenfamilie der Türkei. Man sagte, diese Person habe den Mann vorgeschickt, um die Häuser der Leute am Meer zu kaufen, ohne sich selbst zu zeigen. Jetzt verstand ich: Dieser Mann hatte die Lügen mit der blinden Tochter und seinen Folterungen bei der Polizei erzählt, um mich reinzulegen. Und M.A., der mit unserer Hilfe seine Töchter zur Schule geschickt und sich ein Haus gebaut hatte, hatte mit denen zusammengearbeitet und ihnen alle Informationen gegeben – dass ich großes Mitleid mit Blinden hatte und gegen Folterungen war, zum Beispiel. Man sagte, er habe sehr viel Geld bekommen, weil er erreicht hatte, dass ein Mitglied der Kapitalistenfamilie uns das Eselhaus am Meer aus der Hand nehmen konnte.

Von der Familie erzählte und schrieb man, dass ihr Anfang der Zwanzigerjahre die Fabriken und Grundstücke der vertriebenen, verschwundenen, auf den Todesmarsch geschickten Armenier sehr, sehr billig in die Hände gefallen waren. Der Großvater der Familie, der 1920 als Lastenträger und Baumwollpflücker gearbeitet hatte, wurde zu einem der reichsten Männer der Türkei und ein Kapitalweltriese.

Ich dachte an den Satz meines Vaters, den er an dem Tag, als er starb, gesagt hatte: ›Mich legen sie immer rein.‹«

Die älteste Krähe sagte: »Sie kommen von so einem Vater, und diese Menschen kommen von so einem Vater, und dann kreuzen sich leider die Wege.«

Ich sagte: »Weil ich dieser armen, vertriebenen, jungen kurdischen Frau ihre Augen operieren ließ, war ich plötzlich eine PKK-Anhängerin. In diesen Neunzigerjahren war die Türkei ein Korridor der in den Wahnsinn Getriebenen. Inflation, türkische Soldaten starben im Krieg gegen die PKK, Kurden, die in die Berge gegangen waren, starben auch in diesem Krieg, in jedem türkischen und kurdischen Dorf weinten die Mütter um ihre Kinder. Man sagte, die brutale, korrupte Ministerpräsidentin Tansu Çiller hatte nicht vor, Friedenswege zu suchen – es verschwanden in ihrer Zeit Tausende von Menschen.

Damals, in dieser Zeit, wurden der Berliner Dichter Aras Ören und ich von einem deutschen Gymnasium in Istanbul zu einer Lesung eingeladen. Ich las aus meinem Kindheitsroman *Das Leben ist eine Karawanserei.* Am Ende standen alle Schüler auf, sangen die türkische Hymne in einer Soldatenhaltung, ich dachte: Wahrscheinlich ist es eine Tradition. Nein, so war es nicht. Der deutsche Lehrer, der in diesem deutschen Gymnasium lehrte, erzählte mir, dass ein Mann namens A.S., der später in der AKP-Zeitung Kolumnen schrieb, in der Elternversammlung der Schule zu den Familien der Schüler gesagt hatte: ›Wieso habt ihr die beiden eingeladen, die sind kurdenfreundlich.‹ Jetzt wusste ich: Wegen seiner Behauptung hatten die Schüler die türkische Hymne gesungen.

Dann kam eine Morddrohung, diesmal von den Kurden, die PKK-Anhänger waren. Ich hatte eine Lesung in einem Schloss in Frankfurt, das am Wasser stand. Vielleicht hieß es Holzhausenschlösschen, ich weiß es nicht mehr. Ich ging dorthin. Am Eingang standen Leser und die deutsche Polizei. Ich scherzte mit einem Polizisten: ›Oh, die deutsche Polizei will mich schützen‹, ohne zu wissen, dass es so war. Es war ein sehr, sehr schöner Leseabend, viele Menschen, schöne Diskussionen. Nach der Lesung ging ich ins Foyer, trank ein Glas Wein. Ein junger Mann hinter der Theke ließ mich zwei Bücher signieren, sagte: ›Das ist für meinen Freund, er hat Aids, ich habe Aids, er ist gerade am Sterben, er liebt Ihre Bücher, würden Sie ihn im Krankenhaus anrufen, er würde sich sehr freuen.‹ Ich nahm die Telefonnummer, um ihn am nächsten Tag anzurufen. Der junge Mann hinter der Theke erzählte mir, dass die deutsche Polizei da sei, weil PKK-Anhänger angerufen und angekündigt hätten, dass sie mich töten würden. Genau in diesen Tagen war der PKK-Führer Öcalan verhaftet worden und saß in der Türkei im Gefängnis. Der junge Mann hinter der Theke sagte: ›Sicher haben ein paar seiner radikalen Anhänger Ihren türkischen

Namen in der Zeitung gelesen, gedacht, ah, da ist eine prominente Türkin, da können wir Wirbel machen, und ihre Morddrohung ausgesprochen.‹

Die ultranationalistischen Türken behaupten, man sei PKK, die kurdischen PKK-Anhänger wollen dich töten, weil du Türkin bist – also, wir waren in den Händen von Mördern und Dieben und Handys und Ultranationalisten. Um zum Schluss zu kommen: Die deutsche Polizei war an meinen nächsten Lesungsorten immer dabei. Sie organisierten alles, bis zu den Taxifahrern, die mich nach Hause brachten.«

Die Krähen schauten mich mit großen Augen an, sodass ich mich gezwungen sah, zu wiederholen: »Ja, so war es, alles drehte durch. Wir sind in den Händen von Mördern und Dieben. – Dann hörte ich in Deutschland von einem türkischen Konsulatsmenschen, der Sozialdemokrat war, dass Männer aus Ankara sich im Konsulat gemeldet hätten. Er rief mich an, sagte: ›Die recherchieren über Sie, Sie sind im Visier, passen Sie auf.‹«

Die älteste Krähe fragte aufgeregt: »Aber warum recherchierte der Geheimdienst?«

»Ich denke, der Grund dieser Recherchen war mein zweiter Roman, *Die Brücke vom Goldenen Horn*, in dem ich über die 68er-Zeit in Berlin und Istanbul erzählt hatte.«

Die jüngste Krähe sagte: »Mensch, Sie leben gefährlich. Und Sie haben keine Flügel, um wegzufliegen.« Dann tröstete sie sich, indem sie sagte: »Aber wenn man Romane schreibt, kann man sich darin verstecken. Das ist Ihr Flügel.«

Dann drehte sie sich nach hinten, um zu sehen, wie ihre Sätze bei den anderen angekommen waren. Keine Reaktionen. Sie kratzte sich dann lange am Kopf, schaute zu mir, dann kratze sie sich weiter, sodass wir alle ihren Kratzgeräuschen zuhörten. Dann sagte sie entschlossen: »Wenn ein Roman ein gutes Versteck ist, müsste dann Regel eins nicht sein, dass kein Verlag ihn veröffentlicht, damit man dieses Versteck nicht verrät?«

Die Krähe, die ganz hinten stand, sagte: »Schluss jetzt, die Romane sind veröffentlicht. In welcher Stadt war Ihr Verlag?«

»In Köln.«

»Ja, das kam in dem Gedicht von Heinrich Heine, das Sie uns gelesen haben, vor. Mochten Sie die Stadt?«

»Ich mochte den Kölner Bahnhof.«

Nach diesen Sätzen stockte ich wieder, schaute auf die Krähen, sagte: »Ich bin fertig, ihr könnt jetzt gehen.«

Die Krähen, die bis jetzt ruhig, geduldig, ohne einen Ton von sich zu geben, zugehört hatten, wurden plötzlich unruhig. Eine sagte: »Ich begreife langsam Ihre Handlungsweise, aber gerade das gibt mir das Recht, Ihren verwilderten Wegen mit Geduld zuzuhören. Aber eins vergessen Sie: Wir sind nicht hier, um uns von unseren Wegen und Stegen in Sackgassen einweisen zu lassen. Sie zögern, aber wir sind neugierig auf Ihren Freund, sozusagen, auf Ihr Versprechen an Ihren Dichterfreund Wolfgang Hilbig.«

»Es ist mir schnuppe«, schrie ich, »ich hab's satt, ich will nicht weitererzählen. Wollt ihr nicht doch gehen, mich an diesem Tisch mit meiner kaputten Remington-Maschine allein lassen? Ich würde lieber die ganze Nacht auf den Platz schauen, um zu entdecken, wann der junge Schwarze mit den zu großen gelben Schuhen in eines der Zelte zurückkommt.«

Die älteste Krähe sagte: »Gut. Überlegen Sie gut. Gut, wir können gehen. Gut. Wenn unsere Körper nicht an Ihrem Tisch stehen, unsere Schatten nicht an Ihren Wänden und

Ihrer Decke, glauben Sie dann, dass Sie uns los sind? Adios amigos oder au revoir? Da bin ich aber zweifelnd. Gehen Sie ins Badezimmer, sprechen Sie mit der Frau im Spiegel, wir warten. Huh, jetzt habe ich alles gesagt, kein Wort mehr von meinen Lippen, das mit falschen Höflichkeiten poliert ist. Gehen Sie einmal pinkeln, überlegen Sie, wollen Sie uns wirklich wegschicken?«

Dann verbeugte sie sich. »Ich hoffe, dass ich noch für Sie vertrauenswürdig bin«, sagte sie.

Ich stand auf, ging schweigend im Dunkeln ins Badezimmer, stand vor dem Spiegel. Im Dunkeln hörte ich die Stimme der Frau im Spiegel.

»Nun«, sagte sie, »nun.«

Weil sie »nun« sagte, sagte ich auch: »Nun.«

Nun

Nun

Nun

Nun

Nun

Nun

Nun

Nun

Nun

Nun

Ich pinkelte, hörte meinen Pinkelgeräuschen zu, als ob meine Pinkelgeräusche mir sagen sollten, was ich machen müsste. Als ich am Waschbecken meine Hände wusch, hörte ich den Wassergeräuschen zu, als ob sie mir helfen sollten. Dann lief ich wieder in das Krähenzimmer.

»Corneilles, vous êtes têtues – Krähen, ihr seid dickköpfig.«

»Vous êtes têtues.«

»Vous êtes têtues.«

»Ich gebe auf«, schrie ich ein paar Mal, »j'en ai marre – ich hab genug. Ihr seid dickköpfig, ich gebe auf, Krähen.« Meine Stimme war hochgerutscht. Eine Krähe sagte: »Ich frage mich, ob die Stimmlage dramatischer Soprano ist, sie hat auch die Farbe von Alto.«

»Vous êtes têtues – ihr seid dickköpfig – vous êtes têtues«, wiederholte ich, seufzte, zog eine Tischschublade auf, legte das Bild von Magritte auf den Tisch, genau in die Mitte der Krähen. Die Krähen beugten sich über das Bild von drei Seiten des Tisches her, schauten lange hin.

Ich versuchte, keine Geräusche zu machen, als ich das Heinrich-Heine-Buch vom Tisch nahm und Seite 105 aufschlug. Dann las ich ruhig die Sätze:

Ich selbst, wenn ich am Schreibtisch saß
Des Nachts, hab ich gesehn
Zuweilen einen vermummten Gast
Unheimlich hinter mir stehen.[77]

Nach den letzten Wörtern schaute ich mit einer Augenecke zu den Krähen – hoppla, die schauten nicht auf mich. Keine hatte einen Satz vorbereitet, um mich anzusprechen. Sie schauten das Magritte-Bild an, als ob sie zusammen mit dem Bild eingefroren wären. Oh, ich fühlte mich einsam, oh, ohne ihre höflichen, ein klein bisschen stacheligen Stimmen, Sätze, oh, fühlte ich mich einsam. Ich klatschte in die Hände, ich hustete, ich steckte meine zwei Finger in den Mund, pfiff laut, o nein, sie bewegten sich überhaupt nicht, nicht mal ein Haar bewegte sich an ihren Körpern. Am Ende aller Versuche, erschöpft, schaute ich mir auch das Magritte-Bild an. Dann tastete ich mit meinem Finger ihre Köpfe und Füße ab, keine bewegte sich, ich hätte auch auf Steine drücken können, so waren ihre Körper, wie versteinert.

Wie versteinert, dachte ich. Ich dachte: Die Kühle wird ihnen guttun, bestimmt wird die Kühle sie wecken. Ich ging zum Fenster, öffnete es, übrigens, es war viel kälter geworden, draußen war ein wenig Schnee gefallen und fiel weiter, die Schneeflocken drehten sich im Himmel, als ob sie sich im Himmel festhalten wollten, um nicht herunterzufallen, doch fielen sie am Ende auf den Boden und über die Zelte von den Flüchtlingen. Drei schwarze Männer standen vor einer Tonne, in der Feuer brannte, rauchten ihre Zigaretten in der Hand, vor dem Schnee versteckt, pusteten den Rauch gleichzeitig raus, es bildeten sich lange, heiße Atemwege wie Lichtstraßen, und darin drehten sich die Schneeflocken noch schneller als im Himmel. Ich schaute auf die Krähen, noch immer bewegte sich nichts an ihnen, kein Haar. Durch die Kälte und den Wind bewegte sich sogar das Magritte-Bild auf dem Tisch, raschelte, aber nicht die Krähen. »Wenn ihr euch so verselbstständigt habt, verselbstständige ich mich auch«, rief ich zu ihnen, lief, drehte mich an der Zimmertür um, sie bewegten sich weiter nicht. Ich sagte: »Wenn ihr mich weiter nicht nötig habt, warum habt ihr mich dann nicht in Ruhe gelassen die ganze Nacht? Adieu.« Ich schaute wieder hinter mich, nichts, wirklich nichts, sie waren weiter um das Magritte-Bild eingefroren. Raus hier, bloß raus, was fällt denen denn ein? Ich nahm meinen Mantel, hörte noch mal, ob sich hinten im Zimmer was bewegte – nein. »Also gut, liebe Bekannte, adieu«, ich lief die Haustreppen runter. Hab ich all das geträumt?, fragte ich das Haustreppengeländer. Das Haus war still, ich ging raus, überquerte eine kleine Straße, ging in den Oranienplatz-Park, lief zwischen den Zelten der Flüchtlinge herum, der Schnee war inzwischen schneller und schneller geworden, sodass die Haare von den drei Flüchtlingen jetzt weiß waren. Ich lief zu ihnen, steckte eine Zigarette in den Mund, verlangte Feuer, alle drei boten mir gleichzeitig ihre brennenden Zigaretten an, indem sie mit den Händen über ihren Zigaretten ein Dach bildeten. Der Schnee drehte sich wie eine sanfte Strömung über unseren Köpfen, bevor er auf unsere Köpfe und Schultern fiel. Nachdem die drei schwarzen Männer zu Ende geraucht hatten, gaben sie mir die Hand – danach werden Wörter folgen, dachte ich, weil ein Handschlag die Pforte ist, die zu den ersten Wörtern führt. Die Wörter kamen, ich verstand sie nicht. Ich sagte auch Wörter, auf Französisch, Spanisch, Deutsch, die drei erwiderten nichts, die Sprachen gingen zwischen uns hin und her, dann fielen sie auch wie die Schneeflocken auf die Erde und erloschen. Es war klar, wir hatten keine Wörter. Wir standen da wie das Gedicht von Turgut Uyar.

Der Weg war einsam, Tiere und auch wir
wir schauten – unglaublich
jede Seite um uns, Nacht

Diese drei schwarzen Männer erinnerten mich an die anderen drei Schwarzen, die ich in Paris, in Châtelet, unten in der Metro vor dem Fotoautomaten getroffen hatte. Ich war da gewesen, um Passfotos zu machen für den Studentenausweis, um eine Aufenthaltserlaubnis zu bekommen. Da standen diese drei, der erste Schwarze ging in den Automaten, zog den Vorhang zu, ich hörte viermal das Klacken der vier Passfotoblitze aus dem Automaten, er kam raus, dann ging der zweite rein, wieder viermal das Klacken, dann der dritte, wieder viermal das Klacken. Als ich auch aus dem Automaten herauskam, standen die drei Schwarzen, die Fotos in ihren Händen, noch vor dem Automaten, sie schauten die Fotos voneinander an. Diese drei in Paris hatten so ausgesehen, als ob, wenn sie ihre Hosentaschen nach außen drehten, kein Geld, sondern Einsamkeit auf den Boden fallen würde. Diese drei Schwarzen hier in Berlin vor den Flüchtlingszelten am Oranienplatz sahen auch so aus, als ob, wenn sie ihre Hosentaschen nach außen drehten, kein Geld, sondern Einsamkeit auf den Boden fallen würde:

oder fällt vielleicht Müdigkeit
oder fällt vielleicht
oder vielleicht ein mit Falten geschrumpftes Schiffsticket
oder vielleicht ein hoffnungsloses Taschentuch
oder vielleicht zwei Telefonnummern
oder vielleicht ein abgefallener Jackenknopf
oder vielleicht der Klang von Mädchenschritten?

Die drei Schwarzen gaben mir noch mal die Hand, eher einen stillen Handschlag wie bei Sportlern, die in der gleichen Gruppe kämpften, dann drehten sie sich um und gingen in Richtung Zelt. Ich blieb mit dem Schnee allein, dann verkrümmte ich mich, als ob ich plötzlich einen Magenschlag bekommen hätte, hob meinen Kopf hoch, schaute auf meine beleuchteten Zimmerfenster, sah keine Flügelschläge oder Schatten auf dem hellen Vorhang oder den Wänden. Die Krähen stehen weiter eingefroren um das Magritte-Bild, dachte ich, indem ich die Schneeflocken in meinen Mund lockte, um mich zu beruhigen. Ein Weilchen lang hielt ich den Mund offen, um noch mehr Schneeflocken hereinzulassen. »Warum gehe ich nicht hoch, warum verprügle ich nicht die Frau im Spiegel, ich muss die Krähen eine nach der anderen durchs offene Fenster zwingen, dann sofort das Fenster zumachen, den Spiegel zudecken, nie wieder öffnen, ja, ja, das mach ich jetzt.« Entschlossen lief ich die Haustreppen hoch in die Wohnung, blickte kurz ins Arbeitszimmer, ja, wie gehabt standen sie da um das Bild.

»Euer Aufenthalt ist unnütz. Ihr müsst endlich Schluss machen.«

Da wieder keine von den Krähen sich bewegte, sagte ich: »Wie es euch beliebt. Aber ärgern könnt ihr mich nicht mehr.«

Ich ging ins Badezimmer, die Frau stand im Spiegel, schnitt wieder Grimassen.

»Also, mach endlich Schluss, du hast die Krähen hierhergelockt, schick sie wieder weg, schick dich auch weg, ärgere mich nicht weiter, schau, der erste 29er-Morgenbus fährt da unten, die Nacht ist zu Ende, hopp, hopp, wenn ich bitten darf. Sie können Ihre unverschämten Grimassen irgendwo anders schneiden, in der Regenpfütze zum Beispiel. Sie glauben, ich übertreibe, nein, bei meiner Seele, nein, wir geben uns die Hand und trennen uns in Frieden, also, leb wohl, mein Spiegelbild. Du, jetzt geh ich mir eine Tasse Kaffee machen. Wenn ich fertig getrunken habe, komm ich, bis dahin musst du aus meinem Spiegel, aus meinem Zimmer mit den Krähen verschwunden sein, und ja nicht meine Remington-Schreibmaschine anfassen. Übrigens, auf Ihrer Jacke ist eine Wimper, nehmen Sie sie auch mit, nichts soll von Ihnen hier übrigbleiben.«

Dann drehte ich mich entschlossen um, ging in die Küche, kochte Wasser, goss Kaffee ein, trank, es tat mir gut, dachte ich.

»Ich muss mich nicht wundern«, sagte ich, »wie meine Hand zittert, meine ganzen Nerven sind aus ihren Häusern raus. Kaffeetasse, Kaffeetasse, jetzt geh ich zu dem Spiegel.«

Ich ging, schaute hin. »Oh«, schrie ich, »sie ist weg, weg ist sie, sicher auch die Krähen, bravo, bravo, ich bin froh, gut, dass sie weg ist, bevor etwas Jämmerliches geschieht.« Dann sah ich auf meiner Jacke eine hinuntergefallene Wimper. Als ich sie vor dem Spiegel zu entfernen versuchte, sah ich im Spiegel mein Spiegelbild hinter mir stehen. Ich schrie:

»Dämonen, macht die Himmel frei.« Meine Spiegelbildfrau packte mich von hinten, schlang ihre Arme um meine Brust, hob mich, trug mich zu dem Krähenzimmer, setzte mich auf einen Stuhl am Fenster, holte aus der Tischschublade eine Rolle Klebeband, riss ein paar Streifen ab, klebte sie über meinen Mund, hob dann mein Gesicht, indem sie mein Kinn anfasste und zu sich hochhielt, sagte: »Ich soll dich beschützen. Wenn nicht ich, wer beschützt dich?«

Als sie das machte, sah ich wieder die Wimper auf ihrer Jacke. Dann ließ sie mein Kinn los, ich machte meine Augen zu. Als ich die Augen wieder öffnete, hörte ich Flügel schlagen. Die Krähen standen wieder an ihren alten Plätzen, plusterten sich auf, die Frau nahm das Bild von Magritte, schaute es an, legte es wieder auf den Tisch, sagte: »Es ist drei viertel sechs.«

Die junge Krähe kam einen Schritt nach vorne, fragte: »Verzeihen Sie, Frau aus dem Spiegel, warum haben Sie unserer Freundin den Mund zugeklebt? Sie sollten uns aber eine Antwort geben, die uns vollständig beruhigen wird.« Als sie rückwärts zu ihrem Platz ging, sagte sie: »Bitte, das ist mir wichtig.« Die Frau sagte: »Die Nacht ist müde, aber sie wehrte sich, sie ist nicht mal fähig, euch zu erzählen, was sie ihrem toten Lieblingsdichter Wolfgang Hilbig versprochen hat, oder die Sache mit dem fünfundzwanzig Jahre älteren Gesicht. Zugeklebt habe ich ihren Mund, sonst wird sie alles in die Länge ziehen, sie kann darüber nicht reden, deswegen wird sie in Nebengassen fahren, andere Sachen erzählen, sie hat Angst, ja, sie scheißt in ihre Hose. Dann soll sie in die Hose scheißen, ich werde es euch erzählen, wenn es erlaubt ist. Ihr seid einverstanden, oder? Ich entnehme es euerm Verhalten. Übrigens, guten Morgen, es ist Punkt sechs Uhr. Darf ich mich setzen, müde, vom Stehen im Spiegel die ganze Nacht, meine Beine«, sagte sie und setzte sich an den Tisch, so nah zu den Krähen, dass die Krähen am Tisch kleine Rückwärtsschritte unternahmen. Ich drehte mich auf dem Stuhl zum Fenster, unten an einem der Flüchtlingszelte ging der junge schwarze Mann mit den zu großen gelben Schuhen vorbei. Kommt er jetzt? Oder vielleicht war er in irgendeinem geöffneten Café aufs Klo gegangen? Ob es in diesem Café heißes Wasser gab, wollte ich die Krähen fragen, aber durch den zugeklebten Mund kam kein Ton raus.

»Frau aus dem Spiegel«, rief die älteste Krähe von hinten, »haben Sie auch gehört, dass der Obdachlose, der im Flüchtlingslager saß, ›Adolf muss her‹ geschrien hat?«

»Nein, nein«, sagte die Frau.

»Na, denn haben wir so etwas mehr Gewicht Ihnen gegenüber, aber durchaus kann man verstehen, dass Sie das nicht gehört haben, Sie waren ja im Spiegel.«

Die Frau schenkte der ältesten Krähe einen verständnisvollen Blick. Dann zeigte sie auf mich, sprach schnell, fast atemlos, ohne Komma und Punkt:

»Diese Zugeklebte wird euch niemals erzählen von der Identität, wie die reduziert wird in einem fremden Land, oder dass man eine Identität bekommt, mit der man nichts zu tun gehabt hat. Das ist eine Gewaltidentität. Sie wird euch auch nicht erzählen, was die Rezensentin einer Wochenzeitung, die ihren Kindheitsroman rezensieren wollte, ihr gesagt hatte: ›Sehr schönes Buch, aber ich frage mich, wie kann ein türkisches Mädchen über Sexualität so frei denken, solche Wörter aussprechen?‹ Sie musste an diese Sätze denken, als sie später einen schönen Vampirfilm sah, *So finster die Nacht.* Ein schwedischer Junge befreundet sich mit einer Vampirin. Sie ist zwölf Jahre alt und, ich denke, Ausländerin. In einer Szene sieht man ihr Geschlechtsteil, es ist zugenäht.«

Eine der Krähen fragte: »Zugenäht, wie? Im Film oder im Kopf der Zuschauer?«

Die älteste Krähe sagte: »Störe nicht unsere Gnädige, hat die Kälte der Berliner Luft deinen Kopf erkältet? Fahren Sie fort, Gnädigste.«

»Diese Zugeklebte wird euch auch niemals erzählen, wie ein deutscher Kritiker bestimmte, was türkisch ist. In ihrem Jugendroman geht es um eine junge türkische Frau in der 1968er-Zeit, die Schauspielerin werden will. Ein Theatermann, ein Brechtianer, empfahl ihr, dass sie, um eine gute Schauspielerin zu werden, unbedingt mit Männern ins Bett gehen, sich von ihrer Jungfernhaut befreien, also sexuell revoltieren sollte, was sie auch machte. Im Fernsehen sprachen vier berühmte Kritiker über diesen 68er-Roman. Einer der Kritiker sagte: ›Ein wunderbarer Roman mit herrlichen Findungen.‹ Er glaubte aber nicht, dass diese türkische Protagonistin im Roman sexuell revoltieren wollte und es auch tatsächlich machte. Er gab als Beispiel die türkischen Mädchen aus dem Gastarbeiterviertel Kreuzberg in Berlin an, wie unterdrückt sie seien und dass sie von ihren Brüdern geschlagen würden, deswegen sei diese sexuelle Revolte der Protagonistin ein Weihnachtsmärchen. Also gab er ihr eine neue Identität, die nicht die ihre war: Mädchen aus Kreuzberg, ein Kreuzberger Schaf unter anderen Schafen, mäh, mäh, mäh. All das wird die Zugeklebte euch nicht erzählen. Aber das wird sie euch erzählen: Zwei türkische Germanistinnen kamen in einer Stadt zu ihrer Lesung. Sie las aus ihrem Jugendroman *Die Brücke vom Goldenen Horn*. Die beiden schrieben gerade über die *Brücke vom Goldenen Horn* ihre Magisterarbeit. Nach der Lesung sprachen sie mit ihr. Nach ihren

Germanistenfragen kam um zwei Uhr nachts ihre richtige Frage. Die beiden Germanistinnen fragten sie, ob sie auch, wie ihre Protagonistin, sexuelle Revolte machen und, ohne zu heiraten, mit Männern ins Bett gehen sollten, um gute Germanistinnen zu werden. Beide sind heute Professoren.«

Als die Frau aus dem Spiegel den Krähen dies erzählte, musste ich lachen, lachte ich auch mit meinem zugeklebten Mund. Durch das Lachen ging das Klebeband von meinem Mund ab, blieb aber an meinem linken Mundwinkel hängen. Es hing da hinunter, und durch mein Lachen wackelte es in der Luft. Die Krähe, die immer ganz hinten stand, kam mit einem Zettel in ihrem Mund und legte ihn vor die Frau aus dem Spiegel. Die Frau aus dem Spiegel sagte: »Was ist das?«

»Ja, das ist unsere Prophezeiung, bevor sie das Land verließ damals.«

Die Frau aus dem Spiegel las: *»Nehmen wir an, du schreibst dort einen Roman, mit all deiner Fantasie, mit eigenen Bildern, deinen empfindsamen Gefühlen. […] Diese Schöpfungen, die du aus deinem eigenen Körper ausgraben wirst, werden als Türkisch registriert. […] Du landest in der türkischen Schublade. Europa, Berlin, Tiergarten der Sprachen, hier sind die türkischen Tiere, als wäre die Türkei ein Dorf, in dem alle Einwohner die gleichen Geschichten haben und mit gleichen Sätzen sprechen. So werden sie versuchen, dir dein Gedächtnis auszulöschen, weil sie keines haben. Weil sie keines haben, darfst du auch keines haben. Weil es ihnen auch schnuppe ist.*«

Die Frau aus dem Spiegel legte den Zettel auf den Tisch. »Gut, dann erzähle ich euch noch eine Wunderlichkeit, die ihr geschah. Das ist vielleicht eine Antwort auf eure Prophezeiung. Also, stellt euch vor, Krähen«, sie zeigte auf mich, »diese Frau schrieb fünf Jahre lang an ihrem Kindheitsroman in Deutschland.«

Ich rief: »Frau aus dem Spiegel, bitte erzählen Sie nicht weiter!«

Die Frau aus dem Spiegel stand auf, kam mit energischen Schritten zu mir, klebte das Band, das sich vorhin abgelöst hatte, wieder über meinen Mund. Ich sah wieder die Wimper an ihrer Jacke kleben. Sie hob wieder mein Gesicht, indem sie mein Kinn anfasste und zu sich hochhielt, und sagte: »Ich soll dich beschützen, wenn nicht ich, wer beschützt dich?« Dann drehte sie meinen Kopf zum Fenster. Ich sah durch das Fenster auf den Flüchtlingsplatz, sah wieder den jungen Schwarzen mit den zu großen gelben Schuhen an der Feuertonne stehen. Die Frau aus dem Spiegel war sehr energisch. Sie setzte sich auf ihren Stuhl, zog eine dicke Mappe heran, holte mehrere Seiten Papier heraus, und bevor ihr Po auf dem Stuhl war, fing sie an zu reden:

»Also, stellt euch vor, Krähen, diese Zugeklebte schrieb fünf Jahre lang an ihrem Kindheitsroman *Das Leben ist eine Karawanserei, hat zwei Türen, aus einer kam ich rein, aus der anderen ging ich raus.* Ein kleines Mädchen erzählt aus ihren Augen vom Leben einer siebenköpfigen Familie in der Türkei in den Fünfziger- und Sechzigerjahren. Sie ist am Ende erwachsen und sitzt in einem Zug nach Berlin. Der Roman endet im Zug.

Stellt euch vor, Krähen, nach sechzehn Jahren, 2006, passierte etwas. Und in der Folge dieses Geschehens wurde in den Zeitungen wochenlang debattiert. Journalisten und Germanisten stritten darüber, was türkisch an diesem Roman ist.«

Während die Frau aus dem Spiegel aus der Mappe mehrere Papiere rausholte, schaute ich aus dem Fenster zu den Flüchtlingszelten im Park. Aus einem der Zelte kamen vier sehr junge schwarze Männer mit einem Ball raus, gingen in die Mitte des Parkes, wo der Platz leer war, fingen an, mit dem Ball zu schießen. Vor der Feuertonne gab es niemanden, sie rauchte vor sich hin in die Luft, oh doch, der junge Schwarze mit den zu großen gelben Schuhen kam gerade aus einem der Zelte raus, ging in Richtung der Feuertonne.

Als ich mich wieder zum Tisch drehte, sah ich alle Krähen um die Mappe versammelt. Sie flatterten, plusterten sich, lasen zuerst als Chor laut aus den Zeitungsblättern, holten Fetzen raus, dann steigerten sich ihre Stimmen, sie schrien die Satzfetzen, die sie lasen, durcheinander:

»… eine Fülle von motivlichen und vor allem metaphorischen Übereinstimmungen …« »Alle Chinesen sehen gleich aus. Alle türkischen Kinder bringen als ihr erstes Wort ›Furz‹ bzw. ›Pups‹ hervor.« »… unzählige unwahrscheinliche Parallelen …« »… alle toten Brüder sind Spinnen …« »… in der poetisch reich ausgestatteten literarischen Karawanserei …« »Alle türkischen Mädchen pinkeln schon mal im Stehen, machen Kussübungen mit dem Spiegel usw.« »… unterhalb des Plots, auf der Mikroebene der sprachlichen Inszenierung …« »… sprachliche Spezereien und metaphorischen Ingredienzien …« »Mit ›derselben Lebenswelt‹, ›demselben Kulturkreis‹ … – dies ein Schlagwort der terrible simplificateurs, die uns einen ›Kampf der Kulturen‹ aufschwatzen –, mit einer ›türkischen Lebensart‹, ›ähnlichen Kindheitsmythen‹ lassen sich die nicht wegreden …«

Die Frau aus dem Spiegel nahm den Krähen die Blätter weg, schickte sie auf ihre Plätze zurück, putzte die zerfetzten Blätter vom Tisch und Boden weg, sagte: »Hört auf. Jetzt untersuchen wir, was in diesem Roman türkisch und türkische Kultur ist«, und gab ein Beispiel:

»In ihrem Roman küsst der Vater die Mutter mit einem Handspiegel in der Hand, die Mutter hat lockiges Haar, und beide schauen in den Spiegel, während sie sich küssen. Also die Motive sind Handspiegel, Mann und Frau, lockige Haare und Während-dem-Küssen-in-den-Spiegel-Schauen. WAS IST DARAN TÜRKISCH ODER TÜRKISCHE KULTUR?«

Die jüngste Krähe lachte, sagte: »Das ist türkisch. In unserer türkischen Krähenfamilie schauen meine Eltern auch in einen Klappspiegel, wenn sie sich küssen.«

Ich lachte mit meinem bandagierten Mund. Die Frau aus dem Spiegel gab wieder ein Beispiel: »In ihrem Roman isst die frisch verliebte Protagonistin die Buchstaben aus einem Brief. Also die Motive: Frisch-verliebt-Sein, Buchstabenessen. WAS IST DARAN TÜRKISCH ODER TÜRKISCHE KULTUR?«

»Das ist sehr türkisch«, sagte die jüngste Krähe, »sogar wir türkische Krähen machen es so. Wenn jemand frisch verliebt ist, legen wir in seinen Teller Zeitungsbuchstaben.«

Dann schaute sie in das Gesicht der Frau aus dem Spiegel. Die blieb ernst und gab noch ein weiteres Beispiel: »In ihrem Roman kauen drei Mädchen erst Kaugummi und fassen gegenseitig ihre Geschlechtsteile im Elternbett an. WAS IST DARAN TÜRKISCH ODER TÜRKISCHE KULTUR?«

»Das ist sehr, sehr türkisch, alle weiblichen türkischen Krähen kauen Kaugummi, bevor sie im Elternbett die Geschlechtsteile der anderen anfassen. Motive Doppelpunkt Geschlechtsteile, gleichgeschlechtliche Neugier, Elternbett, Kaugummikauen, sehr türkisch.«

Eine der Krähen, die bis jetzt nicht viel geredet hatte, lief nach vorne, sagte: »Ich habe eine Idee. Man müsste allen ihren Büchern Kopftücher anziehen und in den Buchhandlungen eine Kopftuchbücherecke einrichten. Auch von Orhan

Pamuk, Yaşar Kemal, alle Bücher tragen Kopftücher, avanti Emigranti, dawai Emigranti.«

Einige Krähen sagten zu ihr: »Geh zurück zu deinem Platz, bitte.« Dann sagten sie: »Wir wissen nicht, was mit ihr los ist, möglicherweise hat die Berliner Kälte auch ihren Kopf erkältet. Also fahren Sie fort, Frau aus dem Spiegel.«

Die Frau aus dem Spiegel schwieg, schaute in meine Richtung. Ich drehte meinen Kopf, schaute hinunter zu den Flüchtlingszelten. Unterm Schnee sah der Platz so aus, als ob er barmherziger geworden wäre. Weil ich nicht mehr meinen Kopf zur Frau aus dem Spiegel drehte, erzählte sie weiter: »Stellt euch vor, Krähen, die Zeitungen schrieben wochenlang Artikel, manche Journalisten behaupteten, die Ähnlichkeiten seien ›Kindheitsmythen‹ und ›türkische Lebensart‹. Die Zugeklebte fuhr immer wieder mit der Hand über ihre Stirn, fragte: ›Wohin bin ich gezogen worden an meinen Haaren.‹ So dachte sie. In einer Nacht bastelte sie sich sogar einen Traum: Sie ist in einer einsamen Landschaft, die voller Scheiße ist. Sie will nicht da rein, sagt zu sich: ›Lauf nicht weiter, geh nicht in diese Scheiße rein‹, in dem Moment zieht sie die Scheiße in sich rein, mit dem halben Körper in der Scheiße schreit sie: ›Ich will nicht in die Scheiße!‹ Dann ist sie in einem Zimmer, wo aus dem Fußboden auch die Scheiße hochkommt, dort steht sie an einem Fenster und sieht, wie ein großer Regen über der Stadt das Sagen übernimmt, der schlägt alle Dächer samt Hausfassade, die Straßen sind leer, kein Mensch ist in den mehlig beleuchteten Zimmern zu sehen, sie sagt sich: ›Luft, Luft, ich will die Kühle‹, sie überkommt ein unbegreiflicher Schlaf, dann sinkt sie langsam hinunter, zuletzt sieht sie aus dem Fenster einen hinkenden Fuchs im starken Regen über die Straße laufen, dann fällt sie auf den Boden in einen tiefen

Schlaf, dann hört sie in diesem ungewollten tiefen Schlaf Schritte. ›Wie laut sie sind in dieser späten Nacht‹, murmelt sie, in dem Moment rüttelt sie jemand an der Schulter, sagt: ›Wachen Sie auf! Schlafen Sie nicht! Schlafen Sie bloß nicht!‹ Sie macht mit Mühe ein Auge auf, sieht einen ihrer Lieblingsschauspieler, Donald Sutherland, er sagt: ›Wach auf! Schlafe nicht! Während Sie schlafen, wird man von Ihnen einen Doppelgänger schaffen, und Ihr Körper wird in Staub fallen.‹ ›Wie in Ihrem Film *Die Körperfresser kommen*? Ja?‹, fragt sie halb im Schlaf Donald Sutherland. Dann will sie nur weiterschlafen, Sutherland schlägt ihr ein paar Mal in das Gesicht, sie hebt sich hoch und schaut, aber er ist weg, dann sieht sie ein Messer, nimmt es, schneidet sich an ihrem kleinen Finger, der Schmerz unterbricht ihren Schlaf. Sie weiß das aus den Märchen ihrer Großmutter: Wenn der Protagonist nicht schlafen will, schneidet er sich in den Finger, damit ihn der Schmerz nicht schlafen lässt. Dann sieht sie drei Männer in den Raum treten, zwei Deutsche und einen Türken. Sie tut so, als ob sie schlafen würde, einer der Männer sagt: ›Er ist der Sohn.‹ Der andere Mann sagt: ›Sehr gut, es wird eine Sensation werden, wir sind stolz, dass alles Türkische von Türken erzählt wird.‹ Im Hinausgehen sagen sie: ›Der Pool ist eng, er geht auf deinem Weg.‹ Dann gehen sie raus, nur der Türke bleibt im Raum. Er zieht sich aus. Sie sieht seinen nackten Oberkörper, auf seiner Brust ist eine Schrifttätowierung, sie versucht, es zu lesen, da steht in altdeutschen Druckbuchstaben ein A, die anderen Buchstaben sind unleserlich. Dann nimmt er einen Büstenhalter aus einer Plastiktüte, zieht ihn an, sodass das A halb darunter verschwindet, dann zieht er sich weiter aus und macht etwas wie der Performer Django Edwards in seiner Show: Er macht die Beine breit, langt mit seinem rechten Arm von hinten durch die Beine zu seinem Penis, zieht ihn nach hinten und steckt ihn zwischen seine Pobacken, dann zwickt er seine Beine zusammen. Jetzt sieht es von vorne wie ein Frauengeschlechtsteil aus, jetzt ist er ein Mädchen. Dann nimmt er aus der Plastiktüte eine lange schwarze Perücke, setzt sie auf, dann setzt er sich an seinen Küchentisch, man hört draußen im Nebel Dampfer tuten, buuuuhh … buuuuuhh … buuuuuhh, dann sieht sie drei Bücher übereinandergestapelt, er nimmt das erste von den drei Büchern und legt es auf sein rechtes Knie, blättert darin, nimmt aus der Plastiktüte eine Nagelschere und schnippelt aus diesem Buch Stellen heraus. Dann nimmt er aus der Plastiktüte einen Klebstoff und klebt diese Stelle in das Buch, das auf seinem linken Knie liegt. Immer wieder blättert er in dem Buch, das auf seinem rechten Knie liegt, und schneidet mit der Nagelschere Stücke weiter raus. Dann lacht er, die Blätter auf seinem linken Knie lachen auch, er sagt: ›Ach, wie gut, dass niemand weiß, dass ich Rumpelstilzchen heiß.‹ Plötzlich läuft vor seine Füße eine Ratte und bleibt in den herausgeschnittenen Stellen stecken. Dann kratzt er sich seine Tätowierung auf der Brust, dann nimmt er das zweite Buch und legt es auf sein rechtes Knie, in dem Moment schreit sie und wacht auf. Der Mann sieht sie und schreit: ›Mama! Mama!‹ Die Scheiße steigt höher und höher, plop, plop, plop. Eine Frau schreit: ›Schreiben Sie, schreiben Sie, diese Frau ist keine Schriftstellerin, die hat jahrelang den Frauen ihre türkischen Geschichten gestohlen.‹ Dann befindet sie sich in einem Sarg. Der Mann und sein Helfer haben sie da reingestopft, aber sie kriegen den Deckel nicht zu. Sie versuchen, den Deckel zuzunageln, der Mann redet mit Nägeln im Mund: ›Hubertus, hast du nicht gesagt, ich bin der Vollender?‹ Dann hört sie die Stimme ihres Freundes

Wolfram: ›Komm doch aus dem Sarg raus wie in Tarantinos Film *Kill Bill*!‹ Immer wieder fuhr sich die Zugeklebte mit einer Hand über die Stirn, fragte, schrie: ›WAS IST DENN HIER LOS?‹«

Die Krähen fingen an, zu wiederholen: »Was ist denn hier los, was ist denn hier los?«, lachten, sagten als Chor:

»Wer wird getötet am Ende dieses Films?
Wer wird geopfert auf dem Opfersims?
Films Films Films
Sims Sims Sims.«

Als die Krähen solche Sachen sagten, schaute ich aus dem Fenster zu den Flüchtlingszelten, ich sah niemanden, aber sah Fußspuren auf dem Schnee. Eine der Fußspuren war groß, wahrscheinlich von dem jungen Schwarzen mit den zu großen gelben Schuhen.

Eine Krähe sagte: »Manche Journalisten schreiben ja, als ob sie beim Kaffee klatschen würden.«

Die Krähe mit den wenigen Haaren sagte: »Dann sollten diese Zeitungen als Friseurinnen tätig werden, da können sie vor dem Spiegel mit ihren Kunden den ganzen Tag darüber tratschen, wer wen kennt, woher wer kommt. Mensch, als ob alle Türken in einer Höhle zusammenleben und dort im Stehen pinkeln, die ersten Kussübungen mit dem Spiegel machen oder, wenn sie verliebt sind, die großen Buchstaben aus einer Zeitung essen, hoffentlich sind genug Buchstaben da. Vielleicht zanken sie sich da auch öfter: Ich will das A essen, nein ich, gib mir das A, ich geb dir das W, sogar das C, WC, also zwei Buchstaben für das A.«

Die Frau aus dem Spiegel sagte: »Hier, lest diesen Artikel ›DURCH DIE ETHNO-BRILLE‹ von Ingo Arend. Arend schrieb in der Zeitung *Der Freitag*, dass ›im Krisenfall‹ die Sicherungen durchbrennen und ›aus integrierten Menschen wieder Migranten‹ gemacht würden: ›*Da spricht man vom türkischen Literaturkrieg in Deutschland, als ob sich türkische Banden bekriegten*‹, und ›*von Menschen, die gut 40 Jahre hier leben, fast wieder wie von den „Exoten" der ersten Stunde*‹.«

Die jüngste Krähe fing an, laut aus dem Artikel zu lesen: »*Hierzulande hat es sich offenbar noch nicht herumgesprochen, dass die Wertschätzung von ihr im Ausland beispielsweise nicht etwa nur auf der Migrantenthematik gründet. Die amerikanische Zeitschrift* Publisher's Weekly *zählte ihr Werk* Mutterzunge *1994 nicht deswegen zu den 20 wichtigsten Büchern des Jahres, weil sie darin die Lebensbedingungen der türkischen MigrantInnen so genau dokumentiert oder weil sie so ›türkisch‹ schreibt. Ihre Prosa bewegt sich zwischen Surrealismus, absurdem Theater und Groteske. Sie arbeitet mit einer filmischen Technik. Wegen dieser Ästhetik wurde sie weltweit übersetzt. Deswegen verehrt die Kleistpreisträgerin in den USA inzwischen ein eigener Fanclub.*«

Er schreibt auch, sie sei jedenfalls mehr Godard als Scheherazade. Und am Ende schreibt er: »*[…] doch wenn […] türkische Mädchen vom Fenster aus vorbeigehende Männer beschimpfen oder sich der Vater mit einem Klappspiegel beim Frühstück beobachtet, was ist daran spezifisch türkisch? […] Doch was die deutschen Kritiker auch signalisierten, war, was türkische Bräuche, was türkische Mythen sind, das bestimmen wir. Spätestens da mutierte der ›Türkenkrieg‹ zum Neoorientalismus – made in Germany.*«[78]

Als die Krähen den Artikel von Ingo Arend lasen, stand die Frau aus dem Spiegel von ihrem Stuhl auf, kam zu mir, riss das Klebeband mit einem Ruck von meinem Mund, sodass ein paar dünne Haare an dem Band kleben blieben. Sie wickelte das Band um ihre linke Hand. Ich drehte mich zum Fenster, gerade lief unten der junge Schwarze mit den zu großen gelben Schuhen aus einem der Flüchtlingszelte zur Straße. Die Autos fuhren dort zu schnell. »Warte, Junge, warte«, sagte ich leise. Er wartete, die Autos fuhren und fuhren, ein Auto blieb stehen, er überquerte die Straße, ging in die Dresdener, dann verlor ich ihn, drehte meinen Kopf zu den Krähen, schaute in Richtung der Frau aus dem Spiegel, ihr Stuhl, wo sie gesessen hatte, war leer. Ich fragte die Krähen: »Wo ist die Frau?«

»Welche Frau?«

»Wo ist die Frau?«, fragte ich wieder.

»Welche Frau?«, fragten sie wieder.

»Ja, die Frau aus dem Spiegel, auf deren Jacke ein Stück Wimper hing, wo ist sie?«

Die jüngste Krähe deutete mit ihrem Kopf auf meine Jacke. Ich schaute hin, sah die Wimper an meiner Jacke hängen. Die älteste Krähe sagte: »Es ist dunkel hier«, knipste die Lampe an, sagte: »Edison«, lief stolz zu ihrem Platz zurück. Ich drehte meinen Kopf wieder zum Fenster. Unten am Flüchtlingsplatz trugen ein paar Männer, wahrscheinlich Deutsche, Elektrokabel, gingen in eines der Zelte rein, dann sah ich vier ältere Schwarze mittlerer Größe, nur einer etwas dicklich, die anderen sehr dünn, mit faltigen Hosen, wahrscheinlich Neuankömmlinge, in dieses Zelt hineingehen. Da ging ein Licht an.

»Es ist zu kalt draußen, Ihre Fenster sind an den Rändern beschlagen«, sagte die älteste Krähe und war wieder stolz, dass sie diejenige war, die die Dunkelheit und Kälte thematisiert hatte. Alle Krähen kamen nach vorne, fast Auge in Auge waren wir jetzt, sagten: »Sprechen Sie weiter.«

»Nein, ich will runter zu den Flüchtlingen. Schaut, da unten, da kommt der junge Schwarze mit den zu großen gelben Schuhen. Woher kommt er? Vielleicht war er in einem Café aufs Klo gegangen?«

Die ältere Krähe sagte: »Kommen Sie doch aus dem

Grab raus wie in Tarantinos *Kill Bill*, wo die Frau im Grab zugeschüttet ist und den Sarg mit ihren Fingern durchbohrte und aus dem Grab rausklettert, machen Sie das auch wie sie.«

»Ja, sie war wunderbar, Uma Thurman, wie sie die Handbewegungen, die sie von ihrem Meister gelernt hat, benutzt, um den Sarg kaputtzumachen.«

Die Krähe mit den wenigen Haaren sagte: »Sie haben auch Meister. Denken Sie an Ihre Meister, Bertolt Brecht, Besson, Langhoff, Can Yücel, Ece Ayhan, Turgut Uyar, Hölderlin. *Komm! Ins Offene, Freund!*«

»Ja, *komm! Ins Offene, Freund!*«, wiederholte die jüngste Krähe, »wir haben nur noch drei kleine Fragen:

1. Frage: Was haben Sie gedacht, als man Ihr geistiges Eigentum auf das Türkische reduzierte?

2. Frage: Was war mit der Prophezeiung Ihres fünfundzwanzig Jahre älteren Gesichts, dass Sie von einem Verleger geschlachtet werden?

3. Frage: Was haben Sie Ihrem Lieblingsschriftsteller Wolfgang Hilbig an seinem Grab versprochen? *Komm! Ins Offene, Freund!*«

Ich schwieg, die Krähen schwiegen, ich schwieg, die Krähen schwiegen, ich schwieg, die Krähen schwiegen, wir hörten der Stille zu. Plötzlich fing die Remington-Schreibmaschine, die mir Phil geschenkt hatte und die mich an Walter Benjamins Flucht zu Fuß vor den Nazis erinnerte, an, sich selbst zu betätigen, und schrieb einen Text. Als sie fertig war, blieb das Blatt in der Maschine stecken, dann war alles wieder still. Die jüngste Krähe fragte mich: »Darf ich auf den Text einen Blick werfen?«

Ich sagte: »Lass es bitte, ich geb ihn euch später mit, für unterwegs.«

»Gut, dann *komm! Ins Offene, Freund!* Was haben Sie gedacht, als manche Journalisten Ihr geistiges Eigentum auf das Türkische reduzierten?«

»Ich weiß es nicht. Ich las an jenen Tagen das Buch von Sebastian Haffner, *Geschichte eines Deutschen. Die Erinnerungen 1914-1933*. Da schrieb er auch, was ihn davor schützte, wie Millionen hinter Hitler zu Brei zu werden und hinter ihm herzufließen. Er schrieb: *Was mich davor schützte, [ein Nazi zu werden], war – meine Nase. Ich besitze einen ziemlich ausgebildeten geistigen Geruchssinn, oder, anders ausgedrückt, ein Gefühl für die ästhetischen Valeurs (und Non-valeurs!) einer menschlichen, moralischen, politischen Haltung oder Gesinnung. Den meisten Deutschen fehlt leider das gerade vollständig. Die Klügsten unter ihnen sind imstande, sich mit lauter Abstraktionen und Deduktionen vollständig dumm zu diskutieren über den Wert einer Sache, von der man einfach mittels seiner Nase feststellen kann, dass sie übelriechend ist. Ich meinerseits hatte schon damals die Gewohnheit, meine wenigen feststehenden Überzeugungen vermittels meiner Nase zu bilden. Was die Nazis betraf, so entschied meine Nase ganz eindeutig.*«[79]

Die Krähe mit den wenigen Haaren sagte: »Meinen Sie, in Ihrer Geschichte sind diejenigen, die keine haffnerische Nase hatten, zwar keine Nazis, aber die Söhne und Töchter aus guten Nazihäusern?«

»Nein, so habe ich nicht gedacht. Ich habe nur weiter an Pasolinis Film *Die 120 Tage von Sodom* gedacht, wo die letzten Faschisten Scheiße kochen und die Leute zwingen, sie zu essen, und selber davon essen. Ich habe es so gesehen, als ich die Artikel las. Der hat die Scheiße gegessen, der nicht, die hat die haffnerische Nase, die nicht, der hat die haffnerische Nase, der hat die Scheiße gegessen, der nicht. So wie in unserem Land, Krähen, oder?«

»Hmm, hmm«, sagten die Krähen.

»Die Haffnerischen-Nasen-Losen fressen dort auch die im Nationalismuskessel gekochte Scheiße und riechen nicht, dass ihr Menschsein täglich abgerieben wird. Gerupft ihre Seelen, täglich zu Teigfiguren geknetet, schon Brei geworden. Sie fließen als Brei hinter den Korrupten, Unbarmherzigen, Dieben, Lügenmeistern. Aus einem geschlossenen Theatervorhang schaut ein Bandenmitglied, steckt nur seinen Kopf durch den geschlossenen Vorhang, sagt: ›Unser liebes Volk, wir haben für euch da hinten gespielt, das ist für euch gut ausgegangen, ihr könnt jetzt nach Hause gehen.‹ Dann verschwindet er wieder hinter dem Vorhang. Die zu Brei Gewordenen fließen auf den Gassen in Richtung ihrer Häuser, treffen unterwegs getötete Frauen, abgeschnittene Hände und Köpfe von Katzen und Hunden, getötete Jugendliche, Leichen, die man nicht begraben darf, Tote zwischen den Tod verherrlichenden Patriarchen, immer wieder hochgehobene Särge, sich aus der zehnten Etage in den Tod werfende, bedrohte Akademiker, in den maroden Gruben Verunglückte, Hunderte von Grubenarbeitern, und so kommen die Breigewordenen in ihren Häusern an, setzen sich, der Fernseher wird angemacht, da wird die Geschichte des Landes neu geschrieben, die Breigewordenen setzen sich auf die Stühle, löffeln die Scheiße aus dem Fernseher. Krähen, Erbarmen, meine Antwort auf eure Frage der Gedächtnisauslöschung: Die Auslöschung findet da statt, mit Untertanen, mit Fahnen, mit Waffen, mit täglichen Särgen der vom Nationalismus und Patriarchalismus Getöteten, Hass und Neid. Nein, mir konnte keiner mein Gedächtnis auslöschen. Ich habe nur gedacht: Mensch, ich habe mich vor türkischen Faschisten nach Europa gerettet, aber, wie man sagt, indem man mit einem Schiff immer nach Westen fährt, kommt man im Osten an. In dieser Geschichte, 2006, bin ich im Osten gelandet, wieder in dem Land, aus dem ich mich retten wollte. Flopp, sie waren da, die identitätslosen Karikaturen, Lügner, Schamlosen, Intriganten, Diebe.« Ich sprach ein Kindergedicht:

Az gittim uz gittim
Dere tepe düz gittim
Bir de arkama baktım ki
Bir arpa boyu yol gittim

Ich bin gelaufen, gelaufen
über die Flüsse, über die Hügel
Als ich mich nach hinten drehte
sah ich, dass ich einen Weg, so groß
wie ein Gerstenkorn gegangen bin.

»Alle Arbeiten mit Besson, mit Langhoff, mit Schleef, all diese wunderbaren Erfahrungen – und dann … Damals bekam ich plötzlich Angst vor der deutschen Sprache, vor den deutschen Wörtern, vor den deutschen Gassen, vor den Berliner Straßen. Ich wollte nicht mehr auf Deutsch schreiben. Bevor ich unter dem türkischen Faschismus 1975 die Türkei verließ, hatte ich gesagt: Meine türkischen Wörter sind krank, ich sollte sie in ein Sprachsanatorium bringen, zu einem deutschen Dichter, zu Bertolt Brecht, der vor uns den Faschismus körperlich erlebt hat und so richtige Sätze geschrieben hat:

Das Große bleibt groß nicht und klein nicht das Kleine
Die Nacht hat zwölf Stunden, dann kommt schon der Tag

So rettete ich damals mich und meine krank gewordenen Wörter zu Brecht. Ich arbeitete mit seinen Schülern Benno Besson, Matthias Langhoff. Das wunderbare deutsche Theater heilte auch meine krank gewordenen türkischen Wörter und versprach mir eine Utopie. Und jetzt, nach dreißig

Jahren, waren meine deutschen Wörter krank. Wohin, wohin mit diesen krank gewordenen deutschen Wörtern? Ich sprach mit Karl auf Türkisch, ich sprach auf Französisch mit mir. Das half etwas, aber die deutschen Wörter wurden nicht gesund. Ich lief tagelang in den Berliner Straßen an den Boom- und Nicht-Boom-Häusern vorbei und zählte wie früher: Hier, das Haus war bombardiert, später neu gebaut, also Boom-Haus, boom, boom, boom, das hier ist vielleicht nicht-boom, ich erinnerte mich an die Sätze von dem deutschen Mann, der im KZ gewesen war: ›Manche von den Nachkriegskindern haben reflektiert und aus der erlebten Geschichte gelernt. Aber manche haben aus der erlebten Geschichte nichts gelernt, haben ihre faschistischen Väter kennengelernt und nichts anderes. Der Holocaust ist nicht in unserem Bewusstsein‹, hatte er gesagt. Ich bekam Angst in Berlin. Am Schiffbauerdamm, vor einer Kneipe, nahm ich öfter die Parallelstraße, um nicht da vorbeizugehen.«

Die jüngste Krähe sagte: »Dachten Sie an Ihre Dichterfreunde in Istanbul, bereuten Sie vielleicht zum ersten Mal, hier in Deutschland zu sein? Sie wussten, die hätten die Scheiße nicht gegessen, eine haffnerische Nase hatten die auch und die Wahrheit laut gesagt.«

»Nein«, sagte ich, »alle meine Dichterfreunde in Istanbul sind tot, aber auch hier gab es Menschen wie meine Freunde, deutsche Schriftsteller, Journalisten, die mir halfen, auch Orhan Pamuk half mir, und John Berger half mir. Es waren genug Menschen da. Ich erinnerte mich, was Ali Kaptan mir auf der Insel gegenüber Lesbos vor vielen Jahren gesagt hatte: Er hatte gesagt: ›Geh nicht in die Fremde, ich weiß von den fremden Möwen, was Fremdsein heißt. Wenn das Meer bebt, fallen als Erstes die Eier von diesen fremden Möwen von den Felsen ins Wasser und gehen kaputt.‹ An seine Sätze habe ich mich erinnert und an einen Traum, den ich vor vielen Jahren gesehen hatte. In diesem Traum war ich in Köln. Die Straßen waren ganz leer. Der Dom und die Häuser lagen auf einem Haufen da, braunrot gestrichen, alle nervös, wie von van Goghs Pinsel aus gesehen. Es war keine Stadt mehr, eine Selbstmordstadtmalerei war das, ich lief ganz allein, drehte mich um: Dom und Häuser schauten auf mich, ihre Fenster waren beleuchtet. Keine Menschen waren da. Ich fand mich auf einem Grundstück. Ohhh, atmete ich, der Dom kann mir nicht folgen. In dieser Sekunde trat ich mit meinem Fuß in etwas Weiches, Sumpf. Ich warf meine Jacke über einen Busch und versuchte, mich daran herauszuziehen. Ich sank immer tiefer. Dann saß ich plötzlich in einem Zug: Hamburg-Altona Intercity … ›wie in einem Flugzeug, am Ende des Korridors steht ein Spiegel, das Signal für den sofortigen Aufbruch‹, diese Worte las ich in einem Buch, das von einer Frau, die vor mir saß, gelesen wurde. Ich sagte ihr: ›Sie werden meine Haare und meinen Schmuck dem Münchner Kunstmuseum schenken.‹ Dann sagte ich: ›Ich muss lesen, die ganze Vergangenheit wartet auf mich.‹ Da war eine Toastmaschine, und es kamen Bücher brennend heraus. Das war dieser Traum.«

Die jüngste Krähe sagte: »Jetzt unsere zweite Frage: Was meinte ihr fünfundzwanzig Jahre älteres Gesicht, als es Ihnen in einer regnerischen Nacht prophezeit hatte: ›Du wirst geschlachtet …‹? Wurden Sie so geschlachtet wie hier auf dem Magritte-Bild?« Sie hielt das Bild hoch. Während die Krähen sich um das Bild sammelten, schaute ich aus dem Fenster zu dem Flüchtlingszeltplatz. Eine junge schwarze Frau war im Park auf einen Baum geklettert. Von da aus sprach sie laut zu einem Journalisten und einem Fotografen, die sie von unten fotografierten. Ich suchte den jungen

Schwarzen mit den zu großen gelben Schuhen in der Menge, sah ihn nicht, drehte mich zu den Krähen. Während ich ein Glas Wasser trank, kamen die Krähen wieder ganz in meine Nähe, schauten in meine Augen.

»Also, ich war in Thüringen auf einer Lesereise. Ich fuhr in einem zweistöckigen Regionalzug, der zwischen den kleinen Dörfern fuhr und die Menschen nach Hause brachte. Ein schöner deutscher Junge schaute ständig auf mich, sagte irgendwann zu seinem Freund, seine Augen noch auf mir: ›Ich mag die Türken auch nicht, aber ich bin dagegen, dass man sie tötet, das mag ich nicht.‹ Ich kam zu der Uni, wo ich eine Lesung hatte. Nach der Lesung kam ein Mann von der Stadtverwaltung Nordhausen, fuhr mich zu einem Ort zu einer Besichtigung, der Ort war das ehemalige Konzentrationslager Mittelbau-Dora. 1943, fast am Ende des Nazikriegs, wurden Gefangene aus den anderen Konzentrationslagern dorthin deportiert, sie mussten unter der Erde in einer Rüstungsfabrik arbeiten, damit die Alliierten diesen Ort und seine Absichten nicht entdeckten. Die Menschen mussten unter der Erde arbeiten und auch unter der Erde schlafen. Mein Begleiter sagte: ›Von 60 000 Deportierten starben 20 000, Sowjets, Polen, Franzosen, Deutsche.‹ Der Mann von der Stadt brachte mich bis zum Eingang dieses unterirdischen Orts. Ein sehr dünner Junge, der Touristenführer war, in einer Hose aus dünnem Stoff, wartete am Eingang mit vier anderen Menschen. Mein Begleiter blieb draußen. Wir liefen durch einen Korridor in den unterirdischen Ort rein. Er zeigte uns, wo die Häftlinge geschlafen hatten. In der dunklen Grotte hingen Lampen und beleuchteten schwach diesen Ort. Ich schaute andauernd in die Richtung, wo die Gefangenen damals schlafen mussten, und fing an, Bilder zu sehen, Menschenbeine, Arme, die die Betten hochklettern. Es gibt keine Luft in der Grotte, im Dunkeln lebendig begraben, begraben im Leben. Dieses Leben hat keine Luft, dieses Leben hat kein Leben. Ich identifizierte mich so stark mit diesen Menschen, sah genau in diesem Moment, wo mein Schmerz sehr stark wurde, hinten an der Zementwand einen Schatten, nicht meinen, auch nicht den von anderen, dachte: Die sind hier, die Toten, sie kommunizieren mit mir. In diesem Moment gingen zwei Lampen kaputt, patt, patt. Der Konzentrationslagertouristenführer sagte: ›Das ist noch nie passiert, dass die Lampen kaputtgegangen sind, ich erlebe es zum ersten Mal.‹ Wir standen da, schauten in Richtung Ende der Grotte, die wie aus der Dunkelheit geboren aussah. Ein Telefon klingelte. Ich musste gehen, weil der Mann von der Stadt draußen auf mich wartete, um mich zu einer anderen Lesung zu bringen. Ich hatte Angst, allein zurückzukehren, aber ich musste allein den langen Korridor entlanglaufen, ich fing an zu rennen, die Kälte, die Kälte, die Kälte. Der junge Führer stand hinten in der Grotte, hielt seine Taschenlampe hoch, leuchtete mir, bewegte dabei die Lampe so, dass das Licht, das er mir gab, sich auch an den Wänden bewegte, durch den ganzen langen Korridor. Das Licht brachte mich raus. Der Mann von der Stadt sagte: ›Wir müssen …‹

Am Ende der Lesung kam eine Frau zu mir, ließ ein Buch signieren, schaute in meine Augen, sagte: ›Mein Mann … bitte helfen Sie mir.‹ Ich ging mit ihr in ein Café, sie erzählte von ihrem Mann, der Multiple Sklerose hatte, weinte und weinte, ihre Kontaktlinsen schwammen in ihren Augen.

In der Nacht in dem Hotel dachte ich dauernd an den unterirdischen Ort, wo der Schatten eines Menschen, der nicht da war, an der Wand erschienen war, wie die Lampen kaputtgegangen waren.«

Dann schwieg ich, drehte meinen Kopf zum Fenster, schaute wieder zu den Flüchtlingszelten. Das Feuer flammte allein in der Tonne, kein Mensch stand um das Feuer. Ich suchte den jungen Schwarzen mit den zu großen gelben Schuhen, sah ihn nicht, drehte mich zu den Krähen. »Und, was ist mit der Prophezeiung Ihres fünfundzwanzig Jahre älteren Gesichts?«, fragte eine der Krähen. »Ach, das war im Traum«, sagte ich. »In der Nacht, im Hotel, als ich vom KZ Mittelbau-Dora zurück war, sah ich diesen Traum: Ich bin in einem großen Haus im Erdgeschoss. Hinten in einem großen Zimmer gibt es eine Party, viele junge Menschen, eine schwangere Frau, Leute stehen, manche tanzen, reden, alles laut, beweglich. Ich soll diese Nacht in diesem Haus übernachten, laufe in dem großen Saal ziellos hin und her, oben in der ersten Etage singt ein Mann, spielt ein Instrument, seine Stimme dringt bis hierher. Ich erfahre, dass es in diesem Haus einen Mann gibt, der die Menschen frisst. Ich sage mir: Übernachte nicht hier, geh lieber sofort raus, geh raus, geh. Ich laufe zur Haustür, mache sie auf, draußen ist die Straße, Menschen laufen, jemand auf dem Fahrrad, sie sind sehr nah, ich brauche nur einen Schritt zu machen, dann bin ich auf der Straße. Genau in diesem Moment zwingen mich zwei Männer von hinten in einen Raum, dann bin ich in diesem Raum, da steht im Profil ein Mann mit einem großen Messer in der Hand, sein Kittel ist blutig, er wird mir meinen Hals abschneiden, und dann wird er mich essen. Ohnmacht, Hoffnungslosigkeit, mein letzter Gedanke: Es gibt keine Hoffnung, nur der Musiker oben kann vielleicht helfen. Aber wie?«

»Haben Sie öfter geträumt, dass man Ihren Kopf abschneidet?«, fragte die jüngste Krähe.

»Ja, später, als ISIS den Menschen die Köpfe abschnitt, wollte ich in einem Traum unbedingt fühlen, wie es ist, wenn man mir den Kopf abschneidet, und will ihn abschneiden lassen, um das zu wissen. In einem anderen Traum wird mir jemand meinen Kopf abschneiden, ich warte darauf, dass er kommt, er steht hinter mir, aber bevor er meinen Kopf abschneidet, sprüht er ein Betäubungsspray, fiss, fiss, ich will es nicht, das stört mich, ich gehe weg.«

»Jetzt die letzte Frage: Was haben Sie Ihrem Lieblingsdichter Wolfgang Hilbig versprochen?«, fragte die jüngste Krähe, »ich frage mich, ob es nicht Ihr Versprechen war an seinem Grab, dass Sie nicht zu Brei werden und den hochmütigen, schamlosen Lügnern und Dieben hier und in der Türkei hinterherfließen?«

»Ach, mein kleiner Freund, peut-être – vielleicht, je ne sais pas – weiß ich nicht. Wolfgang Hilbig liebte ich sehr. Wir waren gemeinsam in Paris zur Buchmesse eingeladen, Deutschland war Ehrengast, wir machten Lesungen. Als wir ins Hotel zurückkamen, rief Hilbig im Foyer: ›Komm, setz dich zu mir.‹ Ich ging zu ihm. Die Stühle, auf denen wir saßen, waren sehr niedrig, wie gebückte Kinder saßen wir da. Er erzählte mir Momente aus seinem Leben, von seiner Geliebten, wie die beiden mal im neuen Jahr mit dem Rauchen aufhören wollten, alle Zigaretten weggeschmissen hatten, »gegen Mitternacht wurde es unerträglich«, sie zankten sich, die Geliebte ging hoch zu sich, um in Ruhe zu rauchen, er ging in der Nacht zum Bahnhof, Zigaretten kaufen. Als ich spätnachts ging, schaute Hilbig hinter mir her wie ein schluchzendes Kind, seine Gesichtszüge zusammengedrückt wie in einem welligen Jahrmarktsspiegel, ich wusste nicht, dass er sehr krank war. Lunge. Als er starb, dachte ich an ihn und an Besson. Ich ging zu beiden Begräbnissen, Hilbig unter der Erde auf dem Dorotheenstädtischen Friedhof, wo Brecht und Heartfield auch liegen, Besson wurde eingeäschert. Bessons jüngstes Kind schaute in meine Augen, unsere Tränen liefen gleichzeitig über unsere Wangen hinunter. In der Nacht fand ich zu Hause in der Badewanne eine Spinne. Ich wollte sie retten, hinaustragen, aber dabei ging ein Bein der Spinne kaputt. Ich brachte die Spinne raus, kam zurück, sah das kaputte Bein, heulte, das Bein in der Hand, trug es in der Wohnung von einem Raum in den nächsten, ging ans Telefon, wählte eine sehr alte Nummer von Besson von vor dreißig Jahren, wo er schon lange nicht mehr wohnte, es war eine Sehnsuchtstelefonnummer.

Wo wohnen Sie Madame?

In dem kaputten Bein einer Spinne.

Indem du deine Freunde verlierst, fängst du an, in den Toten zu wohnen. Die Toten werden dein Land.

Wo wohnen Sie, Madame?

Ich wohne in Wolfgang Hilbig.

In den Jahren ging ich manchmal zum Dorotheenstädtischen Friedhof, besuchte Bertolt Brecht, dann Wolfgang Hilbig, erzählte ihnen von den Menschen, die auf dem Meer zwischen den Ländern starben:

›Wolfgang, in meinem Land kann die eine Hälfte mit der anderen Hälfte nicht sprechen.‹

›Wolfgang, in meinem Land können die Sterne mit den Sternen sprechen, die Steine mit Steinen, aber nicht die Menschen mit Menschen.‹

›Wolfgang, gestern stand in Istanbul auf der hohen Bosporusbrücke ein Mann, der Selbstmord machen wollte. Die Polizei kam, Autos standen im Stau. Der Mann stand weiter am Geländer. Zwei Frauen riefen aus dem Auto im

Rhythmus: ATLA ATLA ATLA ATLA ATLA – SPRING SPRING SPRING SPRING SPRING. Er sprang.

Da fragte ich mich:

Was für eine Kälte
Muß über die Leute gekommen sein!
Wer schlägt da so auf sie ein, daß sie jetzt
So durch und durch erkaltet?

Das Land sieht manchmal wie vor einer Schlachtung aus: Tiere warten auf den Straßen, um geschlachtet zu werden. Die Macht lehnt die europäische Demokratie ab, um ihre Autorität bis zur Ewigkeit durchzusetzen. Sie begrenzt die Menschen mit einer Ideologie, alle müssen zugehörig und national werden, wer nicht mitmacht, weiter die europäischen Demokratienormen verteidigt, darf lebend sterben. Weißt du, Wolfgang, ich hatte eine Freundin, Tezer Özlü, Schriftstellerin, sie sagte mir vor fünfzig Jahren: »In diesem Land leben nicht wir, in diesem Land leben die, die uns töten wollen.« Würde sie jetzt leben, hätte sie gesagt: »In diesem Land leben nicht wir, in diesem Land leben die, die uns töten.« Wolfgang, die Türkei hat sich mit seiner Geschichte nie auseinandergesetzt, die nicht verarbeitete Schuld produziert neue Verbrechen. Die unverarbeitete Geschichte von vor hundert Jahren kehrt nur als Terror und Tod zurück.‹

›Wolfgang, Deutschland liefert Waffen in die Türkei.‹

›Wolfgang, neulich kamen aus Istanbul zwei Mädchen nach Berlin, um mich zu besuchen. Sie liebten meine Bücher, wir sprachen über unser Land. Ich sagte ihnen: Meine Sorge ist, dass diese Menschen eines Tages die fanatischen dschihadistischen Gruppen zu ihrer Armee machen könnten.‹

›Wolfgang, vorige Woche rief mir ein Lastwagenfahrer aus dem Fenster zu: Hallo, Michael Jackson.‹

›Wolfgang, heute komme ich mit einem toten kleinen Kind zu dir. Ein kleines Flüchtlingskind ist an der Küste gelandet, aber als Toter.‹

›Wolfgang, diese Menschen haben im Leben keinen Platz.‹

›Wolfgang, diese Menschen haben nur im Tod Platz, nur der Tod gibt ihnen einen Platz, diese Menschen sind nur eine vergilbte Fotografie, nur ihre Fotografien werden alt, nicht sie.‹

›Wolfgang, Brecht hat gesagt: Ich lebe in finsteren Zeiten.‹

›Wolfgang, wir leben in finsteren Zeiten, aber nicht Bush und Blair.‹

›Wolfgang, Peter Zadek hat gesagt: Wir sind in den Händen von Mördern und Dieben.‹

›Wolfgang, ich denke so oft an einen toten jungen Mann, erinnerst du dich an ihn, damals lebtest du noch, es war eine der ersten internationalen Großdemonstrationen gegen die Globalisierung, in Genua. Ich glaube, er war Spanier oder Italiener, er ist tot, und die populistischen Führer haben die Welt unter sich aufgeteilt, als ob sie ihr Grundbesitz wäre und sie alle Großgrundbesitzer. Sie spielen wie Charlie Chaplin als Hitler im *Großen Diktator* mit der Weltkugel und stoßen sie mit ihren Ärschen immer wieder in die Luft hoch, als ob sie ein runder Ballon wäre, der am Ende kaputtgehen wird. Täglich redet man davon, dass der Jüngste Tag kommen wird, die Katastrophe kommen wird. Man redet dauernd von der Zukunft als dem Jüngsten Tag, aber man muss von heute reden.‹

›Wolfgang, heute komme ich zu dir mit vielen jungen Toten. Einer heißt MEHMET AYVALITAŞ. Bei den Gezi-Protesten in der Türkei lief Mehmet mit anderen Jugendlichen auf eine Straße, ein Auto fuhr auf sie los, tötete Mehmet, er war zwanzig Jahre alt. Auf seinem Foto sehnt sich sein Mund nach Erotik, nach Liebe, aus seinen Augen schaut Mädchensehnsucht, ach, Wolfgang, Mehmets Mutter starb kurz danach, das Herz, in dem ihr Sohn wohnte, ging kaputt, ihr Name war Fadime.‹

›Wolfgang, heute komme ich wieder zu dir mit Toten. Sie sind alle Mädchen. Gesehen haben sie mit ihren jungen Augen die Hölle und das Feuer auf dieser Erde, die Schürze noch über ihren Kleidern. Aus ihren Augen schauen alle namenlosen Toten, die auf den Totenmarsch Geschickten. Vom vielen Erzählen habe ich ihre Namen auswendig gelernt: SEMA NUR AYDOĞDU, ZELİHA AVCI, SEVİM KÖYLÜ, GAMZE BAĞIR, SÜMEYYE YETİM, İLKNUR MADEN, NURGÜL PERTLEK, TUĞBA AYDOĞDU, BAHTINUR BAŞ, CENNET KARATAŞ, SARE BETÜL GENÇ. Diese Mädchen waren aus sehr armen Familien. Man sagt, anstatt sie in ihrer Nähe in eine Schule zu geben, mussten diese armen Mädchen von ihren Müttern, Vätern, Großmüttern weg, man brachte sie in ein fanatisch religiöses Schülerheim. Dieses Heim, in das sie gebracht worden waren, brannte in einer Nacht, die Tür zum Ausgang war von außen abgeschlossen, die Kinder umarmten sich, brannten, wurden zu Asche, zu war die Tür, zu. Warum wurde die Tür immer von außen abgeschlossen? Sie werden Nutten, wenn sie rausgehen und spazieren, so dachten diese Männer, Wächter der Tür, die sagten, das sei ihr Schicksal.

Am Hafen eine Frau
ganz alte Frau
an ihrer Brust schon lange gestorbene Kinder.

Der vom Menschen geschaffene Gott ist der Geist des Bösen, sagte Luis Buñuel. Sie starben wie in dem Gedicht von dem Dichter Ece Ayhan:

Schaut hierher, hier
Unter diesem schwarzen Marmor
Liegt ein Kind, das hätte in Naturkunde
An der Tafel gestanden
Wenn es eine Schulpause länger gelebt hätte.
Es wurde im Staatsunterricht getötet.‹[80]

›Wolfgang, ich habe in der Türkei über den Dichter Ece Ayhan, der unser Rimbaud ist, ein Buch veröffentlicht. Er war ein großer Freund von mir. Und das ist mein erstes Buch, das ich auf Türkisch geschrieben habe. Ich habe dir ja erzählt, dass meine deutschen Wörter krank geworden sind. Wenn die Wörter einer Sprache krank werden, kann man sie mit Wörtern einer anderen Sprache heilen. Damals hatte ich meine kranken türkischen Wörter mit nach Deutschland genommen zu Brechts Sprache und Kleists Sprache.‹

›Wolfgang, ich geb dir mein Wort, ich werde meine krank gewordenen deutschen Wörter wieder heilen.‹

Hier habe ich den Dichter Ece Ayhan gemalt.«

Die jüngste Krähe sagte: »Danke, jetzt gehen wir. Sie wollten uns noch das Blatt aus Ihrer Remington-Maschine geben. Für unterwegs.«

Ich zog das Blatt aus der Maschine, gab es ihr, machte das Fenster auf, sie flogen eine nach der anderen raus, ich schaute hinter ihnen her, anstatt nach Süden zu fliegen, flogen sie in den Park, machten eine Pause zwischen den Flüchtlingszelten, lasen gemeinsam den Text, ich wusste, was sie lasen:

»Jeder Intellektuelle in der Emigration, ohne alle Ausnahme, ist beschädigt und tut gut daran, es selber zu erkennen, wenn er nicht hinter den dicht geschlossenen Türen seiner Selbstachtung grausam darüber belehrt werden will. Er lebt in einer Umwelt, die ihm unverständlich bleiben muss, auch wenn er sich in den Gewerkschaftsorganisationen oder

dem Autoverkehr noch gut auskennt; immerzu ist er in der Irre. Zwischen der Reproduktion des eigenen Lebens unter dem Monopol der Massenkultur und der sachlich-verantwortlichen Arbeit herrscht ein unversöhnlicher Bruch. Enteignet ist seine Sprache und abgegraben die geschichtliche Dimension, aus der seine Erkenntnis die Kräfte zog.« [81]

Ich blieb am Fenster stehen, bis die Krähen wegflogen, sah wieder den jungen Schwarzen mit den zu großen gelben Schuhen aus einem der Zelte herauskommen. Der Schnee, der vor ein paar Stunden die Füchtlingszelte und die Haare von den drei schwarzen Männern, mit denen ich eine Zigarette geraucht hatte, weiß gemacht hatte, war geschmolzen. Es lagen halb weiße, halb braune Pfützen auf dem ganzen Platz, jetzt fing es an zu regnen. Der junge Schwarze mit den zu großen gelben Schuhen stand an der Feuertonne unter den lauter und lauter werdenden Regengeräuschen. Ich ging, um mir einen Kaffee zu holen, in die Küche. Als ich, die Tasse in der Hand, wieder zurückkam, schlug der Regen draußen auf alles und machte die Häuser, den Berliner Fernsehturm in der Ferne, die Flüchtlingszelte und die Bäume in dem Park unsichtbar. Der junge Schwarze mit den zu großen gelben Schuhen stand noch an der Feuertonne. Zuerst war die Feuertonne unter dem starken Regen unsichtbar, dann der junge Schwarze mit den zu großen gelben Schuhen, erst zitterte sein Bild wie in einem alten Film, dann verschwand es. Der Regen war so laut, so stark, dass ich dachte: Er wird all diese Häuser, all diese Autos, all diese Flüchtlingszelte, all die Straßenschilder, die er unsichtbar gemacht und in einen alten, zitternden, flimmernden Film verwandelt hat, von ihren Plätzen reißen, so leicht wie Pflanzen einsammeln und vor sich her irgendwohin treiben, wo man nicht weiß, wohin. Bald konnte ich draußen kein Bild mehr sehen. Der Regen schlug gegen mein Fenster, ich drehte mich zum

Tisch, wo noch vorhin die Krähen gestanden hatten. Da war kein Tisch. Ich schrie, sagte: »Vorhin war noch ein Tisch da«, drehte mich zum Fenster, es war auch kein Fenster da. Ich war auch nicht da, wo ich vorher war, mir gegenüber war auch kein Haus oder Flüchtlingszelt. Ich hörte Geräusche hinter der Wand, als würde ein Lastwagen immer wieder versuchen, durch die Wände durchzukommen. Tiere rannten oben im Dachboden, auch nebenan klopften Tiere mit ihren Füßen an die Wand. Jemand weinte, wahrscheinlich die blinde Frau, die jeden Morgen gegen vier Uhr vor ihrer offenen Haustür steht und dem Wind zuhört. In diesem Moment sieht sie aus, als ob sie sehen kann. Jede Nacht brennt die Lampe in ihrem Zimmer. Sie sitzt auf ihrem Bett, manchmal schläft sie im Sitzen, mit offenen Augen, und sieht, wenn sie so schläft, wieder aus, als ob sie sehen kann. Wenn sie träumt, sieht sie wieder, weil sie erst mit zwölf blind geworden ist. Die Bilder, die sie zwölf Jahre gesehen hat, sind nicht mit ihr blind geworden. Sie haben sich jetzt nur von den zu schwarzer Leere gewordenen Gassen und Zimmern in die Träume der blinden Frau zurückgezogen. Jetzt kamen wieder die Geräusche, als ob ein Lastwagen hinter der Wand steht und sich immer wieder vorwärtsbewegt, um durch die Wand zu fahren. Nach jedem Geräusch rieselten Staub und verfaultes Reisig von der alten Zimmerdecke, wo die Deckenbalken mit der Zeit morsch geworden und auseinandergegangen waren.

Ich ging hinunter in die Küche.

Das Morgenlicht draußen, das mit einem Bein noch in der Nacht stand, hatte sich durch die Fenster über den Tisch und die Stühle schon hingesetzt und mit seinem traurigen Schatten die Küche aus dieser Welt getrennt, um diesen Ort wieder den Toten zu geben, die einmal hier gewohnt hatten.

Jetzt rieselten auch aus dem Kamin kleine Steine und Sand herunter und stießen mit dem Deckel des großen Blechtopfs zusammen und sprangen mit mechanischen Geräuschen in alle Richtungen in der Küche auseinander. Oben im Kamin gurrten ein paar Tauben und schlugen vielleicht mit den Flügeln gegen die engen Kaminmauern.

Das traurige Licht wuchs jetzt von den Stühlen über den Boden, über den aus dem Kamin herabgeregneten und in der Küche in alle Richtungen auseinandergegangenen Sand und über die kleinen Steine, um die Hände der Toten, die einmal diesen Kamin gemauert hatten, in dieser Halb-Nacht-halb-Tag-Stunde wiederzusehen, als jetzt die ganze Insel noch schlief und nur die blinde Frau wach vor ihrer offenen Tür stand und dem Wind zuhörte.

Ich lief Richtung Haustür, wo die Geräusche herkamen, als ob ein Lastwagen immer wieder versuchte, durch die Wand durchzukommen. Ich öffnete die Tür, die enge Gasse, durch die nicht einmal ein Auto fahren kann, stand leer, nur von der gegenüberliegenden niedrigen, kaputten Mauer fielen ein paar schwere Steine herunter. Ein Esel stand da mit einem langen Seil um seinen Hals, das an dem einzigen Baum in dem verwilderten Garten festgebunden war. Der Esel wollte sich von diesem Seil befreien, lief immer wieder vorwärts, so weit das Seil reichte, und haute mit seinem ganzen Körper und den Hufen gegen die niedrige Mauer. Hinter dem Esel stand die Ruine einer griechischen Kapelle und dahinter die griechisch-orthodoxe Kirche.

Als ich mit hochgerecktem Kopf zu der Orthodoxkirche hinschaute, drehte der Esel auch seinen Kopf nach hinten Richtung Kirche und blieb ruhig da so stehen. Hatte die Kirche dem Esel etwas erzählt, dass er so unruhig wurde, oder hatte die Kirche mit sich selbst gesprochen, und der Esel hatte sie gehört? Sprach die Orthodoxkirche schon immer mit sich selbst, oder sprach sie nur diese Nacht mit dem Esel, beide verlassen von ihren Menschen, beide festgebunden an einem Platz, von dem sie nicht weglaufen konnten. Alle Füße der Menschen, die diese Gassen runter zum Hafen laufen, dann wieder hoch zu ihren Häusern, waren schon vor Stunden verschwunden. Diese Füße lagen jetzt hinter den Haustüren als Schuhe und mussten auf den Morgen warten. Erst in einer Stunde werden die Schuhe von den Fischern, die aufs Meer fahren, wieder Richtung Tür gedreht, um sie anzuziehen, einige Fischerfrauen werden sich in ihren Nachthemden fremd fühlen, wenn sie von ihrem Bett aus auf ihren weggehenden Mann schauen. Fangen diese Männer an, durch die dunklen, steilen, engen Steinpflastergassen mit eiligen Schritten Richtung Hafen zu laufen, werden einige sogar, ohne ihren Lauf zu unterbrechen, beim Vorbeigehen an manches Fenster klopfen, »Memet, Memet, steh auf, es ist fünf Uhr – kayık kalkıyor –, das Boot fährt ab«. Das Wasser, mit dem sie ihre Gesichter schnell gewaschen haben, wird zuerst in ihren Gesichtsfurchen stehen bleiben und erst auf halbem Weg zum Hafen auf die Erde fallen.

Wenn diese Fischer in ihren kleinen Booten aufs Meer fahren, werden sie schweigen, weil es noch Nacht ist. Aber die Motoren ihrer Boote, die nicht für Boote gebaut wurden, sondern für Ackerbaubewässerungsanlagen, werden laut und lauter, bis der ganze Bootsboden zu zittern anfängt, und manchem Fischer wird durch das Zittern des Holzbodens die Nase jucken. Takatakatakatakatakatakatakatakatakataka. Diese Geräusche werden wie himmelgroße Messer die Nacht in Stücke zerreißen. Wenn die Nachtstücke anfangen, ins Meer zu fallen, werden Tausende von Krähen sich auf die Hausdächer oder Telegrafenmasten der Insel hinsetzen und im Chor krächzen, bis in der weit entfernten Moschee der Imam anfängt, das Morgengebet zu singen. An der Kuppel der Orthodoxkirche sind zwei Lautsprecher befestigt. Von der Kuppel der Kirche wird die Stimme des Imams durch die geschlossenen Fenster in die Häuser schleichen und in den Zimmern anfangen, herumzulaufen. Die Stimme wird die Handtücher, die im Dunkeln in sich ruhend hängen, anfassen, die Lichtschalter an- und ausdrehen, die Bettlaken unruhig machen und alle Hunde mit nur halb offenen Augen zum Bellen bringen. Dann wird nebenan der Hahn krähen, üüürürürü. Dann wird es wieder still sein, bis das von Schatten verfolgte Licht anfängt, zuerst die Bäume zu beleuchten. In dem Moment werden ein paar Pfirsiche aus dem Baum herunterfallen.

Aber es ist noch Zeit.

Jetzt sind der Esel, die Orthodoxkirche, die blinde Frau, die vor ihrer offenen Haustür steht, und ich allein.

Über uns die Nacht hat aus den dunkelsten Ecken ihrer Erinnerungen etwas herausgeholt und hat dieses Etwas zwischen der Orthodoxkirche, dem Esel, der blinden Frau und mir in der Luft leise verteilt.

EPILOG

Karl und ich saßen im Fischercafé von der Insel am Meer. Durch den Wind, der heute aus der Richtung der griechischen Insel Lesbos wehte, schlugen die Blauwellen ständig an den Kai, die Farbe des Meeres veränderte sich dort, das Blau wurde zu weißem Schaum. Dann zog es sich wieder zurück, dann noch mal eine Welle, noch mal, noch mal, das Blau schob das nächste Blau vor sich her. Es war Spätnachmittag, die Fischer saßen an mehreren Tischen des Cafés, tranken Tee, Kaffee, rauchten, spielten in Gruppen Karten oder Dominospiele oder Backgammon. Alle waren laut. Die jungen Männer trugen ständig Tee zu den Tischen, in der Küche des Cafés wusch ein alter Mann die Gläser, drehte sie um auf ein Handtuch, ständig hörten wir das Klirren der Teegläser, sahen das Flattern der Schiffsflaggen, die an dünnen Stangen an den Kajüten der Fischerboote befestigt waren. Bıcır Mustafa kam mit einem nassen T-Shirt in der Hand, das nasse T-Shirt hängte er über eine Stuhllehne, er setzte sich zu uns, sagte: »Ich habe das Gesicht des Toten damit zugedeckt.« Dann erzählte Bıcır Mustafa:

»Ich suchte vor der Insel Melina zwischen den Felsen nach Oktopussen, da hörte ich mein Telefon klingeln, Adnan rief mich an, sagte: ›Komm, wir sind auf der Nackten Insel.‹ Ich fuhr hin. Adnan und sein Bruder Hüseyin hatten vor der Nackten Insel ihre Netze ausgelegt. Adnan sagte zu mir aufgeregt: ›Sorma, sorma – frag nicht, frag nicht.‹ Dann erzählte Adnan: ›Wir hatten unsere Netze heute früh ausgeworfen, wollten sie dann rausholen, Hüseyin war am Steuer. Ich sah ungefähr fünfzig Meter vor uns viele Flaschenkürbisse, sagte zu Hüseyin, wer hat hier seine Netze ausgelegt, da sind viele, viele Flaschenkürbisse. Dann sahen wir eine Hand aus dem Wasser auftauchen, dann sahen wir Menschenköpfe, sechs, sieben Stück, vielleicht vierhundert Meter vom Leuchtturm entfernt. Ich sagte: »Hüseyin, das sind Menschen.« Wir fuhren vorsichtig hin, einer war schon ertrunken. Wir sagten: »Lassen wir ihn erst mal im Meer, später holen wir ihn, zuerst die Lebenden.« Zwei Männer hatten sich ineinander verkrallt, waren im Todeskampf, die haben wir als Erstes ins Boot reingezogen. Hüseyin machte Wiederbelebungsversuche, sie kamen zu sich, dann haben wir die anderen drei reingezogen. Zuletzt den Toten. Dann haben wir die Küstenwache angerufen, sie sind gekommen, haben die Lebenden auf ihr Schiff genommen, das waren alles schwarze Männer, sie zitterten, wir hatten zwei Parkas im Boot, die haben wir ihnen angezogen. Die Küstenwache nahm den Toten nicht mit, der Offizier sagte uns: »Könntet ihr den Toten nicht zur Insel bringen, bei der Küstenwache abgeben? Wenn wir den Toten mitnehmen, bekommen die anderen Flüchtlinge Angst.« Sie ließen den Toten bei uns, die Küstenwache fuhr ab. Mustafa‹, sagte Adnan, ›wir haben zu tun, wir können den Toten nicht zu unserer Insel bringen, wir müssen unsere Netze rausziehen.‹

Dann haben Adnan und Hüseyin den toten Mann in mein Boot gelegt und sind zu ihren Netzen zurückgefahren. Also fuhr ich allein mit dem Toten zurück zur Insel. Der Wind wurde kräftiger, es gab hohe Wellen. Damit der Tote nicht ins Meer fällt, habe ich den Toten an seinem Knöchel mit einem Seil an den Mast angebunden – wenn er dann ins Meer fallen sollte, könnte ich ihn wieder ins Boot ziehen. Der Tote lag da, das Boot warf ihn hin und her, ich schaute ständig auf ihn. Der Mann war pechschwarz, weiße Zähne, der Mund stand offen, seine Augen schauten auf mich, ich musste eine Stunde mit ihm fahren, ich bekam Angst, wie er auf mich schaute, ich hatte dieses alte T-Shirt im Boot, hab es ins Meer getaucht, nass gemacht, damit habe ich sein Gesicht zugedeckt. Ich musste dabei das Steuer festhalten. Dann habe ich gesehen, dass das T-Shirt trocknete und wieder hochflog. Der Tote schaute weiter auf mich. Eine Hand am Steuer, habe ich mit dem Schiffshaken das T-Shirt zu mir geholt, habe es wieder nass gemacht, jetzt musste ich das Steuer kurz loslassen, um das T-Shirt wieder über sein Gesicht zu legen. In dem Moment kam eine Welle von der Seite, ich wäre beinahe ins Meer gefallen. Ich kann nicht schwimmen. Also, ich brachte ihn zur Küstenwache 80, sie sagten mir: ›Nein, den musst du zur Küstenwache 54 bringen.‹ Ich fuhr eine halbe Stunde zur dieser Kommandantur 54, sie sagten: ›Nein, den musst du bei der 80 abgeben, das ist deren Gebiet.‹ Ich fuhr nochmal zur 80, die sagten: ›Nein, den musst du bei der 54 abgeben.‹ Ich band mein Boot fest, sagte: ›Ihr müsst den Toten nehmen.‹«

QUELLEN

1 Heiner Müller, »Gespräch mit Sylvère Lotringer«, in: ders., *Rotwelsch*, Berlin 1982, S. 82, 84.
2 Turgut Uyar, »Çok Üşümek« (Übersetzung Emine Sevgi Özdamar).
3 Ece Ayhan, »Üç Gencin Kalbi« (Übersetzung Emine Sevgi Özdamar).
4 Léo Ferré, »La Solitude« (Übersetzung Emine Sevgi Özdamar).
5 Turgut Uyar, »Güz Avlanıp Gidiyor« (Übersetzung Emine Sevgi Özdamar).
6 Turgut Uyar, »Ey yaşlı güneş kuşu« (Übersetzung Emine Sevgi Özdamar).
7 Bertolt Brecht, »Vom armen B. B.«, in: ders., *Werke. Große kommentierte Berliner und Frankfurter Ausgabe*. Bd. 11: *Gedichte 1. Sammlungen 1818-1938*, Berlin, Weimar, Frankfurt/M. 1988, S. 119.
8 Bertolt Brecht, *Der kaukasische Kreidekreis* (1949), in: ders., *Werke. Große kommentierte Berliner und Frankfurter Ausgabe*. Bd. 8: *Stücke 8*, Berlin, Weimar, Frankfurt/M. 1992, S. 15.
9 Léo Ferré, »C'est la vie« (Übersetzung Emine Sevgi Özdamar).
10 Turgut Uyar, »Biraz Daha« (Übersetzung Emine Sevgi Özdamar).
11 Bertolt Brecht, *Baal* (1919), in: ders., *Werke. Große kommentierte Berliner und Frankfurter Ausgabe*. Bd. 1: *Stücke 1*, Berlin, Weimar, Frankfurt/M. 1989, S. 19.
12 Bertolt Brecht, *Der kaukasische Kreidekreis*, S. 40.
13 Heinrich Heine, »Es treibt dich fort«, in: ders., *Sämtliche Gedichte in zeitlicher Folge*, Frankfurt/M., Leipzig 1997, S. 359.
14 Heinrich Heine, »Auf den Wolken«, in: ders., *Sämtliche Gedichte in zeitlicher Folge*, Frankfurt/M., Leipzig 1997, S. 251f.
15 Jean-Luc Godard, *Einführung in eine wahre Geschichte des Kinos*, München 1981, S. 92.
16 Vgl. André Breton, »Erstes Manifest des Surrealismus (1924)«, in: ders., *Die Manifeste des Surrealismus*, Reinbek bei Hamburg 1968, S. 11-29.

17 Bertolt Brecht, »Von der Freundlichkeit der Welt«, in: ders., *Werke. Große kommentierte Berliner und Frankfurter Ausgabe.* Bd. 11: *Gedichte 1. Sammlungen 1818-1938*, Berlin, Weimar, Frankfurt/M. 1988, S. 68.

18 Arthur Rimbaud, »Eine Zeit in der Hölle«, in: ders., *Eine Zeit in der Hölle. Licht-Spuren*, München 1979, S. 49.

19 Turgut Uyar, »Acının Tarihi« (Übersetzung Emine Sevgi Özdamar).

20 Salâh Birsel, »Bir şair ne zaman ölür« (Übersetzung Emine Sevgi Özdamar).

21 Yasujirō Ozu, »[Sous le ciel]«, in: Max Tessier, *Images du cinéma japonais. Introduction de Nagisa Oshima*, Bourges 1981, S. 179.

22 Turgut Uyar, »Biraz Daha« (Übersetzung Emine Sevgi Özdamar).

23 Bertolt Brecht, »Vom ertrunkenen Mädchen«, in: ders., *Werke. Große kommentierte Berliner und Frankfurter Ausgabe.* Bd. 11: *Gedichte 1. Sammlungen 1818-1938*, Berlin, Weimar, Frankfurt/M. 1988, S. 109.

24 Dieser Satz stammt von Turgut Uyar.

25 Arthur Rimbaud, »Eine Zeit in der Hölle«, S. 49.

26 Edith Piaf, »J'm'en fous pas mal« (Übersetzung Emine Sevgi Özdamar).

27 Edith Piaf, »Un dimanche à Londres« (Übersetzung Emine Sevgi Özdamar).

28 Nigar Osman, »Mâni oluyor halimi takrire hicâbım« (Übersetzung Emine Sevgi Özdamar).

29 Bertolt Brecht, *Schweyk*, in: ders., *Werke. Große kommentierte Berliner und Frankfurter Ausgabe.* Bd. 7: *Stücke 7*, Berlin, Weimar, Frankfurt/M. 1991, S. 257.

30 Johannes Lepsius, *Bericht über die Lage des armenischen Volkes in der Türkei.* Potsdam 1916, S. V, 135, 143, 147f., 255.

31 Jean-Luc Godard, *Einführung in eine wahre Geschichte des Kinos*, S. 147.

32 Arthur Rimbaud, »Phrases«, in: ders., *Eine Zeit in der Hölle. Licht-Spuren*, München 1979.

33 Thomas Brasch, *Lieber Georg. Ein Eis-Kunst-Läufer-Drama aus dem Vorkrieg*, in: ders., *Lovely Rita. Rotter. Lieber Georg. Drei Stücke*, Frankfurt/M. 1989, S. 107.

34 *Arbeitsbuch Thomas Brasch*, Hg. Margarete Häßel, Richard Weber, Frankfurt/M. 1987, S. 240.

35 Bertolt Brecht, »Ballade von der Unzulänglichkeit menschlichen Planens«, in: ders., *Werke. Große kommentierte Berliner und Frankfurter Ausgabe.* Bd. 11: *Gedichte 1. Sammlungen 1818-1938*, Berlin, Weimar, Frankfurt/M. 1988, S. 146.
36 Thomas Brasch, *Lieber Georg*, S. 122.
37 Thomas Brasch, *Lieber Georg*, S. 123.
38 Thomas Brasch, *Lieber Georg*, S. 116.
39 Thomas Brasch, *Lieber Georg*, S. 122f.
40 Matthias Langhoff in: *Theater heute*, Heft 1 (Januar 1981).
41 Georg Büchner, *Woyzeck*, Frankfurt/M. 1985, S. 14.
42 Vgl. »Was bleibt? Es bleibt die Muttersprache. Günter Gaus im Gespräch mit Hannah Arendt« (28.10.1964), auf: https://www.rbb-online.de/zurperson/interview_archiv/arendt_hannah.html, letzter Zugriff am 26.05.2021.
43 Turgut Uyar, »Acının Tarihi« (Übersetzung Emine Sevgi Özdamar).
44 Helmut Ritter (Hg.), *Karagös. Türkische Schattenspiele.* Bd. 3: *Die Beschneidung oder Des Verwundeten Erfreuung*, Hannover 1953, S. 372f.
45 Bertolt Brecht, *Im Dickicht der Städte*, in: ders., *Werke. Große kommentierte Berliner und Frankfurter Ausgabe.* Bd. 1: *Stücke 1*, Berlin, Weimar, Frankfurt/M. 1989, S. 463.
46 Wilhelm Müller, »Gute Nacht«, in: ders., *Die Winterreise*, Berlin 2015, S. 7-8.
47 Bertolt Brecht, »An die Nachgeborenen«, in: ders., *Werke. Große kommentierte Berliner und Frankfurter Ausgabe.* Bd. 12: *Gedichte 2. Sammlungen 1938-1956*, Berlin, Weimar, Frankfurt/M. 1988, S. 85.
48 Antonin Artaud, *Van Gogh, der Selbstmörder durch die Gesellschaft*, Berlin 2009, S. 7
49 Vgl. Pier Paolo Pasolini, »Da ›Il caos‹ sul ›Tempo‹«, in: ders., *Saggi sulla politica e sulla società*, Mailand 1999, S. 1122-1123.
50 Jean-Luc Godard, »Lettre à mes amis pour apprendre à faire du cinéma ensemble«, in: *L'avant-scène du cinéma*, 70 (Mai 1967), S. 46 (Übersetzung Emine Sevgi Özdamar).
51 Jean-Luc Godard, *Einführung in eine wahre Geschichte des Kinos*, S. 45.
52 Robert Musil, *Der Mann ohne Eigenschaften. Erstes und zweites Buch*, Reinbek bei Hamburg 2001, S. 10.

53 Jean-Luc Godard, *Einführung in eine wahre Geschichte des Kinos*, S. 35.

54 Sappho, »Hymne an Aphrodite«, in: *Classisches Liederbuch. Griechen und Römer in deutscher Nachbildung*, Berlin 1875, S. 37f.

55 Sappho, »Hymne an Aphrodite«, S. 39.

56 Konstantinos Kavafis, »ΜΕΡΕΣ ΤΟΥ 1903 / TAGE VON 1903«, in: ders., *Das Gesamtwerk*, Zürich 1997, S. 146f.

57 Arthur Rimbaud, »Lied vom allerhöchsten Turm«, in: ders., *Eine Zeit in der Hölle. Licht-Spuren*, München 1979, S. 47.

58 Arthur Rimbaud, »Barbarisch«, in: ders., *Eine Zeit in der Hölle. Licht-Spuren*, Müchen 1979, S. 133.

59 Bertolt Brecht, »Vom ertrunkenen Mädchen«, in: ders., *Werke. Große kommentierte Berliner und Frankfurter Ausgabe*. Bd. 11: *Gedichte 1. Sammlungen 1818-1938*, Berlin, Weimar, Frankfurt/M. 1988, S. 109.

60 Bertolt Brecht, »Brief an das Arbeitertheater ›Theatre Union‹ in New York, das Stück ›Die Mutter‹ betreffend«, in: ders., *Werke. Große kommentierte Berliner und Frankfurter Ausgabe*. Bd. 14: *Gedichte 4. Gedichte und Gedichtfragmente 1928-1939*, Berlin, Weimar, Frankfurt/M. 1993, S. 290.

61 Bertolt Brecht, »Zum Kongress der Völker für den Frieden«, in: ders., *Werke. Große kommentierte Berliner und Frankfurter Ausgabe*. Bd. 23: *Schriften 3. Schriften 1942-1956*, Berlin, Weimar, Frankfurt/M. 1993, S. 215.

62 Bertolt Brecht, *Im Dickicht der Städte*, S. 497.

63 Jean-Luc Godard, *Einführung in eine wahre Geschichte des Kinos*. S. 254.

64 Bertolt Brecht, »O du Falada, da du hangest …«, in: ders., *Werke. Große kommentierte Berliner und Frankfurter Ausgabe*. Bd. 11: *Gedichte 1. Gedichte und Gedichtfragmente 1928-1939*, Berlin, Weimar, Frankfurt/M. 1988, S. 144f.

65 Hector Berlioz, *Die Trojaner. Große Oper in fünf Akten* (Übersetzung Bernd Feuchtner), auf: http://www.staatstheater.karlsruhe.de/media/libretto/2011-12_Les_Troyens_Libretto_frz_dt.pdf, S. 7, letzter Zugriff am 04.06.2021.

66 Heinrich von Kleist, *Prinz Friedrich von Homburg. Ein Schauspiel*, Frankfurt/M. 2009, S. 73.

67 Ebd.

68 Heinrich von Kleist, *Prinz Friedrich von Homburg*, S. 84.

69 Heinrich Heine, »König David«, in: ders., *Sämtliche Gedichte in zeitlicher Folge*, Frankfurt/M., Leipzig 1997, S. 555.

70 Heinrich Heine, »Zu ›Schöpfungslieder‹ *(Der Schöpfer)*«, in: ders., *Sämtliche Gedichte in zeitlicher Folge*, Frankfurt/M., Leipzig 1997, S. 375.

71 Heinrich Heine, »Sie erlischt«, in: ders., *Sämtliche Gedichte in zeitlicher Folge*, Frankfurt/M., Leipzig 1997, S. 631.

72 William Shakespeare, *A midsummer night's dream*, in: ders., *The Complete Works of William Shakespeare*, Hertfordshire 1996, S. 283.

73 William Shakespeare, »Sonnet 66«, in: ders., *The Complete Works of William Shakespeare*, S. 1233.

74 William Shakespeare, *A midsummer night's dream*, S. 285.

75 Heinrich Heine, »Caputh IV«, in: ders., *Deutschland. Ein Wintermärchen.* Berlin 2013, S. 20f.

76 Can Yücel (Übersetzung Emine Sevgi Özdamar).

77 Heinrich Heine, »Caputh VI«, in: ders., *Deutschland. Ein Wintermärchen.* Berlin 2013, S. 28.

78 Ingo Arend, »Durch die Ethno-Brille«, in: *der Freitag. Die Wochenzeitung*, 16.06.2006.

79 Sebastian Haffner, *Geschichte eines Deutschen. Die Erinnerungen 1914-1933*, Stuttgart, München 2000, S. 102.

80 Ece Ayhan, »Meçhul Öğrenci Anıtı« (Übersetzung Emine Sevgi Özdamar).

81 Theodor W. Adorno, »Minima Moralia. Reflexionen aus dem beschädigten Leben«, in: ders., *Gesammelte Schriften.* Bd. 4, Frankfurt/M. 2003, S. 45.

BILDNACHWEIS

Abb. S. 123: © Man Ray 2015 Trust / VG Bild-Kunst, Bonn 2022, Foto: Telimage, Paris
Abb. S. 612: © Deutsches Theatermuseum München, Archiv Abisag Tüllmann
Alle anderen Abbildungen: © Emine Sevgi Özdamar

ZITATNACHWEIS

»Mon Dieu«
(Charles Dumont/Michel Vaucaire)
© Les Nouvelles Edi. Meridian
Mit freundlicher Genehmigung von Edition Marbot GmbH

»La Vie En Rose«
(Edith Piaf/Louiguy)
© Editions Paul Beuscher
Mit freundlicher Genehmigung von Edition Marbot GmbH

»Un Dimanche A Londres«
Lyrics by Edith Piaf
Music by Florence Veran
© SEMI/PATRICIA
Mit freundlicher Genehmigung von SOCIETE D'EDITIONS MUSICALES INTERNATIONALES et DES EDITIONS PATRICIA (SEMI/PATRICIA) – PARIS – FRANCE